JN060349

司法試験　予備試験

2025 年版

完全整理
択一六法

司法試験&予備試験対策シリーズ

Civil Law

民法

はしがき

★令和6年改正民法（家族法）について

　令和6年5月17日、家族法制の改正を内容とする改正民法（令和6年法律第33号）が可決・成立し、同24年に公布されました。この改正では、父母の離婚等に直面する子の利益を確保するため、子の養育に関する父母の責務を明確化するとともに、離婚後の「共同親権」を可能とするなど、親権・監護、養育費、親子交流、養子縁組、財産分与等に関する民法等の規定を見直すものとされています。

　もっとも、同改正の施行日は「公布の日から起算して2年を超えない範囲内において政令で定める日」とされており、仮に同改正の施行日が「令和8年4月1日」だとすると、出題範囲に含まれるのは令和9年からとなります（各年における司法試験・予備試験については、当該年の1月1日現在において施行されている法令に基づいて出題されます）。そのため、令和6年改正民法について、本書はこのはしがきにおいて簡潔にアナウンスするにとどめています。

★令和4年改正民法（親族法）に全面対応

　令和4年12月10日、親族法分野の改正を内容とする改正民法（令和4年法律第102号）が可決・成立し、同月16日に公布され、令和6年4月1日に施行されました。そのため、令和4年改正民法は、令和7年の司法試験及び予備試験の出題範囲に含まれることになります。

　主要な改正点としては、①再婚禁止期間の撤廃、②嫡出の推定に関する規定の改正、③嫡出否認の訴え・認知の無効の訴えに関する規定の改正、④懲戒権に関する規定の削除及び子の人格の尊重等に関する規定の新設が挙げられます。本書は、今般の法改正について全面的に対応しています。

★令和3年改正民法（物権法・相続法）に全面対応

　令和3年改正民法（物権法・相続法）は、令和5年の司法試験及び予備試験からその出題範囲に含まれていますが、本書では、同改正の全てを本文に盛り込んだ上で、分かりやすく解説しています。

　この改正点は多岐にわたりますが、主要な改正点として、大別して次の5点に整理することができます。すなわち、①相隣関係に関する規定の改正、②共有物の使用・変更・管理・分割に関する規定の改正、及び不動産の共有者の一部が不明である場合に関する規定の新設、③所有者不明土地・建物の管理命令に関する規定の新設、④管理不全土地・建物の管理命令に関する規定の新設、⑤相続財産の管理・清算等に関する規定の改正です。

★令和6年の短答式試験＜民法＞の分析

　司法試験では、全37問出題されました（昨年の出題数は全36問であり、例年より1問少なかったのですが、今年は例年どおりの出題数となっています）。各分野から満遍なく出題されており、家族法からも5問出題されています。また、全体の平均点については、平成29年改正民法が正面から出題されるようになった令和2年から順に、「43.8点」（令和2年）→「48.9点」（令和3年）→「47.3点」（令和4年）→「48.7点」（令和5年）→「49.0点」（令和6年）と推移しています。そして、最低ライン（40％）未満の者の数は、令和2年から順に、「435人」（令和2年）→「189人」（令和3年）→「226人」（令和4年）→「331人」（令和5年）→「192人」（令和6年）と推移しています。これらのデータから、今年の民法科目の難易度は、令和2年からの直近5年間の中で1～2番目に易しかったものと思われます。

　予備試験では、全15問出題されました。そのうち、予備試験オリジナル問題は例年どおり3問出題されています。また、全体の平均点については、平成29年改正民法が正面から出題されるようになった令和2年から順に、「12.7点」（令和2年）→「17.3点」（令和3年）→「15.2点」（令和4年）→「17.3点」（令和5年）→「16.5点」（令和6年）と推移しています。これらのデータから、今年の民法科目の難易度は、令和2年からの直近5年間の中で中間に位置する程度のものと思われます。

★令和6年の短答式試験の結果を踏まえて

　今年の司法試験短答式試験では、採点対象者3,746人中、合格者（短答式試験の各科目において、満点の40％点［憲法20点、民法30点、刑法20点］以上の成績を得た者のうち、各科目の合計得点が93点以上の成績を得たもの）は2,958人となっており、昨年の短答式試験合格者数3,149人を191人下回りました。昨年から法科大学院在学中でも受験が認められることになり、在学中受験資格に基づいて受験した方が参入した結果、昨年は合格者数が大幅に増加しましたが、今年は3,000人を割り込む形となっています。

　まず、「合格点」についてですが、平成29年から令和元年までの「合格点」は「108点以上」と高い水準でした。これらの年度の短答式試験では、各科目の6割（合計105点）を正答しても、わずかに合格点には到達できないことになります。一方、令和2年から今年にかけて、近時の「合格点」は「93点以上」～「99点以上」の間で推移しており（今年の「合格点」は「93点以上」でした）、各科目の6割（合計105点）を正答すれば、一応、合格点には到達できることになります。そのため、来年以降も、短答式試験を突破する最低限の目安として、「各科目の6割」を下回らない水準での得点を意識するとよいでしょう。

　また、「合格率」（採点対象者に占める合格者数の割合）についてですが、令和元年から令和3年までは70％台を超えており（令和元年：約74.22％、令和

2 年：約 76.23 ％、令和 3 年：約 78.77 ％）、更に直近では 2 年連続で 80 ％台に到達していました（令和 4 年：約 81.50 ％、令和 5 年：約 80.81 ％）が、今年の合格率は約 78.96 ％となり、再び 80 ％を割り込む形となりました。仮に、来年以降も今年と同水準の合格点が継続すると考えた場合、70 ％後半〜 80 ％前半の合格率も同様に維持されるものと考えられます。

次に、今年の予備試験短答式試験では、採点対象者 12,469 人中、合格者（270点満点で各科目の合計得点が 165 点以上）は 2,747 人となっており、昨年の短答式試験合格者数 2,685 人を 62 人上回りました。

まず、「合格点」についてですが、過去の直近 5 年間（令和元年〜令和 5 年）の合格点は「156 点〜 168 点以上」という幅のある推移となっており、特に昨年（令和 5 年）の合格点は、令和元年以降最も高い「168 点以上」となっていました。このような近年の状況において、今年の合格点は「165 点以上」と高い水準を維持する形となりましたが、来年の合格点については、引き続き「156点〜 168 点以上」の間で推移するものと予測されます。

また、「合格率」（採点対象者に占める合格者数の割合）についてですが、昨年（令和 5 年）の合格率は、予備試験が実施されるようになった平成 23 年から見て最も低い約 20.26 ％でしたが、今年は約 22.03 ％となり、約 1.8 ％上昇しました。このように、予備試験短答式試験の合格率は、おおよそ 20 ％台にあるといえますが、司法試験短答式試験の今年の合格率約 78.96 ％（採点対象者数：合格者数＝ 3,746：2,958）であることと比べると、予備試験短答式試験は明らかに「落とすための試験」という意味合いが強い試験だといえます。

そして、受験者数・採点対象者数は、令和 2 年を除き、平成 27 年から微増傾向にあり、昨年（令和 5 年）の受験者数は、予備試験史上最も多い 13,372 人を記録していましたが、今年の受験者数は 12,569 人となり、一転して減少することとなりました。採点対象者数についても、昨年（令和 5 年）は 13,255 人と予備試験史上最も多い数字でしたが、今年は 12,469 人となり、増加傾向に歯止めがかかった形です。

受験率については、直近 2 年連続で 80 ％台を維持していましたが、今年は「79.7 ％」となり、わずかに 80 ％を割り込みました。もっとも、来年以降も同様の「受験率」が維持されるものと考えられ、合格者数も 2,500 〜 2,800 人前後となることが予想されます。

予備試験短答式試験では、法律基本科目だけでなく、一般教養科目も出題されます。点数が安定し難い一般教養科目での落ち込みをカバーするため、法律基本科目については苦手科目を作らないよう、安定的な点数を確保する対策が必要となります。

このような現状の中、短答式試験を乗り切り、総合評価において高得点をマークするためには、いかに短答式試験対策を効率よく行うかが鍵となります。そのため、要領よく知識を整理し、記憶の定着を図ることが至上命題となります。

★必要十分な知識・判例を掲載

　民法では、条文・判例の理解を問う問題が数多く出題されます。条文の理解が問われる以上、条文そのものを何度も読み重ねるとともに、短答式試験で過去に問われた知識や判例を確認し、合格に必要な知識を積み重ねていくことが必要不可欠です。本書では、逐条式で各条文の趣旨や要件等を過去問の出題情報や関連判例とともに紹介しており、効率的に条文・判例に関する情報を整理して理解できるよう工夫しています。また、最新の百選掲載判例及び重判掲載判例から重要な判例を多数ピックアップし、判旨を紹介するとともに、要件事実に関する知識も掲載しています。

★司法試験短答式試験、予備試験短答式試験の過去問情報を網羅

　本書では、司法試験・予備試験の短答式試験において、共通問題で問われた知識に🈲マーク、予備試験単独で問われた知識に🈑マーク、司法試験単独で問われた知識に🈠マークを付しています。また、司法書士試験についても効率的な試験対策を行えるよう、過去16年分（平成21年〜令和6年）の司法書士試験で問われた知識に🈁マークを付しています。複数のマークが付されている箇所は、各短答式試験で繰り返し問われている知識であるため、より重要性が高いといえます。

★最新判例インターネットフォロー

　短答式試験合格のためには、最新判例を常に意識しておくことが必要です。そこで、ＬＥＣでは、最新判例の情報を確実に収集できるように、本書をご購入の皆様に、インターネットで随時、最新判例情報をご提供させていただきます。
　アクセス方法の詳細につきましては、「最新判例インターネットフォロー」の頁をご覧ください。

　2024年9月吉日

株式会社東京リーガルマインド
ＬＥＣ総合研究所　司法試験部

はしがき

司法試験・予備試験受験生の皆様へ

LEC司法試験対策　総合統括プロデューサー
反町　雄彦　LEC専任講師・弁護士

◆競争激化の短答式試験

　短答式試験は、予備試験においては論文式試験を受験するための第一関門として、また、司法試験においては論文式試験を採点してもらう前提条件として、重要な意味を有しています。いずれの試験においても、合格を確実に勝ち取るためには、短答式試験で高得点をマークすることが重要です。

◆短答式試験対策のポイント

　司法試験における短答式試験は、試験最終日に実施されます。論文式試験により心身ともに疲労している中、短答式試験で高得点をマークするには、出題可能性の高い分野、自身が弱点としている分野の知識を、短時間で総復習できる教材の利用が不可欠です。

　また、予備試験における短答式試験は、一般教養科目と法律基本科目（憲法・民法・刑法・商法・民事訴訟法・刑事訴訟法・行政法）から出題されます。広範囲にわたって正確な知識が要求されるため、効率的な学習が不可欠となります。

　本書は、短時間で効率的に知識を整理・確認することができる最良の教材として、多くの受験生から好評を得ています。

◆短答式試験の知識は論文式試験の前提

　司法試験・予備試験の短答式試験では、判例・条文の知識を問う問題を中心に、幅広い論点から出題がされています。論文式試験においても問われうる重要論点も多数含まれています。そのため、短答式試験の対策が論文式試験の対策にもなるといえます。

　また、司法試験の憲法・民法・刑法以外の科目においても、論文式試験において正確な条文・判例知識が問われます。短答式試験過去問を踏まえて解説した本書を活用し、重要論点をしっかり学んでおけば、正確な知識を効率良く答案に表現することができるようになるため、解答時間の短縮につながることは間違いありません。

　司法試験合格が最終目標である以上、予備試験受験生も、司法試験の短答式試験・論文式試験の対策をしていくことが重要です。短答式試験対策と同時に、重要論点を学習し、司法試験を見据えた学習をしていくことが肝要でしょう。

◆苦手科目の克服が肝

　司法試験短答式試験では、短答式試験合格点（令和6年においては憲法・民法・刑法の合計得点が93点以上）を確保していても、1科目でも基準点（各科目の満点の40％点）を下回る科目があれば不合格となります。本年では、憲法で317人、民法で192人、刑法で122人もの受験生が基準点に達しませんでした。本年の結果を踏まえると、基準点未満で不合格となるリスクは到底見過ごすことができません。

　試験本番が近づくにつれ、特定科目に集中して勉強時間を確保することが難しくなります。苦手科目は年内に学習し、苦手意識を克服、あわよくば得意科目にしておくことが必要です。

◆本書の特長と活用方法

　完全整理択一六法は、一通り法律を勉強し終わった方を対象とした教材です。本書は、司法試験・予備試験の短答式試験における出題可能性の高い知識を、逐条形式で網羅的に整理しています。最新判例を紹介する際にも、できる限りコンパクトにして掲載しています。知識整理のためには、核心部分を押さえることが重要だからです。

　本書の活用方法としては、短答式試験の過去問を解いた上で、間違えてしまった問題について確認し、解答に必要な知識及び関連知識を押さえていくという方法が効果的です。また、弱点となっている箇所に印をつけておき、繰り返し見直すようにすると、復習が効率よく進み、知識の定着を図ることができます。

　このように、受験生の皆様が手を加えて、自分なりの「完択」を作り上げていくことで、更なるメリハリ付けが可能となります。ぜひ、有効に活用してください。

　司法試験・予備試験は困難な試験です。しかし、継続を旨とし、粘り強く学習を続ければ、必ず突破することができる試験です。

　皆様が本書を100％活用して、試験合格を勝ち取られますよう、心よりお祈り申し上げます。

CONTENTS

はしがき
司法試験・予備試験受験生の皆様へ
本書の効果的利用法
最新判例インターネットフォロー

CONTENTS

◆図表一覧

CONTENTS

CONTENTS

年度	論点名	備考	該当頁
H20	相続開始時から遺産分割時までの間に支払われた賃料の帰属	最判平17.9.8・百選Ⅲ68事件	746
H21	契約の解釈		41
	錯誤の成否	契約当事者の真意は合致しているものの、物理的な表示がそれとは異なっている場合の処理について問われている（出題趣旨参照）。	49
	即時取得（192）		152
	所有権留保の法的性質		301
	使用料相当額の返還請求の法的根拠、及びいつから請求することができるかの説明	現場思考 法的根拠（不当利得返還請求権、悪意占有者の果実返還義務、不法行為に基づく損害賠償請求権が考えられる。）といつから請求することができるか（引渡時、解除時、返還請求時、返還請求訴訟提起時が考えられる。）との組合せと理由付けが整合的なものとして示されていることが求められる（出題趣旨参照）。	——
H22	有権代理の要件事実		59
	権限外の行為の表見代理（110）の要件事実		69
	抵当権侵害による不法行為に基づく損害賠償の成否		261
	177条の「第三者」の意義（背信的悪意者）		133 134
	認知の要式性（781）		690
	遺言の解釈（割合的包括遺贈）	遺言者の子ではない者に遺言者の遺産の3分の1を分けるという遺言は、割合的包括遺贈が行われたことを意味する（出題趣旨参照）。	780
	金銭債務（可分債務）の共同相続		745
H23	転用物訴権	最判平7.9.19・百選Ⅱ70事件	622
	敷金返還請求権を放棄することの詐害行為性		351

CONTENTS

年度	論点名	備考	該当頁
R3	193条に基づく回復請求の可否	193条における「占有者」と192条における「占有を始めた者」の異同に言及しつつ検討することが望ましい（出題趣旨・採点実感参照）。	155
	目的物の原所有者への返還までに占有者が得た使用利益の返還義務の有無	193条に基づく回復請求がされるまで、目的物の所有権が原権利者と占有者のいずれに帰属するのか（原所有者帰属説を採る判例として、大判大10.7.8参照）について理由を付して論じた上で、占有者による目的物の使用利益に対する原所有者の不当利得返還請求の当否を論じることが求められていた（出題趣旨・採点実感参照）。	156
	役務提供契約の性質決定	現場思考	——
	有償役務提供契約が中途で終了した場合における既履行部分の報酬請求及び未履行部分の報酬相当の損害賠償請求の可否	現場思考 当該有償役務提供契約の性質をどう捉えるかにより報酬請求・損害賠償請求の根拠規定が異なる。そこで、委託された役務の内容を明確にし、当該有償役務契約の性質を決定した上で、与えられた事実関係を丁寧にあてはめながら一貫した論述を展開することが求められていた（採点実感参照）。	——
	主債務について生じた時効更新事由の保証人への効力		384
	自働債権が受働債権の弁済期前に時効消滅した場合の相殺の可否	最判平25.2.28・百選Ⅱ31事件	454
	無委託保証人が一部弁済した場合の主債務者に対する求償の範囲		388 390
	保証人が一部弁済した場合の他の共同保証人に対する求償の範囲		393
R4	94条2項（110条）類推適用	最判昭43.10.17 最判平15.6.13 最判平18.2.23・百選Ⅰ21事件	48
	177条の「第三者」の意義（背信的悪意者）		134
	背信的悪意者からの転得者	最判平8.10.29・百選Ⅰ58事件	134

年度	論点名	備考	該当頁
R5	損害賠償の範囲（416）	釣堀の営業利益に関しては、416条2項が適用されること等を指摘した上で、特別事情の予見可能性について、判例（大判大7.8.27・百選Ⅱ7事件、大判昭15.2.28）の立場を明確に提示することが必要となる（出題趣旨参照）。	332
	損益相殺		335
	抵当権に基づく賃料債権に対する物上代位の可否		257
	抵当権に基づく転貸賃料債権に対する物上代位の可否	最決平12.4.14 本問では、同判例が示した「抵当不動産の賃借人を所有者と同視することを相当とする場合」に当たり、転貸賃料債権に対して抵当権に基づく物上代位権の行使をすることができるとの結論を導くことが求められる（出題趣旨参照）。	257
	抵当権の被担保債権についての不履行前に生じた賃料債権に対する物上代位の可否	現場思考	——

【予備試験】

年度	論点名	備考	該当頁
H23	94条2項の「善意の第三者」		46
	不動産の仮装売買（94Ⅰ）の仮装名義人が他人物である当該不動産を一方に賃貸し、他方に売買した後、当該不動産の所有者を相続した場合における、賃借人と買主との法律関係	現場思考 法定承継取得説と順次取得説とで結論が異なり得る。	——
H24	保証と物上保証の異同	検索の抗弁（453）・事前求償権（460）・事後求償権（459）が、物上保証にも認められるかが問題となる（出題趣旨参照）。 なお、物上保証人の事前求償権につき、最判平2.12.18参照	389 394
	遺留分減殺請求権	改正民法下では、「遺留分侵害額請求権」（1046以下）という制度に改正されている。	——

年度	論点名	備考	該当頁
R5	表見代理（112）の類推適用の可否	現場思考 処分授権と代理との違いを意識しつつ、その類似性に着目して表見代理に関する規定を類推適用することができるかを論ずる必要がある（出題趣旨参照）。	58

《略記表》

民⇒民法

一般法人⇒一般社団法人及び一般財団法人に関する法律

公益法人⇒公益社団法人及び公益財団法人の認定等に関する法律

不登⇒不動産登記法

動産・債権譲渡特例⇒動産及び債権の譲渡の対抗要件に関する民法の特例等
　　　　　　　　　　　に関する法律

仮登記担保⇒仮登記担保契約に関する法律

利息⇒利息制限法

借地借家⇒借地借家法

戸籍⇒戸籍法

恩給⇒恩給法

商⇒商法

会社⇒会社法

民訴⇒民事訴訟法

人訴⇒人事訴訟法

非訟⇒非訟事件手続法

民執⇒民事執行法

破⇒破産法

通則⇒法の適用に関する通則法

独占禁止⇒私的独占の禁止及び公正取引の確保に関する法律

消費者契約⇒消費者契約法

特許⇒特許法

不正競争防止⇒不正競争防止法

著作権⇒著作権法

生活保護⇒生活保護法

刑訴⇒刑事訴訟法

本書の効果的利用法

令和3年・令和4年民法改正部分を下線で強調

【令3改正】で令和3年民法改正の経緯・理由を丁寧に説明

通説には 通 マークを明示し、短答式試験の過去問で問われた項目にも下記のマークを明示
司法試験 ⇒ 〈司
予備試験 ⇒ 〈予
司法試験・予備試験共通問題 ⇒ 〈共
司法書士試験 ⇒ 〈書

関連する記述や詳細な記述が記載されている部分を ⇒p. で表示し、当該部分の参照が可能

●所有権　　　　　　　　　　　　　　　　　　　　　　共有［第262条の3］

第262条の3　（所在等不明共有者の持分の譲渡）

Ⅰ　不動産が数人の共有に属する場合において、共有者が他の共有者を知ることができず、又はその所在を知ることができないときは、裁判所は、共有者の請求により、その共有者に、当該他の共有者（以下この条において「所在等不明共有者」という。）以外の共有者の全員が特定の者に対してその有する持分の全部を譲渡することを停止条件として所在等不明共有者の持分を当該特定の者に譲渡する権限を付与する旨の裁判をすることができる。

Ⅱ　所在等不明共有者の持分が相続財産に属する場合（共同相続人間で遺産の分割をすべき場合に限る。）において、相続開始の時から10年を経過していないときは、裁判所は、前項の裁判をすることができない。

Ⅲ　第1項の裁判により付与された権限に基づき共有者が所在等不明共有者の持分を第三者に譲渡したときは、所在等不明共有者は、当該譲渡をした共有者に対し、不動産の時価相当額を所在等不明共有者の持分に応じて按分して得た額の支払を請求することができる。

Ⅳ　前3項の規定は、不動産の使用又は収益をする権利（所有権を除く。）が数人の共有に属する場合について準用する。

【令3改正】所有者不明土地の多くは、共有者の一部が特定不能又は所在不明の状態にあるとされているが、そのような状態のままでは、共有者全員によって共有物を分割することができず、特に共有物が不動産である場合には弊害が大きいとされる。そのため、共有者の一部が不明であるという状態を実効的に解消するための制度が要請される。そこで、令和の改正により、特に共有物が「不動産」である場合において、共有者の一部が特定不能又は所在不明の状態にあっても、①その不明共有者の持分を他の共有者が取得し（262の2）、又は②その持分の譲渡権限を取得して特定の者に譲渡すること（262の3）が可能となった。

《注　釈》

一　所在等不明共有者の持分の取得（262の2）

1　意義
所在等不明共有者の持分の取得に関する262条の2第1項の適用により、所在等不明共有者が存在する土地であっても、その持分を集約することでその土地の利用・管理・処分の円滑化を図ることができるとともに、共有者の一部が不明であるという状態を実効的に解消することが可能になる。

2　請求をした共有者が2人以上ある場合
この場合、請求をした各共有者に、所在等不明共有者の持分を、請求をした各共有者の持分の割合で按分してそれぞれ取得させる（262の2Ⅰ後段）。
ex.　ABC各3分の1の持分で土地を共有している場合において、Cが所在不明であるときに、ABが持分の取得を請求すると、Cの持分をABに按分し、各6分の1ずつの持分をABに取得させる

3　共有物分割又は遺産分割の請求との関係
持分取得の裁判の請求があった共有不動産について、①共有物分割の請求

197

総則［第545条］

(b)　賃貸人が賃借人に賃貸物を売却した場合
その後この売買契約が解除されたときは、賃貸人たる地位の移転の効果、混同によって消滅した賃貸借関係が原則として〔消滅しない（大判昭40.12.21）。

(c)　相殺
解除によって消滅する債権が解除以前に相殺に用いられていた場合には、契約が解除されればその債権は初めから存在しなかったことになるから、相殺は無効となり反対債権が復活する（大判大9.4.7、最判昭32.3.8）。

二　原状回復義務（Ⅰ本文）

1　目的物が存在すればその物を返還する義務を負う。目的物につき必要費・有益費の支出があった場合は、196条の規定により処理される 通。

2　目的物が受領者の下で滅失・損傷して原物返還が不能になった場合には、その価格を返還する義務を負う。

3　代替物は同種・同等・同量物を返還すればよい。

4　金銭を返還するときは、受領の時から利息を付けて返還しなければならず（Ⅱ）。金銭以外の物を返還するときは、受領の時から生じた果実を返還しなければならない（Ⅲ）。また、給付を受けた金銭以外の物から生じた使用利益も返還すべきである（最判昭51.2.13・百選Ⅰ40事件）〈司予共。

cf.　特定物の売主における売主の保証人は、特に反対の意思表示のない限り、売主の債務不履行により契約が解除された場合に、原状回復義務である既払代金の返還義務についても保証責任を負う（大連判昭40.6.30・百選Ⅱ18事件）通 ⇒ p.379

三　損害賠償義務（Ⅳ）

直接効果説に立つと、債務不履行による損害賠償責任（415Ⅰ）と考えられる。

1　原則として解除時の価格を基準とする（最判昭28.10.15、最判昭28.12.18・百選Ⅱ〔第8版〕8事件）。
目的物の価格が騰貴している場合 ⇒ p.333

2　履行不能を理由とする解除の場合には、不能が履行期前に生じたものであれば履行期の価格を基準とする（最判昭36.4.28）。不能が履行期後に生じた場合は、履行不能時の価格を基準とする（最判昭35.4.21）。

四　解除と「第三者」（Ⅰただし書）〈司書

1　「第三者」とは、解除された契約から生じた法律効果を基礎として、解除までに新たな権利を取得した者をいう（大判明42.5.14参照）。善意・悪意を問わない。ただし、対抗要件を要する（最判昭33.6.14）〈司書。
ex.　解除により消滅する債権自体の譲受人・差押債権者は「第三者」にあたらない

検索しやすい大きな条文表示

2025年に出題が予想される項目を✔マークで明示

随所に図表を設け、ビジュアル的にわかりやすく情報を整理

論文式試験の過去問で問われた項目に下記のマークを明示
司法試験 ⇒ 〈司R5〉
予備試験 ⇒ 〈予R5〉
（数字は出題された年度を表しています。）

各条文の趣旨を端的に指摘

百選掲載判例は**年月日・百選番号**まで表示

債権の効力［第412条］　　　●総則

《注釈》
一　履行遅滞の意義
　　履行遅滞とは、履行が可能であるのに履行期を徒過した場合をいう。
二　履行遅滞の要件
　　① 債務が履行期に履行可能なこと
　　② 履行期が到来したこと
　　③ 履行しないこと
　　＊ 債務者は、免責事由の存在を主張・立証しなければ、責任を免れることはできない。　⇒p329
　1　①債務が履行期に履行可能なこと
　　　履行期に履行が不可能な場合には初めから履行不能（412の2 I）の問題となり、履行期を徒過した後に履行が不能となればその時から履行不能になる。
　2　②履行期が到来したこと
　　　履行遅滞を生ずるには、履行期が到来することが絶対的な要だが、履行期が到来しただけで必ず遅滞になるわけではなく、債権の種類（ex. 取立債務（493ただし書）の場合）や履行期の種類により差異がある。

✔＜遅滞に陥る時期＞

	債権の種類	遅滞に陥る時期（＊1）
期限の定めのある債務	確定期限債務	原則：期限到来時（412 I） 例外：① 指図証券等の場合は、証券の提示が必要（520の9、520の18、520の20） ② 取立債務の場合は、債権者が必要な協力をすることが必要〈新〉
	不確定期限債務	期限の到来した後に履行の請求を受けた時、又はその期限の到来を知った時のいずれか早い時期（412 II）〈新〉
期限の定めのない債務（＊2）		履行の請求を受けた時〈司R5〉（412 III）（＊3）
	期限の定めのない消費貸借（591）	相当な期間を経過した後（591 I）〈新〉
	不法行為に基づく損害賠償債務（709）	不法行為時〈司R5〉（＊4）

＊1　消滅時効の起算点との比較　⇒p.117
＊2　法律の規定により生ずる債務（ex. 不当利得返還債務）は、原則として期限の定めのない債務である〈新〉。
＊3　期限の定めのない債務は履行発生と同時に履行期が到来するため、いつでも履行を請求できる。
　　　→請求の到達により翌日から遅滞損害金が発生する〈新〉
＊4　不法行為と相当因果関係に立つ損害である弁護士費用賠償請求権も不法行為による損害賠償債権に含まれるので、不法行為時に遅滞に陥る（最判昭58.9.6）〈新〉。

320

債権の引受け［第470条］　　　●総則

三　「前の原因」（II II）〈予R5〉
　1　譲渡債権を発生させる原因である契約と同一のものである必要はない。
　2　契約に限らず、不法行為など不当利得も「前の原因」に含まれる。
　　　ex. 譲受人から債権の履行請求を受けた債務者は、譲受人が債務者に対抗要件を具備する前になされた不法行為に基づく損害賠償請求権を自働債権として譲受人に相殺を対抗できる
四　「譲受人の取得した債権の発生原因である契約」（II III）〈予R5〉
　1　譲渡債権を発生させる「原因」である「契約」と同一のものである必要がある。
　　　cf. 469条2項3号にいう「前の原因」
　2　将来債権譲渡がなされた場面を想定しており、かかる場合に限って適用される。
　　　ex. 将来の請負報酬債権が譲渡され、債務者対抗要件が具備された後に請負契約が締結されたところ、請負契約における目的物の不適合を理由とする特権に代わる損害賠償請求権が発生した場合

■■第5節　債務の引受け

第1款　併存的債務引受

　第470条　（併存的債務引受の要件及び効果）
　I　併存的債務引受の引受人は、債務者と連帯して、債務者が債権者に対して負担する債務と同一の内容の債務を負担する。
　II　併存的債務引受は、債権者と引受人となる者との契約によってすることができる。
　III　併存的債務引受は、債務者と引受人となる者との契約によってもすることができる。この場合において、併存的債務引受は、債権者が引受人となる者に対して承諾をした時に、その効力を生ずる。
　IV　前項の規定によってする併存的債務引受は、第三者のためにする契約に関する規定に従う。

【趣旨】本条1項は、併存的債務引受における債務者と引受人は、反対に解すべき特段の事情のない限り連帯債務関係に立つとの判例法理（最判昭41.12.20・有斐II〈総る版〉31事件）を明文化したものである。
　本条2項は、併存的債務引受を債権者・債務者・引受人「引き受人となる者」の三面契約として行うことができることを当然の前提とした上で、併存的債務引受の権能が保証と類似することから、債権者の意思に反しない限り、債権者と引受人との間の契約ですることができる旨定めている〈新〉。
　本条3項・4項は、債務者と引受人となる者の契約によってもすることもでき、この場合、第三者のためにする契約（537）に準じ、債権者が引受人に対する「承認」（受益の意思表示に相当）をした時に効力を生ずる旨規定するものである。

418

● 最新判例インターネットフォロー ●

本書の発刊後にも、短答式試験で出題されるような重要な判例が出されることがあります。

そこで、完全整理択一六法を購入し、アンケートにお答えいただいた方に、ウェブ上で最新判例情報を随時提供させていただきます。

・ユーザー名は〈WINSHIHOU〉、
　パスワードは〈kantaku〉となります。

※画面イメージ

The bottom box with アクセス方法.

アクセス方法　LEC司法試験サイトにアクセス
（https://www.lec-jp.com/shihou/）
↓
ページ最下部の「書籍特典 購入者登録フォーム」へアクセス
（https://www.lec-jp.com/shihou/book/member/）
↓
「完全整理択一六法 書籍特典応募フォーム」にアクセスし、
上記ユーザー名・パスワードを入力
↓
アンケートページにてアンケートに回答
↓
登録いただいたメールアドレスに最新判例情報ページへの
案内メールを送付いたします

総　則

第1編　総則

・第1章・【通則】

《概　説》

一　民法の三大原則（指導原則）

1　権利能力平等の原則

2　所有権絶対の原則

3　私的自治の原則

　　cf.　三大原則については、所有権絶対の原則・契約自由の原則・過失責任の
　　　原則を挙げる有力説もある

二　私的自治の原則から派生する原理

1　個人の意思が積極的に活動する場合

　　法律行為自由の原則・契約自由の原則・社団設立自由の原則・遺言自由の原則

2　個人の意思が消極的ないし違法的に活動する場合

　　過失責任の原則

第1条　（基本原則）

Ⅰ　私権は、公共の福祉に適合しなければならない。

Ⅱ　権利の行使及び義務の履行は、信義に従い誠実に行わなければならない。

Ⅲ　権利の濫用は、これを許さない。

《注　釈》

一　1項

　　私権（私法上認められる権利）の内容・行使は、社会共同生活全体の発展と調
和しなければならず、これに違反する範囲では私権としての効力を認めないこと
とした（私権の社会性）。

二　2項

1　本条項は、私的取引関係に入った者は、相互に相手方の信頼を裏切らないよ
うに誠実に行動すべきことを要請している（信義誠実の原則）。この原則は、当
初は債権者・債務者間の関係において問題とされたが、現在では物権関係や身
分関係も含め、民法全般についても社会一般の倫理観念の要請に背かないよう
にという意味で、広く適用すべき指針と解されている。

　　判例は、公共事業者としてダイヤル Q^2 事業を開始するに当たっては、同サ
ービスの内容やその危険性等につき、十分な周知を図るとともに、その対策を
講じておくべき責務があるとして、未成年の子が親に無断で利用したダイヤル
Q^2 の通話料の請求を信義則ないし衡平の観念に照らし許されないとした（最判
平 13.3.27）。

2　本条項から派生する機能として以下のものが挙げられる。

(1)　法律行為（契約）の解釈基準としての機能

(2)　社会的接触関係に立つ者の間の規範関係を具体化する機能

　ex.1　契約締結上の過失　⇒ p.468

　ex.2　賃貸借関係の解除制限（信頼関係破壊の法理）
　　　　⇒ p.568

　ex.3　雇用契約における安全配慮義務（最判昭 50.2.25・百選Ⅱ2事件）
　　　　⇒ p.469

　ex.4　相隣的な生活妨害における受忍限度

　ex.5　貸金業者は、債務者による開示要求が濫用にわたると認められるなど特段の事情のない限り、信義則上、金銭消費貸借契約の付随義務として、保存している業務帳簿に基づいて取引履歴を開示すべき義務を負う。この義務に違反して取引履歴の開示を拒絶したときは、その行為は違法性を有し、不法行為を構成する（最判平 17.7.19・平 17 重判1事件）

　ex.6　土地の売買契約により、買主が所有権を取得し、その引渡しを受けた後に、売主がその土地に第三者のため地上権の設定登記をした場合には、売主が買主に対して残代金の支払を催告し、その不払を理由に売買契約を解除する旨の意思表示をしても、解除の効力は生じない（最判昭 43.5.30）〈同〉

(3)　明文のない場合、形式的法適用により不都合が生じる場合の準則となる機能

　■ 禁反言の原則、クリーンハンズの原則、事情変更の原則（⇒ p.471）、権利失効の原則（⇒ p.93）

　ex.1　消費貸借契約の貸主が積極的に借主の誤信を招くような対応をしたため、借主が期限の利益を喪失していないものと信じて各期の支払を継続し、貸主も借主が誤信していることを知りながらその誤信を解くことなく弁済金を受領し続けたという事情がある場合、貸主は借主に対し、期限の利益を喪失した旨の主張をすることはできない（最判平 21.9.11）〈同〉

　ex.2　不動産の共同相続人の1人が、単独相続の登記をして、これに抵当権を設定し、その設定登記をしながら、自己の持分を超える部分の抵当権の無効を主張して、その抹消登記手続を請求することはできない（最判昭 42.4.7）〈同〉

三　3項

「権利の濫用」とは、外見上は権利の行使のように見えても、実際には権利の行使として社会的に許される限度を超え、権利の行使として認めることができない場合をいう。「権利の濫用」かどうかは、当事者ひいては社会一般の利益状況の比較衡量（客観的要件）と権利行使者の害意（主観的要件）を総合して判断さ

れる（大判昭10.10.5・百選Ⅰ1事件）⟨判⟩。権利濫用の禁止も一般条項の1つであり、本条項は本条1項の原則を敷衍するものである。

＊　権利濫用禁止の効果（「許さない」の意義）

① 権利本来の効力は認められない。

ex.1　他人の形式的な侵害行為を排除することはできない（大判昭10.10.5・百選Ⅰ1事件）

ex.2　形成権（解除権など）の場合、その行使によって生じるはずの法律関係は発生しない

② 正当な範囲を逸脱して他人に損害を与えたときには、不法行為として妨害除去あるいは損害賠償を命ぜられる場合がある（大判大8.3.3・百選Ⅰ2事件）⟨判⟩。

③ 権利の濫用が著しいときは、権利を剥奪される場合がある。もっとも、この効果は、特別の規定がある場合に限定すべきである。

ex.　親権の喪失（834）

四　各項の関係

本条1項は原理に関する規定であるが、2項3項の適用範囲については争いがある。この点、判例は、2項3項の適用範囲は厳密に区別の必要がなく、両者は相互に関連し、相まって私権の社会性を規定していると解している。

第2条　（解釈の基準）
　この法律は、個人の尊厳と両性の本質的平等を旨として、解釈しなければならない。

［趣旨］民法も、憲法の精神（13、14、24Ⅱ）に則って解釈されるべきことを規定した。

・第2章・【人】

■第1節　権利能力

第3条
Ⅰ　私権の享有は、出生に始まる。
Ⅱ　外国人は、法令又は条約の規定により禁止される場合を除き、私権を享有する。

［趣旨］憲法14条を受けて自然人は平等に完全な権利能力を有する旨を間接的に宣明した。

《注　釈》

一　権利能力の意義

　権利能力とは、権利を得、義務を負いうる能力を意味し、近代の自然法思想に基づき、すべての個人に強行的に与えられている。

　→自然人の権利能力に関する規定は強行規定であり、契約により制限できない

　ex.　成年被後見人、破産手続開始の決定を受けた者も権利能力を有する

二　権利能力の始期・終期

1　権利能力の始期は出生（胎児が母体から全部露出すること）である。

2　出生届の有無は権利能力の取得に関係ない。

3　自然人の権利能力は死亡のみによって消滅する。

三　胎児

1　原則

胎児に権利能力はない。

(1)　胎児は認知の訴え（787）を提起することができない。

(2)　母も、胎児を代理して、認知の訴えを提起できない〈司〉。

(3)　胎児に対する父親の認知（783Ⅰ）は、胎児の出生前に父親が死亡しても影響を受けない。

2　例外

損害賠償請求権（721）、相続（886）、遺贈（965）については、胎児はすでに生まれたものとみなされる〈司〉。　→権利行使できるということ

＊　「既に生まれたものとみなす」の意味〈司H26〉

A説：胎児が生きて生まれると相続の開始や不法行為の時に遡って権利能力を取得するのであって、胎児の間は彼の条件付権利を保全すべき代理人はいない（停止条件説）（大判昭7.10.6・百選Ⅰ〔第6版〕3事件）〈司〉

ex.1　母が胎児を代理して加害者と和解することはできない（大判昭7.10.6・百選Ⅰ〔第6版〕3事件）〈司共〉

ex.2　母が相続放棄しても胎児が放棄したことにはならない

B説：「みなす」とは、あたかも未成年者と同じに扱う趣旨であり、法定代理人もいるが死産すると遡って権利能力がなかったことになる（解除条件説）

ex.1　胎児は出生前でも損害賠償請求権を行使できる

ex.2　母が胎児のために相続の開始があったことを知った時から3か月以内に限定承認又は放棄をしなかった場合は胎児は単純承認したものとみなされる（921②、915Ⅰ）

ex.3　胎児の父親が死亡し、その後胎児が死体で生まれたときには、被相続人の実父は最初から相続人であったことになる

ex.4　母は、胎児の出生前に胎児を共同相続人として遺産分割をすることができる（ただし、利益相反となる　⇒ p.710）

四　外国人

諸国の立法例にならい、例外を認めつつも原則として外国人にも権利能力を認めた。

■第２節　意思能力

> **第３条の２**
>
> 　法律行為の当事者が意思表示をした時に意思能力を有しなかったときは、その法律行為は、無効とする。

〔趣旨〕本条は、判断能力が不十分な者による意思表明に完全な拘束力を認めることは、表意者本人の保護に欠けることになるため、意思能力を欠く者の行為は無効であるとした判例（大判明38.5.11・百選Ⅰ〔第８版〕５事件）を明文化したものである。

《注　釈》

一　意義

　意思能力とは、自己の行為の結果を弁識するに足るだけの精神能力をいう〔共〕。すなわち、自分の行為の利害得失を判断する知的能力であり、およそ７～10歳程度の者の精神能力があれば意思能力が認められると解されている。

二　効果

1　法律行為の当事者が意思表示をした時に意思能力を有しなかったときは、その法律行為は無効となる（３の２）。第三者保護規定は存在しない〔共〕。
　→意思無能力者は、現に利益を受けている限度において返還の義務を負う（121の２Ⅲ前段）　⇒p.81
2　意思無能力による無効を主張することができるのは、意思無能力者たる表意者側のみであり、相手方は無効を主張することができない〔通〕。
　∵　表意者本人の保護を目的とする制度

■第３節　行為能力

《概　説》

＜「能力」概念の整理＞

	意義	適格	各種の能力を欠く者の行為の効力
権利能力	私法上の権利・義務の帰属主体となる地位・資格	自然人・法人	権利・義務が帰属しない
意思能力	行為の結果を弁識するに足るだけの精神能力	具体的行為ごとに判断する（７～10歳程度の能力）	無効（３の２）
責任能力	不法行為の面で自己の行為の責任を弁識するに足る精神能力	具体的行為ごとに判断する。判例上は、意思能力より少し高く設定されている（11～12歳程度の能力）	不法行為責任を負わない（712、713）。ただし、714条参照

	意義	適格	各種の能力を欠く者の行為の効力
行為能力	自らの行為により法律行為の効果を確定的に自己に帰属させる能力	未成年者・成年被後見人・被保佐人につき制限される（5、9、13）	取り消すことができる

総則

一　制限行為能力者制度

　意思能力を欠く者の行為は無効とされる（3の2）。しかし、意思能力を欠くか否かの証明・判断は容易ではない。そこで、一般的恒常的に行為能力が不十分とみられる者を定型化して画一的に制限行為能力者とし、これに保護者をつけて能力不足を補わせる反面、保護者の権限を無視した被保護者の行為を取り消しうるものとし、その財産の保全を図ると同時に、その結果生じる相手方の不利益を軽減する措置を講じた。

　ただし、身分行為については、行為能力の制度がそのまま適用されるわけではない。　⇒ p.662

＜制限行為能力者の種類・権限＞

	保護者の種類	保護者の権限の種類			
		代理権	同意権	追認権	取消権
未成年者	親権者又は未成年後見人	○（824・859 I）	○（5 I）	○（122）	○（5 II・120 I）
成年被後見人	成年後見人	○（859 I）	×	○（122）	○（9本文・120 I）
被保佐人	保佐人	×ただし、876の4 I（＊1）	○ただし、13 I、II（＊2）	○（122）	○（13 IV・120 I）
被補助人	補助人	×ただし、876の9 I（＊1）	×ただし、17 I（＊3）	○（122）	○（17 IV・120 I）

＊1　特定の法律行為について保佐人又は補助人に代理権を付与する旨の審判
＊2　保佐人の同意を要する範囲（＝追認権、取消権の範囲）は13 I、IIによる
＊3　特定の法律行為（13 Iの行為に限る）について補助人の同意を要する旨の審判

二　任意後見制度

　民法の定める法定後見制度と異なり、本人の自己決定権の尊重という観点か

ら、自分の判断能力が低下する状況に備えて、判断能力がしっかりしている段階であらかじめ自分で後見人を選任するという制度を設けている（「任意後見契約に関する法律」）。

1　本人の利益保護のため、家庭裁判所は任意後見監督人を選任する（法4Ⅰ）。

2　任意後見契約（法2①）を結んでも、本人は当然には行為能力を失わないが、家庭裁判所は、本人の利益のため特に必要があると認めるときは、後見開始の審判をすることができる（法10Ⅰ）⟨司共⟩。

　　任意後見契約に関する法律には、任意後見人の同意を得ずにした法律行為を取り消すことができる旨の民法13条4項に相当する規定は存在しない。

　　→本人が任意後見人の同意を得ずにした法律行為について制限行為能力を理由に取り消すことはできない⟨司⟩

3　任意後見契約は、法務省令で定める様式の公正証書によってしなければならない（法3）⟨司⟩。

第4条　（成年）
年齢18歳をもって、成年とする。

[趣旨] 18歳に満たない未成年者を知能発達の程度いかんにかかわらず一律に制限行為能力者とし、法律行為の効力の決定を能率的にしたものである。

《注　釈》
▪ 原則として、年齢は出生の日から起算し、暦に従って日をもって計算する（年齢計算ニ関スル法律）。140条の適用はない。

第5条　（未成年者の法律行為）
Ⅰ　未成年者が法律行為をするには、その法定代理人の同意を得なければならない。ただし、単に権利を得、又は義務を免れる法律行為については、この限りでない⟨書⟩。

Ⅱ　前項の規定に反する法律行為は、取り消すことができる。

Ⅲ　第1項の規定にかかわらず、法定代理人が目的を定めて処分を許した財産は、その目的の範囲内において、未成年者が自由に処分することができる。目的を定めないで処分を許した財産を処分するときも、同様とする⟨共書⟩。

[趣旨] 制限行為能力者たる未成年者を保護するため、未成年者が法律行為をするには法定代理人の同意を要し、同意を得ないでした法律行為は取り消すことができるものとした。

　ただし、未成年者の不利益にならない行為（Ⅰただし書）や法定代理人の包括的同意があるといえる行為（5Ⅲ、6）、及び一定の身分行為については未成年者も単独でなしうる。

《注　釈》
一　1項本文・2項

1　法定代理人

（1）　未成年者の法定代理人となるのは、原則として親権者（818、819）であ

る。もっとも、親権者がいないとき、又は親権者が管理権を有しないときは（未成年）後見人である（838①）。未成年者が後見開始の審判を受けた場合も後見人が付される（838②）。　⇒p.715

(2)　法定代理人は、代理権、同意権、追認権、取消権を有する。

(3)　父母共同親権（818Ⅲ）の場合には、未成年者は父母双方の同意がなければ、有効な法律行為をすることができない。

(4)　父母共同代理名義でなした契約において、実際には一方の同意を得ていなかった場合でも、相手方が悪意でない限りは有効である（825参照）。

2　同意を要する行為

ex.1　貸金債権の弁済を受領すること（∵元本の消滅をきたす）

ex.2　雇用契約をすること

ex.3　法定代理人から送金される学費や生活費の残りを頭金に充て自動車の割賦購入契約を締結すること（∵割賦金支払債務を負担することになる）

ex.4　相続の承認、限定承認、相続放棄

ex.5　負担付贈与を受けること《書》

ex.6　解除の意思表示を受けること

3　未成年者の取消権　⇒p.80

(1)　未成年者が同意を得ずになした法律行為を、行為能力の制限を理由に取り消す場合には法定代理人の同意は不要である（120Ⅰ）《司予書》。

(2)　法定代理人の取消権が時効（126）により消滅すれば、未成年者は固有の取消権を行使できない。

＊　いずれかが取り消したとき、又は追認したときも他方の取消権は消滅する。　⇒p.86

二　同意を要しない行為（Ⅰただし書）

ex.1　単純贈与を受けること《司書》

ex.2　口頭でした贈与をする旨の契約を、書面によらないものであることを理由に解除すること（550、5Ⅰただし書）

三　身分行為

1　同意を要しない行為（意思能力は必要）

ex.1　子の認知（780）、認知の訴え（787）、家庭裁判所の許可を得ての氏の変更（791）

ex.2　15歳に達した者が遺言により財産を処分すること（961、962）

2　同意を要する行為

ex.　限定承認（922）

四　「目的を定めて処分を許した財産」（Ⅲ前段）

ex.　旅費・勉学費

五　「目的を定めないで処分を許した財産」（Ⅲ後段）《司》

ex.　お小遣い

＊　全財産の処分許可は、制限行為能力者制度の趣旨に反することを理由に否定

するのが通説である。

cf.　処分を許された財産の処分によって得た財産は、当初の許可に制限がなければ自由に処分できる

《その他》

- 法定代理人の同意を要しない行為についても、意思能力は必要である。
- 未成年者が、取り消すことができることを知って法律行為をしたとしても、これを取り消すことができる〈同〉。

第6条　（未成年者の営業の許可）

Ⅰ　一種又は数種の営業を許された未成年者は、その営業に関しては、成年者と同一の行為能力を有する〈同共書〉。

Ⅱ　前項の場合において、未成年者がその営業に堪えることができない事由があるときは、その法定代理人は、第4編（親族）の規定に従い、その許可を取り消し、又はこれを制限することができる。

《注　釈》

一　1項

1　「営業」とは営利を目的とした継続的事業を指し、商業に限らない。

(1)　営業の許可は、1個又は数個の営業単位で特定の営業についてなされなければならず、1個の営業の一部やすべての営業を許可することはできない。

(2)　営業の許可により、その営業に直接・間接に必要な一切の行為の他、その準備行為や補助行為もできる。

cf.　ある土地での営業を許可しても、その土地の売買を許可したとはいえない

2　「成年者と同一の行為能力」とは、法定代理人の同意を要しないだけでなく、その範囲での法定代理権の消滅を意味する〈籍〉。

二　2項

1　「取り消し」の意味

本条項の「取り消し」は撤回の意味であり、将来に向かってのみ効力を有する。

ex.　法定代理人が許可を取り消した場合でも、その営業に関して既にしていた商品仕入の申込みは行為能力の制限を理由に取り消すことはできない

2　取消後の第三者との関係

(1)　本条項の取消しは、善意の第三者にも対抗できると解されている。

ex.　取消後に未成年者がその営業に関する法律行為をした場合、相手方が取消しの事実につき善意でも、未成年者は法律行為を取り消すことができる

(2)　ただし、未成年者も商業を営むには登記が必要なので、許可の取消しには登記の抹消を要し、それがないと善意の第三者は保護される（商5、9、10）。

> **第7条　（後見開始の審判）**
> 　精神上の障害により事理を弁識する能力を欠く常況にある者については、家庭裁判所は、本人、配偶者、4親等内の親族、未成年後見人、未成年後見監督人、保佐人、保佐監督人、補助人、補助監督人又は検察官の請求により、後見開始の審判をすることができる〈同書〉。
>
> **第8条　（成年被後見人及び成年後見人）**
> 　後見開始の審判を受けた者は、成年被後見人とし、これに成年後見人を付する。

総則

《注　釈》

一　後見開始の審判の要件（7）

1　「精神上の障害により事理を弁識する能力を欠く常況にある」

　　行為の結果を弁識するに足るだけの精神能力（意思能力）を欠くのを普通の状態としていること（およそ7歳未満の未成年者の能力程度）をいう。

2　「請求」

　　家庭裁判所は、職権で後見開始の審判をすることはできず、一定の者の請求が必要である〈同〉。なお、本人も後見開始の審判を請求することができ〈同〉、未成年者についても後見開始の審判をすることができる〈裁〉。さらに、未成年後見人が選任されている場合であっても、家庭裁判所は、後見開始の審判をして成年後見人を付することができる〈同〉。

　　→家庭裁判所は、審判の要件を備えるときは、必ず審判をしなければならない〈通〉。

二　後見開始の審判の効果（8）

　　後見開始の審判がなされると、成年後見人が置かれる。成年後見人は、代理権・追認権・取消権を有するが、同意権はない。

　　成年後見人は家庭裁判所が職権で選任する（843Ⅰ）。必要に応じて複数人選任でき（Ⅲ）、法人を選任することも可能である（Ⅳ）。

　　成年被後見人となるのは、後見開始の審判を受けたときである（8）ので、契約を締結した成年者がその後に後見開始の審判を受けたとき、成年後見人は、その契約の当時、既にその成年者につき後見開始の事由が存在していたことを証明して、その成年者のした契約を取り消すことができない〈同〉。

三　被保佐人・被補助人に対する後見開始の審判の請求

1　被保佐人や被補助人本人が後見開始の審判の請求をするのに保佐人・補助人の同意は不要であり、また、保佐人も請求できる。

2　家庭裁判所は、被保佐人・被補助人に対して後見開始の審判をする場合、保佐開始・補助開始の審判を取り消す（19Ⅰ）。後見開始の審判がなされると、新たに成年後見人が選任され、従来の保佐人・補助人が当然に成年後見人となるわけではない。

四　被保佐人・被補助人につき、後見開始の審判をする場合、保佐開始・補
助開始の審判は取り消される（19Ⅰ）

　　cf.　成年後見人の職務（858、859）

第9条　（成年被後見人の法律行為）

　成年被後見人の法律行為は、取り消すことができる。ただし、日用品の購入その他
日常生活に関する行為については、この限りでない ⟨同共書⟩。

《注　釈》

一　財産上の行為

　成年被後見人のした行為は、原則として成年後見人の同意の有無にかかわらず
常に取り消しうる ⟨同書⟩。

1　成年被後見人は日常生活に関する行為以外のすべての財産行為について行為
　能力を有せず、成年後見人の同意を得て行った行為も、常に取り消すことがで
　きる。
2　成年被後見人が契約締結当時完全な意思能力を有していても、取り消せる。
3　意思能力を欠くが後見開始の審判を受けていない者の行為は無効である（3
　の2）。
4　「日常生活に関する行為」とは、本人が生活を営むうえで通常必要な法律行
　為を意味し、具体的範囲は各人により個別に判断される。

　　ex.　食料品、衣料品の購入、公共料金の支払

　　→「日常生活に関する行為」は取消権の対象から除外されているが、成年後
　　　見人は、「日常生活に関する行為」について成年被後見人を代理すること
　　　ができる（859Ⅰ参照）⟨同⟩

二　身分上の行為

　成年被後見人が本心に復し意思能力が認められれば、有効に婚姻（738）⟨予⟩、
協議上の離婚（764）、遺言（973）⟨同⟩ができる。

《その他》

▪ 取り消すことができる行為の取消し（9、120）、後見開始の審判取消の請求
（10）、他の法定後見（保佐、補助）の審判開始の請求は、成年被後見人が単独で
なしうる。

第10条　（後見開始の審判の取消し）⟨書⟩

　第7条に規定する原因が消滅したときは、家庭裁判所は、本人、配偶者、4親等内
の親族、後見人（未成年後見人及び成年後見人をいう。以下同じ。）、後見監督人（未
成年後見監督人及び成年後見監督人をいう。以下同じ。）又は検察官の請求により、後
見開始の審判を取り消さなければならない。

《注　釈》

◆　「消滅した」とは

　後見開始の実質的要件となる精神状態でなくなることをいう。保佐、補助開始

の要件となる程度の精神状態まで回復した場合を含む。

　成年被後見人が能力を回復しても、家庭裁判所による後見開始の審判が取り消
されなければ、成年被見人は制限行為能力者のままである。

第11条　（保佐開始の審判）

　精神上の障害により事理を弁識する能力が著しく不十分である者については、家庭
裁判所は、本人、配偶者、４親等内の親族、後見人、後見監督人、補助人、補助監督
人又は検察官の請求により、保佐開始の審判をすることができる〈同書〉。ただし、第7
条に規定する原因がある者については、この限りでない〈同書〉。

第12条　（被保佐人及び保佐人）

　保佐開始の審判を受けた者は、被保佐人とし、これに保佐人を付する。

《注　釈》

一　保佐開始の審判の要件（11）

　精神上の障害により事理を弁識する能力が著しく不十分であること。なお、補
助開始の審判の場合とは異なり、本人の同意は不要である〈同〉。

二　保佐人

1　保佐開始の審判があると、被保佐人に保佐人が付される（12）。法人を選任
　することもできる（876の3Ⅱ・840Ⅲかっこ書・843Ⅳかっこ書参照）〈共〉。
　　　保佐人には同意権があり（13Ⅰ）、一定の重要な行為に同意をすることで、
　被保佐人の不完全な管理権を補充する役目を有する。

2　保佐人には代理権はない。もっとも、被保佐人の申立て又は同意を要件とし
　て、当事者等が申し立てた特定の法律行為について家庭裁判所が保佐人に代理
　権を付与することができる（876の4）〈譲〉。

総
則

第13条　（保佐人の同意を要する行為等）

Ⅰ　被保佐人が次に掲げる行為をするには、その保佐人の同意を得なければならない。ただし、第9条ただし書に規定する行為については、この限りでない〈書〉。

① 元本を領収し、又は利用すること〈同〉。

② 借財又は保証をすること〈書〉。

③ 不動産その他重要な財産に関する権利の得喪を目的とする行為をすること〈同〉。

④ 訴訟行為をすること。

⑤ 贈与、和解又は仲裁合意（仲裁法（平成15年法律第138号）第2条第1項に規定する仲裁合意をいう。）をすること〈書〉。

⑥ 相続の承認若しくは放棄又は遺産の分割をすること〈書〉。

⑦ 贈与の申込みを拒絶し、遺贈を放棄し、負担付贈与の申込みを承諾し、又は負担付遺贈を承認すること。

⑧ 新築、改築、増築又は大修繕をすること。

⑨ 第602条＜短期賃貸借＞に定める期間を超える賃貸借をすること。

⑩ 前各号に掲げる行為を制限行為能力者（未成年者、成年被後見人、被保佐人及び第17条第1項の審判を受けた被補助人をいう。以下同じ。）の法定代理人としてすること。

Ⅱ　家庭裁判所は、第11条本文に規定する者又は保佐人若しくは保佐監督人の請求により、被保佐人が前項各号に掲げる行為以外の行為をする場合であってもその保佐人の同意を得なければならない旨の審判をすることができる。ただし、第9条ただし書に規定する行為については、この限りでない。

Ⅲ　保佐人の同意を得なければならない行為について、保佐人が被保佐人の利益を害するおそれがないにもかかわらず同意をしないときは、家庭裁判所は、被保佐人の請求により、保佐人の同意に代わる許可を与えることができる〈同〉。

Ⅳ　保佐人の同意を得なければならない行為であって、その同意又はこれに代わる許可を得ないでしたものは、取り消すことができる〈書〉。

［趣旨］被保佐人の一般財産すべてにわたって行為能力を制限し独立に保護者をつけるのは厳格かつ不必要なので、原則としてすべての行為を単独で行えるとしつつ、特定の基本財産の費消のみを防止すべく設けられたものである。

《注　釈》

一　保佐人の同意を要する行為

ex.1　貸金の返済を受ける行為は1項1号の「元本を領収」に当たる
　　　cf.　利息、賃料の領収は同意不要

ex.2　約束手形の振出は1項2号の「借財」に当たる（大判大3.11.20）

ex.3　時効利益の放棄、時効完成後の債務の承認には1項2号が類推適用される（大判大8.5.12）

ex.4　不動産賃貸借の合意解除、電話加入権、株式・著作権等の知的財産権処分は1項3号に当たる

ex.5　被保佐人Aが1項各号の行為を制限行為能力者Bの法定代理人（親権者等）としてする場合は1項10号に当たる

　　　　　→Aは自己の保佐人Cの同意を得なければならない

　＊　保佐人が、被保佐人の利益を害するおそれがないにもかかわらず同意をしな
　　いときは、被保佐人は家庭裁判所に請求して、保佐人の同意に代わる許可をも
　　らうことができる（Ⅲ囷）。保佐人の権限濫用を防止する趣旨である。

二　保佐人の同意を要しない行為

　　ex.1　成年被後見人の場合と同様、被保佐人は、日用品の購入その他日常生活
　　　　に関する行為（9ただし書）を行うことができる（13Ⅰ柱書ただし書）囍

　　ex.2　被保佐人が相手方の提起した訴えについて訴訟行為をするには、保佐人
　　　　の同意を要しない（民訴32Ⅰ）囷

　　ex.3　被保佐人は不在者の財産管理人、社団法人の理事、任意代理人、組合の
　　　　業務執行者（代理・受任）のいずれにもなれる（∵代理人は行為能力者で
　　　　あることを要せず、また保佐開始は委任の終了原因でない）

　　ex.4　被保佐人も成年であれば婚姻の届出の証人（739Ⅱ）になれる

《その他》

▪時効の更新の効力を生じる承認は、保佐人の同意を要しない（152Ⅱ・大判大
　7.10.9参照）。

▪保佐人の同意を得た場合であっても、その同意にかかる法律行為を必ず行わなけ
　ればならないわけではない囲。

▪保佐人の同意が得られず訴えを提起できなくても、その債権の消滅時効は進行す
　る（最判昭49.12.20）。

　∵　不同意は事実上の障害にすぎない　⇒p.116

▪被保佐人が、保佐人の同意を得て、自己の不動産につき第三者との間で売買契約
　を締結した場合であっても、被保佐人がその売買契約の目的及び取引上の社会通
　念に照らして重要な錯誤に陥っており、かつ、そのことにつき重大な過失がない
　ときは、その契約の取消しを主張することができる囲。

第14条　（保佐開始の審判等の取消し）

Ⅰ　第11条本文に規定する原因が消滅したときは、家庭裁判所は、本人、配偶者、
　4親等内の親族、未成年後見人、未成年後見監督人、保佐人、保佐監督人又は検察
　官の請求により、保佐開始の審判を取り消さなければならない囲。

Ⅱ　家庭裁判所は、前項に規定する者の請求により、前条第2項の審判の全部又は一
　部を取り消すことができる。

《注　釈》

▪「消滅した」（Ⅰ）とは、意思能力を完全に回復したこと、あるいは、補助開始の
　要件となる程度の精神状態まで回復したことをいう。

▪2項によって、被保佐人であることを取り消すのではなく、審判によって追加さ
　れた保佐人の同意を必要とする行為（13Ⅱ）のみを取り消すものとした。

第15条　（補助開始の審判）

Ⅰ　精神上の障害により事理を弁識する能力が不十分である者については、家庭裁判所は、本人、配偶者、４親等内の親族、後見人、後見監督人、保佐人、保佐監督人又は検察官の請求により、補助開始の審判をすることができる〈同書〉。ただし、第７条又は第11条本文に規定する原因がある者については、この限りでない〈同〉。

Ⅱ　本人以外の者の請求により補助開始の審判をするには、本人の同意がなければならない〈同書〉。

Ⅲ　補助開始の審判は、第17条第１項の審判又は第876条の９第１項＜補助人に代理権を付与する旨の審判＞の審判とともにしなければならない〈書〉。

第16条　（被補助人及び補助人）

補助開始の審判を受けた者は、被補助人とし、これに補助人を付する。

第17条　（補助人の同意を要する旨の審判等）

Ⅰ　家庭裁判所は、第15条第１項本文に規定する者又は補助人若しくは補助監督人の請求により、被補助人が特定の法律行為をするにはその補助人の同意を得なければならない旨の審判をすることができる。ただし、その審判によりその同意を得なければならないものとすることができる行為は、第13条第１項に規定する行為の一部に限る〈書〉。

Ⅱ　本人以外の者の請求により前項の審判をするには、本人の同意がなければならない。

Ⅲ　補助人の同意を得なければならない行為について、補助人が被補助人の利益を害するおそれがないにもかかわらず同意をしないときは、家庭裁判所は、被補助人の請求により、補助人の同意に代わる許可を与えることができる〈同〉。

Ⅳ　補助人の同意を得なければならない行為であって、その同意又はこれに代わる許可を得ないでしたものは、取り消すことができる。

第18条　（補助開始の審判等の取消し）

Ⅰ　第15条第１項本文に規定する原因が消滅したときは、家庭裁判所は、本人、配偶者、４親等内の親族、未成年後見人、未成年後見監督人、補助人、補助監督人又は検察官の請求により、補助開始の審判を取り消さなければならない〈同〉。

Ⅱ　家庭裁判所は、前項に規定する者の請求により、前条第１項の審判の全部又は一部を取り消すことができる。

Ⅲ　前条第１項の審判及び第876条の９第１項＜補助人に代理権を付与する旨の審判＞の審判をすべて取り消す場合には、家庭裁判所は、補助開始の審判を取り消さなければならない。

［趣旨］後見や保佐の制度では保護の対象にならない（心神喪失・耗弱の状態までには至らない）が、通常人に比べ判断能力の不十分な者の保護のために、補助の制度が設けられた。

《注　釈》

一　被補助人の意義

精神上の障害により事理を弁識する能力が不十分である者で、家庭裁判所によって補助開始の審判を受けた者（15 I）。

二　被補助人の能力の範囲

1　被補助人は、家庭裁判所が審判で定めた特定の法律行為のみについて、補助人の同意を得ないで単独で行ったときは、これを取り消すことができる（17 IV）。もっとも、補助人が、被補助人の利益を害するおそれがないにもかかわらず同意をしないときは、被補助人は家庭裁判所に請求して、補助人の同意に代わる許可をもらうことができる（17 III）〈司〉。補助人の権限濫用を防止する趣旨である。

2　その他の行為は単独で有効になしうる。

　　ex. 成年後見開始・保佐開始の審判の請求、日常生活に関する行為、取り消すことができる行為の取消し、時効の更新の効力を生じる債務承認、応訴

三　補助人

1　補助開始の審判があると、被補助人に補助人が付される（16）。本人以外の請求で補助開始の審判をなすには、本人の同意が必要である（15 II）〈司〉。

2　補助人の選任については、成年後見人選任に関する規定が準用され（876の7 II）、複数あるいは、法人を選任することもできる。そのため、当該行為についての取消権が認められ（120 I）、追認権も認められる（122）。

四　補助開始の審判

1　補助開始の審判は、それ自体の効果として同意権・代理権付与を伴わないので、補助開始の審判をなす場合には、同時に同意権付与（17 I）・代理権付与（876の9 I）の一方又は双方をしなければならない（15 III）〈司〉。

　　→被補助人のための同意権・代理権付与が補助開始の審判の要件となる

2　補助人に同意権を付与する場合、同意権は13条1項に列挙された特定の法律行為の一部に限られ、審判開始後の事情の変化で、対象となる法律行為の範囲を変更できる（17）。

3　補助人に代理権を付与する場合、被補助人の申立て又は同意を要件として、当事者等が申し立てた特定の法律行為について、家庭裁判所が補助人に代理権を付与することができる（876の9）。

　　→補助人に代理権だけが付与される場合、被補助人の行為能力は制限されない〈司〉

4　同意権付与・代理権付与のすべてを取り消す場合、補助開始の審判のみが存続しても意味がないため、家庭裁判所の職権で、開始の審判自体を取り消さなければならない（18 III）。

第19条　（審判相互の関係）

Ⅰ　後見開始の審判をする場合において、本人が被保佐人又は被補助人であるときは、家庭裁判所は、その本人に係る保佐開始又は補助開始の審判を取り消さなければならない。

Ⅱ　前項の規定は、保佐開始の審判をする場合において本人が成年被後見人若しくは被補助人であるとき、又は補助開始の審判をする場合において本人が成年被後見人若しくは被保佐人であるときについて準用する。

[趣旨] 11条ただし書、15条1項ただし書とともに、本条は、成年後見、保佐、補助の制度が抵触、重複しないよう配慮したものである《同》。

第20条　（制限行為能力者の相手方の催告権）

Ⅰ　制限行為能力者の相手方は、その制限行為能力者が行為能力者（行為能力の制限を受けない者をいう。以下同じ。）となった後、その者に対し、1箇月以上の期間を定めて、その期間内にその取り消すことができる行為を追認するかどうかを確答すべき旨の催告をすることができる。この場合において、その者がその期間内に確答を発しないときは、その行為を追認したものとみなす《同》。

Ⅱ　制限行為能力者の相手方が、制限行為能力者が行為能力者とならない間に、その法定代理人、保佐人又は補助人に対し、その権限内の行為について前項に規定する催告をした場合において、これらの者が同項の期間内に確答を発しないときも、同項後段と同様とする《同書》。

Ⅲ　特別の方式を要する行為については、前2項の期間内にその方式を具備した旨の通知を発しないときは、その行為を取り消したものとみなす。

Ⅳ　制限行為能力者の相手方は、被保佐人又は第17条第1項の審判を受けた被補助人に対しては、第1項の期間内にその保佐人又は補助人の追認を得るべき旨の催告をすることができる。この場合において、その被保佐人又は被補助人がその期間内にその追認を得た旨の通知を発しないときは、その行為を取り消したものとみなす《書》。

[趣旨] 制限行為能力者のした法律行為は、追認又は取消しがあるまで効力が確定せず、不安定である。この不安定な状態から相手方を救済するため規定された。

《注　釈》

一　要件

1　催告の受領能力（98の2）があり、取消し・追認をなしうる者（120Ⅰ、122）に対し、催告すること。

2　1か月以上の期間を定めて確答を促すこと。

　　cf.　「特別の方式を要する行為」（20Ⅲ）とは、後見人が後見監督人の同意を得て追認をなす場合等（826、864）である。なお、保佐人が追認するときは保佐監督人の同意を得なければならない旨の規定は存在しない（864、865Ⅰ参照）から、保佐人の追認（20ⅡⅢ）は、「特別の方式を要する行為」に当たらない《同》

二　効果

催告を受けた者が単独で追認できる場合に返事をしなければ追認を擬制し、単独で追認できない場合は取消しを擬制する。

* 従来、保佐人に対する催告の可否について争いがあったが、保佐人にも追認権が認められるので、保佐人に対する催告を認め、期間内に確答を発しない場合の効果は、追認擬制となる（20Ⅱ）。

cf. 相手方が法定代理人に対して追認するかどうかの催告をし、法定代理人が確答を発しなかったときでも、詐欺を理由とする意思表示の取消し（96Ⅰ）をなしうる

＜相手方の催告権＞〈司〉

	催告の時期	催告の相手方	確答しなかった場合の効果	条文
未成年者　成年被後見人	行為能力者となった後	本人	単独で追認しうる行為→追認	1項
	制限行為能力者である間	法定代理人	単独で追認しうる行為→追認	2項
			後見監督人の同意を要する行為→取消し	3項
被保佐人　被補助人　（＊1）	行為能力者となった後	本人	単独で追認しうる行為→追認	1項
	制限行為能力者である間	本人	保佐人・補助人の同意を要する行為→取消し	4項〈司〉
		保佐人　補助人	単独で追認しうる行為（＊2）→追認	2項

＊1　被補助人については、補助人の同意を要する旨の審判を受けたことが前提となっている。　⇒p.17
＊2　保佐・補助監督人の同意を要する行為はない（876の3Ⅱ参照）。
　　cf. 詐欺や強迫については、催告制度の適用はない〈司〉

第21条　（制限行為能力者の詐術）
制限行為能力者が行為能力者であることを信じさせるため詐術を用いたときは、その行為を取り消すことができない〈書〉。

［趣旨］制限行為能力者のした法律行為の相手方の救済及び取引保護と同時に、詐術を用いた制限行為能力者に対する制裁として、取消権そのものを否定するという効果を与えた。

《注　釈》
一　「詐術」の意義
詐術は、制限行為能力者が行為能力者であると誤信させるため相手方に対し積極的術策を用いた場合に限られるものではない。制限行為能力者であることを黙秘していた場合でもそれが制限行為能力者の他の言動などと相まって相手方を誤

信させ又は誤信を強めたものと認められるときも含む。もっとも、制限行為能力者であることを終始黙秘していただけの場合は含まない（最判昭44.2.13・百選Ⅰ〔第6版〕6事件）〈書〉。

> ex.　未成年者が偽造の法定代理人の同意書を善意の相手方に交付して、法定代理人の同意を得ていると信じさせる場合は「詐術」といえる（大判明37.6.16）〈共〉

二　効果

1　取消権の消滅により、完全に有効な行為となる〈予〉（法定代理人等の取消権も消滅する）。

2　相手方は詐欺を理由に取り消すことはできない。

> ∵　行為能力に関しての詐術は法律行為の内容についてのものではなく、効果意思に瑕疵はない

《その他》

- 未成年者が婚礼の準備と偽って家具類を購入しても「詐術」に当たらず、直ちに転売しても未成年のままでは追認の能力がないので法定追認（125）の効果は生じない。
- 詐術による取消権の喪失（21）により、制限行為能力を理由として法律行為を取り消すことができなくなるにすぎず、別途、錯誤（95）の要件を充足するのであれば、取消しを主張することができる。

■第4節　住所

第22条（住所）
各人の生活の本拠をその者の住所とする。

第23条（居所）
Ⅰ　住所が知れない場合には、居所を住所とみなす。

Ⅱ　日本に住所を有しない者は、その者が日本人又は外国人のいずれであるかを問わず、日本における居所をその者の住所とみなす。ただし、準拠法を定める法律に従いその者の住所地法によるべき場合は、この限りでない。

第24条（仮住所）
ある行為について仮住所を選定したときは、その行為に関しては、その仮住所を住所とみなす。

《注釈》

- 住所は各人の生活の本拠であり（22）、債務の履行場所（484Ⅰ）、相続の開始場所（883）、裁判管轄地（民訴4）の基準として意味をもつ。

■第5節　不在者の財産の管理及び失踪の宣告

第25条　（不在者の財産の管理）

Ⅰ　従来の住所又は居所を去った者（以下「不在者」という。）がその財産の管理人（以下この節において単に「管理人」という。）を置かなかったときは、家庭裁判所は、利害関係人又は検察官の請求により、その財産の管理について必要な処分を命ずることができる〈同旨〉。本人の不在中に管理人の権限が消滅したときも、同様とする。

Ⅱ　前項の規定による命令後、本人が管理人を置いたときは、家庭裁判所は、その管理人、利害関係人又は検察官の請求により、その命令を取り消さなければならない〈基〉。

第26条　（管理人の改任）〈基〉

不在者が管理人を置いた場合において、その不在者の生死が明らかでないときは、家庭裁判所は、利害関係人又は検察官の請求により、管理人を改任することができる。

第27条　（管理人の職務）

Ⅰ　前2条の規定により家庭裁判所が選任した管理人は、その管理すべき財産の目録を作成しなければならない。この場合において、その費用は、不在者の財産の中から支弁する。

Ⅱ　不在者の生死が明らかでない場合において、利害関係人又は検察官の請求があるときは、家庭裁判所は、不在者が置いた管理人にも、前項の目録の作成を命ずることができる。

Ⅲ　前2項に定めるもののほか、家庭裁判所は、管理人に対し、不在者の財産の保存に必要と認める処分を命ずることができる〈同〉。

第28条　（管理人の権限）

管理人は、第103条＜権限の定めのない代理人の権限＞に規定する権限を超える行為を必要とするときは、家庭裁判所の許可を得て、その行為をすることができる〈基〉。不在者の生死が明らかでない場合において、その管理人が不在者が定めた権限を超える行為を必要とするときも、同様とする。

第29条　（管理人の担保提供及び報酬）

Ⅰ　家庭裁判所は、管理人に財産の管理及び返還について相当の担保を立てさせることができる。

Ⅱ　家庭裁判所は、管理人と不在者との関係その他の事情により、不在者の財産の中から、相当な報酬を管理人に与えることができる〈基〉。

[趣旨]住所を去ったまま容易に帰ってくる見込みのない者（不在者）〈同〉の、不在の状態が続く場合には、本人、債権者等の利害関係人、国民経済上の利益のためにも国家が関与してその財産を管理する必要が生じる。このような場合に関する規定が25条から29条である。

《注　釈》

一　「不在者」の意義

　　住所又は居所を去って容易に帰来する見込みのない者をいう〈同〉。生死不明である必要はない。

二　管理を要する場合

1　不在者が財産管理人を置かない場合（25Ⅰ前段）〈同〉

　　不在者が管理人を置いている場合は、原則として家庭裁判所は干渉しない。委任管理人の権限の範囲は委任契約により定まる。

2　不在者が置いた財産管理人が権限を失った場合（25Ⅰ後段）

3　本人の生死が不明で、不在者が置いた財産管理人をコントロールすることができなくなった場合（26）

　　cf.　不在者に法定代理人（親権者、後見人）がある場合は、法定代理人は親族編の諸規定に従って財産管理をするので特別の措置を講じる必要がなく、したがって、総則編は適用されない

三　管理の方法

1　25条の場合（「財産の管理について必要な処分」）

⑴　不在者の費用で財産目録を作って管理すべき財産を明らかにする（27Ⅰ）。

⑵　管理行為（保存・利用・改良行為、103）を超えて財産を処分する必要のあるときは裁判所の許可を得なければならない（28前段）。

⑶　家庭裁判所は、管理人に対し、財産の保存に必要な処分を命じ、また、必要に応じて担保を提供させ（29Ⅰ）、また不在者の財産から報酬を与えることができる（29Ⅱ）。

2　26条の場合

⑴　家庭裁判所は、利害関係人又は検察官の請求により、本人が置いた管理人を改任することができる（26）。

⑵　家庭裁判所は、改任することなく従来の管理人に対し、財産目録の作成、財産の保存に必要な処分を命じ（27ⅡⅢ）、その権限を超える行為をするについて許可を与え（28後段）、必要に応じて担保を提供させ、また、報酬を与えることができる（29）。

　　cf.　不在者の生存が明らかな場合は、管理人に義務違反があっても本人が後日内部的に処理すれば足り、家庭裁判所の干渉により改任する必要はない

3　28条の場合

　　財産の管理上越権行為（管理財産の売却、贈与、遺産分割等）の必要が生じた場合は、家庭裁判所の許可を得て行う〈同書〉。

⑴　選任管理人の場合は、一種の法定代理人なので権限の範囲は103条により定まる。

⑵　委任管理人の場合は、当事者間の契約により定まる（不在者の生死不明が要件）〈同〉。

総則

四　管理の終了

　　本人が後日管理人を置くか（25Ⅱ）、自ら管理可能になったとき、不在者が死亡又は失踪宣告を受けたときは、家庭裁判所が本人、管理人、利害関係人又は検察官等の申立てにより、命じた処分を取り消すことになり管理は終了する。当然に管理人の地位が失われるのではない。

《その他》

- 不在となった未成年者の財産を管理する権限は法定代理人にあり、財産管理人は置かれない。

- 家庭裁判所が選任した不在者の財産の管理人は、不在者を被告とする訴訟において、28条の許可を得ることなく、控訴、上告する権限を有する（最判昭47.9.1）〈司書〉。

第30条　（失踪の宣告）

Ⅰ　不在者の生死が7年間明らかでないときは、家庭裁判所は、利害関係人の請求により、失踪の宣告をすることができる〈書〉。

Ⅱ　戦地に臨んだ者、沈没した船舶の中に在った者その他死亡の原因となるべき危難に遭遇した者の生死が、それぞれ、戦争が止んだ後、船舶が沈没した後又はその他の危難が去った後1年間明らかでないときも、前項と同様とする。

第31条　（失踪の宣告の効力）〈共書〉

前条第1項の規定により失踪の宣告を受けた者は同項の期間が満了した時に、同条第2項の規定により失踪の宣告を受けた者はその危難が去った時に、死亡したものとみなす。

［趣旨］不在者の生死不明の状態が継続すること（失踪）は、不在者の財産・身分に関し利害関係をもつ者の地位を不確定な状態にしておくことになってしまう。そこで、利害関係人のために不在者を死亡したものとして取り扱って法律関係を確定させることとした。

《注　釈》

一　30条

1　1項は普通失踪、2項は特別失踪という。いずれももっぱら、生死不明の場合に関する制度である。

　　cf.　類似の制度として認定死亡がある。認定死亡とは、死亡は確実だが死体の確認ができない場合に、戸籍上死亡扱いする制度をいう（戸籍89）

2　宣告の請求権者である「利害関係人」とは、失踪宣告がされることによって直接に権利を取得し、又は義務を免れる者をいい、配偶者、推定相続人、生命保険金の受取人等はこれに含まれる〈共〉。なお、検察官は含まれない（∵近親者の感情に配慮するため）。

総則

＜普通失踪と特別失踪の相違＞

	普通失踪（30 Ⅰ）	特別失踪（30 Ⅱ）
失踪期間	7 年	1 年
起算点	生存が確認された最後の時（最後の音信）	危難が去った時
死亡の認定時期〈拱〉	失踪期間の満了時（31 前段）	危難が去った時（31 後段）

二　31 条

1　死亡とみなすことで、従来の住所を中心とした法律関係を終了させる趣旨である。「みなす」とは推定するのと異なり、宣告が存在する限り反証を挙げても効果がないことを意味する。

2　死亡したものとみなされた時点（普通失踪では失踪期間の満了時、特別失踪では危難が去った時）で相続が開始する〈同〉。

　　生存が確認されたり、異なる時期に死亡したことが判明しても、宣告が取り消されない限り宣告の効果は失われない。

《その他》

▪ 失踪宣告は失踪者の権利能力を奪うものではない〈拱〉。したがって、失踪者が他所で物を買ったり部屋を借りたりすることを妨げない。また、失踪者が失踪前の住所に帰来した場合でも、帰来後の新たな法律関係は、宣告を取り消さなくとも有効に成立する。

第 32 条　（失踪の宣告の取消し）

Ⅰ　失踪者が生存すること又は前条に規定する時と異なる時に死亡したことの証明があったときは、家庭裁判所は、本人又は利害関係人の請求により、失踪の宣告を取り消さなければならない〈拱〉。この場合において、その取消しは、失踪の宣告後その取消し前に善意でした行為の効力に影響を及ぼさない〈書〉。

Ⅱ　失踪の宣告によって財産を得た者は、その取消しによって権利を失う。ただし、現に利益を受けている限度においてのみ、その財産を返還する義務を負う〈拱書〉。

[趣旨] 失踪者の生存が判明し異時死亡の証明された場合の宣告の取消制度を定める。失踪宣告が取り消されると原則として以前の法律関係を復活させることになる。しかし、これを貫けば、失踪宣告を信頼した配偶者や相続人、契約の相手方等に思わぬ損失を与えるおそれがある。そこで、これを避けるために例外を認めた。

《注　釈》

一　1 項

1　前段

　　失踪宣告は取り消されると効力を失い、原則として失踪宣告はなかったのと同じに扱われる。

　　ex.1　失踪宣告による委任の終了の効果は宣告の取消しにより消滅する

ex.2　失踪宣告の取消前の占有に基づいて、宣告によって得た財産を時効取
　　　得できる

２　後段

財産上、身分上の行為の区別なく適用される。

(1)　「善意」の意味

法律行為の当事者双方が善意であることを要する（大判昭13.2.7）共書。

ex.　失踪宣告が事実に反することにつき悪意の相続人から相続財産を譲り
　　受けた者は、たとえ善意であっても権利を取得しない

なお、一般的に、「善意」とはある事実を知らなかったことをいい、「悪意」
とはある事実を知っていたことをいう。

(2)　絶対的構成と相対的構成

善意の権利取得者からの転得者が悪意の場合、転得者は有効に権利を取得
しうるかについて、絶対的構成（善意者は確定的に権利を取得し、悪意者は
それを承継する）と相対的構成（悪意者に対する関係では処分行為は無効と
する）とが対立している。

(3)　婚姻の場合

夫の失踪宣告後に妻が再婚した場合において、かつては、後婚の当事者双
方が善意の場合、32条１項後段の適用により後婚が有効となり、前婚は復
活しないとする見解が通説とされていた。この見解によると、32条１項後段
の適用がない場合（一方又は双方悪意の場合）、失踪宣告の取消しによって
前婚が復活するから、重婚状態が生じ、前婚の離婚事由（770 I ⑤）及び後
婚の取消事由（732、744）となる。

もっとも、現在では、32条１項後段の適用はなく、常に後婚のみを有効と
すべきであるとする見解が通説ないし有力説とされている。この見解は、婚
姻においては当事者の意思を尊重すべきだから、32条１項後段の適用によっ
て善意・悪意で決するのは妥当でないとしている。

二　２項

規定上は財産を得た者の善意・悪意を区別せず現存利益の返還で足りるが、悪
意の場合は704条の悪意の返還者と同様、全利益に利息を付して返還すべきとす
るのが多数説である。

ex.1　生活費として費消した場合は現存利益がある

ex.2　浪費・盗まれた場合は現存利益はない

《その他》

▪失踪宣告後相続人悪意で第三者と相続財産につき売買があった場合、宣告が取り
消されたときでも、相続人と第三者の売買は他人物売買（561）として有効であ
る。この場合、第三者は取得時効の要件を満たせば相続財産につき所有権を取得
する。

▪Aの配偶者Bが失踪宣告を受けた場合、AとBの父母との姻族関係は当然には終
了せず、Aが姻族関係を終了させる意思表示をしたとき消滅する（728 II）。

■第6節　同時死亡の推定

> **第３２条の２**
>
> 　数人の者が死亡した場合において、そのうちの１人が他の者の死亡後になお生存していたことが明らかでないときは、これらの者は、同時に死亡したものと推定する。

[趣旨] たとえば、同一危難で親子が死亡した場合、両者の死亡時の認定いかんで相続関係に大きく影響する。しかも同一危難にあって死亡した場合、死亡時の認定が困難なことが多い。そこで、それぞれの死亡時刻を証明するのが困難であり、その死亡時刻をめぐる利害関係者が存在している以上は、同時に死亡したと推定することが最も公平で理論的にも有用であると考えられたことから設けられた規定である。

《その他》

- 死者の間で相続は生じず《同》、遺贈も効力を生じない（994 Ⅰ）が、上記**[趣旨]** の事例で死亡した子にさらに子がいれば代襲相続できる（887 Ⅱ）《同》。
- 本条が適用されるのは死亡が確実な者の間での死亡時期に関してである。前提となる生死自体が不明の場合は、まず失踪宣告か認定死亡の制度で死亡の事実を確定することを要する。

・第3章・【法人】

■第１節　法人の設立

*　平成18年に、社団法人・財団法人の設立についての許可主義を根幹とする主務官庁制を廃止し、法人格の取得と公益性の判断を分離することを中身とする公益法人関連三法（①一般社団法人及び一般財団法人に関する法律、②公益社団法人及び公益財団法人の認定等に関する法律、③一般社団法人及び一般財団法人に関する法律及び公益社団法人及び公益財団法人の認定等に関する法律の施行に伴う関係法律の整備等に関する法律）が成立した。その結果、民法38条から84条までの規定は削除されることとなった。また、民法33条から37条の各規定も全面改正された。

《概　説》

一　法人の意義

　　自然人以外のもので、法律上、権利・義務の主体たりうるものをいう。

　　法人には、社団法人（人の集団を基礎とする法人）と財団法人（財産の集合を基礎とする法人）とがある。

二　法人本質論

　　A説：権利・義務の主体は本来自然人たる個人に限られ、法人は法技術的に権利・義務の主体を擬制されたものである（法人擬制説）

　　B説：法人の実体は現実には個人又は財産以外には存在せず、法人は権利・義務の帰属点として認められる観念上の主体にすぎない（法人否認説）

　　C説：法人は、実質的に法的主体たりうる社会的実体である（法人実在説）

三　具体的法律関係

1　対外的活動

団体は、その名において取引をし、契約を結ぶことができる。

ex.　不動産登記は団体名義でできる

　　cf.　不動産が団体名義でなく理事個人名義であっても、そのことから直ちに不動産の所有者が法人でないとはいえない

2　財産関係〈団〉

団体の財産は、構成員個人の財産と法的に区別された別個独立のものとなる。

(1)　構成員個人の債務について団体の財産が責任財産となることはない。

(2)　団体の債務について構成員個人の財産が責任財産となることはないのが原則であるが、例外もある（合名会社、会社576Ⅱ、580Ⅰ）。

(3)　構成員は、団体の財産について持分権を有しない。

＜社団法人・権利能力なき社団・組合の区別＞

	社団法人	権利能力なき社団	組合
意義	人の集団を基礎とする法人	社団としての実体を有しつつも、法律上権利・義務の帰属主体たりえない団体	組合契約（667Ⅰ）により成立した団体
構成員の結合	団体が構成員の個人的目的を超越し、独立の単一体として行動するため、構成員の結合は密接でない	団体が構成員の個人的目的を超越し、独立の単一体として行動するため、構成員の結合は密接でない	共同事業のため構成員が結合しているので、構成員の結合が密接であり、個性が重視される
組織	定款によって画一的に規律される	代表の方法、総会の運営、財産の管理その他団体としての主要な点が確定している（最判昭39.10.15・百選Ⅰ7事件）	構成員間の契約によって個別的に処理される
加入・脱退	自由 ∵　構成員の変更は初めから予定されている	自由 ∵　構成員の変更は初めから予定されている	一定の制限あり（677の2・678） ∵　構成員間の信頼関係が重視される
業務執行担当者	総会で選任され、代表権を有する理事が担当者となる	総会などで選任された特定の者が担当者になる	組合員全員が担当者になるか、全員によって選任された者が担当者となる

総則

	社団法人	権利能力なき社団	組合
財産の帰属	財産は団体に帰属する。原則として、債務も団体の財産が引当てとなり、構成員は責任を負わない 例外：合名会社、合資会社	形式的には、社団に財産は帰属せず、構成員の総有と解されている。しかし、実質的には、財産は社団に帰属し、債務は社団財産の限度での責任とされ、構成員は有限責任を負うにとどまる	財産は合有的帰属となり、債務も組合員が一定の割合で無限責任を負う（675）
不動産登記名義	法人名義	代表者個人名義か構成員全員の共有名義 →社団名義及び代表者による肩書き登記は実務上認められていない	構成員全員の共有名義 →組合名義及び代表者による肩書き登記は実務上認められていない［回］

※ ただ、これらの区別は、それぞれ典型的なものについてであり、両者を厳格に区別することが困難なことがある。

※ cf.1　組合は、組合契約の締結によって設立されるから（667 I）、契約の締結である以上その設立には最低2人がいなければならないことになる。また、社団法人の設立は、法人設立という目的のために必ず2人以上の設立者が合同してなす合同行為であるからその設立行為を1人ですることはできない。

　　cf.2　社団法人の構成員は有限責任と解されるから、社団法人がその債務を完済できない場合であっても個人責任を負わない。他方、組合の組合員は無限責任を負うが、この場合組合の債権者はいきなり組合員の個人財産にかかっていってもよいとされている。

四　権利能力なき社団

1　意義［回］

社団としての実体を有しつつも、法律上権利・義務の帰属主体たりえない団体をいう。法人格は有しないが、団体としての独立性を承認され、社団法人に準じた扱いを受ける。

ex.　学術団体、学友会、町内会、クラブ

2　成立要件

①団体としての組織、②多数決の原則、③構成員の変更にもかかわらず団体が存続、④代表の方法、総会の運営、財産管理等、社団としての実体を備える必要がある（最判昭 39.10.15・百選 I 7事件）〈回〉。

3　法律関係

(1)　対外的活動

理事等の代表機関によって行われる。

→構成員全員又は全員から代理権を与えられた者による必要はない

cf.　民事訴訟法上の当事者能力がある（民訴 29）

(2)　団体の財産

社団を構成する総社員の総有に属し、構成員の個人債務の引当てにならない（最判昭 48.10.9・百選 I 8事件）〈回〉。

→社員は持分権、分割請求権を有しない
(3)　団体の債務
構成員全員に総有的に帰属する。

→社団財産だけが責任財産となり、構成員は個人責任を負わない（最判昭48.10.9・百選Ⅰ8事件）〈司〉
(4)　不動産登記
社団名義及び社団代表資格（肩書）を表示した代表者名義ではできない〈司〉。判例や実務では、代表者個人名義か構成員全員の共有名義でするものとされる。

→代表者の交代に際して、新代表者から旧代表者へ移転登記請求ができる
cf.　預金債権等については、肩書を付けて個人財産と区別することがある

4　公益法人制度改革の影響
(1)　一般社団法人法の制定により、非営利法人一般について準則主義により容易に法人格を取得することができるようになった。そのため、権利能力なき社団を法人並みに扱う必要性は低くなったといわれている。
(2)　登記名義人に対する差押え
代表者の債権者が代表者個人名義の団体財産（不動産）に強制執行を行った場合、真実の所有者である団体からの第三者異議の訴え（民執38）の提起を認める下級審裁判例がある。
この判例は、権利能力なき社団に団体名義での登記を認めない以上、団体に帰責性はなく、94条2項は類推適用できないという事情が背景にあったと考えられる。しかし、一般社団法人法の下では、権利能力なき社団は容易に法人格を取得できるのであり、あえて法人格を取得しなかった以上、本人の帰責性は認められることになり、94条2項を類推適用することができ、上記第三者異議の訴えの提起が認められないことにもなりうる。

五　権利能力なき財団
財団の実体を有する権利能力なき財団も、財団法人に準じた扱いを受ける。
ex.　権利能力なき財団に関する権利・義務が財団自体に帰属する（最判昭44.11.4）

六　一般社団法人の設立
1　原則
「準則主義」（一般法人22）が採られている。準則主義とは、法律の定める組織を備え、一定の手続によって公示したときに法人の設立が認められる場合をいう。これに対し、主務官庁が法定の要件の具備を認証することによって法人の設立が認められる場合を認証主義といい、宗教法人（宗教12以下）やNPO法人（NPO10以下）では認証主義が採られている。
2　経過
(1)　定款作成（一般法人10）
社員になろうとする者（「設立時社員」）2名以上が共同して作成し、その

29

全員がこれに署名又は記名押印する。一般社団法人の設立行為（定款作成）は「合同行為」である。

(2) 公証人の認証（一般法人13）
　定款記載事項を調査する。
　(a) 「必要的記載事項」（一般法人11Ⅰ各号）
　　「目的」（同①）「名称」（同②）「主たる事務所の所在地」（同③）、設立時社員の氏名又は名称及び住所（同④）他
　(b) 「任意的記載事項」（一般法人12）
　(c) 「記載禁止事項」
　　社員に剰余金又は残余財産の分配を受ける権利を与える旨の定款の定めは無効である（一般法人11Ⅱ）。

(3) 設立登記（一般法人22、301）：効力発生要件

(4) 社員
　経費負担義務（一般法人27）、任意退社（一般法人28）、法定退社（一般法人29、30）

七　一般財団法人の設立

1　原則
　準則主義（一般法人163）

2　手続
(1) 定款作成（152）
　設立者（2名以上あるときは、その全員）が作成する一般財団法人の設立行為（設立者による財産の拠出）は「単独行為」である。

(2) 公証人の認証（一般法人155、152Ⅱ）
　(a) 「必要的記載事項」（一般法人153Ⅰ各号）
　　「目的」（同①）「名称」（同②）「主たる事務所の所在地」（同③）、設立者の氏名又は名称及び住所（同④）、設立に関して設立者が拠出する財産及びその価額（同⑤）他
　(b) 「任意的記載事項」（一般法人154）
　(c) 一部例外（153Ⅰ①及び⑧所掲事項）を除き、評議員会の決議によって定款の変更は可能である（一般法人200Ⅰ）。
　(d) 「記載禁止事項」
　　「理事又は理事会が評議員を選任・解任すること」、「設立者に剰余金又は残余財産の分配を受ける権利を与えること」の定款の定めは無効である（一般法人153Ⅲ）。

(3) 財産の拠出
　(a) 設立者は、定款認証後遅滞なく、財産（300万円以上）の全額を拠出しなければならない（一般法人157）。
　(b) 贈与・遺贈の規定の準用（一般法人158）、設立者は法人の成立後は意思表示の瑕疵を理由として財産の拠出の無効又は取消しをすることができ

ない（一般法人165）。

(c)　拠出財産の帰属時期

生前処分による財産拠出の場合：一般財団法人成立時（一般法人164Ⅰ）

遺言による財産拠出の場合：遺言が効力を生じた時（一般法人164Ⅱ）

八　公益法人の認定

1　「公益目的事業」（公益法人2④）

「学術、技芸、慈善その他の公益」に関する事業であって、「不特定かつ多数の者の利益の増進に寄与」するもの。

2　「公益認定」（公益法人4）

行政庁は、公益目的事業を行う一般社団法人・一般財団法人からの申請があった場合には、当該事業の区分に応じて、許認可等行政機関、警察庁長官等、又は国税庁長官等から意見を聴取し（公益法人8）その「認定」を行う（公益法人4）。

＜一般社団法人と株式会社の対比＞圓

		一般社団法人	株式会社
目的・性格		非営利目的（＊1）	営利目的（会社5、105Ⅰ①②Ⅱ）
設立に関する規律		準則主義（一般法人22）	準則主義（会社49）
法人の代表者		代表理事又は理事（＊2）	代表取締役（又は取締役）
社団性		あり（一般法人10）	あり（なお、1人会社も可能：会社471参照）
定款	**絶対的記載事項**	目的、名称、主たる事務所の所在地、設立時社員の氏名又は名称及び住所、社員の資格の得喪に関する規定、公告方法、事業年度（一般法人11Ⅰ各号）	目的、商号、本店の所在地、設立に際して出資される財産の価額又はその最低額、発起人の氏名又は名称及び住所（会社27）
	記載禁止事項	社員に剰余金又は残余財産の分配を与える旨の定めは無効（一般法人11Ⅱ）	剰余金配当及び残余財産分配の権利全部を与えない旨の定め（会社105Ⅱ）総会の決議事項を他の機関に移す旨の定め（295Ⅱ）取締役・執行役が株主でなければならない旨の定め(331Ⅱ、402Ⅴ)
機関	**必要的設置機関**	社員総会（一般法人35Ⅰ）理事（一般法人60Ⅰ）	株主総会（会社295Ⅰ）取締役（会社326Ⅰ）
	任意的設置機関※設置するためには定款の定めが必要	理事会、監事（＊3）、会計監査人（＊4）（一般法人60Ⅱ）	取締役会、会計参与、監査役、監査役会、会計監査人、委員会（会社326Ⅱ）

総則

	一般社団法人	株式会社
総会の議決権（＊5）	1人1個の議決権（一般法人48 I）	1株1個の議決権（会社308 I）
資金調達	基金（一般法人131）（＊6）	社債、新株発行
解散事由	社員が欠けたことを含む（一般法人148 ④）	含まない（会社471参照）※他の解散事由は同じ
投下資本の回収手段	任意退社（一般法人28）法定退社（一般法人29）除名（一般法人30）	株式譲渡（会社127）※退社は不可
共通規定 役員等の任期	理事：2年（一般法人66 I）監事：4年（一般法人67 I）会計監査人：1年（一般法人69 I）	取締役：2年（会社332 I）監査役：4年（会社336 I）会計監査人：1年（会社338 I）
共通規定 表見代表	表見代表理事（一般法人82）	表見代表取締役（会社354）
共通規定 競業取引・利益相反取引	一般法人84条・92条	会社356条・365条
共通規定 報酬等に関する規律	一般法人89条	会社361条
共通規定 役員等の損害賠償責任（＊7）	一般法人111条、117条	会社423条、429条
共通規定 定款変更	社員総会特別決議（一般法人146、49 II④）	株主総会特別決議（会社466、309 II⑪）
共通規定 事業譲渡	社員総会特別決議（一般法人147、49 II⑤）	株主総会特別決議（会社467、309 II⑪）

＊1　このうち、公益活動を行っているものは、公益認定を受けて公益法人となることができる。

＊2　代表理事その他一般社団法人を代表する者を定めていない場合には、各理事は、単独で一般社団法人を代表する（一般法人77 I II）。

＊3　会計監査人がいる場合及び理事会を設置する場合は監事の設置が義務付けられる（一般法人61）。

＊4　大規模一般社団法人（一般法人2 ②）は、会計監査人の設置が義務付けられる（一般法人62）。

＊5　普通決議・特別決議の決議要件（一般法人49、会社309）、議決権の代理行使（一般法人50、会社310）、書面・電磁的方法による議決権行使（一般法人51・52、会社311・312）は共通。

＊6　使途に法令上の制限はない。金銭以外の財産を拠出の目的としたときは検査役選任の申立てが必要（一般法人137 I）。

＊7　責任免除に関する規律（一般法人112〜114、会社424〜426）、責任限定契約（一般法人115、会社427）、競業取引における損害額の推定（一般法人111 II、会社423 II）、利益相反取引における任務懈怠の推定（一般法人111 III、会社423 III）、自己のためにした利益相反取引に関する特則（一般法人116、会社428）、連帯責任（一般法人118、会社430）、なども共通。

第33条　（法人の成立等）

Ⅰ　法人は、この法律その他の法律の規定によらなければ、成立しない。

Ⅱ　学術、技芸、慈善、祭祀、宗教その他の公益を目的とする法人、営利事業を営むことを目的とする法人その他の法人の設立、組織、運営及び管理については、この法律その他の法律の定めるところによる。

［趣旨］法人の設立について、自由設立主義を採らず、民法その他の法律の規定によってのみ設立されるという法人法定主義を宣明したものである。

《注　釈》

＜法人設立の諸主義＞

種類	意義	具体例
当然設立	法律上当然に法人とされる場合	相続財産法人
準則主義	一定の要件を充足すれば自動的に設立が認められる場合（＊）	株式会社 一般社団法人・一般財団法人
認可主義	法律の定める要件を具備して主務官庁の認可を申請すれば必ず認可を得ることができ、その認可により設立が認められる場合	各種の協同組合 学校法人
認証主義	法律の定める要件を具備していることを主務官庁が確認（認証）することによって設立が認められる場合	宗教法人 NPO法人
特許主義	設立のためには特別の法律による特許が必要である場合	日本銀行 独立行政法人

＊　株式会社は、その本店の所在地において設立の登記をすることによって成立する（会社49）。

一般社団法人・一般財団法人も、その主たる事務所の所在地において設立の登記をすることによって成立する（一般法人22、163）。

◆　**公益法人の成立要件**

1　公益に関する事業を目的とし、営利を目的としないこと
　cf. 公益目的の手段として収益事業を営むことは差し支えない

2　定款の作成

3　公益認定
　現在、法人を営利か非営利で区別し、公益法人は非営利法人のうち公益認定を受けたものとされている。

第34条　（法人の能力）

法人は、法令の規定に従い、定款その他の基本約款で定められた目的の範囲内において、権利を有し、義務を負う。

［趣旨］法人は、一定の目的のために組織され、活動するものであるから、法人の権利能力の範囲もその目的によって制限される（権利能力制限説、最判平 8.3.19・百選Ⅰ6事件）◀過◀司。法人の目的の範囲外の行為は無効となる。また、本条はすべての法人に適用される◀司。

《注　釈》

一　法人の権利能力の制限

1　性質による制限

性・年齢・親族関係等に関する権利・義務は享有しえない。

ex.　慰謝料請求権

2　法令による制限

破産法人は破産の目的の範囲内で権利能力を有すると定められている（破35）。

3　目的による制限

通説によれば、目的による制限を受ける。

二　「目的の範囲」の判断

1　営利法人

定款に定める目的たる事業自体に属する行為のみならず、目的たる事業を遂行するために直接又は間接に必要な行為も目的の範囲内の行為である（最判昭 27.2.15）◀同共。

ある行為が「目的の範囲内」に含まれるか否かは、客観的・抽象的に判断されており、現実にはあらゆる種類の取引行為が目的の範囲内とされている。

ex.1　不動産等を保存し運用利殖を図る社団が、不動産を売却する行為

ex.2　会社が、政党に政治資金を寄附する行為（最大判昭 45.6.24・百選Ⅰ〔第6版〕8事件、八幡製鉄事件）

2　非営利法人

法人の財産的基礎の安定を図ることによって、構成員の利益の保護を考慮し、目的の範囲内の行為を営利法人の場合よりも狭く厳格に解釈する。

⑴　目的の範囲内と認定された例

ex.1　農業協同組合が、非組合員であるリンゴの移出業者からリンゴの販売委託を受けるとともに、後日その帳尻を準消費貸借に改めた行為（最判昭 33.9.18）

ex.2　信用協同組合が、非組合員から預金を受け入れた行為（最判昭 35.7.27）

⑵　目的の範囲外と認定された例

ex.　農業協同組合の非組合員に対する貸付け（最判昭 41.4.26・百選Ⅰ〔第6版〕7事件）

→目的の範囲外の行為であり、無効であっても、信義則上、その主張が許されない場合がある（最判昭 44.7.4・百選Ⅰ80事件）

3　公益法人

公益目的の達成を図るため、法人の財産的基礎の安定を考慮し、目的の範囲

を厳格に解釈する。

　　ex.　税理士会が、政党等政治資金規正法上の政治団体に寄附することは目的の範囲外である（最判平 8.3.19・百選 I 6 事件）

三　代表者の権限に加えた制限

1　総説

　　一般法人法77条5項、197条等には、法人の代表者の代表権について、「（代表者の）権限に加えた制限は、善意の第三者に対抗することができない」という規定があり、営利法人・非営利法人を問わず共通に規定されている。

2　一般法人法77条5項等の規定の趣旨

　　法人の自治規範（定款、寄附行為、総会決議等）による理事の代表権の制限は内部的なことであり、第三者は容易に認識することができない。このため、本条は第三者の利益を保護し、取引の安全を図った。

　　ex.　定款で理事長のみが代表権を有する旨を定めても善意の第三者に対抗できない

3　「善意」の意義

（1）　定款等による代表者の制限があることを知らないことであり（最判昭60.11.29・百選 I 30 事件）、無過失であることを要しない。

　　cf.　代表権の内部的制限自体については悪意であっても、当該制限に係る手続を踏んだものと信じた第三者が、そう信ずるにつき正当な理由があるときは、110条を類推適用することができる　⇒ p.70

（2）　「善意」の主張・立証責任は第三者にある。

4　適用範囲

　　本条は、定款等による代表権の内部的規制についてのみ適用される。法令による原始的な代表権制限については適用されない。

四　法人の不法行為

1　総説

（1）　法人は、その「代表者がその職務を行うについて第三者に加えた損害を賠償する責任を負う」（一般法人78、197、会社350）。「職務を行うについて」の解釈については、民法715条と同様、外形標準説がとられている。⇒ p.645 参照

（2）　「代表者」とは、典型的には、一般社団法人の代表理事、株式会社の代表取締役である。もっとも、代表権をもっていれば、肩書きを問わず「代表者」に当たる。

（3）　法人の不法行為と表見代理

　　一般に、不法行為は事実的不法行為（ex. 交通事故）と、取引行為的不法行為（ex. 詐欺が絡む不法行為）に分けられる。この点、代表者が取引的不法行為を行った場合、一般法人法78条等と110条との関係が問題になる。

　　この問題については、①110条類推適用説、②選択的適用説、③110条優先適用説で、争いがあり、判例の評価も分かれている。

2　代表者の個人的責任

　　代表者個人も、法人と連帯して不法行為責任を負う（大判昭7.5.27）〈司〉。

　∵　法人が賠償責任を負担しても、代表者その他の代表機関の行った不法行為であることには変わりがない

　cf.　擬制説からは当然、実在説からも、代表者の行為に法人の機関としての行為の他に個人の行為としての側面（二面性）があることを理由に肯定される

■第2節　法人の機関等

《概　説》

　公益法人制度改革により、非営利法人一般について法人の設立を準則主義とし、運用上の問題に対しては、法人の活動に対する内部的なコントロール（ガバナンス）の仕組みを会社法並みに作るという方向性を打ち出した。実際、一般法人法の規定などは、法人の組織について会社法が基本となって作られている。

第35条　（外国法人）

Ⅰ　外国法人は、国、国の行政区画及び外国会社を除き、その成立を認許しない。ただし、法律又は条約の規定により認許された外国法人は、この限りでない。

Ⅱ　前項の規定により認許された外国法人は、日本において成立する同種の法人と同一の私権を有する。ただし、外国人が享有することのできない権利及び法律又は条約中に特別の規定がある権利については、この限りでない〈司〉。

第36条　（登記）

　法人及び外国法人は、この法律その他の法令の定めるところにより、登記をするものとする。

第37条　（外国法人の登記）

Ⅰ　外国法人（第35条第1項ただし書に規定する外国法人に限る。以下この条において同じ。）が日本に事務所を設けたときは、3週間以内に、その事務所の所在地において、次に掲げる事項を登記しなければならない。

①　外国法人の設立の準拠法
②　目的
③　名称
④　事務所の所在場所
⑤　存続期間を定めたときは、その定め
⑥　代表者の氏名及び住所

Ⅱ　前項各号に掲げる事項に変更を生じたときは、3週間以内に、変更の登記をしなければならない。この場合において、登記前にあっては、その変更をもって第三者に対抗することができない。

Ⅲ　代表者の職務の執行を停止し、若しくはその職務を代行する者を選任する仮処分命令又はその仮処分命令を変更し、若しくは取り消す決定がされたときは、その登記をしなければならない。この場合においては、前項後段の規定を準用する。

Ⅳ　前2項の規定により登記すべき事項が外国において生じたときは、登記の期間は、その通知が到達した日から起算する。

Ⅴ　外国法人が初めて日本に事務所を設けたときは、その事務所の所在地において登記するまでは、第三者は、その法人の成立を否認することができる。

Ⅵ　外国法人が事務所を移転したときは、旧所在地においては3週間以内に移転の登記をし、新所在地においては4週間以内に第1項各号に掲げる事項を登記しなければならない。

Ⅶ　同一の登記所の管轄区域内において事務所を移転したときは、その移転を登記すれば足りる。

Ⅷ　外国法人の代表者が、この条に規定する登記を怠ったときは、50万円以下の過料に処する。

第38条〜第84条　（法人の設立・管理・解散に関する規定）　削除

・第4章・【物】

第85条　（定義）

この法律において「物」とは、有体物をいう。

《注　釈》

◆　所有権の客体となるための要件

1　有体物であること（有体性、85）

85条は、物権の客体を有体物に限定するための規定であるが、今日では、無体物の上にも所有権をはじめとする物権が成立することを認めざるを得ないため、85条は物権の対象を限定する意味をもっていない。すでに民法の中でも権利の上に物権が成立する場合を規定している。

ex.　転抵当権（376Ⅰ）、転質権（348）、権利質（362）、準占有権（205）

2　排他的支配が可能であること（支配可能性）

ex.　月や星は、有体物であっても、物権の客体とはならない

3　人の身体でないこと（非人格性）

→現代法では、人の身体に対して排他的支配は認められない

＊　分離された身体の一部（毛髪等）は、「物」として客体となりうる。

4　特定していること（特定性）

特定性具備の有無は、物理的状態のみならず、社会的・経済的な観点をも顧慮して決定される。したがって、当初の客体が終始固定していなくても（1個の物の構成部分が変更しても）特定性は失われるわけではない。

ex.　集合動産譲渡担保（最判昭54.2.15）

5　独立しており、物の一部ではないこと（独立性、単一性）

cf.　一物一権主義との関係　⇒p.120

<＜物の概念の整理＞

総則

第86条 （不動産及び動産）

I　土地及びその定着物は、不動産とする。

II　不動産以外の物は、すべて動産とする。

[趣旨] 民法は、不動産と動産とで取扱いに著しい差異（177、192、579 等）を設けている。そこで、物を不動産と動産とに分類した。

《注　釈》

一　「土地」（I）

地表を中心として、人の支配及び利用の可能な範囲内でその上下に及ぶ立体的存在である。

ex.　海は、国が一定範囲を区画し、他の海面から区別して排他的支配を可能にしたうえで、公用を廃止し、私人の所有に帰属させた場合には、その区画部分は所有権の客体たる土地に当たる（最判昭 61.12.16）

二　「定着物」（I）

「定着物」とは、継続的に土地に固着し、固着して使用されることがその物の性質と認められるものをいう。ただし、「定着物」の不動産としての扱いには以下のような差が生じる。

1　土地の一部として、独立の不動産として扱われないもの

ex.　石垣、砂利

2　土地とは独立の不動産として扱われるもの

ex.　建物　∵慣習

cf.1　建築中の建物（建前）は、屋根瓦を葺き荒壁を塗り終わった段階で建物となる（大判昭 10.10.1・百選 I 10 事件）

cf.2　建物の個数は、その区分が独立の建物としての効用を有するか否かで決せられる（大判昭 10.10.1・百選 I 10 事件）

3　一定の条件の下で独立の不動産と認められるもの

立木法上の立木は、登記により完全に土地から独立の不動産となり、抵当権

の設定が可能となる。

　　cf.　立木法の適用のない立木は、原則として土地の構成部分であり独立の物
　　　　ではない。ただし、明認方法等により土地とは独立の取引客体とすること
　　　　ができる

三　「動産」
　　不動産以外の物（86Ⅱ）をいう。

第87条　（主物及び従物）

Ⅰ　物の所有者が、その物の常用に供するため、自己の所有に属する他の物をこれに
　附属させたときは、その附属させた物を従物とする。
Ⅱ　従物は、主物の処分に従う。

[趣旨] 2個の独立性を有する物の間に客観的・経済的な主従結合関係がある場合
に、個人の権利を害しない範囲でこれを法律的運命においても同一に取り扱い、そ
の結合は破壊すべきではないという要請に応じて主物・従物制度を設けた。

《注　釈》
一　「従物」の要件
　　①　継続的に主物の効用を助けること
　　②　主物に付属すると認められる程度の場所的関係にあること
　　③　主物と同一の所有者に属すること〈司〉
　　④　独立性を有すること〈司〉
二　権利への準用
　　ex.1　質入債権が利息付の場合、質権の効力は利息債権に及ぶ
　　ex.2　賃借地上の建物の売買契約が締結された場合には、特段の事情のない限
　　　　り、売主は買主に対して敷地の賃借権をも譲渡したものと認められる（大
　　　　判昭2.4.25）

第88条　（天然果実及び法定果実）

Ⅰ　物の用法に従い収取する産出物を天然果実とする。
Ⅱ　物の使用の対価として受けるべき金銭その他の物を法定果実とする。

第89条　（果実の帰属）

Ⅰ　天然果実は、その元物から分離する時に、これを収取する権利を有する者に帰属
　する。
Ⅱ　法定果実は、これを収取する権利の存続期間に応じて、日割計算によりこれを取
　得する〈司〉。

[趣旨] 果実は、収取権者の収入に帰すべきものであるが、果実の観念及び果実の
生ずるまでに収取権者に変動があった場合の果実の分配について争いを生ずるおそ
れがあるので、これを防止するため特に規定を設けた。89条は任意規定である。

《注　釈》

一　果実・元物

　　果実とは、物より生ずる経済的収益をいい、元物とは、果実を生ずる物をいう。

二　天然果実と法定果実

　1　天然果実

　(1)　物の経済的用途に従って有機的・無機的に産出される物をいう。

　　　ex.　牛乳、羊毛、野菜、果物、鉱物、土砂、石炭

　(2)　天然果実の収取権者は、分離する時に収取する権利のある者である。

　　　ex.　元物の所有者（206）、賃借権者（601）、地上権者（265）、永小作権者（270）

　2　法定果実

　　　物（元物）の使用の対価として受ける金銭その他の物をいう。発生する日を基準に、収取する権利の期間を日割で計算する。

　　　ex.　地代、家賃（大判大14.1.20）、利息

・第5章・【法律行為】

■第1節　総則

《概　説》

一　法律行為の意義

　　人が法律効果を発生させようとする行為であり、意思表示という法律事実を要素とする法律要件をいう。

<法律事実の種類>

二　法律行為の種類・態様

　1　単独行為

　　　単一の意思表示により構成される法律行為のことをいう。

　　　ex.　追認（116本文）、追認の拒絶（113Ⅱ）〈司〉、取消し（123）、相殺の意思表示（506Ⅰ前段）〈司〉、債務の免除（519）〈司〉、解除（540Ⅰ）、遺言（960）

　2　契約

　　　2つ以上の意思表示の合致により成立する法律行為のことをいう。

3　合同行為

　　2つ以上の意思表示が、相対立せずに同一の目的に向けられた形で合致することにより成立する法律行為のことをいう。

　　ex.　社団設立行為

三　準法律行為

　　意思表示を要素としない点で、法律行為と区別される。

1　意思の通知

　　意思の発表ではありながら意思が法律効果の発生を内容としない点で、意思表示と区別される。

　　ex.　催告（20、150、412Ⅲ、541）、受領の拒絶（493ただし書、494Ⅰ①）〈司〉

2　観念の通知

　　一定の事実の通知であって、意思の発表という要素を含まないものをいう。

　　ex.　代理権授与の表示（109）、債権譲渡の通知（467）、債務の承認（152Ⅰ）〈司〉、社員総会の招集（一般法人39）

四　**法律行為の解釈**〈司H21 司H24〉

1　意義

⑴　法律行為の解釈とは、法律行為の文言にとらわれず、当事者の意図した目的を捉えて、法律行為のもつべき客観的・合理的意義を確定、補充、及び修正することを意味する。

⑵　法律行為の解釈における作業

　①　まず、法律行為の内容は、主としてその要素である意思表示の内容によって定まるから、当事者がした意思表示の意味・内容を確定する（狭義の解釈）

　②　次に、当事者の意思表示が欠けている事項につき、慣習、任意規定、条理、信義則（1Ⅱ）、契約の趣旨等に照らして補充解釈する（法律行為の補充）

　③　さらに、当事者の意思表示が明確であり、そのとおり合意している場合であっても、合意通りの法律効果を認めることが不当ないし不適切と判断される場合は、法律行為の内容を修正することがある（法律行為の修正）

2　判例

⑴　自家用自動車保険普通保険約款6章12条2号の事故通知義務の目的は保険事故を保険者に知らせることで、損害発生を最小限度にとどめるための必要な指示等の善後措置を速やかに講じることを可能にするもので、当該義務の法的性質は保険契約上の債務に当たるから、14条の免責規定は信義誠実の原則上許されない目的の下に事故通知をしなかった場合を除き、損害を被ったときにおいて取得する損害賠償請求権の限度において免れる趣旨を定めたものと解するのが相当である（最判昭62.2.20・百選Ⅰ19事件）。

(2) X（下請負人）とY（元請負人）とが、本件請負契約の締結に際して、注文書と請書とを取り交わし、Yが請負代金の支払を受けた後にXに対して本件代金を支払う旨を合意したとしても、有償双務契約である本件請負契約の性質に即して、当事者の意思を合理的に解釈すれば、本件代金の支払につき、Yが上記支払を受けることを停止条件とする旨を定めたものとはいえず、本件請負契約においては、Yが上記請負代金の支払を受けたときは、その時点で本件代金の支払期限が到来すること、また、Yが上記支払を受ける見込みがなくなったときは、その時点で本件代金の支払期限が到来することが合意されたものと解するのが相当である（最判平 22.10.14・平 22 重判 4 事件）。

第90条 （公序良俗）

公の秩序又は善良の風俗に反する法律行為は、無効とする。

［趣旨］本条は、法律行為の目的が反社会性を帯びるときにその効力を無効とすることにより、法律行為の社会的妥当性（実体的適法性）を要求している。

《注 釈》

一 公序良俗違反の類型

1 財産的秩序に反する行為

ex.1 他人の窮迫、軽率又は無経験を利用し著しく過当な利益を獲得することを目的とする法律行為は、善良の風俗に反する事項を目的とするものとして、無効となる（大判昭 9.5.1・百選 I 14 事件）

ex.2 賭博債権の譲渡がなされた場合において、債務者が抗弁を放棄する旨の意思表示を行っても、賭博行為禁止の要請が取引安全の保護の要請を上回るため、債務者は譲受人に公序良俗違反による無効（90）を主張しうる（最判平 9.11.11 参照）

cf.1 ホステスが自己の独自の客より、雇い主からの報酬以外の特別の利益を得るため、任意に雇い主に対して、その客の掛売りを求めるとともに、その保証契約を締結したものであるなどの事情があるときは、未だ公序良俗に反するものとはいえない（最判昭 61.11.20）

cf.2 個品割賦購入あっせんにおいて、購入者と販売業者との間の売買契約が公序良俗に反し無効とされる場合でも、売買契約と別個の契約である購入者とあっせん業者との間の立替払契約は、その効力を否定することを信義則上相当とする特段の事情のない限り、無効とならない（最判平 23.10.25・百選 II〔第 7 版〕56 事件）

2 倫理的秩序に反する行為

ex.1 妾関係の維持と密着した消費貸借契約は、本条に反し無効である

ex.2 不倫な関係を維持継続することを目的とする遺贈は無効であるが、もっぱら生計を被相続人に頼っていた受遺者の生活を保全するためになされ、かつ遺言内容が相続人らの生活基盤を脅かすものといえない包括遺贈は公序良俗に反するとはいえない（最判昭 61.11.20・百選 I 11 事件）

　　3　自由・人権を害する行為

　　　ex. 男子の定年年齢を60歳、女子を55歳とする就業規則規定は、女子の
　　　　みを理由とする不合理な差別を定めたものとして無効である（最判昭
　　　　56.3.24・百選Ⅰ13事件）

二　動機の不法◆司H28

　　動機が相手方に表示された場合には、行為も不法性を帯び、公序良俗に反する
　ということができる（最判昭29.8.31）。たとえば、賭博の返済目的のために消費貸
　借契約を締結することは公序良俗に反する（大判昭13.3.30・百選Ⅰ〔第6版〕15
　事件）。

　　cf. 動機が表示されないのに相手方が不法な動機について悪意の場合の処理に
　　　つき、判例の立場は不明である

三　公序良俗違反の効果

　　1　絶対的無効であり◆司、追認は許されない（善意の第三者であっても保護されな
　　　い）。

　　2　公序良俗違反の行為が履行された場合には、原状回復が許されない。
　　　→不法原因給付となる（708）

　　3　公序良俗違反となるかの基準時は、法律行為時の公序に照らして判断され、
　　　行為時に公序良俗に反しない法律行為は、後に公序が変化しても有効である
　　　（最判平15.4.18・百選Ⅰ12事件）。

　　4　法令違反

　　　食品衛生法のような取締法規に反して食肉販売業の許可のない者が精肉を買
　　　い受けても、私法上は有効である（最判昭35.3.18・百選Ⅰ〔第8版〕16事件）。

　　　ただし、同じく取締法規である建築基準法に違反する建物建築を目的とする
　　　請負契約の効力については、①行為態様の悪質性、②違法建物の危険性、③事
　　　後的な是正の困難性を重視して、「本件各建物の建築は著しく反社会性の強い
　　　行為」であるから、公序良俗に反し無効であるとした判例がある（最判平
　　　23.12.16・平24重判1事件）。

　　　また、同じく取締法規である宅建業法の規定に反して、宅建業者が無免許者
　　　にその名義を貸し、無免許者が当該名義を用いて宅地建物取引業を営む行為
　　　は、「同法の採用する免許制度を潜脱するものであって、反社会性の強いもの」
　　　であるから、公序良俗に反し無効であり、これと併せて、宅建業者の名義を借
　　　りてされた取引による利益を分配する旨の合意も、名義を借りる旨の合意と一
　　　体のものとして、公序良俗に反し無効であるとした判例がある（最判令
　　　3.6.29・百選Ⅰ15事件）。

第91条　（任意規定と異なる意思表示）

　法律行為の当事者が法令中の公の秩序に関しない規定と異なる意思を表示したとき
は、その意思に従う。

[趣旨] 公の秩序に関しない規定（任意規定）と異なった意思を当事者が表示した場

合には、それに従うこととして、法律行為自由の原則を示し、他方で、公の秩序に関する規定（強行規定）には当事者の意思によっても反しえないという限界を示している。

《注　釈》

▪ 民法678条の組合から任意に脱退することができる旨を規定する部分は強行法規であり、これに反する組合契約における約定は効力を有しない（最判平11.2.23・百選Ⅰ16事件）。

第92条　（任意規定と異なる慣習）

　法令中の公の秩序に関しない規定と異なる慣習がある場合において、法律行為の当事者がその慣習による意思を有しているものと認められるときは、その慣習に従う。

[趣旨]法律行為は慣習を前提としてなされることが多い。そこで、行為の解釈の際に法律行為の内容が不明確な場合には、慣習によって法律行為を補充することが当事者の予期に合致するので、慣習に従うものとした。

《注　釈》

一　慣習の適用

　　慣習があり、その慣習によって契約をするのが普通である場合には、反対の意思を表示しない限りは、慣習による意思を有するものと推定される（大判大10.6.2・百選Ⅰ18事件）。

二　民法92条と法の適用に関する通則法3条との関係

　　法の適用に関する通則法3条の慣習はいわゆる慣習法（人々の法的確信にまで達した慣習）を意味し、民法92条の慣習は、事実たる慣習（法的確信にまで達しなくても、ある狭い範囲で事実上行われる慣習）を意味するので、両者は矛盾しない⦅通⦆。

　　→事実たる慣習（92）＞任意規定＞慣習法（通則3）

■第2節　意思表示

《概　説》

一　意思表示

　　一定の法律効果の発生を欲する意思を外部に表現する行為をいう。

　　ex.　契約の申込み・承諾⦅規⦆、契約の解除（540Ⅰ）、無権代理行為の追認（116本文）

二　効果意思と表示意思

　1　効果意思

　　　一定の効果の発生を欲する内心の意思をいう。

　2　表示意思

　　　効果意思を外部へ表現しようとする意思をいう。

三　意思主義と表示主義

　　民法は、身分行為については個人意思の保護の見地から、意思主義的立法を採

用し、他方、取引の安全を理想とする財産関係においては表示主義を重視している。

四　意思の不存在（欠缺）と瑕疵ある意思表示

意思の不存在とは、表示があっても内心の意思が欠けていることをいい（心裡留保・虚偽表示）、瑕疵ある意思表示とは、それ自体は存在するが、意思を形成する段階に欠陥があることをいう（錯誤・詐欺・強迫）。

第93条　（心裡留保）

Ⅰ　意思表示は、表意者がその真意ではないことを知ってしたときであっても、そのためにその効力を妨げられない。ただし、相手方がその意思表示が表意者の真意ではないことを知り、又は知ることができたときは、その意思表示は、無効とする〈同〉。

Ⅱ　前項ただし書の規定による意思表示の無効は、善意の第三者に対抗することができない。

[趣旨]心裡留保の場合、意思と表示との不一致を表意者が認識しているから、表示通りの効果を与えても、表意者が害されることはない。そこで、本条1項は、表示主義を採用し、原則有効とする一方、表意者が真意ではないことにつき相手方が悪意・有過失の場合には、相手方を保護する必要がないので、意思主義により無効としたものである。本条2項は、心裡留保における善意の第三者を保護する規定である。

《注　釈》

一　意義

心裡留保とは、表意者が真意でないことを知りながら意思表示をすることをいう。

二　効果

1　原則：有効（Ⅰ本文）
2　例外：相手方が行為の当時、表意者の真意ではないことを知り（悪意）、又は表意者の真意ではないことを知ることができたとき（有過失）は無効（Ⅰただし書）
　　　→「真意ではないことを知り」とは、ただ表意者が真意ではないことを知ればよく、表意者の真意が具体的に何であるかを知る必要はない〈同〉

三　適用範囲

1　相手方のない法律行為にも1項本文の適用の余地はある。
　　　→この場合、ただし書の適用はなく、意思表示は常に有効となる
2　身分上の行為については本人の意思を尊重すべきであるから、適用すべきでない〈同〉。

四　第三者の保護（Ⅱ）

1　表意者が93条1項ただし書により相手方に対して法律行為の無効を主張できる場合であっても、「善意の第三者」に対しては、無効を主張できない。

2　93条2項は94条2項と同趣旨のものと解されている。したがって、93条2項の「第三者」として保護されるためには、「善意」であれば足り、無過失を要しない〈同〉。また、「善意の第三者」には、悪意・有過失者からの転得者も含まれる〈同〉。

第94条　（虚偽表示）

Ⅰ　相手方と通じてした虚偽の意思表示は、無効とする。
Ⅱ　前項の規定による意思表示の無効は、善意の第三者に対抗することができない。

[趣旨] 虚偽表示においては、表意者及び相手方は意思表示が虚偽であることを認識しているため、双方ともに法的拘束力を与えて保護する必要性がないから、当事者間においては無効とした（意思主義）。もっとも、虚偽の外形を信頼して法律関係に入った第三者を保護する必要があるので、善意の第三者に対しては無効を対抗できないとした（表示主義）。

《注　釈》

一　虚偽表示の意義

相手方と通じてした虚偽の意思表示をいう。

ex.　債権者による差押えを免れるために、売買の意思がないのに登記名義を移転すること

二　単独行為と虚偽表示

1　相手方のある単独行為には、本条1項が適用される余地がある（最判昭31.12.28）。
2　相手方のない単独行為でも、実質的に見て関係者の通謀といえる場合には本条1項が適用される。　ex. 共有部分の放棄（最判昭42.6.22）

三　「第三者」〈予H23〉

1　当事者及び包括承継人以外の者で、虚偽表示による法律行為の存在を前提として利害関係に立った第三者をいう（最判昭45.7.24）〈同〉。

＜判例における94条2項の「第三者」の整理＞

第三者に当たるとされた者	① 不動産の仮装譲受人からさらに譲り受けた者〈書〉 ② 仮装譲受人の不動産につき抵当権の設定を受けた者 ③ 仮装の抵当権者からの転抵当権者〈同〉 ④ 仮装債権の譲受人 ⑤ 虚偽表示の目的物に対して差押えをした金銭債権者〈同書〉 ⑥ 仮装譲受人が破産した場合の破産管財人
第三者に当たらないとされた者	① 一番抵当権が仮装で放棄された場合に、一番抵当権者となったと誤信した二番抵当権者 ② 仮装の「第三者のためにする契約」における第三者 ③ 債権の仮装譲受人から取立てのため債権を譲り受けた者 ④ 債権を仮装譲渡した者が、その譲渡を無効として債務者に請求する場合の債務者（ただし、債務者が弁済あるいは準消費貸借契約を締結した場合は該当する）（大判昭8.6.16）〈書〉 ⑤ 代理人や代表機関が虚偽表示をした場合における本人（大判昭16.8.30）〈共〉

```
⑥  仮装譲渡の当事者（譲受人、譲渡人）の単なる債権者
   →債権者が債権者代位権を行使する場合も同様
⑦  土地の仮装譲受人がその土地上に建物を建築し、その建物を賃貸した場合
   の建物賃借人（最判昭57.6.8）司
⑧  土地の賃借人が自己所有の借地上の建物を他に仮装譲渡した場合の土地の
   賃貸人（最判昭38.11.28）司書
```

2　善意の第三者からの悪意の転得者司

　　A説：善意の第三者が現れれば絶対的に所有権が移転する（絶対的構成）（最判昭45.7.24）

　　　　∵　ひとたび善意の第三者が現れて94条2項により保護される時点で、真の権利者の権利回復への期待は失われている。また、相対的構成に立つ場合、悪意転得者は、たとえ94条2項により保護される善意者から目的物を取得しても、結局真の権利者に取り戻されてしまうため、善意者から目的物を取得しようとすることはなくなる。その結果、善意者は目的物を処分する機会を事実上大きく失う上に、延々と法律関係が定まらず、法律関係の早期確定の要請に反する

　　B説：虚偽表示の効力を第三者ごとに相対的に判断する（相対的構成）

　　　　∵　本条2項は、権利者が作出した外観に対する信頼を保護する趣旨の規定であるから、保護に値する信頼をしていない者まで保護する必要はない

3　第三者には転得者も含まれる（最判昭45.7.24）司書。

　　→直接の第三者が悪意でも、善意の転得者が直接94条2項の「第三者」として保護される

4　「善意」か否かの判断は取得時を基準とする司共。

　　→虚偽表示の目的物の売買予約を締結した第三者が売買予約成立時に善意であったが、予約完結権行使時に悪意であった場合について、当該第三者は善意の第三者に当たらない（最判昭38.6.7）司

　　また、無過失は不要（大判昭17.3.23）であり、対抗要件も要しない（最判昭55.9.11）司書。

5　虚偽表示の当事者やその包括承継人は、第三者に対して、177条の対抗要件の欠缺を主張できない（大判昭10.5.31）共。

　　∵　94条2項の効果により、第三者は所有権を虚偽表示の売主から直接取得することから、第三者と虚偽表示の売主は当事者間の関係に類似する。また、虚偽表示の買主は目的物の仮装譲受人であり、無権利者である
　　　　⇒ p.133、134

6　「善意」の立証責任は第三者にある（最判昭41.12.22）司。

7　第三者・転得者が悪意で虚偽表示の無効を主張しうる場合でも、仮装譲受人からは目的物の返還請求ができない。

8　善意の第三者は、有効を主張することも無効を主張することもできる。

四　適用範囲

1　2項は原則として身分行為には適用がない。　∴本人の意思の尊重
　　ただし、財産関係に関連する相続については適用される。

2　要物契約（消費貸借（587）・質権設定）において仮装当事者間で物の引渡しがなされなかった場合でも、2項は適用される（大決大15.9.4、大判昭6.6.9）。

五　本条2項の類推適用 〈同H28 司R4 予H29〉

1　通謀のない場合でも、虚偽の登記などの外形があり、これを権利者が明示・黙示に承認した場合（意思外形対応型）には、本条2項の類推適用により善意の第三者は保護される（最判昭45.9.22・百選Ⅰ20事件）〈共〉。

2　権利者が承認した外形以上の権利を第三者が取得した場合（意思外形非対応型）、単に本条2項の類推適用によるだけでなく、110条の法意から、善意・無過失の第三者を保護すべきである（最判昭45.11.19）〈司書〉。

3　真の権利者が自ら不実の登記の作出に関与していない場合でも、不動産所有者が不必要に登記済証を預けたままにし、内容使途を確認することなく書類に署名押印し、登記申請書へ自分の実印が押されるのを漫然とみていた等、あまりに不注意な行為によって不実の登記がなされた場合、帰責性の程度は自ら外観作出に積極的に関与したのと同視できるとしたうえで、本条2項及び110条を類推適用した（最判平18.2.23・百選Ⅰ21事件）〈同〉。

　　cf.　通謀を欠く場合は、本来の94条の場面に比べて本人の帰責性が低いことから、第三者に無過失を要求する立場もある

《その他》

- 不動産の仮装譲渡において、仮装譲受人（B）からの善意の第三者（C）と、仮装譲渡人（A）から不動産を取得した者（D）は、対抗関係に立つ（最判昭42.10.31）〈司共書〉。
  - →94条2項によってAB間の仮装譲渡が有効となってCがBから権利取得する（順次取得説）のではなく、94条2項によってAの無効主張が封じられた反射的効果によってCがAから直接に権利を取得する（法定承継取得説）。したがって、CとDは、Aから二重譲渡されたのと同様の対抗関係に立つ

第95条　（錯誤）

Ⅰ　意思表示は、次に掲げる錯誤に基づくものであって、その錯誤が法律行為の目的及び取引上の社会通念に照らして重要なものであるときは、取り消すことができる〈共〉。

　①　意思表示に対応する意思を欠く錯誤

　②　表意者が法律行為の基礎とした事情についてのその認識が真実に反する錯誤〈書〉

Ⅱ　前項第2号の規定による意思表示の取消しは、その事情が法律行為の基礎とされていることが表示されていたときに限り、することができる〈書〉。

Ⅲ　錯誤が表意者の重大な過失によるものであった場合には、次に掲げる場合を除き、第1項の規定による意思表示の取消しをすることができない。

① 相手方が表意者に錯誤があることを知り、又は重大な過失によって知らなかったとき《司書》。
② 相手方が表意者と同一の錯誤に陥っていたとき《同共》。
Ⅳ 第1項の規定による意思表示の取消しは、善意でかつ過失がない第三者に対抗することができない《共書》。

［趣旨］ 錯誤に基づく意思表示を取り消すことができるとすることで、表意者を保護する一方、意思表示が有効であると信頼した相手方の取引の安全を確保するために、錯誤の主張が認められるための要件を限定し、両者の調整を図った。

《注　釈》

一　錯誤の意義《司H21》

錯誤とは、表意者の認識・判断と現実との間に食い違いがあり、その食い違いを表意者が知らないことをいう。

二　錯誤の類型

1　表示行為の錯誤

表示行為の錯誤とは、「意思表示に対応する意思を欠く錯誤」（95 Ⅰ①）をいう。表示行為の錯誤には、以下の2種類のものがある。

(1) 表示上の錯誤（表示行為自体を誤った場合）

ex. 10円と言うべきところを100円と言った場合

(2) 内容の錯誤（効果意思と表示意思に食い違いがある場合）

ex. 1ドルで買うつもりだったが、ドルとポンドが同価値であると誤解し、1ポンドと表示した場合

2　動機の錯誤《司R元》

(1) 意義

動機の錯誤とは、「表意者が法律行為の基礎とした事情についてのその認識が真実に反する錯誤」（95 Ⅰ②）のことをいう。内心的効果意思と表示に不一致はない《書》。

(2) 動機の錯誤の取扱い

動機の錯誤による意思表示の取消しは、「その事情が法律行為の基礎とされていることが表示されていたときに限り」することができる（95 Ⅱ）。これは、動機の錯誤に関する判例（最判平元.9.14・百選Ⅰ〔第7版〕24事件）を明文化したものであり、動機の表示により、取引の相手方に不測の損害が生じるのを防止する趣旨である。

この点、動機が「法律行為の内容」になっていることを要すると解すると、「表示」（95 Ⅱ）とは意思表示を意味し、「表示されていた」（95 Ⅱ）とは「意思表示の内容になっていた」と解することになる。かかる表示は、明示になされる場合のほか、黙示になされる場合も含む（最判平元.9.14・百選Ⅰ〔第7版〕24事件参照）。

ex.1 保証契約において、主債務者の資力やその他の担保権等の存在に関

総
則

　　する錯誤（他に連帯保証人がいると誤信した場合等）は、動機の錯誤
　　であり、特段の事情のない限り、当然には保証契約の内容とはならな
　　い（最判昭32.12.19）
　　　　∵　保証契約は、主債務者がその債務を履行しない場合に保証人が
　　　　　保証債務を履行することを内容とするもの
　　ex.2　保証契約において、主債務者が反社会的勢力でないことという動機
　　　　は、たとえ明示又は黙示に表示されていたとしても、当事者の意思解
　　　　釈上、当然に保証契約の内容となっているということはできない（最
　　　　判平28.1.12・百選Ⅰ22事件）
　　　　　　∵　主債務者が反社会的勢力でないことは主債務者に関する事情の
　　　　　　　1つにすぎない
　　ex.3　信用保証機関と銀行の間で締結された信用保証契約において、融資
　　　　先が企業としての実体を有しているという動機は、それが表示されて
　　　　いたとしても、当事者の意思解釈上、法律行為の内容となっていると
　　　　いうことはできない（最判平28.12.19・平29重判2事件）
　　　　　　∵①　金融機関による融資を躊躇させてしまい、信用力が十分でな
　　　　　　　い中小企業者等の信用を補完して金融の円滑化を図るという信
　　　　　　　用保証協会の目的に反する
　　　　　　　②　保証機関と銀行は、融資先が企業としての実体を有しない場
　　　　　　　合には保証債務を履行しない旨をあらかじめ定めるなどの対応
　　　　　　　が可能である

三　錯誤の要件 [同R元]
　1　因果関係と重要性
　　　意思表示が錯誤によって取り消しうるものとなるためには、
　　　①　意思表示が「錯誤に基づく」こと
　　　②　その錯誤が「法律行為の目的及び取引上の社会通念に照らして重要なも
　　　　のである」こと
　　が必要となる（95Ⅰ柱書）。なお、動機の錯誤においては、「その事情が法律行
　　為の基礎とされていることが表示されていた」ことも要件となる（95Ⅱ）。
　　(1)　①「錯誤に基づく」意思表示であること
　　　　　意思表示が「錯誤に基づく」とは、表意者が錯誤に陥らなければ、その意
　　　　思表示をしなかったといえること（因果関係）をいう。
　　(2)　②「重要な」錯誤であること
　　　　　意思表示が錯誤によって取り消しうるものになるためには、錯誤が客観的
　　　　に重要なものであることが必要である（重要性）。
　　　　　→法律行為の類型と個別事情を考慮し、通常一般人ならその錯誤がなけれ
　　　　　ば意思表示をしないといえるかで判断する [共]
　2　表意者に「重大な過失」（95Ⅲ柱書）がないこと
　　(1)　「重大な過失」とは、普通の人なら注意義務を尽くして錯誤に陥ることは

なかったのに、著しく不注意であったために錯誤に陥ったことをいう（大判大6.11.8）。「重大な過失」の立証責任は相手方にある（大判大7.12.3）🔲。

(2)　表意者に重大な過失があったとしても、①「相手方が表意者に錯誤があることを知り、又は重大な過失によって知らなかったとき」（95Ⅲ①）、又は②「相手方が表意者と同一の錯誤に陥っていたとき」（共通錯誤、95Ⅲ②）には、錯誤取消しが可能になる🔲。

四　効果

1　錯誤に基づく意思表示は取り消すことができる（95Ⅰ柱書）。

2　錯誤によって取り消すことができる行為は、瑕疵ある意思表示をした者又はその代理人若しくは承継人に限り、取り消すことができる（120Ⅱ）。

五　錯誤取消しと第三者保護

1　錯誤取消し前の第三者

錯誤取消しは、善意でかつ過失がない第三者に対抗することができない（95Ⅳ）。この規定における「第三者」とは、錯誤による意思表示が有効である間に、新たに法律上の利害関係を有するに至った者をいう〈共書〉。

2　錯誤取消し後の第三者

錯誤取消しの後に第三者が生じた場合については、詐欺取消後の第三者保護の場合と同様、対抗問題として処理することになる。　⇒p.53、126

第96条　（詐欺又は強迫）

Ⅰ　詐欺又は強迫による意思表示は、取り消すことができる。

Ⅱ　相手方に対する意思表示について第三者が詐欺を行った場合においては、相手方がその事実を知り、又は知ることができたときに限り、その意思表示を取り消すことができる〈回〉。

Ⅲ　前2項の規定による詐欺による意思表示の取消しは、善意でかつ過失がない第三者に対抗することができない〈譜〉。

[趣旨] 本条1項は、詐欺又は強迫による意思表示を取り消すことができるとすることで、表意者の保護を図っている。

本条2項は、当事者以外の第三者による詐欺の場合、表意者は相手方が悪意・有過失のときに限り意思表示を取り消すことができるものとして、表意者と相手方との利益の調和を図っている。

本条3項は、取引の安全の見地から、詐欺による意思表示の取消しを善意無過失の第三者に対抗できないと規定している。一方、強迫の場合は詐欺の場合と異なり、表意者が無過失である場合がほとんどであり、意思の自由の抑圧も大きいことから、取消しの効果を善意無過失の第三者にも対抗できるとすることで、表意者保護を図っている。

《注　釈》

一　詐欺

「詐欺」とは、欺罔行為により他人を錯誤に陥れ、それによって意思表示をさせ

る行為をいう。
1　要件
　　①　欺罔行為
　　　　作為であると不作為であるとを問わず、相手方を欺く行為をいう。
　　　　→沈黙も欺罔行為に当たりうる〈書〉
　　　　欺罔行為は、社会通念上許される限度を超えた違法なものである必要が
　　　　ある。
　　②　錯誤による意思表示〈書〉
　　③　①と②の間の因果関係（欺罔行為がなければ錯誤に陥らなかったという
　　　　関係）
　　④　詐欺の故意（二段の故意＝騙す故意とそれにより意思表示をさせる故
　　　　意）〈書〉
　　　　→相手方に詐欺の故意がない場合、表意者は96条1項により意思表示
　　　　　を取り消すことはできない。もっとも、この場合も表意者が意思表示
　　　　　の錯誤（95 I 柱書）を主張することは妨げられない
　　⑤　第三者による詐欺の場合（96 II）における相手方の悪意・有過失
2　効果
　　意思表示を取り消すことができる。
　　→表意者がその意思表示を取り消さない限り、契約は有効であり、表意者は
　　　詐欺を理由として自らの債務の履行を拒絶することはできない〈同〉
　(1)　1項
　　　　表意者に重大な過失があっても、取消しは制限されない。
　(2)　2項
　　　　96条2項は、代理関係がある場合にも適用される。
　　(a)　本人が相手方を詐欺した場合
　　　　　代理人が善意無過失であっても、相手方はその意思表示を取り消すこと
　　　　ができる。
　　　　　∵　取消しにより影響を受ける本人自身が詐欺を行っている以上、本人
　　　　　　の詐欺を「第三者の詐欺」と構成して相手方の取消権を制限する必要
　　　　　　性がない
　　(b)　代理人が相手方を詐欺した場合
　　　　　本人が善意無過失であっても、相手方はその意思表示を取り消すことが
　　　　できる。
　　　　　∵　当該法律行為の当事者は本人であって、本人は代理人選任のリスク
　　　　　　を負担すべきであるから、本人との関係において、第三者（代理人）
　　　　　　による詐欺（96 II）と構成すべきではなく、96条1項によって処理す
　　　　　　べき
　　　　＊　なお、代理人が相手方に対して詐欺を行った場合における相手方の意
　　　　　　思表示については、代理人の意思表示の瑕疵の問題ではないから、101

条1項の適用を受けない。また、相手方が代理人に対してした意思表示の効力が「意思表示を受けた者がある事情を知っていたこと又は知らなかったことにつき過失があったことによって影響を受けるべき場合」にも当たらないため、同条2項が適用されることもない。

(3) 3項

(a) 「第三者」とは、詐欺による意思表示を前提として新たに利害関係に入った第三者をいう。

→取消前に登場した第三者をいい、取消後の第三者は含まない（大判昭17.9.30・百選Ⅰ51事件）同書

＊ 善意無過失の「第三者」に対して詐欺取消しは対抗できないが、詐欺取消しを行うこと自体が妨げられるわけではない同。

＜96条3項の「第三者」の具体例の整理＞

該当例	売主Aを騙してAの不動産を買ったBから転得したり、抵当権の設定を受けた者
	売主Aを騙してAの農地を買ったBから、農地法5条の許可を停止条件として所有権を取得しうる地位につき譲渡担保の設定を受けた者
	詐欺による取得者Rの債権者のうち、①目的物を譲り受ける契約をした者、②目的物に対して差押えをした者、③Bが破産した場合の破産管財人
該当しない例	A所有の不動産にBの一番抵当権、Cの二番抵当権があり、Bが詐欺によってその一番抵当権を放棄し（その結果、いったんはCの二番抵当権が一番抵当権に昇格する）、後にその放棄を取り消した場合のC
	B・C・DがAに対して連帯債務を負担していて、Bが詐欺によって代物弁済をし（その結果C・Dは、いったんは連帯債務を免れる）、後にその代物弁済を取り消した場合のC・D共

(b) 登記の要否　⇒ p.126

「第三者」として保護されるために登記が必要かについては争いがあるが、判例は、第三者は登記がなくても96条3項によって保護されるとしている（最判昭49.9.26・百選Ⅰ23事件）同。もっとも、この判決における第三者は仮登記を具備していたことから、およそ一切の登記をしていない第三者についてもこの判例があてはまるかどうかを疑問視する見解もある。

(c) 取消後の第三者　⇒ p.126

判例（大判昭17.9.30・百選Ⅰ51事件）は、取消後の第三者の問題を対抗問題と考え、177条の適用を認める同共書。

∵① 一旦は欺罔者に移転した物権が、取消しによって被欺罔者に復帰すると構成すると（復帰的物権変動）、欺罔者への物権変動自体は否定されない結果、欺罔者から第三者への物権変動も可能となるため、被欺罔者と第三者とは欺罔者を起点とする二重譲渡類似の関係（対抗関係）に立つ

② 被欺罔者は意思表示の取消し後、いつでも登記を戻せるにもかか

わらず、それを怠った点で権利を失ってもやむを得ないのであり、その限りで177条の趣旨が妥当する

→もっとも、判例の考え方には、①取消前は遡及的無効、取消後は復帰的物権変動というように、取消しの効果につき立場が一貫していない、②取消前の第三者は善意・無過失でなければ保護されないにもかかわらず、取消後の第三者は悪意でも保護されるというのでは権衡を失する、との批判がある

二　強迫

「強迫」とは、他人に害意を示し、恐怖の念を生じさせる行為をいう。

1　要件

① 強迫行為

害悪を示して他人を畏怖させる行為をいう。害悪の内容は、財産に関わるものでも精神的なものでもよい。

強迫行為は、社会通念上許される限度を超えた違法なものである必要がある《同》。

② 畏怖による意思表示

畏怖の程度は、表意者が完全に意思の自由を失うことまでは必要でない《同》。

→強迫の程度が極めて強く、表意者が意思表明の自由を完全に奪われた状態でなされた意思表示は、意思の不存在を理由に無効となり、強迫による取消しの問題とはならない（最判昭33.7.1）

③ ①と②の間の因果関係

④ 強迫者の故意（二段の故意＝畏怖させる故意とそれにより意思表示をさせる故意）

2　効果

意思表示を取り消すことができる。

(1) 詐欺と異なり、取消しは善意無過失の第三者にも対抗しうる（最判平10.5.26）《同共書》。

(2) 第三者による強迫の場合でも、相手方の善意・悪意、過失の有無を問わず常に取り消すことができる《同共》。

(3) 取消後の第三者については、詐欺の場合と同じ問題が生じる《共予》。

⇒ p.53、126

＜意思表示の相手方等の主観的態様と効果の整理＞

		主体	主観的態様	効果
心裡留保（93）		相手方	悪意・有過失	意思表示は無効
		第三者	善意	表意者は対抗できない
虚偽表示（94）	原則	第三者	善意	表意者は対抗できない
	94条2項類推適用（最判昭45.9.22・百選Ⅰ20事件）	第三者	善意	表意者は対抗できない
	94条2項類推適用と110条の法意（最判昭45.11.19）	第三者	善意無過失	表意者は対抗できない
	94条2項及び110条の類推適用（最判平18.2.23・百選Ⅰ21事件）	第三者	善意無過失	表意者は対抗できない
錯誤（95）		表意者	重過失	表意者は取り消すことができない（＊1）
		第三者	善意無過失	表意者は対抗できない
詐欺（96）		相手方（＊2）	悪意・有過失	表意者は取り消すことができる
		第三者	善意無過失	表意者は対抗できない
強迫（96）		相手方・第三者	問わない	表意者は対抗できる

総則

＊1　錯誤が表意者の重過失によるものであった場合でも、①相手方が表意者に錯誤があることを知り、又は重過失によって知らなかったとき（95Ⅲ①）、又は②相手方が表意者と同一の錯誤に陥っていたとき（共通錯誤、95Ⅲ②）には、表意者は例外的に錯誤取消しが可能になる。

＊2　第三者が詐欺を行った場合（96Ⅱ）における相手方を意味する。

《その他》

・消費者契約において、誤認類型（重要事項の不実告知・断定的判断の提供・重要事項の不利益事実の不告知、消費者契約4ⅠⅡ）や困惑類型（不退去・退去妨害等、同4Ⅲ各号）、過量取引類型（同4Ⅳ）に該当する行為を事業者が行った場合、消費者は当該契約の申込み又はその承諾の意思表示を取り消すことができる📖。この場合でも、民法96条に基づき、詐欺又は強迫を理由として取り消すことができる（消費者契約6）📖。

> **第97条 （意思表示の効力発生時期等）**
> Ⅰ　意思表示は、その通知が相手方に到達した時からその効力を生ずる〈同〉。
> Ⅱ　相手方が正当な理由なく意思表示の通知が到達することを妨げたときは、その通知は、通常到達すべきであった時に到達したものとみなす。
> Ⅲ　意思表示は、表意者が通知を発した後に死亡し、意思能力を喪失し、又は行為能力の制限を受けたときであっても、そのためにその効力を妨げられない〈同共書〉。

[趣旨] 意思表示の効力発生時期に関しては、表白主義、発信主義、到達主義、了知主義が考えられる。民法は、表意者と相手方の利害を考慮した上で、原則として到達主義を採用し、例外的にいくつかの領域においては発信主義を採用している（20 参照）。

《注 釈》

一 到達主義の原則（Ⅰ）

1 原則としての到達主義

意思表示が相手方の支配圏内（了知しうる状態）に入れば到達があったといえる（最判昭 36.4.20）〈共〉。相手方が現実に通知の有無、内容を了知する必要はなく、また相手方自身や受領権限を有する者が受領しなくてもよい（大判明 45.3.13）〈書〉。到達主義は、隔地者に対する意思表示以外の場面にも適用される。

ex.　甲に対する意思表示を記載した書面が甲の住所に配達され、甲の妻が受領した場合には到達があったといえる

2 到達前は意思表示の撤回が可能である〈書〉。ただし、撤回の意思表示は前の意思表示より先に到達しなければ撤回の効力は認められない〈同〉。

3 例外としての発信主義

ex.　制限行為能力者の相手方のなした催告への確答（20）〈同〉

二 到達の妨害があった場合のみなし到達（Ⅱ）

相手方が正当な理由なく意思表示の通知が到達することを妨げたときは、その通知は、通常到達すべきであった時に到達したものとみなされる（97 Ⅱ）。

→「意思表示の通知が到達することを妨げたとき」とは、意思表示が了知可能な状態に置かれることを相手方が妨げたことをいう

ex.1　相手方が正当な理由なく受領を拒んだ場合も、拒絶時に到達があったといえる〈共〉

ex.2　内容証明郵便が、受取人不在のため一定期間郵便局に留置された後に差出人に返戻されたケースで、郵便内容の推知可能性、郵便物受領の容易性を考慮して、遅くとも留置期間満了時に到達したと認定した判例（最判平 10.6.11・百選Ⅰ 24 事件）がある〈同〉

三 表意者の死亡・意思能力喪失・行為能力喪失の影響（Ⅲ）

1 意思表示は、表意者が通知を発した後に死亡し、意思能力を喪失し、又は行為能力の制限を受けたときであっても、そのためにその効力を妨げられない

（97Ⅲ）。

2　契約の申込みの場合の例外（526）

　　　申込者が申込みの通知を発した後に死亡し、意思能力を有しない常況にある者となり、又は行為能力の制限を受けた場合において、申込者がその事実が生じたとすればその申込みは効力を有しない旨の意思を表示していたとき、又は相手方が承諾の通知を発するまでにその事実が生じたことを知ったとき

　　cf.　相手方が到達前に死亡した場合は、意思表示の受領能力の問題となる

　　　　→死者に受領能力はなく、原則として意思表示は効力を生じない。ただし、意思表示が相続人に承継される性質であれば有効とする立場もある

四　適用範囲

　97条1項は意思の通知、観念の通知にも類推適用される。

　ex.　債務者に対する履行の催告書（意思の通知）を、債務者の同居人が受領すれば、受領時に催告が到達したことになる

第98条　（公示による意思表示）

Ⅰ　意思表示は、表意者が相手方を知ることができず、又はその所在を知ることができないときは、公示の方法によってすることができる。

Ⅱ　前項の公示は、公示送達に関する民事訴訟法（平成8年法律第109号）の規定に従い、裁判所の掲示場に掲示し、かつ、その掲示があったことを官報に少なくとも1回掲載して行う。ただし、裁判所は、相当と認めるときは、官報への掲載に代えて、市役所、区役所、町村役場又はこれらに準ずる施設の掲示場に掲示すべきことを命ずることができる。

Ⅲ　公示による意思表示は、最後に官報に掲載した日又はその掲載に代わる掲示を始めた日から2週間を経過した時に、相手方に到達したものとみなす〈書〉。ただし、表意者が相手方を知らないこと又はその所在を知らないことについて過失があったときは、到達の効力を生じない〈同共〉。

Ⅳ　公示に関する手続は、相手方を知ることができない場合には表意者の住所地の、相手方の所在を知ることができない場合には相手方の最後の住所地の簡易裁判所の管轄に属する。

Ⅴ　裁判所は、表意者に、公示に関する費用を予納させなければならない。

第98条の2　（意思表示の受領能力）〈同共予書〉

　意思表示の相手方がその意思表示を受けた時に意思能力を有しなかったとき又は未成年者若しくは成年被後見人であったときは、その意思表示をもってその相手方に対抗することができない。ただし、次に掲げる者がその意思表示を知った後は、この限りでない。

　①　相手方の法定代理人

　②　意思能力を回復し、又は行為能力者となった相手方

[趣旨]意思表示の到達により効力を生じさせるには、受信者がその内容を了知でき

る状態にあり、さらに、了知後適切な措置を採れることが前提となっている。そこ
で、法は意思表示の受信者に受領能力（法律上意思表示が到達したと判断されうる
能力）を要求した。

《注　釈》

- 受領無能力者（意思無能力者、未成年者、成年被後見人）側から到達を主張する
  ことはできる。
- 未成年者が例外的に行為能力を認められる場合（6Ⅰ参照）には、受領能力を有
  するものとされる。

■第3節　代理

《概　説》

一　代理制度の意義

　代理人が本人のためにすることを示して、相手方に意思表示をし、また、相手
方から意思表示を受けることによってその法律効果を直接本人に帰属させるとい
う制度をいう。私的自治を拡張（任意代理）・補充（法定代理）する機能を有す
る。

<代理の本質に関する学説>

本人行為説	法律効果の発生は意思に基づくのであるから、代理関係での行為主体は その意思を有する本人であり、代理人は本人の意思の担い手にすぎない
代理人行為説	代理関係における行為主体は独立した代理人であって、代理人のなした 行為の法律効果が本人に帰属する◀通

二　代理と類似の制度

<間接代理、授権、代理占有、代表と代理の比較>

	各制度や概念の内容・代理との比較等	例
間接代理	自己の名で法律行為をし、その法律効果を自己に 帰属させながら、その経済的効果だけを委託者に 帰属させる制度である。法律効果が行為者自身に 帰属し、本人に帰属しない点で代理や授権と異な る	問屋（商551） 仲買人
授権◀予R5	自己の名で法律行為をし、その効果を本人に直接 帰属させる制度である。このうち、本人に帰属す る権利を処分する権限を与える場合（委託販売な ど）を処分授権という。顕名が不要である点で代 理と異なる一方、法律行為の効果が本人に直接帰 属する点で代理と類似する	授権について民法上 規定はないが、判例 （最判昭29.8.24）は、 処分授権を認めてい る
代理占有 （間接占有）	占有（権）を代理人によって取得することを代理 占有という。しかし、占有は物を所持するという 事実状態であるから、意思表示の代理とは何の関 係もない。よって、その錯綜を避けるために、代 理占有を「間接占有」と呼ぶこともある	建物賃貸借における 賃貸人の占有

	各制度や概念の内容・代理との比較等	例
代表	代理は代理人の行為によって本人が権利義務を取得するのに対し、代表は代表機関の行為それ自体が法人の行為とみなされるものである。代表はいわば団体法概念であって、代理とは概念的・次元的に区別されるべきものであるが、民法・一般法人法上の両者の区別は曖昧である	株式会社の代表取締役

<代理と使者の比較>

	代理の場合	使者の場合（＊）
意思決定	代理人が決定する	本人が決定する
行為者の能力	意思能力　必要	意思能力　不要
	行為能力　不要（102本文）	行為能力　不要
本人の能力	意思能力　不要	意思能力　必要
	行為能力　不要	行為能力　必要
意思の欠缺	代理人の意思と表示を比較	本人の意思と使者の表示を比較
意思表示の瑕疵	代理人で判断（101ⅠⅡ）	本人について判断
復任	制限あり（104～106）	原則として許される
責任	無権代理人の責任（117）	なし

＊　使者とは、本人の決定した効果意思を相手方に表示し（表示機関）、又は完成した意思表示を伝達する（伝達機関）者をいう。使者を用いた場合、意思表示に関する要件はすべて本人について決せられる。

第99条　（代理行為の要件及び効果）

Ⅰ　代理人がその権限内において本人のためにすることを示してした意思表示は、本人に対して直接にその効力を生ずる。

Ⅱ　前項の規定は、第三者が代理人に対してした意思表示について準用する〈共〉。

《注　釈》

一　代理行為の要件〈司H22〉

① 本人のためにすることを示すこと

② 代理人の法律行為が有効に存在すること

③ 代理権の範囲内にあること

1　①本人のためにすることを示すこと（顕名、99Ⅰ）

(1) 「本人のためにする」とは、本人に効果を帰属させようとする意思（代理的効果意思）があることである。本人の利益を図る意思は必要ではない。

(2) 顕名は、必ずしも本人の氏名が明示されていなくても、周囲の事情から推断して、本人が誰であるかがわかればよい（100ただし書）。

(3) 本人の名のみを表示して代理行為を行う場合（署名代理）であっても、代理人に代理意思があると認められる限り有効な代理行為といえる《共書》。

　　　代理人に代行権限がない場合、表見代理の規定（110）が類推適用される（最判昭44.12.19）。

　　　∵　相手方は代理権の存在を信頼したわけではないが、その信頼は取引上保護に値する

2　②代理人の法律行為が有効に存在すること

3　③代理権の範囲内にあること

　　　代理権とは、代理人による代理行為の効果を全面的に本人に帰属させる地位、権限をいう。

(1) 任意代理権の発生

　　　任意代理権は、通常、委任（643）により生じる。

　　　∵　代理は、本人に代わって意思表示（法律行為）をすることであり、委任は「法律行為をすることを相手方に委託」（643）する契約である

　　　したがって、委任契約の効力として他人に任意代理権が授与される。任意代理権の範囲は、委任契約の内容の解釈によって決定される。

　　　なお、雇用契約（623）や請負契約（632）等においても代理権が授与される場合があるが、これらの場合には、黙示的に委任契約も締結されているものと解される。

　　　→売買契約を締結するための代理権には、相手方から取消しの意思表示を受ける権限も含まれる（最判昭34.2.13）《司》

(2) 法定代理権の発生

　　　ex.　親権を行う父母（818、819Ⅲ本文）

二　代理行為の効果

1　代理人のなした法律行為（代理行為）の効果は、本人に直接に帰属する（99Ⅰ）。

2　代理行為に瑕疵原因があれば、それによる効果（錯誤による取消し等）も直接本人に帰属する。法律行為の当事者たる地位（それに基づく取消権、解除権）も本人に帰属する。

三　代理人による権限濫用の効力　⇒ p.65

《その他》

▪ 代理人が相手方の詐欺により売買契約を結んだ場合、代理人は特に取消権を付与されていない限り取り消し得ない。

第100条　（本人のためにすることを示さない意思表示）

　代理人が本人のためにすることを示さないでした意思表示は、自己のためにしたものとみなす〈**判**〉。ただし、相手方が、代理人が本人のためにすることを知り、又は知ることができたときは、前条第1項の規定を準用する〈**共書**〉。

［趣旨］ 代理人が代理意思を有しているが、顕名を欠いて自己名義で行為を行った場合の相手方の保護について規定したものである。

《注　釈》

- 「本人のためにすることを知り」とは、代理人が代理意思を有している旨を周囲の事情から知っていることを意味する。
  - →本人が代理権を与えた事実、代理権を与えた旨を相手方が知っていても、本条ただし書は適用されない
- 顕名は代理行為の時に必要であり、後に本人が代理人の代理意思を相手方に通知しても影響を及ぼさない。代理人と相手方との契約として確定する。
- 本条本文が適用される場合、意思表示の効果はすべて代理人に帰属するから、たとえ本人のためにするつもりであり、重過失がなかったとしても、代理人は錯誤取消し（95 I柱書）を主張できない。

第101条　（代理行為の瑕疵）

　I　代理人が相手方に対してした意思表示の効力が意思の不存在、錯誤、詐欺、強迫又はある事情を知っていたこと若しくは知らなかったことにつき過失があったことによって影響を受けるべき場合には、その事実の有無は、代理人について決するものとする〈**判**〉。

　II　相手方が代理人に対してした意思表示の効力が意思表示を受けた者がある事情を知っていたこと又は知らなかったことにつき過失があったことによって影響を受けるべき場合には、その事実の有無は、代理人について決するものとする〈**同**〉。

　III　特定の法律行為をすることを委託された代理人がその行為をしたときは、本人は、自ら知っていた事情について代理人が知らなかったことを主張することができない。本人が過失によって知らなかった事情についても、同様とする〈**同共**〉。

［趣旨］ 代理人は自己の意思表示をなす者（代理人行為説）であるから、意思表示の瑕疵の有無などは代理人を基準とすべきことを規定している（I・II）。もっとも、本人が代理人の意思決定に影響を与えた場合には、公平の観点より代理人の知・不知に影響を及ぼすものとしている（III）。

《注　釈》

一　「代理人」の意思表示の瑕疵（I）

　1　代理人が相手方に対してした意思表示に瑕疵があるかどうかは、代理人を基準に決定される（I）。

　　　ex.　即時取得（192）における善意・無過失の判断は、法人については第一次的にはその代表機関について決すべきであるが、その代表機関が代理人

により取引したときは、その代理人について判断すべきである（最判昭47.11.21）〈書〉

 cf. 法人の使用人が法人の目的の範囲外の行為を行い、法人に不当利得が生じたとしても、使用人に法人を代理する権限はないから、使用人の悪意をもって法人の悪意（704）とすることはできない（最判昭30.5.13）

2 代理人の意思表示に錯誤、詐欺、強迫の事情があるときは、取り消しうる行為として本人に帰属する〈共〉

 cf. 代理人が詐欺・強迫をした場合 ⇒ p.52

二 「相手方」の意思表示の瑕疵（Ⅱ）

相手方が代理人に対してした意思表示の効力が意思表示を受けた者がある事情を知っていたこと又は知らなかったことにつき過失があったことによって影響を受けるべき場合、その事実の有無は、代理人を基準に決定される（Ⅱ）。

 ex.1 心裡留保（93Ⅰ）に基づいて相手方がした意思表示について代理人が相手方の真意を知り又は知ることができた場合

 ex.2 第三者による詐欺（96Ⅱ）に基づいて相手方がした意思表示について代理人が第三者による詐欺の事実を知っていた場合

三 「特定の法律行為」の意思表示（Ⅲ）

 ex. 買主の代理人が売主の無権利につき善意・無過失でも、買主自身が悪意の場合、即時取得（192）は成立しない〈書〉

第102条　（代理人の行為能力）

制限行為能力者が代理人としてした行為は、行為能力の制限によっては取り消すことができない〈同書〉。ただし、制限行為能力者が他の制限行為能力者の法定代理人としてした行為については、この限りでない〈同〉。

《注　釈》

一 本条の意味

1 代理人は、意思能力者であればよく行為能力者である必要はない。

 そして、代理人が制限行為能力者であったとしても、行為能力の制限を理由にその代理行為を取り消すことはできない（102本文）〈同共〉。

 ∵ 代理行為の効果は本人に帰属し、代理人には帰属しないから代理人に不利益は及ばず、制限行為能力者保護の制度趣旨を妥当させる必要がない

 cf. 代理人の後見開始は代理権の消滅事由とされている（111Ⅰ②）

2 もっとも、制限行為能力者が他の制限行為能力者の法定代理人としてした行為は、取り消すことができる（102ただし書）。

 ∵① 制限行為能力者による代理行為の結果を本人に負担させると、本人の保護という行為能力制度の目的が十分に達せられないおそれがある

 ② 本人が法定代理人を直接選任したわけではなく、代理人が制限行為能力者であることのリスクを本人が引き受ける根拠はない

 ex. 未成年者Aの父Bが成年後見開始の審判を受けている場合において、

成年被後見人であるＢがＡの法定代理人として行為をしたような場合

二　委任契約の取消し

制限行為能力者が代理人になれるとしても、授権行為の基礎となる委任契約は行為能力の制限を理由に取り消しうる（643、5Ⅱ、120Ⅰ）。

→委任契約が取り消されると、授権行為自体も効力を失う（有因）が、代理人としてした行為自体は有効のままである

第103条　（権限の定めのない代理人の権限）

権限の定めのない代理人は、次に掲げる行為のみをする権限を有する。

① 保存行為〈同書〉
② 代理の目的である物又は権利の性質を変えない範囲内において、その利用又は改良を目的とする行為〈同共〉

[趣旨] 代理権があることは明らかだが、その範囲が不明な場合や、特に範囲を決めていない場合にこれを補充する規定が本条である。

《注　釈》

一　権限の定めなき代理人の権限

保存行為、利用行為、改良行為（後二者は物又は権利の性質を変えない範囲で）をなしうる。

ex. 田畑を宅地に変更（改良行為）すると、性質を変えることとなるので、権限の定めのない代理人は行うことができない

→処分行為はできないが、管理行為はできるということ

二　保存行為

財産の現状を維持する行為をいう。

ex. 家屋の修繕、消滅時効の完成猶予・更新、未登記不動産の保存登記

三　利用行為

収益を図る行為をいう。

ex. 現金を銀行預金にする、物の賃貸

cf. 現金を株式にすること、使用貸借は、利用行為ではない

四　改良行為

財産の経済的価値（使用価値、交換価値）を増加させる行為をいう。

ex. 家屋に電気・ガス・水道などの設備を施す、無利息の貸金を利息付に改める

五　判断基準

いずれの行為に該当するかは、代理行為の性質によって定まる。

ex. 債務取立の代理人の代理権には、債務の承認を受ける権限を含むが、代物弁済を受領する権限は含まない（大判大6.2.7）

総則

第104条 （任意代理人による復代理人の選任）

委任による代理人は、本人の許諾を得たとき、又はやむを得ない事由があるときでなければ、復代理人を選任することができない〈同書〉。

第105条 （法定代理人による復代理人の選任）〈同共〉

法定代理人は、自己の責任で復代理人を選任することができる。この場合において、やむを得ない事由があるときは、本人に対してその選任及び監督についての責任のみを負う。

第106条 （復代理人の権限等）

Ⅰ 復代理人は、その権限内の行為について、本人を代表する。

Ⅱ 復代理人は、本人及び第三者に対して、その権限の範囲内において、代理人と同一の権利を有し、義務を負う〈共〉。

［趣旨］私的自治のより一層の拡張・補充の要請に基づいて104条以下で復代理制度を設けている。任意代理人の場合、本人の信任に基づくものであり、いつでも辞任しうることから、復任権は制限されているのに対して、法定代理人の場合、権限が広範囲にわたり、その辞任も容易でなく、しかも、本人の信任に基づいたものでないことから、復任権は広く認められている。

《注 釈》

- 復代理人とは、代理人が自己の代理権限内の行為を行わせるために、代理人の名において選任した本人の代理人をいう。

＜復代理に関する知識の整理＞

	任意代理	法定代理
復任権の存否 （104、105前段）	・原則……なし（制限主義） ・例外……① 本人の許諾あるとき 　　　　　② やむを得ない事由あるとき	常に復任権あり（自由主義） ∵ 権限義務が広汎で辞任も困難
代理人の責任〈共〉	債務不履行の一般原則に従って責任を負う	・通常 →復代理人の行為すべてについて責任を負う（「自己の責任で」、105前段） ・やむを得ない事由あり（同後段） →選任監督懈怠責任のみ負う

		任意代理	法定代理
復代理人の地位	対代理人関係	① 復代理権は代理人の代理権に基礎を置く ・復代理権は代理人の代理権の範囲を超えることはできない ・復代理人が、復代理権の範囲外の行為をした場合には、その行為がたとえ代理人の代理権の範囲内であっても無権代理となる ・代理人の代理権が消滅すると、復代理権も消滅する ② 代理人は代理権を譲渡するわけではない ・復代理人を選任しても、代理人の代理権は消滅しない ・代理人・復代理人は同等の立場で本人を代理する	
	対本人関係	① 復代理人は本人の代理人である〈同〉 ・本人の名で代理行為を行い、その効果はすべて本人に帰属する 　→復代理人が代理行為をするに当たっては、本人のためにすることを示せば十分〈同共〉 ② 復代理人は代理人と同一の権利・義務を有する ex. 受領物引渡義務（646 I 参照）〈共〉 　→代理人に引き渡せば義務は消滅する	

第107条 （代理権の濫用）

　代理人が自己又は第三者の利益を図る目的で代理権の範囲内の行為をした場合において、相手方がその目的を知り、又は知ることができたときは、その行為は、代理権を有しない者がした行為とみなす〈同〉。

《注　釈》

一　本人・相手方間の関係

　代理権の濫用が無権代理行為とみなされることにより、本条が適用される代理人の行為については、無権代理に関する一連の規定が適用され得る。

　→追認・追認拒絶に関する規定（113・116）、相手方の催告権に関する規定（114）、相手方の取消権に関する規定（115）、無権代理人の責任に関する規定（117）等の規定は、それぞれの要件が満たされる限り、代理権を濫用した代理人の行為に適用される

二　本人・転得者間の関係

　代理権濫用行為の相手方からの転得者の保護について特段の規定はないが、かかる転得者の保護は94条2項の類推適用、192条などによって図られることとなる。

第108条 （自己契約及び双方代理等）

Ⅰ　同一の法律行為について、相手方の代理人として、又は当事者双方の代理人としてした行為は、代理権を有しない者がした行為とみなす。ただし、債務の履行及び本人があらかじめ許諾した行為については、この限りでない〈同書〉。

Ⅱ　前項本文に規定するもののほか、代理人と本人との利益が相反する行為については、代理権を有しない者がした行為とみなす。ただし、本人があらかじめ許諾した行為については、この限りでない。

[趣旨] 自己契約・双方代理は、事実上代理人が自分1人で契約することになって、本人（当事者の一方）の利益が不当に害されるおそれがあることから、本条1項本文は、自己契約・双方代理を無権代理行為とみなしている。また、利益相反行為の場合も、自己契約・双方代理と同様に、これを自由に認めると本人に不利益を生ずるおそれがあるため、本条2項本文により無権代理行為とされた。

《注 釈》

一 意義

1 自己契約とは、特定の法律行為につき当事者の一方が相手方の代理人になることをいう。

2 双方代理とは、特定の法律行為につき、1人の者が双方の代理人となることをいう。

3 利益相反取引とは、代理人と本人との利益が相反する行為をいう。

二 違反の効果

本条1項違反の自己契約・双方代理は無権代理行為とみなされる。また、本条2項違反の利益相反行為も同様に無権代理行為とみなされる。もっとも、116条本文により、本人に効果帰属させることは可能である。

三 自己契約、双方代理、利益相反行為が許容される場合

1 「債務の履行」（Ⅰただし書）

∵ 債務の履行であれば、あらかじめなすことが定まっており、本人の不利益になることはない

ex. 「債務の履行」に属さない行為でも、売買に基づく移転登記申請（最判昭43.3.8）[司]、株式の名義書換は許される

cf. 代物弁済（482）、期限未到来の債務の弁済は許されない

* 利益相反行為については、債務の履行が例外的に許容される旨の明文は存在しない。これは、「債務の履行」は本人の利益を害するものと解されないため、そもそも利益相反行為に該当しないと考えられたからである。

2 「本人があらかじめ許諾した行為」（Ⅰただし書、Ⅱただし書）[司共]

∵ 自己契約・双方代理・利益相反行為の禁止は本人の利益を保護するものである

四 利益相反行為か否かの判断

利益相反行為に当たるかどうかは、826条にいう利益相反行為に関する判例（最判昭49.7.22・百選Ⅲ〔第2版〕47事件）と同様に、代理人の動機や意図からではなく、代理行為自体を外形的客観的に考察して判定される。 ⇒ p.710

五 法定代理の場合

法定代理では、法定代理人・本人間の利益相反取引について特則が設けられる場合が多い（826、851④、860、876の2Ⅲ）。

第109条 （代理権授与の表示による表見代理等）

Ⅰ 第三者に対して他人に代理権を与えた旨を表示した者は、その代理権の範囲内において その他人が第三者との間でした行為について、その責任を負う。ただし、第三者が、その他人が代理権を与えられていないことを知り、又は過失によって知らなかったときは、この限りでない。

Ⅱ 第三者に対して他人に代理権を与えた旨を表示した者は、その代理権の範囲内においてその他人が第三者との間で行為をしたとすれば前項の規定によりその責任を負うべき場合において、その他人が第三者との間でその代理権の範囲外の行為をしたときは、第三者がその行為についてその他人の代理権があると信ずべき正当な理由があるときに限り、その行為についての責任を負う。

[趣旨]真正な代理権を欠く代理行為は、本来無効である。しかし、本人と無権代理人との間に特殊な関係がある場合▣には、無権代理人を真の代理人と誤信して取引した相手方に不測の損害を与えかねない。そこで、109条、110条、112条で表見代理制度を設け、本人の犠牲の下、相手方の保護を図っている。

本条は、本人が第三者（相手方）に対して、他人に代理権を与えた旨表示したが、実際には代理権を与えていなかったという類型について規定する。本条2項は、代理権授与表示がなされたものの代理権を有しない者が、表示された代理権の範囲外の行為をした場合には、改正前民法109条・110条を重畳適用する判例法理（最判昭45.7.28・百選Ⅰ〔第8版〕32事件）を明文化したものである。

《注 釈》

一 109条1項の要件（Ⅰ）

① 本人が第三者に対して、ある人に代理権を与えた旨の表示をしたこと

② 無権代理人が表示された代理権の範囲内で代理行為をすること

③ 相手方が善意・無過失であること

1 ①本人が第三者に対して、ある人に代理権を与えた旨の表示をしたこと

(1) 「表示」とは、授権の意思表示でなく、観念の通知である。しかし、意思表示に関する規定が類推適用される▣。

(2) 表示の相手方は特定人でも不特定人でもよく、また、口頭でも文書でもよい。

(3) 「第三者」は授権表示を受けた直接の相手方に限られる。

(4) 白紙委任状交付の場合

　(a) 転々流通が予定されているとき

　　委任状の交付は代理権の授与に他ならず、委任事項以外の行為が行われた場合でない限り、代理権授与契約が成立する（有権代理）。

　(b) 転々流通が予定されていないとき

　　①ある者が本人から信頼され白紙委任状を預かったようなとき（直接型）と②ある者がその白紙委任状を他から手に入れたとき（間接型）の2つのケースが主に考えられる。

　①のケースでは、白紙委任状の補充をもって代理権授与の表示と見ることが可能である。なお、白紙委任状の交付を受けた者には何らかの代理権が授与されていることが多く、かかる者が委任事項以外の事項について代理した場合には、110条の成立可能性もあるが、何らの代理権も授与されていない場合には、110条の適用の余地はなく、109条1項又は2項の適用が問題となる。

　②のケースでは、白紙委任状の補充をもって代理権授与の表示と見るのは難しい。本人の意図せぬ代理権授与の外観が作出されているからである。判例（最判昭39.5.23・百選Ⅰ26事件）は、委任事項欄が濫用された場合に代理権授与表示の存在を否定している。一方、代理人を誰として補充するかはともかく、委任事項については濫用的な補充がされていなかった場合において、代理権授与表示の存在を認めている（最判昭42.11.10）。

2　②無権代理人が表示された代理権の範囲内で代理行為をすること

　授権表示の範囲を超えた無権代理行為の場合には、権限外の行為の表見代理を定めた109条2項（109Ⅰと110との重畳適用）が適用される。

3　③相手方が善意・無過失であること（Ⅰただし書）

　本人は、相手方の悪意・有過失を立証することで109条1項の責任を免れる（最判昭41.4.22）。■

二　表示された代理権の範囲を超える場合（Ⅱ）

　本条2項は、109条1項の要件に110条の要件を上乗せするという構造になっている。したがって、①代理行為、②顕名、③代理権授与表示の存在、④権限があると信じたこと、⑤④についての正当事由を主張立証しなければならない。

三　適用範囲

　本条は、任意代理についてのみ適用され、法定代理には適用されない。

四　効果

1　相手方の109条成立（表見代理）の主張で、効果は本人に全面的に帰属する。

2　表見代理も広義の無権代理の一場面なので、相手方は表見代理を主張せず、取消権を行使（115）してもよく、本人も追認（116）により効果帰属を確定的にできる。　⇒p.77（無権代理人の責任（117）との関係）

五　判例（類推適用例）

　東京地裁の一部局ではない組織が東京地裁厚生部と呼称され、地裁内で営業行為をしていた事案において、国は民法109条、商法14条等の法理に照らし東京地方裁判所当局は自ら責に任ずべきものと解した（最判昭35.10.21・百選Ⅰ27事件）■

第110条　（権限外の行為の表見代理）

前条第1項本文の規定は、代理人がその権限外の行為をした場合において、第三者が代理人の権限があると信ずべき正当な理由があるときについて準用する。

[趣旨]本条は、何らかの代理権（基本代理権）を有する者が、その代理権の範囲を超えて代理行為をした類型についての規定であり、代理権の範囲に対する信頼を保護することで、取引安全、ひいては代理制度に対する信頼を維持しようとするものである。

《注　釈》

一　要件 〈司H22〉

① 基本代理権が存在すること

② 代理人がその権限を逸脱した事項につき代理行為をしたこと

③ 代理権ありと相手方が誤信し、かつ、そう誤信するにつき正当な理由があること

1　①基本代理権が存在すること

基本代理権は必ずしも私法上の法律行為における代理権である必要はない〈通〉。単なる事実行為をなす権限は、基本代理権たりえない。預金の勧誘外交員が単に勧誘行為を委託したのみでは110条の基本代理権とはならない（最判昭35.2.19・百選Ⅰ28事件）。

＊　判例は一貫性を欠くと評価されている。

ex.1　印鑑証明書下付申請行為は公法上の行為であり、その権限は基本代理権に当たらない　∵申請されても私法上の効果は生じない

ex.2　登記申請についての権限は基本代理権に当たる（最判昭46.6.3）〈共〉

2　②代理人がその権限を逸脱した事項につき代理行為をしたこと

(1)　代理人が代理権限を逸脱する行為を本人名義で行った場合には、本条は適用されない。しかし、相手方がこの者を本人であると信じたことに正当な理由がある場合には、本条が類推適用される（最判昭44.12.19）〈司〉。

(2)　権限逸脱の行為は、基本代理権との関係で同種の同質的な行為である必要はない。

3　③代理権ありと相手方が誤信し、かつ、そう誤信するにつき正当な理由があること

(1)　「第三者」

「第三者」とは、無権代理行為の直接の相手方をいい、転得者を含まない（最判昭36.12.12）〈司共〉。

cf.　無権代理人の振り出した約束手形につき、本人が、110条及び112条により受取人に対して振出人としての責任を負う場合には、被裏書人の正当理由・無過失を問題とすることなく、受取人からの被裏書人に対しても同様の責任（最判昭35.12.27）を負う〈司〉

(2)　「正当な理由」

代理権があると信じたことにつき過失がないことをいう。本人に過失があることは必要でない（最判昭34.2.5）〈司〉。

ex.　本人から、実印・印鑑証明書・権利証・委任状などを託された代理人が権限外の行為をした場合には正当な理由があると認められやすい

総則

cf.1　夫婦の一方が他方の実印などを所持している場合は、必ずしも「正当な理由」があるとされるとは限らない

cf.2　継続取引上自己の負担する債務について、保証人の代理人として連帯保証契約を締結した者が、保証契約書、印鑑証明書を持参していても、期間及び限度額の定めのない責任の重い連帯保証であり、実父にも保証人になってもらえなかった等の事情のあるときは、本人に保証の意思を確認しなかった場合には正当な理由があるとはいえない（最判昭51.6.25・百選Ⅰ29事件）

二　適用範囲

1　本条は法定代理にも適用される（大連判昭17.5.20）〈共〉。

2　夫婦の一方が日常の家事に関する代理権の範囲を超えて第三者と法律行為をした場合、日常家事代理権（761）を基礎として本条の表見代理が成立するものではない。しかし、相手方に当該夫婦の日常家事に関する法律行為と信ずるにつき正当な理由がある場合には110条の趣旨が類推適用される（最判昭44.12.18・百選Ⅲ9事件）〈司共〉〈司R2〉。　⇒ p.677

《その他》

- 定款により不動産の売却には理事会の承認が必要とされていることを買主が知っていたために一般法人法77条5項にいう「善意」であるとはいえない場合でも、買主が、当該不動産売却につき理事会の決議があったと信じ、かつ信ずるにつき正当な理由がある場合には、本条が類推適用される（最判昭60.11.29・百選Ⅰ30事件）。　⇒ p.35

第111条　（代理権の消滅事由）

Ⅰ　代理権は、次に掲げる事由によって消滅する。

① 本人の死亡〈司〉

② 代理人の死亡又は代理人が破産手続開始の決定若しくは後見開始の審判を受けたこと〈司共書〉

Ⅱ　委任による代理権は、前項各号に掲げる事由のほか、委任の終了によって消滅する。

[趣旨] 本条は、代理権の消滅原因に関する通則的規定である。法定代理に特有のものは、個々の規定に委ねられている。

《注　釈》

一　代理権の消滅原因〈共予〉

1　代理権共通の消滅原因

本人の死亡（111 Ⅰ①）、代理人の死亡、破産手続開始の決定、後見開始の審判（111 Ⅰ②）。

2　任意代理特有の消滅原因

任意代理権は、「委任の終了」（111 Ⅱ）により消滅する。

∵　委任契約が消滅すると、代理権を存続させる意味がなくなる

委任は、以下の事由によって終了する。

① 委任者又は受任者が委任の解除をした場合（651 Ⅰ）
② 委任者の死亡（653①）
③ 受任者の死亡（同①）
④ 委任者が破産手続開始の決定を受けたこと（同②）
⑤ 受任者が破産手続開始の決定を受けたこと（同②）
⑥ 受任者が後見開始の審判を受けたこと（同③）

したがって、代理権共通の消滅原因と重複しない任意代理権特有の消滅原因は、上記①及び④である。

3　法定代理権特有の消滅原因
　　法律関係ごとに規定されている（25 Ⅱ、26、834、835 等）。

＜代理権の消滅原因＞

		死亡	破産手続開始の決定	後見開始	解除
任意代理	本人	○ (111 Ⅰ①)	○ (653②)	×	○ (651)
	代理人	○圖 (111 Ⅰ②)	○圕 (111 Ⅰ②)	○ (111 Ⅰ②)	○ (651)
法定代理	本人	○ (111 Ⅰ①)	×	×	×
	代理人	○ (111 Ⅰ②)	○ (111 Ⅰ②)	○ (111 Ⅰ②)	

二　復代理特有の消滅原因
　1　代理人・復代理人間の授権行為ないしその基礎をなす対内関係の消滅
　2　代理人の有する代理権の消滅圕

第112条　（代理権消滅後の表見代理等）

Ⅰ　他人に代理権を与えた者は、代理権の消滅後にその代理権の範囲内においてその他人が第三者との間でした行為について、代理権の消滅の事実を知らなかった第三者に対してその責任を負う。ただし、第三者が過失によってその事実を知らなかったときは、この限りでない。

Ⅱ　他人に代理権を与えた者は、代理権の消滅後に、その代理権の範囲内においてその他人が第三者との間で行為をしたとすれば前項の規定によりその責任を負うべき場合において、その他人が第三者との間でその代理権の範囲外の行為をしたときは、第三者がその行為についてその他人の代理権があると信ずべき正当な理由があるときに限り、その行為についての責任を負う。

[趣旨]代理権の消滅が取引の相手方には容易に知りえないことから代理権の存続への信頼を保護する趣旨である。本条は、代理権の消滅後になお代理人として行為をした類型についての規定である圓。本条1項は、無権代理行為の相手方の主観的要

件について、善意の対象が「代理権の消滅の事実」であることを明確に示すものである。本条2項は、改正前民法110条と112条を重畳適用する判例法理（大連判昭19.12.22・百選Ⅰ〔第8版〕33事件）を明文化したものである。

《注　釈》

一　112条1項の要件（Ⅰ）

① かつて存在していた代理権が代理行為当時には消滅していたこと

② かつて存在した「その代理権の範囲内において」代理行為が行われたこと

③ 「代理権の消滅の事実」につき相手方が善意・無過失であること

1 ①かつて存在していた代理権が代理行為当時には消滅していたこと

初めから代理権のない者の行った代理行為には本条は適用されない。なお、相手方が代理人とその代理権の消滅前に取引したことがなくても、本条は適用される（最判昭44.7.25）🈟。

2 ②かつて存在した「その代理権の範囲内において」代理行為が行われたこと

代理権消滅後に、かつての代理権限を逸脱してなされた場合は、本条2項が適用される。

3 ③代理権の消滅の事実につき相手方が善意・無過失であること

「代理権の消滅の事実を知らなかった」とは、過去に存在した代理権が代理行為の前に消滅したことを知らなかったことをいう。

　→過去に代理権が存在していたことを知っていた者が、その代理権が消滅したことを知らなかったという過程が必要であり、単に代理行為時に代理権が存在しなかったことを知らなかったというだけでは、「善意」に当たらない

「第三者」は無権代理の直接の相手方に限られ、転得者は含まれない🈟。

二　消滅した代理権の範囲を超える場合（Ⅱ）

本条2項は、112条1項の要件に110条の要件を上乗せするという構造になっている。したがって、本条2項に基づいて重畳適用を主張する者は、①代理行為、②顕名、③過去の代理権の存在、④代理権の消滅の事実、⑤④についての善意、⑥権限があると信じたこと、⑦⑥についての正当事由を主張・立証することになる。

三　適用範囲

法定代理には適用されない（∵「他人に代理権を与えた者」という文言）。

第113条　（無権代理）

Ⅰ 代理権を有しない者が他人の代理人としてした契約は、本人がその追認をしなければ、本人に対してその効力を生じない。

Ⅱ 追認又はその拒絶は、相手方に対してしなければ、その相手方に対抗することができない。ただし、相手方がその事実を知ったときは、この限りでない🈟。

[趣旨] 無権代理行為は、原則として本人に効果帰属しない。しかし、本人にとって有利な無権代理行為の場合等、本人が効果帰属を望む場合もある。そこで、本人に

追認の途を残したのが本条である。

《注　釈》

一　追認権・追認拒絶権

1　意義

無権代理人がした契約は、その効果を生じない（有効とも無効とも確定しない）という不安定な状態に置かれる。本人がこの不安定な状態を解消するための権利が、追認権（契約を有効なものとして確定させる権利）及び追認拒絶権（契約を無効なものとして確定させる権利）である。

2　追認は、相手方又は無権代理人に対してなすことを要する。無権代理人に対してした場合は、本人と無権代理人との間では効力が生じ、無権代理人に対しては追認の効果を主張することができる（大判大8.10.23）が、相手方がその事実を知るまでは、相手方に対して追認したことを主張できない（113Ⅱ）。しかし、相手方がこの追認による効果を主張するときはその効果を免れることはできない（大判大14.12.24）。

3　追認が無権代理人に対してなされた場合、相手方はその事実を知るまでは取消権（115）を行使しうる。

cf.　相手方が取消権を行使した後は、本人は追認権を行使できない

4　本条の適用の前提として、無権代理人が顕名をして行為をし、その法律的効果を他人に帰属させる意思を有することが必要である。

5　無権代理行為について本人が追認を拒絶した後は、本人であっても追認によってその行為を有効とすることができない（最判平10.7.17）。

二　無権代理と相続

＜無権代理と相続に関する判例の整理＞

相続の内容	単独・共同	判例
無権代理人が本人を相続した場合（＊）	単独相続	本人が自ら法律行為をしたのと同様の法律上の地位を生じる（当然に有効な法律行為になる） →追認を拒絶することはできない （最判昭40.6.18）
	共同相続	追認権は共同相続人に不可分に帰属する →① 他の共同相続人全員が追認している場合に無権代理人が追認を拒絶することは信義則上許されない ② 他の共同相続人全員の追認がない限り無権代理行為は、無権代理人の相続分に相当する部分においても当然に有効となるものではない （最判平5.1.21・百選Ⅰ33事件）

総則

相続の内容	単独・共同	判例
本人が無権代理人を相続した場合	単独相続	相続人たる本人が被相続人の無権代理行為の追認を拒絶しても何ら信義則に反しないから、被相続人の無権代理行為は本人の相続により当然有効となるものではない（両地位は併存し、融合しない）（最判昭37.4.20・百選Ⅰ32事件）〔司書〕
	共同相続	117条による無権代理人の債務が相続の対象となることは明らかであって、本人は相続により無権代理人の右債務を承継するのであり、本人として無権代理行為の追認を拒絶できる地位にあったからといって右債務を免れることはできない（最判昭48.7.3）〔司共書〕
無権代理人と本人の双方を相続した場合	まず無権代理人を相続し、次いで本人を相続した場合	相続人は本人の資格で無権代理行為の追認を拒絶する余地はなく、本人が自ら法律行為をしたと同様の法律上の地位ないし効果を生ずるものと解するのが相当である（最判昭63.3.1）〔司書〕
	まず本人を相続し、次いで無権代理人を相続した場合	判例は見当たらない

*　本人の追認拒絶後に無権代理人が本人を相続したとしても、無権代理行為が有効になるものではなく、無権代理人が本人の追認拒絶の効果を主張することがそれ自体信義則に反するとはいえない（最判平10.7.17）〔司共書〕。

　∵　本人が生前に追認拒絶した後に死亡した場合、無権代理の効力が本人に及ばないことが確定する

三　他人物売買と相続

1　他人物売主が権利者を相続した場合

　相続により他人物売主が目的物の所有権を取得すると法律上の障害がなくなり買主は当然に権利を取得する。

2　権利者が他人物売主を相続した場合

　権利者の地位と他人物売主の地位は同一人の下で併存し、権利者は、信義則に反すると認められるような特別の事情のない限り、履行義務を拒否することができる（最大判昭49.9.4）。

《その他》

▪不動産売買の無権代理行為後、本人が相手方に代金請求した場合には、黙示の追認に当たる。

▪無権代理人が本人の不動産を売却した後に本人から不動産の譲渡を受けた場合に、相手方が117条1項により履行を選択したときは、売買契約が無権代理人と相手方の間に生じたのと同様の効果を生ずる（最判昭41.4.26）〔司共〕。

▪未成年後見人が後見人に就任する前に、未成年後見人と称して未成年者所有の不動産を売却した場合、未成年後見人に就任した後になって、無権代理行為の追認

を拒絶することは信義則上（1Ⅱ）許されない（最判昭47.2.18）。

- 成年後見人が、後見人就任前に成年被後見人の無権代理人により締結された契約の追認を拒絶した場合には、諸般の事情を勘案して、追認拒絶が信義則に反しないと解される場合がある（最判平6.9.13・百選Ⅰ5事件）。

第114条　（無権代理の相手方の催告権）

　前条の場合において、相手方は、本人に対し、相当の期間を定めて、その期間内に追認をするかどうかを確答すべき旨の催告をすることができる〈論〉。この場合において、本人がその期間内に確答をしないときは、追認を拒絶したものとみなす〈論〉。

[趣旨] 無権代理行為の追認は本人の自由であるが、その間相手方は不安定な状態に置かれる。そこで、本条は本人に対して追認をなすかどうかを催告することができるものとした。

《注　釈》

- 催告は意思の通知であり意思表示ではないが、意思表示の規定が類推適用される。
- 催告の効果は、本人の確答により、無権代理契約は有効又は無効なものとして確定する。もっとも、期間内に確答がない場合には追認拒絶が擬制され、契約は無効なものとして確定する（後段）〈司共書〉。

  cf. 本人の追認の意思表示は、相当期間内に到達することを要する（97Ⅰ）

《その他》

- 条文に制限がない以上、悪意の相手方にも認められる〈司〉。
- 催告期間経過前で、追認又は追認拒絶があるまでの間は、催告を撤回できる。
- 無権代理行為の相手方が代理人に対して相当の期間を定めて追認するか否を確答するよう催告した場合については、本条のような規定はない。
- 表見代理の成立（109、110、112）を主張しうる場合であっても、これを主張せずに本人に対して追認を催告し、本人の確答がない場合には、追認が拒絶されたものとみなされる。

第115条　（無権代理の相手方の取消権）

　代理権を有しない者がした契約は、本人が追認をしない間は、相手方が取り消すことができる〈論〉。ただし、契約の時において代理権を有しないことを相手方が知っていたときは、この限りでない〈論〉。

[趣旨] 無権代理行為の相手方は不安定な地位に置かれるので、代理権のないことを知らなかった相手方を保護するために相手方に取消権を与えた。

《注　釈》

一　取消権行使の要件

1　無権代理人に代理権がないことを知らないこと（ただし書）〈司〉
　　→過失の有無は不問
2　取消しは、本人・無権代理人のどちらに対して行ってもよい。
3　本人が追認する以前になすことが必要である〈司〉。

二 取消権行使の効果

1 無権代理行為の効果を無効なものとして確定する〈回〉。

2 無権代理行為による契約を取り消すと、相手方は無権代理人の責任（117 I）
も表見代理（109、110、112）の主張をすることもできなくなる。

第116条 （無権代理行為の追認）

追認は、別段の意思表示がないときは、契約の時にさかのぼってその効力を生ずる
〈司共書〉。ただし、第三者の権利を害することはできない。

[趣旨] 本条本文は、追認をなす者の通常の意思を推測して追認の遡及効を規定す
る。もっとも、追認がなされるまでの間に本人・第三者間でなされた行為の効果が
否定されることを防止すべく、ただし書を設けた。

《注　釈》

一 遡及効の例外

1 当事者（相手方）の同意があるとき（本文）

2 第三者の権利を害するとき（ただし書）

　本条ただし書は、無権代理行為の相手方の取得した権利と第三者の取得した
権利とが、ともに特段の対抗要件を要しないで排他的効力を主張する場合にの
み適用される。

　∵　第三者がすでに排他的効力を得ている場合には、追認によってもその権
　　利は害されない

　ex.　AのCに対する代金債権につき、Aの無権代理人BがCから弁済を受け
　　た後、Aの債権者Dがその代金債権を差し押さえた場合は、差押後にAが
　　Bの弁済受領行為を追認しても、Dの差押えの効力を害するので遡及しな
　　い（大判昭5.3.4）〈共〉

　cf.　Aの無権代理人BがAの不動産をCに売った後、A自身がこれをDに売
　　って登記を済ませた場合には、AがBの無権代理行為を追認してもDの地
　　位は害されない（177）ので、本条ただし書は適用されない〈書〉

二 本条の類推適用

　ex.1　無権利者が他人の権利を自己に属するものとして処分し、後に権利者が
　　追認した場合には、本条の類推適用により処分の時に遡って効力を生じる
　　（最判昭37.8.10・百選 I 35事件）〈回〉

　ex.2　譲渡制限特約のある預貯金債権（⇒ p.408）について譲受人が悪意・重
　　過失であっても、その後、債務者が承諾を与えたときは、右債権譲渡は譲
　　渡の時に遡って有効となるが、本条の法意に照らし、第三者の権利を害す
　　ることはできない（最判平9.6.5・百選 II 21事件参照）

　ex.3　AがBに無断でAB間の婚姻の届出をした場合において、AB間の夫婦
　　としての実質的な生活関係があり、かつBが届出の事実を知ってこれを追
　　認したときは、その婚姻は届出の当初に遡って有効となる（最判昭
　　47.7.25・百選 III 3事件）　⇒ p.671

《その他》

- 他人の子Aを自分の実子として届け出たB夫婦（戸籍上の親）が、Aが3歳の時にその代諾権者（797）としてC夫婦と養子縁組をした場合（無権代理行為）、養子となったAが15歳に達した後は、これを追認して有効な養子縁組とすることができる（最判昭27.10.3）。
- 養子縁組の追認には本条ただし書は類推適用されない（最判昭39.9.8・百選Ⅲ41事件）。

第117条　（無権代理人の責任）

Ⅰ　他人の代理人として契約をした者は、自己の代理権を証明したとき、又は本人の追認を得たときを除き、相手方の選択に従い、相手方に対して履行又は損害賠償の責任を負う〈同書〉。

Ⅱ　前項の規定は、次に掲げる場合には、適用しない。

①　他人の代理人として契約をした者が代理権を有しないことを相手方が知っていたとき。

②　他人の代理人として契約をした者が代理権を有しないことを相手方が過失によって知らなかったとき。ただし、他人の代理人として契約をした者が自己に代理権がないことを知っていたときは、この限りでない〈同〉。

③　他人の代理人として契約をした者が行為能力の制限を受けていたとき〈書〉。

［趣旨］ 本条は、代理行為の相手方をできる限り保護して取引の安全を図り、かつ代理制度の信頼を維持しようとして無権代理人に重い責任を負わせている。

《注　釈》

一　要件

①　無権代理であること（有権代理であることの証明ができないこと）

②　本人の追認がないこと（Ⅰ）〈同〉

③　115条の取消権を行使していないこと

④　代理権のないことにつき悪意・有過失でないこと（Ⅱ①②本文）〈同〉

　　→本条2項2号本文の「過失」があっても、無権代理人が代理権を有しないことについて悪意である場合には、責任追及が可能（Ⅱ②ただし書）〈書〉

⑤　無権代理人が行為能力の制限を受けていないこと（Ⅱ③）

　　→制限行為能力者保護の要請から加えられた要件

二　責任の内容

1　無権代理人の責任は、無過失責任である（最判昭62.7.7・百選Ⅰ31事件）〈書〉。

　cf.　無権代理人に故意・過失があるのであれば、相手方は不法行為責任を追及することができる（相手方の過失は過失相殺の対象となるにすぎない）

2　無権代理人は表見代理の成立を理由に、相手方に対して自分が履行の責任を負わないと主張することはできない（最判昭62.7.7・百選Ⅰ31事件）〈同共〉。

　∵　表見代理は相手方保護のための制度であって、その主張をするかどうか

は相手方の選択に委ねられる

3 無権代理人は、相手方の選択に従い、①履行責任か、②損害賠償責任を負う（Ⅰ）《回》。

(1) 履行責任

(a) 本来、本人との間で発生するはずであった法律関係が、そのまま相手方・無権代理人間の法律関係となる。

→その権利義務一切の関係が、相手方との間に存在することになる

(b) 相手方が履行責任を選択し無権代理人が代理契約の目的物の権利を取得すると、無権代理人と相手方との間に売買契約が生じたのと同様の効果が生じる（相手方は所有権を取得する）（最判昭41.4.26）。

(2) 損害賠償責任

信頼利益（契約が無効又は不成立であるのに、それを有効と信じたことによって被った損害）のみならず履行利益（債務の本旨に従った履行がなされていれば債権者が得られたであろう利益）も含まれる（∵履行請求に代わる損害賠償）（大判大4.10.2）。また、本条の損害賠償責任は、不法行為による賠償責任ではないから、3年の短期消滅時効にはかからない（最判昭32.12.5）《回》。

三 「過失」（Ⅱ②本文）の意義

A説：有過失を意味する（最判昭62.7.7・百選Ⅰ31事件）《書》

∵ 本条1項は無権代理人に無過失責任という重い責任を負わせるものであり、そのように他人の重い責任によって保護を受ける相手方には、重大な過失にとどまらず無過失まで要求してよい

B説：重過失を意味する

∵ 無権代理人の責任は表見代理が成立しない場合における補充的な責任であるから、本条を機能させるためには2項の「過失」を「重過失」と読むべきである

第118条 （単独行為の無権代理）

単独行為については、その行為の時において、相手方が、代理人と称する者が代理権を有しないで行為をすることに同意し、又はその代理権を争わなかったときに限り、第113条から前条までの規定を準用する。代理権を有しない者に対しその同意を得て単独行為をしたときも、同様とする。

《注 釈》

一 相手方のない単独行為の無権代理 ex. 寄附行為、相続の承認・放棄

1 絶対的に無効である。

→本人の追認も無効

2 無権代理人の責任も生じない。

二 相手方のある単独行為 ex. 解除

1 原則として無効である。

総
則

2　ただし、①能働代理（代理人が意思表示を行う場合）の場合、代理権なく行
　為することに行為当時相手方が同意し、代理権を争わない場合には、無権代理
　として不確定無効となる。また、②受働代理（代理人として相手方の意思表示
　を受ける場合）の場合、無権代理人の同意を得てなされた場合には、無権代理
　として不確定無効となる。

■第4節　無効及び取消し

《概　説》

一　無効・取消し

1　無効とは、法律効果を当初から全く生じないものとして取り扱うものである。
2　取消しとは、いったん法律効果を発生させた後に、これを消滅させる余地を
　認めるものである。
3　いずれも法目的達成のための技術で、無効とするか取消しとするかは立法政
　策により決まる。

二　無効・取消しの差異

＜無効と取消しの差異の整理＞

	主張の要否	効力喪失時期	追認	消滅時効	具体例
無効	不要＝当然に効力なし	最初から効力なし	追認により効力を生じない（119本文）（＊）	なし（囲）	・意思能力を欠く場合（3の2）・90条違反
取消し	必要＝取消権者の取消しがあってはじめて効力を失う	取り消さない間は効力があるが、取り消されると最初から効力なし（121）	追認により確定的に有効になる（122）	あり（126）	・行為能力を欠く場合・詐欺・強迫による意思表示（96Ⅰ）

＊　ただし、無効であることを知って追認したときは、新たな行為をしたものとみなす
　（119ただし書）。

> #### 第119条　（無効な行為の追認）
> 　無効な行為は、追認によっても、その効力を生じない。ただし、当事者がその行為
> の無効であることを知って追認をしたときは、新たな行為をしたものとみなす。

[趣旨] 本条本文は、無効なものは何人の主張であっても絶対的に効力がなく、追認
によっても有効となしえないことを規定する。もっとも、反社会的行為でない限り、
当事者が望む以上当該行為に何らかの法律効果を認めてよい。そこで、本条ただし
書は、追認を当事者間では新たな行為をなしたものとみなすことにした。

《注　釈》

一　無効行為の非遡及的追認

　本条の「無効」は確定的無効（90、91、93Ⅰただし書、94Ⅰ）を指す。

　当事者が無効であることを知った上でこれを追認したときは、従前の無効原因が除去されている場合に限り、追認の時に従前の法律行為と同一内容の行為を新たになしたものとみなされる（ただし書）〈司同〉。しかし、法律行為の内容が強行法規又は公序良俗に反するような場合には、追認しても有効にならない。

二　無効行為の転換

1　無効行為の転換とは、無効な法律行為が他の法律行為の要件を備える場合、後者の有効な法律行為として効力を認めることをいう。

2　不要式行為への転換は自由である（119ただし書、524、528）。

3　要式行為への転換

（1）一定の形式自体が要求される要式行為（ex. 手形行為）への転換は許されない。

（2）意思表示を慎重・明確にする必要から要式行為とされるものへの転換は可能である。　ex. 秘密証書遺言→自筆証書遺言（971）

＜無効行為の転換に関する判例の整理＞

無効行為	転換の肯否
妾との間の子を本妻との間の嫡出子として届出	認知への転換を肯定（最判昭53.2.24・百選Ⅲ31事件）
妾との間の子をいったん他人の嫡出子として届け出た後、その他人の代諾により養子縁組	認知への転換を否定
他人の子を養子とするため、自分の嫡出子として届出	養子縁組への転換を否定（最判昭50.4.8・百選Ⅲ40事件）

第120条　（取消権者）

Ⅰ　行為能力の制限によって取り消すことができる行為は、制限行為能力者（他の制限行為能力者の法定代理人としてした行為にあっては、当該他の制限行為能力者を含む。）又はその代理人、承継人若しくは同意をすることができる者に限り、取り消すことができる〈共書〉。

Ⅱ　錯誤、詐欺又は強迫によって取り消すことができる行為は、瑕疵（かし）ある意思表示をした者又はその代理人若しくは承継人に限り、取り消すことができる〈共書〉。

《注　釈》

◆　取消権者

1　表意者自身（制限行為能力者、瑕疵ある意思表示をした者）〈司〉、法定代理人〈司〉、任意代理人、承継人が含まれる。

（1）制限行為能力者自身は、意思能力があれば保護者の同意を得ずに単独で取り消すことができる〈書〉。この取消しの意思表示を行為能力の制限を理由に取り消すことはできない〈書〉。

（2）制限行為能力者が他の制限行為能力者の法定代理人としてした行為は、取り消すことができる（102ただし書）。

∴　制限行為能力者である本人を保護するため　⇒ p.62

⑶　「承継人」には、包括承継人の他、契約上の地位の特定承継人も含まれる〈同〉。

2　制限行為能力者の行為があった場合（Ⅰ）の取消権者には、「同意をすることができる者」も含まれる。したがって、保佐人（13Ⅰ本文）〈同〉、臨時保佐人（876の2Ⅲ）、保佐監督人（876の3Ⅱ、851③④）は取消権を有する。また、特定の法律行為について同意権を付与された補助人（17Ⅰ）、臨時補助人（876の7Ⅲ）、補助監督人（876の8Ⅱ、851③④）も、「同意をすることができる者」に当たり、取消権者となる。

3　保証人は「承継人」に当たらず、取消権は認められない（大判昭20.5.21）〈共〉。　⇒ p.385

第121条　（取消しの効果）〈書〉

取り消された行為は、初めから無効であったものとみなす。

《注　釈》

◆　取消しの効果

1　制限行為能力による取消しの場合は、何人にも対抗しうる〈同〉。第三者保護規定は存在しない（絶対的取消）〈同書〉。

2　取消しの効果としては、遡及効が原則である（121）。しかし、民法上、例外的に将来効とされる場合もある（婚姻の取消しの効果（748Ⅰ）〈同〉、縁組取消しの効果（808Ⅰ、748Ⅰ）〈同〉等）。

3　取消しから生じる返還義務については、121条の2が規律する。

《その他》

▪ 売買契約が第三者による詐欺（96Ⅱ）を理由に取り消された場合における当事者双方の原状回復義務（121の2Ⅰ）は、533条の類推適用により同時履行の関係に立つ（最判昭47.9.7参照）〈同〉。　⇒ p.481

第121条の2　（原状回復の義務）

Ⅰ　無効な行為に基づく債務の履行として給付を受けた者は、相手方を原状に復させる義務を負う。

Ⅱ　前項の規定にかかわらず、無効な無償行為に基づく債務の履行として給付を受けた者は、給付を受けた当時その行為が無効であること（給付を受けた後に前条の規定により初めから無効であったものとみなされた行為にあっては、給付を受けた当時その行為が取り消すことができるものであること）を知らなかったときは、その行為によって現に利益を受けている限度において、返還の義務を負う〈同共書〉。

Ⅲ　第1項の規定にかかわらず、行為の時に意思能力を有しなかった者は、その行為によって現に利益を受けている限度において、返還の義務を負う〈共〉。行為の時に制限行為能力者であった者についても、同様とする〈書〉。

[趣旨] 不当利得についての一般規定である703条・704条は、一方当事者の一方的な給付を想定したものである。そのため、無効又は取り消しうる法律行為を巻き戻し的に清算する場合については、703条・704条ではなく本条が適用され、給付受領者は原状回復義務を負う。他方、本条2項は無効な無償行為について給付受領者の信頼の保護を図るために、本条3項は行為時における意思無能力者・制限行為能力者の保護を図るために、給付受領者の返還義務の範囲を現受利益（現存利益）に限ることとしている。

《注　釈》

一　原則としての原状回復義務（Ⅰ）

1　無効な行為に基づく債務の履行として給付を受けた者は、相手方を原状に復させる義務を負う（Ⅰ）。

　「無効な行為」とは、その行為が当初から無効である場合だけでなく、取り消すことができる行為が取り消されたことにより無効とされる場合（121）も含む共。

2　「原状に復させる義務」とは、現存利益に限定されない利益全部の返還義務をいう。

　　∵　本条1項の規定にかかわらず、現存利益の返還で足りるとする本条2項・3項の反対解釈

3　現物返還ができない場合には、現物返還が不能となったときの価額で返還することとなる。

二　返還義務が現存利益の返還へと軽減される場合（ⅡⅢ）

1　無償行為について、善意の給付受領者の返還義務は現存利益に制限される（Ⅱ）。

　　∵　無償行為が無効であることを知らなかった給付受領者は、受領した物を自由に費消したり、処分したりできると考えるのが通常であるにもかかわらず、給付受領者が全面返還しなければならないとすると、給付受領者の期待を害する

2　本条1項にかかわらず、意思無能力者・制限行為能力者の返還義務は現存利益に制限される（Ⅲ）。

　　∵　意思無能力者・制限行為能力者の保護の必要性

3　利益を必要な出費に充てた場合には、現存利益が存在するものと認められる。

　　∵　本来であれば自己の財産から支出することにより自己の財産が減少するところ、受領した財産を支出に充てることで、自己の財産の減少を免れたという利益が現存するため

　　ex.　受領した金員を他人に対する弁済又は必要な生活費に支出したときは、現存利益がある（大判昭7.10.26）

　　cf.　賭博に浪費された場合には現存利益はない共

第122条　（取り消すことができる行為の追認）〈共書〉

　取り消すことができる行為は、第120条に規定する者が追認したときは、以後、取り消すことができない。

［趣旨］ 取り消すことができる行為の追認は、有効性が不確定な行為を確定的に有効にする意思表示であるから、取消権の放棄の性質を有する。

《注　釈》

一　追認権者

　取消権者（120）が追認権者となる。

二　第三者との関係

　表意者と第三者との関係は両者の優先劣後を決める一般原則（対抗関係）によって解決される。

三　効果

1　当初より有効なものとして確定する。

2　法定代理人により追認がなされると、たとえ制限行為能力者がそれを知らない場合であっても有効なものとして確定され、これを取り消すことができなくなる〈同書〉。

　　cf.　取り消すことができる行為によって取得した権利の全部の譲渡に対して、本人が同意を与えることは、通常黙示の追認があるとされる

第123条　（取消し及び追認の方法）

　取り消すことができる行為の相手方が確定している場合には、その取消し又は追認は、相手方に対する意思表示によってする。

《注　釈》

◆　「相手方」の意義

　「取り消すことができる行為の相手方」のことである〈同共〉。取り消すことができる行為の相手方が取消しの対象たる行為から取得した権利をすでに第三者に譲渡した場合でも、元の相手方（譲渡人）が取消しの相手方であって、譲受人ではない（大判昭6.6.22）。

第124条　（追認の要件）

Ⅰ　取り消すことができる行為の追認は、取消しの原因となっていた状況が消滅し、かつ、取消権を有することを知った後にしなければ、その効力を生じない。

Ⅱ　次に掲げる場合には、前項の追認は、取消しの原因となっていた状況が消滅した後にすることを要しない。

　①　法定代理人又は制限行為能力者の保佐人若しくは補助人が追認をするとき。

　②　制限行為能力者（成年被後見人を除く。）が法定代理人、保佐人又は補助人の同意を得て追認をするとき〈共〉。

総則

《注　釈》

◆　**追認をなしうる時期**

1　取消しの原因となっていた状況が消滅した後（Ⅰ）

(1)　制限行為能力者の場合には行為能力者になった時から、錯誤・詐欺・強迫の場合にはその状況を脱した後、追認が可能となる〈同書〉。

→自由で正常な判断が可能な時期にならないと追認できないということ

(2)　取消しの原因となっていた状況が消滅していない場合でも、以下の場合には追認が可能である（Ⅱ柱書）。

(a)　法定代理人又は制限行為能力者の保佐人若しくは補助人が追認をするとき（Ⅱ①）

(b)　制限行為能力者（成年被後見人を除く。）が法定代理人、保佐人又は補助人の同意を得て追認をするとき（Ⅱ②）

＊　これらの場合においては、法定代理人、保佐人、補助人自身は、取消原因の影響を受けておらず、本条1項による制約を認める必要がないことから、追認することができる。

2　取り消すことができる行為の了知後

(1)　追認は、取消権を有することを知った後にしなければ、その効力を生じない（Ⅰ）。これは、判例法理（大判大5.12.28等）を一般化したものである。

∵　追認は、取消権の放棄の性質をもつから、放棄する権利の存在を知っていることが求められる

ex.　債務の承認・示談の申込みは、法定追認（125）には当たらないので、取消原因を了知したうえでなさなければ、本条の「追認」とはならない

(2)　「取消権を有することを知った」といえるためには、そのような行為がされたこと自体を認識していることが必要である。また、「取消権」についての正確な法的知識までは不要であるが、当該法律行為の効力を否定する権利があることを認識していることが必要である。

《その他》

▪契約当事者の双方が制限行為能力者である場合、一方当事者若しくはその法定代理人が追認権を行使し、又は法定追認となる事実を生じさせたとしても、他方当事者はなお取消権を行使しうる。

第125条　（法定追認）〈蓄〉

追認をすることができる時以後に、取り消すことができる行為について次に掲げる事実があったときは、追認をしたものとみなす。ただし、異議をとどめたときは、この限りでない。

① 全部又は一部の履行

② 履行の請求

③ 更改

④ 担保の供与

⑤ 取り消すことができる行為によって取得した権利の全部又は一部の譲渡

⑥　強制執行

[趣旨] 黙示の追認とみられる事実があったとき等、追認の有無をめぐって法律関係が紛糾すれば取引の安定を阻害することになる。そこで、これを防止し、早期安定を図るべく法定追認を認めた。

《注　釈》
一　法定追認の要件
　　①　取り消すことができる行為につき 125 条列挙事由があること
　　②　取消権者により行われること
　　③　「追認をすることができる時以後」（柱書）に生じたこと〈司〉
　　④　異議をとどめないこと（柱書ただし書）
　1　①取り消すことができる行為につき 125 条列挙事由があること

＜125 条列挙事由の整理＞

全部又は一部の履行（①）	取消権者が┬ 債務者として履行〈司〉 └ 債権者として受領（大判昭 8.4.28）〈書〉
履行の請求（②）	取消権者が請求する場合に限る（相殺の意思表示もこれに当たる）（大判明 39.5.17）〈司〉
更改（③）	取消権者が、債権者・債務者であるとを問わない
担保の供与（④）	取消権者が┬ 債務者として担保供与 └ 債権者として担保の供与を受けた場合
取得した権利の全部又は一部の譲渡（⑤）	取消権者がなした場合に限る〈司書〉
強制執行（⑥）	取消権者が債権者として執行した場合に限る 債務者として執行を受けた場合は含まれない（大判昭4.11.22）

　2　②取消権者により行われること
　　各いずれかの事由が取消権者（追認権者）によりなされることが必要である。
　3　③「追認をすることができる時以後」（柱書）に生じたこと
　　「追認をすることができる時」とは、取消しの原因となっていた状況が消滅したときを意味する。取消権を有することを知っていたことも含まれるか否かは解釈に委ねられている。
　　＊　判例（大判大 12.6.11・百選 I 36 事件）は改正前民法 125 条につき、取消権を有することを知っていたことは不要であるとしている。
　4　④異議をとどめないこと
　　取消権者が、125 条各号の行為を行うに当たって、異議をとどめたときは、法定追認は生じない〈書〉。

二　適用範囲

無権代理行為の追認（115、116）には類推適用されない〈選〉。

∴　本条は、取り消すことができる行為についての規定

第126条　（取消権の期間の制限）

取消権は、追認をすることができる時から5年間行使しないときは、時効によって消滅する。行為の時から20年を経過したときも、同様とする〈選〉。

[趣旨] 取り消すことができる行為を長期間放置しておくと相手方や第三者の立場を不安定ならしめるから、本条は取消しの主張に対して時間的制限を加えている。

《注　釈》

一　法的性質

1　かつて判例は、両者とも消滅時効期間としたが、現在は明確でない。

2　近時の有力説は、5年・20年ともに除斥期間と解している。

　　∴　取消権は形成権であることから、時効の完成猶予及び更新を認めるべきではない

二　取消しにより生じる返還請求権の行使期間

A説：取消しにより生じる請求権は取消しの時から新たな消滅時効が進行する（大判昭55.1.24）

　　∴　取消権行使により生じる請求権は取消権とは別個独立の権利であるから、その消滅時効はその権利を行使しうる時、すなわち取消時から進行を始めると解すべきである

B説：126条は取消しにより生じる請求権をも含めて消滅時効期間（除斥期間）を定めたものであり、この請求権も5年以内（20年以内）に行使することを要する

　　∴　取消権行使の時から新たに消滅時効が進行するとするのでは、法律関係の早期確定を図った126条の趣旨が没却される

《その他》

▪ 未成年者の制限行為能力を理由とした取消権（5Ⅱ）は、未成年者が成年に達した時から起算され、5年で消滅する。

▪ 法定代理人につき取消権が消滅すれば、制限行為能力者の取消権も消滅する。

■第5節　条件及び期限

《概　説》

一　条件・期限の意義

1　条件とは、法律行為の効力の発生又は消滅を将来の不確定な事実の成就にかからしめる法律行為の付款をいう。

2　期限とは、法律行為の効力の発生・消滅又は債務の履行を、将来到来することの確実な事実の発生にかからしめる法律行為の付款をいう。

二　条件・期限に親しまない行為

法律行為に付款を付することは私的自治の原則から一般的に有効である。しかし、一定の法律行為にはその性質上付款を付けることが許されないことがある。

1　条件に親しまない行為

⑴　身分行為

身分秩序を不安定にし公序良俗に反するから、条件を付けることは許されない。

ex.　婚姻、縁組、相続の承認・放棄（915）、認知

⑵　単独行為

相手方を一方的に不安定な立場に置くことになるから、条件を付けることは原則として許されない。

ex.　相殺（506Ⅰ後段）、取消し、追認、選択債権における選択（407）

ただし、相手方に著しい不利益を与えない場合には、許される（大判明43.12.9）。

→債務者が弁済しないことを停止条件とする解除の意思表示や債務免除に条件を付することは許され、実際にも多く行われている

2　期限に親しまない行為

⑴　効果が直ちに発生すべき親族法上の行為

ex.　婚姻、縁組

⑵　遡及効のある行為

期限を付けるのは無意味であるため明文で禁止されている。

ex.　相殺（506Ⅰ後段）

三　出世払債務

「もし出世しなければ返済しなくてもよい」という場合には貸金返還請求権は停止条件付といえ、他方、「出世するまでは返済を猶予するが、出世の見込みがなくなればすぐに返済してもらう」という場合には不確定期限付といえる。結局、意思表示の解釈の問題であるが、判例は原則として不確定期限と解している（大判大4.3.24）。

＊　不確定期限とは、到来することは確実であるが、その時期がいつか不明である期限をいう。　⇒p.90

第127条　（条件が成就した場合の効果）

Ⅰ　停止条件付法律行為は、停止条件が成就した時からその効力を生ずる。

Ⅱ　解除条件付法律行為は、解除条件が成就した時からその効力を失う。

Ⅲ　当事者が条件が成就した場合の効果をその成就した時以前にさかのぼらせる意思を表示したときは、その意思に従う〈書〉。

《注　釈》

一　停止条件（Ⅰ）

　法律行為の効力の発生を将来の不確定な事実の成否にかからしめる法律行為の付款をいう〈書〉。

二　解除条件（Ⅱ）

　法律行為の効力の消滅を将来の不確定な事実の成否にかからしめる法律行為の付款をいう。

三　条件成就の効果

　原則として、条件成就の時に効果が生じる。もっとも、特約により効果を遡及させることは可能である（Ⅲ）。

第128条　（条件の成否未定の間における相手方の利益の侵害の禁止）

　条件付法律行為の各当事者は、条件の成否が未定である間は、条件が成就した場合にその法律行為から生ずべき相手方の利益を害することができない〈司共書〉。

第129条　（条件の成否未定の間における権利の処分等）

　条件の成否が未定である間における当事者の権利義務は、一般の規定に従い、処分し、相続し、若しくは保存し、又はそのために担保を供することができる〈司共〉。

第130条　（条件の成就の妨害等）

Ⅰ　条件が成就することによって不利益を受ける当事者が故意にその条件の成就を妨げたときは、相手方は、その条件が成就したものとみなすことができる〈共書〉。

Ⅱ　条件が成就することによって利益を受ける当事者が不正にその条件を成就させたときは、相手方は、その条件が成就しなかったものとみなすことができる〈司書〉。

《注　釈》

一　「故意」の妨害（130Ⅰ）

1　「故意に」とは、条件の成就を妨げることを認識していることをいう。もっとも、条件成就を妨げたとしても、信義則に反するといえない場合には、同条1項は適用されない。

　　ex.　土地等の買受人が、取引業者に仲介を依頼し買受契約の成立を停止条件として一定額の報酬を支払う旨約束したのに、買受人が右業者を排除して直接売渡人との間に契約を成立させた場合には、業者は買受人に対し約定の報酬を請求しうる（最判昭39.1.23、最判昭45.10.22参照）〈司〉

2　過失による場合には、本条は適用されず、損害賠償（128）のみの問題となる〈共〉。

二　故意の条件成就（130Ⅱ）

「不正に」とは、信義則に反して故意にという意味である。

＊　同条2項は、故意の条件成就の場合に改正前民法130条を類推適用した判例（最判平6.5.31・百選Ⅰ〔第8版〕40事件）を明文化したものである。

三　効果

1　当然に条件が成就又は不成就となるのではなく、条件が成就又は不成就とみなすことのできる権利（形成権）を取得する。

2　期待権を有する者の妨害者に対する損害賠償請求権（128）と130条の権利とは選択的に行使できる（最判昭39.1.23）〈団〉。

第131条　（既成条件）

Ⅰ　条件が法律行為の時に既に成就していた場合において、その条件が停止条件であるときはその法律行為を無条件とし、その条件が解除条件であるときはその法律行為は無効とする。

Ⅱ　条件が成就しないことが法律行為の時に既に確定していた場合において、その条件が停止条件であるときはその法律行為は無効とし〈同書〉、その条件が解除条件であるときはその法律行為を無条件とする〈建〉。

Ⅲ　前2項に規定する場合において、当事者が条件が成就したこと又は成就しなかったことを知らない間は、第128条＜条件の成否未定の間における相手方の利益の侵害の禁止＞及び第129条＜条件の成否未定の間における権利の処分等＞の規定を準用する。

第132条　（不法条件）〈共書〉

不法な条件を付した法律行為は、無効とする。不法な行為をしないことを条件とするものも、同様とする。

第133条　（不能条件）

Ⅰ　不能の停止条件を付した法律行為は、無効とする。

Ⅱ　不能の解除条件を付した法律行為は、無条件とする〈建〉。

第134条　（随意条件）〈共書〉

停止条件付法律行為は、その条件が単に債務者の意思のみに係るときは、無効とする。

《注　釈》

＜条件の種類と効力＞〈司共〉

	条件の種類	効力	
既成条件	条件がすでに成就	停止条件	無条件（131Ⅰ）
		解除条件	無効（131Ⅰ）
	条件が不成就に確定	停止条件	無効（131Ⅱ）
		解除条件	無条件（131Ⅱ）
不法条件〈供〉	不法の条件		無効（132）
	不法な行為をしない条件（＊1）		無効（132）
不能条件〈供〉	停止条件		無効（133Ⅰ）
	解除条件		無条件（133Ⅱ）
純粋随意条件（＊2）	停止条件	単に債務者の意思のみにかかるとき	無効（134）〈司共〉
		単に債権者の意思のみにかかるとき	有効
	解除条件	単に債務者の意思のみにかかるとき	有効
		単に債権者の意思のみにかかるとき	有効

＊1　法律行為が全体として不法性を有しない場合には、無効とはならない。
　　ex.　不倫関係を絶つことを条件とする手切金の契約には、132条の適用はない
＊2　条件の成否が純粋に当事者の意思のみにかかる場合を純粋随意条件という。他方、当事者の意思に基づいて他の事実を実現することが必要となる場合を単純随意条件という。単純随意条件を停止条件にした法律行為は有効である。

第135条　（期限の到来の効果）

Ⅰ　法律行為に始期を付したときは、その法律行為の履行は、期限が到来するまで、これを請求することができない。

Ⅱ　法律行為に終期を付したときは、その法律行為の効力は、期限が到来した時に消滅する。

《注　釈》

一　始期・終期

　　始期とは、法律行為の効力の発生又は債務の履行に関する期限をいい、終期とは、法律行為の効力の消滅に関する期限をいう。

二　確定期限・不確定期限

　　確定期限とは、到来する時期の確定している期限をいい、不確定期限とは、到来することは確実であるが、その時期がいつか不明である期限をいう。

三　期限到来の効果

　1　債務の履行に始期が付されたときは、期限到来時から請求が可能となる（Ⅰ）。

法律行為の効力に始期が付されたときは、期限到来時に効力を生ずる。

2　法律行為の効力に終期が付されたときは、期限到来時に消滅する（Ⅱ）。

3　期限の到来に、条件成就の場合のように遡及効を与えることは自己矛盾である〈整〉。

第136条　（期限の利益及びその放棄）

Ⅰ　期限は、債務者の利益のために定めたものと推定する。

Ⅱ　期限の利益は、放棄することができる。ただし、これによって相手方の利益を害することはできない〈同〉。

《注　釈》

一　期限の利益（Ⅰ）

期限が到来するまでの間、法律行為の効力の発生・消滅又は債務の履行が猶予されることによって当事者が受ける利益をいう。

cf.　有償の金銭消費貸借は当事者の双方が期限の利益を有する〈同〉

二　期限の利益の放棄（Ⅱ）

期限の利益は、原則として単独で放棄が可能である。ただし、これにより相手方が損害を受けた場合には、その損害を賠償しなければならない。

ex.　弁済期前に借金を返済する場合でも、債権者に弁済期までの利息を支払う必要がある（大判昭9.9.15）〈同書〉

→136条2項ただし書は、期限の利益の放棄それ自体を禁止するものではないと一般に解されている〈同〉

第137条　（期限の利益の喪失）

次に掲げる場合には、債務者は、期限の利益を主張することができない。

①　債務者が破産手続開始の決定を受けたとき。

②　債務者が担保を減失させ、損傷させ、又は減少させたとき〈同〉。

③　債務者が担保を供する義務を負う場合において、これを供しないとき。

[趣旨] 債務者が、信用の基礎を失い、信頼関係を破る場合に公平の見地から債務者の期限の利益（136Ⅰ）を奪い債権者保護を図るものである。

《注　釈》

一　喪失事由

1　債務者が破産手続開始決定を受けたとき（①）

2　債務者が担保を減失させ、損傷させ、又は減少させたとき（②）

ex.　債権者Aと債務者Bが、債権担保の目的で、BのCに対する債権につき代理受領契約を締結したが、これに反してBがCから弁済を受領した場合
⇒ p.303

→債務者の故意・過失を要しない〈判〉

3　債務者が担保を供する義務を負う場合において、これを供しないとき（③）〈同〉

ex.　保証人が破産手続開始決定を受け、債務者が新たなる保証人を立てなければならないにもかかわらず（450Ⅱ）、これを怠った場合

二　期限の利益喪失約款

1　意義・有効性

　期限の利益喪失約款とは、割賦払債務で債務者が1回でも弁済を怠った場合、あるいは、債務者が他から強制執行を受けた場合には、債務者が期限の利益を失うことを内容とする約款をいう。このような約款も、債務者又は第三者の利益を不当に害するものでない限り有効である。

2　消滅時効の起算点　⇒ p.115

・第6章・【期間の計算】

第138条　（期間の計算の通則）

　期間の計算方法は、法令若しくは裁判上の命令に特別の定めがある場合又は法律行為に別段の定めがある場合を除き、この章の規定に従う。

第139条　（期間の起算）

　時間によって期間を定めたときは、その期間は、即時から起算する〈司〉。

第140条

　日、週、月又は年によって期間を定めたときは、期間の初日は、算入しない。ただし、その期間が午前零時から始まるときは、この限りでない〈司共〉。

第141条　（期間の満了）

　前条の場合には、期間は、その末日の終了をもって満了する。

第142条

　期間の末日が日曜日、国民の祝日に関する法律（昭和23年法律第178号）に規定する休日その他の休日に当たるときは、その日に取引をしない慣習がある場合に限り、期間は、その翌日に満了する〈司〉。

第143条　（暦による期間の計算）

Ⅰ　週、月又は年によって期間を定めたときは、その期間は、暦に従って計算する。

Ⅱ　週、月又は年の初めから期間を起算しないときは、その期間は、最後の週、月又は年においてその起算日に応当する日の前日に満了する〈司〉。ただし、月又は年によって期間を定めた場合において、最後の月に応当する日がないときは、その月の末日に満了する〈司〉。

《注　釈》

一　意義

　期間とは、ある時点からある時点までの継続した時間の区分をいう。

二　適用範囲

　将来に向かって継続する期間のみならず、過去に遡って継続する期間にも準用される。

・第7章・【時効】

■第1節　総則
《概　説》
一　時効制度の存在理由
1　長期にわたって継続した事実状態を法律上も尊重し法律関係の安定を図る。

2　権利の上に眠っている者は、法の保護を受けるに値しない。

3　立証の困難を救済する。

二　時効制度と類似する制度・原則
1　除斥期間

　　除斥期間とは、一定の時の経過に権利消滅の効果を認める制度である。もっぱら権利自体の性質（権利発生からしばらく時が経つと権利関係の存否が不明確になる）から、あるいは公益上の必要から、権利関係を速やかに確定するため、権利の行使期間を限定する。

　　ex.　193条の回復請求権、195条、201条1項・3項

　　＊　形成権に期間制限が付いている場合は、一般に除斥期間と解してよい。

　　　　→126条は規定上時効により消滅すると定められているが、これを除斥期間と解するのが多数説である

2　権利失効の原則

　　権利失効の原則とは、信義に反して長く権利を行使しないでいると、信義則（1Ⅱ）上その権利の行使が阻止されるという原則をいう（最判昭30.11.22）。

＜消滅時効・除斥期間・権利失効の原則＞

	消滅時効	除斥期間	権利失効の原則
起算点	・主観的起算点（166Ⅰ①） 　→権利を行使することができることを知った時 ・客観的起算点（同②） 　→権利を行使することができる時	権利の発生時	法定されていない （信義則の適用形式）
期間	法定されている		
完成猶予・更新	あり	なし	
援用	必要（145）	不要	
遡及効	あり（144）	なし	

三　時効の完成猶予及び更新
　　時効の完成猶予事由と更新事由を合わせて、時効の障害事由という。

1 時効の完成猶予とは、時効の更新のための手続がとられた場合（権利行使型）や、時効完成の時に当たって、権利者による時効の更新のための措置を不可能又は著しく困難にする事情がある場合（権利行使困難型）に、一定期間時効の完成を猶予するものをいう。

2 時効の更新とは、時効がいったん進行を始めた後、時効の基礎である事実状態と相容れない事実が存在するために、その進行が断絶し、それまでに経過した期間が無意味になることをいう。

＜時効障害事由＞

時効障害事由		完成猶予期間	更新時
完成猶予及び更新事由	**権利行使型** 裁判上の請求（147Ⅰ①）支払督促（同②）和解・調停（同③）破産手続参加・再生手続参加・更生手続参加（同④）	その事由が終了するまでの間（147Ⅰ柱書）→更新とならずにその事由が終了した場合は、その終了の時から6か月を経過するまでの間（147Ⅰ柱書かっこ書）	確定判決等により権利が確定したときは、その事由が終了した時（147Ⅱ）（＊1）
	強制執行（148Ⅰ①）担保権の実行（同②）形式的競売（同③）財産開示手続等（同④）	その事由が終了するまでの間（148Ⅰ柱書）→申立ての取下げ又は法律の規定に従わないことによる取消しによってその事由が終了した場合は、その終了の時から6か月を経過するまでの間（148Ⅰ柱書かっこ書）	その事由が終了した時（148Ⅱ本文。左記の取下げ又は取消しの場合を除く（148Ⅱただし書））
完成猶予事由	仮差押え（149①）仮処分（同②）	その事由の終了時から6か月を経過するまでの間	——
	催告（150）（＊2）	催告時から6か月を経過するまでの間	——
	協議を行う旨の合意（151）（＊3）	以下のいずれか早い時までの間 →① その合意の時から1年を経過した時（151Ⅰ①）② 1年未満の協議期間を定めたときは、その期間の経過時（同②）③ 相手方に対して協議続行を拒絶する旨の通知がなされたときは、その通知時から6か月を経過した時（同③）	——

時効障害事由		完成猶予期間	更新時
完成猶予事由	**権利行使困難型**		
	未成年者又は成年被後見人に対する時効（158）	これらの者が行為能力者となった時、又は法定代理人が就職した時から6か月を経過するまでの間	——
	夫婦間の権利の時効（159）	婚姻解消時から6か月を経過するまでの間	——
	相続財産に関する時効（160）	相続人が確定した時等から6か月を経過するまでの間	——
	天災その他避けることのできない事変（161）	その障害が消滅した時から3か月を経過するまでの間	——
更新事由	承認（152）	——	承認時

＊1　確定判決等によって確定した権利については、10年より短い時効期間が定められていても、更新後の時効期間は10年となる（169Ⅰ）。
＊2　完成猶予中にされた再度の催告による完成猶予の効力は生じない（150Ⅱ）。
＊3　完成猶予中にされた再度の協議の合意により、最長5年の完成猶予の効力が生じる（151Ⅱ）。

第144条　（時効の効力）

時効の効力は、その起算日にさかのぼる。

[趣旨] 時効が完成すると、その効果は時効期間の最初の時点に遡る（144）。時効は時効期間中継続した事実状態をそのまま保護する制度であるから当然のことであり、また、そうでないと起算日から完成日に至る錯綜した権利関係の争いを招き、時効制度の意味が失われるからである。

《注　釈》

一　起算点

1　消滅時効
(1)　主観的起算点は、「債権者が権利を行使することができることを知った時」（166Ⅰ①）である。
(2)　客観的起算点は、「権利を行使することができる時」（同②）である。

2　取得時効
起算点は占有（準占有）を開始した時点であるが、明定する規定がない。187条の存在から、占有の開始時点を選択することは可能であるはずだが、判例（最判昭35.7.27）は時効の基礎たる事実の開始した時期を起算点として決定すべきであるとして、固定的に捉えている《司書》。

二　遡及効

1　消滅時効

消滅時効が完成するとその起算点から権利を有していなかったことになる。この結果、たとえば債務を負っていた場合であっても、起算日以後の利息・遅延損害金を支払う必要はなくなる。

2　取得時効

取得時効が完成すると起算点から権利を有していたことになる（原始取得）〈司〉。この結果、時効取得による所有権移転登記の登記原因の日付は、時効の起算日である占有開始日となる。また、たとえば土地の取得時効の場合には、その果実は占有者に属し、起算日以後の占有は不法占拠ではなくなる。

ex.1　地代相当額を前所有者に返還する必要はない

ex.2　時効期間中に権利を侵害した者は前所有者にではなく権利取得者に対して賠償責任（709）を負う

第145条　（時効の援用）

時効は、当事者（消滅時効にあっては、保証人、物上保証人、第三取得者その他権利の消滅について正当な利益を有する者を含む。）が援用しなければ、裁判所がこれによって裁判をすることができない。

[趣旨] 時効の利益を受けることを潔しとしない当事者の意思を尊重する点にある。

《注　釈》

一　援用の性質

<援用の性質をめぐる学説の整理>

	実体法説		訴訟法説
時効とは	一定の事実状態が永続する場合に、それが真実の権利関係と一致するか否かを問わず、そのまま権利関係として認めようとする実体法上の制度		時の経過自体に人証・書証に優越する証拠価値を与える訴訟法上の証拠方法に関する制度
時効の性格と効力	実体法上の権利の得喪		訴訟法上の証拠方法としての性格（法定証拠）
	不確定効果説	確定効果説（旧判例）	
	不確定的な権利の得喪（145を重視）	確定的な権利の得喪（162、166を重視）	
	停止条件説（最判昭61.3.17・百選 I 37事件）	解除条件説（*）	

	実体法説		訴訟法説
援用の意義	時効により生ずる効力を確定させる意思表示	訴訟法上の攻撃防御方法の提出	法定証拠を裁判所に提出する行為
裁判外の援用	裁判外でも可能	裁判上なす必要あり	
145条の趣旨	時効の効果を時効の利益を享受する当事者の良心に委ねる	当事者主義、弁論主義の原則を厳格に貫き、その者に抗弁の機会を与える	
適用法理	法律行為の法理→意思表示	訴訟法上の法理	
援用権者の範囲	事実上、差異なし		
援用の時期	具体的には口頭弁論終結前		
効果の範囲	相対効		
撤回	不可	可（攻撃防御の1つ）	
放棄の意義	効力を発生させないことに確定させる意思表示	完成に効力を消滅させる意思表示→一種の贈与	証拠を援用しないという意思表示あるいは自己の無権利又は義務を自認する行為

＊　不確定効果説の解除条件説では、消滅時効期間の経過した債務の履行は、債権を復活させる効果とともに債権を消滅させる効果を有する。

二　援用権者

1　当事者の意義

　時効は「当事者」が援用することができる。「当事者」には、「消滅時効にあっては、保証人、物上保証人、第三取得者その他権利の消滅について正当な利益を有する者を含む」（かっこ書）[図]。改正前民法下では、「当事者」を「時効によって直接に利益を受ける者」とする判例法理が妥当しており、本条の「正当な利益を有する者」についても妥当すると解されている。取得時効の援用権者については、かっこ書は適用されず、改正前民法下の判例法理が妥当する。

2　取得時効

(1)　判例により時効援用権が肯定された者

①　賃借権者（賃借権の取得時効）

②　地上権者（地上権の取得時効）

(2)　判例により時効援用権が否定された者

・　家屋賃借人（土地所有権の取得時効）〈司共書〉

3　消滅時効
(1)　判例により時効援用権が肯定された者
(a)　再売買の予約がなされ、仮登記がなされた不動産の第三取得者・抵当権者（予約完結権の消滅時効）
(b)　詐害行為の受益者（取消権者の被保全債権の消滅時効）（最判平10.6.22）〈司共〉
(c)　譲渡担保権者から被担保債権の弁済期後に目的物を譲り受けた第三者（譲渡担保権設定者が譲渡担保権者に対して有する清算金支払請求権の消滅時効）（最判平11.2.26）〈共〉
(2)　判例により時効援用権が否定された者
(a)　債務者・物上保証人の一般債権者
(b)　後順位抵当権者（先順位抵当権者の被担保債権の消滅時効）（最判平11.10.21・百選Ⅰ38事件）〈司共書〉
(c)　債権者代位権の第三債務者（債権者代位権の被保全債権の消滅時効）
(d)　表見相続人からの第三取得者（相続回復請求権の消滅時効）　⇒ p.734

三　援用権の喪失
1　消滅時効が完成した後に債務を承認した債務者は、承認した時点において時効完成の事実を知らなくても、信義則上消滅時効を援用できない（最大判昭41.4.20・百選Ⅰ39事件）〈司共書〉。
2　1の場合であっても、承認以後再び時効が完成すれば援用できる（最判昭45.5.21）〈司〉。
3　消滅時効の援用が信義則・権利濫用の法理により許されない場合もある（最判昭51.5.25）。

四　援用の効力
援用の効力は相対的効力である（最判平13.7.10）〈予〉。
→他の援用権者には影響しない
被相続人の占有により取得時効が完成した場合、その共同相続人の1人は、自己の相続分の限度においてのみ、取得時効を援用できるにとどまる（最判平13.7.10）〈司書〉。

第146条　（時効の利益の放棄）〈書〉
時効の利益は、あらかじめ放棄することができない。

［趣旨］時効による権利の得喪は1つの公益的な制度であり、さらに消滅時効の場合は、債権者の強制によりあらかじめ放棄を約束させられる濫用を防止するため、本条が規定された。

《注　釈》

一　時効利益の放棄
完成後に放棄することは145条の趣旨にも合致し、有効である。
時効の利益を放棄した後は、その時効の効果を援用することが許されないが、

放棄後新たに時効期間が完成猶予・更新なしに経過した場合には新たな時効が完
成する（最判昭45.5.21参照）。

二　放棄の効力

相対的であり、放棄した者に限って援用権を失うだけである。

ex.　主債務者が主債務の消滅時効の利益を放棄しても、保証人や物上保証人
は主債務の消滅時効を援用することができる【同共書】

《その他》

- 時効利益の放棄は、債務者が時効完成を知って行うことが必要である（最判昭
35.6.23）。また、相手方に対する意思表示を要するが、その際、相手方の同意は
不要である（大判大8.7.4）【同】。

- 消滅時効完成後に債務の承認をした事実から、その債務の承認が、時効が完成し
たことを知ってされたものであると推定することは許されない（最大判昭
41.4.20・百選Ⅰ39事件）。

- 債務者が時効を援用した場合には債務者において同一内容の債務を当然に負担す
るものとする旨の特約や時効期間を延長する旨の特約など、時効の完成を困難に
する債権者・債務者間の特約は、本条の趣旨に反し無効である。逆に、時効完成
を容易にする特約は有効である。

第147条　（裁判上の請求等による時効の完成猶予及び更新）

Ⅰ　次に掲げる事由がある場合には、その事由が終了する（確定判決又は確定判決と
同一の効力を有するものによって権利が確定することなくその事由が終了した場合
にあっては、その終了の時から6箇月を経過する）までの間は、時効は、完成しな
い【同】。
① 　裁判上の請求【書】
② 　支払督促
③ 　民事訴訟法第275条第1項の和解又は民事調停法（昭和26年法律第222
号）若しくは家事事件手続法（平成23年法律第52号）による調停
④ 　破産手続参加、再生手続参加又は更生手続参加
Ⅱ　前項の場合において、確定判決又は確定判決と同一の効力を有するものによって
権利が確定したときは、時効は、同項各号に掲げる事由が終了した時から新たにそ
の進行を始める【予】。

[趣旨] 本条1項は、裁判上の請求（①）、支払督促の申立て（②）、裁判上の和解・
民事調停・家事調停の申立て（③）、破産手続参加等（④）の事由を「完成猶予」
事由としている。これらは、権利行使の意思を明らかにしたと評価できる事実が生
じた場合に当たることから、「完成猶予」事由とされている。本条2項は、確定判決
又は確定判決と同一の効力を有するものによって権利が確定したときを「更新」事
由としている。これは、権利の存在について確証が得られたと評価できる事実が生
じた場合に当たることから、「更新」事由とされている。

《注　釈》

一　裁判上の請求等による時効の完成猶予（Ⅰ）

1　裁判上の請求（①）

「裁判上の請求」とは、権利者が裁判上で権利の存在を主張することをいう。訴えを提起して原告として権利行使することが典型であるが、これに限られず、反訴（民訴146）の提起や相手方の消極的確認の訴えに対する応訴も「裁判上の請求」に含まれる。

ex.　連帯保証人の債務を担保する物上保証人に対する抵当権実行に伴う競売開始決定の連帯保証人への送達と、主債務の時効の完成猶予について⇒ p.106

cf.1　被告として留置権及び被担保債権の存在を抗弁として主張した時は、被担保債権についての「催告」（150）として時効の完成が猶予されるにとどまる（最大判昭38.10.30、最判昭44.11.27 参照）

cf.2　債権譲渡の通知（467）は、譲渡の事実を知らせるものにすぎず（観念の通知）、権利の主張には当たらないから、「裁判上の請求」には該当しない

2　支払督促（②）

「支払督促」は、その申立てが訴えの提起に擬制されたり、あるいは、それ自体が確定判決と同様の効力を有することから、時効の完成猶予の効力が認められる。

3　和解及び調停（③）

「和解」及び「調停」には、確定判決と同一の効力が認められる場合があることから、裁判上の請求と同様に完成猶予の効力が認められる。

4　破産手続参加等（④）

破産債権の届出（破111 以下）、破産手続開始の申立て（破18）（最判昭35.12.27）は、時効完成猶予の効力を生ずる。

二　裁判上の請求等による時効の更新（Ⅱ）

「同項各号に掲げる事由が終了した時」（Ⅱ）とは、裁判上の請求（Ⅰ①）では裁判が確定した時、支払督促の申立て（同②）では支払督促が確定した時、裁判上の和解・民事調停・家事調停の申立て（同③）では和解・調停が成立した時、倒産手続参加（同④）では権利の確定に至り手続が終了した時と解されている。

第148条　（強制執行等による時効の完成猶予及び更新）

Ⅰ　次に掲げる事由がある場合には、その事由が終了する（申立ての取下げ又は法律の規定に従わないことによる取消しによってその事由が終了した場合にあっては、その終了の時から6箇月を経過する）までの間は、時効は、完成しない。

① 強制執行

② 担保権の実行

③ 民事執行法（昭和54年法律第4号）第195条に規定する担保権の実行としての競売の例による競売

④ 民事執行法第196条に規定する財産開示手続又は同法第204条に規定する第三者からの情報取得手続

Ⅱ　前項の場合には、時効は、同項各号に掲げる事由が終了した時から新たにその進行を始める。ただし、申立ての取下げ又は法律の規定に従わないことによる取消しによってその事由が終了した場合は、この限りでない。

[趣旨] 強制執行の手続や担保権の実行がなされれば、もはや権利の上に眠る者とはいえず、永続した事実状態が変更される。このことから、強制執行、担保権の実行は時効の完成猶予及び更新事由とされた。また、形式的競売も、債権者としての権利行使の側面を否定できないことから、時効の完成猶予及び更新事由とされた。さらに、財産開示手続等も、権利者による権利の実現に向けられた手続である上、仮差押えや仮処分のような手続の暫定性はないことから、時効の完成猶予及び更新事由とされた。

《その他》

▪ 強制執行（148Ⅰ①）には、差押えをすることのほか、差押えを経ない強制執行の手続も含まれる。また、他の債権者の申立てにより開始された強制執行において配当要求することをも含むとされる（最判平11.4.27参照）。一方、担保権者が債権届出をすることは、そのような性質を有せず、本条1項1号及び2号には該当しない。

第149条　（仮差押え等による時効の完成猶予）

次に掲げる事由がある場合には、その事由が終了した時から6箇月を経過するまでの間は、時効は、完成しない。

① 仮差押え

② 仮処分

[趣旨] 民事保全手続の開始に債務名義は不要であること、民事保全手続が暫定的なものにすぎないこと、本条各号の事由は本案の訴えの提起又はその続行が予定されていることから、本条各号の事由は、権利行使の意思を明らかにしたと評価できる事実が生じた場合として「完成猶予」事由とされた。

第150条 （催告による時効の完成猶予）

Ⅰ 催告があったときは、その時から6箇月を経過するまでの間は、時効は、完成しない。

Ⅱ 催告によって時効の完成が猶予されている間にされた再度の催告は、前項の規定による時効の完成猶予の効力を有しない〈同旨〉。

[趣旨] 裁判上の請求などの時効の更新及び完成猶予の手続をとるのが遅れて時効が完成してしまうのを防止する措置として催告を定めたものである。

《注 釈》

- 「催告」とは、裁判外で、債権者が債務者に対して履行を請求することをいう（意思の通知）。催告があったときは、その時から6箇月を経過するまでの間は、時効は、完成しない（Ⅰ）。

  ex.1 手形の呈示（手38）を伴わない催告でも、催告としての効力が生じる（最判昭38.1.30参照）

  ex.2 売買契約において当事者が互いに同時履行の抗弁権（533）を有する場合、売主が自己の債務提供なしに買主に履行を催告した場合でも、催告としての効力を生ずる〈書〉

- 催告によって時効の完成が猶予されている間にされた再度の催告は、本条1項の規定による時効の完成猶予の効力を有しない（Ⅱ）。本条2項は、催告を繰り返すことで時効完成を引き延ばすことを認めないという判例法理（大判大8.6.30）を明文化するものである。ただし、本条2項が想定しているのは、裁判外の催告が繰り返されるケースであり、裁判外の催告が行われた後に裁判上の催告（訴えの提起等）が行われた場合において、当該裁判上の催告に時効完成猶予の効力が認められるかどうかは、解釈に委ねられている。

第151条 （協議を行う旨の合意による時効の完成猶予）

Ⅰ 権利についての協議を行う旨の合意が書面でされたときは、次に掲げる時のいずれか早い時までの間は、時効は、完成しない。

① その合意があった時から1年を経過した時

② その合意において当事者が協議を行う期間（1年に満たないものに限る。）を定めたときは、その期間を経過した時

③ 当事者の一方から相手方に対して協議の続行を拒絶する旨の通知が書面でされたときは、その通知の時から6箇月を経過した時

Ⅱ 前項の規定により時効の完成が猶予されている間にされた再度の同項の合意は、同項の規定による時効の完成猶予の効力を有する。ただし、その効力は、時効の完成が猶予されなかったとすれば時効が完成すべき時から通じて5年を超えることができない〈書〉。

Ⅲ 催告によって時効の完成が猶予されている間にされた第1項の合意は、同項の規定による時効の完成猶予の効力を有しない。同項の規定により時効の完成が猶予されている間にされた催告についても、同様とする。

Ⅳ　第1項の合意がその内容を記録した電磁的記録（電子的方式、磁気的方式その他人の知覚によっては認識することができない方式で作られる記録であって、電子計算機による情報処理の用に供されるものをいう。以下同じ。）によってされたときは、その合意は、書面によってされたものとみなして、前3項の規定を適用する。
Ⅴ　前項の規定は、第1項第3号の通知について準用する。

[趣旨]当事者が互いに紛争の解決に向けた協議をしている場合であっても、時効の完成が間近に迫れば、時効完成を防止する措置として訴訟提起などを検討せざるを得なかった。そこで、当事者に自発的で柔軟な紛争解決を行わせるために、協議を行う旨の合意がなされた場合には時効の完成が猶予されることとした。

《注　釈》
一　完成猶予の要件
　1　権利についての協議を行う旨の合意（Ⅰ）
　　完成猶予がされるためには、権利についての協議が事実上されるだけでは足りず、当事者間で協議を行う旨の合意がなされる必要がある。
　　∵　どのような状態が協議といえるのかは明確ではないが、協議を行うことを対象とした合意の存否であればその判断は比較的容易であり、事後的な紛争が生じにくい
　2　書面又は電磁的記録（ⅠⅣ）
　　協議を行う旨の合意は、書面又は電磁的記録によってなされる必要がある（ⅠⅣ）。
　　∵　事後的に時効の完成猶予がされたか否か等をめぐり紛争が生ずる事態を避けるため
　　「書面」又は「電磁的記録」は、当事者双方の協議意思が現れているものでなければならない。当事者の署名や記名・押印は要求されない。また、1通の書面で合意がなされる必要はない。
　3　催告との関係（Ⅲ）
　　催告によって時効の完成が猶予されている間（時効が本来完成すべき時が到来しているものの、完成猶予事由の効力によって時効の完成が猶予された状態）に本条1項の合意がなされたとしても、時効の完成猶予の効力を有しない（Ⅲ前段）。
　　→催告による時効の完成猶予の効力しか認められないということ
　　同様に、本条1項の規定により時効の完成が猶予されている間に催告をしても、時効の完成猶予の効力を有しない（Ⅲ後段）。
　　→協議を行う旨の合意による時効の完成猶予の効力しか認められないということ

二　完成猶予の期間等
　1　期間（Ⅰ）
　　協議による時効の完成猶予の効力は、下記のとおり存続する（Ⅰ）。

① 当該合意に期間の定めがない場合
　→1号と3号のいずれか早い時まで
② 当該合意に1年未満の期間の定めがある場合
　→2号と3号のいずれか早い時まで
③ 当該合意に1年以上の期間の定めがある場合
　→1号と3号のいずれか早い時まで

2　再度の合意（Ⅱ）
　本条1項によって時効の完成が猶予されている間に、再度協議を行う旨の合意がされれば、その合意の時点から本条1項に従って時効の完成が更に猶予される（Ⅱ本文）。この合意は、繰り返しすることができるが、本来の時効が完成すべき時から通算して5年を超えることができない（同ただし書）。

第152条　（承認による時効の更新）

Ⅰ　時効は、権利の承認があったときは、その時から新たにその進行を始める。
Ⅱ　前項の承認をするには、相手方の権利についての処分につき行為能力の制限を受けていないこと又は権限があることを要しない。

[趣旨] 承認がなされると権利の存在が当事者の間で明確にされる上、承認があれば権利者は権利保全のために特別の措置を講ずる必要がないと考えることが普通であることから、権利の承認を時効の更新事由として定めている。また、承認は観念の通知であり、法律行為ではない。そのため、本条2項は、承認者が処分の能力又は権限を有することを要しないことを明記している。

《注　釈》

一　意義及び効果

「承認」とは、時効の利益を受けるべき当事者がその相手方の権利の不存在（取得時効の場合）又は権利の存在（消滅時効の場合）の認識を表示することをいい（観念の通知）、特別の方式を要しない。「承認」は、時効によって権利を失うべき者の代理人に対してした場合も有効である（大判大10.2.1）。

権利の承認があったときは、その時点から時効が更新される（Ⅰ）。

＜「承認」による時効の更新についての判例の整理＞

承認に当たる場合	① 債務者が債務の一部の弁済をした場合（大判大8.12.26）（＊）
	② 債務者が利息の一部の支払をした場合（大判昭3.3.24）
	③ 債務者が弁済の猶予の懇請をした場合（大判昭2.1.31）
	④ 債務者が債権譲渡に対して467条の「承諾」をした場合
	⑤ 債務者が訴訟上の相殺を主張し、受働債権につき債務の承認がされたものと認められる場合（その後相殺の主張が撤回されたとしても、承認による時効更新の効力は失われない）（最判昭35.12.23参照）

承認に当たらない場合	① 債務者が債務の存否の調査をするため猶予を求めること ② 債務者が他の債権者のために二番抵当権の設定をすること（一番抵当を有する債権者との関係で承認とはならない）（大判大6.10.29） ③ 物上保証人が被担保債権の存在の承認をすること（債務者のみならず物上保証人自身との関係でも「承認」に当たらない）（最判昭62.9.3）

* 同一当事者間に数個の金銭消費貸借契約に基づく各元本債務が存在する場合において、借主が充当すべき債務を指定せず全債務を完済するのに足りない額の弁済をしたときは、特段の事情のない限り、全ての元本債務を承認したものとして消滅時効を更新する効力を有する（最判令2.12.15・令3重判1事件参照）。
　∵　借主は、自らが契約当事者となっている数個の金銭消費貸借契約に基づく各元本債務の存在を認識しているのが通常であり、充当すべき債務を指定せず弁済をすることは、全ての元本債務の存在を知っている旨を表示するものと解される

二　管理の能力又は権限の要否

　本条2項の反対解釈として、管理する能力・権限を有することを要する（最決令5.2.1・令5重判2事件参照）。

　　ex.1　未成年者が法定代理人の同意を得ないでした承認は、取り消すことができる（5Ⅱ）（大判昭13.2.4参照）　→取り消されると時効は更新しない
　　ex.2　被保佐人が単独でした承認は、時効更新事由となる（大判大7.10.9参照）

第153条　（時効の完成猶予又は更新の効力が及ぶ者の範囲）

Ⅰ　第147条又は第148条＜裁判上の請求等・強制執行等による時効の完成猶予及び更新＞の規定による時効の完成猶予又は更新は、完成猶予又は更新の事由が生じた当事者及びその承継人の間においてのみ、その効力を有する圐。
Ⅱ　第149条から第151条まで＜仮差押え等・催告・協議を行う旨の合意による時効の完成猶予＞の規定による時効の完成猶予は、完成猶予の事由が生じた当事者及びその承継人の間においてのみ、その効力を有する。
Ⅲ　前条の規定による時効の更新は、更新の事由が生じた当事者及びその承継人の間においてのみ、その効力を有する。

[趣旨] 本条は、時効の完成猶予及び更新の効果が相対的であることを規定する。

《注　釈》

一　時効の完成猶予・更新の効力が及ぶ者の範囲

　時効の完成猶予及び更新は、原則として、完成猶予及び更新行為に関与した者（当事者）又はその承継人についてでなければ生じない。

　　ex.1　建物の共有者の1人が、その建物を占有し所有権を主張する者に対し持分確認の訴えを提起しても、他の共有者に対する完成猶予及び更新の効果は生じない
　　ex.2　連帯保証人が債務を承認したことにより保証債務の時効が更新したときでも、その効力は主債務者に及ばない
　　ex.3　（連帯）保証人が（連帯）保証債務の一部を弁済しても、主債務の残部について時効は完成猶予及び更新しない圐

二　例外

1　地役権の取得時効の不可分性（284 Ⅱ）

2　完成猶予及び更新の効力を行為の当事者以外に及ぼす特則（457 Ⅰ等）

3　取得時効（162）は、占有者が任意にその占有を中止し、又は他人によってその占有を奪われたときは、すべての者に対して、中断する（自然中断、164）。⇒ p.113

4　物上保証人が、主たる債務者の承認により生じた被担保債権の時効更新の効力を否定することは、担保権の付従性に抵触し許されない（最判平 7.3.10）〈共〉。

第154条

第148条第1項各号＜強制執行等による時効の完成猶予及び更新＞又は第149条各号＜仮差押え等による時効の完成猶予＞に掲げる事由に係る手続は、時効の利益を受ける者に対してしないときは、その者に通知をした後でなければ、第148条又は第149条の規定による時効の完成猶予又は更新の効力を生じない。

[趣旨] 本条の趣旨は、時効の利益を受ける者が知らない間に時効の完成猶予及び更新の効果が生じると解すると、その者にとって不測の不利益となることから、これを防止する点にある。

《注　釈》

一　債務者に対する通知のある場合

物上保証人に対する担保不動産競売の申立てにより、競売開始決定がなされ、決定正本が債務者に送達された場合は、債権者の債務者に対する被担保債権について消滅時効は完成猶予される（最判昭 50.11.21 参照）。

二　債務者に対する通知のない場合

主債務者の連帯保証人の債務を担保する物上保証人に対する競売申立てと連帯保証人への開始決定の送達（主債務者に通知はない）は、連帯保証債務の消滅時効は完成猶予されるが、主債務の消滅時効を完成猶予する効力を有しない（最判平 8.9.27 参照）。

∵①　抵当権の実行としての競売手続では、執行裁判所が職権で手続を進行し、債権者の関与の度合いが希薄であり、「裁判上の請求」（147 Ⅰ①）としての完成猶予は認められない

②　競売開始決定の送達は、申立ての対象たる財産への差押えを債務者に告知し不服申立ての機会を与えるためにすぎず、債務者に対する弁済の請求ではないので、「催告」（150）にも当たらない

三　時効の完成猶予の効力発生時期

物上保証人に対する債権者の競売申立てにより競売開始が決定され、債務者にその決定正本が送達された場合には、その正本送達時に時効の完成猶予の効力が生じる（最判平 8.7.12 参照）。

また、原債権の担保権実行後に、委託を受けた保証人が代位弁済（499）し、差押債権者の承継申出をした場合、上記承継の申出について主債務者に対して本

条の通知がなされなくても、求償権の消滅時効は、承継の申出の時から不動産競売の手続終了まで完成猶予される（最判平18.11.14・平19重判1事件参照）。

四　債務者に対する適用の可否

　債権執行における差押えによる請求債権の消滅時効の完成猶予・更新において、その債務者は、消滅時効の完成猶予・更新の当事者にほかならない。したがって、上記完成猶予・更新の効力が生ずるためには、その債務者が当該差押えを了知し得る状態に置かれることを要しない（最判令元.9.19・令元重判2事件参照）。

五　占有者の取得時効との関係

　抵当権者の競売申立てに基づき、競売開始決定の登記がされ差押えの効力が生じても、所有権取得登記を経由していない当該抵当不動産の占有者に通知されない限り、占有者の取得時効についての時効の完成猶予及び更新事由とはならない（最判昭43.12.24参照）。

第155条〜第157条　（差押え、仮差押え及び仮処分、承認、中断後の時効の進行）　削除

第158条　（未成年者又は成年被後見人と時効の完成猶予）

Ⅰ　時効の期間の満了前6箇月以内の間に未成年者又は成年被後見人に法定代理人がないときは、その未成年者若しくは成年被後見人が行為能力者となった時又は法定代理人が就職した時から6箇月を経過するまでの間は、その未成年者又は成年被後見人に対して、時効は、完成しない🈡。

Ⅱ　未成年者又は成年被後見人がその財産を管理する父、母又は後見人に対して権利を有するときは、その未成年者若しくは成年被後見人が行為能力者となった時又は後任の法定代理人が就職した時から6箇月を経過するまでの間は、その権利について、時効は、完成しない。

第159条　（夫婦間の権利の時効の完成猶予）

　夫婦の一方が他の一方に対して有する権利については、婚姻の解消の時から6箇月を経過するまでの間は、時効は、完成しない🈩。

第160条　（相続財産に関する時効の完成猶予）

　相続財産に関しては、相続人が確定した時🈡、管理人が選任された時又は破産手続開始の決定があった時から6箇月を経過するまでの間は、時効は、完成しない🈠。

第161条　（天災等による時効の完成猶予）

　時効の期間の満了の時に当たり、天災その他避けることのできない事変のため第147条第1項各号＜裁判上の請求等による時効の完成猶予及び更新＞又は第148条第1項各号＜強制執行等による時効の完成猶予及び更新＞に掲げる事由に係る手続を行うことができないときは、その障害が消滅した時から3箇月を経過するまでの間は、時効は、完成しない。

［趣旨］158条〜161条は、時効期間満了の間際などに、時効が完成すれば権利を失うべき者に権利行使が事実上期待できない事由がある場合、その者を救済するため、一定期間時効の完成を猶予することとした。

《注　釈》

一　未成年者又は成年被後見人と時効の完成猶予（158 I Ⅱ）

1　時効期間満了前6か月以内に未成年者又は成年被後見人に法定代理人がいない場合（同Ⅰ）

 (1)　同項によって時効の完成が猶予される時効は、未成年者又は成年被後見人にとって不利益となる時効に限られる。

 (2)　時効完成前6か月内に至って法定代理人が欠けた場合の他、それより以前から欠けていて6か月内に至るまで就職しなかった場合も含む。

 (3)　時効の期間満了前6か月以内の間に精神上の障害により事理を弁識する能力を欠く常況にある者に法定代理人がない場合において、少なくとも、時効の期間満了前の申立てに基づき後見開始の審判がされたときは、民法158条1項の類推適用により、法定代理人が就職した時から6か月を経過するまでの間は、時効は完成しない（最判平26.3.14・平26重判2事件参照）。

2　未成年者又は成年被後見人がその財産を管理する父母又は後見人に対して権利を有する場合（同Ⅱ）

 ∵　それらの者が未成年者や成年被後見人に代わって、自分に対して時効の完成猶予の手続をとることは期待できない

二　夫婦の一方が他方に対して有する権利の場合（159）

1　「婚姻解消の時」とは、離婚、婚姻の取消し及び夫婦の一方の死亡を含む。

2　婚姻前から有する権利であるか婚姻後から有する権利であるかは問わない。

三　相続財産に関する権利の場合（160）

1　相続財産とは、相続の開始（882）によって被相続人から相続人に移転する積極・消極の財産、すなわち権利義務の総称である。

2　「……に関して」とは、相続財産の利益になる場合と不利益になる場合を含む。

四　天災その他避けることのできない事変があった場合（161）

「天災その他避けることのできない事変」とは、暴動や戦乱のような、天災に比すべき外部の障害をいい、権利者の疾病や不在などの主観的事由は含まない。

《その他》

- 債務者が国外にいるときであっても、時効は完成猶予しない囲。

■第2節　取得時効
《概　説》

＜取得時効と消滅時効の要件＞

要件＼種類		取得時効（162）		消滅時効（166）
一定の事実状態の存在	客観	① 他人の物 ② 平穏・公然 ③ 自主占有	客観	権利の不行使
	主観	善意・無過失（10年の取得時効の場合）	主観	
一定の事実状態が一定期間継続すること	積極	善意・無過失→10年 悪意・有過失→20年	積極	債権→5年又は10年（166 I）（*） その他→20年（166 II）
	消極	① 完成猶予・更新事由がないこと ② 自然中断（164）がないこと	消極	完成猶予・更新事由がないこと
意思表示（不確定効果説による）		援用（145）		

* 債権者が権利を行使することができることを知った時から5年間行使しないとき（166 I①）、又は権利を行使することができる時から10年間行使しないとき（166 I②）に、債権は時効によって消滅する。なお、人の生命又は身体の侵害による損害賠償請求権の場合は、166条1項2号の適用については、同号中「10年間」とあるのは、「20年間」となる（167）。

第162条　（所有権の取得時効）

I　20年間、所有の意思をもって、平穏に、かつ、公然と他人の物を占有した者は、その所有権を取得する。

II　10年間、所有の意思をもって、平穏に、かつ、公然と他人の物を占有した者は、その占有の開始の時に、善意であり、かつ、過失がなかったときは、その所有権を取得する。

《注　釈》

一　取得時効の要件〈司H24〉

1　「所有の意思」

「占有」は、所有の意思をもった占有（自主占有）でなければならない。所有の意思とは、所有者として物を排他的に支配しようとする意思をいう。所有の意思がなければ、いくら占有を継続しても所有権を時効取得することはない。ただし、所有の意思は推定される（186 I）。

(1)　所有の意思の有無の判断基準

占有取得の原因たる事実によって外形的・客観的に定められる（最判昭45.6.18）〈司共書〉。

(2) 具体例

<所有の意思の有無についての整理>

所有の意思がある場合	① 物の買受人や盗人の占有 ② 無効な売買契約に基づいて買主が土地を占有している場合における買主の占有 ③ 解除条件付売買において解除条件が成就して売買契約が失効した場合における買主の占有（最判昭60.3.28）〈共書〉 ④ 他人物売買の売主に目的物の所有権がないことを知っていた場合における買主の占有（悪意占有となるにすぎない）（最判昭56.1.27） ⑤ 他人の土地の占有者が土地を賃貸している場合における当該土地の占有者の占有（間接占有）〈共〉
所有の意思がない場合	① 売買契約の当事者が当該契約を合意解除した場合における買主の占有 ② 物の賃借人・使用借人・受寄者の占有

2 「平穏に、かつ、公然と」

「平穏に、かつ、公然と」とは、暴行若しくは強迫又は隠匿による占有でないことであるが、186条1項により推定される。

→時効取得を争う側で、暴行若しくは強迫又は隠匿による占有であることを立証しなければならない〈同〉

土地の占有者が当該土地の所有者から明渡請求や占有者名義の所有権移転登記の抹消登記手続請求を受けた事実があっても、そのために当該占有が「平穏」（162Ⅱ）なものでなくなるわけではない（最判昭41.4.15）〈共〉。

3 善意・無過失（162Ⅱ）

(1) 善意・無過失とは、自己に所有権があるものと信じ、かつ、そのように信じるにつき過失がないことをいう（大判大8.10.13）〈同〉。

→占有の目的物件に対し抵当権が設定されていることや、その抵当権設定登記が経由されていることを知り、又は不注意により知らなかった場合でも、善意・無過失の占有と認められる（最判昭43.12.24）〈共〉

この善意・無過失は、占有の始めにおいて問題となり、その後に悪意となっても、時効期間に影響を与えない〈同〉。

(2) 善意は推定されるが（186Ⅰ）、無過失は推定されない（大判大8.10.13）〈共書〉

(3) 占有者の承継人は自己の占有のみを主張してもよいし、自己の占有に加えて前占有者の占有を併せて主張してもよい（187Ⅰ）。

＊ 占有の承継があった場合、前主が善意・無過失で占有を開始すれば、承継人の善意・悪意を問わず、10年の取得時効が認められる（最判昭53.3.6・百選Ⅰ42事件）〈同書〉。

4 他人の物

(1) 自己物〈同H24 予R元〉

「他人の」とは例示にすぎず、自己物についても時効取得できる（最判昭

42.7.21・百選 I 41 事件）〈司書〉。

　∵① 　自己物であっても、その登記を経由していないために所有権の取得
　　　の立証が困難であったり、所有権の取得を第三者に対抗できないなど
　　　の場合において、取得時効による権利取得を主張できると解するのが
　　　制度本来の趣旨に合致する

　　② 　「他人の」と規定したのは、通常の場合において、自己物について
　　　取得時効を援用することは無意味であるからであって、自己物につい
　　　て取得時効の援用を許さない趣旨ではない

(2)　物の一部

　　一筆の土地の一部や、他人の土地に権限なく植え付けた樹木等、物の一部
についても時効取得できる（大連判大 13.10.7）〈書〉。

(3)　公用物

　　原則として取得時効の対象とならない。ただし、公用物としての形態・機
能を全く喪失し、公共用財産として維持すべき理由がない場合は、黙示に公
用が廃止されたものとして取得時効の成立が認められる（最判昭 51.12.24）。

5　占有の継続

　　占有は、10 年ないし 20 年の時効期間中継続しなければならない。

　→前後 2 つの時点で占有が行われたことが立証されれば、その間は占有は継
　　続したものと推定される（186 II）〈司〉

二　取得時効の効果

1　原始取得〈予R完〉

　　時効が完成し援用されると、占有者（又は準占有者）は、所有権（又は他の
財産権）を取得する。これは原始取得であるから、新権利者は、前権利者の下
で存在した制限に拘束されない。ただし、取得時効の基礎となる占有それ自体
に制限が存在すれば、かかる制限が付いた権利を取得する〈通〉。

2　取得時効と登記（判例の準則）　⇒ p.128

(1)　占有開始当初からの所有者との関係

　　　原権利者は物権変動の当事者そのも
のであり、時効取得者は登記なくして原
権利者に時効取得を主張しうる。

(2)　時効完成前の承継人との関係〈予R完〉

　　時効完成前の承継人は、時効完成時において所有者であるがゆえに、時効
取得者にとっては第三者ではなく当事者であり、時効取得者は登記なくして
時効取得を主張しうる〈司〉。

　　ex.1　甲の乙の土地に対する取得時効完成前に、乙が丙に抵当権の設定を
　　　　し登記も済ませた場合、甲は時効完成後丙に抵当権登記の抹消を請求
　　　　しうる〈共〉

　　ex.2　時効完成前に所有権を取得した者が、完成後に移転登記をなしたと
　　　　しても、時効取得者はその者に対して、登記なくして取得時効を主張

しうる（最判昭 42.7.21）〈司共書〉

　　　ex.3　不動産の二重譲渡があった場合、第一買主は第二買主に対し占有取
　　　　　得時を起算点として登記なくして取得時効を主張しうる（最判昭
　　　　　46.11.5・百選Ⅰ53事件）

(3)　時効完成後の承継人との関係
　　　時効完成後の承継人と、時効取得者は
　　二重譲渡と類似の関係に立ち、時効取得
　　者は登記なくして時効取得を対抗できな
　　い（最判昭 33.8.28）〈司共〉。

　　　ex.　時効完成後に登記名義人から土
　　　　　地を譲り受け登記も済ませた丙に対し、時効取得者甲は、登記の抹消を
　　　　　請求できない

(4)　時効期間の起算点
　　　時効取得者が起算点を任意に選択し、時効の完成時期を遅らせることはで
　　きない（最判昭 35.7.27）。　⇒ p.95、128

(5)　再度の取得時効の完成
　　　時効完成後の第三者が登記を具備した時点から、さらに時効取得に必要な
　　期間占有を継続すれば、新たに取得時効が完成し、登記なくして時効取得を
　　対抗することができる（最判昭 36.7.20）〈司書〉。

第163条　（所有権以外の財産権の取得時効）

　所有権以外の財産権を、自己のためにする意思をもって、平穏に、かつ、公然と行
使する者は、前条の区別に従い２０年又は１０年を経過した後、その権利を取得する
〈共〉。

《注　釈》

一　「所有権以外の財産権」

　1　取得時効の認められる権利
　　　ex.1　用益物権（地上権〈司書〉・永小作権・地役権（283）など）、質権
　　　ex.2　不動産賃借権（最判昭 62.6.5・百選Ⅰ43事件）〈司〉　⇒ p.549
　2　取得時効の認められない権利
　　　ex.　法定担保物権（留置権・先取特権）、一度行使すると消滅する権利（取
　　　　消権・解除権）

二　「自己のためにする意思」

　権利者として当該権利を行使することをいう。

三　「平穏に、かつ、公然と行使」　⇒ p.110

第164条　（占有の中止等による取得時効の中断）

　第１６２条の規定による時効は、占有者が任意にその占有を中止し、又は他人によ
ってその占有を奪われたときは、中断する。

第165条

前条の規定は、第163条の場合について準用する。

[趣旨]取得時効は、占有の継続が要求される。そのため占有がなくなった場合には、取得時効が中断する旨を本条は規定する（自然中断）。

《注　釈》

◆　自然中断事由

1　占有者が自ら任意に占有を中止する場合

2　占有を奪われた場合

　権利者により奪われた場合も第三者により奪われた場合も含む。

　cf.　占有を奪われた時から1年以内に、占有回収の訴えを提起すれば、占有は継続したものとされる（203ただし書）〈司書〉

■第3節　消滅時効

《概　説》

　消滅時効とは、一定の財産権について、権利不行使という事実状態が一定期間継続した場合に、その権利を消滅させる制度である。

第166条　（債権等の消滅時効）

Ⅰ　債権は、次に掲げる場合には、時効によって消滅する。

①　債権者が権利を行使することができることを知った時から5年間行使しないとき〈共書〉。

②　権利を行使することができる時から10年間行使しないとき。

Ⅱ　債権又は所有権以外の財産権は、権利を行使することができる時から20年間行使しないときは、時効によって消滅する。

Ⅲ　前2項の規定は、始期付権利又は停止条件付権利の目的物を占有する第三者のために、その占有の開始の時から取得時効が進行することを妨げない。ただし、権利者は、その時効を更新するため、いつでも占有者の承認を求めることができる。

第167条　（人の生命又は身体の侵害による損害賠償請求権の消滅時効）

人の生命又は身体の侵害による損害賠償請求権の消滅時効についての前条第1項第2号の規定の適用については、同号中「10年間」とあるのは、「20年間」とする。

[趣旨]主観的起算点と客観的起算点による二元的な消滅時効制度を採用した理由は、主観的起算点から進行する消滅時効だけでは、債権者の認識がない限り、永遠に消滅時効が完成しないこととなり妥当でないとされたためである。また、167条は、生命・身体という法益の重要性に鑑み、生命・身体の侵害による損害賠償請求権についての消滅時効期間を長期化するものである。

《注 釈》

一 消滅時効の要件

① 事実状態の存在
② 事実状態が一定期間継続すること（166～169）
③ 完成猶予及び更新のないこと（147以下）
④ 当事者の援用（145）

二 債権の消滅時効の起算点

1 客観的起算点（166 I ②）

消滅時効の客観的起算点は、「権利を行使することができる時」である。「権利を行使することができる時」とは、権利の行使に法律上の障害がなく、その性質上、その権利行使が現実に期待できる時をいう（最大判昭45.7.15、最判平8.3.5）。単なる事実上の障害（債権者の病気・不在・権利進行時期の不知といった個人的な事情）は、時効の進行期間を妨げない。

(1) 確定期限の定めのある債権

期限到来時から進行する〈司書〉。

(2) 不確定期限の定めのある債権

期限到来時から進行する〈司〉。

(3) 期限の定めのない債権

(a) 原則

債権成立（発生）時から進行する。

→不当利得返還請求権（703、704）のような法定債権は、原則として期限の定めのない債権となる

(b) 返済の時期を定めない消費貸借

契約成立から相当期間経過後から進行する。

(c) 債務不履行による損害賠償請求権（415）

本来の債務の履行を請求しうる時から進行する〈司〉。

cf. じん肺のような進行性疾患で発病までに長時間を要する場合の、使用者の安全配慮義務違反による損害賠償請求権

→損害が発生した時、すなわち最終の行政上の決定を受けた時から進行する（最判平6.2.22・百選 I 40事件）〈司〉

(d) 不法行為に基づく損害賠償請求権（709）

主観的起算点による消滅時効は、被害者又は法定代理人が、損害及び加害者を知った時に進行し、客観的起算点による消滅時効は不法行為の時から進行する（724①②）。 ⇒ p.657

cf. 継続的不法行為に基づく損害賠償請求権の主観的起算点による消滅時効は、被害者が各損害を知った時から個別に進行する

→夫婦の一方が、他方配偶者と第三者の同棲により第三者に対して取得する慰謝料請求権の主観的起算点による消滅時効は、一方配偶者が同棲の事実を知った時から進行する

(4) 期限付又は停止条件付債権

　　期限到来時又は条件成就時から進行する。

(5) 解除条件付債権

　　債権の成立時から進行する。　　→条件成就未定の間も進行する

(6) 不作為債権

　　違反行為のなされた時から進行する。

(7) 期限の利益喪失約款付債権

　　1回の不履行があっても、各割賦金につき約定弁済期から、順次消滅時効が進行する。債権者が特に残額債務の弁済を求める旨の意思表示をした場合に限り、その時から全額について消滅時効が進行する（大連判昭15.3.13、最判昭42.6.23）〈司書〉。

(8) 預金債権

　　普通預金債権は預入れの時から進行する。当座預金は契約終了時から進行する（大判昭10.2.19）。

　　自動継続定期預金契約における預金払戻請求権の消滅時効は、それ以降自動継続の取扱いがされることのなくなった満期日が到来した日から進行する（最判平19.4.24・平19重判2事件）。

2　主観的起算点（166 I ①）

　　消滅時効の主観的起算点は、「権利を行使することができることを知った時」である。「権利を行使することができることを知った時」とは、客観的起算点の到来を債権者が知った時であり、権利行使が期待可能な程度に、当該権利の発生及びその履行期の到来その他権利行使にとっての障害がなくなったことを債権者が知った時を意味する。

三　債権の消滅時効期間

1　民事債権一般

　　債権の消滅時効期間は、原則として、主観的起算点から起算するものは5年（166 I ①）、客観的起算点から起算するものは10年（166 I ②）である。

　＊　契約に基づく一般的な債権は、権利発生時にその権利を行使できることを認識しているのが通常であるため、「権利を行使することができることを知った時」（主観的起算点、166 I ①）と「権利を行使することができる時」（客観的起算点、同②）は基本的に一致する。そのため、権利を行使することができる時から5年の経過によって、時効により消滅するものと解されている。

2　不法行為による損害賠償請求権　⇒ p.657

3　生命又は身体の侵害による損害賠償請求

　　客観的起算点から進行する消滅時効の期間が20年間に延長されている（167）。

4　定期金債権　⇒ p.117

5　判決で確定した権利　⇒ p.118

四　債権以外の財産権の消滅時効

債権又は所有権以外の財産権は、権利を行使することができる時から20年間行使しないときは、時効によって消滅する（166Ⅱ）。ただし、後述のとおり、形成権は債権に準じて166条1項が適用される。

1　所有権

所有権は時効にかからない。

ex.1　所有権に基づく物権的請求権や登記請求権も消滅時効にかからない（大判大11.8.21、最判昭51.11.5）〈通〉〈司共書〉

ex.2　譲渡担保を設定した債務者の受戻権も消滅時効にかからない

2　所有権以外の物権

(1)　留置権、占有権、先取特権、共有物分割請求権は消滅時効の対象とならない。

∵　一定の事実状態又は法律関係が存在する限り存続する

(2)　質権・抵当権も、独自には消滅時効の対象とならない。

cf.　抵当権は、債務者及び抵当権設定者以外との関係では（396参照）、独自に不行使によって消滅時効にかかる（大判昭15.11.26参照）

(3)　用益物権（地上権・永小作権・地役権）は消滅時効の対象となる〈司〉。地役権については、継続的でない地役権は最後の行使の時から起算し、継続的な地役権は、その行使を妨げる事実が生じた時から起算される（291）。

3　形成権

形成権の時効期間は、特別の規定がない場合、債権に準じて166条1項に従い消滅時効にかかる（大判大10.3.5、最判昭56.6.16）。

(1)　解除権

債務不履行の時から消滅時効は進行する（大判大6.11.14）。

cf.　契約解除に基づく原状回復請求権（545Ⅰ本文）の消滅時効は、解除権行使の時から進行する（最判昭35.11.1）〈司共〉

∵　契約解除に基づく原状回復請求権は、本来の債権とは別個の、解除により発生する期限の定めのない債権であるため

(2)　予約完結権

予約の成立した時から進行する（大判大10.3.5）。

4　身分権・親族権

財産的色彩の強いものを除いて、消滅時効にかからない。

《その他》

▪ 被保佐人が弁済期の到来した債権の弁済を請求する訴えを提起するにつき保佐人の同意（13Ⅰ④）を得られなくても、その債権の消滅時効は進行する（最判昭49.12.20）。

▪ 法定代理人がいなくても未成年者の有する債権の消滅時効は進行する。

▪ 同時履行の抗弁権が付着した債権であっても、消滅時効は弁済期から進行する〈書〉。

- 弁済供託における供託物取戻請求権（496 I）の消滅時効は、供託による免責の効果を受ける必要がなくなった時から進行する（最大判昭45.7.15参照）。⇒ p.444
- 相続回復請求権は、相続人又はその法定代理人が相続権を侵害された事実を知った時から5年間行使しないとき、又は相続開始の時から20年を経過したとき時効によって消滅する（884）。

＜消滅時効と履行遅滞＞

種類			消滅時効の起算点		遅滞の時期
			客観的起算点	主観的起算点	期限到来の時 （412 I）
確定期限のある債権			期限到来の時🔟	債権者が権利を行使することができることを知った時（166 I①）	
不確定期限のある債権			期限到来の時🔟		期限の到来した後に履行の請求を受けた時、又はその期限の到来したことを知った時のいずれか早い時（412 II）
期限の定めのない債権		原則	債権成立 （発生）の時		履行の請求を受けた時 （412 III）
	例外	① 不法行為に基づく損害賠償請求権	不法行為時 （724 ②）	被害者又はその法定代理人が損害及び加害者を知った時（724①）	不法行為時 （最判昭58.9.6）
		② 債務不履行に基づく損害賠償請求権	本来の債務の履行を請求しうる時🔟	債権者が権利を行使することができることを知った時（166 I①）	履行の請求を受けた時 （412 III）
		③ 消費貸借に基づく返還請求権	①催告あるとき →催告後相当期間経過後 ②催告ないとき →契約成立から相当期間経過後		催告後相当期間経過後 （591 I、大判昭5.1.29）

第168条　（定期金債権の消滅時効）

I　定期金の債権は、次に掲げる場合には、時効によって消滅する。
　①　債権者が定期金の債権から生ずる金銭その他の物の給付を目的とする各債権を行使することができることを知った時から10年間行使しないとき🈴。
　②　前号に規定する各債権を行使することができる時から20年間行使しないとき。
II　定期金の債権者は、時効の更新の証拠を得るため、いつでも、その債務者に対して承認書の交付を求めることができる。

《注　釈》

- 本条1項は、定期金債権（基本権としての定期金債権（ex. 終身年金債権）をいう。なお、基本権とは、支分権を発生させる源の基本的な権利をいい、支分権とは、定期金債権において各期日に支払を請求する権利をいう）の消滅時効について、主観的起算点（168 I ①）と客観的起算点（168 I ②）を定めるものである。

- 判例（最判平 30.7.17・平 30 重判1事件）は、受信契約に基づく受信料債権には、改正前民法 168 条1項前段（改正 168 I）の規定は適用されないとした。

　∵　放送法の趣旨は、公共放送事業者の事業運営の財源につき、受信設備を設置した者に広く公平に受信料を負担させることによって賄うことにあり、受信設備を設置した者に対し受信契約の締結を強制する旨の規定に基づき締結される受信契約によって受信料債権は発生するところ、受信契約に基づく受信料債権について改正前民法 168 条1項前段の適用があるとすれば、受信契約を締結している者が将来生ずべき受信料の支払義務についてまでこれを免れ得ることとなり、上記放送法の趣旨に反する

第169条　（判決で確定した権利の消滅時効）

Ⅰ　確定判決又は確定判決と同一の効力を有するものによって確定した権利については、10年より短い時効期間の定めがあるものであっても、その時効期間は、10年とする〈共書〉。

Ⅱ　前項の規定は、確定の時に弁済期の到来していない債権については、適用しない。

《注　釈》

◆　判決で確定した権利

　　短期消滅時効の対象となる債権も、確定判決又は確定判決と同一の効力を有するもの（裁判上の和解、調停等）により確定したときは、時効期間は 10 年となる（Ⅰ）。

　　∵　判決等の確定によって証拠力が強固になる

1　保証人に対する勝訴の確定判決により、主債務者の消滅時効は延長されない（大判昭 20.9.10）。しかし、主債務者に対する勝訴の確定判決により、保証人の時効期間も延長される（最判昭 43.10.17）。

2　判決確定当時に弁済期の未到来の債権は、期限到来時から本来の消滅時効が進行する（Ⅱ）〈司〉。

第170条～第174条　（3年の短期消滅時効、2年の短期消滅時効、1年の短期消滅時効）　削除

物　権

第2編　物権

・第1章・【総則】

《概　説》

一　物権の意義・性質

1　意義

物権とは、物を直接的・排他的に支配する権利をいう。

2　性質

(1)　直接性

他人の行為を介在せずに、自己の意思のみに基づいて物を支配できることをいう。

(2)　排他性

1つの物権が存在する物の上には、同じ内容の物権は成立しえないことをいう。

二　物権の客体

1　客体の要件

物権の客体は、有体性・支配可能性・非人格性・特定性・独立性・単一性を備えていることを要する。　⇒ p.37

金銭は単なる価値そのものであり、特段の事情がない限り、占有者が（その占有取得の理由、占有を基礎付ける正当な権利の有無を問わず）所有権者となる（最判昭39.1.24・百選Ⅰ73事件）〈予〉。

2　一物一権主義

(1)　意義

1つの物権の客体は、1個の独立物でなければならないとの原則をいう（物権の排他性を示す「1つの物には1つの所有権」という意味で用いられることもあるので注意）。

(2)　根拠

①物の一部や物の集団の上に1個の物権を認める社会的必要性がないこと、②物の一部や物の集団の上に物権が成立していることを示す公示方法がないのに、これを認めると権利関係が複雑となり取引の迅速・安全を害すること、が挙げられる。

(3)　例外

社会的必要性があり公示方法があれば、一物一権主義の趣旨に反しないことから、例外が認められている。

(a)　物の一部について

ex.1　一筆の承役地の一部を対象とする地役権（282Ⅱ）〈司予〉や、一筆

の土地の一部を対象とする地上権（大判明 34.10.26）＜論＞も認められる

ex.2　一筆の土地を細分化するには分筆手続を要するが、事実上区画して譲渡すれば、当事者間では分筆前の一筆の土地の一部でも移転する。ただし、第三者に対抗するには、分筆と移転登記を要する（大連判大 13.10.7・百選Ⅰ9 事件）

ex.3　土地の一部についての取得時効が認められる場合がある（大連判大 13.10.7）

∵　性質上占有は土地の一部にも成立する

(b)　複数の物について＜予＞

ex.1　抵当権の効力は抵当不動産の付加一体物にも及ぶ（370 本文）

ex.2　集合動産譲渡担保＜圏＞　⇒ p.296

ex.3　企業を構成する各種の物・権利を一体として担保権の目的物とすることができる（企業担保法等）

cf.　物権の客体は原則として有体物（85）だが、例外的に権利質（362）、権利を目的とする抵当権（369Ⅱ）など財産権を客体とする物権の成立も認められる

三　物権の優先的効力

1　物権相互間の優先的効力

互いに相容れない物権相互間では、時間的に先に成立した物権が優先するという原則を示す。物権の排他性が根拠である。

しかし、取引安全のため公示の原則が採用されている結果、優先的効力は、実際には不動産では「登記」（177）、動産では「引渡し」（178）を先に備えた方が優先することになっている。ただし、先取特権では、その趣旨から、取得の先後にかかわらず、優先順位が法定されている（329 以下）。

2　債権との関係における優先的効力

(1)　原則

同一物について物権と債権が競合する場合には、その成立の前後にかかわらず、物権が債権に優先する。

(2)　例外

(a)　不動産賃借権は、登記又は引渡しがあれば、例外的に物権に優先する（605、借地借家 10Ⅰ、31）。

(b)　仮登記のある物権変動行為を目的とした債権（不登 105）

四　物権的請求権

1　意義

物権的請求権とは、物権の内容を完全に実現することが妨げられ、あるいは、そのおそれがある場合に、その妨害を生じさせている者に対して物権の内容の完全な実現を可能にするような行為を請求できる権利をいう＜共＞

物権的返還請求権、物権的妨害排除請求権、物権的妨害予防請求権がある。

2 根拠

明文上根拠はないが、物権の直接支配性から円満な支配状態を回復し、予防する必要がある。さらに、占有権にすら訴権が認められており（197以下）、202条1項が「本権の訴え」を認めていることも根拠になる。

3 要件

＜物権的請求権の要件・相手方＞

	要件（＊1）	請求の相手方
物権的返還請求権〈共書〉〈司H26 司H30〉	他人の占有により物権が侵害されていること・占有回収の訴えと異なり、詐取・遺失の場合も除外されないex. 土地上に他人が無権原で建物を建築している場合	現に目的物を占有している者（＊2）・占有回収の訴えと異なり、善意の転得者に対しても行使できる・相手方となる占有者は間接占有でもよい〈書〉が、占有補助者は相手方とならない〈司共予書〉
物権的妨害排除請求権	他人の占有以外の方法により物権が侵害されていること	現に妨害状態を生じさせている者（＊3）〈司予〉
物権的妨害予防請求権	物権侵害のおそれがあること〈司〉・妨害が現実に生じる必要はない	将来、請求権者の有する物権を侵害するおそれのある者

＊1 物権的請求権は、物権の侵害等によって当然に発生し、不法行為に基づく損害賠償請求権と異なり、相手方の故意・過失や責任能力の有無を問わない（大判昭12.11.19・百選Ⅰ46事件）〈司書〉。

＊2 他人の土地上の建物の所有権を取得した者が自らの意思に基づいて所有権取得の登記を経由した場合には、たとえ建物を他に譲渡したとしても、引き続きその登記名義を保有する限り、土地所有者はその者に対して物権的返還請求権を行使できる（最判平6.2.8・百選Ⅰ47事件）〈司共予書〉〈司H30〉。

＊3 虚偽表示による登記名義人のように、建物の所有権を取得したことがない者は、所有者との合意により登記名義人となっていたとしても、敷地所有者に対して建物収去義務を負わない（最判昭47.12.7）〈司書〉。
∵ この登記名義人は全くの無権利者であり、一度も妨害状態を生じさせた事実はなく、単に無効の登記があることのみをもって明渡義務を負わせるのは妥当でない

4 費用負担の問題

A説：費用は相手方が負担する（大判昭12.11.19・百選Ⅰ46事件）
∵ 物権的請求権は相手方に一定の行為を請求する権利である（ただし、侵害状態・危険状態が自然力、不可抗力による場合は別途修正する）

B説：費用は原則として請求者が負担する（相手方が不法行為者の場合は不法行為による損害賠償請求として、物権的請求権実現の費用を相手方に請求できる）
∵ 物権的請求権は物権の円満な状態を回復するための物に対する追求権であって、人に対する権利ではない

5 権利行使期間

物権的請求権は物権と独立して消滅時効にかからない（大判大11.8.21）〈司共〉。

＊ 所有権に基づく物権的請求権は永久に存続するとするのが判例・通説であるが、権利失効の原則が適用される余地はある。

6 返還請求権における利害調整

占有者は物権的返還請求を受ける相手方の地位に立つので、その際の占有者の権利義務が規定されている（189～191、196）。

7 他の請求権との関係

請求権は競合する。

→不法行為に基づく損害賠償請求権（709）や不当利得返還請求権（703、704）とは請求権競合の関係に立つ 通

→賃貸借契約終了に基づく契約上の請求権として建物の返還請求権と所有権に基づく物権的返還請求権も請求権競合の関係に立つ（大判昭 12.7.10） 共書。

第175条 （物権の創設）

物権は、この法律その他の法律に定めるもののほか、創設することができない。

[趣旨] ①封建的な権利関係を廃し、②排他性を有する物権を限定し類型化することで取引安全を図るために物権法定主義を規定したものである。

《注　釈》

一　物権法定主義の意義

新しい物権の種類を作ることと、物権の法定された内容を変更することは認められないとするものである。

ただし、慣習法上認められる物権もある。

ex. 水利権、温泉専用権（大判昭 15.9.18・百選Ⅰ 45 事件）、譲渡担保権（大判大 3.11.2）

二　「この法律その他の法律」

憲法上の「法律」のみを意味し、命令、条例を含まない。

＜物権の分類＞

第176条　（物権の設定及び移転）

物権の設定及び移転は、当事者の意思表示のみによって、その効力を生ずる。

[趣旨] 本条は、物権変動に関して意思主義を採ることを宣言したものである。もっとも、何らかの形式的行為の時を物権変動の効力発生時期とする当事者の特約を排除するものでない〈回〉。

《注　釈》

一　意思主義と形式主義

意思主義とは、物権変動を生ずるには意思表示のみで足り、登記や占有など形式・表象は不要とする立法例をいう。これに対し、形式主義とは、物権変動を生ずるには意思表示の他に一定の形式・表象を必要とする立法例をいう。

二　物権行為の独自性・無因性

1　意義

(1)　独自性の肯否

物権変動を生ずるには、債権契約とは別個独立の物権移転そのものに向けられた当事者の合意を要するか、という問題を指す。

ex.　物権行為の独自性を認める立場では、一筆の土地を贈与する契約において、贈与契約の意思表示の他、当該土地の所有権を移転する意思表示の2つの意思表示が必要である〈回〉

(2)　無因性（有因性）の肯否

債権契約が無効であったり取り消されたりしても、物権移転の効果が保持されるか、という問題を指す。

2　意思主義との関係

意思主義をとる現行民法の下でも、物権行為の独自性・無因性を肯定することは理論的には可能であるが、判例はいずれも否定する。

ex.　売買の場合、債権発生を目的とする意思表示によって、物権変動も生じる（最判昭33.6.20・百選Ⅰ48事件）

三　物権変動の時期

＜物権変動の時期に関する学説の整理＞

学説	内容	批判
契約時説〈回〉	原則：契約の効力発生時に物権変動が生ずる（最判昭33.6.20・百選Ⅰ48事件） 例外：① 特約があればそれによる（最判昭35.3.22）〈書〉 ② 不特定物売買や他人物売買のように直ちに物権変動を生ぜしめるにつき障害があるときは、それが除去された時〈予書〉	実際の取引では、登記・引渡し・代金支払のいずれかがなされた時に所有権が移転するとの認識が強い
登記・引渡し・代金支払時説	特約があればそれにより、特約がない場合には登記・引渡し・代金支払のいずれかがなされた時に物権変動が生ずる	登記・引渡し・代金支払が別々の時点に行われた場合をどう解すべきかが明らかではない
所有権の漸次移転説	所有権はある一時点に全面的に移転するのではなく所有権の内実をなす様々な機能が徐々に移転しそのすべてが移転した時に所有権が移転する	所有権の移転時期に統一性がなく、明確性を欠く

※　物権変動に関する意思主義（176）と形式主義、物権行為の独自性の肯否、さらには独自性を肯定した場合の債権的意思表示との関係における有因・無因性と、物権変動の時期の各論点の結論は、理論上必然的な関係にはないとされる。

第177条　（不動産に関する物権の変動の対抗要件）

　不動産に関する物権の得喪及び変更は、不動産登記法（平成16年法律第123号）その他の登記に関する法律の定めるところに従いその登記をしなければ、第三者に対抗することができない。

［趣旨］物権が排他的性質をもつことから、どのような物につき誰がどのような権利をもっているかを、登記という公示により明らかにしようとするもの（公示の原則）。公示の原則を採ることにより取引の安全かつ迅速化を図ることができる。

《注　釈》

一　「対抗することができない」の意味

　権利者の側から見て、権利者であっても登記がないと当事者以外の者に対しては自分が権利者であることを主張できないことを意味する（不完全物権変動説）〈予R元〉。

　　→登記を怠ると不利益を被るため登記が促進され、取引の迅速化・安全化に資する

二　公示の原則と公信の原則

　1　公示の原則

　　物権変動について、登記のような外界から認識しうるものを要求する原則をいう。取引当事者間で正常な権利移転があったことを前提としたうえで、第三

者との利害の調節・優劣関係を図る社会的制度である。公示がなければ物権変動もないとの信頼（消極的信頼）の保護を図る制度である。

→登記に公信力はない

2 公信の原則 ⇒ p.152

真の権利状態と異なる公示が存在する場合に、公示を信頼して取引した者に対し公示通りの権利状態があったと同様の保護を与える制度をいう。公示があれば物権変動もあるだろうとの信頼（積極的信頼）の保護を図る制度である。

三 登記を対抗要件とする物権変動

1 一般論

177条は、物権変動の原因の種類について特に制限をしていない。

判例（大連判明41.12.15・百選Ⅰ50事件）も、意思表示による物権変動（176参照）に限らず、すべての物権変動について177条が広く適用され、登記を要する旨判示している（無制限説）。

∵ 177条は公示の原則により第三者の取引の安全を図る規定であるから、物権変動の原因が意思表示によるか否かで177条の適用の有無を区別すべきではない

cf. 民法上規定のある11種類の物権のうち、占有権・留置権・一般先取特権・入会権（大判大10.11.28）〈共〉を除く物権について、登記が対抗要件とされる。物権以外では、不動産賃借権（605・所有者の承諾が必要）・不動産買戻権（581）等について登記がなされる

2 取消しと登記 ⇒ p.53

(1) 取消前の第三者

取消しの遡及効により、物権変動は初めから無効であったものとみなされる（121）から、第三者は無権利者からの譲受人ということになる。そして、登記に公信力がない以上、表意者は、第三者に対して、不動産の所有権を主張できるのが原則である。

もっとも、第三者保護規定がある場合（95Ⅳ、96Ⅲ等）、この規定が適用されれば、第三者は表意者から有効に権利を取得し（法定承継取得説）、第三者と表意者は前主・後主の関係に立つ。したがって、第三者と表意者は対抗関係には立たないから、177条は適用されない。

→少なくとも詐欺に関して、第三者は対抗要件としての登記がなくても物権の取得を主張することができる（最判昭49.9.26・百選Ⅰ23事件）

→制限行為能力や強迫を理由とする取消しには第三者保護規定がない以上、上記原則のとおり、第三者は保護されず本人・表意者の保護が優先される

(2) 取消後の第三者

判例（大判昭17.9.30・百選Ⅰ51事件）は177条の適用を認めており、第三者は、表意者よりも先に登記を備えることで、表意者に権利の取得を対抗することができる（復帰的物権変動説）〈司共書〉。

∵ 取消しの遡及効（121）は法的な擬制にすぎず、取り消すことができる行為もそれが取り消されるまでは有効であるから、実質的には、いったん相手方に移転した権利が取消しによって表意者に移転する復帰的物権変動を観念することができ、相手方を起点とした二重譲渡類似の関係に立つと考えることができる

* なお、取消後の第三者との関係でも取消しの遡及効を貫徹し、端的に、相手方名義の登記を信頼した第三者を保護するために、94条2項を類推適用すべきであるとする見解もある（94条2項類推適用説）。

→第三者は善意であれば足り、対抗要件を備える必要はない

3 解除と登記

(1) 解除前の第三者

当事者の一方がその解除権を行使したときは、各当事者は、その相手方を原状に復させる義務を負う（545 I 本文）。判例（大判明44.10.10、最判昭51.2.13・百選Ⅱ40事件）は、解除の効果につき、直接効果説（解除により契約関係が遡及的に消滅するという見解）に立っている。

そして、解除により契約関係が遡及的に消滅することで不測の損害を被る第三者を保護するために、545条1項ただし書は「第三者の権利を害することはできない」と規定して、解除の遡及効を制限している。

したがって、545条1項ただし書が適用されれば、解除前の第三者は解除権者から有効に権利を取得し、第三者と解除権者は前主・後主の関係に立つことになるため、第三者と解除権者は対抗関係には立たない。そうすると、177条は適用されず、第三者は登記がなくても物権の取得を主張できるとも思える。

しかし、判例（最判昭33.6.14）は、上記2(1)「取消前の第三者」の場合と異なり、登記を経由していない者は「第三者」として保護されない旨判示している図。 ⇒ p.496

→対抗要件としての登記ではなく、権利保護資格要件としての登記（第三者保護規定における保護を受けるための要件としての登記）を要求したものと解されている

∵ 545条1項ただし書は、何ら帰責性のない解除権者の犠牲のもとに第三者を保護するものである以上、「第三者」は高度の利害関係を有していることが必要

* なお、545条1項ただし書の「第三者」として保護されるためには、解除原因の存在につき善意・悪意を問わない。

∵ 解除原因が存在しても、解除するか否かは解除権者の意思によるものであり、必ずしも解除されるとは限らない

(2) 解除後の第三者

判例（最判昭35.11.29・百選Ⅰ52事件）は177条の適用を認めており、第三者は、解除権者よりも先に登記を備えることで、解除権者に権利の取得を

物権

対抗することができる〈司書〉。

∵ 解除の遡及効は法的な擬制にすぎず、解除される契約もそれが解除されるまでは有効であるから、実質的には、いったん相手方に移転した権利が解除によって解除権者に移転する復帰的物権変動を観念することができ、相手方を起点とした二重譲渡類似の関係に立つと考えることができる

4 取得時効と登記 ⇒ p.111

取得時効による所有権の取得（162 I II）に177条が適用されるかどうかについては、以下のような判例法理が形成されている。

(1) 判例法理①（当事者との関係）

時効取得者が占有を開始した当時の所有者は、時効取得者との関係では物権変動の「当事者」と同視される。

∵ 時効取得者が取得時効により所有権を原始取得する結果、時効完成時の所有者は反射的にその所有権を失うという関係にあり、このような関係は「当事者」間の権利移転と異ならない

→時効取得者は、その者が占有を開始した当時の所有者に対して、登記なくして時効取得を対抗することができる（大判大 7.3.2）

(2) 判例法理②（時効完成前の第三者との関係）

時効取得者の時効完成前に、元の所有者から所有権を取得した第三者（時効完成前の第三者）も、上記(1)と同様、時効完成時の所有者に他ならない。すなわち、取得時効により反射的に所有権を失うのは、元の所有者ではなく時効完成前の第三者であるから、時効取得者と時効完成前の第三者との関係も、物権変動の「当事者」と同視される。

→時効取得者は、時効完成前の第三者に対して、登記なくして時効取得を対抗することができ（最判昭 41.11.22）、これは、第三者が時効完成後に登記を備えたとしても、同様である（最判昭 42.7.21）〈司共〉

(3) 判例法理③（時効完成後の第三者との関係）

時効取得者の時効完成後に、元の所有者から所有権を取得した第三者（時効完成後の第三者）は、上記(1)(2)と異なり、177条の「第三者」に当たる。

∵① 時効取得者と時効完成後の第三者は、元の所有者を起点とした二重譲渡類似の関係に立つ

② 時効取得者は、時効完成後の第三者よりも先に時効取得を原因とする自己名義の登記をすることができたのに、これを怠った以上、失権してもやむを得ない

→時効取得者は、時効完成後の第三者に対して、登記なくして時効取得を対抗することはできない（大連判大 14.7.8、最判昭 33.8.28）〈司共〉

(4) 判例法理④（時効期間の起算点）

時効期間の起算点は、時効の基礎となる事実を開始した時点（占有開始時）に固定され、時効取得者が起算点を任意に選択し、時効の完成時期を遅

物
権

らせることはできない（最判昭35.7.27）。

　　∵　第三者の登場後に時効が完成するように起算点を動かすことで、時効
　　　取得者は登記なくして時効取得を第三者に対抗できることとなるが、そ
　　　れでは判例法理③が無意味になる

(5)　判例法理⑤（再度の取得時効の完成）

　　時効取得者は、時効完成後の第三者が登記を具備した時点から、さらに時
　効取得に必要な期間占有を継続すれば、新たに取得時効が完成し、登記なく
　して時効取得を対抗することができる（最判昭36.7.20）◀同書。

　　　∵　時効完成後の第三者が登記を具備した時点で、判例法理③により、時
　　　　効取得者は時効取得を対抗できなくなるが、再度の取得時効を完成させ
　　　　れば、時効取得者とその第三者は物権変動の「当事者」と同視できる

　　そして、判例法理⑤は、時効完成後の第三者が不動産の譲渡を受けた場合
　のみならず、その不動産を目的とする抵当権の設定を受けた場合についても
　妥当する。

　　　→不動産の取得時効の完成後、所有権移転登記がされることのないまま、
　　　　第三者が原所有者から抵当権の設定を受けて抵当権設定登記を了した場
　　　　合において、当該不動産の時効取得者である占有者が、その後引き続き
　　　　時効取得に必要な期間占有を継続したときは、抵当権の消滅を妨げる特
　　　　段の事情がない限り、占有者は、不動産を時効取得し、その結果、抵当
　　　　権は消滅する（最判平24.3.16・百選Ⅰ55事件）◀同共書

　　これに対し、判例法理⑤は、不動産につき賃借権を有する者がその対抗要
　件を具備しない間に、当該不動産に抵当権が設定されてその旨の登記がされ
　た場合には妥当しない。

　　　→不動産につき賃借権を有する者がその対抗要件を具備しない間に、当該
　　　　不動産に抵当権が設定されてその旨の登記がされた場合、賃借人は、抵
　　　　当権設定登記後に時効取得に必要な期間、継続的に目的不動産を用益し
　　　　たとしても、目的不動産の第三取得者に対し賃借権を対抗することはで
　　　　きない（最判平23.1.21・百選Ⅰ44事件）◀書

＊　なお、時効完成後に抵当権が設定登記された場合において、いったん取
　得時効を援用して所有権移転登記を具備した時効取得者が、抵当権設定登
　記の時点から、さらに占有を継続して再度の取得時効を主張・援用し、抵
　当権設定登記の抹消登記手続を請求することはできない（最判平15.10.
　31）。

　　　∵①　抵当権者は時効完成後の第三者であり、時効取得者による登記よ
　　　　　りも先に抵当権設定登記が具備されている

　　　　②　時効取得者は、いったん取得時効を援用して確定的に所有権を取
　　　　　得した以上、起算点を後の時点にずらして、再度、取得時効の完成
　　　　　を主張・援用することはできない

5　相続と登記
　(1)　共同相続と登記　⇒ p.743
　　　　共同相続人の1人が自己の持分を超えて第三者に相続財産を処分した場合、法定相続分を超えない部分については、登記その他の対抗要件を備えなくても、その権利の承継を第三者に対抗することができる（899の2Ⅰ反対解釈、最判昭 38.2.22・百選Ⅲ 77 事件参照）。
　(2)　遺産分割と登記
　　(a)　遺産分割前の第三者　⇒ p.759
　　　　遺産分割がされる前でも、各共同相続人は、自己の持分を自由に処分することができる（前掲最判昭 38.2.22・百選Ⅲ 77 事件参照）。そのため、共同相続人の一人（甲）は、遺産分割前に自己の持分について第三者に譲渡したり、抵当権の設定等をすることができる。
　　　　　→その後、他の共同相続人（乙）の単独所有とする旨の遺産分割協議が成立したとしても、乙は、第三者に対して、遺産分割の遡及効（909本文）を主張することはできない
　　　　　　∵　法は、第三者の取引の安全を保護するため、「第三者の権利を害することはできない」（909 ただし書）と規定して、遺産分割の遡及効を制限している
　　　　もっとも、「第三者」（909 ただし書）として保護されるためには、権利保護資格要件としての登記を備えている必要があるものと解されている。
　　(b)　遺産分割後の第三者　⇒ p.746
　　　　上記(1)のとおり、法定相続分を超えない部分については、登記その他の対抗要件を備えなくても、その権利の承継を第三者に対抗することができる（899の2Ⅰ反対解釈）。
　　　　しかし、自己の法定相続分を超える部分（他の共同相続人の持分部分）に係る所有権の取得を第三者に対抗するためには、登記を備えなければならない（899の2Ⅰ、最判昭 46.1.26・百選Ⅲ 78 事件参照）。
　(3)　相続放棄と登記　⇒ p.770
　　　相続放棄により、相続人は「初めから相続人とならなかったものとみなす」（相続放棄の遡及効、939）。
　　　相続放棄の遡及効については、遺産分割の場合と異なり、第三者保護規定はない（909 ただし書参照）。判例（最判昭 42.1.20・百選Ⅲ 79 事件）も、相続放棄の「効力は絶対的で、何人に対しても、登記等なくしてその効力を生ずる」としている 同予書。
　　　∵　相続放棄は、相続人に権利義務の強制的な承継を免れさせるためにあるから、放棄者の意思を尊重すべきである
　　　→「次条及び第 901 条の規定により算定した相続分」（899の2Ⅰ）は、相続放棄を受けて定まる相続分ということになる
　　　＊　なお、遺産分割と登記の問題に関する前掲判例（最判昭 46.1.26・百選

Ⅲ78事件）は、相続放棄の場合と遺産分割の場合とで処理を異にする
理由として、以下の2点を挙げている。

① 遺産分割の遡及効を制限する規定は民法にあるが、相続放棄の遡及
効についてはそのような規定がない

② 遺産分割の場合の方が相続放棄の場合より第三者の出現可能性が大
きく、法的安定性の見地から遺産分割の場合に第三者保護を厚くする
必要がある

(4) 遺言と登記

被相続人は、遺言により、①自己の財産の全部又は一部を処分する遺贈
(964)、②法定相続分と異なる相続分の指定（902）、③遺産分割方法の指定
(908Ⅰ)をすることができる。

これらのうち、②③は遺言の内容に従って行われる相続（遺言相続）であ
り、899条の2の適用を受ける一方、①は899条の2の適用を受けず、177
条の適用を受ける。

＊ なお、①遺贈は、相続人でない者に対してもすることができるが、②
相続分の指定③遺産分割方法の指定は、相続人に対してのみすることが
できる。

(a) 遺贈と登記

遺贈による権利の取得は、「相続による権利の承継」（899の2Ⅰ）では
ないため、899条の2は適用されない。

判例（最判昭39.3.6・百選Ⅲ80事件）は、「遺贈の場合においても不動
産の二重譲渡等における場合と同様、登記をもって物権変動の対抗要件と
するものと解すべきである」として、177条を適用している〈司共予書〉。

∵① 遺贈は遺言者の意思表示によって物権変動の効果を生ずる点で贈
与と異なるところはない

② 不動産に関する物権変動につき広く登記をもって対抗要件とする
177条の趣旨からして遺贈をその例外とする理由はない

(b) 相続分の指定と登記

相続分を指定する遺言による権利の取得は、「相続による権利の承継」
(899の2Ⅰ)であるため、899条の2が適用される。

→自己の法定相続分を超える部分については、登記を備えなければ、第
三者に対抗することができない（899の2Ⅰ）

(c) 「相続させる」旨の遺言と登記　⇒ p.757

特定の財産を特定の相続人に「相続させる」旨の遺言（特定財産承継遺
言、1014Ⅱ参照）について、判例（最判平3.4.19・百選Ⅲ92事件）は、
遺言書の記載から、その趣旨が遺贈であることが明らかであるか、又は遺
贈と解すべき特段の事情がない限り、遺産分割方法の指定の一場合であ
り、何らの行為を要せずして、被相続人の死亡の時に直ちに当該遺産が当
該相続人に相続により承継されるとしている〈同〉。

　「相続させる」旨の遺言による権利の取得は、「相続による権利の承継」
（899 の 2 Ⅰ）であるため、899 条の 2 が適用される。
　　→承継した財産のうち法定相続分を超える部分については、登記を備え
　　なければ、第三者に対抗することができない（899 の 2 Ⅰ）

＜不動産物権変動と登記の要否の整理＞

取消しと登記	取消前	・第三者保護規定がある場合（95 Ⅳ、96 Ⅲ等） 　→登記なくして対抗できる（最判昭 49.9.26・百選Ⅰ 23事件） ・第三者保護規定がない場合（制限行為能力・強迫を理由とする取消し等） 　→原則のとおり、第三者は保護されず本人・表意者が保護される
	取消後	登記がなければ対抗できない（177、大判昭 17.9.30・百選Ⅰ 51 事件）〈司共〉
解除と登記	解除前	登記がなければ対抗できない（545 Ⅰただし書、及び権利保護資格要件としての登記）（最判昭 33.6.14）〈司〉
	解除後	登記がなければ対抗できない（177、最判昭 35.11.29・百選Ⅰ 52 事件）〈司書〉
取得時効と登記 **（判例法理）**		① 時効取得者は、占有を開始した当時の所有者に対して、登記なくして対抗できる（大判大 7.3.2） ② 時効取得者は、時効完成前の第三者に対して、登記なくして対抗できる（最判昭 41.11.22）〈司〉 ③ 時効取得者は、時効完成後の第三者に対して、登記がなければ対抗できない（大連判大 14.7.8、最判昭 33.8.28）〈司共〉 ④ 時効取得者は、起算点を任意に選択し、時効の完成時期を遅らせることはできない（最判昭 35.7.27） ⑤ 時効取得者は、時効完成後の第三者が登記を具備した時点から、改めて時効取得に必要な期間占有を継続して時効が完成すれば、新たな時効取得を登記なくして対抗できる（最判昭 36.7.20）〈司書〉
共同相続と登記		法定相続分を超えない部分については、登記なくして対抗できる（899 の 2 Ⅰ反対解釈、最判昭 38.2.22・百選Ⅲ 77 事件参照）〈書〉
遺産分割と登記	分割前	登記がなければ対抗できない（909 ただし書、及び権利保護資格要件としての登記）
	分割後	法定相続分を超える部分については、登記がなければ対抗できない（899 の 2 Ⅰ、最判昭 46.1.26・百選Ⅲ 78 事件参照）
相続放棄と登記		登記なくして対抗できる（899 の 2 Ⅰ反対解釈） → 899 条の 2 第 1 項の「次条及び第 901 条の規定により算定した相続分」は、相続放棄を受けて定まる相続分ということになる
遺贈と登記		登記がなければ対抗できない（177、最判昭 39.3.6・百選Ⅲ 80 事件）〈司共予書〉

相続分の指定と登記	法定相続分を超える部分については、登記がなければ対抗できない（899の2Ⅰ）
「相続させる」旨の遺言と登記	法定相続分を超える部分については、登記がなければ対抗できない（899の2Ⅰ）

四 「第三者」の範囲

1 一般論〈司H26〉

「第三者」とは、当事者及びその包括承継人（相続人・包括受遺者）以外の者で登記の欠缺を主張する正当な利益を有する者をいう（大連判明41.12.15）〈司共書〉。善意者はもとより、単純悪意者であっても「第三者」に当たるが、背信的悪意者（物権変動について悪意であり、かつ、登記の欠缺を主張することが信義に反すると認められる事情のある第三者）は「第三者」に当たらない（最判昭31.4.24）〈司〉。

cf. 両立しえない物権相互間の優先的効力を争う者とする立場も学説上有力である

2 「第三者」に当たる場合

(1) 物権取得者〈司H22〉
ex.1 二重譲渡における譲受人相互間（大判昭9.5.1）〈司共〉
ex.2 取消後の第三者（大判昭17.9.30・百選Ⅰ51事件）
ex.3 解除後の第三者（最判昭35.11.29・百選Ⅰ52事件）
ex.4 時効完成後の第三者（大連判大14.7.8、最判昭33.8.28）〈共〉
ex.5 遺贈後その登記が未了の間に遺贈に係る不動産を譲り受けた者（最判昭39.3.6・百選Ⅲ80事件）〈司書〉
ex.6 他物権（地上権・地役権・質権・抵当権など）取得者（大判昭5.7.14）〈共〉

(2) 差押債権者・仮差押債権者
ex. 不動産につき遺贈による移転登記がなされない間に、共同相続人の1人に対する強制執行として、その持分を差し押さえた者（大判昭8.4.20）〈司〉

(3) 賃借人〈共〉
ex. 他人に賃貸中の土地を譲り受けた者は、所有権移転登記を経由しなければ賃借人に所有権を対抗し得ず、賃貸人たる地位を取得したことも主張できない（605の2Ⅲ、最判昭49.3.19・百選Ⅱ52事件）〈司共書〉
→賃料請求・賃借人の債務不履行に基づく解除権・賃貸借終了に基づく明渡請求をすることはできない

(4) 共有者
ex.1 不動産の共有者の1人が自己の持分を譲渡した場合の、他の共有者（最判昭46.6.18）〈司共書〉
ex.2 持分を放棄した場合にその放棄持分を差し押さえた第三者〈共書〉

(5) 背信的悪意者からの転得者 〔司R4〕

  ex. 不動産の二重譲渡において、第2買主たる背信的悪意者から当該不動産を譲り受け、登記も具備した者（転得者）は、自分自身が第1買主に対する関係で背信的悪意者と評価されない限り、その不動産の取得を第1買主に対抗できる（最判平8.10.29・百選Ⅰ58事件）〔司共予書〕

   ∵ 背信的悪意者といえども権利は有効に取得するが、信義則上登記の欠缺を主張し得ないにすぎない。よって、その者からの転得者も有効に権利を承継する

  cf. 第2譲受人が善意で転得者が背信的悪意者の場合に、転得者は自らの背信性から第1譲受人の登記の欠缺を主張できないとする下級審判例がある（相対的構成）。学説上は、善意買主の下で権利関係は確定し、転得者はそれを承継するとの立場が有力である（絶対的構成）

(6) 制限物権取得者 〔司〕

(7) 強制執行における買受人

3 「第三者」に当たらない場合

(1) 無権利者

  ex.1 登記簿上所有者として表示されているにすぎない実体法上の無権利者、その相続人（最判昭34.2.12）、及び無権利者からの転得者（大判昭17.3.26）

  ex.2 無効な法律行為に基づく譲受人、その承継人（大判昭5.4.11）

  ex.3 遺言執行者がいる場合において相続人から遺贈不動産を譲り受けた悪意者（1013ⅠⅡ）

  ex.4 目的物の仮装譲受人

  ex.5 消滅した債権を被担保債権とする抵当権者

  ex.6 相続を放棄した者からの相続財産譲受人

  ex.7 共同相続人の1人が無断で単独相続の登記をして第三者に処分した場合の第三者（899の2Ⅰ反対解釈、最判昭38.2.22・百選Ⅲ77事件参照）

    →他の共同相続人の法定相続分について無権利者となる

(2) 不法行為者、不法占有者（最判昭25.12.19・百選Ⅰ56事件）〔司予書〕〔司H26〕

  ex. 二重譲渡された未登記建物を第三者が不法行為により毀損した場合は、各譲受人は建物登記を備えずに第三者に損害賠償請求できる

(3) 背信的悪意者（不登5参照）（最判昭35.3.31）〔司H22 司R4〕

  ex.1 第三者が自己の行為と矛盾した態度をとり、信義則（禁反言）に照らしてこれを認め難い場合 〔司〕

  ex.2 第1買主に高値で売りつけようとして買い受けた場合（最判昭43.8.2・百選Ⅰ57事件）

  ex.3 第1買主に害意をもって積極的に売主を教唆して売らせた場合

  ex.4 詐欺、強迫により登記申請行為を妨げた場合

ex.5　甲が時効取得した不動産につき、取得時効完成後に乙が当該不動産を譲り受けて登記を了した場合、乙が、譲受けの時点で、甲が多年にわたり当該不動産を占有している事実を認識し、甲の登記の欠缺を主張することが信義に反するものと認められる事情が存在するときは、乙は背信的悪意者に当たる（最判平18.1.17・百選Ⅰ54事件）〈司書〉

→時効取得の成立（物権変動）につき悪意でない場合、背信的悪意者に当たらないのが原則であるが、時効取得の場合には、その要件全てにつき第三者が認識するのは困難であるから、時効取得の要件を全て具体的に認識しなくても、背信的悪意者に当たることを認めた

ex.6　不動産の売主と買主の間の紛争において、買主に所有権があることを確認する旨の示談に立会人として関与し、示談書に立会人として署名捺印した第三者が、買主に所有権移転登記がされる前に、売主に対する債権に基づいて当該不動産を差し押さえた場合（最判昭43.11.15）〈司〉

(4)　所有権が転々移転した場合の前々主（最判昭39.2.13）〈司書〉

(5)　地役権の事例

ex.1　通行地役権（210）の承役地が譲渡された場合、譲渡時に、承役地が要役地の所有者により継続的に通路として使用されていることがその位置、形状、構造等の物理的状況から客観的に明らかであり、かつ譲受人がそのことを認識し又は認識可能であったときは、譲受人は、通行地役権が設定されていることを知らなくても、特段の事情がない限り、「第三者」に当たらない（最判平10.2.13・百選Ⅰ59事件）〈司書〉

ex.2　通行地役権の承役地が担保不動産競売により売却された場合、最先順位の抵当権の設定時に、承役地が要役地の所有者によって継続的に通路として使用されていることが客観的に明らかであり、かつ抵当権者がそのことを認識し又は認識可能であったときは、特段の事情がない限り、抵当権者が通行地役権者に対して地役権設定登記の欠缺を主張することは信義に反するものであって、抵当権者は「第三者」に当たらない。そして、承役地が担保不動産競売により売却されたとしても、通行地役権は消滅せず、通行地役権者は、買受人に対し、当該通行地役権を主張することができる（最判平25.2.26・平25重判4事件）〈司〉

cf.　袋地所有者の囲繞地通行権について囲繞地の所有者は、「第三者」に当たらない　⇒p.167

五　登記請求権

1　登記権利者が登記義務者に対して登記申請に協力すべきことを求める権利をいう。

2　登記請求権の発生原因：多元説

(1) 物権的登記請求権

登記が実体的な権利関係と一致しない場合に、その不一致を除去するため、物権の効力として生ずる。

ex.1 甲から乙、乙から丙へと、順次、所有権移転登記がされている場合において、甲が真の所有者であるときの甲の丙に対する所有権移転登記請求（最判昭34.2.12）〈司〉

ex.2 所有者でない者のした所有権保存登記が存在する場合の、無権利者である登記名義人に対する真正の所有権者からの所有権移転登記請求（大判大7.5.13）

ex.3 被担保債権の弁済により消滅した第1順位の抵当権についての土地所有者、第2順位抵当権者による抹消請求（大判大8.10.8）〈司予書〉

ex.4 弁済による代位により抵当権を取得した保証人の、主債務者所有地上の抵当権に関する移転登記請求

ex.5 時効取得者の原所有者（当事者）に対する移転登記請求

(2) 物権変動的登記請求権

物権変動の過程をそのまま登記に表す必要があるという登記法上の要請に従い、物権変動の事実そのものから生ずる。

ex.1 目的不動産を転売した買主の売主に対する移転登記請求（大判大5.4.1）〈司〉

ex.2 不動産売買契約が解除された場合の買主が売主に対してなす、抹消登記請求

ex.3 甲から乙、乙から丙へと、順次、所有権移転登記がされたが、各取引が無効であった場合における乙の丙に対する抹消登記請求（最判昭36.4.28）〈司〉

(3) 債権的登記請求権

当事者間の契約ないし特約の効果として生じる。

ex.1 第三者が所有する不動産を他人物売買（561）した場合〈司〉

ex.2 同意ある中間省略登記

cf. 不動産賃貸借において賃借人は合意なくしては登記請求権を有しない

3 登記引取請求権

登記権利者が登記申請に応じない場合において、登記義務者が登記権利者に対して登記申請に協力するよう求めることができる権利をいう。

ex. Aがその所有する甲土地をBに売却したにもかかわらず、AからBへの所有権移転登記手続にBが協力しないとき

六 不動産登記の有効要件

1 形式的要件

登記は、不動産登記法が定める手続に従ってなされる必要がある。形式的要件に関しては、次のような問題がある。

　(1)　登記申請手続の瑕疵

　　　登記の記載が実体的権利関係に符合する場合には有効とされうる。

　　ex.1　偽造文書による登記（登記義務者にその登記を拒みうる特段の事情
　　　がなく、登記権利者が登記申請の適法を信じるにつき正当な理由があ
　　　るとき）（最判昭 37.5.24）

　　ex.2　無権代理人による登記申請に対し、本人が追認した場合（最判昭
　　　42.10.27）〈司〉

　(2)　登記の後発的遺脱と不法・不当抹消

　　　有効になされた登記の抹消・遺脱につき、権利者に帰責事由が存する場合
　　には対抗力が消滅するが（最判昭 42.9.1）〈司〉、抵当権設定者・第三者による
　　不法な申請や登記官の過誤による登記の抹消など、権利者に帰責事由が存し
　　ない場合には対抗力は消滅しない（最判昭 36.6.16）〈司書〉。

　2　実質的要件

　　　登記は、実体的権利関係に合致していることが必要である。もっとも、登記
　　された登記原因等が実体的権利関係と合致しない場合であっても、権利の同一
　　性を害さず、真実の権利関係を公示するに足りるものと認められるときは、そ
　　の登記は有効であると解されている〈予H29〉。

　　　実質的要件に関しては、次のような問題がある。

　(1)　中間省略登記　⇒下記七

　(2)　登記の流用　⇒下記八

七　中間省略登記

　1　関係当事者の合意に基づく場合

　　　従来、判例（最判昭 40.9.21・百選Ⅰ 49 事件）は、中間省略登記について、
　　関係当事者の合意があれば、無効とはしないものと考えていた〈司〉。しかし、不
　　動産登記法の改正に伴い、登記の申請の際には登記原因を証明する情報の添付
　　が必須とされ（不登 61）、また、登記官による本人確認が認められることとなっ
　　たため（不登 24）、登記実務上、中間省略登記をすることは困難になっている。

　　　不動産の所有権が、元の所有者から中間者に、次いで中間者から現在の所有
　　者に、順次移転した場合に、不動産の現在の所有者が元の所有者に対し、真正
　　な登記名義の回復を原因とする所有権移転登記手続を請求することは、物権変
　　動の過程を忠実に登記記録に反映させようとする不動産登記法の原則に照ら
　　し、許されない（最判平 22.12.16・平 23 重判 4 事件）〈司〉。

　2　中間者の同意なしになされた場合

　　ex.1　中間者は抹消を求める正当な利益がない限り、抹消請求をなし得ない
　　　（最判昭 35.4.21）〈司〉

　　ex.2　中間者に無効主張する正当な利益がある場合でも、中間者以外の第三
　　　者は無効を主張できない（最判昭 44.5.2）

八　登記の流用

　1　抵当権の被担保債権が弁済された後、抵当権登記を抹消せず新債権を担保す

る抵当権登記として流用する場合　⇒p.253

⑴　流用前に利害関係に入った第三者との関係では無効である（大判昭8.11.7)。　∵　消滅への期待を保護

⑵　流用後に利害関係に入った第三者との関係では有効である（大判昭11.1.14)。　∵　抵当権が存在することを前提としている

2　滅失した旧建物の登記を新建物の登記として流用する場合

第三者が登場しない場合でも、新建物の登記としての効力を有しない（最判昭40.5.4)。

九　仮登記

将来なされるべき本登記の順位を保全するための登記（不登105）をいう。

仮登記自体は順位保全効のみを有し、対抗力はない（177条の「登記」に当たらない)。

cf.　後に本登記に改められた場合、単に本登記の順位が、仮登記の順位によって定まるにすぎないとする立場（順位遡及説）（最判昭54.9.11）と、本登記の対抗力も仮登記の時まで遡るとする立場（対抗力遡及説）がある

《その他》

- 登記があればそれと異なることを主張する者が反証を挙げなければならず、これがなければ登記通りの権利関係があることになる（最判昭38.10.15)。
- 登記原因が真実と違ったり、抹消登記すべきところ移転登記しても有効である（大判大5.12.13)。
- 不動産の取得については、未登記建物であっても、民法177条の適用があり、取得者は、その旨の登記を経なければ、取得後に当該不動産につき権利を取得した第三者に対し、対抗することができない（最判昭57.2.18)。

［明認方法］

一　明認方法により公示される権利

慣習上、所有権に限られる。

∵　不動産登記に比べ、公示力が不十分

→所有権の移転・留保、取消し・解除による所有権の復帰的変動に限られる（大判昭8.6.20、最判昭34.8.7)

二　明認方法の態様

立木の所有権に関する明認方法の態様としては、誰が現在の所有者であるかを明らかにする方法（木の皮を削り、誰が所有者であるかを墨書きする方法（大判大9.2.19）や、山林内に炭焼小屋を作って伐採に着手する方法（大判大4.12.8）等）を講ずれば足り、登記簿のように権利移転の原因等を明示する必要はない。

三　対抗力の存続と明認方法

明認方法により対抗力が生じるには、第三者が取引関係に入った時点で明認方法が存続している必要がある（最判昭36.5.4・百選Ⅰ61事件)。

cf.　登記の場合は、適法になされた登記がその後消滅しても、対抗力は存続する（最判昭34.7.24)

＜明認方法の対抗力＞

論点	結論
立木所有権の譲渡	立木のみの二重譲渡の場合は明認方法の先後による（最判昭33.7.29）
立木所有権の留保	Ａが立木所有権を留保して土地をＢに売った後、Ｂが立木まで自分のものであるとしてＣに売ったときは、Ａの明認方法とＣの土地の登記の先後で決まる（最判昭34.8.7）〈司共書〉
立木の植栽	ＢがＡ所有の土地を購入してその上に立木を植栽したが、Ａは移転登記がなされていないのに乗じて、その土地をさらにＣに譲渡し、移転登記を完了したという場合、Ｂは242条ただし書類推適用により所有権を留保できる →留保した立木所有権を第三者に対抗するには、明認方法等立木所有権を公示する対抗要件が必要である（最判昭41.10.21）〈司〉
土地と立木をともに譲渡した場合の処理	土地とともに立木の売買がなされた場合、明認方法は立木についても対抗要件として認められない（大判昭9.12.28）〈司書〉 →Ａが所有地上の立木をＢに譲渡し、土地をＣに譲渡した場合、立木の所有権帰属は、Ｂの明認方法とＣの土地所有権登記との対抗関係になるのであって、ＢＣの明認方法のいずれが早いかによって決せられるのではない（最判昭35.3.1）〈司〉
対抗力の存続と明認方法	明認方法は、登記に代わるものとして第三者が容易に所有権を認識することができる手段で、しかも、第三者が利害関係を取得する当時にもそれだけの効果をもって存在するものでなければならない（最判昭36.5.4・百選Ⅰ61事件）〈司〉

第178条 （動産に関する物権の譲渡の対抗要件）

　動産に関する物権の譲渡は、その動産の引渡しがなければ、第三者に対抗することができない。

[趣旨] 動産は、不動産登記のような公示方法を採ることは技術的に不可能であり取引も頻繁であるため、引渡しすなわち占有の移転を公示方法としたものである。

＊　また、動産を担保化して資金調達を可能にすることへのニーズを充たすため、法人がする動産の譲渡については、動産及び債権の譲渡の対抗要件に関する民法の特例等に関する法律に基づき、一定の要件の下で「動産譲渡登記ファイル」に登記をすれば第三者に対抗できる制度が設けられている。当該動産の譲渡につき動産譲渡登記ファイルに譲渡の登記がされたときは、当該動産について民法178条の「引渡し」があったものとみなされる（動産・債権譲渡特例３Ⅰ）。引渡しと同法による登記があった場合には、早い方が第三者に対して対抗できる〈共書〉。

《注　釈》

一　「引渡し」

　現実の引渡し（182Ⅰ）だけでなく、簡易の引渡し（182Ⅱ）、占有改定（183、最判昭30.6.2・百選Ⅰ60事件）〈共〉、指図による占有移転（184）も含む（最判昭34.8.28）〈司共〉。

二　引渡しを対抗要件とする物権変動範囲

動産所有権の譲渡とその復帰的変動に限られる。

→先取特権は占有とは無関係である。占有権・留置権・質権は占有を成立・存続要件とするため、含まれない

三　「第三者」の範囲

賃借人は含むが、受寄者は含まれない（最判昭 29.8.31・百選Ⅰ〔第6版〕61 事件）

《その他》

- 観念的な占有移転では公示方法が不明確で取引の安全を害する。
  →公信の原則（192）を別途採用して、取引の安全を図っている

> **第179条　（混同）**
>
> Ⅰ　同一物について所有権及び他の物権が同一人に帰属したときは、当該他の物権は、消滅する。ただし、その物又は当該他の物権が第三者の権利の目的であるときは、この限りでない。
>
> Ⅱ　所有権以外の物権及びこれを目的とする他の権利が同一人に帰属したときは、当該他の権利は、消滅する。この場合においては、前項ただし書の規定を準用する。
>
> Ⅲ　前2項の規定は、占有権については、適用しない。

《注　釈》

一　意義

併存させておく必要のない2個の法律上の地位が同一人に帰することをいう。

二　所有権と制限物権が同一人に帰した場合（Ⅰ）

1　原則（Ⅰ本文）

制限物権は消滅する。

ex.1　Aの所有地に地上権を有するBがAを相続したとき

ex.2　Aの所有地に抵当権を有するBがAから土地所有権を譲り受けたとき

→Aの所有地に抵当権を有するBがAからその所有地につき譲渡担保権の設定を受け、譲渡担保を原因とする所有権移転登記を経由しても、抵当権は消滅しない

∵　譲渡担保権を取得したというだけでは確定的に当該不動産の所有権を取得したとはいえない

2　例外（Ⅰただし書）

(1)　その物が第三者の権利の目的となっている場合

(a)　物権の保存に意味があるので、混同は生じない。

ex.1　Aの所有権とBの一番抵当権とが混同を生じても、Cの二番抵当権があれば、Bの一番抵当権は消滅しない

ex.2　AとBが、Cから C所有の土地を賃借した後、Cが死亡してAが単独で当該土地を相続した場合、当該土地の賃借権は、AとBの準共有状態（264）にあるから、Aの賃借権は消滅しない

(b) もっとも、その物が第三者の権利の目的となっている場合であっても、物権の存続の実益がなければ（第三者の権利が本人に比べ優位の場合）、混同が生じ物権は消滅する（例外の例外）。

　　ex.1　Aの所有権とBの二番抵当権とが混同したとき、Cの一番抵当権があっても、Bの二番抵当権は消滅する〈司書〉

　　ex.2　BがAの債権者であり、かつAの不動産に一番抵当権を有している場合、AがBを相続する等、AB間に地位の混同が生じれば被担保債権は消滅し（520本文）、Cが二番抵当権を有していたとしてもBの抵当権は付従性により消滅する〈司書〉

　　　　∵　被担保債権が混同により消滅し、その付従性により抵当権は消滅する

　　ex.3　Aが自己の所有する不動産にBのために抵当権を設定した後、Cのために地上権を設定した場合において、CがAから同不動産の所有権の譲渡を受けたときは、Cの地上権は消滅する〈司〉

(2) その制限物権が第三者の権利の目的となっている場合

　　ex.1　Aの所有権とBの地上権が混同を生じた場合において、Bの地上権にCの抵当権が設定されているとき、Bの地上権は混同によって消滅しない〈司〉

　　ex.2　Aの所有権とBの地上権が混同を生じた場合において、その地上権をBとCが準共有しているとき、Bの地上権は混同によって消滅しない〈司書〉

(3) 所有権と賃借権の混同

　　特定の土地につき所有権と賃借権とが同一人に帰属するに至った場合であっても、その賃借権が対抗要件を具備したものであり、かつ、その対抗要件を具備した後に当該土地に抵当権が設定されていたときは、本条1項ただし書の準用により、賃借権は消滅しない（最判昭46.10.14）〈司書〉。

　　不動産の賃借人が賃貸人から当該不動産を譲り受けてその旨の所有権移転登記をしないうちに、第三者が当該不動産を二重に譲り受けてその旨の所有権移転登記をしたため、前の譲受人である賃借人において当該不動産の取得の後の譲受人である第三者に対抗できなくなった場合には、いったん混同により消滅した賃借権は、当該第三者の所有権取得によって、同人に対する関係では消滅しなかったこととなる（最判昭40.12.21）〈書〉。

三　制限物権とこれを目的とする他の権利が同一人に帰した場合（Ⅱ）

1　原則（Ⅱ前段）

他の権利は消滅する。

　ex.　地上権が抵当に入っている場合に、抵当権者が地上権を買い受けた場合

2　例外（Ⅱ後段）
  (1)　制限物権が第三者の権利の目的である場合
      ex.　Aの地上権の上にBが一番抵当権を有し、さらにCが二番抵当権を有
          するときに、Aの地上権とBの抵当権が混同を生じても、Bの抵当権は
          消滅しない
  (2)　制限物権を目的とする他の権利が第三者の権利の目的である場合
      ex.　Aの地上権の上にBが抵当権を有し、Bの抵当権がさらにCの抵当権
          の目的となっているとき、Aの地上権とBの抵当権が混同を生じても、
          Cの転抵当権のためにBの抵当権は消滅しない〈書〉

四　占有権と本権の混同
　　占有権は本権と混同を生じても消滅しない（Ⅲ）。占有権は占有の事実を保護
することを目的とする権利であって、本権とは存在の次元を異にし、両立しうる
からである。

五　効果
　　物権は絶対的に消滅し、何らかの事由で混同以前の状態が復帰しても消滅した
権利は復活しない。
　　→混同を生じさせた法律行為自体が無効、遡及的に消滅する場合は物権は復活
　　　する（大判大 9.9.8）
　　　ex.　地上権者が売買により目的物の所有権を取得したため地上権は混同で消
　　　　　滅しても売買契約が解除されると地上権は復活する

・第2章・【占有権】

■第1節　占有権の取得

第180条　（占有権の取得）

占有権は、自己のためにする意思をもって物を所持することによって取得する。

《注　釈》
一　意義
　　法律上の根拠や権原の有無にかかわらず、物を自己のためにする意思で事実上
支配することを占有という。そして、この事実状態に対する法的保護を占有権と
いう。

二　要件
  ①　「自己のためにする意思」
  ②　「所持」

1　①「自己のためにする意思」
  (1)　所持による事実上の利益を自己に帰属させようとする意思をいう。
  (2)　この意思の有無についての判断は純粋に客観的になされる。
      →占有を生ぜしめた権原ないし原因の性質によって客観的に決定されなけ

ればならない（最判昭45.6.18）◀通　⇒ p.109

ex.　所有権譲受人、盗人、地上権者、賃借人、留置権者等はこの意思を有する

(3)　この意思は、自分の責任において物を所持する者にも認められる。

ex.　受任者、受寄者◀書、請負人、運送人

(4)　積極的に自ら利益を受ける場合に限らず、消極的に責任を追及されないという場合でもよい。

ex.　無償受寄者、配達人、未成年者の財産管理をなす親権者

(5)　この意思は一般的・潜在的にあると考えられればよい。この意思は占有取得の要件であるが、占有継続の要件ではない◀通。

ex.　知らない間に届けられた注文品についても認められる

(6)　意思能力なき者は占有意思も欠く。

→自分が所持することのみで占有を取得することはできない。ただし、代理人による意思の補充、代理人による間接占有を認めることは可能である

2　②「所持」

(1)　物に対する事実上の支配をいい、物理的な握持は不要である。社会観念上、物がその人の事実的支配内にあると認められる客観的関係があればよい。

ex.　建物を占有使用する者はその敷地も占有する（∵建物はその敷地を離れて存在しえない）（最判昭34.4.15）。外出中の留守宅の家財道具に対しても占有がある◀司

(2)　物の所持は、他人を介してすることができる（代理占有（間接占有）、占有補助者）。

3　所持される物は、公用物でも、物の一部でもよい。

第181条　（代理占有）

占有権は、代理人によって取得することができる。

《注　釈》

一　代理占有・自己占有の意義

1　占有代理人が所持をなし、本人がこれに基づいて占有権を取得するという関係を代理占有といい、占有者が自ら所持をする占有を自己占有という。

ex.　賃借人（占有代理人）が物を所持している（自己占有）場合にその所持を通じて所有者本人が占有（代理占有）を有する

2　本人の事実的支配の道具ないし機関にすぎないものを占有補助者（占有機関）といい、代理占有と区別される。　⇒下記四参照

3　占有の観念化（182Ⅱ）を認める前提として、代理占有を認めた。これにより本人（間接占有者）にも占有訴権（197〜202）が認められる。

物
権

二　代理占有の成立要件

①　占有代理人が所持を有すること

ex.　占有代理人が本人の承諾を得て目的物を質入したときは、二重の代理占有関係を生じ、本人の（間接）占有は失われない〈同〉

→占有補助者の所持は、代理占有ではない

②　占有代理人が本人のためにする意思を有すること

→客観的な権原の性質によって決まり、自己のためにする意思と併存していてもよい

→本人の側に、代理人に占有させる意思のあることは不要である〈通〉

③　本人と占有代理人との間に占有代理関係が存在すること

→外形上のものであれば足り、法律上有効なものであることを要せず、賃貸借契約の終了後であっても、また、当初から無効であってもよい〈書〉

三　代理占有の効果

1　本人も占有権を取得し、種々の法律効果を受ける。

ex.　取得時効、動産の対抗要件、占有訴権

2　第三者の占有代理人に対する権利行使は、同時に本人に対する権利行使となる。

ex.　地上権者（占有代理人）に対する明渡請求は、地上権設定者（本人）の取得時効につき完成猶予・更新の効力がある

3　占有の善意・悪意、侵害の有無等は、第一次的には直接に支配関係の成立する占有代理人により決する。しかし、本人が悪意の場合は、本人を保護する必要がないことから、占有代理人が善意でも悪意占有となる。

四　占有補助者（占有機関）

1　意義

その他人自身は独立の所持者（占有者）と認められず、本人の所持の道具ないし機関にすぎない者をいう。

ex.1　建物賃借人と同居している配偶者・子〈共〉、他人の使用人として家屋に居住する者（最判昭35.4.7）

ex.2　会社の土地の所持につき、株式会社の代表取締役に独立の占有はない（最判昭32.2.15・百選 I 62事件）〈同書〉

→代表取締役個人のためにも所持するものと認めるべき特別の事情がある場合には、代表取締役も直接占有者たる地位を有する〈書〉

2　区別基準

社会通念上、本人の事実的支配の道具ないし機関と認められるかにより判断する。

3　区別の実益

占有補助者には、民法の占有に関する規定・時効取得の規定は適用されない。

→占有補助者には占有が認められないため、占有訴権なども認められない

《その他》

▪ 用益権者、受寄者など、一時占有すべき権利義務を有する関係にあり、他人のためにする賃借人らの占有を直接占有といい、その他人（賃貸人等）に認められる占有を間接占有という。

第182条　（現実の引渡し及び簡易の引渡し）

Ⅰ　占有権の譲渡は、占有物の引渡しによってする。

Ⅱ　譲受人又はその代理人が現に占有物を所持する場合には、占有権の譲渡は、当事者の意思表示のみによってすることができる。

第183条　（占有改定）

代理人が自己の占有物を以後本人のために占有する意思を表示したときは、本人は、これによって占有権を取得する〈同共書〉。

第184条　（指図による占有移転）

代理人によって占有をする場合において、本人がその代理人に対して以後第三者のためにその物を占有することを命じ、その第三者がこれを承諾したときは、その第三者は、占有権を取得する。

［趣旨］占有権の取得原因には大別して承継取得と原始取得があり、ここでは意思表示に基づく占有権の承継取得を規定する。いずれも「引渡し」(178)を要件とする点で共通する。

《注　釈》

一　現実の引渡しによる占有の移転（182Ⅰ）

1　占有権譲渡の合意と占有の引渡しによって効力を生じる。

2　引渡しは、物理的な意味ではなく、社会通念上物を譲渡人の支配圏から譲受人の支配圏に移転させることを意味する。

二　意思表示だけによる占有の移転

1　簡易の引渡し（182Ⅱ）

すでに譲受人（又は代理人）が目的物を所持している場合に、当事者の意思表示のみによってなされる引渡しをいう〈共〉。

2　占有改定（183）

物の譲渡後も譲渡人が引き続きその物を代理人として所持する場合になされる引渡しをいう。

cf.1　外部から権利の移転を最も推知しにくい点で問題を生じる　⇒ p.154

cf.2　譲渡人が譲受人の占有機関となる場合、譲受人本人は自己占有を取得するので、占有改定ではない（大判大 4.9.29）

3　指図による占有移転（184）

⑴　目的物をAが保持している場合に、譲渡人BがそのAに対し以後その物を譲受人Cのために占有せよと命じ、譲受人Cがこれを承諾することによってなされるものである〈共書〉。

(2)　占有代理人に対する一方的意思表示があれば足り、占有代理人の承諾は不要である（占有代理人の意思に反しても構わない）〈書〉。

　　cf.　指図による占有移転の方法により、第三者に対して賃貸（寄託）中の物も返還を受けずに有効に質入（344）することができる

第185条　（占有の性質の変更）

　権原の性質上占有者に所有の意思がないものとされる場合には、その占有者が、自己に占有をさせた者に対して所有の意思があることを表示し、又は新たな権原により更に所有の意思をもって占有を始めるのでなければ、占有の性質は、変わらない。

《注　釈》

一　自主占有・他主占有

　自主占有とは、「所有の意思」（所有者として占有する意思）をもってする占有をいい、他主占有とは、その他の占有をいう。

→両者の区別は、取得時効（162）、占有者の損害賠償責任（191）、無主物占有（239）等に影響する

ex.　買主、盗人、被相続人の自主占有を相続した相続人の占有は自主占有に当たる

二　他主占有から自主占有へ転換する場合〈司〉

1　他主占有者が、自己に占有をさせた者に対し所有の意思あることを表示すること

ex.1　賃借人が賃貸人に所有の意思があることを表示する場合

ex.2　受寄者が寄託物を自己の物として質入しても、当然には自主占有に転換しない

ex.3　占有中に解除権を行使したことは「所有の意思」が失われたものといえる

2　他主占有者が「新たな権原により更に所有の意思をもって占有を始める」こと〈書〉

ex.1　賃借人が賃借物を買い取った場合（大判昭5.6.12）〈司〉

ex.2　売買契約が結果的に無効であった場合

三　相続と新たな権原〈予R4〉

　相続人が被相続人の死亡により相続財産の占有を承継したばかりでなく、新たに相続財産を事実上支配することによって占有を開始しその占有に所有の意思があると認められる場合には、被相続人の占有が他主占有であったときにも相続人は185条にいう「新たな権原」により所有の意思をもって占有を始めたものというべきである（最判昭47.9.8）〈書〉。

cf.　他主占有を相続した者が自己の自主占有による時効取得を主張する場合、186条は適用されない

→相続人は、自己の占有が独自に要件をみたすことを立証しなければならない（最判平8.11.12・百選Ⅰ63事件）〈司〉

《その他》

▪ 共同相続人の1人が単独に相続したものと信じて相続開始とともに相続財産を現実に占有し管理使用を専行し公租公課も支払っていたなどの事情があり、他の相続人が何ら関心をもたず異議も述べなかった場合、相続人は相続の時から相続財産につき単独所有者としての自主占有を取得する（最判昭47.9.8）《書》。

第186条　（占有の態様等に関する推定）

Ⅰ　占有者は、所有の意思をもって、善意で、平穏に、かつ、公然と占有をするものと推定する《書》。

Ⅱ　前後の両時点において占有をした証拠があるときは、占有は、その間継続したものと推定する。

《注　釈》

一　1項

1　趣旨

　　物の支配の秩序を維持することを目的とする占有制度において、社会に現に存する占有は瑕疵を帯びない正当なものであると一応推定することが制度目的に沿うことから規定された《回》。

2　所有の意思の推定が覆された例

　　外形的客観的に見て他人の所有権を排斥して占有する意思を有していなかったものと解される事情（他主占有事情）が証明されるときは、占有者の内心の意思いかんを問わず、その所有の意思は否定される（最判昭58.3.24）。

3　所有の意思の推定が覆されなかった例

　　土地の譲渡を受けながら長年にわたって移転登記を求めることもなく放置し、固定資産税を負担しなかったという事実は、それが他主占有事情の判断において常に決定的なものではなく、占有者と登記簿上の所有名義人との間の人的関係等、当該不動産に賦課される税額等の事情も総合して考慮すると、他主占有事情として十分でない（最判平7.12.15）。

4　本条により、善意占有が無過失に基づくという推定はなされない（最判昭46.11.11参照）《回》。

　　→短期取得時効（162Ⅱ）を主張する者は、無過失である点については立証責任を負う

　　cf.　即時取得（192）

二　2項

1　趣旨

　　現状は変更なく継続してきた状態であると推定することが占有制度の本旨に適合することから規定された。

2　具体例

　　甲から乙、乙から丙と順次相続された場合、甲の占有開始の事実と丙の占有の事実を証明することにより甲の占有開始時から現在までの継続占有が推定さ

れる。

> **第187条 （占有の承継）**
> Ⅰ 占有者の承継人は、その選択に従い、自己の占有のみを主張し、又は自己の占有に前の占有者の占有を併せて主張することができる《同書》。
> Ⅱ 前の占有者の占有を併せて主張する場合には、その瑕疵をも承継する。

［趣旨］占有権が承継される場合における占有権の二面性を認め、占有承継人はその選択に従って自己固有の占有のみを主張することも、自己の占有に前の占有者の占有を併せて主張することも承認し、ただ後者の場合には前の占有者の瑕疵も承継することとした。

《注 釈》

一 「前の占有者」（Ⅰ）

「前の占有者」は、直前の者に限らず、現占有者より以前のすべての占有者をいう。占有者が複数ある場合には、特定の占有者の占有を選択して、併せて主張することができる。

二 適用範囲

1 本条1項は、相続のような包括承継の場合にも適用される（最判昭37.5.18）《同書》。

2 被相続人の占有に属していた物は被相続人の死亡により相続人が所持ないし管理しているか否か及び相続の開始を知っているか否かにかかわりなく相続人の占有に移る。

3 本条1項は、権利能力なき社団の占有する不動産を、法人格を取得した以後当該法人が引き継いで占有している場合にも適用される（最判平元.12.22）《同共》。

三 瑕疵の承継（Ⅱ）

不動産の占有主体に変更があって承継された2個以上の占有が併せて主張された場合には、162条2項にいう占有者の善意・無過失は、その主張にかかる最初の占有者につきその占有開始の時点において判定すれば足りる（最判昭53.3.6・百選Ⅰ42事件）《同書》。

■第2節 占有権の効力
《概 説》

＜果実取得権（189、190）・損害賠償請求権（191）・費用償還請求権（196）＞

	善意占有者	悪意占有者
果実取得権 (189、190)	○ ただし、敗訴・暴行・強迫・隠匿の場合は×	× 返還＋消費・懈怠等の代価償還

	善意占有者		悪意占有者
損害賠償の範囲 **（占有者の責めによる占有** **物の滅失・損傷・191）**	自主占有 現に利益を受 ける限度	他主占有 損害の全部	損害の全部
費用償還請求 **の可否** **（196）**	**必要費** **（＊1）**	○ ただし、果実を取得した場合は、通常の必要費は償還請求 しえない（いわば当然相殺）	
	有益費 **（＊2）**	価格の増加が現存する場合に限り…○ ただし、費用か増加額かは回復者が選択（196Ⅱ本文） 悪意の占有者に対しては、裁判所は、回復者に期限を許与 しうる（同ただし書） （→留置権不発生、295Ⅰただし書）	

（○：占有者が回復者に権利行使できる　×：回復者に権利行使できない）
＊1　必要費＝保存費用・修繕費用等、物の保存と管理に必要な費用
＊2　有益費＝占有物の改良のために費やした金額その他の有益な費用

物
権

第188条　（占有物について行使する権利の適法の推定）

占有者が占有物について行使する権利は、適法に有するものと推定する。

[趣旨]物を占有して本権行使の外観を備える者は、多くの場合適法な本権を有するものであるという蓋然性を基礎に本条が規定された。

《注　釈》

一　推定の範囲

1　占有者は、通常は、所有権を有するとの推定を受ける。

2　本条は、権利が適法に存在ないし帰属することを推定する規定であり、権利が適法に取得・設定されたことを推定する規定ではない〈判〉。

→所有権者から提起された建物明渡請求訴訟において、占有者が賃借権の存在を主張する場合、占有者が自ら賃借権の取得を主張・立証しなければならない（最判昭35.3.1）〈判〉

∵　賃貸借関係の存否が争われているとき、賃借人たるべき者が目的物を占有していたからといって、その者が適法な賃借人であるとの推定は生じない

3　現在の占有によって本条の推定を受ける者は、以前も適法な権利を有していたと推定される。また、以前に占有した者は、その占有の間は適法に権利を有していたと推定される。本条の権利は所有権等の物権だけでなく、占有をなすことを正当とするすべての権利（賃借人、受寄者の権利等）を含む。ただし、186条の存在により通常は占有者は所有者と推定される（大判大13.9.25）。

二　推定の効果

1　「推定する」とは、反証を挙げて破られるまで正当な本権があるとの主張について挙証責任を負わないことをいう。

　　　→防御的な性質を有する
　2　占有者は本条の推定により登記の申請をしたり、自己の占有が正当な権原に
　　基づくことの証明に代えることはできない（大判明39.12.24）。
　3　本条の推定は、占有者の利益のためだけでなく不利益のためにも適用される。
　　ex.　賃借人がその所有物の上に先取特権の負担を受ける場合にも、賃借人
　　　　の占有する物はその所有と推定される
　4　占有者だけでなく、第三者も推定の効果を援用することができる<判>。
　　ex.　債務者の占有物を差し押さえた債権者は、債務者の所有と推定する効
　　　　果を援用することができる

三　不動産の占有と権利の推定
　　登記のある不動産については、本条の推定の適用はなく、登記に推定力を与え
　るべきであり、未登記の不動産についてだけ本条の推定をなすべきである<通>。

第189条　（善意の占有者による果実の取得等）

Ⅰ　善意の占有者は、占有物から生ずる果実を取得する。
Ⅱ　善意の占有者が本権の訴えにおいて敗訴したときは、その訴えの提起の時から悪
意の占有者とみなす<書>。

[趣旨] 果実を取得する権利がないにもかかわらず、これを有するものと誤信して占
有する者は、果実を取得し、消費するのが普通である。にもかかわらず、あとで本
権者からその返還ないし代償を請求されるとすると善意占有者にとって酷である。
そこで、本権者・占有者間の法律関係につき、占有に独自の効力を与えたものであ
る。

《注　釈》
一　要件
　　①　「善意の占有者」であること
　　②　「果実」
　1　①「善意の占有者」であること
　(1)　善意の占有者とは、果実収取権を含む本権（所有権、地上権等）を有する
　　　と誤信する占有者をいう。
　　　→果実収取権を含まない本権（留置権、動産質権等）があると誤信しても
　　　　本条の適用はない
　(2)　善意であれば過失の有無は問わない。
　(3)　善意の判定時期は、果実につき独立の所有権が成立する時である。
　　　ex.1　天然果実は元物から分離する時
　　　ex.2　法定果実は善意の存続した期間に日割をもって決する
　(4)　本権の訴えで敗訴したときは、起訴の時に遡って悪意占有者とみなされる
　　　（Ⅱ）<同>。
　2　②「果実」
　　　取得される果実には、天然果実、法定果実の他、占有物の利用による利益も

含まれる（大判大14.1.20）。

二　効果

1　本条は所有者と占有者の間に物権侵害の関係しかない場合に適用される。

2　契約の解除によって物を返還する場合については、本条の適用はなく、その物を使用収益した利益を返還しなければならない（最判昭34.9.22）。

∵　契約関係の清算としての性格を重視するべき

また、法律行為の無効・取消しによって物を返還する場合も、上記と同様に、原則として本条の適用はないと解されている。

cf.　不当利得した金銭の運用利益には本条の適用はなく、703条が適用される（最判昭38.12.24・百選Ⅱ68事件）　⇒ p.623

《その他》

▪ 本条2項により悪意の占有者とみなされることだけを理由に、占有者に故意・過失があるとして不法行為の成立を認めることはできない（大判昭18.6.19）。

第190条　（悪意の占有者による果実の返還等）

Ⅰ　悪意の占有者は、果実を返還し、かつ、既に消費し、過失によって損傷し、又は収取を怠った果実の代価を償還する義務を負う。

Ⅱ　前項の規定は、暴行若しくは強迫又は隠匿によって占有をしている者について準用する。

[趣旨] 真正の権利者をして適当な時期に収取させなかったため生じた損害につき、悪意占有者に賠償させる趣旨から認められた。悪意の不当利得に関する一般規定たる704条の特則になる。

《注　釈》

◆　適用範囲

1　本条は不法行為の規定を排除するものではない（請求権競合）が（大判昭18.6.19）、果実の償還・代価償還については不法行為の特則をなしている。

2　575条により本条の適用が排除されることがある（大連判大13.9.24）。

第191条　（占有者による損害賠償）

占有物が占有者の責めに帰すべき事由によって滅失し、又は損傷したときは、その回復者に対し、悪意の占有者はその損害の全部の賠償をする義務を負い、善意の占有者はその滅失又は損傷によって現に利益を受けている限度において賠償をする義務を負う。ただし、所有の意思のない占有者は、善意であるときであっても、全部の賠償をしなければならない。

[趣旨] 占有物の滅失・損傷が生じた場合について、善意占有者と悪意占有者それぞれについて、回復者との関係を規定したものである。

《注　釈》

一　「占有者」

1　回復者との関係で占有すべき本権を有しない者をいう。

物権

→両者の間に法律関係が存在すれば、回復者との関係はそれにより決せられる

2　現存利益の賠償に限定されて保護を受けるのは、所有の意思を有する善意占有者のみである。

∵　所有の意思を有しない他主占有者は、本来物の返還についての認識があるため、損害全部の賠償をさせても酷とはいえない

二　「滅失」

物理的滅失のみならず、物を第三者に譲渡して返還の不能である場合を含む（大判昭 2.2.16）。

第192条　（即時取得）

取引行為によって、平穏に、かつ、公然と動産の占有を始めた者は、善意であり、かつ、過失がないときは、即時にその動産について行使する権利を取得する。

［趣旨］動産の取引において、占有を信頼して取引をした者は、譲渡人の権利の有無とは関係なく権利を取得するという、公信の原則を採用したものである。

《注　釈》

一　即時取得の要件〈司H21 司H27〉

①　目的物が「動産」であること
②　前主が無権利者であること
③　前主に占有があること
④　前主との間に有効な「取引行為」が存在すること
⑤　平穏・公然・善意・無過失で占有を取得すること

1　①目的物が「動産」であること

即時取得の目的物は動産に限られる。ただし、以下のような例外がある。

cf.　不動産については、登記・占有のいずれにも公信力は認められない

（1）登録済の自動車

公示方法が具備されているから公信の原則を適用する必要はない（最判昭 62.4.24）〈司書〉。ただし、未登録の自動車には適用がある（最判昭 45.12.4）〈司書〉。

（2）金銭

金銭の流通保護を徹底するため、金銭の所有権は占有があるところに存在すると解される。

→不当利得（703）の問題として処理すべきである（最判昭 39.1.24・百選 I 73事件）

（3）不動産の一部

（a）伐採前の立木

立木のまま非所有者から譲り受け、自ら伐採した場合、不動産の一部を構成するので即時取得の対象とならない。

cf.1　無権利者が伐採した木を譲り受けた場合は即時取得の対象となる

　　　　cf.2　山林に生立している立木を買い受けて伐採した者は、即時取得の
　　　　　　　主張ができない（大判昭 7.5.18）
　　　(b)　稲立毛・未分離の果実
　　　　　判例は即時取得の対象としているが、学説からは批判されている。
　(4)　債権
　　　即時取得の対象とならない。
　(5)　従物（87）
　　　動産であれば従物も即時取得の対象となる。
2　②前主が無権利者であること
　(1)　前主が無権利者である場合に限定される。
　　　(a)　制限行為能力者や無権代理人による処分の場合、意思表示の瑕疵・欠缺
　　　　　の場合、即時取得の適用はない〈司共書〉。
　　　　　∵　制限行為能力者保護制度、無権代理制度等が無意味になる
　　　(b)　契約が無効の場合、取消し・解除により遡及的に消滅した場合も、即時
　　　　　取得の適用はない〈共〉。
　　　　　∵　無効制度や取消権・解除権を認めて保護を図った趣旨が失われる
　(2)　(a)(b)の場合でも、その取引をした者からさらに目的物を譲り受けた転得者
　　　には即時取得の適用がある〈司共ヲ書〉。
　　　　cf.　当事者間で目的動産の譲渡禁止特約がなされても、第三者は有効に権
　　　　　　利を承継取得する
　　　　　　∵　特約は第三者に対抗できない
3　③前主に占有があること
　　　権利者らしい外観を信頼した者を保護する制度であることから要求される。
　　　→占有の態様（直接占有か間接占有か・自主占有か他主占有か・前主の占有
　　　　意思の有無・占有権者か占有補助者等の所持機関か）は問わない
4　④前主との間に有効な「取引行為」が存在すること
　(1)　即時取得は、取引の安全を保護する制度であるから、占有の承継は取引行
　　　為に基づくことを要する。
　　　　ここにいう「取引行為」は、「動産について行使する権利を取得する」も
　　　のである必要がある。すなわち、売買・贈与・質権設定契約（質権の即時取
　　　得の場合）〈司〉のほか、消費貸借（大判昭 9.4.6）〈共〉、弁済・代物弁済〈書〉もこ
　　　れに当たり、任意・強制競売による競落も「取引行為」に当たる（最判昭
　　　42.5.30）〈司書〉。
　　　　他方、寄託物の返還を受けた場合において、誤って他人の物を受け取った
　　　ときには、この要件は充足されない。
　(2)　「取引行為」に当たらない場合、即時取得は適用されない〈共〉。
　　　　ex.1　相続によって相続財産中にある他人の動産を取得した場合〈司共書〉
　　　　ex.2　他人の山林を自己の山林と誤信して伐採し、動産たる伐木を取得し
　　　　　　　た場合〈司〉

物
権

　　　ex.3　飼主不明の迷い犬を拾った場合
　(3)　「取引行為」は、有効なものでなければならない《同》。
　　　∵①　即時取得は、前主の占有を信頼し、権利が存在すると考えた者を保
　　　　　護する制度であって、無効な取引行為を有効なものとする制度ではな
　　　　　い
　　　　②　取引行為が無効であれば、たとえ前主が権利者であっても、相手方
　　　　　は権利を取得できなかったはずである
　　　したがって、「取引行為」が、①意思能力を有していなかったために無効
　　（3の2）である場合や、②行為能力の制限、錯誤（95）《共》、詐欺・強迫
　　（96）等によって取り消された場合、③無権代理《共》による場合には、即時取
　　得は成立せず、取引行為自体の瑕疵は192条により治癒されない（即時取得
　　の適用を認めると、これらの制度は無意味なものとなってしまう）。
　　　もっとも、瑕疵がある取引行為によって目的物を取得した者から、さらに
　　その目的物を譲り受けた転得者については、即時取得の適用がある。
5　⑤平穏・公然・善意・無過失で占有を取得すること《共》
　(1)　平穏・公然・善意は推定される（186Ⅰ）《司共》。
　　　無権利者から動産を買い受けた者は自己の無過失の立証責任を負わない
　　《司共書》。
　　　∵　占有者は188条により権利を適法に有すると推定される
　　　cf.1　10年の時効取得を主張する者は、自己の無過失の立証責任を負う
　　　　　（大判大8.10.13）
　　　cf.2　半信半疑の場合は「善意」とはいえない《同》
　(2)　善意・無過失は占有取得の時に存在すれば足り、その後に悪意になっても
　　よい《共書》。
　　　ex.　他人物売買で代金完済まで所有権が留保される特約がなされた場合、
　　　　　目的物の現実の引渡しの時に善意・無過失であれば、後の代金完済時に
　　　　　悪意でも即時取得が成立する
　(3)　「占有を始めた」に現実の引渡し（182Ⅰ）や簡易の引渡し（182Ⅱ）が含
　　まれることに争いはない。他方、占有改定（183）や指図による占有移転
　　（184）が「占有を始めた」といえるかについては争いがある。
　　(a)　占有改定と即時取得《司共書》《予R5》
　　　　判例（最判昭35.2.11・百選Ⅰ64事件）は、即時取得により目的物の所
　　　有権を取得しうるためには、一般外観上従来の占有状態に変更を生ずるよ
　　　うな占有を取得することを要するとし、占有改定は一般外観上変更を来た
　　　さないため、「占有を始めた」には含まれないとしている。
　　(b)　指図による占有移転と即時取得《書》《同R3》
　　　　判例は、2つの類型に分けて検討している。
　　　①　目的物が所有者の支配内にとどまる場合
　　　　　原所有者Ⅹから動産の管理を委ねられたＡが、Ⅹに無断でＢに売却

し、AがBのために引き続き動産の管理を継続することとされた（占有改定）後、さらにBがYに動産を転売し、Aに対して以後Yのために管理するよう通知（指図による占有移転）したような場合、判例（大判昭8.2.13）は即時取得を否定する。

② 目的物が所有者の支配から離れた場合〈共予書〉

原所有者Xから動産の管理を委ねられたAが、動産を自己の物であるとしてBに預けた上で、Xに無断でYに動産を売却し、Bに対して以後Yのために管理するよう通知（指図による占有移転）したような場合、判例（最判昭57.9.7）は即時取得を肯定する。

二　効果

1　所有権・質権〈書〉・譲渡担保権を取得する。

cf.　譲渡担保権の取得については、占有改定が問題となることが多い ⇒ p.292

2　原始取得である。　→前主に存した制限は取得者に承継されない

3　即時取得者は、元の権利者に対して不当利得返還義務（703）を負わない〈過〉〈司〉

第193条　（盗品又は遺失物の回復）〈司R3〉

前条の場合において、占有物が盗品又は遺失物であるときは、被害者又は遺失者は、盗難又は遺失の時から2年間、占有者に対してその物の回復を請求することができる。

［趣旨］盗品・遺失物のように権利者の意思によらないで占有を離れた物については、特に真実の所有者を保護するため、即時取得の例外を設けた。

《注　釈》

一　適用範囲

1　「盗品又は遺失物」

(1)　「盗品」とは、窃盗又は強盗によって占有者の意思に反してその占有を剥奪された物をいう。また、「遺失物」とは、窃盗、強盗以外の方法で占有者の意思によらずにその占有を離れた物をいう。

(2)　対象物の拡張はなされない。

→詐取された物、横領された物、恐喝された物に本条は適用されない〈書〉

2　回復請求権者は「被害者又は遺失者」である〈司〉。

(1)　賃借人や受寄者も含まれる〈共予書〉。

→原所有者も、本条に基づく回復請求権を行使できる

(2)　動産質権者は回復請求権を行使できない。

∵　質物の占有を失えば質権の対抗力を失い（352）、占有回収の訴えによらなければならない

→善意の特定承継人には請求ができない（200Ⅱ）

3　回復請求の期間

盗難又は遺失の時から2年である〈書〉。相手方（占有者）の占有開始時ではない。

4　回復請求の相手方は直接の善意取得者に限らずその特定承継人も含む（予）。

二　回復請求権の法的性質（所有権の帰属）

＜回復請求権の法的性質＞〈書〈司R3〉

	原所有者帰属説（大判大10.7.8）〈司〉	善意者取得説（通）
内容	所有権は原所有者に留保されている→本回復請求権は占有の回復を認めるものにすぎない	善意取得者は所有権を即時に取得する→原所有者は所有権の回復を求めると同時に占有の回復を請求することとなる
理由	もし、即時取得者が盗品又は遺失物の所有権・質権を取得すると解すると回復請求権を有することについて疑問のない被害者又は遺失者たる賃借人・受寄者等は最初からもっていない権利を回復して取得することになって不合理である	盗品・遺失物でも回復請求されない場合もあり、善意取得者に所有権の即時取得を認めないとその場合の理論構成が現実から遊離したものになってしまう
192条との関係	193条の規定により192条の適用が排除される	193条は192条の例外として特に2年間に限り所有権の回復を認めた

第194条

占有者が、盗品又は遺失物を、競売若しくは公の市場において、又はその物と同種の物を販売する商人から、善意で買い受けたときは、被害者又は遺失者は、占有者が支払った代価を弁償しなければ、その物を回復することができない。

[趣旨] 善意取得者が盗品・遺失物を商人や競売によって買い受けたときは、その取引を保護する必要があるので、代価弁償をしなければ回復請求できないものとした。

《注　釈》

一　代価弁償の性質

＜代価弁償の性質＞

	抗弁権説	請求権説（最判平12.6.27・百選Ⅰ65事件）〈通〈司書〉
内容	回復者が回復請求をする際に、占有者は回復者が代価を弁償するまでその引渡しを拒みうるにすぎない	回復者に対する抗弁はもちろん、物が何らかの事由で回復者に帰してもなお独立の請求権として代価弁償をなしうる
結果	一度回復者に交付した後は、代価の弁償も物の交付も請求できない	即時取得者は、一度任意に交付した後でも、代価を弁償するかこれを欲しないなら目的物を返還するか、いずれかを請求する権利を失わない

※　占有者は、弁償の提供があるまで、盗品等の使用収益を行う権限を有する（最判平12.6.27・百選Ⅰ65事件）〈司書〉。

二　適用範囲〈同予〉

　「競売」には、強制競売、任意競売のいずれも含まれる。「公の市場」とは広く店舗を意味し、「その物と同種の物を販売する商人」とは、行商人等を指す。

　本条によって善意取得者が代価を請求しうるのは、「買い受けた」場合であり、贈与を受けた場合等には、本条は適用されない。

三　物が滅失した場合の回復請求権

　回復請求権は、その物が現存することを前提としているため、物が滅失した場合、回復請求権は消滅し、さらに、被害者は回復に代わる賠償を請求することもできない（最判昭26.11.27）〈判〉。

第195条（動物の占有による権利の取得）

　家畜以外の動物で他人が飼育していたものを占有する者は、その占有の開始の時に善意であり、かつ、その動物が飼主の占有を離れた時から1箇月以内に飼主から回復の請求を受けなかったときは、その動物について行使する権利を取得する。

《注　釈》

- 「家畜」か否かの判断は、地方ごとに、また時代によって異なる。
- 「善意」の対象は、無主物であることについての誤信である。所有者を特定できなくても他に誰か、飼養主がいる旨誤信した場合は含まない（大判昭7.2.16）。
- 1か月の起算点は「飼主の占有を離れた時」であり、占有取得時ではない。

第196条（占有者による費用の償還請求）

　Ⅰ　占有者が占有物を返還する場合には、その物の保存のために支出した金額その他の必要費を回復者から償還させることができる。ただし、占有者が果実を取得したときは、通常の必要費は、占有者の負担に帰する〈重〉。

　Ⅱ　占有者が占有物の改良のために支出した金額その他の有益費については、その価格の増加が現存する場合に限り、回復者の選択に従い、その支出した金額又は増価額を償還させることができる。ただし、悪意の占有者に対しては、裁判所は、回復者の請求により、その償還について相当の期限を許与することができる〈司〉。

［趣旨］ 占有者が権原なく占有物に費用をかけ、物の価値を維持・増加させた場合の投下費用の回収について規定したものである。

《注　釈》

一　必要費

　物の保存と管理に必要な費用をいう。　ex. 修繕費、飼養費、公租公課

1　占有者は、その善意・悪意を問わず、また、所有の意思の有無を問わず、必要費の全額の償還を請求することができる（Ⅰ）〈司書〉。

2　占有者が果実を取得した場合には、必要費のうち、通常の必要費（ex. 小修繕費、公租公課）は占有者の負担となる（Ⅰただし書）〈司共書〉。

　∵　果実により得た利益で支弁できる

　→占有者は臨時費（ex. 水害による家屋の大修繕費）ないし特別費の償還は、

常に請求することができる

二　有益費

物を改良し、物の価値を増加させる費用をいう。

ex.　雨戸の新調、排水工事

1　占有者は、有益費について、その価格の増加が現存する場合に限り、回復者の選択に従い、占有者の費やした金額又は増加額を償還せしめることができる（Ⅱ本文）。

　　ex.　占有者の善意・悪意を問わず、有益費の全額の返還請求は認められない

2　悪意の占有者も善意の占有者と同様、有益費償還請求権自体を認められる点は異ならない。しかし、裁判所は、回復者の請求によって、その償還につき一定の期限の猶予を与えることができる（Ⅱただし書）。

　　→償還請求権は「弁済期にない」ことになり、占有者はその物の上に留置権を行使できなくなる（295Ⅰただし書）

　　cf.　償還請求権は、占有者の善意・悪意又は必要費・有益費を問わず留置権により保護される

＜費用償還請求に関する規定の処理＞

	必要費	有益費
占有者 (196)	原則：返還時に全額請求できる 例外：果実を取得した場合、通常の必要費は占有者の負担	返還時に価格の増加が現存する限り、出捐額又は増加額を回復者の選択に従い請求できる（悪意占有者に対しては、裁判所は期限を許与することができる）
留置権 (299) **質権**(＊1) (350)	支出した全額を償還請求できる →196条と異なり、留置物・質権から生ずる果実を取得したときでも必要費の償還を請求できる	返還時に価格の増加が現存する限り、出捐額又は増加額を所有者の選択に従い請求できる（ただし、裁判所は所有者の請求により期限を許与することができる） →196条と異なり、裁判所の許与に関し、留置権者・質権者の善意・悪意を問わない
買戻権 (583)	占有者の費用償還請求の場合と同じ	占有者の費用償還請求の場合と同じ（ただし、裁判所は売主の請求により相当の期限を許与できる）
使用貸借 (595) (＊2)	通常の必要費は、借主の負担 それ以外は、買戻しの場合と同じ	買戻しの場合と同じ

	必要費	有益費
賃貸借 （608）	直ちに全額請求できる	占有者の費用償還請求の場合と同じ（ただし、裁判所は賃貸人の請求により相当の期限を許与できる）

＊1　不動産質権以外の質権（357、359）
＊2　配偶者居住権（1034）・配偶者短期居住権（1041）も使用貸借と同様。

第197条　（占有の訴え）

　占有者は、次条から第202条までの規定に従い、占有の訴えを提起することができる。他人のために占有をする者も、同様とする。

[趣旨] 自力救済を禁じる一方で、物の事実的支配を一応保護することによる社会秩序を維持するためのものである。

《注　釈》

一　占有訴権の主体

　1　間接占有者・他主占有者・悪意占有者も含むすべての占有者〈司〉。
　　ex.　盗人、所有者、賃借人〈司〉、留置権者、質権者、受寄者
　2　占有補助者は、「占有者」ではないので、占有訴権の主体とはならない。

二　占有訴権の内容

　占有妨害の態様によって、占有保持の訴え（198）、占有保全の訴え（199）、占有回収の訴え（200）の3種が予定されている。

<占有訴権についての整理>

	占有保持の訴え（198）	占有保全の訴え（199）	占有回収の訴え（200）
要件	占有者の占有が妨害されているとき	占有を妨害されるおそれがあるとき	占有者の占有が奪われたとき
具体例	他人の物が理由なく庭園に放置されている場合	隣地の樹木が倒れそうになった場合	他人に動産を盗み取られた場合
目的物	不動産	不動産	不動産・動産
請求内容	妨害の停止及び損害賠償	妨害の予防又は損害賠償の担保	目的物返還及び損害賠償
行使期間 （201）	① 妨害の存する間又は消滅した後1年以内（201 I 本文） ② ただし、侵害者の工事着手の時から1年を経過したとき又は工事完成後は妨害停止を求めえない（201 I ただし書）	① 妨害の危険の存する間（201 II 本文） ② ただし、侵害者の工事着手の時から1年を経過したとき、又は工事完成後は妨害予防を求めえない（201 II ただし書）	侵奪の時から1年以内（201 III）

物
権

第198条　（占有保持の訴え）

　占有者がその占有を妨害されたときは、占有保持の訴えにより、その妨害の停止及び損害の賠償を請求することができる。

《注　釈》
一　妨害

　妨害は社会通念上、認容すべき程度を超えている場合に限る。また、妨害者の故意・過失は不要である。

二　妨害の停止

　1　「妨害の停止」とは、妨害を除去し、原状を回復することをいう。その費用は妨害者が負担する（大判大 5.7.22）。ただし、妨害者に故意・過失がない場合には費用を負担させるべきではないとする反対説がある。

　2　妨害停止請求の相手方は、現在の占有妨害者である（大決昭 5.8.6）。

三　損害賠償請求

　損害賠償請求は、不法行為に基づくものであり、妨害者の故意・過失が必要である。

第199条　（占有保全の訴え）

　占有者がその占有を妨害されるおそれがあるときは、占有保全の訴えにより、その妨害の予防又は損害賠償の担保を請求することができる。

《注　釈》
一　妨害予防に要する費用

　一般人の立場から、妨害の客観的可能性がある場合に、現に妨害の危険を生ぜしめている者が負担する。その者の故意・過失の有無を問わない〈論〉。

二　損害賠償の担保請求

　相手方の故意・過失は必要でない〈論〉。

三　妨害予防請求と担保請求の関係

　他の2種類の占有訴権とは異なり選択的である（∵いずれかの請求で目的が達成される）。

第200条　（占有回収の訴え）

　Ⅰ　占有者がその占有を奪われたときは、占有回収の訴えにより、その物の返還及び損害の賠償を請求することができる〈論〉。

　Ⅱ　占有回収の訴えは、占有を侵奪した者の特定承継人に対して提起することができない〈論〉。ただし、その承継人が侵奪の事実を知っていたときは、この限りでない〈論〉。

《注　釈》
一　内容（Ⅰ）

　1　占有の侵奪

　　占有者の意思に基づくことなく占有が奪われたことをいう。

ex.1　詐取、遺失は含まれない〈司書

ex.2　強制執行による場合、著しく違法性を帯びていない限り、占有の侵奪とはいえない（最判昭38.1.25）〈書

ex.3　賃貸借終了後も、賃借人が占有を継続する場合は、占有の侵奪はない〈司

cf.　賃貸借終了後も、賃借人が占有を継続する場合において、賃貸人が実力で目的物の占有を奪ったときは、たとえ賃貸人が本権に基づく返還請求をなしうる場合であっても、被侵奪者である賃借人は、占有回収の訴えを提起できる（大判昭7.4.13）〈書

2　返還
侵奪された物の占有を取り戻させ、侵奪前の占有を回復させることをいう。

3　損害賠償請求
「損害」は占有を侵奪されたことによる損害であるから、占有の回復されるべき目的物の価格によって決定されるべきではなく、占有侵奪により失われた目的物の利用利益によって決定される（大判大13.5.22）〈書。

二　請求の相手方（Ⅱ）

1　相手方の故意・過失は問わない〈司。

2　侵奪者が目的物を第三者に貸与している場合でも、当該侵奪者に対して占有回収の訴えを提起できる〈書。

3　悪意の特定承継人には占有回収の訴えを提起できる（ただし書）〈予書。
「承継人が侵奪の事実を知っていたとき」とは、承継人が何らかの形で占有侵奪があったことについて認識していた場合をいい、占有の侵奪を単なる可能性のある事実として認識していただけでは足りない（最判昭56.3.19）〈司書。

4　特定承継人には、侵奪者からの賃借人・受寄者も含まれる。
→侵奪者・悪意の特定承継人からの賃借人・受寄者などその占有代理人となる第三者に対しては、当該第三者が悪意の場合のみ占有回収の訴えを提起できる（大判昭19.2.18）〈司

5　一度善意の特定承継人が現れた後は、その後の悪意の特定承継人に対しても占有回収の訴えは提起できない（絶対的構成）（大判昭13.12.26）〈書。

三　交互侵奪

たとえば、Aの所有する洋服をBが盗んだのでAがこれを奪い返すというように、占有を侵奪されて占有回収の訴えを提起できる者（A）が現実の占有者（B）から物を侵奪したという場合、BはAに返還を請求しうる。

第201条　（占有の訴えの提起期間）

Ⅰ　占有保持の訴えは、妨害の存する間又はその消滅した後1年以内に提起しなければならない〈供。ただし、工事により占有物に損害を生じた場合において、その工事に着手した時から1年を経過し、又はその工事が完成したときは、これを提起することができない〈司。

Ⅱ　占有保全の訴えは、妨害の危険の存する間は、提起することができる。この場合において、工事により占有物に損害を生ずるおそれがあるときは、前項ただし書の規定を準用する〈司〉。

Ⅲ　占有回収の訴えは、占有を奪われた時から１年以内に提起しなければならない〈難〉。

《注　釈》

- 占有回収の訴えについては、占有を「奪われた時から」１年以内に提起しなければならない。
  - →侵奪者から悪意の特定承継人に移転した場合、その者に対する提訴期間も最初に侵奪者が占有を侵奪した時から起算する（特定承継人の占有取得時からではない）

第202条　（本権の訴えとの関係）

Ⅰ　占有の訴えは本権の訴えを妨げず、また、本権の訴えは占有の訴えを妨げない。

Ⅱ　占有の訴えについては、本権に関する理由に基づいて裁判をすることができない。

[趣旨]事実的支配を保護するために行使される権利としての占有訴権と法律上あるべき支配状態を実現するために行使される本権の訴えとは別個の目的を有するものである。本条は両者の関係について規定する〈司〉。

*　本権とは、占有を法律上正当なものとさせる実質的権利をいう。

　ex.　所有権、地上権、賃借権〈司〉

　cf.　一般先取特権（306）は物を占有する権利を含まない物権であるから、それに基づく本権の訴えとして返還請求権を行使することはできない〈司〉

《注　釈》

一　１項

　　占有訴権と本権の訴えを同時に提起しても別々に提起してもよいし〈通〉〈司〉、一方で敗訴しても他方を提起することもできる。

二　２項

　　両種の訴えは別個に取り扱われる。

　ex.1　占有回収の訴えの相手方に所有権その他の本権があったとしても、それを理由に占有回収の請求を否認することができない〈司〉

　ex.2　占有の訴えに対し防御方法として本権の主張はなしえない。しかし、本権に基づく反訴（民訴146）を提起することはできる（最判昭40.3.4・百選Ⅰ66事件）〈共書〉

■第3節　占有権の消滅

第203条　（占有権の消滅事由）

　占有権は、占有者が占有の意思を放棄し、又は占有物の所持を失うことによって消滅する。ただし、占有者が占有回収の訴えを提起したときは、この限りでない。

[趣旨] 占有権取得の要件である占有意思と占有事実（180）に対応させて、占有権の消滅事由を規定したものである。

《注　釈》

◆　自己占有権の消滅

1　物権一般の消滅原因による消滅

　　ただし、その性質上、混同（179 Ⅲ）・消滅時効（166 以下）は適用がない。

2　占有権特有の消滅原因

　⑴　「占有の意思を放棄」すること

　⑵　「所持を失う」こと🖊

　　(a)　各場合につき、社会通念に従って判断する。

　　　　ex.　占有者が自宅でその物を見失っても、その物が屋内にある限り占有は消滅しない（大判大 15.10.8）

　　(b)　例外

　　　　占有者が占有を侵奪されて所持を失った場合に、占有者が占有回収の訴えを提起したときは、占有は失われなかったものとして取り扱われる。

　　　　→占有を侵奪された場合でも、適法な占有回収の訴え（200）により占有を回復すれば、占有の中断はなかったものとみなされる 同共予

　　　　ただし、占有回収の訴えに勝訴して現実に占有を回収したことを要する（最判昭 44.12.2）共予。

　　　　cf.　侵奪から 1 年以内に侵奪者から任意に目的物の返還を受けた場合、占有の中断はなかったものとみなされる

第204条　（代理占有権の消滅事由）

Ⅰ　代理人によって占有をする場合には、占有権は、次に掲げる事由によって消滅する。

　①　本人が代理人に占有をさせる意思を放棄したこと。

　②　代理人が本人に対して以後自己又は第三者のために占有物を所持する意思を表示したこと。

　③　代理人が占有物の所持を失ったこと。

Ⅱ　占有権は、代理権の消滅のみによっては、消滅しない。

《注　釈》

◆　代理占有の消滅

1　本人が占有代理人に占有をさせる意思を放棄する場合

2　占有代理人が、本人に対して「自己又は第三者のために占有物を所持する」という意思を表示した場合

3　占有代理人が占有物の所持を失った場合

4　占有代理関係の消滅のみによっては、消滅しない。

　　ex.　賃貸借契約の期間が満了したのみでは、代理占有は消滅しない🖊

　　　　∵　貸主・借主という外形が存在している限り、その消滅を認めるべきではない

■第4節　準占有

> ### 第205条
> この章の規定は、自己のためにする意思をもって財産権の行使をする場合について準用する。

《注　釈》

一　意義

準占有とは、物の支配を伴わない財産的利益の事実的支配関係をいう。

二　成立要件

① 「自己のためにする意思」を有すること

② 「財産権の行使」のあること

　　→一般取引観念上、財産権がその者の事実的支配のうちに存すると認められる客観的事情があることをいう

　　cf.　所有権、賃借権など占有を伴う財産権行使には準占有が成立しない

三　準占有の認められる「財産権」

準占有は物の所持を本質的内容としない財産権に限り成立する。

1　準占有の成立するもの

　①債権（大判大10.5.30）、②特定の債権関係（電話加入権）、③物の占有を目的としない担保物権（先取特権、抵当権）、④地役権（最判平12.3.29）、⑤準物権（鉱業権、漁業権）、⑥無体財産権（著作権、特許権、商標権）、⑦形成権（取消権、解除権）

2　準占有の成立しないもの◀□

　①所有権、②地上権、③永小作権、④質権、⑤賃借権等

四　準占有の効果

占有に関する規定が準用される。

ex.　占有訴権（197以下）　→侵害排除・現状保全的効力

　　取得時効（162以下）、果実収取権（189、190）、費用償還請求権（196）

　　→本権取得的効力

　　占有の公示力（178）、本権推定力（188）　→本権公示的効力

cf.　即時取得（192）は準用されない◀□

　　∵　即時取得は動産の占有に公信力を認めた制度

・第3章・【所有権】

■第1節　所有権の限界

第1款　所有権の内容及び範囲

> **第206条　（所有権の内容）**
>
> 　所有者は、法令の制限内において、自由にその所有物の使用、収益及び処分をする権利を有する。
>
> **第207条　（土地所有権の範囲）**
>
> 　土地の所有権は、法令の制限内において、その土地の上下に及ぶ。
>
> **第208条　（建物の区分所有）　削除**

《注　釈》

- 206条は所有権の絶対性について使用・収益・処分の自由と制限とを規定する。
- 「法令」とは憲法29条2項、民法1条1項の「公共の福祉」による制約を示し、具体的には法律、条例、法律の委任ある命令を意味する。

第2款　相隣関係

> **第209条　（隣地の使用）**
>
> Ⅰ　土地の所有者は、次に掲げる目的のため必要な範囲内で、隣地を使用することができる。ただし、住家については、その居住者の承諾がなければ、立ち入ることはできない囲。
>
> ① 境界又はその付近における障壁、建物その他の工作物の築造、収去又は修繕
>
> ② 境界標の調査又は境界に関する測量
>
> ③ 第233条第3項＜土地所有者による竹木の枝の切除権＞の規定による枝の切取り
>
> Ⅱ　前項の場合には、使用の日時、場所及び方法は、隣地の所有者及び隣地を現に使用している者（以下この条において「隣地使用者」という。）のために損害が最も少ないものを選ばなければならない。
>
> Ⅲ　第1項の規定により隣地を使用する者は、あらかじめ、その目的、日時、場所及び方法を隣地の所有者及び隣地使用者に通知しなければならない。ただし、あらかじめ通知することが困難なときは、使用を開始した後、遅滞なく、通知することをもって足りる。
>
> Ⅳ　第1項の場合において、隣地の所有者又は隣地使用者が損害を受けたときは、その償金を請求することができる字。

【令3改正】改正前民法209条1項本文は、「土地の所有者は、境界又はその付近において障壁又は建物を築造し又は修繕するため必要な範囲内で、隣地の使用を請求することができる」として隣地の使用請求を規定していたが、隣地所有者が隣地の使用を承諾しなければ、判決を得ない限り隣地を使用することができなかった。今

般の改正では、土地所有権の効用を発揮・増大するべく、「隣地使用請求権」から「隣地使用権」へと変更された。

《注　釈》

◆　隣地使用権

1　意義

　　土地所有者は、209条1項各号に掲げる目的のため必要な範囲内で、隣地を使用することができる（209 I 柱書本文）。

　　ただし、住家については、その居住者の承諾がなければ、立ち入ることはできない（209 I 柱書ただし書）。

　　∵　居住者の平穏な生活やプライバシーを保護する観点

2　使用の通知（III）

　　隣地を使用する者は、あらかじめ、その目的、日時、場所及び方法を隣地の所有者及び隣地使用者に通知しなければならない（事前の通知、209 III 本文）。

　　∵　隣地使用権が濫用的に行使されることを防止し、隣地所有者・隣地使用者に隣地の使用やその方法等について争う機会を与え、もって隣地所有者・隣地使用者の利益を保護する趣旨

　　ただし、隣地所有者・隣地使用者が不明であるなど、あらかじめ通知することが困難なときは、使用を開始した後、遅滞なく、通知することをもって足りる（事後の通知、209 III ただし書）。

　　∵　隣地所有者・隣地使用者が不明である場合における土地所有者の探索の負担を軽減するととともに、隣地所有者・隣地使用者が判明したときにあらためて隣地の使用状況を報告する趣旨で通知すれば足りる

　　→隣地の使用後、隣地所有者等が判明するまでの間に、公示による意思表示（98）をする必要はない

3　償金の支払（IV）

　　∵　隣地所有者・隣地使用者の利益を適切に保護する趣旨

第210条　（公道に至るための他の土地の通行権）

I　他の土地に囲まれて公道に通じない土地の所有者は、公道に至るため、その土地を囲んでいる他の土地を通行することができる。

II　池沼、河川、水路若しくは海を通らなければ公道に至ることができないとき、又は崖があって土地と公道とに著しい高低差があるときも、前項と同様とする。

《注　釈》

一　「公道に通じない」の意味

　　公道に一応は通じることはできるが、その経路・幅員が社会通念に照らすとその土地の用途に応じた利用に不適当である場合を含む。

　　ex.1　土地が路地状部分ですでに公道に通じており、既存建物所有により土地の利用に支障がない場合、東京都条例所定の幅員に欠けるために増築につき建築確認が得られないとしても、通路の拡張を求めることによる囲繞地

通行権（隣地通行権）は成立しない（最判昭37.3.15）

ex.2　自動車による通行を前提とする210条通行権の成否及びその具体的内容は、他の土地について自動車による通行を認める必要性、周辺の土地の状況、自動車による通行を前提とする210条通行権が認められることにより他の土地の所有者が被る不利益等の諸般の事情を総合考慮して判断すべきである（最判平18.3.16・百選Ⅰ〔第6版〕70事件）《書》《同R2》

二　「通行することができる」

1　囲繞地所有者が、袋地所有者の通行を妨害する場合、袋地所有者はその所有権に基づく妨害排除ができる。

2　囲繞地の通行に当たり、原則的に償金支払が必要となり、これを怠ると債務不履行責任が生じうるが、囲繞地所有者は通行権の消滅請求はできない。

三　対抗要件の要否

袋地の所有権を取得した者は、所有権取得登記を経由しなくても、囲繞地所有者ないし囲繞地につき利用権を有する者に対して、囲繞地通行権を主張できる（最判昭47.4.14）《同書》。

∵　公示制度とは無関係である

第211条 《書》

Ⅰ　前条の場合には、通行の場所及び方法は、同条の規定による通行権を有する者のために必要であり、かつ、他の土地のために損害が最も少ないものを選ばなければならない《同共書》《同R2》。

Ⅱ　前条の規定による通行権を有する者は、必要があるときは、通路を開設することができる《同書》。

第212条

第210条の規定による通行権を有する者は、その通行する他の土地の損害に対して償金を支払わなければならない。ただし、通路の開設のために生じた損害に対するものを除き、1年ごとにその償金を支払うことができる。

第213条

Ⅰ　分割によって公道に通じない土地が生じたときは、その土地の所有者は、公道に至るため、他の分割者の所有地のみを通行することができる《同書》。この場合においては、償金を支払うことを要しない《同》。

Ⅱ　前項の規定は、土地の所有者がその土地の一部を譲り渡した場合について準用する《書》。

[趣旨] 第一に、袋地所有者は他の分割者（213Ⅰ）又は譲渡関係者（213Ⅱ）の所有地のみを通行できるにすぎない。譲渡・分割と無関係な第三者所有の囲繞地には迷惑を掛けるべきではない、というのが趣旨である。第二に、袋地所有者は通行地の損害に対して償金を支払わなくてよい（無償通行権）《同書》。分割・譲渡の当事者は袋地の発生を当然予期できるので、分割・譲渡の価格等を定める際に通行料等の問題も実質的には処理しているはずであることが根拠とされる。

《注　釈》

一　土地の一部譲渡（213 II）の具体例

ex.1　同一人の所有する数筆の土地の一部を譲渡した場合（最判平5.12.17）

ex.2　全部を数人に譲渡した場合

ex.3　数筆の土地の一部が担保権実行により競売された場合（最判平5.12.17）

二　分割・一部譲渡によって袋地を生じた場合

1　通行権者は、他の分割者又は譲受人の所有地のみを通行する権利を有する（213）。

2　袋地所有者が後に別の隣接地を取得し、自己所有地を通って公路に出ることができるようになった場合、213条の通行権は主張できない。

三　袋地・囲繞地につき特定承継が生じた場合

209条以下の規定と同様、本条の無償通行の権利・負担も袋地に付着した物権的権利・負担であると解されている。したがって、袋地・囲繞地につき特定承継が生じても、無償通行の権利・負担は特定承継人に及ぶ（最判平2.11.20・百選I 67事件）

第213条の2　（継続的給付を受けるための設備の設置権等）

I　土地の所有者は、他の土地に設備を設置し、又は他人が所有する設備を使用しなければ電気、ガス又は水道水の供給その他これらに類する継続的給付（以下この項及び次条第1項において「継続的給付」という。）を受けることができないときは、継続的給付を受けるため必要な範囲内で、他の土地に設備を設置し、又は他人が所有する設備を使用することができる。

II　前項の場合には、設備の設置又は使用の場所及び方法は、他の土地又は他人が所有する設備（次項において「他の土地等」という。）のために損害が最も少ないものを選ばなければならない。

III　第1項の規定により他の土地に設備を設置し、又は他人が所有する設備を使用する者は、あらかじめ、その目的、場所及び方法を他の土地等の所有者及び他の土地を現に使用している者に通知しなければならない。

IV　第1項の規定による権利を有する者は、同項の規定により他の土地に設備を設置し、又は他人が所有する設備を使用するために当該他の土地又は当該他人が所有する設備がある土地を使用することができる。この場合においては、第209条第1項ただし書及び第2項から第4項までの規定＜隣地の使用＞を準用する。

V　第1項の規定により他の土地に設備を設置する者は、その土地の損害（前項において準用する第209条第4項＜償金の支払＞に規定する損害を除く。）に対して償金を支払わなければならない。ただし、1年ごとにその償金を支払うことができる。

VI　第1項の規定により他人が所有する設備を使用する者は、その設備の使用を開始するために生じた損害に対して償金を支払わなければならない。

VII　第1項の規定により他人が所有する設備を使用する者は、その利益を受ける割合に応じて、その設置、改築、修繕及び維持に要する費用を負担しなければならない。

第213条の3

Ⅰ　分割によって他の土地に設備を設置しなければ継続的給付を受けることができない土地が生じたときは、その土地の所有者は、継続的給付を受けるため、他の分割者の所有地のみに設備を設置することができる。この場合においては、前条第5項の規定は、適用しない。

Ⅱ　前項の規定は、土地の所有者がその土地の一部を譲り渡した場合について準用する。

【令3改正】生活や事業を営むには、電気・ガス・水道水の継続的な給付を受けることが必要不可欠であり、ライフラインとなる設備の設置・使用ができなければ、当該土地での生活・事業の継続は不可能である。そこで、電気・ガス・水道水の供給等の継続的給付を受けるための設備の設置権・使用権に関する規定が新設された。

《注　釈》

◆　導管等設置権・使用権

　　土地の所有者は、他の土地に設備を設置し、又は他人が所有する設備を使用しなければ電気・ガス・水道水の供給その他これらに類する継続的給付を受けることができないときは、継続的給付を受けるため必要な範囲内で、他の土地に設備を設置し、又は他人が所有する設備を使用することができる（213の2Ⅰ）。

　　他の土地に設備を設置することができるのが設置権（導管等設置権）、他人が所有する設備を使用することができるのが使用権（導管等使用権）である。

　　→隣地使用権（209）や隣地通行権（210〜213）に関する規律と同様の規律が設けられている（213の2Ⅱ〜Ⅶ、213の3参照）

第214条（自然水流に対する妨害の禁止）

　土地の所有者は、隣地から水が自然に流れて来るのを妨げてはならない〈書〉。

第215条（水流の障害の除去）

　水流が天災その他避けることのできない事変により低地において閉塞したときは、高地の所有者は、自己の費用で、水流の障害を除去するため必要な工事をすることができる〈司書〉。

第216条（水流に関する工作物の修繕等）

　他の土地に貯水、排水又は引水のために設けられた工作物の破壊又は閉塞により、自己の土地に損害が及び、又は及ぶおそれがある場合には、その土地の所有者は、当該他の土地の所有者に、工作物の修繕若しくは障害の除去をさせ、又は必要があるときは予防工事をさせることができる〈司〉。

第217条（費用の負担についての慣習）

　前2条の場合において、費用の負担について別段の慣習があるときは、その慣習に従う。

第218条 （雨水を隣地に注ぐ工作物の設置の禁止）

　土地の所有者は、直接に雨水を隣地に注ぐ構造の屋根その他の工作物を設けてはならない《同予書》。

第219条 （水流の変更）

Ⅰ　溝、堀その他の水流地の所有者は、対岸の土地が他人の所有に属するときは、その水路又は幅員を変更してはならない《書》。

Ⅱ　両岸の土地が水流地の所有者に属するときは、その所有者は、水及び幅員を変更することができる。ただし、水流が隣地と交わる地点において、自然の水路に戻さなければならない。

Ⅲ　前2項の規定と異なる慣習があるときは、その慣習に従う。

第220条 （排水のための低地の通水）

　高地の所有者は、その高地が浸水した場合にこれを乾かすため、又は自家用若しくは農工業用の余水を排出するため、公の水流又は下水道に至るまで、低地に水を通過させることができる。この場合においては、低地のために損害が最も少ない場所及び方法を選ばなければならない。

第221条 （通水用工作物の使用）

Ⅰ　土地の所有者は、その所有地の水を通過させるため、高地又は低地の所有者が設けた工作物を使用することができる《予書》。

Ⅱ　前項の場合には、他人の工作物を使用する者は、その利益を受ける割合に応じて、工作物の設置及び保存の費用を分担しなければならない《同》。

第222条 （堰の設置及び使用）

Ⅰ　水流地の所有者は、堰を設ける必要がある場合には、対岸の土地が他人の所有に属するときであっても、その堰を対岸に付着させて設けることができる。ただし、これによって生じた損害に対して償金を支払わなければならない《書》。

Ⅱ　対岸の土地の所有者は、水流地の一部がその所有に属するときは、前項の堰を使用することができる。

Ⅲ　前条第2項の規定は、前項の場合について準用する。

第223条 （境界標の設置）

　土地の所有者は、隣地の所有者と共同の費用で、境界標を設けることができる《同書》。

第224条 （境界標の設置及び保存の費用）

　境界標の設置及び保存の費用は、相隣者が等しい割合で負担する《同予》。ただし、測量の費用は、その土地の広狭に応じて分担する《書》。

第225条 （囲障の設置）

Ⅰ　2棟の建物がその所有者を異にし、かつ、その間に空地があるときは、各所有者は、他の所有者と共同の費用で、その境界に囲障を設けることができる《同》。

Ⅱ　当事者間に協議が調わないときは、前項の囲障は、板塀又は竹垣その他これらに類する材料のものであって、かつ、高さ2メートルのものでなければならない。

第226条　（囲障の設置及び保存の費用）

前条の囲障の設置及び保存の費用は、相隣者が等しい割合で負担する。

第227条　（相隣者の一人による囲障の設置）

相隣者の1人は、第225条第2項に規定する材料より良好なものを用い、又は同項に規定する高さを増して囲障を設けることができる。ただし、これによって生ずる費用の増加額を負担しなければならない。

第228条　（囲障の設置等に関する慣習）

前3条の規定と異なる慣習があるときは、その慣習に従う。

第229条　（境界標等の共有の推定）

境界線上に設けた境界標、囲障、障壁、溝及び堀は、相隣者の共有に属するものと推定する〈同書〉。

第230条

Ⅰ　1棟の建物の一部を構成する境界線上の障壁については、前条の規定は、適用しない。

Ⅱ　高さの異なる2棟の隣接する建物を隔てる障壁の高さが、低い建物の高さを超えるときは、その障壁のうち低い建物を超える部分についても、前項と同様とする。ただし、防火障壁については、この限りでない。

第231条　（共有の障壁の高さを増す工事）

Ⅰ　相隣者の1人は、共有の障壁の高さを増すことができる。ただし、その障壁がその工事に耐えないときは、自己の費用で、必要な工作を加え、又はその障壁を改築しなければならない。

Ⅱ　前項の規定により障壁の高さを増したときは、その高さを増した部分は、その工事をした者の単独の所有に属する。

第232条

前条の場合において、隣人が損害を受けたときは、その償金を請求することができる。

《注　釈》

• 境界標等は隣接地所有者と共同の費用で設置するよう協力することを請求でき、設置した境界標は共有となる（223、225、229）。

第233条　（竹木の枝の切除及び根の切取り）

Ⅰ　土地の所有者は、隣地の竹木の枝が境界線を越えるときは、その竹木の所有者に、その枝を切除させることができる。

Ⅱ　前項の場合において、竹木が数人の共有に属するときは、各共有者は、その枝を切り取ることができる。

Ⅲ 第1項の場合において、次に掲げるときは、土地の所有者は、その枝を切り取ることができる。
① 竹木の所有者に枝を切除するよう催告したにもかかわらず、竹木の所有者が相当の期間内に切除しないとき。
② 竹木の所有者を知ることができず、又はその所在を知ることができないとき〈司〉。
③ 急迫の事情があるとき。
Ⅳ 隣地の竹木の根が境界線を越えるときは、その根を切り取ることができる〈行〉。

【令3改正】今般の改正により、竹木の所有者が不明である場合など、一定の要件の下で土地所有者による竹木の枝の切除権が認められることとなった。

《注 釈》

◆ 竹木の枝の切除について

1 竹木が数人の共有に属する場合

竹木の枝が隣地の境界線を越える場合において、その竹木が数人の共有に属するときは、各共有者は、その枝を切り取ることができる（233Ⅱ）。境界線を越える竹木の枝の切除は、竹木の共有者にとっては共有物の保存行為ということになる（252Ⅴ）。

→土地所有者としては、竹木の共有者であれば誰に対しても枝の切除を請求できる

2 土地所有者による竹木の枝の切除権（Ⅲ）

隣地の竹木の枝が境界線を越える場合において、233条3項各号の事由があるときは、土地所有者は、その枝を切り取ることができる（233Ⅲ柱書）。土地所有者が切除権に基づいて竹木の枝を切り取る場合、その目的のため必要な範囲内で、隣地を使用することができる（209Ⅰ③参照）。

→なお、「根の切取り」の目的では隣地の使用はできない（209Ⅰ③参照）

233条3項1号に関して、竹木が数人の共有に属する場合には、基本的に、竹木の共有者全員に対して催告しなければならない（共有者の一部を知ることができず、又はその所在を知ることができないときは、それ以外の共有者に催告する）。

第234条 （境界線付近の建築の制限）

Ⅰ 建物を築造するには、境界線から50センチメートル以上の距離を保たなければならない。
Ⅱ 前項の規定に違反して建築をしようとする者があるときは、隣地の所有者は、その建築を中止させ、又は変更させることができる〈司〉。ただし、建築に着手した時から1年を経過し、又はその建物が完成した後は、損害賠償の請求のみをすることができる。

《注 釈》

一 意義

1年の経過制限の下、建築の自由を前提としつつ、採光、通風、延焼防止など

の観点から、隣接する土地所有権相互の利用調整を図ろうとするものである。

二　建築基準法65条との関係

　建築基準法65条は防火と合理的・効率的な土地利用の見地から相隣関係を規律するものであり（234条1項の特則）、相隣者の同意や接境建築の慣習（236）がなくても、同条所定の建築物につき私法上接境建築が許される（最判平元.9.19・百選Ⅰ〔第6版〕71事件）。

第235条

Ⅰ　境界線から1メートル未満の距離において他人の宅地を見通すことのできる窓又は縁側（ベランダを含む。次項において同じ。）を設ける者は、目隠しを付けなければならない。

Ⅱ　前項の距離は、窓又は縁側の最も隣地に近い点から垂直線によって境界線に至るまでを測定して算出する。

第236条　（境界線付近の建築に関する慣習）

前2条の規定と異なる慣習があるときは、その慣習に従う。

第237条　（境界線付近の掘削の制限）

Ⅰ　井戸、用水だめ、下水だめ又は肥料だめを掘るには境界線から2メートル以上、池、穴蔵又はし尿だめを掘るには境界線から1メートル以上の距離を保たなければならない。

Ⅱ　導水管を埋め、又は溝若しくは堀を掘るには、境界線からその深さの2分の1以上の距離を保たなければならない。ただし、1メートルを超えることを要しない。

第238条　（境界線付近の掘削に関する注意義務）

境界線の付近において前条の工事をするときは、土砂の崩壊又は水若しくは汚液の漏出を防ぐため必要な注意をしなければならない。

■第2節　所有権の取得

《概　説》

一　所有権の取得原因

　所有権の取得原因には、承継取得と原始取得があるが、本節は原始取得原因である無主物先占、遺失物拾得、埋蔵物発見、添付の4種について規定する。

<無主物先占、遺失物拾得、埋蔵物発見>

取得原因	目的物	取得者
無主物先占 （239Ⅰ）	無主の動産 （＊1）	先占者（所有の意思で占有をした者）
家畜外動物の取得（＊2） （195）	他人が飼育していた動物で家畜でないもの	占有を取得した者

取得原因	目的物	取得者
遺失物拾得（240）	遺失物（占有者の意思によらずにその占有を離脱したもの）	拾得者
埋蔵物発見（241）	埋蔵物（土地等に包蔵され所有権が何人に帰属するか判別できないもの）	発見者。他人の物から発見した場合は、その物の所有者と折半する

＊1　無主の不動産は先占の対象にならず国庫に帰属する（239Ⅱ）。
＊2　先占と拾得との中間形態である。

二　添付

　　所有者を異にする2個以上の物が結合して1個の物ができた場合に、社会経済的見地より1個の物としての所有権を認め復旧の請求を認めず、そこから生ずる不公平を別個に解決する（248）のが、添付（付合・混和・加工）の趣旨である。
　　→添付により生じた物を1個の物と扱う規定は強行規定であるが、その物が誰に帰属するかに関する規定は任意規定である

＜添付＞

	意義・要件	効果
不動産の付合（242）	不動産から動産を分離・復旧することが不動産の社会経済価値を損なうとき	① 原則として不動産の所有者が付合した物の所有権を取得する（242本文） ② 例外として権原により動産を付属させた者の所有権の留保を認める（242ただし書）
動産の付合（243、244）	① 損傷しなければ分離することができなくなったとき ② 分離のため過分の費用を要するとき	① 主従の区別が可能なときは、主たる動産の所有者が合成物の所有権を取得する（243） ② 主従の区別が不可能なときは、付合当時の価格割合に応じて合成物を共有する（244）
混和（245）	異なった所有者に属する物が混じりあって識別ができなくなったとき	動産の付合と同じ
加工（246）	他人の動産に工作を加え新たな物を製作したとき	① 加工物の所有権は材料の所有者に帰属するのが原則（246Ⅰ本文） ② 工作によって、生じた価格が著しく材料の価格を超えるときは、加工者がその所有権を取得する（246Ⅰただし書） ③ 加工者が材料の一部を供したときは、その材料の価格に工作によって生じた価格を加えたものが他人の材料の価格を超えるときに限り、加工者がその物の所有権を取得する（246Ⅱ）

第239条　（無主物の帰属）

Ⅰ　所有者のない動産は、所有の意思をもって占有することによって、その所有権を取得する。

Ⅱ　所有者のない不動産は、国庫に帰属する。

第240条　（遺失物の拾得）

遺失物は、遺失物法（平成18年法律第73号）の定めるところに従い公告をした後3箇月以内にその所有者が判明しないときは、これを拾得した者がその所有権を取得する。

第241条　（埋蔵物の発見）

埋蔵物は、遺失物法の定めるところに従い公告をした後6箇月以内にその所有者が判明しないときは、これを発見した者がその所有権を取得する。ただし、他人の所有する物の中から発見された埋蔵物については、これを発見した者及びその他人が等しい割合でその所有権を取得する。

《注　釈》

一　無主物の帰属（239）

「所有者のない動産」（以下無主物と呼ぶ）とは、現に所有者がいない動産をいう。

→かつて誰かの所有に属しても放棄されると無主物となる

二　遺失物の拾得（240）

平成18年の遺失物法全面改正に伴い民法の対応条文も改正された。具体的には、保管期間が従来の6か月から3か月に短縮された。

三　埋蔵物の発見（241）

「埋蔵物」とは、土地・建物・その他の物（包蔵物）の中に置かれて、誰が所有者であるかが容易には判断しにくい物である。無主物（239）とは異なり、所有者の存在を前提とし、発見（最初の覚知）という事実行為があれば足り、占有を取得する必要はない。

第242条　（不動産の付合）

不動産の所有者は、その不動産に従として付合した物の所有権を取得する。ただし、権原によってその物を附属させた他人の権利を妨げない。

［趣旨］分離・復旧を認めることは、社会経済上の見地からも、当事者にとっても不利益であることから設けられたものである。

《注　釈》

一　要件

① 付合する物は動産であること

② 動産が不動産と結合して一体化して、分離復旧が社会通念上不可能か、分離することができても分離により社会的経済的に見て著しく不利益な状態となること

二　効果

1　原則

　不動産の所有者は、強い付合は常に、弱い付合は原則として付合した物の所有権を取得する（本文）。これにより、付合した物の所有者であった者（付着者）は、収去義務を負わず、償金請求権（248）を取得し、それをもとに留置権も行使できる。

　cf.1　償金請求権（248）は不当利得返還請求の本質をもつ

　cf.2　本条の「付合」の概念が243条（動産の付合）と同義か争いがあるが、多数説は同義と解している

2　例外

　付着者が権原（当該不動産を利用し、物を付属させうる権利　ex. 地上権、永小作権、賃借権など）により動産を付属せしめたときは、付着者は動産の所有権を留保でき（ただし書）、収去義務を負う。

　ただし、権原ある者が付属させた物でも、それが不動産と一体化し、構成部分となって独立の存在をもたなくなれば（強い付合）、ただし書の適用を受けない（最判昭44.7.25・百選Ⅰ69事件）。

　→ただし書は弱い付合の場合にのみ適用される

　ex.　土地の賃借人が自己の材料を用いその地上に造成した石垣は、賃貸人である土地所有者の承諾を得て造成しても、本条ただし書の適用はない
　　　⇒p.38

＜不動産の付合の構造＞

付合 ──┬── 強い付合（社会経済上の独立性が乏しい）
　　　　│　　→不動産の構成部分となってしまい、242条ただし書の適用はない
　　　　│
　　　　└── 弱い付合（社会経済上の独立性はある）
　　　　　　　→権原に基づいて付合させた場合、所有権を留保できる（242ただし書）

法的には
1個の物

　　なお、留保した所有権を第三者に対抗するには
　　① 留保した物の対抗要件（明認方法）
　　② 権原の対抗要件（賃借権の登記など）
　　　のいずれかが必要

三　具体例

1　建物の付合

⑴　建物の賃借人は、賃貸人の承諾を得れば、増改築の権原を有する（大判大5.11.29）。

⑵　増改築部分だけでは建物としての独立性がない場合（強い付合）、賃借人に権原があったとしてもただし書の適用はない。

　∵　既存建物の構成部分となる

⑶　独立性の有無の判断は、物理的構造、利用又は取引上の独立性を判断して

行う〈司〉。
　　　→経済的効用の独立性、周壁による確定的遮蔽性、独立の出入口の存在
　　ex.　建物新築部分の構造、利用方法を考察し、新築部分が従前の建物に
　　　　接して築造され、構造上建物としての独立性を欠き、従前の建物と一体
　　　　となって利用され取引されるべき状態にあるときは、従前部分と構造的
　　　　に接合していなくても、新築部分は従前の建物に付合する（最判昭
　　　　44.7.25・百選 I 69事件）〈司〉
2　立木・樹木・農作物の付合
　⑴　立木・樹木
　　ex.1　他人所有の山林を自己所有の山林と誤信して植林し、数年間手入れ
　　　　してきたとしても、樹木は土地に付合し土地の構成部分となる。した
　　　　がって、山林所有者は付着者に対して樹木を伐採し土地から撤去する
　　　　ことを求めることができない
　　ex.2　山林を取得して未登記のまま立木を植栽したところ、第三者に山林
　　　　が二重に譲渡され移転登記が経由されたために山林所有権を対抗でき
　　　　なくなった場合、本条ただし書の類推により、立木の地盤への付合は
　　　　遡って否定される（最判昭35.3.1）
　⑵　農作物
　　ex.1　種が権原を有しない者によって播かれた場合には、播かれた種から
　　　　生育した苗の所有権は土地所有者が取得する（最判昭31.6.19）〈司書〉
　　ex.2　農地を買い受けた者は、買受前に売主が播いた種が、買受後地上に
　　　　芽を出して成育した農作物の所有権を取得しうる〈司〉
　　　＊　判例は、権原により付合させた者が農作物の所有権を留保すると
　　　　している。
　⑶　権原に基づく留保所有権を第三者に公示するための対抗要件の要否
　　　判例は、稲立毛については不要、立木については必要としている（明認方
　　法）。

第243条 （動産の付合）

　所有者を異にする数個の動産が、付合により、損傷しなければ分離することができ
なくなったときは、その合成物の所有権は、主たる動産の所有者に帰属する〈司共書〉。
分離するのに過分の費用を要するときも、同様とする。

第244条

　付合した動産について主従の区別をすることができないときは、各動産の所有者は、
その付合の時における価格の割合に応じてその合成物を共有する〈司共〉。

第245条 （混和）

　前2条の規定は、所有者を異にする物が混和して識別することができなくなった場
合について準用する〈司書〉。

第246条　（加工）

Ⅰ　他人の動産に工作を加えた者（以下この条において「加工者」という。）があるときは、その加工物の所有権は、材料の所有者に帰属する。ただし、工作によって生じた価格が材料の価格を著しく超えるときは、加工者がその加工物の所有権を取得する〈司書〉。

Ⅱ　前項に規定する場合において、加工者が材料の一部を供したときは、その価格に工作によって生じた価格を加えたものが他人の材料の価格を超えるときに限り、加工者がその加工物の所有権を取得する〈書〉。

第247条　（付合、混和又は加工の効果）

Ⅰ　第242条から前条までの規定により物の所有権が消滅したときは、その物について存する他の権利も、消滅する〈書〉。

Ⅱ　前項に規定する場合において、物の所有者が、合成物、混和物又は加工物（以下この項において「合成物等」という。）の単独所有者となったときは、その物について存する他の権利は以後その合成物等について存し、物の所有者が合成物等の共有者となったときは、その物について存する他の権利は以後その持分について存する。

第248条　（付合、混和又は加工に伴う償金の請求）

第242条から前条までの規定の適用によって損失を受けた者は、第703条＜不当利得の返還義務＞及び第704条＜悪意の受益者の返還義務等＞の規定に従い、その償金を請求することができる。

[趣旨] 分離・復旧を認めることは、社会経済上の見地からも当事者にとっても不利益であることから、添付が認められた。

《注　釈》

一　添付の意義

1　添付とは、所有者の異なる2個以上の物が何らかの形で結合・混合し、過分の費用を要せずにそれらを分離・復旧することが不可能ないし著しく困難となった場合には、分離・復旧を認めないことをいう。

2　種類

(1)　付合〈司H27〉

「付合」とは、所有者を異にする数個の動産が結合して、損傷せずに分離することができなくなり、あるいは分離に過分の費用を要する場合をいう。

ex.　他人の椅子にペンキを塗った場合

(2)　混和

「混和」とは、異なった所有者に属する物が混じり合って識別できなくなる場合をいう。

ex.　他人のウィスキーに水を混入した場合

(3)　加工〈司H27〉

「加工」とは、他人の動産に工作を加え新たな物を製作することをいう。

ex.1　他人の襖に絵を描いた場合

ex.2　建築途中の未だ独立の不動産に至らない段階の建物（建前）に第三
者が材料を提供して工事を施し、独立の不動産である建物に仕上げた
場合（最判昭54.1.25・百選Ⅰ68事件）〈共〉

∵　建前は土地から独立した動産である

→所有権の帰属は、246条2項により決する〈書〉

∵　建物建築は、材料に付して施される工作が特段の価値を有する

二　効果

1　当事者に分離・復旧は認められない（強行規定）。

2　所有権は原則として主たる物の所有者、材料所有者が取得する（任意規定）
〈司共〉。

cf.　不動産への加工では、加工物は常に不動産所有者に帰属する

3　所有権を失った者は公平の観点から、所有権を取得した者に対し償金請求権
を有する（248・任意規定）〈司共〉〈司H27〉。

→添付の効果は242条以下により生じるため「法律上の原因なく」（703）と
はいえないので、248条を設けた。なお、この償金請求権は、権利者の一
方的意思表示によって法律関係の変動を生じさせるものではなく、形成権
としての性質を有しない〈司〉

4　添付により物の所有権が消滅すると、その物上に存在した他の権利（ex. 第
三者の賃借権）も消滅する（247Ⅰ・強行規定）。この場合、担保物権者は物上
代位（304）によって、旧所有者の有する償還請求権の上に権利を行使するこ
とができる。

しかし、その物の所有者が新しい物の単独所有者や共有者となったときは、
その権利は新しい物又はその共有持分上に存在する（247Ⅱ・強行規定）。

■第3節　共有

《概　説》

数人が1つの物を所有することを共同所有という。共同所有には、共有・合有・
総有の諸形態があるが、本節は、共有について規定する。

<共同所有の諸形態>

	各人の結合関係	管理権と収益権との関係	目的物の譲渡及び分割の請求		具体例
			各人の持分権について	目的物全体について	
共有(249)	ある目的物を共有する限りで偶然的に関係するにすぎず、団体を形成しない(249)	管理権も収益権も（他の持分権による制約を受けるとはいえ）各人に帰属する(252Ⅰ)	いつでも譲渡することができ〈司〉、分割を求めることもできる〈行〉(256Ⅰ)	共有物の譲渡は共有者全員の同意がなければできない(251Ⅰ参照)	共同相続財産（最判昭30.5.31）

	各人の結合関係	管理権と収益権との関係	目的物の譲渡及び分割の請求		具体例
			各人の持分権について	目的物全体について	
合有	共同目的達成のため、団体的結合を作っている（667・共同事業）	収益権は（団体的に制約を受けるとはいえ）各人に帰属するが、管理権は団体に属する（674、670）	譲渡の自由は実質的に制限され（676Ⅰ）、分割を求めることもできない（676Ⅲ）	譲渡・分割の請求が制限されている以上、目的物全体についても譲渡・分割できない	組合財産◀囲
総有	各人は団体に包摂されるが、各人も全面的に独立性を失うわけではない	収益権は各人に属するが、管理権は団体に属する	譲渡・分割の請求のいずれもすることができない ∵ 団体の構成員はそもそも持分権を有しないため		入会権◀囲 権利能力なき社団の財産関係（最判昭39.10.15・百選Ⅰ7事件）

第249条 （共有物の使用）

Ⅰ 各共有者は、共有物の全部について、その持分に応じた使用をすることができる。

Ⅱ 共有物を使用する共有者は、別段の合意がある場合を除き、他の共有者に対し、自己の持分を超える使用の対価を償還する義務を負う。

Ⅲ 共有者は、善良な管理者の注意をもって、共有物の使用をしなければならない。

【令3改正】今般の改正により、新たに使用対価の償還義務（249Ⅱ）・善管注意義務（249Ⅲ）に関する規定が設けられた。

《注 釈》

◆ 共有物の使用について

1 意義

　各共有者は、共有物の全部について、その持分に応じた使用をすることができる（249Ⅰ）。条文上明らかではないが、「使用」には収益も含まれる。

　ex. ＡＢＣが各3分の1の割合で甲自動車を共有する場合であっても、Ａは、甲自動車の全部を使用することができる（Ａが無断で甲自動車を使用していた場合については、下記2参照）

　また、明文はないものの、各共有者は、自己の持分権を自由に処分（譲渡・担保権の設定・放棄など）することができる〈司書〉。

　∵ 持分権は所有権と同様の性質を有しており、処分を認めても他の共有者の持分権に影響はない

2 使用対価の償還義務〈司R5〉

　共有物を使用する共有者は、別段の合意がある場合を除き、他の共有者に対し、自己の持分を超える使用の対価を償還する義務を負う（249Ⅱ、最判平12.4.7参照〈司共〉）。

∵　別段の合意もないのに、自己の持分を超えて共有物を使用することは、法律上の原因なく、他の共有者の負担において不当に利益を受けるというものであるから、不当利得としてその対価を償還するのは当然である

→共有者間に別段の合意がある場合には、他の共有者に対し、使用対価の償還義務を負うことはない（最判平10.2.26参照〈**判**〉）

3　善管注意義務（Ⅲ）

∵　共有者が共有物を使用するということは、他の共有者の持分についての使用も含むことになる以上、共有者が善管注意義務を負うのは当然である

→善管注意義務に違反して他の共有者に損害を与えた共有者は、その共有持分の価格の割合に応じて、損害賠償責任を負う

第250条　（共有持分の割合の推定）

各共有者の持分は、相等しいものと推定する。

第251条　（共有物の変更）〈畐**〉**

Ⅰ　各共有者は、他の共有者の同意を得なければ、共有物に変更（その形状又は効用の著しい変更を伴わないものを除く。次項において同じ。）を加えることができない。

Ⅱ　共有者が他の共有者を知ることができず、又はその所在を知ることができないときは、裁判所は、共有者の請求により、当該他の共有者以外の他の共有者の同意を得て共有物に変更を加えることができる旨の裁判をすることができる。

第252条　（共有物の管理）

Ⅰ　共有物の管理に関する事項（次条第1項に規定する共有物の管理者の選任及び解任を含み、共有物に前条第1項に規定する変更を加えるものを除く。次項において同じ。）は、各共有者の持分の価格に従い、その過半数で決する。共有物を使用する共有者があるときも、同様とする。

Ⅱ　裁判所は、次の各号に掲げるときは、当該各号に規定する他の共有者以外の共有者の請求により、当該他の共有者以外の共有者の持分の価格に従い、その過半数で共有物の管理に関する事項を決することができる旨の裁判をすることができる。

①　共有者が他の共有者を知ることができず、又はその所在を知ることができないとき。

②　共有者が他の共有者に対し相当の期間を定めて共有物の管理に関する事項を決することについて賛否を明らかにすべき旨を催告した場合において、当該他の共有者がその期間内に賛否を明らかにしないとき。

Ⅲ　前2項の規定による決定が、共有者間の決定に基づいて共有物を使用する共有者に特別の影響を及ぼすべきときは、その承諾を得なければならない。

Ⅳ　共有者は、前3項の規定により、共有物に、次の各号に掲げる賃借権その他の使用及び収益を目的とする権利（以下この項において「賃借権等」という。）であって、当該各号に定める期間を超えないものを設定することができる。

①　樹木の栽植又は伐採を目的とする山林の賃借権等　　10年

②　前号に掲げる賃借権等以外の土地の賃借権等　　5年

物
権

③　建物の賃借権等　3年
④　動産の賃借権等　6箇月
V　各共有者は、前各項の規定にかかわらず、保存行為をすることができる。

【令3改正】共有物の変更に関する251条については、「変更」の意義が明確化されるとともに、所在等不明共有者が存在する場合に対応するための規定（251Ⅱ）が新設された。また、共有物の管理に関する252条については、①同条1項後段及び同条3項が新たに追加されたほか、②所在等不明共有者や賛否を明らかにしない共有者が存在する場合に対応するための規定（252Ⅱ）が新設され、また、③短期の賃借権等の設定が「管理」に当たる旨の規定（252Ⅳ）が新設された。なお、保存行為に関する252条5項は、改正前民法252条ただし書と内容において変わらない。

《注　釈》

一　共有物の変更・管理・保存

1　変更

(1)　意義

変更とは、共有物の性質や形状を変える行為をいう（251Ⅰ）。共有物に変更を加える場合には、共有者全員の同意を得なければならない。

∵　共有物の変更は、各共有者にとって持分の消滅や重大な制限を意味する

ただし、「変更」に当たるものであっても、その形状又は効用の著しい変更を伴わないもの（軽微変更）は「変更」から除外され（251Ⅰかっこ書）、「管理」として扱われる。

∵　客観的に共有者に与える影響が軽微である

ex.　砂利道のアスファルト舗装、共有建物の外壁等の大規模修繕工事

(2)　共有者の一部が所在等不明共有者である場合

共有者が他の共有者を知ることができず、又はその所在を知ることができないとき（この「他の共有者」を所在等不明共有者という）は、裁判所は、共有者の請求により、当該所在等不明共有者以外の他の共有者の同意を得て共有物に変更を加えることができる旨の裁判をすることができる（251Ⅱ）。

∵　共有者の一部に所在等不明共有者がいる場合であっても、その者の同意を得ないと変更できないのでは不都合である

もっとも、条文上明らかではないものの、当該所在等不明共有者が持分それ自体を失う行為（持分の譲渡や持分に対する抵当権の設定など）は、上記の裁判の対象となる行為には含まれない。

→当該所在等不明共有者の持分それ自体を失う行為については、所在等不明共有者の持分の取得・譲渡（262の2、262の3）の問題となる

182

2　管理

（1）　意義

　　管理とは、共有物の変更を伴うことなく、共有物を利用・改良する行為を
いう（252Ⅰ前段）。共有物の管理に関する事項は、各共有者の持分の価格に
従い、その過半数で決する（必ずしも共有者が全員で協議する必要はない）。

　　共有物の「管理」には、後述する共有物の管理者（252の2）の選任・解
任も含まれる（252Ⅰ前段かっこ書）。

　　また、252条4項各号所定の期間を超えない短期の賃借権その他の使用及
び収益を目的とする権利（賃借権等）を設定する場合も、「管理」に当たる。
一方、252条4項各号所定の期間を超える賃借権等の設定は、各共有者に長
期にわたって共有物の使用不能の状態を招くため、「変更」に当たる。

　　　→252条4項各号所定の期間は、処分の権限を有しない者でもすることが
　　　　できる短期賃貸借（602）と同じである

　　また、短期の賃借権等の設定契約を解除することも「管理」に当たる。そ
のため、契約当事者が数人ある場合には、その全員から契約の解除をしなけ
ればならない旨規定する544条1項は適用されない（最判昭39.2.25）。

（2）　共有者の一部が所在等不明共有者又は賛否不明である場合

　　裁判所は、次に掲げる場合には、下記①②の共有者以外の共有者の請求に
より、下記①②の共有者以外の共有者の持分の価格に従い、その過半数で共
有物の管理に関する事項を決することができる旨の裁判をすることができる
（252Ⅱ柱書）。

　　①　共有者の一部が所在等不明共有者である場合（252Ⅱ①）

　　②　共有者が他の共有者に対し相当の期間を定めて共有物の管理に関する
　　　　事項を決することについて賛否を明らかにすべき旨を催告した場合にお
　　　　いて、当該他の共有者がその期間内に賛否を明らかにしない場合（252
　　　　Ⅱ②）

　　∵　共有者の一部の者の管理に関する意思を確認できないことによる不都
　　　　合を除去し、もって共有物の利用・管理を円滑かつ適切に行う趣旨

　　ex.　甲土地をABCDが各4分の1の持分で共有している場合において、
　　　　Dが所在不明又は賛否不明であるとき、ABCのいずれかの請求があれ
　　　　ば、裁判所は、Dを除いたABCの持分価格の過半数により、管理に関
　　　　する事項を決定することができる

3　保存

　　保存とは、共有物の現状を維持・保存する行為をいう（252Ⅴ）。保存行為
は、各共有者が単独ですることができる圖。

　　∵　保存行為は共有者全員の利益になる

＜変更・管理・保存の整理＞

	意義	具体例	要件
変更 （251 Ⅰ）	共有物の性質や形状を変える行為 →形状又は効用の著しい変更を伴わないもの（軽微変更）を除く	① 建物の解体 ② 山林の伐採〈司〉 ③ 土地の形状の変更（田畑の宅地への転用など） ④ 共有物全部の処分・抵当権の設定	共有者全員の同意が必要となる
管理 （252 Ⅰ前段）	共有物の変更を伴うことなく、共有物を利用・改良する行為 →軽微変更も管理として扱う	① 共有物の使用方法の決定（各共有者が１か月ごとに共有物を使用するなど） ② 共有建物の設備の追加・更新 ③ 管理者（252の２）の選任・解任 ④ 短期の賃借権等の設定（252Ⅳ）・解除〈司共書〉 →解除について、解除権の不可分性に関する544条１項は適用されない	持分の価格の過半数で決する
保存 （252 Ⅴ）	共有物の現状を維持・保存する行為	① 共有物の修繕〈予〉 ② 不法占有者に対する返還請求〈同書〉 ③ 共有物の侵害に対する妨害排除請求	各共有者が単独ですることができる〈同〉

二　共有の内部関係

1　共有の持分割合

　　各共有者の持分割合は、共有が当事者の意思に基づいて発生する場合には、合意により決定される。その他共有が法律上発生するときには、法律上持分が規定される（241ただし書、244、900）こともある。

　　持分の割合が明らかとならないときは持分の割合は等しいものと推定される（250、補充規定）。

　　→持分割合は、共有物の使用（249Ⅰ）、管理（252Ⅰ前段）、負担（253）、担保責任（261）などの基準となる

2　共有者間における請求

⑴　一部の共有者が共有物全部を単独使用している場合

　　甲土地をＡＢＣが各３分の１の持分で共有している場合において、Ａが甲土地に居住用建物を建築して生活しているとき、ＢやＣは、Ａに対して、どのような請求をすることができるか。

⒜　ＡがＢＣに無断で甲土地を単独使用している場合〈同R5〉

ア　原則

　　共有物の管理に関する事項は、各共有者の持分の価格に従い、その過半数で決する（252Ⅰ前段）。この共有物の管理に関する事項の決定は、

「共有物を使用する共有者があるとき」であっても、行うことができる（252Ⅰ後段）。

　したがって、BやCとしては、BC間で甲土地の具体的な使用方法（甲土地の使用者をBとする旨の決定など）を協議し、持分の価格の過半数（甲土地の具体的な使用方法の協議は「管理」（252Ⅰ前段）に当たる）をもってこれを決定した上で、Aに対して、甲土地の明渡しを求めることができる（252Ⅰ後段、最判昭41.5.19・百選Ⅰ70事件参照〈司共予書〉〈司R5 予H27〉）。

　なお、BやCとしては、①Aに対し、自己の持分に応じた使用・収益を妨げてはならないという不作為の請求をすること（大判大11.2.20。ただし、実効性はほぼない）、②Aに対し、Aの持分を超える使用対価の償還請求をすること（249Ⅱ）、③自己の持分権を第三者に譲渡して共有関係から離脱すること、④共有物の分割を請求して共有関係を解消することもできる。

　イ　例外

　　配偶者（短期）居住権（1028Ⅰ、1037Ⅰ）が成立した場合、他の共有者は、配偶者居住権者の使用収益を受忍すべき立場に立つため、別途、消滅の要件を満たさない限り、配偶者（短期）居住権は存続し（1032Ⅳ、1038Ⅲ参照）、252条1項後段に基づいて配偶者（短期）居住権を消滅させることはできない。

　　また、被相続人所有の居住用建物を配偶者以外の者が共同相続した場合において、その共同相続人の1人が相続開始前から被相続人の許諾を得て当該建物に被相続人と同居してきたときは、特段の事情のない限り、遺産分割終了までの間は、被相続人の地位を承継した他の相続人等が貸主となり、当該同居の相続人を借主とする当該建物の使用貸借契約関係が存続する（最判平8.12.17・百選Ⅲ63事件）。この場合、使用貸借契約関係が存続している以上、252条1項後段に基づいて当該同居の相続人に明渡しを求めることはできない。

(b)　Aが共有者間の決定に基づいて甲土地を単独使用している場合

　　この場合においても、252条1項後段の適用があるので、BやCとしては、BC間で甲土地の具体的な使用方法（甲土地の使用者をBとする旨の決定など）を協議し、持分の価格の過半数をもってこれを決定した上で、Aに対して、甲土地の明渡しを求めることができる（252Ⅰ後段）。

　　しかし、管理に関する決定（252ⅠⅡ）が、共有者間の決定に基づいて共有物を使用する共有者に特別の影響を及ぼすべきときは、その承諾を得なければならない（252Ⅲ）。

　　∵　共有者間の決定に基づいて現に共有物を使用する共有者に配慮する趣旨

　　「特別の影響を及ぼすべきとき」としては、①甲土地の使用者をAからB

に変更する旨の決定や、②Aのために定めた甲土地の使用期間を極端に短縮する（30年間の使用期間を5年間に短縮するなど）旨の決定などがこれに当たる。

　　　→252条3項は、「共有者間の決定に基づいて共有物を使用する共有者」に適用されるのであり、上記(a)のケースには適用されない

(2)　一部の共有者から占有を承認された第三者が共有物全部を使用している場合

　　　甲建物をABCが各3分の1の持分で共有している場合において、AがBCに無断で第三者Dに甲建物の占有を承認したためにDが甲建物に居住しているときも、上記(1)(a)の場合と同様に扱われる（252 I後段。なお、最判昭63.5.20参照《司共》）。

　　　→BC間の持分の価格の過半数による決定があれば、Dに対して、甲建物の明渡しを求めることができる

(3)　不動産について共有者の1人による単独所有名義の登記がされている場合

　　　甲土地をABCが各3分の1の持分で共有している場合において、Aの単独所有名義の登記があるとき、BやCは、Aに対して、その登記の全部の抹消登記手続を請求することはできず、自己の持分権の限度で、共有名義の登記に改める更正登記手続（一部抹消登記手続）を請求できるにとどまる（最判昭38.2.22・百選Ⅲ77事件、最判昭59.4.24）。

　　　∵　Aの単独所有名義の登記もAの持分権の限度で実体関係に符合しており、妨害排除請求も自己の持分権の限度に限られる

　　　もっとも、登記手続上の制約から更正登記手続では登記の同一性が失われる場合には、BやCは、自己の持分権に基づき、登記の全部の抹消登記手続を請求することができる（最判平17.12.15）。

(4)　共有者間で持分権の存否・範囲について争いがある場合

　　　持分権は、所有権と同様の性質を持つため、共有者間で持分権の存否・範囲について争いがある場合、各共有者は、他の共有者に対し、単独で自己の持分権の確認を請求することができる（大判大13.5.19）。

(5)　一部の共有者が共有物の管理・変更に関する規律に違反している場合

　　　一部の共有者が約定の方法に反する共有物の使用収益をしたり（大判大8.9.27）、他の共有者の使用収益を妨害したとき（大判大11.2.20）は、他の共有者は、単独でその行為の禁止や妨害排除を請求することができる。

　　　また、一部の共有者が無断で共有物に変更を加える行為（物理的に損傷したり、改変するなど）をしている場合には、他の共有者は、各自の持分権に基づいて、その行為の全部の禁止を求めることができるだけでなく、共有物を原状に復することが不能であるなどの特段の事情がある場合を除き、その行為により生じた結果を除去して共有物を原状に復させることを求めることもできる（最判平10.3.24《司共書》）。

　　　∵　共有者は、自己の持分権に基づいて、共有物全部につきその持分に応

じた使用収益をすることができる（249 I）ところ、自己の持分権に対する侵害がある場合には、それが他の共有者によると第三者によるとを問わず、単独で共有物全部についての妨害排除請求をすることができる

三　共有の対外関係

1　各共有者が単独ですることができる場合

(1)　第三者が共有物全部を無断で独占使用している場合

　　各共有者は、当該第三者に対して、単独で共有物全部の返還を請求することができる（大判大 10.6.13）。

　　→その根拠については、持分権の侵害を根拠とする見解（持分権説）もあるが、判例（大判大 10.6.13）は、上記の請求が共有物の保存行為（252 V）に該当することを根拠とするもの（保存行為説）のほか、不可分債権（428）であるからとするものもある（大判大 10.3.18）

　　また、各共有者は、当該第三者に対して、自己の持分の割合に応じ、不当利得返還請求（703、704）、又は不法行為に基づく損害賠償請求（709、最判昭 51.9.7）をすることができる。

(2)　第三者が共有物の利用等を妨害し、又は妨害するおそれがある場合

　　各共有者は、当該第三者に対して、単独で共有物全部に対する妨害排除・予防を請求することができる（大判大 7.4.19、大判大 10.7.18）。

　　また、各共有者は、当該第三者に対して、自己の持分の割合に応じ、不法行為に基づく損害賠償請求（709）をすることができる。

(3)　不動産について第三者による単独所有名義の登記がされている場合

　　当該第三者が実体上何らの権利も有していない場合、各共有者は、単独で当該登記の抹消登記手続請求をすることができる（最判昭 31.5.10、最判昭 33.7.22）。

(4)　不動産について第三者名義の不実の持分移転登記がされている場合

　　甲土地をＡＢＣが共有し、その旨の登記が真正になされた後、Ａの持分について第三者名義の不実の持分移転登記がなされた場合、ＢやＣは、当該第三者に対して、自己の持分権に基づき、単独で当該登記の抹消登記手続請求をすることができる（最判平 15.7.11・百選 I 71 事件）。

　　∵　不実の持分移転登記がされている場合には、その登記によって共有不動産に対する妨害状態が生じている

　　なお、判例（最判平 15.7.11・百選 I 71 事件）は、この場合について、保存行為ではなく持分権の侵害を根拠としている。

(5)　第三者が共有物について所有権を主張している場合

　　各共有者は、当該第三者に対して、単独で自己の持分権の確認を請求することができる（大判大 13.5.19、最判昭 40.5.20）。また、各共有者は、当該第三者に対して、単独で自己の持分権について取得時効の完成を阻止することができる（大判大 8.5.31）。

　　∵　これらの請求は他の共有者の持分権に直接影響をもたらすものではな

　　い

2　共有者全員で請求することが求められる場合

　　以上と異なり、次に掲げる請求は、共有関係に立つことに基づく請求であり、共有関係をめぐる紛争の解決を共有者全員について矛盾なく合一的に確定する必要があることから、各共有者が単独ですることができず、共有者全員で請求することが求められる。

　　①　物を共有していることの確認の訴え（最判昭46.10.7）

　　②　共有者名義への所有権移転登記手続請求（最判昭46.10.7）

　　③　共有地の筆界（境界）確定を求める訴え（最判昭46.12.9）

＜共有の対外関係＞

各共有者が単独ですることができるもの	共有物の全部について	①　共有物の返還請求（大判大 10.6.13）**共** ②　共有物に対する妨害排除・予防請求（大判大7.4.19、大判大 10.7.18） ③　第三者名義の不実登記の抹消登記手続請求（最判昭31.5.10、最判昭33.7.22、最判平15.7.11・百選Ⅰ 71 事件）**同共書**
	各共有者の持分について	①　共有物の侵害に基づく損害賠償請求権（最判昭51.9.7）**共予書** ②　持分権の確認請求（大判大 13.5.19、最判昭40.5.20） ③　持分権に基づく時効の完成猶予・更新（大判大 8.5.31）
共有者全員で請求することが求められるもの	①　物を共有していることの確認の訴え（最判昭46.10.7） ②　共有者名義への所有権移転登記手続請求（最判昭46.10.7） ③　共有地の筆界（境界）確定を求める訴え（最判昭46.12.9）	

第252条の2　（共有物の管理者）

Ⅰ　共有物の管理者は、共有物の管理に関する行為をすることができる。ただし、共有者の全員の同意を得なければ、共有物に変更（その形状又は効用の著しい変更を伴わないものを除く。次項において同じ。）を加えることができない。

Ⅱ　共有物の管理者が共有者を知ることができず、又はその所在を知ることができないときは、裁判所は、共有物の管理者の請求により、当該共有者以外の共有者の同意を得て共有物に変更を加えることができる旨の裁判をすることができる。

Ⅲ　共有物の管理者は、共有者が共有物の管理に関する事項を決した場合には、これに従ってその職務を行わなければならない。

Ⅳ　前項の規定に違反して行った共有物の管理者の行為は、共有者に対してその効力を生じない。ただし、共有者は、これをもって善意の第三者に対抗することができない。

【令3改正】共有物を管理するに当たっては、共有者がその管理に関する事項を毎回協議して決定するよりも、管理者を選任してその管理者に共有物の管理を任せた方が、より円滑に共有物（特に土地・建物）を管理することが可能となる。また、

共有物に関する取引の相手方としても、共有者全員ではなく管理者を相手とすれば足りるため、より便宜である。そこで、今般の改正により、共有物の管理者に関する252条の2が新設された。

《注　釈》

◆　意義

各共有者の持分の価格に従い、その過半数の決定によって選任された共有物の管理者は、共有物の管理に関する行為をすることができる（252の2Ⅰ本文）。

たとえば、共有建物であるマンションについて選任された管理者は、そのマンションに新たな設備を設置するために業者と契約することができる。

→共有者から代理権の付与がない限り、当該契約は管理者と相手方間の契約となり、その費用は各共有者が持分の割合に応じて負担する

第253条　（共有物に関する負担）

Ⅰ　各共有者は、その持分に応じ、管理の費用を支払い、その他共有物に関する負担を負う〈共〉。

Ⅱ　共有者が1年以内に前項の義務を履行しないときは、他の共有者は、相当の償金を支払ってその者の持分を取得することができる〈同共〉。

《注　釈》

一　「管理の費用」（Ⅰ）

1　保存（252Ⅴ）・「管理」（利用及び改良・252Ⅰ前段）のみならず、共有者全員の同意を得て行った共有物の変更（251Ⅰ）も含む。

ex.1　共有者の1人がなした共有物の不法占拠者に対する明渡請求の裁判費用

ex.2　共有物の地中に廃棄された有害物質の除去費用

2　本条は、共有者間の内部における負担についての規定であり、対外的な第三者との関係では適用されない。

→第三者に対しては、原則として不可分債務を負う（大判昭7.6.8）

二　持分売渡請求権（Ⅱ）

償金は、不履行者の負担部分全額を払って持分を取得しなければならない（大判明42.2.25）。

→一部取得は許されない

第254条　（共有物についての債権）

共有者の1人が共有物について他の共有者に対して有する債権は、その特定承継人に対しても行使することができる〈同共〉。

[趣旨] 共有者間の債権の確保のために、持分の包括承継人のみならず特定承継人への請求を認めたものである。

《注　釈》

一　「共有者に対して有する債権」

ex.1　共有物保存・管理費用の立替債権〈予書〉

ex.2　共有物分割による債権　→分割契約につき登記は不要（最判昭 34.11.26）

ex.3　不分割契約上の債権

cf.　本条の権利行使については、共有物の登記を要しない

二　効果

共有者の1人が共有物について他の共有者に対して有する債権は、その特定承継人に対しても行使することができる〈予書〉。

第255条　（持分の放棄及び共有者の死亡）

共有者の1人が、その持分を放棄したとき、又は死亡して相続人がないときは、その持分は、他の共有者に帰属する〈同書〉。

[趣旨] 持分権の放棄は動産の場合には先占の対象となり（239 I）、不動産は国庫の所有に属する（239 II）はずである。また、共有者の1人が相続人なくして死亡したときは持分権は国庫に帰属する（959）はずである。しかし、立法政策上、民法は持分権を他の共有者に帰属させることとした（共有の弾力性）。

*　共有は、持分による制約さえなければ、いつでも完全・円満な支配権としての所有権に復帰する性質を有する。これを共有の弾力性という。

《その他》

- 共有持分権の放棄が他の共有者との通謀虚偽表示による場合には、94条2項が類推適用される（最判昭 42.6.22）。

- 共有不動産の持分権の放棄がされた場合、他の共有者は持分権の移転登記を備えなければ、第三者に持分取得を対抗できない（最判昭 44.3.27）〈書〉。

- 他の共有者の持分取得は原始取得だが、放棄された持分に担保権の設定がある場合、その負担を受けたまま他の共有者が取得する（担保者の承諾のない持分放棄は、担保権者に対抗し得ない（398））〈画〉。

- 共有者が相続人なくして死亡した場合に、特別縁故者への持分権の分与（958の2）と本条との関係が問題となるが、前者による処理が優先する（最判平元.11.24・百選III 57 事件）〈同予書〉。　⇒ p.776

- 共有者間の協議は不要〈予書〉。

第256条　（共有物の分割請求）

I　各共有者は、いつでも共有物の分割を請求することができる。ただし、5年を超えない期間内は分割をしない旨の契約をすることを妨げない〈同書〉。

II　前項ただし書の契約は、更新することができる。ただし、その期間は、更新の時から5年を超えることができない。

第257条

　前条の規定は、第229条＜境界標等の共有の推定＞に規定する共有物については、適用しない。

第258条　（裁判による共有物の分割）

Ⅰ　共有物の分割について共有者間に協議が調わないとき、又は協議をすることができないときは、その分割を裁判所に請求することができる。

Ⅱ　裁判所は、次に掲げる方法により、共有物の分割を命ずることができる。
　① 　共有物の現物を分割する方法
　② 　共有者に債務を負担させて、他の共有者の持分の全部又は一部を取得させる方法

Ⅲ　前項に規定する方法により共有物を分割することができないとき、又は分割によってその価格を著しく減少させるおそれがあるときは、裁判所は、その競売を命ずることができる。

Ⅳ　裁判所は、共有物の分割の裁判において、当事者に対して、金銭の支払、物の引渡し、登記義務の履行その他の給付を命ずることができる。

【令3改正】今般の改正により、裁判による分割を請求するための要件として、新たに「協議をすることができないとき」（協議不能、258Ⅰ）が加えられた。また、裁判による分割の方法として、賠償分割（258Ⅱ②）が明示されたほか、賠償分割における金銭債務の履行確保の手続的措置に関する規定（258Ⅳ）が新たに設けられた。

【趣旨】共有における各共有者は所有権の本質をもつ持分権を有することから、いつでも共有物の分割請求ができるとする反面、契約による制限をも認める旨を規定したものである。

《注　釈》

一　256条1項
　1　遺産分割前の遺産は共有とされる（大判大10.6.8）。
　2　分割請求権は一種の形成権である。
　3　5年の期間を超える不分割特約は無効である。
　4　不分割特約は持分の特定承継人にも拘束力を有する。しかし、不動産の場合には、その旨の登記がなければ対抗できない（不登59⑥）。

二　協議による分割の方法
　1　協議による分割は共有者全員でするが、持分通りに行われなくてもよい（最大判昭62.4.22）。
　2　方法は、現物分割、代金分割（共有物を売却して代金を分ける）、価格賠償（共有者の1人が共有物全体の所有権を取得して他の共有者に持分の価格を支払う）がある。

三　裁判による分割（258）
　1　共有物の分割について共有者間に協議が調わないとき、又は協議をすること

物権

ができないとき（協議不能）は、その分割を裁判所に請求することができる（258Ⅰ）。

> →協議不能には、共有者の一部に協議に応じる意思がないために共有者全員による協議ができない場合（最判昭46.6.18）や、共有者の一部に所在等不明共有者がいる場合〈新〉も含まれる

共有物分割訴訟においては、共有者の全員が当事者とならなければならない（固有必要的共同訴訟、民訴40参照）〈同〉。

2　裁判による分割の方法

(1)　現物分割（258Ⅱ①）

　　共有物の現物を分割する方法である。典型的な現物分割は、たとえば、ＡＢＣが300㎡の甲土地を各3分の1の持分で共有している場合において、ＡＢＣに100㎡ずつ甲土地を分割する方法である。

　　これに加え、現物分割には、一括分割・一部分割といわれるものがある。

(a)　一括分割

　　複数の共有物が存在する場合において、これらを一括して現物分割する方法である（最大判昭62.4.22）〈同〉。

> ex.　甲・乙・丙土地のそれぞれをＡＢＣに分割するのではなく、甲土地をＡ、乙土地をＢ、丙土地をＣの単独所有とするような方法

(b)　一部分割

　　一部の共有者にのみ現物分割して単独所有とし、残余部分における他の共有者の共有関係を残す方法である（最大判昭62.4.22、最判平4.1.24）〈同〉。

> ex.　甲土地をＡＢＣが共有している場合において、Ａの持分の限度で甲土地を分割してＡの単独所有とし、甲土地の残余部分をＢＣの共有とするような方法

(2)　賠償分割（258Ⅱ②）

　　共有者に債務を負担させて、他の共有者の持分の全部又は一部を取得させる方法である。これには、一部価格賠償と全面的価格賠償といわれるものがある。

　　なお、現物分割と賠償分割との間には、いずれかを先に検討すべきであるといった先後関係はない。

(a)　一部価格賠償

　　一部の共有者に持分の価格以上の現物を取得させ、その者に他の共有者に対して当該超過分の対価を支払わせて過不足を調整する方法である（最大判昭62.4.22）。

> ex.　1億円の価値を有する甲土地と6000万円の価値を有する乙土地をＡＢがそれぞれ等しい割合で共有している場合において、甲土地をＡ、乙土地をＢの単独所有とし、ＡがＢに対して超過額の対価である2000万円を支払わせるような方法

(b)　全面的価格賠償

　　共有物を共有者のうちの1人の単独所有又は数人の共有とし、これらの者から他の共有者に対して持分の価格を賠償させる方法である（最判平8.10.31・百選Ⅰ72事件）。

ex.　3億円の価値を有する甲土地をABCがそれぞれ等しい割合で共有している場合において、甲土地をAの単独所有とし、AがBCに対してそれぞれ1億円ずつ賠償するような方法

　　判例（最判平8.10.31・百選Ⅰ72事件）は、①当該共有物を共有者のうちの特定の者に取得させるのが相当であると認められ、かつ、②その価格が適正に評価され、当該共有物を取得する者に支払能力があって、他の共有者にはその持分の価格を取得させることとしても共有者間の実質的公平を害しないと認められる特段の事情が存する場合に、全面的価格賠償が許される旨判示している。

(c)　賠償分割においては、共有物の持分を取得する共有者が負う債務の履行をどのように確保するのかという問題があるが、裁判所は、共有物の分割の裁判において、当事者に対して、金銭の支払、物の引渡し、登記義務の履行その他の給付を命ずることができる（258Ⅳ）。

→裁判所は、持分を取得する共有者の代価支払義務と他の共有者の持分移転登記義務とを引換給付とすることも可能である

(3)　競売分割（258Ⅲ）

　　たとえば、甲土地を競売し、これによって得た売却代金をABCの持分割合に応じて分割する方法である。

　　競売分割は、現物分割・賠償分割の方法により共有物を分割することができないとき、又は分割によってその価格を著しく減少させるおそれがあるときに、裁判所がその競売を命ずる分割方法であり、補充的な分割方法である（258Ⅲ）。

　　「分割することができないとき」とは、現物分割が物理的に不可能な場合だけでなく、社会通念上適正な現物分割が著しく困難な場合も含まれる（最判昭46.6.18）。

四　効果

1　分割により、従前の共有関係は終了し、各共有者は取得部分につき単独所有者となる。分割の遡及効は生じない（将来効）。

2　各共有者は他の共有者が分割によって得た物につき、その持分に応じて売主と同様の担保責任を負う（261）。

∵　実質的には共有者間での持分の一部の交換又は売買と同じ意味をもつ

3　持分権上の担保物権

(1)　持分権者が共有物の全部又は一部を取得した場合

(a)　全部取得

　　担保物権の目的となっている範囲では持分権はそのまま存続する。担保

物権はその持分上に存在して影響を受けない。

　　→共有者が新たに取得した部分について、抵当権の効力は及ばない

　(b)　一部取得

　　　持分権者の取得した部分にも、他の共有者の取得した部分にも、各々持
　　　分権が消滅せずに存続し、それらの持分権上に担保物権が存在する。

　(2)　共有物が代金分割・価格賠償により、第三者又は他の共有者に帰属し、持
　　　分権者が代金又は価格を取得する場合

　　　担保物権者は、その持分権者の受ける代金や価格の上に物上代位（304）
　　することで権利行使する。加えて、担保物権は、他人に帰属した持分権者の
　　持分上にも存続する囲。

第258条の2

Ⅰ　共有物の全部又はその持分が相続財産に属する場合において、共同相続人間で当
　該共有物の全部又はその持分について遺産の分割をすべきときは、当該共有物又は
　その持分について前条の規定による分割をすることができない■。

Ⅱ　共有物の持分が相続財産に属する場合において、相続開始の時から10年を経過
　したときは、前項の規定にかかわらず、相続財産に属する共有物の持分について前
　条の規定による分割をすることができる。ただし、当該共有物の持分について遺産
　の分割の請求があった場合において、相続人が当該共有物の持分について同条の規
　定による分割をすることに異議の申出をしたときは、この限りでない。

Ⅲ　相続人が前項ただし書の申出をする場合には、当該申出は、当該相続人が前条第
　1項の規定による請求を受けた裁判所から当該請求があった旨の通知を受けた日か
　ら2箇月以内に当該裁判所にしなければならない。

【令3改正】共同相続人間における遺産分割の手続については、通常裁判所が判決
手続で判定する258条所定の共有物分割請求ではなく、家庭裁判所が審判によって
定める907条所定の遺産分割手続によらなければならない旨判示する判例（最判昭
62.9.4）の理解を明文化するものである。

《注　釈》

一　原則

　共有物の全部又はその持分が相続財産に属する場合において、共同相続人間で
当該共有物の全部又はその持分について遺産の分割をすべきときは、当該共有物
又はその持分について裁判による共有物分割の方法をとることができない（258
の2Ⅰ）。

　　∵　共同相続人間における遺産共有を解消するには、遺産全体の価値を総合的
　　　に把握して遺産分割の方法（906参照）により行うのが適切であり、このよ
　　　うな配慮ができない共有物分割の方法をとるべきではない

　他方、遺産分割前に、一部の共同相続人から共有持分を譲り受けた第三者が共
有関係を解消する場合、譲渡された部分は遺産分割の対象から逸出することか
ら、遺産分割手続（907）ではなく共有物分割請求（258）をとるべきである（最
判昭50.11.7）同共書。

では、甲土地をABCが共有していた場合において、Cが死亡し、Cの子であるBDがCの共有持分を相続したとき、甲土地にはABの共有持分とBDの遺産共有持分が併存することになるところ、この共有関係を解消するためにとるべき裁判上の手続はどうなるか。判例（最判平25.11.29・百選Ⅲ73事件）〈判〉は、まず遺産共有持分と他の共有持分との間の共有関係の解消を求める方法として共有物分割請求（258）をとった上で、その共有物分割の判決によって遺産共有持分権者に分与された財産の共有関係の解消については遺産分割手続（907）によるべきであるとした。

→なお、相続開始時から10年を経過したときは、遺産共有持分について共有物分割請求による分割も可能となる（258の2Ⅱ本文。ただし、例外あり（同ただし書参照））

二　例外

1　共有物の持分が相続財産に属する場合において、相続開始の時から10年を経過したときは、相続財産に属する共有物の持分について裁判による共有物分割の方法をとることができる（258の2Ⅱ本文）。

∵　遺産分割上の権利を長年にわたって行使しない相続人は、当該共有物に関しては遺産分割上の権利を行使する意思に乏しいものと評価でき、共有物の分割を先行して実施しても、その相続人を不当に害することにはならない

→裁判所は、共有物の分割を命ずる判決において、相続人間の分割もすることができる（その際、遺産の分割の基準に関する906条や配偶者居住権に関する規定は適用されない）

2　ただし、共有物の持分について遺産分割の請求があった場合において、相続人が当該共有物の持分について裁判による共有物分割の方法をとることに異議の申出をしたときは、裁判所は、裁判による共有物分割の方法をとることができない（258の2Ⅱただし書）。

∵　相続人の遺産分割上の権利を保護する趣旨

→異議の申出は、当該相続人が裁判による共有物分割の請求があった旨の通知を受けた日から2か月以内にしなければならない（258の2Ⅲ）

第259条　（共有に関する債権の弁済）

Ⅰ　共有者の1人が他の共有者に対して共有に関する債権を有するときは、分割に際し、債務者に帰属すべき共有物の部分をもって、その弁済に充てることができる〈共〉。

Ⅱ　債権者は前項の弁済を受けるため債務者に帰属すべき共有物の部分を売却する必要があるときは、その売却を請求することができる。

《注　釈》

▪本条の「債権」は、254条の「債権」よりも広く、共有物購入資金の立替債権も含む。

第260条　（共有物の分割への参加）

Ⅰ　共有物について権利を有する者及び各共有者の債権者は、自己の費用で、分割に参加することができる〈難〉。

Ⅱ　前項の規定による参加の請求があったにもかかわらず、その請求をした者を参加させないで分割をしたときは、その分割は、その請求をした者に対抗することができない。

第261条　（分割における共有者の担保責任）

各共有者は、他の共有者が分割によって取得した物について、売主と同じく、その持分に応じて担保の責任を負う〈同書〉。

第262条　（共有物に関する証書）

Ⅰ　分割が完了したときは、各分割者は、その取得した物に関する証書を保存しなければならない。

Ⅱ　共有者の全員又はそのうちの数人に分割した物に関する証書は、その物の最大の部分を取得した者が保存しなければならない。

Ⅲ　前項の場合において、最大の部分を取得した者がないときは、分割者間の協議で証書の保存者を定める。協議が調わないときは、裁判所が、これを指定する。

Ⅳ　証書の保存者は、他の分割者の請求に応じて、その証書を使用させなければならない。

第262条の2　（所在等不明共有者の持分の取得）

Ⅰ　不動産が数人の共有に属する場合において、共有者が他の共有者を知ることができず、又はその所在を知ることができないときは、裁判所は、共有者の請求により、その共有者に、当該他の共有者（以下この条において「所在等不明共有者」という。）の持分を取得させる旨の裁判をすることができる。この場合において、請求をした共有者が2人以上あるときは、請求をした各共有者に、所在等不明共有者の持分を、請求をした各共有者の持分の割合で按分してそれぞれ取得させる。

Ⅱ　前項の請求があった持分に係る不動産について第258条第1項＜裁判による共有物の分割＞の規定による請求又は遺産の分割の請求があり、かつ、所在等不明共有者以外の共有者が前項の請求を受けた裁判所に同項の裁判をすることについて異議がある旨の届出をしたときは、裁判所は、同項の裁判をすることができない。

Ⅲ　所在等不明共有者の持分が相続財産に属する場合（共同相続人間で遺産の分割をすべき場合に限る。）において、相続開始の時から10年を経過していないときは、裁判所は、第1項の裁判をすることができない。

Ⅳ　第1項の規定により共有者が所在等不明共有者の持分を取得したときは、所在等不明共有者は、当該共有者に対し、当該共有者が取得した持分の時価相当額の支払を請求することができる。

Ⅴ　前各項の規定は、不動産の使用又は収益をする権利（所有権を除く。）が数人の共有に属する場合について準用する。

第262条の3　（所在等不明共有者の持分の譲渡）

Ⅰ　不動産が数人の共有に属する場合において、共有者が他の共有者を知ることがで
きず、又はその所在を知ることができないときは、裁判所は、共有者の請求により、
その共有者に、当該他の共有者（以下この条において「所在等不明共有者」とい
う。）以外の共有者の全員が特定の者に対してその有する持分の全部を譲渡すること
を停止条件として所在等不明共有者の持分を当該特定の者に譲渡する権限を付与す
る旨の裁判をすることができる。

Ⅱ　所在等不明共有者の持分が相続財産に属する場合（共同相続人間で遺産の分割を
すべき場合に限る。）において、相続開始の時から10年を経過していないときは、
裁判所は、前項の裁判をすることができない。

Ⅲ　第1項の裁判により付与された権限に基づき共有者が所在等不明共有者の持分を
第三者に譲渡したときは、所在等不明共有者は、当該譲渡をした共有者に対し、不
動産の時価相当額を所在等不明共有者の持分に応じて按分して得た額の支払を請求
することができる。

Ⅳ　前3項の規定は、不動産の使用又は収益をする権利（所有権を除く。）が数人の共
有に属する場合について準用する。

【令3改正】所有者不明土地の多くは、共有者の一部が特定不能又は所在不明の状
態にあるとされているが、そのような状態のままでは、共有者全員によって共有物
を分割するのが困難であり、特に共有物が不動産である場合には弊害が大きいとさ
れる。そのため、共有者の一部が不明であるという状態を実効的に解消するための
制度が要請される。そこで、今般の改正により、特に共有物が「不動産」である場
合において、共有者の一部が特定不能又は所在不明の状態にあっても、①その所在
等不明共有者の持分を他の共有者が取得し（262の2）、又は②その持分の譲渡権
限を取得して特定の者に譲渡すること（262の3）が可能となった。

《注　釈》
一　所在等不明共有者の持分の取得（262の2）

　1　意義
　　　所在等不明共有者の持分の取得に関する262条の2第1項の適用により、所
　在等不明共有者が存在する土地であっても、その持分を集約することでその土
　地の利用・管理・処分の円滑化を図ることができるとともに、共有者の一部が
　不明であるという状態を実効的に解消することが可能となる。

　2　請求をした共有者が2人以上ある場合
　　　この場合、請求をした各共有者に、所在等不明共有者の持分を、請求をした
　各共有者の持分の割合で按分してそれぞれ取得させる（262の2Ⅰ後段）。
　　　ex.　ＡＢＣが各3分の1の持分で土地を共有している場合において、Ｃが所
　　　　在不明であるときに、ＡＢが持分の取得を請求すると、Ｃの持分をＡＢで
　　　　按分し、各6分の1ずつＣの持分をＡＢに取得させる

　3　共有物分割又は遺産分割の請求との関係
　　　持分取得の裁判の請求があった共有不動産について、①共有物分割の請求

(258Ⅰ) 又は遺産分割の請求があり、かつ、②所在等不明共有者以外の共有者が持分取得の裁判をすることについて異議がある旨の届出をしたときは、裁判所は、持分取得の裁判をすることができない（262の2Ⅱ）。

∵ 所在等不明共有者の持分も含めて全体について適切な分割を実現することを希望している共有者がいる場合には、持分取得の裁判ではなく、共有物分割や遺産分割の手続を優先し、その中で適切な分割をすべきである

4 所在等不明共有者の持分が相続財産に属する場合（遺産共有状態の不動産の場合）

ＡＢが各2分の1の持分で土地を共有していたが、Ｂが死亡し、ＣＤが各2分の1の法定相続分で相続した場合において、Ｃが所在不明であるときは、相続開始から10年経過しなければ、Ａ又はＤは、持分取得の裁判によりＣの持分を取得することができない（262の2Ⅲ）。

∵ 持分取得の裁判の請求をした相続人（共有者）が所在等不明共有者の持分を取得すると、その持分は遺産分割の対象から除外されてしまうため、他の相続人が遺産分割により所在等不明共有者の持分を取得することが不可能となり、遺産分割上の権利が失われる

もっとも、相続開始の時から10年を経過したときは、裁判所は、所在等不明共有者の持分が相続財産に属する場合であっても、その持分取得の裁判をすることができる。

∵ 長年にわたり遺産分割上の権利が行使されていない状況であれば、持分取得の裁判を認めても、もはや他の相続人の遺産分割上の権利を侵害することにはならない

cf. 冒頭の事例において、Ａが所在不明であるときは、Ｃ又はＤは、相続開始時から10年の経過を待つことなく、持分取得の裁判によりＡの持分を取得することができる

→通常の共有者（Ａ）については遺産分割上の権利が問題となることはないため、262条の2第3項は適用されない

* なお、「（共同相続人間で遺産の分割をすべき場合に限る。）」（262の2Ⅲ）との文言は、相続が発生しているものの、遺産共有の状態が生じていない場合（相続人が不存在である場合など）を除外する趣旨である。

二 所在等不明共有者の持分の譲渡（262の3）

ＡＢＣが各3分の1の持分で土地を共有している場合において、Ｃが所在不明であるときは、Ａは、Ｃ以外の共有者の全員（ＡＢ）が第三者であるＤに対して、ＡＢの持分の全部を譲渡することを停止条件として、Ｃの持分をＤに譲渡する権限をＡに付与する旨の裁判をすることができる。

→持分譲渡権限の付与の裁判を利用する場合には、所在等不明共有者以外の共有者の全員の合意があることが前提となっているので、持分取得の裁判を請求する共有者が2人以上ある場合における按分取得に関する規定（262の2Ⅰ後段）や、共有物分割又は遺産分割の請求との関係に関する規定（262の

2Ⅱ）はない

《その他》

- 262条の2、262条の3の規定は、共有に属する「不動産」の所有権のほか、地上権・賃借権・使用借権などの「使用又は収益をする権利」が数人の共有（準共有）に属する場合について準用される（262の2Ⅴ、262の3Ⅳ）。
  →それ以外の動産等に対する財産権が共有（準共有）されている場合には準用されない（264本文かっこ書）

第263条 （共有の性質を有する入会権）

共有の性質を有する入会権については、各地方の慣習に従うほか、この節の規定を適用する。

《注 釈》

一 意義

入会権とは、村落等、一定の地域に居住する住民の集団が山林原野・漁場・用水等を総有的に支配する権利をいう。

二 準用規定・慣習

共有の性質を有する入会権（入会権の地盤が入会権者に帰属している場合）には共有の規定を準用（263）し、共有の性質を有しない入会権には地役権の規定を準用（294）する。もっとも、共有や地役権の規定が入会権に準用される余地はほとんどなく、慣習に委ねられる。

三 判例

1 入会団体が権利能力なき社団に当たる場合、当該入会団体は入会地にかかる総有権確認の訴えの原告適格を有し、規約等の定める授権手続に従い代表者に訴訟追行させることができる（最判平6.5.31・百選Ⅰ74事件）。

2 入会権の処分に関する慣習にも本条の効力が及ぶ。ゆえに、一部の入会権者の合意のみで入会権を処分できるとの慣習も、公序良俗に反するなどの特段の事情がない限り有効である（最判平20.4.14・平20重判2事件）。

3(1) 入会権の目的となっている山林原野の使用収益権は、入会権そのものについての管理処分の権能とは異なり、入会団体の構成員たる資格に基づいて個別的に認められる権能であるから、別段の慣習がない限り、各自が単独で行使することができる（最判昭57.7.1）。

　　→かかる使用収益権の行使を妨害する者がある場合には、その者が入会団体の構成員であるかどうかを問わず、各自が単独で、その者に対し、妨害排除を請求することが可能

(2) もっとも、入会団体の構成員は、かかる使用収益権に基づいて、入会地について経由された地上権設定登記の抹消登記手続を請求することはできない（前掲最判昭57.7.1）。

　　∵ 使用収益権自体は、特段の事情のない限り、単に登記が存在することのみによっては格別の妨害を受けない

(3)　ただし、上記登記の存在は、入会権自体に対しては侵害的性質をもつから、入会権自体に基づいて上記登記の抹消登記手続を請求することは可能であるが、入会団体の構成員各自において、入会権自体に対する妨害排除としての抹消登記手続を請求することはできない（前掲最判昭 57.7.1）（共）。

∴　入会団体の個々の構成員は、共有におけるような持分権又はこれに類する権限を有するものではない

第264条　（準共有）

　この節（第262条の2及び第262条の3を除く。）の規定は、数人で所有権以外の財産権を有する場合について準用する。ただし、法令に特別の定めがあるときは、この限りでない。

《注　釈》

◆　意義

　数人が共同して所有権以外の財産権（地上権、地役権、抵当権、債権など）を有する場合を準共有という（264 本文）。

　準共有には、共有に関する規定（249〜263 参照。ただし、所在等不明共有者の持分の取得・譲渡（262 の2、262 の3）を除く）が準用される。

　もっとも、法令に「特別の定め」があるときは、それらの規定が適用される（264 ただし書）。以下のとおり、「特別の定め」が多いため、準共有の規定が適用される場面は少ない。

　　→「特別の定め」としては、①地役権の不可分性（282）、②地役権の時効に関する不可分性（284、292）、③根抵当権の共有（398 の 14）、④多数当事者の債権・債務に関する規定（427 以下）、⑤解除権の不可分性（544）、⑥組合に関する規定（670〜676）などがある

■第4節　所有者不明土地管理命令及び所有者不明建物管理命令
《概　説》

　所有者不明土地は、その管理が十分になされないおそれがあり、周囲に危険や悪影響を及ぼし、土地の社会経済上の効用を阻害する要因にもなる。そこで、土地所有者の利益に配慮しつつ、所有者不明土地の適切な管理を実現するための手段として、所有者不明土地管理命令に関する制度（264 の2〜7）が新設された。

　また、土地と建物の所有者が異なる場合（借地上の建物など）において、土地所有者が不明でなくても、建物所有者が不明であるケースに対応するためには、建物について独自に管理命令を発令する必要がある。そこで、所有者不明土地管理命令と並び、同様の趣旨から、所有者不明建物管理命令に関する規定（264 の8）が新設された。

　いずれも、所有者等が特定不能・所在不明となった土地・建物について、所有者不明土地・建物管理人を選任することにより、所有者不明土地・建物の管理を効率化・合理化するための制度である。

物
権

　なお、所有者不明土地・建物の管理命令は特定の土地・建物を対象とする制度であるのに対し、不在者の財産管理人の制度（25〜29参照）や相続財産の管理人の制度（897の2）は不在者の財産や相続財産の全体を管理する制度という違いがある。

第264条の2　（所有者不明土地管理命令）

Ⅰ　裁判所は、所有者を知ることができず、又はその所在を知ることができない土地（土地が数人の共有に属する場合にあっては、共有者を知ることができず、又はその所在を知ることができない土地の共有持分）について、必要があると認めるときは、利害関係人の請求により、その請求に係る土地又は共有持分を対象として、所有者不明土地管理人（第4項に規定する所有者不明土地管理人をいう。以下同じ。）による管理を命ずる処分（以下「所有者不明土地管理命令」という。）をすることができる。

Ⅱ　所有者不明土地管理命令の効力は、当該所有者不明土地管理命令の対象とされた土地（共有持分を対象として所有者不明土地管理命令が発せられた場合にあっては、共有物である土地）にある動産（当該所有者不明土地管理命令の対象とされた土地の所有者又は共有持分を有する者が所有するものに限る。）に及ぶ。

Ⅲ　所有者不明土地管理命令は、所有者不明土地管理命令が発せられた後に当該所有者不明土地管理命令が取り消された場合において、当該所有者不明土地管理命令の対象とされた土地又は共有持分及び当該所有者不明土地管理命令の効力が及ぶ動産の管理、処分その他の事由により所有者不明土地管理人が得た財産について、必要があると認めるときも、することができる。

Ⅳ　裁判所は、所有者不明土地管理命令をする場合には、当該所有者不明土地管理命令において、所有者不明土地管理人を選任しなければならない。

第264条の3　（所有者不明土地管理人の権限）

Ⅰ　前条第4項の規定により所有者不明土地管理人が選任された場合には、所有者不明土地管理命令の対象とされた土地又は共有持分及び所有者不明土地管理命令の効力が及ぶ動産並びにその管理、処分その他の事由により所有者不明土地管理人が得た財産（以下「所有者不明土地等」という。）の管理及び処分をする権利は、所有者不明土地管理人に専属する〈同〉。

Ⅱ　所有者不明土地管理人が次に掲げる行為の範囲を超える行為をするには、裁判所の許可を得なければならない。ただし、この許可がないことをもって善意の第三者に対抗することはできない〈同〉。

① 保存行為

② 所有者不明土地等の性質を変えない範囲内において、その利用又は改良を目的とする行為

第264条の4　（所有者不明土地等に関する訴えの取扱い）

　所有者不明土地管理命令が発せられた場合には、所有者不明土地等に関する訴えについては、所有者不明土地管理人を原告又は被告とする〈同〉。

物
権

第264条の5　（所有者不明土地管理人の義務）

Ⅰ　所有者不明土地管理人は、所有者不明土地等の所有者（その共有持分を有する者を含む。）のために、善良な管理者の注意をもって、その権限を行使しなければならない〈同〉。

Ⅱ　数人の者の共有持分を対象として所有者不明土地管理命令が発せられたときは、所有者不明土地管理人は、当該所有者不明土地管理命令の対象とされた共有持分を有する者全員のために、誠実かつ公平にその権限を行使しなければならない。

第264条の6　（所有者不明土地管理人の解任及び辞任）

Ⅰ　所有者不明土地管理人がその任務に違反して所有者不明土地等に著しい損害を与えたことその他重要な事由があるときは、裁判所は、利害関係人の請求により、所有者不明土地管理人を解任することができる。

Ⅱ　所有者不明土地管理人は、正当な事由があるときは、裁判所の許可を得て、辞任することができる。

第264条の7　（所有者不明土地管理人の報酬等）

Ⅰ　所有者不明土地管理人は、所有者不明土地等から裁判所が定める額の費用の前払及び報酬を受けることができる。

Ⅱ　所有者不明土地管理人による所有者不明土地等の管理に必要な費用及び報酬は、所有者不明土地等の所有者（その共有持分を有する者を含む。）の負担とする〈同〉。

《注　釈》

一　所有者不明土地管理命令の発令・所有者不明土地管理人の選任等

1　「利害関係人」（264の2Ⅰ）

　　利害関係人に当たるかどうかは、所有者不明土地を適切に管理するという制度趣旨に照らして判断される。具体的には、以下の者が利害関係人に当たる。

　　ex.1　その土地が適切に管理されないために不利益を被るおそれがある隣地所有者

　　ex.2　一部の共有者が不明な場合の他の共有者

　　ex.3　その土地を取得してより適切な管理をしようとする公共事業の実施者

　　ex.4　所有者不明土地を時効取得したと主張する者

　　　　∵　取得時効が認められれば土地の所有者不明状態を解消することが可能

　　→裁判所は、所有者不明土地管理命令をする場合には、当該所有者不明土地管理命令において、所有者不明土地管理人を選任しなければならない（264の2Ⅳ）

2　所有者不明土地管理命令の効力の及ぶ範囲

　　所有者不明土地管理命令の効力は、その対象とされた「土地」（共有持分を対象として所有者不明土地管理命令が発せられた場合にあっては、共有物である土地）に及ぶほか、その土地上にある「動産」にも及ぶ（264の2Ⅱ）。

　　∵　土地を適切に管理するためには、当該土地上の動産についても管理する必要がある

　この効力が及ぶ「動産」は、その対象とされた土地の所有者又は共有持分を有する者が所有するものに限られる（同Ⅱかっこ書参照）。

　　→所有者以外の者が所有する動産については、所有者不明土地管理人による妨害排除請求などで対処する

　なお、所有者不明土地上に建物が存在する場合であり、その建物の所有者が不明である場合でも、所有者不明土地管理命令の効力はその建物には及ばない。

二　所有者不明土地管理人の権限

1　管理・処分権の専属

　所有者不明土地管理制度においては、その対象となる土地を処分することも想定している。そのため、所有者不明土地管理人による職務の円滑な遂行等の観点から、所有者不明土地管理人に「所有者不明土地等」（①その対象とされた土地又は共有持分、及び②その効力が及ぶ動産、並びに③その管理・処分、その他の事由により所有者不明土地管理人が得た財産）の管理・処分権を「専属」（264の3Ⅰ）させることとしている。

　「専属」するとは、所有者不明土地管理命令により、「所有者不明土地等」の管理・処分権が土地所有者からはく奪され、所有者不明土地管理人に付与されることを意味する（あくまではく奪されるのは管理・処分権であり、土地所有者の所有権それ自体がはく奪されるわけではない）同。

　　→その結果、所有者不明土地等に関する訴えについては、所有者不明土地管理人を原告又は被告とする（264の4）

2　権限の範囲

　所有者不明土地管理人は、①保存行為（264の3Ⅱ①）、②所有者不明土地等の性質を変えない範囲内において、その利用又は改良を目的とする行為（264の3Ⅱ②）をする場合には、裁判所の許可を得る必要はないが、①②の範囲を超える行為をするには、裁判所の許可を得なければならない（264の3Ⅱ柱書本文）。

　　ex. 不法占有者による妨害排除請求や土地の保全ないし危険の除去等をするには裁判所の許可を得なくてもよいが、所有者不明土地を売却するには裁判所の許可を得なければならない（裁判所の許可を得ることができれば、所有者不明土地を処分することも可能）

　この点、裁判所の許可を得なければならない行為であるにもかかわらず、所有者不明土地管理人がこれを得ずにその行為（土地の売却など）をした場合、裁判所の許可がないことをもって善意の第三者（行為の相手方を含む）に対抗することはできない（264の3Ⅱ柱書ただし書）。

三　所有者不明土地管理人の義務

　所有者不明土地管理人は、「所有者不明土地等の所有者」のために善管注意義務を負う（264の5Ⅰ）。

物権

∵　所有者不明土地管理人は、土地の適切な管理を実現するために選任される
ものであって、必ずしも土地の所有者のために選任されるわけではないが、
他方で、土地の所有者の利益を害さないように行動しなければならない

→所有者不明土地管理人が自己の管理下にある所有者不明土地を自ら買い受け
るような利益相反行為をすることは、108条により許されないと解されている

第264条の8　（所有者不明建物管理命令）

Ⅰ　裁判所は、所有者を知ることができず、又はその所在を知ることができない建物
（建物が数人の共有に属する場合にあっては、共有者を知ることができず、又はその
所在を知ることができない建物の共有持分）について、必要があると認めるときは、
利害関係人の請求により、その請求に係る建物又は共有持分を対象として、所有者
不明建物管理人（第4項に規定する所有者不明建物管理人をいう。以下この条にお
いて同じ。）による管理を命ずる処分（以下この条において「所有者不明建物管理命
令」という。）をすることができる。

Ⅱ　所有者不明建物管理命令の効力は、当該所有者不明建物管理命令の対象とされた
建物（共有持分を対象として所有者不明建物管理命令が発せられた場合にあっては、
共有物である建物）にある動産（当該所有者不明建物管理命令の対象とされた建物
の所有者又は共有持分を有する者が所有するものに限る。）及び当該建物を所有し、
又は当該建物の共有持分を有するための建物の敷地に関する権利（賃借権その他の
使用及び収益を目的とする権利（所有権を除く。）であって、当該所有者不明建物管
理命令の対象とされた建物の所有者又は共有持分を有する者が有するものに限る。）
に及ぶ。

Ⅲ　所有者不明建物管理命令は、所有者不明建物管理命令が発せられた後に当該所有
者不明建物管理命令が取り消された場合において、当該所有者不明建物管理命令の
対象とされた建物又は共有持分並びに当該所有者不明建物管理命令の効力が及ぶ動
産及び建物の敷地に関する権利の管理、処分その他の事由により所有者不明建物管
理人が得た財産について、必要があると認めるときも、することができる。

Ⅳ　裁判所は、所有者不明建物管理命令をする場合には、当該所有者不明建物管理命
令において、所有者不明建物管理人を選任しなければならない。

Ⅴ　第264条の3から前条までの規定＜所有者不明土地管理人の権限、所有者不明
土地等に関する訴えの取扱い、所有者不明土地管理人の義務・解任及び辞任・報酬
等＞は、所有者不明建物管理命令及び所有者不明建物管理人について準用する。

《注　釈》

一　所有者不明土地管理命令に関する規定の準用

264条の3から264条の7までの規定は、所有者不明建物管理命令及び所有者
不明建物管理人について準用される（264の8Ⅴ）。

二　所有者不明建物管理命令の効力の及ぶ範囲

所有者不明建物管理命令の効力は、その対象とされた「建物」（共有持分を対
象として所有者不明建物管理命令が発せられた場合にあっては、共有物である建
物）にある「動産」のみならず、当該建物を所有し、又は当該建物の共有持分を
有するための「建物の敷地に関する権利」にも及ぶ（264の8Ⅱ）。

∵ 所有者不明建物管理人に借地権に関する権限を認めないと、その適切な管理に支障を来すおそれがある

この効力が及ぶ「動産」は、その対象とされた建物の所有者又は共有持分を有する者が所有するものに限られる。また、「建物の敷地に関する権利」は、賃借権その他の使用及び収益を目的とする権利であって、当該所有者不明建物管理命令の対象とされた建物の所有者又は共有持分を有する者が有するものに限られる。

ただし、敷地の「所有権」には所有者不明建物管理命令の効力が及ばない（264の8Ⅱかっこ書参照）。

→所有者不明建物の権原が敷地の「所有権」である場合において、その所有者不明建物を管理するためには、所有者不明土地管理命令を得ることが必要となる

■第5節　管理不全土地管理命令及び管理不全建物管理命令
《概　説》

改正前民法下では、不適当に管理された土地による権利等の侵害又はその危険が及ぶ近隣の土地所有者は、その管理不全土地の所有者に対し、所有権に基づく妨害排除請求等を行使することができるが、管理人による管理は想定されていないため、管理不全土地について継続的な管理が必要であるケース（土地の草木が繁茂するなどして周辺住民に被害を及ぼしているケースや、継続的に廃棄物の不法投棄が行われ周辺住民に被害を及ぼしている土地について、いったんその撤去等をした後も再び廃棄物が不法投棄されるおそれがあるケースなど）には、必ずしも対応することができなかった。

そこで、管理不全土地の適切な管理を実現するための手段として、管理不全土地管理命令に関する制度（264の9〜13）が新設された。既に説明した所有者不明土地管理命令に関する規定と同様の規律が設けられているが、管理不全土地管理命令は、その対象の土地所有者が明らかになっていることが想定されているため、随所で規律が異なっている。

また、管理不全建物についても、建物所有権に制約を加え、管理不全建物を適切に管理する必要がある。そこで、管理不全土地管理命令と並び、同様の趣旨から、管理不全建物管理命令に関する規定（264の14）が新設された。

第264条の9　（管理不全土地管理命令）

Ⅰ　裁判所は、所有者による土地の管理が不適当であることによって他人の権利又は法律上保護される利益が侵害され、又は侵害されるおそれがある場合において、必要があると認めるときは、利害関係人の請求により、当該土地を対象として、管理不全土地管理人（第3項に規定する管理不全土地管理人をいう。以下同じ。）による管理を命ずる処分（以下「管理不全土地管理命令」という。）をすることができる。

Ⅱ　管理不全土地管理命令の効力は、当該管理不全土地管理命令の対象とされた土地にある動産（当該管理不全土地管理命令の対象とされた土地の所有者又はその共有持分を有する者が所有するものに限る。）に及ぶ。

Ⅲ　裁判所は、管理不全土地管理命令をする場合には、当該管理不全土地管理命令において、管理不全土地管理人を選任しなければならない。

第264条の10　（管理不全土地管理人の権限）

Ⅰ　管理不全土地管理人は、管理不全土地管理命令の対象とされた土地及び管理不全土地管理命令の効力が及ぶ動産並びにその管理、処分その他の事由により管理不全土地管理人が得た財産（以下「管理不全土地等」という。）の管理及び処分をする権限を有する。

Ⅱ　管理不全土地管理人が次に掲げる行為の範囲を超える行為をするには、裁判所の許可を得なければならない。ただし、この許可がないことをもって善意でかつ過失がない第三者に対抗することはできない。

① 　保存行為

② 　管理不全土地等の性質を変えない範囲内において、その利用又は改良を目的とする行為

Ⅲ　管理不全土地管理命令の対象とされた土地の処分についての前項の許可をするには、その所有者の同意がなければならない。

第264条の11　（管理不全土地管理人の義務）

Ⅰ　管理不全土地管理人は、管理不全土地等の所有者のために、善良な管理者の注意をもって、その権限を行使しなければならない。

Ⅱ　管理不全土地等が数人の共有に属する場合には、管理不全土地管理人は、その共有持分を有する者全員のために、誠実かつ公平にその権限を行使しなければならない。

第264条の12　（管理不全土地管理人の解任及び辞任）

Ⅰ　管理不全土地管理人がその任務に違反して管理不全土地等に著しい損害を与えたことその他重要な事由があるときは、裁判所は、利害関係人の請求により、管理不全土地管理人を解任することができる。

Ⅱ　管理不全土地管理人は、正当な事由があるときは、裁判所の許可を得て、辞任することができる。

第264条の13　（管理不全土地管理人の報酬等）

Ⅰ　管理不全土地管理人は、管理不全土地等から裁判所が定める額の費用の前払及び報酬を受けることができる。

Ⅱ　管理不全土地管理人による管理不全土地等の管理に必要な費用及び報酬は、管理不全土地等の所有者の負担とする。

《注　釈》

一　管理不全土地管理命令の発令・管理不全土地管理人の選任等

　1　「土地の管理が不適当であることによって」（264の9Ⅰ）

　　　この要件は、管理の不適当と現在の侵害状態の継続との間に因果関係があれば満たされるものと解されている。

→不可抗力によって侵害状態（崖崩れや土砂の流出、竹木の倒壊など）が生じた後に所有者が適切に対応しない場合についても、この要件を満たす

2　「利害関係人」（264の9Ⅰ）

利害関係人とは、所有者が土地を管理していないことによって権利又は法律上保護される利益が侵害され、又は侵害されるおそれがある者をいう。

→裁判所は、管理不全土地管理命令をする場合には、当該管理不全土地管理命令において管理不全土地管理人を選任しなければならない（264の9Ⅲ）

3　管理不全土地管理命令の効力の及ぶ範囲

管理不全土地管理命令の効力は、その対象とされた「土地」のほか、その土地上にある「動産」にも及ぶ（264の9Ⅱ）。この「動産」は、その対象とされた土地の所有者又はその共有持分を有する者が所有するものに限られる（264の9Ⅱかっこ書参照）。

二　管理不全土地管理人の権限

1　管理・処分権

管理不全土地管理人は、「管理不全土地等」（①その対象とされた土地、及び②その効力が及ぶ動産、並びに③その管理・処分、その他の事由により管理不全土地管理人が得た財産）の管理・処分権を有する（264の10Ⅰ）。

この点、所有者不明土地管理人の場合は、「所有者不明土地等」の管理・処分権が土地所有者からはく奪され、所有者不明土地管理人に「専属」するものとされている（264の3Ⅰ）。一方、管理不全土地管理人の場合は、「管理不全土地等」の管理・処分権は管理不全土地管理人に「専属」するものとはされていない。

∵　土地所有者及びその所在が明らかである以上、他人による管理・処分は必要最小限にとどめる必要がある

→管理不全土地等に関する訴えについても、その原告又は被告となるのは土地所有者であって、管理不全土地管理人ではない

2　権限の範囲

管理不全土地管理人は、①保存行為（264の10Ⅱ①）、②管理不全土地等の性質を変えない範囲内において、その利用又は改良を目的とする行為（264の10Ⅱ②）をする場合には、裁判所の許可を得る必要はないが、①②の範囲を超える行為をするには、裁判所の許可を得なければならない（264の10Ⅱ柱書本文）。

これに加え、その対象とされた土地の「処分」についての裁判所の許可をするには、その所有者の同意がなければならない（264の10Ⅲ）。

∵　管理不全土地等の管理・処分権は管理不全土地管理人に専属するものではないし、土地の処分についてはその土地所有者の意思を尊重すべきである

3　第三者の保護

管理不全土地管理人が、裁判所の許可を得ずに変更・処分行為をした場合、裁判所の許可がないことをもって「善意でかつ過失がない第三者」に対抗できない（264の10Ⅱ柱書ただし書）。

　∵　管理不全土地管理人の権限は、所有者不明土地管理人の権限と比べてよ
　　り制限されており、土地の変更・処分行為を行うことも当然に想定されてい
　　るわけではないため、より一層土地所有者の静的安全に配慮すべきである

三　管理不全土地管理人の義務

　　管理不全土地管理人は、「管理不全土地等の所有者」のために善管注意義務を
　負う（264の11Ⅰ）。

　　∵　所有者不明土地管理人の善管注意義務に関する規定（264の5Ⅰ）と同じ
　　　趣旨

第264条の14　（管理不全建物管理命令）

Ⅰ　裁判所は、所有者による建物の管理が不適当であることによって他人の権利又は
　法律上保護される利益が侵害され、又は侵害されるおそれがある場合において、必
　要があると認めるときは、利害関係人の請求により、当該建物を対象として、管理
　不全建物管理人（第3項に規定する管理不全建物管理人をいう。第4項において同
　じ。）による管理を命ずる処分（以下この条において「管理不全建物管理命令」とい
　う。）をすることができる。

Ⅱ　管理不全建物管理命令は、当該管理不全建物管理命令の対象とされた建物にある
　動産（当該管理不全建物管理命令の対象とされた建物の所有者又はその共有持分を
　有する者が所有するものに限る。）及び当該建物を所有するための建物の敷地に関す
　る権利（賃借権その他の使用及び収益を目的とする権利（所有権を除く。）であっ
　て、当該管理不全建物管理命令の対象とされた建物の所有者又はその共有持分を有
　する者が有するものに限る。）に及ぶ。

Ⅲ　裁判所は、管理不全建物管理命令をする場合には、当該管理不全建物管理命令に
　おいて、管理不全建物管理人を選任しなければならない。

Ⅳ　第264条の10から前条までの規定＜管理不全土地管理人の権限・義務・解任
　及び辞任・報酬等＞は、管理不全建物管理命令及び管理不全建物管理人について準
　用する。

《注　釈》

一　管理不全土地管理命令に関する規定の準用

　　264条の10から264条の13までの規定は、管理不全建物管理命令及び建物不
　全建物管理人について準用される（264の14Ⅳ）。

二　管理不全建物管理命令の効力の及ぶ範囲

　　管理不全建物管理命令の効力は、その対象とされた建物にある「動産」のみな
　らず、当該建物を所有するための「建物の敷地に関する権利」にも及ぶ（264の
　14Ⅱ）。

　　∵　管理不全建物管理人に借地権に関する権限を認めないとすると、その適切
　　　な管理に支障を来すおそれがある

　　この効力が及ぶ「動産」は、その対象とされた建物の所有者又はその共有持分
　を有する者が所有するものに限られる。また、「建物の敷地に関する権利」は、賃
　借権その他の使用及び収益を目的とする権利であって、当該管理不全建物管理命

令の対象とされた建物の所有者又はその共有持分を有する者が有するものに限られる。

ただし、敷地の「所有権」には管理不全建物管理命令の効力は及ばない（264の14Ⅱかっこ書参照）。

・第4章・【地上権】

《概　説》

＜地上権、賃借権、借地権の比較＞

		地上権	賃借権（民法）	普通借地権（借地借家法）
存続期間	約定期間ある場合	① 最長、最短の制限なし ② 永久地上権も可	① 最長期間：50年（604） ② 最短期間：制限なし	① 最長期間：制限なし（借地借家3ただし書） ② 最短期間：30年（借地借家3本文、同9）
	約定期間ない場合	① 慣習による ② 当事者の請求により20年以上50年以下の範囲内で裁判所が決定（268Ⅱ） ③ 地上権者は自由に放棄できる。ただし1年前の予告又は1年間の地代支払が必要（268Ⅰ）	いつでも解約申入れ可 →申入れの後 ・土地：1年 ・建物：3か月 ・動産：1日 経過後終了（617）	存続期間の法定 →30年（借地借家3ただし書）
対抗力		① 177条 ② 地上権の設定登記必要	① 605条 ② 賃借権の設定登記必要	建物に関する登記のみで足りる（借地借家10）
譲渡性		地主の承諾の有無を問わず譲渡可能（＊）〈司書〉	賃貸人の承諾必要（612）	裁判所による「承諾に代わる許可」の裁判（借地借家19、20）〈司〉
地代・賃料		地代は地上権の要素でない	賃料は賃貸借契約の要素 賃料減額あり（611Ⅰ）	当事者に事情変更による地代等の増減請求権あり（借地借家11）
建物収去、買取請求権等		① 地主の買取権 ② 地上権者の収去権（269Ⅰ）	① 賃借人の収去権（622・599Ⅱ） ② 地主に買取権なし	① 更新なき場合の買取請求権（借地借家13） ② 建物新取得者の買取請求権（借地借家14）

＊　その他、担保に供すること（369Ⅱ）、賃貸することも可能。

第265条　（地上権の内容）

　地上権者は、他人の土地において工作物又は竹木を所有するため、その土地を使用する権利を有する《司》。

第266条　（地代）

Ⅰ　第274条から第276条まで＜小作料の減免・永小作権の放棄・消滅請求＞の規定は、地上権者が土地の所有者に定期の地代を支払わなければならない場合について準用する《書》。

Ⅱ　地代については、前項に規定するもののほか、その性質に反しない限り、賃貸借に関する規定を準用する。

第267条　（相隣関係の規定の準用）

　前章第1節第2款（相隣関係）の規定は、地上権者間又は地上権者と土地の所有者との間について準用する。ただし、第229条＜境界標等の共有の推定＞の規定は、境界線上の工作物が地上権の設定後に設けられた場合に限り、地上権者について準用する《同書》。

物権

《注　釈》

一　意義

1　地上権とは、工作物又は竹木を所有するために他人の土地を使用することができる権利をいう。
　　cf.　建物所有目的の地上権は、借地借家法による修正がなされる（借地借家2①）　⇒p.550

2　①有償・無償を問わない《司予書》、②存続期間の制限はない《同書》。

3　設定行為、時効取得（163）、遺言（964）により取得できる。

二　効力

1　地上権設定者（地主）の権利義務
　地主は地上権者の土地使用を受忍すべき消極的義務を負う。
　→土地の利用は地上権者に委ねられ、地主自らは使用できない
　　しかし、土地の修補義務等の積極的義務を負うものではない《同書》

2　地上権者の権利義務
(1)　地上権者は地主の承諾なしに、自由に移転・処分することができる《司予》。
　　→譲渡・賃貸も可能である《書》。一般先取特権・抵当権の目的ともなりうる（369）
　　cf.　譲渡禁止特約も有効だが、特約の登記が認められないため第三者に対抗できない《同共書》
(2)　特約のある場合に限り地代支払義務を負う（266）。特約なき限り、無償とされる《司》。地代は金納に限らず、物納でもよい。
　　cf.　地代支払義務を負う場合の永小作権・賃貸借規定の準用《司》　⇒p.213
(3)　地上権者は、物権的請求権として妨害排除請求権・妨害予防請求権を有す

る〈司〉。また、地上権は、地役権（⇒ p.215）と異なり、土地の占有権原として機能するため、地上権者は、物権的請求権として返還請求権も有する。

(4)　地上権者は、地上権設定者に対する登記請求権を有する〈司〉。

3　対抗力

(1)　登記することによって第三者に対抗できる（177）。地主は登記義務を負う。

　　cf.　借地借家法による修正　⇒ p.550

(2)　地上権の地代は登記事項である。

　　→登記がないと地上権の譲受人に地代支払の負担を対抗できない

第268条　（地上権の存続期間）

Ⅰ　設定行為で地上権の存続期間を定めなかった場合において、別段の慣習がないときは、地上権者は、いつでもその権利を放棄することができる〈司予〉。ただし、地代を支払うべきときは、1年前に予告をし、又は期限の到来していない1年分の地代を支払わなければならない〈書〉。

Ⅱ　地上権者が前項の規定によりその権利を放棄しないときは、裁判所は、当事者の請求により、20年以上50年以下の範囲内において、工作物又は竹木の種類及び状況その他地上権の設定当時の事情を考慮して、その存続期間を定める。

《注　釈》

一　存続期間

1　当事者が存続期間を定めた場合

　　地上権の存続期間は、短期・長期ともに自由である。永久地上権とすることも可能である（大判明36.11.16）。

　　cf.　借地借家法による修正

2　当事者が存続期間を定めなかった場合

　　①慣習（協議による）、②当事者の請求により裁判所が定める（20〜50年）〈書〉。

二　消滅原因

1　物権一般に共通の消滅原因

　　ex.　客体たる土地の消滅、消滅時効（166Ⅱ）、第三者による当該土地所有権の取得時効

2　地上権特有の消滅原因

(1)　地代を内容としない地上権

　　地上権者は自由に放棄することができる。

(2)　地代を内容とする地上権

(a)　土地所有者からの消滅請求

　　永小作権の規定を準用する（266Ⅰ・276）。

(b)　地上権者からの放棄

　　存続期間がない場合、1年前の予告又は1年分の地代の支払が必要である。存続期間がある場合、永小作権の規定を準用する（266Ⅰ、275）。

第269条 （工作物等の収去等）

Ⅰ 地上権者は、その権利が消滅した時に、土地を原状に復してその工作物及び竹木を収去することができる〈論〉。ただし、土地の所有者が時価相当額を提供してこれを買い取る旨を通知したときは、地上権者は、正当な理由がなければ、これを拒むことができない。

Ⅱ 前項の規定と異なる慣習があるときは、その慣習に従う。

［趣旨］地上権の消滅に伴い地上権者は原状回復義務を負い、付合が生じない限り（242ただし書）土地に付属させた物の収去権を有する。しかし、収去が社会経済的に不利益な場合も考慮し、地主からの買取権を認めたものである。

《注 釈》

一 地上権者の収去権

1 収去権は収去義務でもある。

2 収去不能か著しく困難な物については、収去権も収去義務もない。
→費用償還請求で調整を図る。必要費については、地上権者自らが修補義務を負うので償還できない〈論〉。有益費については償還請求できる（608Ⅱ・196Ⅱ類推）

二 地主（地上権設定者）の買取権

地主は自由に買取の決定をなしうる〈論〉。
→地上権者は、正当理由なく買取権の行使を拒むことはできない
cf. 地上権者には（建物）買取請求権はない（異なる慣習があればそれによる・269Ⅱ）〈論〉

第269条の2 （地下又は空間を目的とする地上権）

Ⅰ 地下又は空間は、工作物を所有するため、上下の範囲を定めて地上権の目的とすることができる〈論〉。この場合においては、設定行為で、地上権の行使のためにその土地の使用に制限を加えることができる。

Ⅱ 前項の地上権は、第三者がその土地の使用又は収益をする権利を有する場合においても、その権利又はこれを目的とする権利を有するすべての者の承諾があるときは、設定することができる〈論〉。この場合において、土地の使用又は収益をする権利を有する者は、その地上権の行使を妨げることができない〈論〉。

《注 釈》

▪ 区分地上権の目的は、工作物の所有に限定される。

▪ 第三者がすでに使用収益権を有する場合には、第三者及びその権利を目的とするすべての者の承諾が必要である〈論〉。

・第5章・【永小作権】

《概　説》

＜永小作権と地上権の比較＞

	永小作権	地上権（＊）
設定目的	耕作又は牧畜	工作物又は竹木の所有
地代	要素である（270）〈共〉	要素でない（266）
存続期間	(1) 設定行為によるとき 　　20年〜50年（278 I） (2) 設定行為で定めないとき（278 III） 　① 慣習 　② 30年 (3) 永代小作権不可 (4) 更新可	(1) 設定行為によるとき 　　最長最短制限なし（268 I） (2) 設定行為で定めないとき（268 II） 　① 慣習 　② 20年〜50年（裁判所が定める） (3) 永久地上権可 (4) 更新可
譲渡禁止 特約	物権的効力（272、登記方法あり）	債権的効力（登記方法なし）
準用規定	(1) 賃貸借の主な規定（273） 　① 目的物の一部滅失による小作 　　料減額（611 I） 　② 小作料の支払時期（614） 　③ 不動産賃貸の先取特権（312） (2) 地上権の規定（279） 　① 収去権（269） 　② 地主の買取権（269） 　③ 有益費償還請求権 (3) 相隣関係の規定（類推）	(1) 賃貸借の主な規定（266 II） 　① 目的物の一部滅失による地代 　　減額（611 I） 　② 地代の支払時期（614） 　③ 不動産賃貸の先取特権（312） (2) 永小作権の規定（266 I） 　① 地代の減免（274） 　② 地上権の放棄（275） 　③ 地上権の消滅請求（276） (3) 相隣関係の規定（267）

＊　建物所有目的の地上権については借地借家法の適用があることに注意。

物
権

第270条　（永小作権の内容）

永小作人は、小作料を支払って他人の土地において耕作又は牧畜をする権利を有する。

第271条　（永小作人による土地の変更の制限）

永小作人は、土地に対して、回復することのできない損害を生ずべき変更を加えることができない。

第272条　（永小作権の譲渡又は土地の賃貸）

永小作人は、その権利を他人に譲り渡し、又はその権利の存続期間内において耕作若しくは牧畜のため土地を賃貸することができる〈理〉。ただし、設定行為で禁じたときは、この限りでない。

第273条　（賃貸借に関する規定の準用）

永小作人の義務については、この章の規定及び設定行為で定めるもののほか、その性質に反しない限り、賃貸借に関する規定を準用する。

第274条　（小作料の減免）

　永小作人は、不可抗力により収益について損失を受けたときであっても、小作料の免除又は減額を請求することができない〈譜〉。

第275条　（永小作権の放棄）

　永小作人は、不可抗力によって、引き続き3年以上全く収益を得ず、又は5年以上小作料より少ない収益を得たときは、その権利を放棄することができる。

第276条　（永小作権の消滅請求）

　永小作人が引き続き2年以上小作料の支払を怠ったときは、土地の所有者は、永小作権の消滅を請求することができる〈譜〉。

第277条　（永小作権に関する慣習）

　第271条から前条までの規定と異なる慣習があるときは、その慣習に従う。

第278条　（永小作権の存続期間）

Ⅰ　永小作権の存続期間は、20年以上50年以下とする。設定行為で50年より長い期間を定めたときであっても、その期間は、50年とする。

Ⅱ　永小作権の設定は、更新することができる。ただし、その存続期間は、更新の時から50年を超えることができない。

Ⅲ　設定行為で永小作権の存続期間を定めなかったときは、その期間は、別段の慣習がある場合を除き、30年とする。

第279条　（工作物等の収去等）

　第269条＜工作物等の収去等＞の規定は、永小作権について準用する。

《注　釈》

一　意義

1　永小作権とは、耕作又は牧畜のために他人の土地を利用する物権をいう。

2　有償（270）に限る〈同書〉。また、存続期間の制限（278）がある〈譜〉。

二　効力

1　永小作権者の権利・義務

(1)　永小作人は、設定行為や土地の性質によって定まった用法に従って土地を使用できる（273、616、594Ⅰ）。

　　設定行為で譲渡・賃貸を禁ずることが認められており、登記すれば第三者にも対抗できる。

(2)　土地に永久の損害を与えるような変更を加えてはならない（271）。

2　対抗力

　登記をすることによって第三者に対抗しうる（177）。

　cf.　地上物の収去と買取については地上権と同一の処理を行う

・第6章・【地役権】

《概　説》

地役権とは、一定の目的に従ってある土地（要役地）の便益のために、他人の土地（承役地）を利用する権利をいう（280本文）。

ex.　通行地役権、用水地役権

他人の土地の利用という点で、地上権・永小作権・不動産賃借権と共通するが、地役権は要役地、承役地という2つの土地の利用の調整機能をもつ点で、相隣関係に近い面も有する。

<地役権と相隣関係>

	地役権	相隣関係
意義	一定の目的に従ってある土地（要役地）の便益のために、他人の土地（承役地）を利用する権利	相近接する不動産所有権の相互の利用を調整することを目的とする関係
発生	当事者の契約	法律上当然発生
性質	所有権とは別個の物権	所有権の内容そのもの
内容・機能	①　要役地の便益に供しうる内容は契約で定まる（便益の種類・内容は自由）。ただし、相隣関係に関する強行法規に反することができない（280ただし書） ②　要役地と承役地が隣接する必要はない	①　土地利用に必要最小限度の範囲で隣地の利用を認める ②　隣接地の間で生ずる

第280条　（地役権の内容）

地役権者は、設定行為で定めた目的に従い、他人の土地を自己の土地の便益に供する権利を有する。ただし、第3章第1節（所有権の限界）の規定（公の秩序に関するものに限る。）に違反しないものでなければならない共。

第281条　（地役権の付従性）

Ⅰ　地役権は、要役地（地役権者の土地であって、他人の土地から便益を受けるものをいう。以下同じ。）の所有権に従たるものとして、その所有権とともに移転し、又は要役地について存する他の権利の目的となるものとする〈同共書〉。ただし、設定行為に別段の定めがあるときは、この限りでない。

Ⅱ　地役権は、要役地から分離して譲り渡し、又は他の権利の目的とすることができない〈予書〉。

《注　釈》

一　地役権の設定

1　地役権は必ず2個の土地（要役地と承役地）の存在を前提とするが、両土地は互いに隣接する必要はない〈同書〉。

2　要役地は一筆又は数筆の土地であることを要するが、承役地は土地の一部でもよい。

215

3　地役権者は土地所有者、地上権者等物権者に限られる。賃借人は地役権者た
りえない。

4　存続期間について制限はない《司書》。永久とすることも可能である《通》。

5　無償のものとして設定することができる《司書》。なお、有償の特約は当事者間
で債権的効力を有するにすぎず、第三者には対抗できない。

∵　地代・報酬について登記方法がない

二　法的性質

地役権は、承役地の所有者・用益権者との共同使用権たる性質を有する《書》。

→地役権に基づく物権的請求権は妨害排除請求・妨害予防請求のみが可能《司書》。
返還請求はなしえない《司書》

∵　地役権者の承役地に対する排他的独占的権利行使を認めるものではない

→同一地上に数個の地役権を設定しうる

三　付従性（随伴性）

1　要役地の所有権が移転すれば、特約がない限り地役権も移転する（281Ⅰ本
文前段）《共書》。

∵　地役権は要役地の便宜のために存在する権利

→要役地の所有権の移転について登記があれば、承役地の所有者及びその包
括承継人、第三者に対し地役権を対抗しうる（大判大13.3.17）《司共予書》

cf.　承役地の所有権が移転した場合、要役地所有者が通行地役権を主張す
るには、原則として登記を要する（177）。

しかし、①通路の継続的使用の事実が客観的に明らかで、②それにつき
承役地の譲受人が認識可能ならば、譲受人が善意でも「第三者」（177）に
当たらない（最判平10.2.13・百選Ⅰ59事件）《予書》。　⇒ p.135

また、通行地役権の承役地が担保不動産競売により売却された場合にお
いても、最先順位の抵当権の設定時に、①承役地が要役地の所有者によっ
て継続的に通路として使用されていることが客観的に明らかであり、②そ
れにつき抵当権者が認識可能ならば、特段の事情がない限り、登記がなく
ても、通行地役権は上記の売却によっては消滅せず、通行地役権者は、買
受人に対し、当該通行地役権を主張することができる（最判平25.2.26・平
25重判4事件）《書》。　⇒ p.135

2　地役権は要役地上の他の権利の目的となる（281Ⅰ本文後段）。

（1）　地上権・永小作権・賃借権等を設定した場合、これらの権利者は地役権を
行使しうる《共書》。

（2）　抵当権・質権を設定した場合、これらの権利の効力は地役権に及ぶ。

3　1・2いずれの場合も、原則として承役地の所有者の承諾は不要である。特
約で禁止・制限することは可能だが、第三者に対抗するには登記を要する。

4　要役地から独立して地役権のみを処分することはできない（281Ⅱ）《司》。

∵　要役地の便益のための権利であるから、要役地に付従する

> **第282条　（地役権の不可分性）**
> Ⅰ　土地の共有者の1人は、その持分につき、その土地のために又はその土地について存する地役権を消滅させることができない〈書〉。
> Ⅱ　土地の分割又はその一部の譲渡の場合には、地役権は、その各部のために又はその各部について存する。ただし、地役権がその性質により土地の一部のみに関するときは、この限りでない〈書〉。

［趣旨］ 本条は、地役権の不可分性を規定し、要役地又は承役地が共有関係であるとき、地役権と要役地共有者・承役地共有者とをめぐる個々の法律関係を宣明したものである。不可分性は土地の共有ゆえに生じる当然の帰結である。

《注　釈》

一　消滅における不可分性（Ⅰ）

要役地又は承役地の共有者の1人は、自己の持分についてだけ地役権を消滅させることはできない〈同書〉。

二　分割・譲渡における不可分性（Ⅱ本文）

1　要役地が分割・譲渡された場合
地役権は各部のために存続する。

2　承役地が分割・譲渡された場合
地役権は各部の上に存続する。

三　時効における不可分性

＜要役地共有の場合の時効における不可分性＞

取得時効	時効完成	共有者の1人の時効完成は全共有者に効力を生じる（284 Ⅰ）〈共〉
	完成猶予・更新	共有者の1人に対する時効の完成猶予・更新は全共有者に効力を生じない（284 Ⅱ Ⅲ）
消滅時効		共有者の1人による時効の完成猶予・更新は全共有者に効力を生じる（292）〈同〉

cf. 民法は地役権については、取得しやすく消滅しにくい方向で規定を設けている

> **第283条　（地役権の時効取得）**
> 　地役権は、継続的に行使され、かつ、外形上認識することができるものに限り、時効によって取得することができる〈同共書〉。

> **第284条**
> Ⅰ　土地の共有者の1人が時効によって地役権を取得したときは、他の共有者も、これを取得する〈同予書〉。
> Ⅱ　共有者に対する時効の更新は、地役権を行使する各共有者に対してしなければ、その効力を生じない。
> Ⅲ　地役権を行使する共有者が数人ある場合には、その1人について時効の完成猶予の事由があっても、時効は、各共有者のために進行する。

《注　釈》

◆　時効による取得

1　すでに成立している地役権をその要役地とともに取得する場合

2　従来成立していない地役権を新たに取得する場合

「継続的に行使され、かつ、外形上認識することができるもの」に限って時効取得が認められる（283）〈司〉。

(1)　通行地役権の時効取得に関し、「継続的に行使され」といえるためには、承役地上に通路が開設されること、しかもその開設は要役地所有者によってなされることが必要である（最判昭30.12.26）〈司共予書〉。

＊　要役地所有者が、道路の拡張のため他人にも土地の提供を働きかけ、自らも所有地の一部を提供した場合、要役地所有者による通路の開設がなされたといえる（最判平6.12.16）。

(2)　承役地所有者による時効の完成猶予・更新を可能にするため「外形上認識できるもの」であることが必要とされている。

第285条　（用水地役権）

Ⅰ　用水地役権の承役地（地役権者以外の者の土地であって、要役地の便益に供されるものをいう。以下同じ。）において、水が要役地及び承役地の需要に比して不足するときは、その各土地の需要に応じて、まずこれを生活用に供し、その残余を他の用途に供するものとする。ただし、設定行為に別段の定めがあるときは、この限りでない。

Ⅱ　同一の承役地について数個の用水地役権を設定したときは、後の地役権者は、前の地役権者の水の使用を妨げてはならない。

第286条　（承役地の所有者の工作物の設置義務等）

設定行為又は設定後の契約により、承役地の所有者が自己の費用で地役権の行使のために工作物を設け、又はその修繕をする義務を負担したときは、承役地の所有者の特定承継人も、その義務を負担する〈共書〉。

第287条

承役地の所有者は、いつでも、地役権に必要な土地の部分の所有権を放棄して地役権者に移転し、これにより前条の義務を免れることができる〈書〉。

第288条　（承役地の所有者の工作物の使用）

Ⅰ　承役地の所有者は、地役権の行使を妨げない範囲内において、その行使のために承役地の上に設けられた工作物を使用することができる。

Ⅱ　前項の場合には、承役地の所有者は、その利益を受ける割合に応じて、工作物の設置及び保存の費用を分担しなければならない。

第289条　（承役地の時効取得による地役権の消滅）〈書〉

承役地の占有者が取得時効に必要な要件を具備する占有をしたときは、地役権は、これによって消滅する。

第290条

前条の規定による地役権の消滅時効は、地役権者がその権利を行使することによって中断する。

第291条 （地役権の消滅時効）

第166条第2項に規定する消滅時効の期間は、継続的でなく行使される地役権については最後の行使の時から起算し、継続的に行使される地役権についてはその行使を妨げる事実が生じた時から起算する〈司〉。

第292条

要役地が数人の共有に属する場合において、その1人のために時効の完成猶予又は更新があるときは、その完成猶予又は更新は、他の共有者のためにも、その効力を生ずる〈司共書〉。

第293条

地役権者がその権利の一部を行使しないときは、その部分のみが時効によって消滅する。

《注　釈》

◆　地役権の消滅原因

1　第三者による承役地の時効取得

(1)　第三者が承役地を時効取得した場合、地役権は原則として消滅する（289）。　∵ 原始取得

(2)　しかし、地役権の存在を認め、制限的に土地を占有した場合には、第三者は地役権の負担付の所有権のみを時効取得する（290）。

2　地役権自体の消滅時効

(1)　時効期間は20年である（166Ⅱ）。

(2)　起算点は、不継続地役権では最後の権利行使の時、継続地役権ではその行使を妨げるべき事実の生じた時である（291）。

(3)　地役権の不行使が部分的であった場合には、その部分のみが時効消滅する（293）〈司書〉。

第294条 （共有の性質を有しない入会権）

共有の性質を有しない入会権については、各地方の慣習に従うほか、この章の規定を準用する。

＜土地利用権一般＞

	地上権	永小作権	地役権	賃借権
用益内容	工作物・竹木の所有目的（265）	耕作・牧畜の目的（270）	土地の便益のための利用（280）	使用収益全般（601）

	地上権	永小作権	地役権	賃借権
土地利用の対価	要素でない 約定可(266) 登記可能	要素(成立要件) である(270) 〈共〉登記可能	要素でない 約定可 登記不可	成立要件(有償 契約)である (601)登記可能
権利の存続期間	規定なし 永久可 約定なし(268) →建物所有目的 (借地借家3)	20〜50年 約定→慣習 30年(278Ⅲ)	長短期とも規定 なし〈共〉	50年以下(604 Ⅰ) 借地借家法3 条・29条2項 による修正
第三者への 対抗要件	登記(177) 借地借家法に特 殊な対抗要件	登記(177) 譲渡禁止特約も 登記可能	登記(177) 目的、範囲等の 特約の登記も可	登記(605) 借地借家法に特 殊な対抗要件
物の占有	あり	あり	なし	あり
物権的請求権の 内容	妨害排除 妨害予防 返還〈回〉	妨害排除 妨害予防 返還	妨害排除 妨害予防のみ 返還は不可	対抗要件を備え れば 妨害排除(605 の4①) 返還(605の4 ②)
消滅原因・ 終了原因	土地所有者か らの消滅請求 (266Ⅰ、276) 地上権者による 地上権の放棄 (266Ⅰ、275)	土地所有者か らの消滅請求 (276) 小作人による永 小作権の放棄 (275)	承役地の時効 取得による消滅 (289) 地役権の時効消 滅(166Ⅱ、291、 293)	解約申入(617)、 解除(612、541 等)、特別法に よる修正
①譲渡・ ②賃貸（転貸）・ ③担保権設定	①②：明文はな いが可 ③：可(369Ⅱ)	①②：可(272) ③：可(369Ⅱ)	①②③：地役権 を要役地から分 離して譲渡や他 の権利の目的と することは不可 (281Ⅱ)(＊1)	①②：可（賃貸 人の承諾、612Ⅰ） ③：債権質の設 定は可（賃貸人 の承諾）。なお、 抵当権につき (＊2)

＊1 もっとも、要役地の所有権が移転するときは要役地のために設定された地役権も移転し、要役地が他の権利（抵当権等）の目的となるときは、地役権もその目的となる（281本文。地役権の随伴性）。
＊2 借地上の建物について設定された抵当権の効力は建物の従たる権利である借地権にも及ぶ。

《担保物権総論》

一 約定担保物権と法定担保物権

1 約定担保物権

当事者間の設定行為によってはじめて生ずる担保物権をいう。

2　法定担保物権

　　一定の要件の下にその成立が法律上当然に認められる担保物権をいう。当事者間の合意によって設定することはできない⟨司⟩。

二　物的担保と人的担保

1　物的担保

　　債務者又は第三者に属する財産の上に成立し、債務の弁済なきときにその財産に対する権利行使が認められる制度をいう。「物」を特定の債権の引当てとするものであり、金銭債権の担保に利用されるのが一般である。債権の経済的価値の確保を目的としてなされるので、物的担保の目的とするに足る財産が存在する場合に設定できる。

　　ex.　抵当権、質権等

2　人的担保

　　債務者以外の第三者にも債務の履行を求めることができるようにする制度をいう。債権者は、債務者の一般財産のみならず、債務者以外の者の一般財産からも弁済を受けることが可能になる。

　　ex.　保証債務（446 以下）、連帯債務（436 以下）

3　両者の比較

　　財産の価値に基礎を置く物的担保は、人的信用に依存する人的担保に比べ、安定性・確実性に富む。

三　担保物権の通有性

1　付従性

　　担保物権は、被担保債権があってはじめて存在し、被担保債権が弁済等により消滅すれば消滅するという性質をいう。

2　随伴性

　　担保物権は、被担保債権が他人に移転すれば、それに伴って移転するという性質をいう。

3　不可分性

　　担保物権者は、債権全部の弁済を受けるまで目的物の上に権利を行使しうる（296、305、350、372）という性質をいう。

4　物上代位性

　　担保物権者は、目的物の売却・賃貸・滅失・損傷等により債務者が受ける金銭その他の物に対しても権利を行いうる（304、350、372）という性質をいう。

四　担保物権の効力

1　優先弁済的効力（優先弁済権）

　　担保物権者が債務の弁済が得られないときに、目的物を換価したうえ、他の債権者に先立って弁済を受けうる効力をいう。

2　留置的効力

　　担保物権者が、目的物を手元に留置し、債務者に心理的圧迫を加えることにより債務の弁済を促す効力をいう。

物権

＜担保物権総論のまとめ＞〈司共書〉

	法定担保物権		約定担保物権			
	留置権	先取特権	質権	抵当権	確定前の根抵当権	確定後の根抵当権
付 従 性	○	○	○	○	×	○
随 伴 性	○（＊1）	○	○	○	×	○
不 可 分 性	○	○	○	○	○	○
物上代位性	×	原則 ○（＊2）	○	○	○	○
優先弁済権	×	○	○	○	○	○
留置的効力	○	×	○	×	×	×

＊1　留置権の随伴性は、被担保債権とともに目的物の占有が移転する限りで認められる〈司〉。

＊2　一般先取特権（306）の場合には物上代位性は問題にならない（∵一般先取特権は特定の目的物の上にではなく、総財産の上に成立する）。

・第7章・【留置権】

《概　説》

　民法は、当事者間の公平を図るため、法律上当然生ずる担保物権（法定担保物権）として留置権を認めた。これは、他人の物を占有している者が、その物に関して生じた債権を有する場合に、その弁済を受けるまでその物を留置することによって、債務者の弁済を間接的に強制することのできる担保物権である。

　留置権は、付従性、随伴性、不可分性を有するが、物上代位性は有しない〈共書〉。また、優先弁済的効力は認められないが、留置的効力は認められる〈共書〉。

第295条　（留置権の内容）〈司H27〉

　Ⅰ　他人の物の占有者は、その物に関して生じた債権を有するときは、その債権の弁済を受けるまで、その物を留置することができる。ただし、その債権が弁済期にないときは、この限りでない〈共〉。

　Ⅱ　前項の規定は、占有が不法行為によって始まった場合には、適用しない。

《注　釈》

一　成立要件〈司〉

　　①　債権と物の間に牽連関係があること（「その物に関して生じた債権」・Ⅰ本文）

　　②　債権が弁済期にあること（Ⅰただし書）

　　③　留置権者が他人の物を占有していること（「他人の物の占有者」・Ⅰ本文）

　　④　占有が不法行為によって始まったものでないこと（Ⅱ）

二　債権と物の間に牽連関係があること（要件①について）

1　債権が物自体から発生した場合

(1)　「その物に関して生じた債権」と認められる例

　　ex.1　賃借家屋に賃借人が支出した必要費・有益費（608）などの償還請求権（大判昭 9.10.23）〈司書〉

　　ex.2　不動産の買主が売買代金を支払わずにその不動産の所有権を第三者に譲渡した場合の代金請求権（最判昭 47.11.16・百選Ⅰ 75 事件）〈司書〉

　　ex.3　仮登記担保権者から清算金の支払を受けるまでに目的不動産が仮登記担保権者から第三者に譲渡された場合の、清算金支払請求権（最判昭 58.3.31）〈司〉

　　ex.4　寄託物の瑕疵により生じた損害賠償請求権（661）

　　ex.5　建物買取請求権（借地借家 13）の行使によって生じた建物代金債権（判例は、建物だけでなく敷地についても留置権の成立を認めている）（大判昭 18.2.18）〈共予〉

(2)　「その物に関して生じた債権」ではないとされる例

　　ex.1　賃借物を使用・収益する債権（∵物自体を目的とする債権は、物に関して生じた債権とはいえない）〈書〉

　　ex.2　借地借家法 33 条による造作買取代金請求権と家屋との関係（∵造作代金債権は家屋に関して生じたものではない）（最判昭 29.1.14）〈司書〉

　　ex.3　借家人の敷金返還請求権（622 の 2 Ⅰ）（最判昭 49.9.2・百選Ⅱ 57 事件）〈共〉　⇒ p.571

2　債権が物の返還請求権と同一の法律関係・事実関係から発生した場合

(1)　「その物に関して生じた債権」と認められる例

　　ex.1　建物の売買契約が取り消された場合の、不当利得による売買代金の償還請求権

　　ex.2　偶然に靴を互いに取り違えてはき帰った場合の返還請求権

(2)　「その物に関して生じた債権」ではないとされる例

　　Ａ所有の甲土地を賃借したＢが、甲土地上に乙建物を建築し、Ｃに乙建物を賃貸した場合において、Ｃが乙建物について必要費を支出した後、Ｂの賃料不払を理由にＡＢ間の賃貸借契約が解除され、ＡがＣに対して乙建物からの退去及び甲土地の明渡しを請求したときは、Ｃは、Ｂに対する必要費償還請求権を被担保債権とする留置権を主張して、甲土地の明渡しを拒むことはできない（大判昭 9.6.30）〈書〉。

　　∵　留置権は、物の返還を拒絶し、債務者に心理的強制を与えて間接的に債務の弁済を促進することを内容とする担保物権であるので、「その物に関して生じた債権」といえるためには、債務者に心理的強制を与えて間接的に債務の弁済を促しうる債権であることが必要であり、留置権の成立時点（被担保債権成立の時点）において、被担保債権の債務者と目的物の引渡請求権者が同一人である必要がある

物権

上記の場合のほかにも、以下の債権を被担保債権として留置権を主張することはできない。

ex.1 譲渡担保権者が目的物を第三者に売却した場合の、設定者の有する債務不履行による損害賠償請求権（最判昭34.9.3）〈書

ex.2 不動産が二重売買され、第二の買主が先に所有権移転登記を経由したため、第一の買主が所有権を取得できなくなったことで取得した売主に対する履行不能による損害賠償請求権（最判昭43.11.21）〈共予書

ex.3 他人の物の売買による買主が、その物の真の所有者から返還請求を受けた場合の、売主の売買契約不履行に基づく損害賠償請求権（最判昭51.6.17）〈司書

三 債権が弁済期にあること（要件②について）

有益費の償還請求権について、裁判所が物の回復請求者に相当の猶予期限を許与した場合には、占有者は、その物の留置権を失う（196Ⅱただし書、608Ⅱただし書等）。

四 留置権者が他人の物を占有していること（要件③について）

1 「他人」とは、債務者に限らず、第三者でもよい通〈予書。

ex. 物の賃借人が当該物を修繕に出した場合、修繕者としての留置権が成立する

cf. 商事留置権（商521）は債務者所有物に限定している

2 「物」は、動産でも不動産でもよいが、不動産のときにも登記を対抗要件とすることはない（∵留置権は占有を成立要件とする）。

五 占有が不法行為によって始まったものでないこと（要件④について）〈共

当初適法に有していた占有権原を後に失って、もはや占有すべき権利のないことを知りながら、なお他人の物を占有することは不法であるから、本条2項の類推適用により、かかる占有者も留置権の行使ができない（最判昭51.6.17）〈予。

ex.1 建物を買い受けてその引渡しを受けていた買主が、売買契約が解除された後に、建物に必要費・有益費を支出した場合（最判昭41.3.3）

ex.2 賃貸借契約解除後に賃借人が賃借物件に有益費を支出した場合（295Ⅱ類推、最判昭46.7.16・百選Ⅰ76事件）〈共書

cf.1 契約解除前に支出した有益費の償還請求権に基づく留置権の行使は、解除の原因が債務不履行であったとしても妨げられない（∵契約解除前の占有は適法な占有である）

cf.2 適法に留置権を行使している間に、さらに有益費を支出した場合は、その支出分に関しても留置権が成立する

六 効力

1 留置的効力

被担保債権が弁済を受けるまで、その物を留置しうることをいう（留置権の中心的効力）。

→債務者の債務は先履行ではなく、留置権の消滅後にしか目的物返還を請求

できないものではない。引換給付判決を得られることになる（最判昭47.11.16・百選I 75事件）〈同共〉

(1) 留置するとは、目的物の占有を継続することである。
　→目的物である土地の引渡しを拒むことは可能であるが、当該土地の登記の移転を拒むことはできない

(2) 借家人が、賃貸借継続中にその家屋に費やした修繕費の償還請求権に基づいて、賃貸借終了後留置権を行使し、その家屋を継続使用することによって使用利益を収めたときは、その収益は、不当利得（703、704）として目的物の所有者に返還しなければならない（∵留置権者に収益を保有させる理由はない）（大判昭13.12.17）〈共予書〉。

2　第三者に対する対抗力
　留置権は物権であるから、債務者のみならず、それ以外のすべての人に対してこれを主張することができる（最判昭47.11.16・百選I 75事件）〈同共〉。

3　優先弁済的効力
　留置権には優先弁済権はないが、一定の場合には競売の権利が認められている（形式競売）（民執195）。競売により得られた換価金は、留置権者が所有者に返還する義務を負うが、所有者が債務者である場合には、債権と相殺することによって、事実上優先弁済を受けることとなる〈共書〉。

《その他》

▪ 双務契約上の債権は、留置権によっても同時履行の抗弁権によっても保護されることがある。
　→留置権も同時履行の抗弁権も公平の原則によるもの

第296条　（留置権の不可分性）

　留置権者は、債権の全部の弁済を受けるまでは、留置物の全部についてその権利を行使することができる。

《注　釈》

▪ 留置権者は、留置物の一部を債務者に引き渡した場合においても、特段の事情のない限り、債権の全部の弁済を受けるまで、留置物の残部につき留置権を行使することができる〈同共〉。

第297条　（留置権者による果実の収取）

Ⅰ　留置権者は、留置物から生ずる果実を収取し、他の債権者に先立って、これを自己の債権の弁済に充当することができる〈共書〉。
Ⅱ　前項の果実は、まず債権の利息に充当し、なお残余があるときは元本に充当しなければならない〈同〉。

[趣旨] 留置権者は、目的物に対する留置的効力しかなく、目的物から優先弁済を受ける権利やそれを使用・収益する権利をもたないとされる（したがって、物上代位性もない）。本条は、留置権者の権利として、留置権の目的物から生じた果実から

他の債権者に優先して弁済を受けることを認めた《同書》。

《注　釈》

▪ 本条の「果実」には、天然果実のみならず、法定果実も含む。
　→留置物を賃貸し、その賃料を優先的に弁済に充当することも、債務者の承諾が
　　あれば（298Ⅱ）可能である。また、天然果実の場合は、競売を行い換金した
　　うえで充当できる

第298条　（留置権者による留置物の保管等）

Ⅰ　留置権者は、善良な管理者の注意をもって、留置物を占有しなければならない。

Ⅱ　留置権者は、債務者の承諾を得なければ、留置物を使用し、賃貸し、又は担保に
　供することができない《同共書》。ただし、その物の保存に必要な使用をすることは、
　この限りでない《共書》。

Ⅲ　留置権者が前2項の規定に違反したときは、債務者は、留置権の消滅を請求する
　ことができる《共予書》。

[趣旨] 留置権者は、留置権によって、被担保債権が弁済されるまで目的物を保管す
ることになる。そこで、本条は留置物の保管と利用に関する留置権者の義務を明ら
かにしている。

《注　釈》

一　「善良な管理者の注意」（Ⅰ）　⇒ p.307
　　善管注意義務を怠ったために損害を生じさせた場合は、留置権者は、債務者又
　は所有者に対して損害賠償責任を負う。

二　「債務者の承諾」（Ⅱ本文）
　　債務者と所有者が異なるときは、「債務者」を所有者と読み替える（最判昭 40.7.15）。

三　「その物の保存に必要な使用」（Ⅱただし書）
　　ex.1　家屋の賃借人が賃借中に支出した費用の償還請求権につき留置権を行使
　　し、その償還を受けるまで当該家屋に居住することは、他に特別の事情のな
　　い限り、「その物の保存に必要な使用」に当たる（→賃貸人の承諾不要）（最
　　判昭 47.3.30）《書》

　　ex.2　売買契約を解除された木造帆船の買主が、解除前支出した修理費の償還
　　請求権につき留置権を行使中に、右船舶をもって遠距離に航海し貨物の運
　　送業務に当たることは「その物の保存に必要な使用」に当たらない（∵契
　　約解除前と同じ使用形態であっても、航行の危険性等から）（最判昭 40.7.15）

四　消滅請求（Ⅲ）
　1　意義
　　注意義務違反があっても当然には留置権は消滅しない。
　　債務者又は所有者は、留置権者に注意義務違反があれば損害が生じなくても
　消滅請求できる《同》。

　2　消滅請求をなしうる者の範囲
　　債務者（所有者も含む）の他、留置物の第三取得者も消滅請求できる《書》。

3　消滅請求権の性格

　　留置権者の承諾を要しないで、債務者の留置権者に対する一方的な意思表示によって留置権消滅の効果を発生させる形成権である《書》。

　cf.　留置権者が所有者から留置物の使用につき承諾を受けた後に所有権を譲り受け、対抗要件を備えた者は、留置権者の目的物使用を理由とする消滅を請求することはできない（最判平9.7.3）《書》

第299条　（留置権者による費用の償還請求）

Ⅰ　留置権者は、留置物について必要費を支出したときは、所有者にその償還をさせることができる《書》。

Ⅱ　留置権者は、留置物について有益費を支出したときは、これによる価格の増加が現存する場合に限り、所有者の選択に従い、その支出した金額又は増価額を償還させることができる。ただし、裁判所は、所有者の請求により、その償還について相当の期限を許与することができる《書》。

[趣旨] 留置権者が目的物を留置するのは、被担保債権の弁済を得るためであり、目的物の使用収益権を有しないのであるから（298Ⅱ）、留置権者がその目的物について管理費用を負担するいわれはない。そこで、本条は留置権者が留置物に関して必要費や有益費を支出した場合には、それを所有者から償還させることができるものと定めた。　⇒ p.158

《注　釈》

▪ 留置権者の必要費償還請求権には、196条1項ただし書のような果実収取の場合の関係規定はなく、必要費に関して果実を収取し債権に充当しても全額についての償還請求ができる。

▪ 留置権者が必要費の償還請求権を被担保債権として建物を留置中、留置物についてさらに必要費を支出した場合は、すでに生じている費用償還請求権とともに、右建物について留置権を行使することができる（最判昭33.1.17）《司》。

▪ 期限の許与は、留置権者の善意悪意を問わず認められる。

第300条　（留置権の行使と債権の消滅時効）

　留置権の行使は、債権の消滅時効の進行を妨げない《司書》。

[趣旨] 留置権の行使（目的物を留置すること）そのものは、当然に被担保債権を行使することにはならないため、被担保債権の時効の完成猶予・更新事由にならない旨を定めた《司》。

《注　釈》

一　留置権と消滅時効

　1　留置権の抗弁を提出して被担保債権の存在を主張したときは、「裁判上の請求」（147Ⅰ①）又は「催告」（150）に当たり、時効の完成猶予の効力が生じる（最大判昭38.10.30参照）。

　2　留置物の使用又は賃貸に関し、債務者が債権者に承諾を与えても、時効の更新事由たる債務の承認があるとはいえない。

二　留置権と履行遅滞

留置権は履行遅滞を正当化する事由となるので、履行遅滞の責任を生じない（大判昭 13.2.14）。

第301条　（担保の供与による留置権の消滅）〈共書〉

債務者は、相当の担保を供して、留置権の消滅を請求することができる。

[趣旨]留置権によって担保される債権の額は、比較的僅少な場合が多い。目的物に比べてわずかな債権額のためにその物を留置されることは債務者に酷であり、かえって不公平である。また、留置物の代わりとなる相当な担保を得れば、債権者たる留置権者にも損失はない。そこで、本条は、債務者の相当な担保の提供による留置権の消滅を認めた。

《注　釈》

- 「担保」は物的担保であると人的担保であるとを問わない。
- 「供して」とは、担保権設定契約の申込みや保証契約の申込みでは足りず、現実に担保権設定や保証契約を締結することを要する。
- 消滅請求は債務者の単独の意思表示でなしうるが、担保の提供には留置権者の承諾を要する。承諾を得られない場合は承諾に代わる判決を得て消滅請求しうる。

第302条　（占有の喪失による留置権の消滅）

留置権は、留置権者が留置物の占有を失うことによって、消滅する〈共書〉。ただし、第298条第2項の規定により留置物を賃貸し、又は質権の目的としたときは、この限りでない〈共〉。

[趣旨]留置権の成立要件でありまたその存続要件である占有を失えば、目的物を留置して弁済を促すという留置権の本質的作用が不能になる。そこで、本条は、留置権が占有の喪失によって消滅することを定めた（ただし、占有回収の訴えを起こせば、留置権を回復しうる（203 ただし書））。

《その他》

- 留置権に基づく留置物の返還請求は認められない〈同〉。
- 目的物が滅失することによって留置権も消滅した場合は、それによって債務者が受けるべき金銭に物上代位はできない。

・第8章・【先取特権】

《概　説》

ある債務者に対する多数の債権者は、対等の立場で、平等に弁済を受けるのが原則である（債権者平等の原則）。しかし、社会政策的考慮、公平の原則、当事者の意思の推測等から特定の債権者を保護すべき場合も存する。そこで、民法は、法律の定める特殊の債権を有する者が債務者の財産から優先弁済を受ける権利たる先取特権を認めた（法定担保物権）。

先取特権は、付従性・随伴性〈**予書**〉・不可分性・物上代位性を有する（ただし、一般の先取特権は債務者の総財産の上に成立するものであるから物上代位性は問題とならない）。また、優先弁済的効力を有するが、留置的効力は有しない。

■第1節　総則

第303条　（先取特権の内容）

先取特権者は、この法律その他の法律の規定に従い、その債務者の財産について、他の債権者に先立って自己の債権の弁済を受ける権利を有する〈**同書**〉。

第304条　（物上代位）

Ⅰ　先取特権は、その目的物の売却、賃貸、滅失又は損傷によって債務者が受けるべき金銭その他の物に対しても、行使することができる。ただし、先取特権者は、その払渡し又は引渡しの前に差押えをしなければならない。
Ⅱ　債務者が先取特権の目的物につき設定した物権の対価についても、前項と同様とする。

《注　釈》

一　物上代位

1　物上代位は、目的物の売却等により生ずる請求権（債権）上に効力を及ぼすのであり、その金銭の上に効力を及ぼすものではない〈**同**〉。
2　「滅失又は損傷によって債務者が受けるべき金銭」とは、保険金、損害賠償請求権等を指す。
3　動産先取特権は、不動産先取特権と異なり追及力（担保に提供された財産の所有権を取得した第三者に対しても、担保物権に基づく交換価値支配を主張できるという効力・性質）を有さないため（333）、その代金に物上代位を認める実益が大きい。

二　「差押え」の意義

304条1項ただし書において差押えを要求している趣旨は、物上代位の目的となる債権の特定性が保持されるとともに、目的債権の弁済をした第三債務者又は目的債権を譲り受け若しくは目的債権につき転付命令を得た第三者等が不測の損害を被ることを防止することにある（最判昭60.7.19・百選Ⅰ78事件）。

一般先取特権については、304条1項ただし書の適用はなく、目的財産の払渡し又は引渡しの前に差押えをしなくても先取特権を行使することができる〈**同**〉。なぜなら、一般先取特権は債務者の総財産に対して効力を及ぼすものであるため、通常の先取特権のように、物上代位の対象が一般財産に混入することによって生じる不都合が観念できず、304条1項ただし書の趣旨が妥当しないからである。

三　判例

ex.1　債務者が破産手続の開始の決定（破30）を受けた場合でも、その動産の転売代金債権につき物上代位権を行使できる〈**同**〉
ex.2　物上代位権行使の目的たる債権について、一般債権者が差押え又は仮差

押えの執行をしたにすぎないときは、その後に先取特権者が右債権に物上代位権を行使することができる《司書》

ex.3　ex.2の場合に、右債権について物上代位権者が得た転付命令（民執193Ⅱ、159）が第三債務者に送達される時までに、その債権について他の債権者が差押え、仮差押えの執行又は配当要求をした場合でも、転付命令はその効力を生じる

ex.4　304条1項ただし書は、抵当権とは異なり公示方法が存在しない動産売買の先取特権については、物上代位の目的債権の譲受人等の第三者の利益を保護する趣旨をも含む。そうすると、動産売買の先取特権者は、物上代位の目的債権が譲渡され、第三者に対する対抗要件が備えられた後においては、目的債権を差し押さえて物上代位権を行使することはできない（最判平17.2.22・平17重判3事件）《司書》

ex.5　請負工事に用いられた動産の売主は、原則として、請負人が注文者に対して有する請負代金債権に対して動産売買の先取特権（311⑤）に基づく物上代位権を行使することはできないが、請負代金全体に占める当該動産の価額の割合や請負契約における請負人の債務の内容等に照らして請負代金債権の全部又は一部を右動産の転売による代金債権と同視するに足りる特段の事情がある場合に物上代位権を行使することができる（最決平10.12.18・百選Ⅰ77事件）《司》

第305条　（先取特権の不可分性）

第296条＜留置権の不可分性＞の規定は、先取特権について準用する。

■第2節　先取特権の種類

第1款　一般の先取特権
《概　説》

＜一般先取特権＞

債権の種類	目的物	立法趣旨	条文
共益費用 （債権者の1人が債務者の財産を保存・清算・配当するため支出した費用）	債務者の総財産《予》	全債権者がかかる費用支出により弁済を得たのであるから、他の債権者に優先して弁済を受けさせるべきという公平の原理	306① 307
雇用関係 （①給料債権、②退職金《司》、③年末手当等）		使用人（労働者。同居の親族や家事使用人を含む）の生活を保護するという社会政策的配慮	306② 308
葬式費用 （①債務者、②債務者の扶養すべき親族の葬式費用）		資力の乏しい者が葬式をすることを容易にするという社会政策的配慮	306③ 309

債権の種類	目的物	立法趣旨	条文
日用品供給 （①債務者（自然人に限る〈団〉）、②債務者の扶養すべき同居の親族、その家事使用人の生活に必要な最後の6か月分の飲食料費・燃料及び電気費用）	債務者の総財産〈手〉	日用品の供給者を保護することで、間接的に資力の乏しい者の生活を保護するという社会政策的配慮	306④ 310

第306条 （一般の先取特権）

　次に掲げる原因によって生じた債権を有する者は、債務者の総財産について先取特権を有する〈手〉。

① 共益の費用
② 雇用関係〈団〉
③ 葬式の費用
④ 日用品の供給

第307条 （共益費用の先取特権）

Ⅰ　共益の費用の先取特権は、各債権者の共同の利益のためにされた債務者の財産の保存，清算又は配当に関する費用について存在する。

Ⅱ　前項の費用のうちすべての債権者に有益でなかったものについては、先取特権は、その費用によって利益を受けた債権者に対してのみ存在する〈手〉。

第308条 （雇用関係の先取特権）

　雇用関係の先取特権は、給料その他債務者と使用人との間の雇用関係に基づいて生じた債権について存在する〈団〉。

第309条 （葬式費用の先取特権）

Ⅰ　葬式の費用の先取特権は、債務者のためにされた葬式の費用のうち相当な額について存在する。

Ⅱ　前項の先取特権は、債務者がその扶養すべき親族のためにした葬式の費用のうち相当な額についても存在する。

第310条 （日用品供給の先取特権）

　日用品の供給の先取特権は、債務者又はその扶養すべき同居の親族及びその家事使用人の生活に必要な最後の6箇月間の飲食料品、燃料及び電気の供給について存在する。

物
権

第2款　動産の先取特権
《概　説》

＜動産先取特権＞

債権の種類	目的物	立法趣旨	条文
不動産賃貸借から生じた賃貸人の債権 ① 賃借人の総清算の場合→315条 ② 敷金がある場合→316条	賃借地に備え付けた動産等、賃借人の動産（313、314に詳細な規定）	賃貸人はこのような動産を賃料の担保として期待するのが通常であり、かかる期待を保護する	311① 312～ 316
宿泊客が負担すべき宿泊料、飲食料	旅館にある宿泊客の手荷物	宿泊客が持ち込んだ手荷物に対する旅館主の期待を保護する	311② 317
旅客・荷物の運送賃、付随の費用	運送人の占有する依頼人の荷物	運送人の期待を保護する	311③ 318
① 動産の保存費 ② 動産に関する権利を保存・承認・実行のために要した費用	当該動産	公平の観念	311④ 320
動産の代価、その利息			311⑤ 321
① 種苗・肥料の代価、その利息 ② 蚕種・蚕の飼養に供した桑葉の代価、その利息	① 種苗・肥料の利用から生じた果実 ② 蚕種・桑葉から生じた物		311⑥ 322
農業の労務者についての最後の1年間の賃金	労務によって生じた果実・製作物	① 公平の観念 ② 社会政策的配慮	311⑦ 323
工業の労務者についての最後の3か月間の賃金			311⑧ 324

物権

第311条　（動産の先取特権）

次に掲げる原因によって生じた債権を有する者は、債務者の特定の動産について先取特権を有する。
① 不動産の賃貸借
② 旅館の宿泊
③ 旅客又は荷物の運輸
④ 動産の保存
⑤ 動産の売買
⑥ 種苗又は肥料（蚕種又は蚕の飼養に供した桑葉を含む。以下同じ。）の供給
⑦ 農業の労務
⑧ 工業の労務

第312条　（不動産賃貸の先取特権）

不動産の賃貸の先取特権は、その不動産の賃料その他の賃貸借関係から生じた賃借人の債務に関し、賃借人の動産について存在する《同書》。

第313条　（不動産賃貸の先取特権の目的物の範囲）

Ⅰ　土地の賃貸人の先取特権は、その土地又はその利用のための建物に備え付けられた動産、その土地の利用に供された動産及び賃借人が占有するその土地の果実について存在する。

Ⅱ　建物の賃貸人の先取特権は、賃借人がその建物に備え付けた動産について存在する。

《注　釈》

▪ 判例は、本条2項の「動産」に建物の常用に供するためのものだけでなく、一定期間継続して備え付けておくために持ち込んだ賃借人の貴金属も含まれるとしている。

第314条

賃借権の譲渡又は転貸の場合には、賃貸人の先取特権は、譲受人又は転借人の動産にも及ぶ《同書》。譲渡人又は転貸人が受けるべき金銭についても、同様とする《■》。

第315条　（不動産賃貸の先取特権の被担保債権の範囲）

賃借人の財産のすべてを清算する場合には、賃貸人の先取特権は、前期、当期及び次期の賃料その他の債務並びに前期及び当期に生じた損害の賠償債務についてのみ存在する。

《その他》

▪ 314条については新賃借人や転借人が新たに備え付けた動産の上に、譲渡、転貸を受ける以前に発生した先取特権の効力が及ぶことになり酷であると批判されている。

第316条　《同共書》

賃貸人は、第622条の2第1項に規定する敷金を受け取っている場合には、その敷金で弁済を受けない債権の部分についてのみ先取特権を有する。

第317条　（旅館宿泊の先取特権）

旅館の宿泊の先取特権は、宿泊客が負担すべき宿泊料及び飲食料に関し、その旅館に在るその宿泊客の手荷物について存在する。

第318条　（運輸の先取特権）

運輸の先取特権は、旅客又は荷物の運送賃及び付随の費用に関し、運送人の占有する荷物について存在する。

第319条　（即時取得の規定の準用）

第192条から第195条まで＜即時取得など＞の規定は、第312条から前条までの規定による先取特権について準用する〈団〉。

第320条　（動産保存の先取特権）

動産の保存の先取特権は、動産の保存のために要した費用又は動産に関する権利の保存、承認若しくは実行のために要した費用に関し、その動産について存在する。

第321条　（動産売買の先取特権）

動産の売買の先取特権は、動産の代価及びその利息に関し、その動産について存在する〈同書〉。

第322条　（種苗又は肥料の供給の先取特権）

種苗又は肥料の供給の先取特権は、種苗又は肥料の代価及びその利息に関し、その種苗又は肥料を用いた後1年以内にこれを用いた土地から生じた果実（蚕種又は蚕の飼養に供した桑葉の使用によって生じた物を含む。）について存在する。

第323条　（農業労務の先取特権）

農業の労務の先取特権は、その労務に従事する者の最後の1年間の賃金に関し、その労務によって生じた果実について存在する。

第324条　（工業労務の先取特権）

工業の労務の先取特権は、その労務に従事する者の最後の3箇月間の賃金に関し、その労務によって生じた製作物について存在する。

第3款　不動産の先取特権
《概　説》

＜不動産先取特権＞

債権の種類	目的物	立法趣旨	条文
①　不動産の保存費 ②　不動産に関する権利の保存・承認・実行のために要した費用	当該不動産	公平の観念	325① 326
設計者・施工者・監理者が、債務者の不動産に関してした工事の費用			325② 327
不動産の代価、その利息			325③ 328

第325条 （不動産の先取特権）〈軍〉

　次に掲げる原因によって生じた債権を有する者は、債務者の特定の不動産について先取特権を有する。
① 不動産の保存
② 不動産の工事
③ 不動産の売買

第326条 （不動産保存の先取特権）

　不動産の保存の先取特権は、不動産の保存のために要した費用又は不動産に関する権利の保存、承認若しくは実行のために要した費用に関し、その不動産について存在する。

第327条 （不動産工事の先取特権）

Ⅰ　不動産の工事の先取特権は、工事の設計、施工又は監理をする者が債務者の不動産に関してした工事の費用に関し、その不動産について存在する。
Ⅱ　前項の先取特権は、工事によって生じた不動産の価格の増加が現存する場合に限り、その増価額についてのみ存在する〈軍〉。

第328条 （不動産売買の先取特権）

　不動産の売買の先取特権は、不動産の代価及びその利息に関し、その不動産について存在する。

■第3節　先取特権の順位

《概　説》

　先取特権が競合した場合に、物権の一般原則からいえば、先に成立したものが後から成立したものに優先すべきことになる。しかし、先取特権はそれぞれ特殊な理由に基づいて、一定の債権を保護するために認められるものである。そこで、その優劣も成立の時の前後に拘泥しないで各種債権の保護の必要性の強弱に応じて定めることが制度の趣旨に適うことから、本節では先取特権相互間の優先順位を定めている。

第329条 （一般の先取特権の順位）

Ⅰ　一般の先取特権が互いに競合する場合には、その優先権の順位は、第306条各号に掲げる順序に従う。
Ⅱ　一般の先取特権と特別の先取特権とが競合する場合には、特別の先取特権は、一般の先取特権に優先する。ただし、共益の費用の先取特権は、その利益を受けたすべての債権者に対して優先する効力を有する〈同共〉。

《注　釈》

▪ 本条2項ただし書の「すべての債権者」には、特別の先取特権者も含まれる。

物
権

第330条　（動産の先取特権の順位）〈共予〉

Ⅰ　同一の動産について特別の先取特権が互いに競合する場合には、その優先権の順位は、次に掲げる順序に従う。この場合において、第2号に掲げる動産の保存の先取特権について数人の保存者があるときは、後の保存者が前の保存者に優先する〈書〉。

①　不動産の賃貸、旅館の宿泊及び運輸の先取特権

②　動産の保存の先取特権

③　動産の売買、種苗又は肥料の供給、農業の労務及び工業の労務の先取特権

Ⅱ　前項の場合において、第1順位の先取特権者は、その債権取得の時において第2順位又は第3順位の先取特権者があることを知っていたときは、これらの者に対して優先権を行使することができない〈司〉。第1順位の先取特権者のために物を保存した者に対しても、同様とする〈司〉。

Ⅲ　果実に関しては、第1の順位は農業の労務に従事する者に、第2の順位は種苗又は肥料の供給者に、第3の順位は土地の賃貸人に属する〈司〉。

第331条　（不動産の先取特権の順位）

Ⅰ　同一の不動産について特別の先取特権が互いに競合する場合には、その優先権の順位は、第325条各号に掲げる順序に従う〈書〉。

Ⅱ　同一の不動産について売買が順次された場合には、売主相互間における不動産売買の先取特権の優先権の順位は、売買の前後による〈書〉。

第332条　（同一順位の先取特権）〈司書〉

同一の目的物について同一順位の先取特権者が数人あるときは、各先取特権者は、その債権額の割合に応じて弁済を受ける。

物
権

＜先取特権の順位＞

共益費用　→利益を受けた総債権者に対し優先（329Ⅱただし書）

優先

 当事者の期待保護に基づくものを最も優先させ、次いで、公平の観念の強弱により、順序を定めている（330Ⅰ）

不動産

不動産賃貸 旅館宿泊 運輸	動産質権（334）

例外1
債権取得当時、第2・3順位の先取特権者を知っていたときは優先しない（330Ⅱ前段）
例外2
第1順位者のため物を保存した者に対しても優先しない（330Ⅱ後段）

動産保存

数人の保存者がある場合、後の保存者が優先（330Ⅰ柱書後段）
∵　前の保存者は後の保存者の保存行為で利益を受ける

動産売買
種苗・肥料の供給
農業労務
工業労務

不動産保存

不動産工事

不動産売買

同一の不動産につき逐次売買があったときは、前の売主が優先（331Ⅱ）

抵当権・不動産質権と不動産先取特権とが競合した場合
登記のある①不動産保存、②不動産工事の先取特権は抵当権に優先する（339）

不動産売買先取特権との関係については規定がないが、登記の先後によると解されている

抵当権・不動産質権と一般の先取特権とが競合した場合
① 双方とも登記なし
　→先取特権が優先（336本文）
② 抵当権（不動産質権）に登記あり、先取特権に登記なし
　→抵当権が優先（336ただし書）
③ 双方とも登記あり
　→登記の先後による

物
権

 劣後

一般先取特権（329Ⅰ、Ⅱ本文）→306条の順序による

■第4節　先取特権の効力

《概　説》

<先取特権の第三者に対する効力>

動産	債務者がその目的動産を第三取得者に引き渡した後は、もはや先取特権を行使できない（333）〈同〉 ∵　一般先取特権・動産先取特権は、動産上にその存在が公示されていないので、第三取得者を保護する必要がある <第三取得者の意義> →所有権取得者（賃借人、質権者を含まない） →善意・悪意を問わない〈同〉 動産売買の先取特権の存在する動産が、集合物の構成部分となった場合には、集合動産譲渡担保権者は、引渡しを受けたものとして、特段の事情がない限り、「第三取得者」（333）に該当する（最判昭62.11.10・百選Ⅰ96事件）〈同〉 <「引き渡した」に占有改定を含むか> →肯定（大判大6.7.26）〈同書〉（＊） ∵　333条の趣旨は、公示のない動産上の先取特権の追及力を制限し、動産取引の安全を図る点にある
不動産	①　不動産の第三取得者と一般の先取特権者・不動産先取特権者との優劣は、登記の先後による ②　一般の先取特権者は登記なしで一般債権者に対抗できる（336） ∵　一般先取特権は登記が困難であり、また債権額も比較的少額である 一般先取特権には、優先弁済を受ける目的物の順序が定められている（335） ∵　一般先取特権は債務者の総財産を目的とするから、他の債権者の利益と調整する必要がある ①　不動産先取特権の効力を保存するためには、登記しなければならない ②　登記をなすべき時期 →保存：保存行為完了後直ちに（337） 　工事：工事開始前（338） 　売買：売買契約と同時（340） ③　不動産保存・工事の先取特権については、登記をすれば、目的不動産にすでに抵当権が設定されていても、これに優先する（339）〈同書〉

＊　借家に賃借人が備え付けた動産が譲渡されたとしても、先取特権者（賃貸人）が善意・無過失であるときは、319条により先取特権を取得し、占有改定後に生じた賃料債権等に効力を及ぼすことがある。

第333条　（先取特権と第三取得者）〈書〉

　先取特権は、債務者がその目的である動産をその第三取得者に引き渡した後は、その動産について行使することができない。

第334条　（先取特権と動産質権との競合）〈同共書〉

　先取特権と動産質権とが競合する場合には、動産質権者は、第330条の規定による第1順位の先取特権者と同一の権利を有する。

《注　釈》

▪不動産質権と先取特権とが競合する場合、不動産質権には抵当権の規定が準用さ

れるので（361）、抵当権と先取特権とが競合する場合と同じ扱いとなる。

▪ 先取特権と留置権との関係においては、留置権に優先弁済的効力が認められない
ため、優先の問題は生じない。

　→目的物が留置されているとしても、先取特権者は、競売申立てをなしうる。し
　　かし、競落人が目的物を受け取るには、留置権者に債務の弁済をなす必要があ
　　るので、結果として留置権者が優先することになる。

▪ 先取特権は法定担保物権であり、当事者の合意により法律に定めのない効力を発
生させることは物権法定主義から認めることはできないので、333条を排除する
特約は無効であり、当該物の転得者を拘束しない〈共〉。

第335条 （一般の先取特権の効力）〈共〉

Ⅰ　一般の先取特権者は、まず不動産以外の財産から弁済を受け、なお不足があるの
でなければ、不動産から弁済を受けることができない〈同書〉。

Ⅱ　一般の先取特権者は、不動産については、まず特別担保の目的とされていないも
のから弁済を受けなければならない。

Ⅲ　一般の先取特権者は、前2項の規定に従って配当に加入することを怠ったときは、
その配当加入をしたならば弁済を受けることができた額については、登記をした第
三者に対してその先取特権を行使することができない。

Ⅳ　前3項の規定は、不動産以外の財産の代価に先立って不動産の代価を配当し、又
は他の不動産の代価に先立って特別担保の目的である不動産の代価を配当する場合
には、適用しない。

第336条 （一般の先取特権の対抗力）

　一般の先取特権は、不動産について登記をしなくても、特別担保を有しない債権者
に対抗することができる。ただし、登記をした第三者に対しては、この限りでない
〈共書〉。

第337条 （不動産保存の先取特権の登記）〈同子書〉

　不動産の保存の先取特権の効力を保存するためには、保存行為が完了した後直ちに
登記をしなければならない。

第338条 （不動産工事の先取特権の登記）

Ⅰ　不動産の工事の先取特権の効力を保存するためには、工事を始める前にその費用
の予算額を登記しなければならない〈同予書〉。この場合において、工事の費用が予算
額を超えるときは、先取特権は、その超過額については存在しない〈書〉。

Ⅱ　工事によって生じた不動産の増価額は、配当加入の時に、裁判所が選任した鑑定
人に評価させなければならない。

第339条 （登記をした不動産保存又は不動産工事の先取特権）

　前2条の規定に従って登記をした先取特権は、抵当権に先立って行使することがで
きる〈同共書〉。

第340条　（不動産売買の先取特権の登記）

　不動産の売買の先取特権の効力を保存するためには、売買契約と同時に、不動産の代価又はその利息の弁済がされていない旨を登記しなければならない〈改〉。

第341条　（抵当権に関する規定の準用）〈改〉

　先取特権の効力については、この節に定めるもののほか、その性質に反しない限り、抵当権に関する規定を準用する。

[趣旨] 先取特権は、抵当権と類似しており、目的物の占有を要件としない担保物権である。その類似性ゆえに抵当権の規定が準用される。

《注　釈》

◆　　先取特権の消滅

1　物権一般の消滅原因
　　ex.　目的物の滅失・放棄
2　被担保債権の消滅
　　被担保債権が存続する限りは債権者の変更や地位の喪失があっても先取特権は消滅しない。
3　目的物の第三取得者への引渡し（動産の場合）
　　→代金への物上代位（304）が可能である
4　第三取得者による代価弁済（378）〈改〉・抵当権消滅請求（379〜386）（不動産の場合）

・第9章・【質権】

《概　説》

　質権は、債権者がその債権の担保として債務者又は第三者（物上保証人）から提供を受けた物を占有し、かつその物につき他の債権者に先立って自己の債権の弁済を受けることのできる約定担保物権である。

　付従性、随伴性、不可分性、物上代位性という、担保物権の通有性をすべて有し、また、優先弁済的効力及び留置的効力をともに有する。

＜質権の概要＞

	動産質	不動産質	権利質
設定契約の要件	・合意＋引渡し（要物契約、344） ・引渡し→占有改定含まず（345） 　　指図による占有移転は可能		・指図証券：合意＋裏書＋交付（520の7・520の2） ・記名式所持人払証券、無記名証券：合意＋交付（520の17・520の13、520の20・520の17・520の13） ・上記以外の場合：合意のみ
目的	譲渡可能な動産	土地、建物	所有権以外の権利 ex. 無体財産権、債権、株式 →譲渡可能な権利に限られる
被担保債権	債務不履行の場合に金銭的評価できるもの →将来発生する債権でも可	動産質と同様 →ただし、対抗要件としての被担保債権の登記が必要	動産質と同様
対抗要件	占有の継続（352）	登記（177）	・467条の規定に従った通知又は承諾（364）⇒ p.251 ・法人の場合、債権譲渡登記ファイルへの登記でも可 同共

物

権

＜質権と抵当権の異同＞

	質権		抵当権
	動産	不動産	
成立要件	要物契約（占有移転）（344）		諾成契約
対抗要件	占有継続（352）	登記(177)	
被担保債権の範囲	無制限（346）	・限定（361・375） ・特約がない限り利息請求不可（358・359）	限定（375）
効力の範囲	引き渡された動産とその果実（350・297）に限定	付加一体物に及ぶ（361・370）	付加一体物に及ぶ（370）
果実収取権	充当権あり(350・297)	あり(356)	なし
使用収益権	なし	あり(356)	なし
代価弁済・抵当権消滅請求の可否	不可	可(378、379、361)	

物
権

	質権		抵当権
	動産	不動産	
流担保契約	不可(349) 弁済期到来後のみ可		可(372参照)
簡易弁済	可(354)	不可	
侵害に対して	占有回収の訴えのみ (353)	質権に基づく返還請求	抵当権に基づく妨害排除請求等
順位変更	不可	可（361・374）	可(374)
存続期間	なし	あり(360)	なし
費用償還請求	質権者から可能（350・299）		第三取得者が競落人に可能(391)

■第1節　総則

第342条　（質権の内容）

　質権者は、その債権の担保として債務者又は第三者から受け取った物を占有し、かつ、その物について他の債権者に先立って自己の債権の弁済を受ける権利を有する〈予書〉。

《注　釈》

◆　質権設定契約の当事者

　1　質権者は、質権によって担保される債権の債権者である。

　2　設定者は、債務者に限らず、第三者もなることができる（物上保証人）〈書〉。

第343条　（質権の目的）〈書〉

　質権は、譲り渡すことができない物をその目的とすることができない。

[趣旨]本条は、質権の留置的効力と優先弁済機能（目的物を換価して代金を弁済に充てること）を発揮させるために、目的物を譲渡しうるものに限ったものである。

《注　釈》

◆　「譲り渡すことができない物」

　　ex.　あへん、偽造通貨のような禁制物

第344条　（質権の設定）

　質権の設定は、債権者にその目的物を引き渡すことによって、その効力を生ずる〈共書〉。

[趣旨]要物契約性を示す本条は、物権変動につき意思主義を原則とする民法（176）の例外をなす。これは、質権の存在を公示して他の債権者に警告しようとすることと、質権設定者から目的物を奪うことによって留置的効力を発揮させようとする目的からきている。

《注　釈》
一　効力の及ぶ範囲
　　設定契約によって目的とされたもの、すなわち引渡しがあったものに及ぶ。
　　ex.　従物（87）であっても、主物とともに引渡しがあった場合にだけ質権の効
　　　力がこれに及ぶ
二　「引き渡す」の意味
　　占有改定（183）は「引き渡す」に含まれない〈司書〉。
　　∵　占有改定では質物が質権設定者の手元に残るため、質権の存在を十分に公
　　　示することができず、また、質権設定者が使用できる状態にある限り留置的
　　　効力は確保されない
　　これに対して、質権者や他人の手元に質物が存在する状態でなされる簡易の引
　渡し（182Ⅱ）や指図による占有移転（184）は「引き渡す」に含まれる（後者に
　つき、大判昭9.6.2）〈司書〉。

第345条　（質権設定者による代理占有の禁止）
　質権者は、質権設定者に、自己に代わって質物の占有をさせることができない〈司〉。

[趣旨]本条は、質権設定における要物性を貫くために規定されたものである。
《注　釈》
◆　質物の設定者への任意返還
　1　動産質の場合
　　　質権は消滅せず、第三者に対する対抗力を失うのみである〈司書〉。
　　　∵　質権者による占有は質権成立の要件であって、質権存続の要件ではない
　　　cf.　動産質権は消滅するとする説もある
　　　　　∵　質権者自らが占有を放棄する以上質権の効力が失われるのは当然
　2　不動産質の場合〈司〉
　　　質権の効力には何ら影響がない（大判大5.12.25）。
　　　∵　不動産質においては、質物の占有は第三者への対抗要件ではない

第346条　（質権の被担保債権の範囲）
　質権は、元本、利息、違約金、質権の実行の費用、質物の保存の費用及び債務の不
履行又は質物の隠れた瑕疵によって生じた損害の賠償を担保する〈司〉。ただし、設定行
為に別段の定めがあるときは、この限りでない〈供書〉。

[趣旨]本条は、当事者が設定契約において被担保債権の範囲を定めなかった場合
に備えてその範囲を定めたものである。質権者の下に占有があり、第三者との利害
衝突の危険性が減少するので抵当権の被担保債権の範囲よりも拡大されている〈司〉。
《注　釈》
一　「利息」
　　重利も含まれる。不動産質の場合には、特約がある場合のみ利息を請求できる
　が、第三者に対抗するためには、その特約の登記が必要となる。

二　「違約金」

　　違約罰の予定であるか否かを問わない。不動産質の場合は、違約金を対抗するために登記が必要となる。

三　「損害の賠償」

　1　「質物の隠れた瑕疵によって生じた損害」とは、質物の引渡しを受ける際に、通常の注意をしても気付くことができなかった、質物の不完全さから生じた損害という意味であり、目的物が人又は他の物に与えた損害のことをいう。

　2　不動産質である場合には、375条の規定が準用される。

第347条　（質物の留置）

　質権者は、前条に規定する債権の弁済を受けるまでは、質物を留置することができる〈**試**〉。ただし、この権利は、自己に対して優先権を有する債権者に対抗することができない。

[趣旨] 本条は、留置的効力によって債務者に心理的強制を加え、間接的に債務の履行を実現させようとする質権の機能を発揮させるため規定された。

《注　釈》

一　本文

　　質権が消滅する前に設定者から質物の返還を請求された場合、質権者はこれを拒絶することができるし、競売により抵当権のように消滅もしないため、返還請求の訴えがなされても、引換給付の判決でなく、原告敗訴の判決がなされる（大判大 9.3.29）〈**司書**〉。

二　ただし書

　1　自分に対して優先権をもつ者に対しては留置的効力を主張できない。

　　∵　優先弁済的効力において、他の担保物権者に劣る場合には、強力な保護を認める必要はない

　　ex.　先順位の質権者、質権に優先する先取特権をもつ者

　　→留置権の留置的効力とは異なる

　2　優先権をもつ者によって質物が競売されるとき、質権者はその引渡しを拒むことができず、ただ、順位に応じてその売得金から弁済を受けることができるにすぎない。

第348条　（転質）

　質権者は、その権利の存続期間内において、自己の責任で、質物について、転質をすることができる〈**司書**〉。この場合において、転質をしたことによって生じた損失については、不可抗力によるものであっても、その責任を負う〈**試**〉。

[趣旨] 本条は、質権者が一度質物に固定させた資金を、被担保債権の弁済期以前に再び流動させることを可能にしようというものである。

《注　釈》

一　意義

　転質には、①質権設定者の承諾を得てなされる承諾転質（350、298Ⅱ）と、②承諾を要さず質権者の責任においてこれをなす責任転質とがある（大連判大14.7.14）《通》《同共書》。

　→本条の適用がある場合、298条2項は排除される

二　責任転質の法的性質

　共同質入説、単独質入説（質権譲渡説と質権質入説）、質物質入説の諸説あるが、具体的結論自体の違いは解釈の変化によって次第に解消されてきており、転質の性質についての議論の実益は小さくなっている。

三　責任転質の要件

　①　転質権の被担保債権額が、原質権の被担保債権額を超過しないこと
　②　原質権の存続期間の範囲内において転質をなすこと
　③　質物の引渡し等、質権設定契約の一般的要件を備えること
　→上記①②の要件に関しては、これを不要と考え、③のみが責任転質の成立要件であると考える見解が有力である

四　責任転質の効果

1　原質権者の責任
　転質をしなければ生じなかったはずの損害については、不可抗力による場合にも責任を負う（後段）。

2　原質権及びその被担保債権に対する効力
(1)　転質がなされた場合、原質権そのものが拘束を受けてその放棄等が制限されるのみでなく、原質権の被担保債権もまた転質によって拘束を受け、放棄や弁済等によってこれを消滅させることができなくなる。
(2)　(1)の拘束を債務者に対抗するためには、債権譲渡の場合と同様、転質権の設定を原質権者から債務者に通知するか、債務者がこれを承諾することが必要となる。
(3)　原質権者がその被担保債権のうち、転質権の被担保債権額を超える部分について弁済を受けたり質権を実行することはできない。

3　転質権の実行
(1)　転質権者が転質権を実行するためには、原質権の被担保債権についてもまた弁済期が到来しなければならない。
(2)　転質権を実行した場合の売得金は、まず転質権者の優先弁済に充て、残余のあるときに原質権者がこれから弁済を受ける。
(3)　共同質入説によれば、転質権者が原質権の被担保債権を直接取り立てることが可能であるが、単独質入説では債権質が行われていないので不可能であるとされる《書》。

五　承諾転質（350、298）

1　成立要件
　原質権の被担保債権の額や弁済期による拘束はない。

2 効力

　転質権は原質権から全く独立しているので、転質権はそれ自体について要件が整えば、原質権実行の要件の成否にかかわらず実行できる等の効力が認められる。

第３４９条　（契約による質物の処分の禁止）〈慣〉

　質権設定者は、設定行為又は債務の弁済期前の契約において、質権者に弁済として質物の所有権を取得させ、その他法律に定める方法によらないで質物を処分させることを約することができない。

[趣旨] 経済的に優位な立場にある質権者が、弁済期前の債務者の窮迫状態に乗じて暴利をむさぼるのを防ぐため、質権者が質物から優先弁済を受けるためには、法律の定める方法によるべきとし、当事者の任意の協定によることを禁止した（強行規定）。

《注　釈》

一　弁済期到来後の流質契約

　弁済期到来後の流質契約は禁止されない。

　∵　弁済期が到来すれば、債務者が差し迫った事情から不利益な契約を強制されるおそれが少ない

　cf.　商事質（商515）や質屋営業法の特例では、流質契約が認められる

二　質権設定者が欲する場合

　質権設定者が弁済に代えて任意に質物の所有権を質権者に移すことができるというような契約は、所有権を移すか否かが質権設定者の意思に委ねられているのだから、本条により禁止されない（大判明37.4.5）。

第３５０条　（留置権及び先取特権の規定の準用）〈共書〉

　第２９６条から第３００条まで＜留置権の不可分性・果実の収取・留置物の保管等・費用の償還請求・留置権の行使と債権の消滅時効＞及び第３０４条＜物上代位＞の規定は、質権について準用する。

[趣旨] 本条は、担保物権一般に共通する不可分性・物上代位性等について、留置権・先取特権の規定が質権にも準用されるべきことを定める。

《注　釈》

◆　準用規定の概要

1　不可分性（296準用）

　　ex.　金銭債権を質入した場合は、被担保債権額の超過部分にも質権は及ぶが、優先弁済は超過部分につきなしえず取立てもできない

2　果実からの優先弁済受領権（297準用）〈同共〉

　(1)　天然果実は、抵当権と異なり、質権者が収取して優先的に弁済充当することができる。

　(2)　法定果実は、質権者が所有者の承諾を得て質物を使用したり賃貸したりする場合等に問題となるが（298Ⅱ）、その結果生じた使用利益や賃貸料等は天

然果実同様に取り扱ってもよいものとされる。

3　留置権者の留置物保管義務（298準用）〈司共書〉

「担保に供することができない」が、責任転質（348）はなしうる。

不動産質権の場合、承諾なく使用収益をなしうる（356）。

4　留置権者の費用償還請求権（299準用）〈司共〉

5　被担保債権の消滅時効（300準用）〈司〉

6　物上代位（304準用）

質物が売却されたとしても、追及力を失うわけではないので、売却代金に関して、物上代位を行使する必要性は乏しい。

第351条　（物上保証人の求償権）

他人の債務を担保するため質権を設定した者は、その債務を弁済し、又は質権の実行によって質物の所有権を失ったときは、保証債務に関する規定に従い、債務者に対して求償権を有する。

[趣旨] 物上保証人が第三者として債務者の債務を進んで弁済し又は質権の実行によって質物の所有権を失った場合には、自分の出捐をもって他人の債務を消滅させたのであるから、保証人が主たる債務者の債務を弁済したときと同様の関係を呈する。そこで、物上保証人の求償権能に関して、保証人の場合と同様に取り扱うものとした。

《注　釈》

▪ 債務者の委託を受けずに物上保証人となることも可能であり、その場合でも、物上保証人と質権者との間では、有効な質権が成立する。ただし、委託の有無によって求償権の範囲は異なる。

■第2節　動産質

第352条　（動産質の対抗要件）〈書〉

動産質権者は、継続して質物を占有しなければ、その質権をもって第三者に対抗することができない。

《注　釈》

一　「占有」

1　「占有」を失うと、質権を第三者に対抗できなくなるが、質権は消滅しない〈同書〉。

2　代理占有も含む（ただし、質権設定者による代理占有を除く（345））。

ex.　質権者が目的物を賃貸したり修繕等のため他人に保管させたりしても対抗力は消滅しない

二　「第三者」

質権設定者や債務者（質権設定者が別にいる場合）は含まれない。

ex.　質権設定者が質物を奪い取った場合に、質権者がそれを取り戻そうとするときには、質権それ自体に基づく返還請求をなしうる

第353条　（質物の占有の回復）

　動産質権者は、質物の占有を奪われたときは、占有回収の訴えによってのみ、その質物を回復することができる《同書》。

[趣旨]占有を失えば対抗力がなくなるとしながら（352）、物権的請求権等を認めることは調和がとれず、質権者を保護しすぎる。そこで、本条は、質権自体に基づく本権の訴えを禁じ、質物回復の可能性を占有侵奪の場合に限った。

《注　釈》

◆　「占有を奪われた」

　　質権者がその意に反して占有を失ったことを意味する。よって、質権者が質物を遺失したとか詐欺に掛かって物を引き渡してしまった等の場合には、もはやいかなる方法によってもこれを取り戻すことはできない。

第354条　（動産質権の実行）

　動産質権者は、その債権の弁済を受けないときは、正当な理由がある場合に限り、鑑定人の評価に従い質物をもって直ちに弁済に充てることを裁判所に請求することができる《同書》。この場合において、動産質権者は、あらかじめ、その請求をする旨を債務者に通知しなければならない。

[趣旨]質権者は、原則として競売（民執190）により権利を実行するが、本条は、動産質の実行について特別に簡便な方法を認めたものである。

《注　釈》

▪　「正当な理由」（前段）とは、競売が必要ない場合や、質物の価格が低すぎて競売の費用がかさみすぎる場合等である。

第355条　（動産質権の順位）《同書》

　同一の動産について数個の質権が設定されたときは、その質権の順位は、設定の前後による。

《注　釈》

▪　代理占有も占有に含まれることから、同一動産上に複数の質権を設定しうる《同》。

■第3節　不動産質

第356条　（不動産質権者による使用及び収益）

　不動産質権者は、質権の目的である不動産の用法に従い、その使用及び収益をすることができる《同書》。

[趣旨]質権者は原則として質物を使用収益することができないが、この原則を不動産質においても貫くと、目的不動産は質権者が設定者からその占有を取り上げている関係上、誰にも利用されないことになって社会経済上不利益であり、他方質権者に利用させても目的不動産を損壊する危険は小さい。そこで、本条は、設定行為に

別段の定めがない限り質権者がその用法に従い目的不動産を使用しうることを認めた。本条から、不動産質権者の果実収取権が認められる。

《注　釈》

- 不動産質権者が天然果実を収取した場合でも、利息の弁済に充当しなければならないわけではない。
- 「用法に従い」使用収益することができるのであるから、不動産質権者が、目的不動産を賃貸し、その賃料を収受することは可能である。しかし、畑を水田として使用することや住宅を店舗として使用することは不可能である。

第357条　（不動産質権者による管理の費用等の負担）

不動産質権者は、管理の費用を支払い、その他不動産に関する負担を負う〈共書〉。

［趣旨］不動産質権者による目的不動産の使用収益権を認めた（356）反面で課せられた負担である。

第358条　（不動産質権者による利息の請求の禁止）

不動産質権者は、その債権の利息を請求することができない〈書〉。

［趣旨］利息は債権元本の使用の対価であり、不動産に質権が設定される場合、その物の代価は少なくとも債権の元本額に相当するのが常であるから、その果実の価額は前条の費用を控除してもなお、少なくとも債権の利息に相当するのが通例であると考えられる。そこで、使用収益額・管理費用・利息額の間の複雑な計算を避けることも考慮して、本条は任意規定として規定された〈回〉。

第359条　（設定行為に別段の定めがある場合等）

前3条の規定は、設定行為に別段の定めがあるとき、又は担保不動産収益執行（民事執行法第180条第2号に規定する担保不動産収益執行をいう。以下同じ。）の開始があったときは、適用しない〈司書〉。

第360条　（不動産質権の存続期間）〈書〉

Ⅰ　不動産質権の存続期間は、10年を超えることができない。設定行為でこれより長い期間を定めたときであっても、その期間は、10年とする〈回〉。

Ⅱ　不動産質権の設定は、更新することができる。ただし、その存続期間は、更新の時から10年を超えることができない。

［趣旨］不動産の用益権を長く所有者以外の者に委ねると、不動産の効用を全うできないと考えられたため、本条が規定された。

《その他》

- 存続期間の定めがない場合にも、質権は不成立になるのではなく、設定の時から10年は存続すると解される（大判大6.9.19）。
- 弁済期を3年後、存続期間を4年間と設定した場合、質権者は、3年を経過した後1年間で質権を実行せねばならない。

→その間実行せず存続期間の4年間を経過した場合は、無担保債権となる

第361条　（抵当権の規定の準用）🈴

　不動産質権については、この節に定めるもののほか、その性質に反しない限り、次章（抵当権）の規定を準用する。

《注　釈》

▪ 準用される規定のうち、主要なものは、373条、375条、378条、388条である。

■第4節　権利質

第362条　（権利質の目的等）

Ⅰ　質権は、財産権をその目的とすることができる🈡。
Ⅱ　前項の質権については、この節に定めるもののほか、その性質に反しない限り、前3節（総則、動産質及び不動産質）の規定を準用する🈴。

［趣旨］本条は、資本主義の発達に伴い財産権の有する交換価値を担保化する必要性に対処すべく、財産権を目的とした質権の設定をすることを可能ならしめるために規定された。

《注　釈》

一　権利質の目的となる債権

1　財産的価値を有し、譲渡可能（343参照）であることを要する🈴。
　　ex.　扶養を受ける権利（881）などは、たとえ質権者が譲渡できないことについて善意であったとしても、目的となしえない
　　cf.　譲渡制限の意思表示がされた債権（譲渡制限特約付債権）が質権の目的とされた場合、その特約について質権者が悪意であったとしても、預貯金債権の場合を除き、質権設定の効力は妨げられない（466Ⅱ、466の5Ⅰ）🈴書。ただし、債務者は、悪意・重過失の質権者に対し、債務の履行を拒むことができ、また、弁済等の債務の消滅事由をもって対抗することができる（466Ⅲ）
2　質権者が債務者である債権も質入れすることができる🈴書。
　　ex.　銀行が自行に預金債権を有している者に対して融資をする際、その貸金債権を担保するために、預金債権を目的として質権の設定を受ける場合（最判昭40.10.7参照）

二　債権質の効力の及ぶ範囲

　債権全部の弁済を受けるまで全債権に及ぶ（350、296）。また、債権質の効力は利息債権や担保権（質権・抵当権・保証など）にも及び、債権の侵害に対する損害賠償請求権や保険金請求権にも及ぶ（350、304）🈴書。

三　債権質の設定者に対する効力

1　質権設定者は、質入れした債権の取立て、相殺、免除等、債権を消滅・変更させる一切の行為その他当該債権の担保価値を害するような行為を行うことは

許されない《同書》。

　∵　質権設定者は担保価値維持義務を負う

　　ex.　債権質権設定者である賃借人が、正当な理由なく賃貸人に対し未払債務
　　　を生じさせて目的債権たる敷金返還請求権の発生を阻害する行為（最判平
　　　18.12.21・百選Ⅰ79事件）

　2　質権設定者は、時効の完成を妨げるため、自ら第三債務者に催告（150、
　147）したり、債権存在の確認訴訟を提起することができる（大判昭5.6.27）《同》。
　また、質入債権を他に譲渡することもできる《同》。

第363条　（債権質の設定）　削除

第364条　（債権を目的とする質権の対抗要件）《書》

　債権を目的とする質権の設定（現に発生していない債権を目的とするものを含む。）
は、第467条＜債権の譲渡の対抗要件＞の規定に従い、第三債務者にその質権の設
定を通知し、又は第三債務者がこれを承諾しなければ、これをもって第三債務者その
他の第三者に対抗することができない《同》。

《注　釈》

一　第三債務者の承諾

　質権者を特定しないでなされた第三債務者の承諾は、第三者に対する対抗要件
とは認められない（最判昭58.6.30）《同》。

二　第三債務者以外の第三者

　1　債権の譲受人や同一債権に対する質権取得者、差押債権者が含まれる。

　2　これらの者に対する対抗要件は、「通知」又は「承諾」が、確定日付ある証
書をもってなされる必要がある《同》。

三　質入債権に対する拘束力

　債権差押についての規定（481Ⅰ）が準用される（大判大5.9.5）《同》。

　　ex.　設定者と第三債務者との間で債権の取立て・相殺等、質入債権を消滅・
　　　変更させても、これを質権者に対抗できない

《その他》

▪ AがBに対して貸金債権を有している場合において、CがAから同債権を目的と
する質権の設定を受け、DもAから同債権を目的とする質権の設定を受けたとき、
DがCよりも先に質権の設定の第三者対抗要件を備えたとしても、Cは、質権の
設定を「第三債務者その他の第三者に対抗することができない」（364）だけであ
り、質権それ自体を喪失するわけではない（Cは、質権設定者であるAに対して、
質権の効力を主張することができる）《同》。

▪ 法人が債権を目的として質権を設定した場合については、動産及び債権譲渡の対
抗要件に関する民法の特例等に関する法律に基づき、債権譲渡登記ファイルへの
登記によって第三者対抗要件を具備することも可能である（動産・債権譲渡特例
14）《同》。

物
権

第365条 （指図債権を目的とする質権の対抗要件） 削除

第366条 （質権者による債権の取立て等）
Ⅰ 質権者は、質権の目的である債権を直接に取り立てることができる〈共〉。
Ⅱ 債権の目的物が金銭であるときは、質権者は、自己の債権額に対応する部分に限り、これを取り立てることができる〈共書〉。
Ⅲ 前項の債権の弁済期が質権者の債権の弁済期前に到来したときは、質権者は、第三債務者にその弁済をすべき金額を供託させることができる〈共〉。この場合において、質権は、その供託金について存在する〈書〉。
Ⅳ 債権の目的物が金銭でないときは、質権者は、弁済として受けた物について質権を有する〈同書〉。

《注　釈》

- 質権者は、質入債権の目的物を直接自己へ引き渡す旨を請求でき、引渡しがなされた場合はその債権は弁済されたことになる（Ⅰ）〈同〉。
- 質権者は、質権の目的である債権を直接に取り立てることができる（直接取立権、Ⅰ）。直接取立権は質権者の権利であって、質権設定者の債権を代理行使するものではないので、質権設定者の名において取立てをしなければならないものではない〈同〉。また、質権の目的である債権の目的物が金銭である場合、かかる取立てが認められるためには、質権者の被担保債権の弁済期が到来するとともに、質権の目的たる債権の弁済期が到来しなくてはならない（Ⅲ参照）〈同〉。
- 質権の目的である債権の目的物が金銭である場合、質権者は自己の債権額部分に限り、取り立てることができ、これを弁済に充当できる（Ⅱ）〈共〉。

第367条及び第368条　削除

・第10章・【抵当権】

《概　説》

一　意義
　　債権者が、債権の担保として債務者又は第三者から占有を移転しないで提供を受けた不動産、地上権、永小作権につき、他の債権者に先立って自己の債権の弁済を受けることのできる約定担保物権である（369）。
　　生産設備の占有を移さずに担保化することで、抵当権設定者の債務返済の容易化と抵当権者の債権の実現という両者の目的を果たさせており、資本主義の維持・発展に重要な役割を担う制度である。

二　特質
　　抵当権は、付従性、随伴性、不可分性、物上代位性及び優先弁済的効力を有する点で質権と共通する。しかし、目的物の占有を抵当権設定者（債務者又は物上

保証人）にとどめ、引き続いて使用収益を許す非占有担保物権であり、留置的効力を有しない点で質権と異なる（公示方法は登記による）。登記・登録等、占有以外の方法による公示手段がない場合、抵当権の目的とすることはできない。

■第1節　総則

> **第369条　（抵当権の内容）**
>
> Ⅰ　抵当権者は、債務者又は第三者が占有を移転しないで債務の担保に供した不動産について、他の債権者に先立って自己の債権の弁済を受ける権利を有する〈論〉。
>
> Ⅱ　地上権及び永小作権も、抵当権の目的とすることができる〈同予書〉。この場合においては、この章の規定を準用する。

《注　釈》

一　抵当権設定契約

1　契約の性質

　　抵当権は、直接に抵当権の成立を目的とする契約によって設定される（抵当権設定契約）。この契約は、諾成契約である〈同〉。

2　契約の当事者

（1）　抵当権者は抵当権によって担保される債権の債権者である。

（2）　設定者は担保物について処分権を有していることが必要である。したがって、設定者となるのは通常債務者であるが、処分権を有している限り、債務者以外の第三者であってもよい（物上保証人）。

　　＊　物上保証人の地位は、質権の場合と同様である。したがって、質権に関する351条（物上保証人の求償権）が準用される（372）。

3　無効な債権を担保する抵当権の効力

　　この場合、付従性により、抵当権も無効となるのが原則である。もっとも、無効な貸付けによって利益を受けた債務者が、抵当権ないしその実行の無効を主張することは、信義則上許されないと判断される場合がある（最判昭44.7.4・百選Ⅰ80事件）。

二　抵当権の対抗要件

1　登記をしなければ、第三者に対抗できない（177）。

　　cf.　被担保債権の債権譲渡による随伴性により、抵当権を取得した場合は、債務者に対する通知・承諾があれば登記なくして債務者に抵当権の効力を主張できる

2　登記の流用の可否

　　被担保債権の不成立・消滅にもかかわらず抵当権の登記のみが抹消されずに残存している場合に、この登記を他の債権のために設定された抵当権に流用できるか。

（1）　流用前の第三者との関係では、同一の担保物、同額の債権担保であっても無効である（大判昭8.11.7）〈同〉。

(2) 流用後の第三者との関係では、抵当権者は流用登記をもって対抗できる（大判昭11.1.14）。

三 抵当権の目的となりうる物

抵当権は、登記・登録等の公示が可能なものについて設定することができる。

ex. 自動車（自動車抵当法）、航空機（航空機抵当法）等は特別法により抵当権設定が認められている

cf. 共有物に抵当権を設定する場合は、共有者全員の同意が必要となる（251Ⅰ）

四 抵当権の被担保債権

1 通常は金銭債権であるが、物の引渡請求権など金銭債権以外の債権であっても差し支えない（∵債務不履行によって金銭債権となる）〈共書〉。

2 被担保債権の態様

(1) 債権の一部について抵当権を設定することも、数個の債権をあわせて被担保債権とすることも（最判昭33.5.9）、可能である。

(2) 将来発生する債権のために抵当権を設定することも可能である（将来発生する債権が、消費貸借契約に基づく貸金返還請求権である場合につき大判明38.12.6、保証人の求償権である場合につき最判昭33.5.9）〈司共書〉。

(3) 被担保債権が無効なときは、抵当権もまたその効力を生じない（最判昭30.7.15）〈司〉。もっとも、債務者が貸付行為（ex.労働金庫の目的の範囲内に属しない員外貸付）の無効を主張して、不当利得返還債務を弁済せずに抵当権とその実行手続の無効を主張することは、信義則上許されない（最判昭44.7.4・百選Ⅰ80事件）。

第370条　（抵当権の効力の及ぶ範囲）

抵当権は、抵当地の上に存する建物を除き、その目的である不動産（以下「抵当不動産」という。）に付加して一体となっている物に及ぶ〈司書〉。ただし、設定行為に別段の定めがある場合及び債務者の行為について第424条第3項に規定する詐害行為取消請求をすることができる場合は、この限りでない〈書〉。

《注 釈》

一 本文 「付加して一体となっている物」（付加一体物）

1 付合物（242）

(1) 抵当不動産に付合した物（242）は、不動産の構成部分となって独立性を失っているから、付合の時期を問わず、付加一体物に含まれる〈司〉。

ex.1 土地に対する立木〈司〉・庭石、建物に対する増築建物・付属建物（大決昭9.3.8）

ex.2 建物の内外を遮断する雨戸・ガラス戸・建具類は取り外しが容易であっても建物の一部を構成するから、独立の動産（従物）とはいえず、付加一体物となる（大判昭5.12.18）〈書〉

(2) 他人が「権原」により不動産に付属させた場合には、抵当権の効力は及ば

　ない。　⇒ p.176

　　　ex.　建物所有者が建物に抵当権を設定した場合における建物賃借人が設置した造作には抵当権の効力は及ばない（∵賃借人の所有に属する）

2　従物（87）

　⑴　従物と付加一体物との関係

　　　A説：370条の「付加一体物」に従物を含める

　　　　　→抵当権設定の前後を問わず従物には抵当権の効力が及ぶ

　　　B説：370条の「付加一体物」に従物を含めない（87条2項で処理）

　　　　　B1説：87条2項の「処分」は抵当権の設定を意味する。

　　　　　　　　→抵当権設定前の従物にのみ抵当権の効力が及ぶ

　　　　　B2説：87条2項の「処分」は抵当権の設定から実行までを意味する。

　　　　　　　　→抵当権設定の前後を問わず従物には抵当権の効力が及ぶ

　⑵　従物が主物より高価であっても、主物に対する抵当権の効力が及ぶ。

　　　ex.　ガソリンスタンドの店舗建物に対する抵当権は、建物価格の4倍以上の価値を有する地下タンク等の諸設備に及ぶ（最判平2.4.19）

3　従たる権利

　　抵当不動産（建物）の敷地賃借権のように抵当不動産に従たる権利についても、従物の場合と同様に、抵当権の効力が及ぶ（最判昭40.5.4・百選Ⅰ82事件）。もっとも、抵当権実行としての競売がされたときに当該敷地賃借権が買受人に当然に移転するわけではなく、賃借権の譲渡には地主の承諾又は承諾に代わる裁判所の許可（借地借家20Ⅰ）が必要である。

4　対抗要件

　　従物に対する抵当権の対抗要件は主たる不動産の抵当権設定登記をもって370条により具備される（最判昭44.3.28・百選Ⅰ81事件）。

二　ただし書

1　「設定行為に別段の定めがある場合」は、抵当権の効力は及ばない。

　　これは抵当不動産の付合物や従物を抵当権の効力が及ぶ目的物の範囲から除外する特約を認める規定であって、土地について設定された抵当権の効力をその土地上の建物にも及ぼす特約を認めるものではない。

　　ただし、土地の本質的構成部分となっている付合物は、その存在を土地と分離して観念することが不可能であるから（ex.盛土、石垣）、こうした物を抵当権の効力が及ぶ範囲から除外する特約をすることはできない。

2　「債務者の行為について第424条第3項に規定する詐害行為取消請求をすることができる場合」も、抵当権の効力は及ばない。

　　　→424条による取消しと異なり、裁判所に取消しを請求する必要はなく、当然に抵当権の効力が及ばないという点で、424条1項の特則となる

三　分離物（ex. 抵当地上の立木が伐採された場合）

1　通常の使用・収益による分離の場合

　　分離された物には抵当権は及ばない（∵非占有担保物権）

255

物
権

2　通常の使用・収益によらない分離の場合

(1)　学説

A説：①分離物が抵当不動産上にある間は、第三者に売却されても抵当権は分離物に及び、第三者にも対抗できるが、②搬出されたときは、第三者に対する対抗力を失うので、当該分離物が第三者の所有に帰すると抵当権は消滅する

B説：第三者に即時取得（192）されるまで抵当権の追及力が及ぶ

(2)　判例

ex.1　抵当権に基づく競売開始決定後は、差押えの効力が生ずる結果、抵当権の効力がこれに及ぶ

ex.2　競売開始決定以前でも、抵当権者は伐採木材の搬出を禁止する権利を有する

3　崩壊木材と抵当権の効力〈司〉

抵当権の目的たる家屋が天災のため崩壊した場合、抵当目的物がなくなって登記は効力を失うに至るから、崩壊木材についてはもはや抵当権の効力を問題にできない（大判大5.6.28）。

《その他》

- 互いに主従の関係にない甲乙2棟の建物が、その間の隔壁を除去する等の工事により1棟の丙建物となった場合には、甲乙の合体を不動産と不動産の付合と捉え（242、247Ⅱ類推）、179条1項ただし書に準じて共有持分権は融合せず、甲の抵当権は甲の価格に応じる共有持分権の上に存続する（最判平6.1.25）〈司書〉。370条により甲乙の各抵当権は丙建物全体に及び、丙建物抵当権の準共有になるとする立場もある。

第371条 〈司R5〉

抵当権は、その担保する債権について不履行があったときは、その後に生じた抵当不動産の果実に及ぶ〈司共書〉。

[趣旨] 平成15年改正で民事執行法に導入された担保不動産収益執行の手続（民執180②）を機能させるため、被担保債権が債務不履行に陥った後の果実に抵当権が及ぶことを明示した。

《注　釈》

- 被担保債権の債務不履行後は、抵当不動産の果実（法定果実だけでなく天然果実も含む）に抵当権の効力が及ぶ（最判平元.10.27・百選Ⅰ83事件）〈司共書〉。

第372条　（留置権等の規定の準用）

第296条＜留置権の不可分性＞、第304条＜物上代位＞及び第351条＜物上保証人の求償権＞の規定は、抵当権について準用する。

[趣旨] 本条は、不可分性、物上代位性及び物上保証人の求償関係について規定したものである。

《注　釈》

一　不可分性（296準用）

1　抵当権の効力は、被担保債権の全部の弁済があるまでは、抵当目的物の全部に及ぶ[共]。

2　被担保債権の全部の弁済があるまでは、抵当権者は目的物の全部に対して抵当権を実行しうる。

> ex.　被担保債権が、抵当不動産の価額を上回る場合、物上保証人が、その不動産価額を抵当権者に支払っても、抵当権は消滅しない

二　物上代位性（304準用）

1　物上代位の目的物

「目的物の売却、賃貸、滅失又は損傷によって債務者が受けるべき金銭その他の物」である（372、304）。

(1)　売却代金債権

抵当権には目的物に対する追及力があるので、売却代金を物上代位の目的物とする必要は必ずしもないことから解釈上争いあるも、通説はこれを肯定する。

> cf.　買戻特約付売買の買主から目的不動産につき抵当権の設定を受けた者は、抵当権に基づく物上代位権の行使として、買戻権の行使により買主が取得した買戻代金債権を差し押さえることができる（最判平11.11.30）〈書〉

(2)　賃料債権〈同R5〉

抵当権は抵当権設定者に目的物の使用・収益を許すものだから、収益に対して抵当権の効力が及ばないのが原則である。しかし、372条によって準用される304条は、払渡前の差押えを要件として賃料等の法定果実に抵当権の効力が及ぶ（物上代位）と規定している。また、371条は、抵当債務の不履行後は抵当権の効力は果実に及ぶと規定している。したがって、賃料債権への物上代位は可能と解されている。

なお、両者は、適用要件を異にし、並存するものであるが、物上代位による差押えがあった後に371条に基づく収益執行（民執180②）が開始されたという場合には、物上代位による差押えの効力は停止するという調整規定が置かれている（民執93の4、188）。

(3)　転貸賃料債権〈司共予書〉〈同R5〉

原則として、抵当不動産の賃借人（＝転貸人）が取得すべき転貸賃料債権に対して抵当権に基づく物上代位権を行使することはできない（最決平12.4.14）。

> ∵①　抵当権に基づく物上代位は、物的責任を負担する者、つまり抵当不動産の所有者が有する債権についてのみ可能である
>
> ②　正常な転貸借をした賃借人の利益も考慮しなければならない
>
> ③　304条1項の文言に照らして、抵当不動産の賃借人を「債務者」に

含めることができない

　もっとも、例外として、抵当不動産の賃借人を所有者と同視することを相当とする場合（所有者の取得すべき賃料を減少させ、又は抵当権の行使を妨げるために、法人格を濫用し、又は賃貸借を仮装した上で、転貸借関係を作出した場合など）には、その転貸賃料債権に対して抵当権に基づく物上代位権を行使することができる（前掲最決平12.4.14）。

(4)　目的物の滅失・損傷による損害賠償請求権 <small>共</small>

　第三者の不法行為により目的物が滅失・損傷した場合には、抵当権者は抵当権侵害を理由として第三者に対して損害賠償請求をなしうる（大判昭7.5.27）。もっとも、賠償額、損害発生時期等、複雑な問題を回避するため、通常、抵当権者は抵当目的物の所有者による所有権侵害を理由とする損害賠償請求権に物上代位する。

(5)　保険金請求権

　判例（大連判大12.4.7）は、保険金請求権への物上代位を認める。

　有力説は、保険金請求権は物の滅失・損傷により当然に生ずるのではなく、保険契約を締結して保険料を支払う対価として生ずるものであるとして物上代位を否定する。

2　物上代位権の行使の要件（「払渡し又は引渡しの前に差押えをしなければならない」）

(1)　物上代位制度の趣旨

　　A説：本条は、抵当権が目的物の交換価値を支配する権利であることに基づく当然の規定であり（価値権説）、差押えの意義は、代位目的物が債務者の一般財産に混入することを防ぐことにある（特定性維持説）ので、抵当権者自らが差押えをなすことを要しない

　　　　→転付命令・債権譲渡によって目的債権の帰属が変わったとしても、債権の特定性が維持されている以上、払渡しがなされるまでは、物上代位権の行使は妨げられない

　　B説：物上代位は抵当権者を保護するために民法が特に認めた制度であり（特権説）、差押えは、物上代位権を公示する手段となり、それによって他の債権者・当該債権の譲受人等を害さないようにするものである（優先権保全説）ので、抵当権者自らが差押えをなすことを要する

　　　　→当該債権の譲渡・対抗要件具備や転付命令の前に差し押さえなければ、物上代位権を行使することはできない

　　C説：差押えは、第三債務者の二重弁済を防ぐための制度であり、競合する第三者と物上代位権者との関係を規律するものではない（第三債務者保護説）（最判平10.1.30・百選Ⅰ84事件）

(2)　「払渡し又は引渡しの前」

　　ex.1　「払渡し又は引渡し」には、債権譲渡は含まれず、抵当権者は、物上

代位の目的債権が譲渡され第三者に対する対抗要件が備えられた後においても、自ら目的債権を差し押さえて物上代位を行使することができる（最判平 10.1.30・百選Ⅰ 84 事件）〈司書〉

ex.2　債権について一般債権者の差押えと抵当権者の物上代位に基づく差押えが競合した場合、両者の優劣は、一般債権者の申立てによる差押命令の第三債務者への送達と抵当権設定登記の先後による（最判平 10.3.26）〈共〉

ex.3　抵当権の物上代位の目的となる債権に対する転付命令が第三債務者に送達されるまでに抵当権者が当該債権の差押えをしなかったときは、抵当権者はもはや物上代位をなしえない（最判平 14.3.12）〈司共書〉

ex.4　抵当権者が賃料債権を差し押さえた後は、抵当不動産の賃借人は、抵当権設定登記の後に賃貸人に対して取得した債権を自働債権とする賃料債権（受働債権）との相殺（505）をもって、抵当権者に対抗できない（最判平 13.3.13・百選Ⅰ 85 事件）〈司共〉　⇒ p.457

→抵当権設定登記の後に取得した債権であっても、抵当権者による差押えがなされる前であれば、賃借人は賃貸人に対する債権と賃料債権との相殺を抵当権者に対抗できる〈書〉

ex.5　抵当権者が明渡し前に賃料債権を差し押さえたとしても、当該賃貸借契約が終了し、目的物が明け渡されたときは、賃料債権は、敷金の充当によりその限度で消滅する（622 の 2、最判平 14.3.28）〈司共書〉

(3)　物上代位権の行使の手続

物上代位権を行使する場合、抵当権者は、その払渡し又は引渡しの前に、目的債権の「差押え」をしなければならない（372・304 Ⅰただし書）。

→物上代位権の行使の手続については、民事執行法 193 条に規定があり、債権執行の規定が準用される

ここでは、他の債権者が既に目的債権を差し押さえており、その債権執行の手続が開始されている場合において、抵当権者が優先弁済を受けるためには、自ら「差押え」をしなければならないかが問題となるところ、判例（最判平 13.10.25）は、抵当権者がこの手続の中で配当を受けるためには、自ら「差押え」をしなければならない旨判示している（したがって、抵当権に基づき物上代位権を行使する債権者は、他の債権者による債権差押事件に配当要求をしても、自ら「差押え」をしない限り、優先弁済を受けることができない）〈書〉。

三　物上保証人の求償権（351、459 等）　⇒ p.247

■第2節　抵当権の効力
《概　説》
◆　抵当権侵害

抵当権も物権である以上、抵当権の内容が侵害されたときには、その排除を求める物権的請求権が生じ、また、不法行為に基づく損害賠償請求権（709）が発生することもある。

しかし、抵当権は、本来、目的物の利用を伴わず、単に目的物の交換価値を把握するだけの価値権であるため、所有権侵害のような典型的な物権侵害と異なった側面を有する。

ex.1 通常の経済的用途に従った利用であれば、目的物を第三者に用益させても抵当権侵害にならない

ex.2 目的物に対する侵害があり、価値が減少したとしても、抵当権が被担保債権額について優先弁済を受けることができるのであれば、損害があるとはいえない

ex.3 抵当権者は、抵当不動産に対する第三者の占有により賃料相当の損害を被るものではない（最判平17.3.10・百選I 86事件）

＜第三者による抵当権侵害＞

| 抵当権者の救済方法 | 抵当権に基づく物権的請求権 | (1) 山林の伐採・伐木の搬出の差止めの可否
→第三者の抵当権侵害行為に対し、抵当権に基づく差止請求が可能（伐採の禁止につき大判昭6.10.21、搬出の禁止につき大判昭7.4.20）共書
(2) すでに搬出された伐木の返還請求の可否
→① 抵当権者への返還請求については否定
② 伐木を元の所在地に戻すように請求する権利は認める 通
※土地建物とともに抵当権の目的とされた動産が不動産から搬出された場合、抵当権者は第三者が即時取得しない限り、不動産の元へ戻すことを請求できる
ex. 抵当権の対象となった工場に設置された機械（最判昭57.3.12・百選I 87事件）
(3) 法律上は無効であっても、事実上抵当権の行使に障害となりうる登記がある場合（ex.すでに弁済がなされているにもかかわらず未だ先順位の抵当権登記が抹消されていない場合）
→抵当権者は登記の抹消を請求できる（大判昭15.5.14）同共
(4) 第三者が抵当不動産を不法占有することにより抵当不動産の交換価値の実現が妨げられ抵当権者の優先弁済請求権の行使が困難となるような状態があるときは、抵当権者は、抵当不動産の所有者に対し、抵当不動産を適切に維持又は保存するよう求める請求権を有し、これを被保全債権として、「423条の法意に従い、所有者の不法占有者に対する妨害排除請求権を代位行使することができる」。その場合、目的不動産の所有者のための管理を目的として、直接自己への明渡請求ができる（最大判平11.11.24）同書
この場合抵当権者は、抵当権に基づく妨害排除請求として、上記状態の排除を求めることもできる（最大判平11.11.24）
(5) 抵当権設定登記後に抵当不動産の所有者から占有権原の設定を受けてこれを占有する者に対しても、抵当権者は、当該占有者に対し、抵当権に基づく妨害排除請求として、排除を求めることができる
抵当権者は、抵当権設定者に抵当目的物の維持管理が期待できない場合、占有者に対し、直接自己への当該抵当不動産の明渡しを求めることができる（最判平17.3.10・百選I 86事件）同書 |

| | | (1) 「損害」の意味
　→損害が発生したといえるためには、目的物の価値減少だけでは足りず、価値減少のために被担保債権の弁済を受けえなくなったことを要する（大判昭3.8.1）
(2) 抵当権者による請求の可否
　・物上代位説（＊）
　　→所有者者のみが損害賠償請求権を有し、抵当権者はそれに物上代位をなしうるにとどまる
　　∵　請求権の競合を認めると、法律関係が錯綜する
　・競合説（大判昭7.5.27）
　　→抵当権者、所有者ともに損害賠償請求権を有し、両者は競合する
　　∵　不法行為により抵当目的物の交換価値が侵害されている以上、抵当権者にも損害賠償請求権が成立する
(3) 損害賠償請求をなしうる時期
　→抵当権実行前でも弁済期以後であれば損害賠償請求が可能
　　∵　実行前であっても弁済期以後であれば損害額の算定が可能であり、抵当権の実行をまっていては損害の回復が困難となる場合もある |
|抵当権者の救済方法|抵当権侵害に対する損害賠償請求権||

物権

＊　物上代位説も、所有者者が第三者に対して損害賠償請求権を取得しない場合（第三者が抵当権設定登記を不法に抹消したり、抵当権の実行手続を不当に遅延させた場合など）には、抵当権者の第三者に対する不法行為に基づく損害賠償請求権を認める。
　∵　物上代位は抵当不動産の滅失・損傷に基づく損害賠償請求権について認められるにすぎない（304参照）

＜設定者による抵当権侵害＞

抵当権者の救済方法	差止請求、所在地への返還請求	抵当権に基づく物権的請求権として認める
	期限の利益の喪失（137②）（＊1）	抵当権者は直ちに被担保権の支払請求ができるとともに、残存する担保目的物に対して抵当権を実行できる →この場合、設定者の故意・過失を問わない
	増担保請求（＊2）	(1) 増担保の特約があれば当然に増担保請求をなしうる (2) 特約がなくても、黙示の増担保特約を認めるなどして増担保請求を肯定しようとするのが学説の多数である

＊1　不法行為による損害賠償請求（709）も考えられるが、この場合には、抵当権者は期限の利益の喪失を主張して抵当権を実行すればよいため、認める意味は乏しい。
＊2　増担保請求とは、担保権者が設定者に対して追加の担保を提供するよう求めることをいう。

第373条 （抵当権の順位）

　同一の不動産について数個の抵当権が設定されたときは、その抵当権の順位は、登記の前後による。

[趣旨]順位確定の原則とは同一の財貨の上の抵当権はすべて確定した順位を保有して相互に侵すことなしという原則をいう。本条は、「抵当権の順位は、登記の前後による」という意味での順位確定の原則を定めたものである。

261

→不動産工事・保存の先取特権は例外（339）

＊　順位確定の原則には、「一度得た順位は、先順位の抵当権の消滅により、上昇しない」という意味もある。しかし、民法はこの意味での順位確定の原則を採用せず、順位上昇の原則を採用している。

第374条　（抵当権の順位の変更）

Ⅰ　抵当権の順位は、各抵当権者の合意によって変更することができる〈司書〉。ただし、利害関係を有する者があるときは、その承諾を得なければならない〈司〉。

Ⅱ　前項の規定による順位の変更は、その登記をしなければ、その効力を生じない。

《注　釈》

一　意義

抵当権の順位の変更とは、被担保債権とともに抵当権を移転させるものであり、順位の絶対的な変更である〈書〉。

二　要件

① 各抵当権者の合意（Ⅰ本文）

② 利害関係人（転抵当権者、被担保債権の差押権者等）があるときには、その者の承諾（Ⅰただし書）

三　効力発生要件

順位変更登記をもって効力が発生する（Ⅱ）〈司〉。

→これに対し、抵当権の譲渡・放棄及び抵当権の順位の譲渡・放棄の登記は、受益者相互間の対抗要件にすぎない（376Ⅱ）〈司〉

四　効果

順位の譲渡（376）と異なり、絶対的効力が生じる。

→一番抵当権者Aと一般債権者Cとの間の抵当権の譲渡であれば、二番抵当権者Bには影響を及ぼさないが、順位の変更の場合、二番抵当権者Bの優先弁済額にも影響を及ぼす

第375条　（抵当権の被担保債権の範囲）

Ⅰ　抵当権者は、利息その他の定期金を請求する権利を有するときは、その満期となった最後の2年分についてのみ、その抵当権を行使することができる〈司書〉。ただし、それ以前の定期金についても、満期後に特別の登記をしたときは、その登記の時からその抵当権を行使することを妨げない。

Ⅱ　前項の規定は、抵当権者が債務の不履行によって生じた損害の賠償を請求する権利を有する場合におけるその最後の2年分についても適用する。ただし、利息その他の定期金と通算して2年分を超えることができない。

［趣旨］抵当権は、担保目的物が設定者の手元に置かれて（非占有担保性）、抵当権設定後も後順位抵当権者や一般債権者等の第三者が目的物について利害関係をもつことが少なくない。そこで、抵当権者の優先弁済権をある範囲に限定して、第三者の利益を保護しようとする趣旨である。

《注　釈》

- 本条は、他の債権者との関係で抵当権者の優先弁済権を制限したものであり、債務者、物上保証人、抵当不動産の第三者取得者又は設定者は元本債権の他、利息・損害金の全額を弁済しなければ抵当権を消滅させることはできない（大判大4.9.15）〈予書〉。

《その他》

- 利息その他の定期金（ex. 地代、終身年金）が弁済期限到来後に登記されれば、登記の時から375条の制約を超えて抵当権を行うことができる。
- 遅延損害金について利率の約定がある場合には、予定された利率による最後の2年分に限って抵当権の効力が及ぶ。遅延期間が弁済期後2年にならない場合には、その前の延滞約定利息と通算して2年分とされる（Ⅱ）。

第３７６条　（抵当権の処分）

Ⅰ　抵当権者は、その抵当権を他の債権の担保とし、又は同一の債務者に対する他の債権者の利益のためにその抵当権若しくはその順位を譲渡し、若しくは放棄することができる〈回〉。

Ⅱ　前項の場合において、抵当権者が数人のためにその抵当権の処分をしたときは、その処分の利益を受ける者の権利の順位は、抵当権の登記にした付記の前後による。

[趣旨] 抵当権者の投下資本流動化の要請に応えると同時に、設定者の資金調達の要請に応える点に、本条の趣旨がある。

　抵当権を被担保債権とともに処分する方法として、①抵当権付債権の譲渡、②抵当権付債権の質入れがある。また、抵当権を被担保債権から切り離して処分する方法としては、③転抵当、④抵当権の譲渡、⑤抵当権の放棄、⑥抵当権の順位の譲渡、⑦抵当権の順位の放棄、⑧抵当権の順位の変更（374参照）がある。本条は、③〜⑦について規定している。

《注　釈》

一　転抵当（Ⅰ前段）

　抵当権者が、その抵当権をもって他の債権の担保とすることを転抵当という。

1　転抵当の法的性質

　　原抵当権者の把握する抵当権の担保価値を優先的に転抵当権者に把握させる抵当権再度設定説、抵当権と被担保債権とを共同で転抵当権者に質入れする抵当権・債権共同質入説等がある。

2　要件

　　①　転抵当権の被担保債権額が原抵当権の被担保債権額を超過しないこと

　　②　転抵当権の被担保債権の弁済期は、原抵当権の被担保債権の弁済期と同時かそれ以前であること

＊　なお、①②の要件は、効果の問題ゆえ要件から削除すべきとするのが、最近の学説の大勢である。

　　→①②の要件を充足しなくても転抵当権は取得しうるが、この要件をみた

物
権

した場合に比べて効果面が異なる

3　対抗要件

(1)　転抵当も物権であるから、第三者にそれを主張するためには登記が必要である（177）。

(2)　転抵当権者相互間では、付記登記の先後による（Ⅱ）〈同〉。

(3)　債務者等に対抗するためには通知・承諾が必要である（377Ⅰ）。

4　効果

(1)　転抵当権を実行するには、転抵当権の被担保債権の弁済期が到来するだけでなく、原抵当権の被担保債権の弁済期が到来することが必要である。

(2)　競売代金については、まず転抵当権者が配当を受け、残金があれば原抵当権者にも配当される。

(3)　原抵当権者に残金が出る場合には、原抵当権者も自分の抵当権で競売ができるが、残金が出ない場合には、競売できないとするのが判例である。

二　抵当権の譲渡・放棄（Ⅰ後段）

抵当権の譲渡・放棄とは、同一の債務者に対する他の債権者の利益のために、その被担保債権と切り離して抵当権だけを処分（譲渡・放棄）することをいう。

抵当権の譲渡・放棄の受益者が抵当権を実行するには、自己の債権の弁済期が到来しているだけでなく、譲渡・放棄をした抵当権者の債権の弁済期も到来している必要がある〈書〉。

抵当権の譲渡・放棄の登記は、受益者相互間の対抗要件にすぎない（376Ⅱ）〈同〉。

三　抵当権の順位の譲渡・放棄（Ⅰ後段）

抵当権の順位の譲渡・放棄とは、同一の債務者に対する他の債権者の利益のために、その順位だけを譲渡・放棄することをいう。

抵当権の順位の譲渡・放棄の登記は、受益者相互間の対抗要件にすぎない（376Ⅱ）〈同〉。

抵当権の順位の譲渡・放棄は、処分者と受益者との間の処分契約によって行われ、債務者・抵当権設定者・中間順位の担保権者等の同意を必要としない。なお、抵当権の譲渡・放棄の場合も同様である〈同書〉。

＜抵当権又はその順位の譲渡・放棄＞〈同書〉

A（債務者）　←　　　　　　　┌ B（1番抵当権者100万）
　　　　　　　　　　　　　　├ C（2番抵当権者150万）
　　　　　　　　　　　　　　└ D（一般債権者200万）

競売代金200万とする

		受益者	処分の結果と受益者との関係	具体例
抵当権	譲渡	一般債権者（D）	受益者が優位	B→D ・D＝100万 ・C＝100万 ・B＝0
	放棄	一般債権者（D）	両者同位	B→D ・Dに対する関係で優先権を失う 　→Bの受けるべき100万をBとDの債権額の比（1：2）で分配
抵当権の順位	譲渡	後順位抵当権者（C）	受益者が優位	B→C ・C＝150万 ・B＝50万 ・D＝0
	放棄	後順位抵当権者（C）	両者同位	B→C ・BとCの配当合計額200万をBとCの債権額に比例して平等に分配

物権

《その他》

- 抵当権の順位の譲渡がなされた後に、譲渡人の債権が消滅した場合の順位の譲渡の効力については、順位の変更（374）の場合とは異なり争いがある。
  - →絶対的効力説（順位譲渡の効力は変わらないとする見解）、相対的効力説（順位譲渡の効力は消滅するとする見解）がある

第377条　（抵当権の処分の対抗要件）

Ⅰ　前条の場合には、第467条＜債権の譲渡の対抗要件＞の規定に従い、主たる債務者に抵当権の処分を通知し、又は主たる債務者がこれを承諾しなければ、これをもって主たる債務者、保証人、抵当権設定者及びこれらの者の承継人に対抗することができない圏。

Ⅱ　主たる債務者が前項の規定により通知を受け、又は承諾したときは、抵当権の処分の利益を受ける者の承諾を得ないでした弁済は、その受益者に対抗することができない。

［趣旨］ 本条は、抵当権の処分の効力を債務者、保証人、設定者及びその承継人に対抗しうるには、処分者による債務者に対する処分の通知又は債務者の承諾を要するとすることにより、これらの者が誤った弁済をしないよう配慮したものである圏。

《その他》

- 本条の通知・承諾があった場合、転抵当権者の承諾を得ず弁済しても転抵当権者には対抗できない。
- 転抵当の場合、目的物の占有状態に変更は生じないので、責任転質（348）の場合のような責任は生じない。

第378条　（代価弁済）

　抵当不動産について所有権又は地上権を買い受けた第三者が、抵当権者の請求に応じてその抵当権者にその代価を弁済したときは、抵当権は、その第三者のために消滅する〈同書〉。

[趣旨] 代価弁済の制度は、抵当権消滅請求（379）とともに、抵当権の設定されている不動産の第三取得者を保護する制度である。

《注　釈》

一　要件

① 所有権又は地上権を買い受けること

→地上権を買い受けるとは、地上権の全存続期間の地代を一括して対価として支払ったことをいう

② 抵当権者の請求

→もっとも、第三取得者はこれに応じる必要はない〈共〉

③ 代価の弁済

→抵当権者の提示した額（代価）を支払うこと

二　効果

1 弁済額が抵当債権額に満たなくとも、抵当権は第三取得者のために消滅する〈共〉。

第三取得者が地上権を取得した場合には、抵当権は消滅せず、ただ、地上権者に対抗できないということにとどまる。

2 買主は、抵当権者に支払った範囲で、代金債務を免れる。

3 債務者は、第三取得者が代価弁済をした範囲で債務を免れる。

4 代価弁済後の残余債務については、無担保債務として依然存続する。

→債権者はこれを一般債権者として債務者に請求することになる

第379条　（抵当権消滅請求）

　抵当不動産の第三取得者は、第383条の定めるところにより、抵当権消滅請求をすることができる〈書〉。

第380条

　主たる債務者、保証人及びこれらの者の承継人は、抵当権消滅請求をすることができない〈同書〉。

第381条

　抵当不動産の停止条件付第三取得者は、その停止条件の成否が未定である間は、抵当権消滅請求をすることができない〈書〉。

第382条　（抵当権消滅請求の時期）

　抵当不動産の第三取得者は、抵当権の実行としての競売による差押えの効力が発生する前に、抵当権消滅請求をしなければならない〈書〉。

第383条　（抵当権消滅請求の手続）

　抵当不動産の第三取得者は、抵当権消滅請求をするときは、登記をした各債権者に対し、次に掲げる書面を送付しなければならない。

①　取得の原因及び年月日、譲渡人及び取得者の氏名及び住所並びに抵当不動産の性質、所在及び代価その他取得者の負担を記載した書面

②　抵当不動産に関する登記事項証明書（現に効力を有する登記事項のすべてを証明したものに限る。）

③　債権者が2箇月以内に抵当権を実行して競売の申立てをしないときは、抵当不動産の第三取得者が第1号に規定する代価又は特に指定した金額を債権の順位に従って弁済し又は供託すべき旨を記載した書面

第384条　（債権者のみなし承諾）

　次に掲げる場合には、前条各号に掲げる書面の送付を受けた債権者は、抵当不動産の第三取得者が同条第3号に掲げる書面に記載したところにより提供した同号の代価又は金額を承諾したものとみなす。

①　その債権者が前条各号に掲げる書面の送付を受けた後2箇月以内に抵当権を実行して競売の申立てをしないとき。

②　その債権者が前号の申立てを取り下げたとき。

③　第1号の申立てを却下する旨の決定が確定したとき。

④　第1号の申立てに基づく競売の手続を取り消す旨の決定（民事執行法第188条において準用する同法第63条第3項若しくは第68条の3第3項の規定又は同法第183条第1項第5号の謄本が提出された場合における同条第2項の規定による決定を除く。）が確定したとき。

第385条　（競売の申立ての通知）

　第383条各号に掲げる書面の送付を受けた債権者は、前条第1号の申立てをするときは、同号の期間内に、債務者及び抵当不動産の譲渡人にその旨を通知しなければならない。

第386条　（抵当権消滅請求の効果）

　登記をしたすべての債権者が抵当不動産の第三取得者の提供した代価又は金額を承諾し、かつ、抵当不動産の第三取得者がその承諾を得た代価又は金額を払い渡し又は供託したときは、抵当権は、消滅する。

［趣旨］抵当権消滅請求とは、第三取得者自らが代価を評価して、抵当権者に対してその価額をもって抵当権を消滅させるよう請求する制度である。これは代価弁済と同様に不動産の第三取得者の保護を図る制度であるが、代価弁済とは異なり、目的不動産の第三取得者にイニシアティブを与えるものである。

《注　釈》

一　抵当権消滅請求権者

1　原則として、抵当不動産について所有権を取得した者（379）である。

　　目的不動産に、根抵当権が設定されている場合でも請求が可能である（元本

の確定前、確定後のいずれでも）。
2　例外として、以下の者は消滅請求権者に含まれない。
　①　主たる債務者、保証人、及びその承継人（380）《論》
　②　停止条件付第三取得者（381）は、条件成就未定の間は消滅請求ができ
　　ない。
　③　譲渡担保権者（最判平7.11.10・平7重判3事件）《共》
　④　地上権設定を受けた者《同》

二　抵当権消滅請求の時期
　　第三取得者は、抵当権の実行としての競売による差押えの効力発生前に抵当権
　消滅請求をすることが必要である（382）。

三　抵当権消滅請求の手続
　　債権者への書面の送達が必要である（383）。

四　抵当権消滅請求の効果
　　抵当権者が一定期間内に競売の申立てをしない等によって承諾が擬制される
　（384）か、又は、抵当権者が第三取得者から提案があった金額を承諾した場合
　で、かつ、第三取得者がその金額を支払うか又は供託した場合には、抵当権が消
　滅する（386）。

第387条　（抵当権者の同意の登記がある場合の賃貸借の対抗力）《共》
Ⅰ　登記をした賃貸借は、その登記前に登記をした抵当権を有するすべての者が同意
　をし、かつ、その同意の登記があるときは、その同意をした抵当権者に対抗するこ
　とができる《同》。
Ⅱ　抵当権者が前項の同意をするには、その抵当権を目的とする権利を有する者その
　他抵当権者の同意によって不利益を受けるべき者の承諾を得なければならない。

[趣旨]賃貸用物件については、賃借人が入居していることが価値を高めることもあ
る。このような場合には、賃借権の対抗を認めることが抵当権者、抵当権設定者、
賃借人の利益に適うため、抵当権に劣後する賃貸借であっても抵当権者の同意を得
たもので、かつ、その同意が登記された場合には対抗力が付与される。

《注　釈》
◆　要件
　①　抵当権に劣後する賃貸借について、その登記があること《同共》
　②　その賃借権の登記前に登記した抵当権を有するすべての者が賃借権に対抗
　　力を付与することにつき同意していること《共書》
　③　その同意について登記があること《共》

第388条 （法定地上権） 〈予R元〉

土地及びその上に存する建物が同一の所有者に属する場合において、その土地又は建物につき抵当権が設定され、その実行により所有者を異にするに至ったときは、その建物について、地上権が設定されたものとみなす〈重〉。この場合において、地代は、当事者の請求により、裁判所が定める〈共〉。

[趣旨] 土地とその上の建物とは別個の物であるから、同一の所有者に属する場合にも、別々に抵当権の目的となる。そして、民法は自己借地権を認めておらず（179、520、なお借地借家15）、抵当権の設定時に将来のために借地権を設定し得ないため、土地とその上の建物とを所有する者が、土地又は建物に抵当権を設定し競売されると、建物は土地の上に存続し得ないことになる。

しかし、それでは社会経済上不利益であるばかりでなく、抵当権設定当事者の意思にも反することになる。すなわち、建物は土地の利用権を伴わずには存在し得ないから、所有者が土地だけに抵当権を設定するときは建物のために地上権を保留する意思であり、また、建物だけに抵当権を設定するときは、建物のために地上権を設定する意思であるとみるのが妥当である。

そこで、民法は、建物のために法律上当然に地上権が発生するものと定めた。

《注 釈》

一　法定地上権の要件

① 抵当権設定当時に土地の上に建物が存在していたこと（前段）

② 抵当権設定当時同一人がその土地と建物を所有していたこと（前段）

③ 両者の一方又は双方に抵当権が設定され、競売の結果別々の所有者が両者を所有するようになったこと（前段）

物権

1 ①抵当権設定当時に土地の上に建物が存在していたこと

＜法定地上権の要件①の整理（判例）＞

<table>
<tr><td rowspan="4">更地に抵当権が設定
された場合</td><td colspan="2">① 抵当権設定後、建物が建築され、抵当権が実行された場合、法定地上権は成立しない（大判大 4.7.1 等）〈同書〉</td><td>不成立</td></tr>
<tr><td colspan="2">② 抵当権設定当時、土地上に建物が存在しなかった場合、たとえ抵当権者が更地への建物の建築を承認する旨の合意をしたとしても、法定地上権は成立しない（最判昭 36.2.10、最判昭 51.2.27）</td><td>不成立</td></tr>
<tr><td colspan="2">③ 抵当権設定の際、抵当権設定当事者間において、将来土地上に建物を建築した場合には地上権を設定したものとみなす旨の合意をしたとしても、法定地上権は成立しない（大判大 7.12.6）〈書〉</td><td>不成立</td></tr>
<tr><td colspan="2">④ 一番抵当権設定後、建物が建築され、土地に二番抵当権が設定された場合、二番抵当権の実行により土地が競売されても、法定地上権は成立しない（最判昭 47.11.2 等）〈同共書〉</td><td>不成立</td></tr>
<tr><td rowspan="2">建物が再築された場合</td><td>土地のみに抵当権が設定されていた場合</td><td>土地に対する抵当権設定当時、その土地上に建物が存在していたが、その後、建物が滅失し又は取り壊されて再築された場合、再築された新建物が旧建物と同一性を維持しているときは、旧建物を基準として法定地上権が成立する（大判昭 10.8.10）</td><td>成立</td></tr>
<tr><td>土地と建物の双方に抵当権が設定されていた場合</td><td>土地・建物に共同抵当権が設定され、その後、建物が取り壊されて新建物が再築されたときは、新建物と土地の所有者が同一であり、かつ、新建物が建築された時点での土地の抵当権者が新建物について土地の抵当権と同順位の共同抵当権の設定を受けた等の特段の事情のない限り、法定地上権は成立しない（最判平 9.2.14・百選Ⅰ 89 事件）（＊）〈同共書〉</td><td>原則
不成立</td></tr>
<tr><td colspan="2">建物保存登記がされていない場合</td><td>土地に対する抵当権設定当時、土地上の建物の所有権保存登記がなくとも、法定地上権は成立する（大判昭 14.12.19 等）〈同書〉</td><td>成立</td></tr>
</table>

＊ なお、旧判例は当該事例の場合、抵当権が把握するのは、個別的価値であるとの理解の下、新建物について法定地上権の成立を認めていた。

2　②抵当権設定当時同一人がその土地と建物を所有していたこと

＜法定地上権の要件②の整理（単独所有の場合）＞

土地・建物の所有が別人であるが、所有者間に親族関係がある場合	親族関係があっても所有者同士を民法上同一人物と扱うことはできないから、法定地上権は成立しない（最判昭51.10.8参照）	不成立
抵当権設定時には土地・建物の所有が別人であったが、実行時には同一人に帰属している場合	①　建物に対する抵当権設定後、土地と建物が同一人に帰属しても、土地利用権は混同の例外として存続するため、法定地上権は成立しない（最判昭44.2.14）〈同書〉	不成立
	②　土地に対する抵当権設定後、土地と建物が同一人に帰属しても、対抗要件（605、借地借家10）を備えた土地利用権は混同の例外として存続するため、法定地上権は成立しない（最判昭46.10.14）	不成立
一番抵当権設定時には別人であったが、二番抵当権設定時には同一人に帰属している場合	①　土地に対する一番抵当権設定時点で土地と建物の所有者が異なり、土地に対する二番抵当権設定時点で土地と建物が同一の所有者に帰属していた場合、一番抵当権を実行しても、法定地上権は成立しない（最判平2.1.22）〈同書〉 →ただし、二番抵当権の実行までに一番抵当権が設定契約の解除によって消滅した場合、法定地上権が成立する（最判平19.7.6・百選Ⅰ88事件）〈同共書〉	原則不成立
	②　建物に対する一番抵当権設定時点で土地と建物の所有者が異なり、建物に対する二番抵当権設定時点で土地と建物が同一の所有者に帰属していた場合、一番抵当権を実行しても、法定地上権が成立する（大判昭14.7.26）〈同書〉	成立
抵当権設定時は土地・建物の所有が同一人であったが、実行時には別人に帰属している場合（＊）	抵当権設定当時、抵当権者・設定者ともに法定地上権の成立を予期しているはずであるから、法定地上権が成立する（土地に抵当権が設定された事案につき、大連判大12.12.14）〈同書〉	成立
抵当権設定時、土地・建物の所有は同一人に帰属しているが、登記名義では別人に帰属している場合〈予R元〉	所有者と登記名義人が異なる場合、抵当権者は、土地と建物の所有者が異なると評価することも考えられるが、土地と建物の所有者が異なると評価したならば少なくとも約定利用権の存在を覚悟していたといえるし、かつ、現況の調査をすれば同一所有者であることを知りうるため、法定地上権が成立する（最判昭48.9.18、最判昭53.9.29）〈同書〉	成立

＊　仮差押え時は土地・建物の所有者が同一人であったが、強制競売手続における差押え時には別人の所有となった場合、法定地上権（民執81）は成立する（最判平28.12.1・平29重判6事件）〈書〉。

物権

<共有関係と所有者の同一性>

AB共有土地上にA単独所有建物が存在する場合（買受人D）		
Aの土地持分権に抵当権が設定された場合		建物のために法定地上権は成立しない（最判昭29.12.23）〈共書
建物に抵当権が設定された場合		建物のために法定地上権は成立しない（最判昭44.11.4）

A単独所有土地上にAB共有建物が存在する場合（買受人D）		
土地に抵当権が設定された場合		建物全体のために法定地上権が成立し（最判昭46.12.21）、ABは法定地上権を準共有する〈同書
Aの建物持分権に抵当権が設定された場合		建物全体のために法定地上権が成立し、BDは法定地上権を準共有する

AC共有土地上にAB共有建物が存在する場合（買受人D）		
Aの債務を担保するために、ACが土地の各持分に共同して抵当権を設定した場合（＊）		建物のために法定地上権は成立しない →もっとも、他の共有者が法定地上権の発生をあらかじめ容認していたとみることができるような特段の事情がある場合には、法定地上権が成立しうる。土地共有者が親族であるといった、登記簿に公示されない人的関係は、ここでいう特段の事情には含まれない（最判平6.12.20・百選Ⅰ90事件）〈書

＊　この事案と異なり、土地・建物の共有者がともにＡＢである場合であり、Ａが土地の自己の共有持分に抵当権を設定した事案においても、建物のために法定地上権（388）は成立しない（最判平6.4.7）〈同。

3　③両者の一方又は双方に抵当権が設定され、競売の結果別々の所有者が両者を所有するようになったこと

(1)　「土地又は建物につき」

　　土地・建物がともに抵当権の目的となり、競売の結果それぞれ別人の所有となった場合や、一方だけが競売された場合にも、388 条規定の場合と同様の事態が生ずるので、本条が適用される。

(2)　「実行」

　　抵当権が実行された場合に限らず、抵当権者でない他の債権者の申立てによる強制競売の結果、土地建物が別異者の所有となった場合にも、法定地上権の成立が認められる（大判昭 9.2.28）〈書〉。

二　法定地上権の内容

1　法定地上権の成立時期

　　土地・建物の競売により競落人に所有権が移転する時

2　存続期間・地代〈司共書〉

　　存続期間は当事者の協議により定まり、協議が調わないときは、借地借家法 3 条本文により 30 年となる。地代については当事者の協議が調わないときは、裁判所が決定する（388 後段）。

3　対象敷地の範囲

　　法定地上権の及ぶ範囲は、建物の敷地に限られず、建物の利用に必要な土地を含む〈書〉。

4　対抗要件

　　物権の一般原則に従い、第三者にその権利を対抗するためには、地上権の登記又は建物の登記（借地借家 10 Ⅰ）を具備する必要がある〈書〉。

　　cf.　法定地上権を取得した者は、敷地の競落人に対しては、登記なくして地上権を主張できる

《その他》

▪ 抵当権設定当事者間における、抵当権の実行時に、あらかじめ法定地上権を成立させる、又は成立させない旨の特約は効力を有しない（前者につき大判大 7.12.6、後者につき大判明 41.5.11）〈書〉。

　∵　法定地上権は公益的な制度であり、特約によって成否を左右できない強行法規である

第389条　（抵当地の上の建物の競売）〈予〉

Ⅰ　抵当権の設定後に抵当地に建物が築造されたときは、抵当権者は、土地とともにその建物を競売することができる〈司共〉。ただし、その優先権は、土地の代価についてのみ行使することができる〈司書〉。

Ⅱ　前項の規定は、その建物の所有者が抵当地を占有するについて抵当権者に対抗することができる権利を有する場合には、適用しない。

［趣旨］ 更地に抵当権が設定された後に建物が築造されても法定地上権は成立せず、更地として競売することが可能なはずだが、建物収去の問題などの不都合や、一括

競売の方が容易といったことから、一括競売を認め、ただし書で抵当権者が不当に利益を受けるのを避けたものである。

　なお、抵当権設定後に築造された建物であれば、第三者が築造したものであっても、抵当権者は一括競売を申し立てることができる。

《注　釈》

◆　一括競売

　1　要件

　　①　抵当権設定当時、抵当地上に建物がないこと〈図〉

　　②　抵当権設定後に、当該土地の所有者又は第三者が新たに建物を築造・所有すること（Ⅰ）

　2　効果

　　①　抵当権者は、土地と建物を一括して競売することができる（Ⅰ本文）。

　　②　一括競売しても、競売代金に対して優先権を主張できるのはあくまで土地についてのみであり、建物の競売代金については優先権をもたない（Ⅰただし書）〈共〉。

　　③　一括競売は抵当権者に課された義務ではない（大判大15.2.5）〈同書〉。

第390条　（抵当不動産の第三取得者による買受け）

　抵当不動産の第三取得者は、その競売において買受人となることができる〈書〉。

第391条　（抵当不動産の第三取得者による費用の償還請求）

　抵当不動産の第三取得者は、抵当不動産について必要費又は有益費を支出したときは、第196条＜占有者による費用の償還請求＞の区別に従い、抵当不動産の代価から、他の債権者より先にその償還を受けることができる〈同書〉。

《注　釈》

◆　第三取得者の諸権利

　1　競買権（390）

　　通常、物の所有者は買主になれないことから、誰もが買受人になれる旨を注意的に規定したもの。買受人には第三取得者の他、抵当権設定者も含む。ただし、民事執行法上、債務者は買受けの申出ができないとされる（民執188・68）。

　2　費用償還請求権（391）〈共〉

　　第三取得者の支出した必要費や有益費は、一種の共益費と考えられるため、優先的な償還請求権を認めた。なお、抵当不動産の売却代金が先に抵当権者に交付されてしまったため、第三取得者が償還を受けられなかった場合、第三取得者は、抵当権者に対して不当利得の返還を請求できる（最判昭48.7.11）〈書〉。

　　cf.　196条2項の裁判所による期限の許与は、本条に関して問題とならない

第392条　（共同抵当における代価の配当）

Ⅰ　債権者が同一の債権の担保として数個の不動産につき抵当権を有する場合において、同時にその代価を配当すべきときは、その各不動産の価額に応じて、その債権の負担を按分する〈**司**〉。

Ⅱ　債権者が同一の債権の担保として数個の不動産につき抵当権を有する場合において、ある不動産の代価のみを配当すべきときは、抵当権者は、その代価から債権の全部の弁済を受けることができる。この場合において、次順位の抵当権者は、その弁済を受ける抵当権者が前項の規定に従い他の不動産の代価から弁済を受けるべき金額を限度として、その抵当権者に代位して抵当権を行使することができる〈**司書**〉。

［趣旨］共同抵当においては、各不動産は被担保債権の全額を担保することになるが、共同抵当権者の意思にまかせると、後順位抵当権者の保護が十分でなく、また当該不動産の担保価値を固定させてしまう弊害がある。これを防止するため、共同抵当の本来の機能を制限し後順位抵当権者の保護を図ったのが本条である。

《**注　釈**》

一　共同抵当の意義

　　共同抵当とは、同一債権の担保として、数個の不動産の上に抵当権が設定される場合をいう。この方法によれば、担保物権の不可分性（372、296）により、各不動産が、被担保債権全額を担保することになるので、抵当権の担保としての機能は一層確実となる。

二　同時配当と異時配当

　1　1項（同時配当）

　　共同抵当の目的である各不動産を同時に競売し代価を配当する場合（同時配当）には、各不動産の価額に応じて債権の負担を分けることにしている。後順位抵当権者がいない場合でも適用される（大判昭10.4.23）〈**司**〉。

　2　2項（異時配当）

　　共同抵当の目的である複数の不動産のうち、1つについてだけ競売し代価を配当する（異時配当）場合には、共同抵当権者は、債権全額の優先弁済を得られる。競売された不動産の後順位抵当権者は、同時配当の場合に他の不動産から共同抵当権者に配当されるべき金額の限度で、共同抵当権者に代位することができる。

物
権

三 共同抵当の具体的問題点

＜不動産が双方とも債務者所有の場合＞

同時配当	異時配当	
	甲が先に競売	乙が先に競売
A 甲→ 3000 万 乙→ 2000 万	A 甲→ 5000 万	A 乙→ 4000 万 甲→ 1000 万
B 甲→ 3000 万	B 甲→ 1000 万 乙→ 2000 万 （代位・392 Ⅱ）	B 甲→ 4000 万

＜一方の不動産が債務者所有で、他方の不動産が物上保証人所有の場合＞

同時配当	異時配当	
	甲が先に競売	乙が先に競売
A 甲→ 5000 万 （＊1）	A 甲→ 5000 万 （＊2）	A 乙→ 4000 万 甲→ 1000 万 （＊3）
B 甲→ 1000 万	B 甲→ 1000 万	C 甲→ 3000 万 （＊4）
C 乙→ 3000 万	C 乙→ 3000 万	Y 甲→ 1000 万
Y 乙→ 1000 万	Y 乙→ 1000 万	B 甲→ 1000 万

＊1 物上保証人の代位（499）への期待を保護するため、392 条 1 項による割付けはなされない（最判昭 61.4.18）。

＊2 392 条 2 項は債務者所有の数個の不動産上に共同抵当が設定された場合の規定であり、第三者所有の不動産が債務者所有の不動産とともに共同抵当の目的物となっている場合には適用されない（大判昭 4.1.30）。また、債務者所有の土地の抵当権が実行された場合、後順位抵当権者は、物上保証人所有の乙土地に対する抵当権について代位することができない（最判昭 44.7.3）。

＊3 上記の図と異なり、Aの被担保債権額が 4000 万円であり、乙不動産に後順位抵当権者Cが存在しない場合、Aは乙不動産の代価から 4000 万円の配当を受けるところ、YはXに対して求償権を取得するとともに、代位によりX所有の甲不動産に対する一番抵当権を取得する（最判昭 53.7.4）。

＊4 Yは、4000 万円につき甲不動産に対して一部弁済による代位（502 Ⅰ）をなしうる。この場合、Yは甲不動産上の 1 番抵当権を行使することができるが、そのためには、Aの同意を得て、Aとともに行使する必要があり（502 Ⅰ）、Y単独で行使することはできない（Aは単独で抵当権を行使できる。502 Ⅱ）。

　Aは、残債権額1000万円について、Yに優先して甲不動産より配当を受けることができる（502Ⅲ、最判昭60.5.23・百選Ⅰ91事件）。

　Cは、Cの抵当権がY自身が設定したものであることから、物上代位（372、304）をするのと同様にYに優先し、3000万円の配当を受けることができる（差押不要）（前掲判例）。

　なお、Y・A間において、Aの同意がない限り、Yは弁済等によって取得する権利を行使できないとする特約があっても、後順位抵当権者Cは、Yが弁済等により取得する抵当権から優先弁済を受ける権利を失わない（前掲判例）。

物
権

＜不動産が双方とも同一物上保証人所有の場合＞
（最判平4.11.6・百選Ⅰ92事件参照）

順位	同時配当	異時配当	
		甲が先に競売	乙が先に競売
1	A 甲→3000万 乙→2000万	A 甲→5000万	A 乙→4000万 甲→1000万
2	B 甲・3000万 ------ C 乙→2000万	B 甲→1000万 乙→2000万 （392Ⅱ）	C 甲→2000万 （392Ⅱ）
3		C 乙→2000万	B 甲→3000万

＜一方の不動産が物上保証人所有で、他方の不動産が他の物上保証人所有の場合＞

順位	同時配当	異時配当	
		甲が先に競売	乙が先に競売
1	A 甲→3000万 乙→2000万	A 甲→5000万	A 乙→4000万 甲→1000万
2	B 甲→3000万 ------ C 乙→2000万	B 甲→1000万 乙→2000万	C 甲→2000万 （＊）
3		C 乙→2000万	B 甲→3000万

* 　Ｚは501条3項3号・2号により甲不動産に割り付けられた額（3000万円）の限度で甲不動産に弁済者代位でき、その結果Ａに1000万円（Ａの債権の残額）、Ｚに2000万円配当される。ただ、後順位抵当権者Ｃは物上代位と同様に、Ｚに優先して弁済を受けうる。その限りで392条を適用したのと同じ結論になるが、他に保証人がいたりすると、弁済者代位できる金額が異なってくるから、帰結が392条を適用した場合と常に一致するとは限らない。

＜後順位抵当権者と第三取得者の関係＞

第三取得者Ｄと後順位抵当権者Ｂとの優劣は、物権法の原則から、それぞれの対抗要件取得の時点の先後で決する。
1　Ｄよりも前にＢが登記を備えていれば、Ｂの代位が優先する（392Ⅱ）。
2　Ｄへの移転登記後にＢの抵当権が設定されたのであれば、不動産の一部が物上保証人に帰属する共同抵当と同じであるから、Ｄの代位が優先する。

＜共同抵当の一部放棄＞

1　Ａが乙不動産上の抵当権を放棄したうえで甲不動産の抵当権を実行した場合、後順位抵当権者Ｂの保護については、504条の法意を類推適用して、抵当権者は放棄しなければ後順位抵当権者が代位しえた限度において、存続する不動産の配当について後順位抵当権者に優先し得ない（大判昭11.7.14）。
2　仮に、先順位の共同抵当権者Ａが優先弁済を受けたときは、後順位抵当権者ＢはＡに対して不当利得返還請求が可能である（最判平4.11.6・百選Ⅰ92事件）。

第393条　（共同抵当における代位の付記登記）

　前条第2項後段の規定により代位によって抵当権を行使する者は、その抵当権の登記にその代位を付記することができる。

［趣旨］代位の目的たる不動産につき新たに権利を取得した者や、代位の対象たる抵当権の処分の相手方に対する関係では、付記登記が対抗要件となる。債務者や代位のときに後順位抵当権を有していた者に対しては、この付記登記がなくとも代位を対抗できるとする見解が一般的である。

第394条　（抵当不動産以外の財産からの弁済）

Ⅰ　抵当権者は、抵当不動産の代価から弁済を受けない債権の部分についてのみ、他の財産から弁済を受けることができる。

Ⅱ　前項の規定は、抵当不動産の代価に先立って他の財産の代価を配当すべき場合には、適用しない。この場合において、他の各債権者は、抵当権者に同項の規定による弁済を受けさせるため、抵当権者に配当すべき金額の供託を請求することができる〈供〉。

[趣旨]抵当権者は、通常は同時に一般債権者でもあって、その抵当不動産から優先的に弁済を受ける他に、それ以外の一般財産からも弁済を受けうる。しかし、これを無制限に認めると、一般債権者との間で公平を欠く。そこで、抵当権者と一般債権者の利益調節のために本条が設けられた。

《その他》

- 本条1項は、抵当権者が抵当権を実行しないで、一般財産に執行した場合、他の債権者に異議を申し立てることができる権利を与えたにとどまり、債務者との関係で制約を受けるものではない（大判大15.10.26）。

第395条　（抵当建物使用者の引渡しの猶予）

Ⅰ　抵当権者に対抗することができない賃貸借により抵当権の目的である建物の使用又は収益をする者であって次に掲げるもの（次項において「抵当建物使用者」という。）は、その建物の競売における買受人の買受けの時から6箇月を経過するまでは、その建物を買受人に引き渡すことを要しない〈書〉。

① 競売手続の開始前から使用又は収益をする者〈同書〉

② 強制管理又は担保不動産収益執行の管理人が競売手続の開始後にした賃貸借により使用又は収益をする者

Ⅱ　前項の規定は、買受人の買受けの時より後に同項の建物の使用をしたことの対価について、買受人が抵当建物使用者に対し相当の期間を定めてその1箇月分以上の支払の催告をし、その相当の期間内に履行がない場合には、適用しない。

[趣旨]抵当権に後れる賃貸借は、その期間の長短にかかわらず抵当権者及び競売における買受人に対抗することはできないとする一方で、建物賃貸借についてのみ賃借人保護の要請を考慮し、明渡しまでに一定期間を猶予することとされた（395）。これは、劣後する権利は保護されないという物権の排他性を原則としつつ、抵当目的物の収益の必要性にも配慮したものである。

《注　釈》

一　明渡猶予期間適用対象者

① 抵当権者に劣後する建物の賃借人〈同書〉

② 強制管理又は担保不動産収益執行の管理人が、競売手続開始後にした賃貸借により使用又は収益をする者

物
権

二　効果

① 建物の賃借人は買受人の買受けの時より6か月を経過するまではその建物を買受人に引き渡す必要がない（Ⅰ）〈司〉。

② 買受人が建物使用の対価の支払を催告したにもかかわらず、賃借人が相当期間内に建物使用の対価の支払を怠った場合には、明渡猶予期間の適用はない（Ⅱ）〈司書〉。

■第3節　抵当権の消滅
《概　説》
◆　抵当権の消滅原因

抵当権の消滅原因には、物権一般に共通のもの、担保物権に共通のものの他、抵当権に特有のものがある。

1　物権一般に共通のもの

目的物の滅失〈共〉、混同（179）、放棄

cf. 抵当権の目的が地上権・永小作権である場合、その放棄は抵当権者に対抗することができない（398）

2　担保物権に共通のもの

① 被担保債権の弁済　∵付従性

→被担保債権のない抵当権の存続は認められないため、被担保債権の消滅は登記なくして第三者に対抗できる（先順位の抵当権者の被担保債権が弁済により消滅した場合、後順位の抵当権者は、物権的請求権に基づき、消滅した先順位の抵当権の抹消登記手続を求めることができる〈司〉）

② 目的物の競売（民執188、59）

抵当権者自身による担保不動産競売のほか、他の抵当権者あるいは一般債権者等による競売がなされた場合も、目的物の上に存する抵当権は消滅する（消除主義）〈司共〉。

ex. 債務者が所有する同一の不動産について、第1順位の抵当権と第2順位の抵当権が設定され、それぞれその旨の登記がされている場合、第1順位の抵当権の実行としての競売の結果、第1順位の抵当権者のみが配当を受けたときであっても、第2順位の抵当権は消滅する〈共〉

3　抵当権に特有のもの

① 代価弁済（378）、抵当権消滅請求（379）

② 抵当権の時効消滅（396）

第396条　（抵当権の消滅時効）

抵当権は、債務者及び抵当権設定者に対しては、その担保する債権と同時でなければ、時効によって消滅しない〈共書〉。

[趣旨]本条の趣旨は、債権が消滅時効にかからないで抵当権のみが消滅時効にかかるのを防ぐことにある。

《注　釈》

◆　第三取得者や後順位抵当権者との関係

第三取得者及び後順位抵当権者との関係では、被担保債権と離れて、166条2項により20年の消滅時効にかかる（大判昭15.11.26参照）。　　⇒ p.116

第397条　（抵当不動産の時効取得による抵当権の消滅）

債務者又は抵当権設定者でない者が抵当不動産について取得時効に必要な要件を具備する占有をしたときは、抵当権は、これによって消滅する〈共〉。

[趣旨]抵当不動産につき取得時効が完成すると、占有者は原始的に完全な所有権を取得し、その反射として、その上の抵当権も消滅する。しかし、このような効果を、本来債務ないし責任を負担する債務者や設定者に及ぼすことは不合理なので、取得時効の効果をこれらの者について制限した規定、と解するのが一般的である〈共〉。

《注　釈》

◆　「債務者又は抵当権設定者でない者」の意義

抵当不動産の第三取得者に本条の適用はない（第三取得者は「債務者又は抵当権設定者でない者」に当たらない）（大判昭15.8.12）。

ex.　第三取得者が未登記の場合、善意・無過失の占有者として有効に時効取得し、抵当権のない所有権を取得できる（最判昭43.12.24）

cf.　第三取得者に本条の適用を認め、抵当権の存在を知りつつ時効取得した者は、抵当権付所有権を取得するにすぎないとする有力説がある

第398条　（抵当権の目的である地上権等の放棄）

地上権又は永小作権を抵当権の目的とした地上権者又は永小作人は、その権利を放棄しても、これをもって抵当権者に対抗することができない〈共〉。

[趣旨]地上権や永小作権上の抵当権は、地上権や永小作権の消滅とともに消滅する。しかし抵当権設定者が、第三者の権利の目的となっているそれらの権利を、その第三者の同意なしに、ほしいままに消滅させることは許されないので、本来自由であるべき権利放棄との調整を考慮するため規定された。

しかし、本条は抵当権者に対する関係を制限するものであるから、目的物の所有者に対する関係では「放棄」は有効である。よって、弁済に伴う抵当権の消滅により、地上権、永小作権も消滅する。

《注　釈》

• 借地上の建物を抵当に入れた場合に、借地権（地上権・賃借権）を放棄したり、借地契約を合意解除したりしても、本条の類推適用により、借地権の消滅を抵当権者及びその競落人に対抗できない（大判大11.11.24、大判大14.7.18）〈司共書〉。もっとも、賃料不払等を理由に債務不履行解除することは可能である〈司〉。

• 抵当権の目的である地上権が、地代不払で消滅（266 I・276）した場合、抵当権は消滅する。

■第4節　根抵当

《概　説》

一　意義・性質

1　根抵当権は、抵当権の一種であって、根抵当権者と債務者との間に生じるところの不特定の債権を担保するものである。企業取引に際し、頻繁に借入れや返済をする場合その都度抵当権を設定するのは煩雑であるため、一定の範囲に属する不特定の債権を極度額の限度で担保する根抵当権が認められた。

2　付従性・随伴性は緩和されている。

(1)　付従性の緩和（398の2）

(a)　基本契約の存在は根抵当権設定の要件ではない。

(b)　被担保債権は、不特定の債権である。

→第三者の予測可能性の確保のため、債権は不特定であっても、「一定の範囲に属する」ことが必要であり、包括根抵当権は認められない

ex.　特定の継続的取引契約により生じる債権（継続的商品供給契約、当座貸越契約）、債務者との一定種類の取引によって生じる債権、手形上又は小切手上の債権、電子記録債権など

→一定種類の取引によって生じる債権に関し、被担保債権の範囲を「信用金庫取引による債権」として設定された根抵当権の被担保債権には、信用金庫の根抵当債務者に対する保証債権も含まれる（最判平 5.1.19）

(c)　普通抵当権は、被担保債権が消滅すると抵当権も消滅するが、根抵当権は極度額に達するまで、約定により発生したすべての債権を担保するので、被担保債権に属する特定の債権が弁済により消滅しても根抵当権自体は消滅しない。

(2)　随伴性の否定（398の7）

普通抵当権は、被担保債権が譲渡された場合、抵当権もそれに伴って移転するが、根抵当権の場合、個々の被担保債権が他に譲渡されても、債権の譲受人は根抵当権を取得しない。

∵　法律関係の錯綜防止

二　根抵当権設定契約の内容

設定契約においては、極度額、根抵当債務者、担保すべき債権の範囲につき合意されなければならない。

三　確定

1　元本の確定とは、根抵当権の被担保債権が元本債権に関してその流動性を喪失して、元本債権と根抵当権との特定的結び付きが生じ、それ以後において発生する元本債権はもはやその根抵当権によって担保されなくなる状態を生ずることをいう。

2　確定により根抵当権者が優先弁済権をもつ元本が確定する。利息等につき375条の制限が排除される点を除けば普通抵当権と同じになる。もっとも、根

抵当権の特殊性からの効果として398条の21（極度額の減額請求）、398条の22（根抵当権の消滅請求）がある。

第３９８条の２　（根抵当権）

Ⅰ　抵当権は、設定行為で定めるところにより、一定の範囲に属する不特定の債権を極度額の限度において担保するためにも設定することができる。

Ⅱ　前項の規定による抵当権（以下「根抵当権」という。）の担保すべき不特定の債権の範囲は、債務者との特定の継続的取引契約によって生ずるものその他債務者との一定の種類の取引によって生ずるものに限定して、定めなければならない。

Ⅲ　特定の原因に基づいて債務者との間に継続して生ずる債権、手形上若しくは小切手上の請求権又は電子記録債権（電子記録債権法（平成１９年法律第１０２号）第２条第１項に規定する電子記録債権をいう。次条第２項において同じ。）は、前項の規定にかかわらず、根抵当権の担保すべき債権とすることができる〈書〉。

第３９８条の３　（根抵当権の被担保債権の範囲）

Ⅰ　根抵当権者は、確定した元本並びに利息その他の定期金及び債務の不履行によって生じた損害の賠償の全部について、極度額を限度として、その根抵当権を行使することができる〈同書〉。

Ⅱ　債務者との取引によらないで取得する手形上若しくは小切手上の請求権又は電子記録債権を根抵当権の担保すべき債権とした場合において、次に掲げる事由があったときは、その前に取得したものについてのみ、その根抵当権を行使することができる。ただし、その後に取得したものであっても、その事由を知らないで取得したものについては、これを行使することを妨げない。

①　債務者の支払の停止

②　債務者についての破産手続開始、再生手続開始、更生手続開始又は特別清算開始の申立て

③　抵当不動産に対する競売の申立て又は滞納処分による差押え

《注　釈》

一　被担保債権の範囲

　①一定事由の発生により、範囲の確定した元本、②利息、その他定期金、③債務不履行によって生じた遅延損害金等の損害賠償請求権が含まれる〈同〉。ただし、②について普通抵当権のような制限（375）はない〈同共書〉。

二　極度額

　根抵当権者は、後順位担保権者など配当を受けることのできる第三者がなく、競売代金に余剰が生じた場合でも、極度額を超える部分の交付を受けることができない（最判昭48.10.4）〈同〉。

物
権

第３９８条の４　（根抵当権の被担保債権の範囲及び債務者の変更）〈同共〉

Ⅰ　元本の確定前においては、根抵当権の担保すべき債権の範囲の変更をすることができる〈書〉。債務者の変更についても、同様とする。

Ⅱ　前項の変更をするには、後順位の抵当権者その他の第三者の承諾を得ることを要しない〈書〉。

Ⅲ　第１項の変更について元本の確定前に登記をしなかったときは、その変更をしなかったものとみなす〈書〉。

第３９８条の５　（根抵当権の極度額の変更）

根抵当権の極度額の変更は、利害関係を有する者の承諾を得なければ、することができない〈同書〉。

第３９８条の６　（根抵当権の元本確定期日の定め）

Ⅰ　根抵当権の担保すべき元本については、その確定すべき期日を定め又は変更することができる〈同書〉。

Ⅱ　第３９８条の４第２項＜後順位の抵当権者その他の第三者の承諾は不要＞の規定は、前項の場合について準用する〈同書〉。

Ⅲ　第１項の期日は、これを定め又は変更した日から５年以内でなければならない〈書〉。

Ⅳ　第１項の期日の変更についてその変更前の期日より前に登記をしなかったときは、担保すべき元本は、その変更前の期日に確定する。

《注　釈》

一　根抵当権の被担保債権の範囲の変更（398の４）

元本の確定前は、根抵当権者と設定者との間で、合意により被担保債権の範囲を変更することができる（398の４Ⅰ前段）。この場合、極度額を変更するわけではないから、後順位抵当権者その他の第三者の承諾を要しない（同Ⅱ）〈共〉。

そして、被担保債権の範囲変更後の基準に合致するものが被担保債権となるから、変更前は被担保債権であった債権も、変更後の基準に合致しない限り、被担保債権から外れる。逆に、変更前は被担保債権でなかった債権も、変更後の基準に合致すれば、変更時に既に発生している債権であっても担保される〈書〉。

二　根抵当権の極度額の変更（398の５）

1　意義

根抵当権は、極度額という枠内で、目的物の独立した担保価値支配権となる。それゆえ、その価値支配権をめぐって多数の利害関係人が生じることになるから、その枠を規定する極度額は、利害関係人の承諾を得なければ変更することはできない。

2　利害関係人

拡大変更の場合：後順位抵当権者、差押債権者

縮小変更の場合：転抵当権者〈書〉

＜根抵当権の変更＞

変更内容	被担保債権の範囲 （398の4）	債務者 （398の4）	極度額 （398の5）	元本確定期日 （398の6）
当事者	根抵当権者と根抵当権設定者			
可能な時期 （＊1）（＊2）	元本確定前に限る		元本確定の前後を問わない〈書〉	確定期日前
利害関係人の 承諾の要否	不要（債務者の承諾も不要）〈書〉		利害関係人全員の承諾必要	不要
登記の要否	必要（元本確定前の登記…効力要件）		必要（効力要件）	必要（期日前の登記…効力要件）

＊1　確定前にのみなしうること
　　①相続による包括承継（398の8）、②合併による包括承継（398の9）
　　③根抵当権の分割、全部・一部譲渡（398の12、398の13）
＊2　確定後にのみなしうること
　　①被担保権の処分（随伴性あり）、②根抵当権の譲渡、放棄等（398の11）
　　③根抵当権消滅請求（398の22）

物
権

第398条の7　（根抵当権の被担保債権の譲渡等）

Ⅰ　元本の確定前に根抵当権者から債権を取得した者は、その債権について根抵当権を行使することができない〈同共書〉。元本の確定前に債務者のために又は債務者に代わって弁済をした者も、同様とする〈書〉。

Ⅱ　元本の確定前に債務の引受けがあったときは、根抵当権者は、引受人の債務について、その根抵当権を行使することができない。

Ⅲ　元本の確定前に免責的債務引受があった場合における債権者は、第472条の4第1項＜免責的債務引受による担保の移転＞の規定にかかわらず、根抵当権を引受人が負担する債務に移すことができない。

Ⅳ　元本の確定前に債権者の交替による更改があった場合における更改前の債権者は、第518条第1項＜更改後の債務への担保の移転＞の規定にかかわらず、根抵当権を更改後の債務に移すことができない〈書〉。元本の確定前に債務者の交替による更改があった場合における債権者も同様とする。

第398条の8　（根抵当権者又は債務者の相続）

Ⅰ　元本の確定前に根抵当権者について相続が開始したときは、根抵当権は、相続開始の時に存する債権のほか、相続人と根抵当権設定者との合意により定めた相続人が相続の開始後に取得する債権を担保する〈書〉。

Ⅱ　元本の確定前にその債務者について相続が開始したときは、根抵当権は、相続開始の時に存する債務のほか、根抵当権者と根抵当権設定者との合意により定めた相続人が相続の開始後に負担する債務を担保する。

Ⅲ　第398条の4第2項＜後順位の抵当権者その他の第三者の承諾は不要＞の規定は、前2項の合意をする場合について準用する。

Ⅳ　第1項及び第2項の合意について相続の開始後6箇月以内に登記をしないときは、担保すべき元本は、相続開始の時に確定したものとみなす〈書〉。

第398条の9　（根抵当権者又は債務者の合併）

Ⅰ　元本の確定前に根抵当権者について合併があったときは、根抵当権は、合併の時に存する債権のほか、合併後存続する法人又は合併によって設立された法人が合併後に取得する債権を担保する。

Ⅱ　元本の確定前にその債務者について合併があったときは、根抵当権は、合併の時に存する債務のほか、合併後存続する法人又は合併によって設立された法人が合併後に負担する債務を担保する。

Ⅲ　前2項の場合には、根抵当権設定者は、担保すべき元本の確定を請求することができる《判》。ただし、前項の場合において、その債務者が根抵当権設定者であるときは、この限りでない《判》。

Ⅳ　前項の規定による請求があったときは、担保すべき元本は、合併の時に確定したものとみなす。

Ⅴ　第3項の規定による請求は、根抵当権設定者が合併のあったことを知った日から2週間を経過したときは、することができない。合併の日から1箇月を経過したときも、同様とする《判》。

《注　釈》

◆　**根抵当権者又は債務者の相続**（398の8）

　　根抵当権者、債務者いずれの死亡のときも、その相続人（又は相続人の1人）が取引を引き継ぐときは、その者の取得する債権、又は負う債務を担保するものとして根抵当権は存続する。この点の合意（前者は、根抵当権者の相続人と根抵当権設定者間で、後者は、根抵当権者と根抵当権設定者の相続人によってなされる）は、相続開始後6か月以内に登記することを要し、それを欠くと根抵当権は相続時に確定したものとみなされる《回》。

第398条の10　（根抵当権者又は債務者の会社分割）

Ⅰ　元本の確定前に根抵当権者を分割をする会社とする分割があったときは、根抵当権は、分割の時に存する債権のほか、分割をした会社及び分割により設立された会社又は当該分割をした会社がその事業に関して有する権利義務の全部又は一部を当該会社から承継した会社が分割後に取得する債権を担保する。

Ⅱ　元本の確定前にその債務者を分割をする会社とする分割があったときは、根抵当権は、分割の時に存する債務のほか、分割をした会社及び分割により設立された会社又は当該分割をした会社がその事業に関して有する権利義務の全部又は一部を当該会社から承継した会社が分割後に負担する債務を担保する。

Ⅲ　前条第3項から第5項までの規定は、前2項の場合について準用する。

第398条の11　（根抵当権の処分）〈同〉

Ⅰ　元本の確定前においては、根抵当権者は、第376条第1項＜抵当権の処分＞の規定による根抵当権の処分をすることができない〈書〉。ただし、その根抵当権を他の債権の担保とすることを妨げない〈書〉。

Ⅱ　第377条第2項＜抵当権の処分の対抗要件＞の規定は、前項ただし書の場合において元本の確定前にした弁済については、適用しない。

[趣旨] 根抵当権の独立的な性質から、その処分についても普通抵当権とは異なる処分形態が求められた。そこで、普通抵当権に関する376条のうち、転抵当のみが認められ、その他の処分（譲渡・放棄）はなしえない。ただし、先順位抵当権者から後順位の根抵当権者が順位の譲渡・放棄の利益を得ることは認められる（398の15）。

第398条の12　（根抵当権の譲渡）

Ⅰ　元本の確定前においては、根抵当権者は、根抵当権設定者の承諾を得て、その根抵当権を譲り渡すことができる〈同共書〉。

Ⅱ　根抵当権者は、その根抵当権を2個の根抵当権に分割して、その一方を前項の規定により譲り渡すことができる〈書〉。この場合において、その根抵当権を目的とする権利は、譲り渡した根抵当権について消滅する。

Ⅲ　前項の規定による譲渡をするには、その根抵当権を目的とする権利を有する者の承諾を得なければならない。

第398条の13　（根抵当権の一部譲渡）

元本の確定前においては、根抵当権者は、根抵当権設定者の承諾を得て、その根抵当権の一部譲渡（譲渡人が譲受人と根抵当権を共有するため、これを分割しないで譲り渡すことをいう。以下この節において同じ。）をすることができる〈同書〉。

《**注　釈**》

＜根抵当権の処分＞

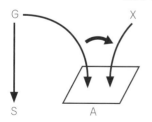

根抵当権者G（極度額1000万）
債務者S
根抵当権設定者A
受益者X

物

権

全部譲渡（＊1）	Xが極度額1000万の根抵当権の単独権利者となる
分割譲渡（＊2）	Gが極度額の4割をXに譲渡すると、Gが極度額600万、Xが400万の同順位の根抵当権を取得する
一部譲渡（＊3）	GXが極度額1000万の根抵当権を共有する（持分率は当事者の合意がなければ債権額による）

＊1　受益者は自由に極度額を利用することができる。被担保債権の範囲や債務者を変更することも受益者の必要に応じて行われる。

＊2　譲渡人と譲受人は同順位の根抵当権者となる。譲受人は＊1と同様に自由に極度額を利用できる。

＊3　譲渡人・譲受人間は、根抵当権の準共有状態となる。

物権

＜根抵当権の変更・処分と関与者のまとめ＞

甲（根抵当権者）　　　　　　　　戊（転抵当権者）
　　　　　　　　　　　　　　　　丁（後順位抵当権者）

乙（債務者）　　　丙（根抵当権設定者）

	甲のほかに誰の関与が必要か	関係のない人	条文
順位の変更	丁戊	乙丙	374
転抵当	戊	乙丙丁	398の11 I ただし書
譲渡	丙（承諾）・戊（分割譲渡）	乙丁	398の12
被担保債権の範囲の変更	丙（合意）	乙丁戊	398の4
債務者の変更	丙（合意）	乙丁戊	398の4
極度額の変更	減額…丙（合意）・戊	乙丁	398の5
	増額…丙（合意）・丁	乙戊	398の5

第398条の14　（根抵当権の共有）

I　根抵当権の共有者は、それぞれその債権額の割合に応じて弁済を受ける。ただし、元本の確定前に、これと異なる割合を定め、又はある者が他の者に先立って弁済を受けるべきことを定めたときは、その定めに従う。

II　根抵当権の共有者は、他の共有者の同意を得て、第398条の12第1項の規定によりその権利を譲り渡すことができる。

第398条の15　（抵当権の順位の譲渡又は放棄と根抵当権の譲渡又は一部譲渡）

　抵当権の順位の譲渡又は放棄を受けた根抵当権者が、その根抵当権の譲渡又は一部譲渡をしたときは、譲受人は、その順位の譲渡又は放棄の利益を受ける〈書〉。

第398条の16　（共同根抵当）

　第392条＜共同抵当における代価の配当＞及び第393条＜共同抵当における代位の付記登記＞の規定は、根抵当権については、その設定と同時に同一の債権の担保として数個の不動産につき根抵当権が設定された旨の登記をした場合に限り、適用する。

第398条の17　（共同根抵当の変更等）

Ⅰ　前条の登記がされている根抵当権の担保すべき債権の範囲、債務者若しくは極度額の変更又はその譲渡若しくは一部譲渡は、その根抵当権が設定されているすべての不動産について登記をしなければ、その効力を生じない。

Ⅱ　前条の登記がされている根抵当権の担保すべき元本は、1個の不動産についてのみ確定すべき事由が生じた場合においても、確定する。

第398条の18　（累積根抵当）〈司〉

　数個の不動産につき根抵当権を有する者は、第398条の16＜共同根抵当＞の場合を除き、各不動産の代価について、各極度額に至るまで優先権を行使することができる。

《注　釈》

◆　共同根抵当、累積根抵当の意義

　共同根抵当とは、同一の債権の担保として数個の不動産上に根抵当権を設定するものをいう（398の16）。

　累積根抵当とは、各不動産につきそれぞれ極度額を定め、根抵当権者の被担保債権を累積負担させるものをいう（398の18）〈司〉。

《その他》

▪ 398条の16は、累積根抵当の例外をなすもので、当事者が特に392条の適用を受ける共同根抵当関係を希望し、その条件をみたす限りで認められる。

▪ 累積根抵当の場合、複数の不動産上の根抵当権が398条の2における「担保すべき不特定の債権の範囲」を共通にしていても、各々が独立の存在としてそれぞれの極度額まで債権を担保するものとされ、確定についても個別に決せられる。

第398条の19　（根抵当権の元本の確定請求）

Ⅰ　根抵当権設定者は、根抵当権の設定の時から3年を経過したときは、担保すべき元本の確定を請求することができる〈共書〉。この場合において、担保すべき元本は、その請求の時から2週間を経過することによって確定する。

Ⅱ　根抵当権者は、いつでも、担保すべき元本の確定を請求することができる〈司書〉。この場合において、担保すべき元本は、その請求の時に確定する。

Ⅲ　前2項の規定は、担保すべき元本の確定すべき期日の定めがあるときは、適用しない《書》。

第398条の20　（根抵当権の元本の確定事由）

Ⅰ　次に掲げる場合には、根抵当権の担保すべき元本は、確定する《書》。

①　根抵当権者が抵当不動産について競売若しくは担保不動産収益執行又は第372条において準用する第304条＜物上代位＞の規定による差押えを申し立てたとき。ただし、競売手続若しくは担保不動産収益執行手続の開始又は差押えがあったときに限る。

②　根抵当権者が抵当不動産に対して滞納処分による差押えをしたとき。

③　根抵当権者が抵当不動産に対する競売手続の開始又は滞納処分による差押えがあったことを知った時から2週間を経過したとき。

④　債務者又は根抵当権設定者が破産手続開始の決定を受けたとき。

Ⅱ　前項第3号の競売手続の開始若しくは差押え又は同項第4号の破産手続開始の決定の効力が消滅したときは、担保すべき元本は、確定しなかったものとみなす。ただし、元本が確定したものとしてその根抵当権又はこれを目的とする権利を取得した者があるときは、この限りでない。

第398条の21　（根抵当権の極度額の減額請求）

Ⅰ　元本の確定後においては、根抵当権設定者は、その根抵当権の極度額を、現に存する債務の額と以後2年間に生ずべき利息その他の定期金及び債務の不履行による損害賠償の額とを加えた額に減額することを請求することができる《同書》。

Ⅱ　第398条の16＜共同根抵当＞の登記がされている根抵当権の極度額の減額については、前項の規定による請求は、そのうちの1個の不動産についてすれば足りる。

[趣旨] 根抵当権には、普通抵当権における375条のような被担保債権の範囲を限定する規定がなく、その根抵当権の実行までは、元本確定後に生じる利息等が極度額に達するまで担保される。しかし、それでは目的不動産残部の担保価値の利用が妨げられるなど根抵当権設定者が不必要な拘束を受けることになるため、398条の21の規定により減額請求が認められている（極度額減額請求権）。なお、根抵当権の元本が確定した後の極度額減額請求権は、一方的意思表示によって極度額の減額という法律関係の変動が生じるもので、形成権としての性質を有する《同》。

第398条の22　（根抵当権の消滅請求）

Ⅰ　元本の確定後において現に存する債務の額が根抵当権の極度額を超えるときは、他人の債務を担保するためその根抵当権を設定した者又は抵当不動産について所有権、地上権、永小作権若しくは第三者に対抗することができる賃借権を取得した第三者は、その極度額に相当する金額を払い渡し又は供託して、その根抵当権の消滅請求をすることができる《共書》。この場合において、その払渡し又は供託は、弁済の効力を有する。

Ⅱ　第398条の16＜共同根抵当＞の登記がされている根抵当権は、1個の不動産について前項の消滅請求があったときは、消滅する。

Ⅲ　第380条及び第381条<抵当権消滅請求をすることができない者>の規定は、第1項の消滅請求について準用する。

《非典型担保》

《概　説》

一　非典型担保の種類

民法上の「担保物権」以外の非典型担保物権として重要なものは、譲渡担保、売渡担保、仮登記担保、所有権留保がある。なお、物権ではないが、債権担保の手段として債権譲渡・質入と同様の機能を果たすものとして、代理受領がある。

二　非典型担保物権登場の背景

1　動産

動産は原則として抵当権の目的とすることができず、また質に入れる（＝債権者に占有を移す）ことになじまない場合がある。

2　不動産

抵当権の設定・実行は手続が面倒で費用がかかる。

<仮登記担保・譲渡担保・所有権留保の比較>

	仮託される法形式	担保目的の法形式上の所有者	被担保債権	主な担保目的物	通常の場合の目的物の占有
仮登記担保	主として代物弁済予約又は停止条件付き代物弁済契約	債務者（ないし物上保証人）	金銭債権	不動産	債務者（ないし物上保証人）
譲渡担保	目的物の譲渡	債権者	特に制限なし	動産	債務者（ないし物上保証人）
所有権留保	売買目的物所有権の不移転	債権者（売主）	売買代金債権	動産	債務者（買主）

[譲渡担保]

一　意義

譲渡担保とは、債権担保のため物の所有権（あるいはその他の財産権）を法律形式上債権者に譲渡して、信用授受の目的を達するもので、信用の授受を債権・債務の形式で残しておくものをいう（狭義）。

ex.　AとBが消費貸借をし、BがAに対して担保としての物の所有権を移転するような場合をいい、AはBに対して債務の弁済を請求する権利を有する

cf.　信用授受を売買の形式によって行い、債権・債務関係を残さないもの（具

体的には買戻特約付売買や、再売買の予約等）を売渡担保という　⇒ p.299

二　法的構成

A説：所有権は、譲渡担保権者に完全に移転し、ただ、譲渡担保権者は、その所有権を担保の目的以外には行使しないという義務（債権的拘束）を設定者に対して負うにすぎない（所有権的構成）

B説：担保的実質を重視し、譲渡担保（所有権の移転）を担保権の設定と考え、所有権は依然設定者（債務者）に帰属している（担保的構成）

三　譲渡担保の設定

1　設定契約の当事者

(1)　設定者

　譲渡担保は、設定者と担保権者との契約により設定される。設定者は債務者自身であるのが普通だが、質権や抵当権の場合と同様、第三者（物上保証人）でもよい。

(2)　譲渡担保権者

　譲渡担保権者は債権者本人であるのが普通だが、第三者が担保権者となることも可能である。

2　目的物

　①財産的価値、②譲渡性があれば、目的物に制限はない（cf. 集合動産譲渡担保）。

3　対抗要件

(1)　動産

　譲渡担保権を第三者に対抗するための要件は、「引渡し」（178）である。占有改定（183）の方法によることも認められる（最判昭 30.6.2・百選Ⅰ 60 事件）〈同書〉。また、設定者が目的物を直接占有したことがなく、間接占有しているにすぎない場合も、譲渡担保権者は占有改定により対抗要件を具備することができる（最決平 29.5.10・平 29 重判 5 事件）。

　なお、法人がする動産の譲渡担保については、動産譲渡登記ファイルに譲渡の登記がされたときは、当該動産について民法 178 条の「引渡し」があったものとみなされる（動産・債権譲渡特例 3 Ⅰ）ので、この方法により対抗要件を具備することも可能である。

(2)　不動産

　登記が対抗要件である。「売買」を原因とする所有権移転登記のほか、「譲渡担保」を原因とする所有権移転登記も認められる。

四　対内的効力

1　譲渡担保権の及ぶ範囲

(1)　被担保債権の範囲

　譲渡担保権によって担保されるべき債権の範囲は、強行法規又は公序良俗に反しない限り、その設定契約の当事者間において自由に定めることができる（最判昭 61.7.15）〈共〉。

抵当権についての 375 条は後順位抵当権者の保護の規定であり、不動産譲渡担保の場合は後順位担保権者の生じる余地はないので、同条は類推適用されない⟨通⟩⟨同書⟩。

また、不動産の譲渡担保権者が、その不動産に設定された先順位の抵当権の被担保債権を代位弁済したことにより取得する求償権は、譲渡担保設定契約において特段の定めのない限り、被担保債権には含まれない（最判昭 61.7.15）⟨書⟩。

(2)　目的物の範囲

付合物・従物については、抵当権の効力の及ぶ範囲に関する 370 条を類推適用してよい⟨通⟩⟨同書⟩。従たる権利（土地の賃借権等）についても、譲渡担保権の効力が及ぶ（最判昭 51.9.21 参照）⟨共書⟩。

また、物上代位（304）も認められる（最判平 11.5.17）⟨書⟩。

2　設定者による占有・利用

譲渡担保権が設定された後も、設定者が目的物を占有し、利用できる。

→目的物件の不法占有者に対して、その返還を請求することができる（最判昭 57.9.28）⟨司共書⟩

＊　この占有・利用は、担保的構成からは設定者の所有権に基づく権能にすぎない。これに対して、所有権的構成からは、形式的に使用貸借（593）又は賃貸借契約（601）が締結され、設定者の占有・利用はこの使用貸借又は賃貸借に基づくものということになる。

3　譲渡担保権の実行

(1)　被担保債権について債務者の遅滞が生じることが必要である。

債務者が債務の履行を遅滞したときは、処分清算型・帰属清算型を問わず譲渡担保権者は、目的不動産を処分する権限を取得する⟨同⟩。

(2)　債権者が担保権を実行するためには、目的物の占有を取得することが必要である。目的物の占有が債務者の下にある場合、債権者は債務者の占有する目的物の引渡しを請求することができるが、特別の事情がある場合を除き、処分清算型、帰属清算型を問わず、清算金の支払と引換えにのみなしうる（最判昭 46.3.25・百選Ⅰ 94 事件）⟨書⟩。

＊　債務不履行が生じたときに、担保目的物から優先弁済を受けるために、他に処分しなければならないものを処分清算型、自己に帰属させるものを帰属清算型という。

(3)　譲渡担保権設定者は、譲渡担保権者や目的物の譲受人等の第三者に対し、清算金支払請求権を被担保債権とする留置権を主張することができる（最判平 9.4.11）⟨司共書⟩。

4　受戻権

(1)　債務者が弁済期に弁済しなかったとしても、それをもって直ちに目的物が譲渡担保権者に帰属するわけではなく、譲渡担保権者が譲渡担保権の実行を完了するまでは、債務者は債務の全額を弁済して譲渡担保権を消滅させ、目

物
権

的物の所有権を回復することができる（受戻権）〈書〉。

(2)　受戻権の消滅時期は、処分清算型の場合には第三者との処分契約締結時、帰属清算型の場合には清算金の支払又は提供時である。さらに、判例（最判平6.2.22・百選Ⅰ95事件）は、不動産譲渡担保契約について、債務者が弁済期に債務の弁済をしない場合、債権者は、帰属清算型か処分清算型かを問わず、目的物を処分する権能を取得し、債権者がこの権能に基づいて目的物を処分したときは、受け戻すことができなくなるとしている〈司書〉。

(3)　譲渡担保権設定者は、債務を弁済して目的物の所有権を回復することができるが、債務の弁済と目的物の返還は同時履行の関係に立たない（最判平6.9.8）〈共書〉。

　　∵　債務の弁済が目的物の返還よりも先履行の関係に立つ

　　また、譲渡担保権設定者は、譲渡担保権者が清算金の支払又は提供をせず、清算金がない旨の通知もしない間に譲渡担保の目的物の受戻権を放棄しても、譲渡担保権者に清算金の支払を請求できない（最判平8.11.22）〈司共書〉。

　　∵①　譲渡担保権設定者の清算金支払請求権と受戻権は、その発生原因を異にする別個の権利であるから、受戻権を放棄したとしても、その効果は受戻権が放棄されたという状況を現出するにとどまり、これにより譲渡担保権設定者が清算金支払請求権を取得すると解することはできない

　　②　このように解さないと、譲渡担保権設定者が受戻権を放棄することにより、本来譲渡担保権者が有している譲渡担保権の実行の時期を決定する自由を制約し得ることとなり、妥当でない

5　清算義務

　　目的物の価格が債務額を超過するとき、譲渡担保権者がその超過額を返還しなければならない。

　　その存否、額は、清算金の支払又は提供時（清算金のないときは、その旨通知したとき）、清算しないで第三者に処分したときは処分時に確定する（最判昭62.2.12）〈司書〉。

五　対外的効力

＜設定者側の第三者と譲渡担保権者の関係＞

事案 （動産譲渡 担保を前提 （＊））	所有権的構成	担保的構成
設定者が目的物を譲渡した場合	第三者は即時取得（192）した場合に限り所有権を取得する ∵　設定者は無権利者である	第三者は所有権を取得する ∵　設定者は所有者である →第三者が譲渡担保権の存在について善意・無過失の場合、譲渡担保権の負担のない所有権を即時取得する
設定者が第三者のために重ねて譲渡担保を設定した場合〈司書〉	二重譲渡と同様、対抗要件具備の先後により優劣が決定される →先に占有改定を受けた者が優先する →後に設定を受けた者の保護は占有改定と即時取得の問題となる	対抗要件具備の順序に従い第2順位の譲渡担保権が設定される →第2順位の譲渡担保権者は、第1順位担保権者の清算金から弁済を受ける →先順位の担保権がないと信頼していた場合、第1順位の譲渡担保権の即時取得の問題が生じる（占有改定と即時取得の問題）
設定者の一般債権者が目的物を差し押さえた場合	譲渡担保権者は第三者の差押えに対し、第三者異議の訴え（民執38）をなしうる（最判昭58.2.24）〈司〉 ∵　目的物の所有権は、譲渡担保権者に移転しているから、設定者の一般債権者による執行は不当である →第三者は目的物について譲渡担保権設定者が受ける清算金にかかっていくしかない	譲渡担保権者は第三者の差押えに対し、第三者異議の訴えをなしうる ∵　担保的構成を貫徹すると、公的競売手続中で優先弁済を受ければ足りるが、民事執行法は優先弁済請求の訴えを廃止している

＊　不動産の譲渡担保では、登記名義が譲渡担保権者に移転している場合が多く、設定者の処分は実際上は考えにくい。仮に登記が設定者の下にあり、設定者が第三者に処分した場合には、所有権的構成では二重譲渡の関係になる（担保的構成では第三者は確定的に所有権を取得するので、いずれにせよ登記を備えた第三者が譲渡担保権者に優先する）。

＜譲渡担保権者側の第三者と設定者の関係＞

事案	所有権的構成	担保的構成
譲渡担保権者が弁済期前に目的物を譲渡した場合（＊1）	譲受人は目的物の所有権を取得する（大判大9.6.2） →債務者は弁済提供をして目的物を受け戻すが、二重譲渡のような関係になり、対抗問題となる	譲受人は所有権を取得しない →目的物が不動産の場合、善意・無過失の譲受人は94条2項類推適用により完全な所有権を取得する（＊2）

事案	所有権的構成	担保的構成
債務者が弁済期に弁済した後、譲渡担保権者が目的物を処分した場合	設定者と譲受人のうち、対抗要件を先に備えた方(背信的悪意者を除く)が所有権を排他的に取得する(最判昭62.11.12)〈同書〉∵ 譲渡担保権者が設定者と譲受人に二重譲渡したのと同じ関係になる	譲受人は所有権を取得しない→設定者は自己の登記名義を回復しうるのに放置していたのであるから、94条2項類推適用により譲受人は保護されうる(＊2)
弁済期後譲渡担保権者が目的物を譲渡した後に債務者が弁済した場合(受戻権の消滅時期)	<処分清算型>弁済期到来後に債務者が弁済をしない場合、債権者は、帰属清算型か処分清算型かを問わず、目的物を処分する権能を取得し、債権者がこの権能に基づいて目的物を第三者に譲渡したときは、譲受人は目的物の所有権を確定的に取得し、債務者の受戻権は消滅する(譲受人が背信的悪意者の場合も含む)(最判平6.2.22・百選Ⅰ95事件)〈書〉<帰属清算型>判例:処分契約の成立とともに受戻権は消滅する(譲受人が背信的悪意者の場合も含む)(最判平6.2.22・百選Ⅰ95事件)〈同書〉学説:清算金の提供によってはじめて受戻権は消滅する→設定者は、清算金の提供までは、第三者との関係でも受戻権の行使を主張できる	
第三者が譲渡担保権者から譲渡担保権の設定を受けた場合	第三者は譲渡担保権を取得する(大判大9.9.25)∵ 譲渡担保権者は、外形上所有者である	第三者は転譲渡担保権を取得し、譲渡担保権者の被担保債権額を超えない範囲で優先弁済権を有する∵ 譲渡担保権者は担保権を有しているにすぎないので、転抵当(376Ⅰ前文)の場合に準じて考えればよい
譲渡担保権者の一般債権者が目的物を差し押さえた場合	<不動産の場合>・弁済期前設定者は、第三者異議の訴えを提起できる(最判平18.10.20・平18重判6事件)〈同共〉・弁済期後設定者は、第三者異議の訴えを提起できない(同判例)〈書〉<動産の場合>占有が設定者の下にあれば、事実上差押えはできない	<不動産の場合>・弁済期前第三者異議の訴えを提起できると解しうる・弁済期後第三者異議の訴えを提起できると解する余地がある<動産の場合>占有が設定者の下にあれば、事実上差押えはできない

＊1 設定者は譲渡担保権者に対して、設定契約の債務不履行として、損害賠償を請求できる。

＊2 動産の譲渡担保の場合、譲渡担保権者による第三者への譲渡は、担保的構成では指図による占有移転と即時取得の問題となる。

六 集合動産譲渡担保

1 有効性〈予R3〉

①種類、②所在場所、③量的範囲を指定するなど何らかの方法で目的物の範囲が特定されている限り、集合物という1つの物を目的とする譲渡担保として

有効である（集合物論）（最判昭 62.11.10・百選 I 96 事件）〈同書〉。

　→債務者所有の物とそれ以外の物とを明確に識別する指標が示されるとか、また、現実にその区別ができるような適宜な措置が講じられた形跡が全くないときは、特定性を欠く（最判昭 57.10.14）〈書〉

　　ex. 「甲倉庫内に保管された商品乙 50 トン中 20 トン」を目的物と定めたのみでは、特定性を欠く（最判昭 54.2.15 参照）〈書〉

　　　∵ どの部分が譲渡担保の目的物を構成しているか不明であるため

2　対抗要件〈予R3〉

　占有改定又は動産譲渡の登記が対抗要件である。集合物自体の占有改定により、その後に構成部分が変化したとしても、集合物としての同一性が損なわれない限り、新たにその構成部分となった動産を包含する集合物について、対抗要件具備の効力が及ぶ（最判昭 62.11.10・百選 I 96 事件）〈書〉

3　集合動産譲渡担保と先取特権の関係

　A説：譲渡担保の設定により先取特権の追及力は制限され、目的物には譲渡担保の効力のみが及ぶ（333 条説）（最判昭 62.11.10・百選 I 96 事件）〈書〉

　　　∵① 譲渡担保の法的性質に関する所有権的構成からは、譲渡担保権者は目的物の所有権を取得するから、333 条の「第三取得者」に当たる

　　　　② 333 条の「引き渡し」には占有改定も含まれるので、譲渡担保の設定によって先取特権の追及力は制限される

　B説：原則として動産譲渡担保権は動産売買先取特権に優先するが、譲渡担保権者が先取特権の存在を知っていた場合には、先取特権が優先する（334 条説）

　　　∵① 譲渡担保権は実質的には担保権の設定にすぎないから、譲渡担保権者は 333 条の「第三取得者」に当たらない

　　　　② 譲渡担保権の実質からは、動産質権と同列に捉え、動産譲渡担保権と動産先取特権の優劣は、動産質権と動産先取特権の優劣を定める 334 条により決すべきである

4　集合動産譲渡担保設定者には、その通常の営業の範囲内で、譲渡担保の目的を構成する動産を処分する権限が付与されており、この権限内でされた処分の相手方は、当該動産について確定的に所有権を取得することができるが、通常の営業の範囲を超える売却処分をした場合には、この権限に基づかないものである以上、譲渡担保契約に定められた保管場所から搬出されるなどして当該譲渡担保の目的である集合物から離脱したと認められる場合でない限り、当該処分の相手方は目的物の所有権を承継取得することはできない（最判平 18.7.20・百選 I 97 事件）〈同書〉

　構成部分の変動する集合動産を目的とする集合動産譲渡担保権の効力は、目的動産が滅失した場合に譲渡担保権設定者に対して支払われる損害保険金に係

る請求権にまで及ぶ。もっとも、譲渡担保権設定者が通常の営業を継続している場合には、目的動産の滅失により上記請求権が発生したとしても、合意などの特段の事情がない限り、譲渡担保権者は上記請求権に対し物上代位権を行使することは許されない（最決平22.12.2・平23重判6事件）〈司書〉。

七　債権譲渡担保〈司H18〉

1　金銭債権の譲渡担保

　債権を担保にする方法として、日本では主に譲渡担保が用いられている。金銭債権の譲渡担保は、譲渡担保設定者が第三債務者に対して有する金銭債権を債権者に譲渡し、債務者の債務不履行があれば債権者がその債権を行使して第三債務者から金銭を回収し、自らの債権の満足に充てるという方法で行われる。

　このように、債権の譲渡担保は形式的には債権譲渡の方式で行われるため、譲渡担保権の設定を第三債務者や他の第三者に対する対抗要件を具備するためには、債権譲渡の規定に従い、確定日付ある第三債務者への通知又は第三債務者からの確定日付ある承諾を具備する必要がある（467Ⅱ）。また、法人が債権譲渡をした場合、動産・債権譲渡特例法により、譲渡登記によっても第三者に対する対抗要件を具備することができる（いわゆるサイレント方式）（動産・債権譲渡特例4Ⅰ）。

2　集合債権譲渡担保

(1)　意義

　集合債権譲渡担保とは、現在債権及び将来債権を包括的に譲渡担保にとる方法をいう。

(2)　将来債権の譲渡担保〈司H18 予H25〉

　将来発生する複数の債権を譲渡担保の目的債権とすることは可能である（466の6Ⅰ）。

　判例（最判平11.1.29・百選Ⅱ22事件）も、将来発生すべき債権を目的とする債権譲渡契約について、契約締結時において債権の発生可能性が低かったことは、契約の効力を当然に左右するものではないとした上で、契約内容が譲渡人の営業活動等に対して社会通念に照らし相当とされる範囲を著しく逸脱する制限を加え、又は他の債権者に不当な不利益を与えるものであるとみられるなどの特段の事情の認められる場合には、右契約は公序良俗に反するなどとして、その効力の全部又は一部が否定されることがあるものというべきであるが、譲渡の目的とされる債権が特定されている限り、将来債権の包括的譲渡は有効であるとしている〈論〉。

　そして、包括的に譲渡した債権は、譲渡契約時に、確定的に譲渡されたことになる（最判平13.11.22・百選Ⅰ98事件）。

　→取立ての通知をするまでは集合譲渡債権の取立てを譲渡担保設定者に留保するという集合債権譲渡担保契約について、発生した債権も将来発生する債権も譲渡担保権者に確定的に譲渡されており、譲渡担保設定者に

取立権限が付与されているにすぎない（最判平 13.11.22・百選Ⅰ98 事件）

→譲渡担保の目的とされた将来債権が発生した場合、譲渡担保権者は、譲渡担保設定者の特段の行為を要することなく、当然に、当該債権を担保の目的で取得することができる（最判平 19.2.15）〈書〉

(3)　集合債権の特定性

集合債権譲渡担保が有効に設定されるためには、目的債権の範囲が特定されている必要がある。すなわち、将来発生する債権のうち、どの債権が担保の目的となっているかが識別できなければならない。

判例は、譲渡の効果が発生する時点で、債権者、債務者、及び発生原因等の考慮要素により、「譲渡の目的となるべき債権を譲渡人が有する他の債権から識別することができる程度に特定されていれば足りる」としている（最判平 12.4.21）。

(4)　集合債権譲渡担保の対抗要件

(a)　民法上の対抗要件

集合債権譲渡担保は、債権譲渡の形式で行われるから、譲渡担保の設定を第三債務者や他の第三者に対する対抗要件を具備するためには、債権譲渡の規定に従い、債権譲渡の第三者に対する対抗要件は、第三債務者への確定日付ある通知又は第三債務者からの確定日付ある承諾を具備する必要がある（467Ⅱ）。

そして、包括的に当事者、債権の発生原因、期間を特定して行う1つの通知又は承諾であっても、対抗要件として有効であり、かつ、その時点で未だ発生していない将来債権についても対抗力が生じる（最判平 13.11.22・百選Ⅰ98事件）〈同　書〉。

(b)　動産・債権譲渡特例法上の対抗要件〈同H18〉

法人による債権譲渡の場合、債権譲渡登記ファイルに譲渡登記をしたときは第三者に対して対抗できる（動産・債権譲渡特例4Ⅰ）。もっとも、この譲渡登記は第三者に対する対抗要件であるから、第三債務者は譲渡登記されただけでは譲渡の対抗を受けない。しかし、譲渡人又は譲受人から、第三債務者に登記事項証明書を添付した通知がなされ、または第三債務者が承諾したときは、第三債務者に対しても対抗できることとなる（同Ⅱ）。

[売渡担保]

◆　意義

売渡担保とは、債権担保のため物の所有権（あるいはその他の財産権）を法律形式上債権者に譲渡して、信用授受の目的を達するもので、信用授受を売買の形式によって行い、債権・債務関係を残さないものをいう。具体的には、買戻し、再売買予約という形がとられる。

買戻しとは、売買契約の際の特約によって、売主が代金額及び契約の費用を買主に返還することによって売買契約を解除し、目的物を取り戻すことをいう（579

以下）。再売買予約とは、債務者の不動産の所有権を担保の目的で債権者の下にいったん移転し、債務の弁済がなされると予約完結権が行使されて、再売買という形で買い戻されるものをいう。　⇒ p.511

［仮登記担保］

一　意義

　仮登記担保とは、金員の交付に際し、貸金の回収が不可能となる場合に備えて、債務者若しくは第三者（物上保証人）の所有権（多くの場合不動産）を債権者に移転させ、それによって本来の債務の履行に代える旨を約し、債権者が有する期待権を仮登記又は仮登録によって保存する形式の担保をいう。

　cf.　譲渡担保は担保設定時にあらかじめ所有権を移転するという形をとるのに対し、仮登記担保は弁済がない場合に所有権を移転する形をとる点で異なる

二　仮登記担保の法的性質

抵当権に近い担保物権の性質を有する。

→可能な限り抵当権の規定を類推適用する。付従性・随伴性・不可分性（372、296）・物上代位性（372、304）等を有する

三　仮登記担保の設定

1　「仮登記担保契約」の要件（仮登記担保1）

　①　担保を目的とすること

　②　金銭債務を担保すること

　③　債務不履行があるとき、所有権その他の権利（地上権・賃借権等）を債権者に移転することを内容とするものであること

　④　仮登記・仮登録できるものであること

2　公示方法

　仮登記・仮登録によって公示する。この場合の仮登記（仮登録もこれに準ずる）を「担保仮登記」という（仮登記担保4Ⅰ、20）。

　→本来仮登記には順位保全の効力のみが認められ対抗力は認められないが、担保仮登記は優先弁済権の本登記としての効力をも有していると解される

四　仮登記担保権の効力

1　仮登記担保権の効力

　弁済がなされない場合に、①目的物不動産の所有権を取得するか（競売によらない私的実行）、②優先弁済を受けること（競売による優先弁済）をその中心とする。

2　仮登記担保法による私的実行

　私的実行とは、仮登記を本登記にして目的不動産を自己のものにすることをいう。私的実行は、債務者が履行遅滞に陥った場合若しくは仮登記担保契約において担保仮登記権利者に所有権を移転するものとされている日が到来した場合に、清算金の見積額を設定者に通知して行う。このとき、通知の到達から2か月を経過することで所有権が移転する（仮登記担保2Ⅰ）。

五　仮登記担保権の消滅

通常の担保権と同様の原因により消滅する。

ex.　弁済・時効等による被担保債権の消滅、目的物の競売（仮登記担保16
Ⅰ）、目的物の滅失

cf.　仮登記担保権の目的物となっている不動産につき所有権を取得した者によ
る、被担保債権の消滅時効の援用　⇒ p.98

［所有権留保］

一　意義

売主が目的物の引渡しを終えつつ、代金が完済されるまで目的物の所有権を留
保する制度をいう。目的物の売買契約中に、売主から買主への所有権移転を代金
完済まで留保するという特約を付けることによって行われる。

cf.　所有権留保は初めから債権者が所有権を有している点で、債務者の有する
所有権を債権者に移転する譲渡担保とは異なる

二　法的構成 司H21 予R3

A説：目的物の所有権は従前通りに売主に帰属し、買主は目的物の利用権と、
代金完済という停止条件の成就によって所有権を取得する期待権（128、
129）を有する（所有権的構成）

∵　所有権留保は、もともと目的物と被担保債権の間に牽連性がない譲
渡担保と異なり、被担保債権と目的物との間に価値的均衡がとれてい
るのが通常であるから、清算義務の発生の余地が少なく、それゆえ売
主に所有権を与えて目的物の全価値の支配を許してよい

B説：売主は残存代金を被担保債権とする担保権を有するにとどまり、所有権
からこれを差し引いた物権的地位を買主が有する（担保的構成）

∵　引渡しを受けた買主は、すでに所有者としての意識の下に目的物を
支配し、他方で売主としても単純な金銭貸借の意識しかもっていない
のが通常である

三　対内的効力

1　目的物の使用・収益

買主は実質的所有者であるから、特約がない限り自由に使用・収益すること
ができる。特約がある場合の特約違反は、留保所有権実行の理由になりうる。

2　目的物の滅失・損傷

⑴　目的物が買主に引き渡された後に滅失・損傷した場合には、売主に帰責事
由がある場合を除き、買主は代金の支払を拒むことができない。

∵　危険の移転（567）

⑵　滅失・損傷につき買主に帰責事由がある場合や買主が善意の第三者に目的
物を処分して留保所有権を消滅させた場合には、買主は不法行為責任（709）
を負う。買主が善管注意義務を負う旨の特約がある場合には、債務不履行責
任（415）も負う。

物
権

四 対外的効力 〈司H27 司H30 予R3〉

1 売主と買主側の第三者

(1) 所有権の構成に立てば、買主は無権利者であるから、相手方が即時取得 (192) した場合にのみ売主は所有権を失う。

(2) 担保的構成に立てば、買主は所有者であるから、相手方は所有権を買主から承継取得する。相手方が留保所有権の存在につき善意・無過失である場合には、所有権留保のつかない所有権を取得することになる。

> cf. サブディーラーがディーラーから所有権留保付で中古自動車を買い受け、その自動車を更にユーザーに転売しユーザーから代金完済を受けたにもかかわらず、ディーラーに代金を支払わないまま倒産した場合において、ディーラーからユーザーへの所有権に基づく引渡請求は権利濫用 (1Ⅲ) となる (最判昭 50.2.28・百選Ⅰ〔第6版〕100事件) 〈司〉

2 買主と売主当事者側の第三者

(1) 所有権の構成に立てば、売主は第三者に所有権を譲渡できる。

(2) 担保的構成に立てば、留保所有権を被担保債権とともに処分できる。

> cf. 買主が目的物を直接占有しているため、売主が目的物を第三者に処分することは通常考えられない

3 動産留保所有権とその動産が放置された土地の所有権 〈予〉

動産留保所有権者は、残債務弁済期の経過後は、当該動産について占有・処分機能を有するので、留保所有権が担保権の性質を有するからといって、撤去義務や不法行為責任を免れることはない。もっとも、留保所有権者は、当該動産が第三者の所有権の行使を妨害している事実を知らなければ不法行為責任を問われることはなく、これを知ったときに不法行為責任を負う (最判平 21.3.10・百選Ⅰ 99事件) 〈司〉。

4 譲渡担保権者との関係

売買代金の額が期間ごとに算定される継続的な売買契約において、売主が買主に対し当該売買契約の目的物の転売を包括的に承諾していたものの、一つの期間に納品された目的物の所有権は当該期間の売買代金完済までは売主に留保される旨の定めが存在していた場合、当該定めは「目的物の引渡しからその完済までの間、その支払を確保する手段を売主に与えるものであって、その限度で目的物の所有権を留保するものである」こと、目的物の転売の包括的な承諾は買主に当該目的物の売買代金を支払うための資金を確保させる趣旨と解されることなどの事情の下では、所有権留保の目的物の所有権は売買代金が完済されるまで買主に移転せず、当該目的物について買主から譲渡担保権の設定を受けた者は、その譲渡担保権を主張することができない (最判平 30.12.7・百選Ⅰ 100事件) 〈司〉。

[代理受領]
一 意義

　代理受領とは、債務者が第三債務者に対して有する債権について、債権者が取立てないし受領の委任を受け、債権者は第三債務者から受領した金銭を債務者に対する債権に充足することにより、他の債権者に優先して債権を回収することをいう。

　構造的には債務者の第三債務者に対する債権を債権者に譲渡ないし質入れすることと何ら変わりはない。

二 効力

1　債権者Aと債務者Bの間には、債権の弁済受領に関する委任関係が成立する。弁済の受領等、委任の内容に反する行為がなされれば、Bは137条2号の担保毀滅行為として期限の利益を失う画。　⇒ p.91

2　債権者Aと第三債務者Cとの間では、法形式的には、Aは弁済受領権限をもつのみで、直接取立権を有しない。

　　→債権債務関係はあくまでBC間にある

　　ex.1　BはCに債権の時効の完成猶予のための催告をすることができる

　　ex.2　AがCからの弁済を受領した場合、Aは、Bに対する受領金の引渡債務（受働債権）とBのAに対する債務（自働債権）を相殺（505 I）することができる

3　Cが代理受領を承諾することは、正当の理由なくAの利益を侵害しない趣旨を含むものであるから、CのBへの弁済は義務違反となり、Aに対して不法行為を構成する（最判昭 44.3.4）📖。

　　→Cの弁済自体は有効

4　債務者に対する他の債権者が債務者の第三債務者に対する債権を差し押さえた場合、債権者は差押債権者に対抗できない。この点で、質権や譲渡担保に代替するほどの効力はない。

物権

— MEMO —

債　権

第3編　債権

・第1章・【総則】

《概　説》

一　債権の意義

　　債権とは、特定人（債権者）が特定人（債務者）に対して一定の財産上の行為を請求することを内容とする権利である。

　　→債務者のみに対する権利（相対権）

　　cf.　物権とは、物に対する直接の支配権をいう

　　　　→すべての人に主張しうる（絶対権）

二　債権の本質（物権と債権の性質における差異）

1　直接性の有無

　　物権は、自ら物を直接的に支配するものである（物に対する直接的支配）のに対し、債権は、常に他人（債務者）の行為を通じて物を支配するものである（物に対する間接的支配）。

2　排他性の有無

　　同一の物の上に直接の支配が存在しうるのは1つのみであるから、1つの物に同一内容の物権が併存することは許されない（一物一権主義）。よって、物権は排他性を有するといえる。これに対し、近代法の下では、人の行為は意思の自由を前提とするので、人が行為しようとする意思を支配することはできないから、同一の特定人に対する同一内容の債権の併存は認められる。よって、債権は排他性を有しないといえる。

3　不可侵性の有無　⇒p.319

(1)　債権侵害と不法行為の成否

　　絶対権である物権には不可侵性があり、他方、相対権である債権には不可侵性がないとも思える。しかし、債権も権利である以上、第三者の不当な侵害を許さないという意味で不可侵性があり、侵害者に対して不法行為による損害賠償の義務を認めるべきとされる。

(2)　不動産賃借権に基づく妨害排除請求・返還請求の可否

　　対抗要件を備えた不動産賃貸借の不動産賃借人は、不動産賃借権に基づいて妨害排除請求権・返還請求権を行使することができる（605の4、最判昭28.12.18・百選Ⅱ50事件等参照）。　⇒p.554

■第1節　債権の目的

《概　説》

一　債権の目的の意義

　　債権は、債務者に対して一定の行為を請求できる権利であるが、この債務者の

なすべき一定の行為（給付）のことを、債権の目的（債権の内容）という。

二　給付の要件

1　適法性

　公序良俗・強行法規に反する内容をもつ給付は法律上保護されない（90、91）。

2　確定性

　債権成立の時に具体的に確定している必要はないが、履行時までにこれを確定できるだけの標準が定まっていることが必要である。

　＊　実現可能性は、給付の要件とはならない（412の2Ⅱ参照）。

第399条　（債権の目的）

　債権は、金銭に見積もることができないものであっても、その目的とすることができる〈団〉。

［趣旨］本条は、取引行為以外の約束についても法律的拘束力を認めるという大原則を規定する。

第400条　（特定物の引渡しの場合の注意義務）

　債権の目的が特定物の引渡しであるときは、債務者は、その引渡しをするまで、契約その他の債権の発生原因及び取引上の社会通念に照らして定まる善良な管理者の注意をもって、その物を保存しなければならない。

《注　釈》

一　「善良な管理者の注意」（善管注意義務）の意義

　善管注意義務とは、職業や社会・経済的地位に応じて一般的・客観的に要求される注意義務をいう（本人の能力とは無関係であることに注意）。もっとも、本条の善管注意義務は、債務者に契約その他の債権の発生原因と関係のない注意義務まで課すものではない。

　→善管注意義務を尽くさず（帰責事由に基づいて）目的物を滅失・損傷させた場合は債務不履行責任が生じる

　＊　「契約……及び取引上の社会通念に照らして」とは、契約の内容（契約書の記載等）、契約の性質（有償・無償の別）、契約の目的、契約締結に至る経緯その他契約をめぐる一切の事情を考慮し、取引通念をも勘案して、評価・認定される契約の趣旨に照らして、という意味である。

二　注意義務の増減

1　善管注意義務を負うのは履行期までではなく、引渡時までである。

2　債務者が履行遅滞中に当事者双方の責めに帰することができない事由によって履行不能となった場合には、その履行不能は債務者の責めに帰すべき事由によるものとみなされる（413の2Ⅰ）。　⇒p.325

　→債務者の責めに帰すべき事由に基づく不能とみなされる結果、債務者は債務不履行責任を負う

307

cf.　不可抗力の場合ではあるが、危険負担の問題とはならない

3　債権者が受領遅滞に陥った後は、債務者の善管注意義務（400）が自己の財産に対するのと同一の注意に軽減される（413Ⅰ）。　⇒p.323

三　民法における注意義務

<注意義務の整理>

善管注意義務が要求される場合	財産法	① 留置権者（298Ⅰ） ② 質権者（350・298Ⅰ）**同** ③ 特定物の引渡義務者（400）**同**（＊） ④ 使用借主（593、400） ⑤ 賃借人（601、400） ⑥ 有償の受寄者（657、400） ⑦ 有償・無償の受任者（644） ⑧ 通常の事務管理者（698反対解釈）
	家族法	① 後見監督人（852・644） ② 後見人（869・644） ③ 遺言執行者（1012Ⅲ・644）
自己の財産に対するのと同一の注意義務が要求される場合	財産法	・　無償の受寄者（659）**同**
	家族法	① 親権者（827）**同** ② 相続放棄者（940Ⅰ） ③ 限定承認者（926Ⅰ）**同**、他にも918条、944条1項等

＊　特定物の引渡義務者が負う善管注意義務（400）は、債権者の受領遅滞により、自己の財産に対するのと同一の注意義務へと軽減される（413Ⅰ）。

第401条　（種類債権）

Ⅰ　債権の目的物を種類のみで指定した場合において、法律行為の性質又は当事者の意思によってその品質を定めることができないときは、債務者は、中等の品質を有する物を給付しなければならない。

Ⅱ　前項の場合において、債務者が物の給付をするのに必要な行為を完了し、又は債権者の同意を得てその給付すべき物を指定したときは、以後その物を債権の目的物とする。

[趣旨] 本条は、種類債権において、どの程度の品質の物を給付しなければならないかについて、一定の基準を示す（Ⅰ）とともに、種類債権の特定の生ずる時期について規定する（Ⅱ）。

《注　釈》

一　種類債権

1　種類債権

(1)　種類債権とは、一定種類の物の一定量の引渡しを目的とする債権をいう。

(2)　種類債権の目的物は通常代替物であるが、不代替物であっても、当事者がその取引において個性に着目していない限り種類債権が成立する。

(3)　種類物は中等の品質を具備することによって不特定物となる（Ⅰ）。

2　制限種類債権

制限種類債権とは、特定の場所・範囲によって制限されている種類債権をいう。

ex.　A工場ため池に保管されているタール（最判昭30.10.18・百選Ⅱ1事件）、深川B倉庫内の米

→制限された範囲内の物が消滅すれば履行不能となる（最判昭30.10.18・百選Ⅱ1事件参照）〈司〉

3　種類債権の給付義務

(1)　当事者が品質を明らかにしていない場合は、中等の品質を給付する（Ⅰ）。

(2)　制限種類債権は、通常品質は問題とならない。

二　種類債権の特定〈司H30〉

1　種類債権において給付すべき目的物を具体的に確定することを種類債権の特定という。

2　特定時期

(1)　合意による特定

両当事者の合意によって、給付目的物として、種類物の中から一定数量の部分を他の部分から区別することが可能な程度に分離した時点で特定が生ずる。

(2)　債務者の行為による特定（「物の給付をするのに必要な行為を完了」・Ⅱ前段）

履行の場所で債権者が受け取ろうと思えば受け取れる状態に物を置いた時点で特定が生ずる〈共〉。

(3)　同意による指定（「債権者の同意を得てその給付すべき物を指定」・Ⅱ後段）

当事者間の特約をもって、債権者・債務者又は第三者のいずれかが給付目的物の特定を一方的に決定する権利を行使した時点で特定が生ずる。

＜債務者の行為による特定の方法＞

持参債務	債務者が、債権者の住所地又は指定する第三地までの運送義務を負う債務 →債務者が目的地まで運送し、目的地で債権者に現実の提供をした（債権者がいつでも受領することの可能な状態に置いた）時点（大判大8.12.25）で特定が生じる圓
取立債務	債権者が、自ら目的物を取立てにいく債務 →債務者が目的物を分離して口頭の提供をした（分離・準備・通知をした）時点で特定が生じる ∵ 債権者が引き取りに来なければ現実の提供ができないため、債権者の取立てがあれば直ちに引渡可能な状態に置いて、その旨を債権者に通知することで特定が生ずる cf. 債務者が目的物を分離していつでも引渡しができる状態にしているだけでは、口頭の提供としては有効であるが、目的物の分離がなされていない状態であるため、特定は認められない（最判昭30.10.18・百選Ⅱ1事件参照）
送付債務	債務者が、債権者の住所地又は指定する第三地までの運送の手配をする債務（運送費用は債権者が負担する） →債務者が運送人に引渡しをした（発送をした）時点で特定が生じる cf. 運送費用を債務者が負担する（債権者の住所地又は指定する第三地における履行が債務者の義務である）場合は、持参債務と同様（現実の提供の時点で特定が生ずる）

3 特定の効果
(1) 給付義務の軽減
　　債務者は特定した物のみを給付すべき義務を負い（401Ⅱ）、その物が滅失すれば債務者は給付義務を免れる。
　　→特定しない場合は、債務者は調達義務を負う
　　ただし、特定が生じた後でも、債権者の利益を害さない限り他の物をもって代えることができる（変更権）（大判昭12.7.7）。
(2) 危険負担
　　特定後に滅失すれば履行不能となり、履行不能につき債務者に帰責性がなければ危険負担の問題となる（536参照）。
　　→なお、種類物が特定されただけでは目的物の滅失の危険は買主に移転しない。危険を買主に移転させるには特定の事実だけでなく、目的物を買主に引き渡すか（567Ⅰ）、若しくは買主の受領拒絶・受領不能（567Ⅱ）が必要となる
(3) 所有権の移転
　　種類債権の場合、債権発生の時点では給付すべき物が確定しうべき状態にはあるが、まだ確定していない。そのため、所有権の移転は176条の意思主義によることはできず、特定により、はじめて所有権が移転することになる。
(4) 善管注意義務
　　債務者は、特定の時から引渡しまで善管注意義務（400）を負う。

三　特定と弁済の提供（492、493）

1　特定は履行の対象を確定させる効果を有するものであるのに対し、弁済の提供は債務不履行責任から債務者を免れさせる効果を有する。

2　取立債務においては、分離せずとも口頭の提供とはなるが、特定は生じない（最判昭30.10.18・百選Ⅱ1事件参照）。

第402条　（金銭債権）

Ⅰ　債権の目的物が金銭であるときは、債務者は、その選択に従い、各種の通貨で弁済をすることができる。ただし、特定の種類の通貨の給付を債権の目的としたときは、この限りでない。

Ⅱ　債権の目的物である特定の種類の通貨が弁済期に強制通用の効力を失っているときは、債務者は、他の通貨で弁済をしなければならない。

Ⅲ　前2項の規定は、外国の通貨の給付を債権の目的とした場合について準用する。

第403条

外国の通貨で債権額を指定したときは、債務者は、履行地における為替相場により、日本の通貨で弁済をすることができる〈司共書〉。

《注　釈》

一　金銭債務の給付方法

1　金銭債権の債務者は、各種の通貨で弁済することができる（402Ⅰ）。

2　403条によれば、外国の通貨で債権額が指定された金銭債権であっても、債務者が日本の通貨で弁済することが可能である以上、債権者から債務者に対して、日本の通貨による履行を請求することも可能と解されている〈共〉。

二　債務不履行の責任

1　金銭債権においては、金銭の特定がなく、金銭の滅失も考えられないから、債務者は給付義務から免れることはなく、履行不能はない。

2　債務者の履行遅滞につき債権者は損害の発生の立証を要せず（419Ⅱ）、また、債務者は、履行遅滞が不可抗力に基づくものであっても免責されない（419Ⅲ）。　⇒ p.336

　　ex.　交通不通のために期日に履行できなかったとしても、債務者は履行遅滞の責めを免れない

第404条　（法定利率）

Ⅰ　利息を生ずべき債権について別段の意思表示がないときは、その利率は、その利息が生じた最初の時点における法定利率による〈司〉。

Ⅱ　法定利率は、年3パーセントとする。

Ⅲ　前項の規定にかかわらず、法定利率は、法務省令で定めるところにより、3年を1期とし、1期ごとに、次項の規定により変動するものとする。

債権

Ⅳ　各期における法定利率は、この項の規定により法定利率に変動があった期のうち直近のもの（以下この項において「直近変動期」という。）における基準割合と当期における基準割合との差に相当する割合（その割合に1パーセント未満の端数があるときは、これを切り捨てる。）を直近変動期における法定利率に加算し、又は減算した割合とする〈囲。

Ⅴ　前項に規定する「基準割合」とは、法務省令で定めるところにより、各期の初日の属する年の6年前の年の1月から前々年の12月までの各月における短期貸付けの平均利率（当該各月において銀行が新たに行った貸付け（貸付期間が1年未満のものに限る。）に係る利率の平均をいう。）の合計を60で除して計算した割合（その割合に0・1パーセント未満の端数があるときは、これを切り捨てる。）として法務大臣が告示するものをいう。

《注　釈》

一　意義

1　利息債権とは、利息の支払を目的とする債権をいう。これには、法律行為によって生ずる場合（約定利息）と、法律の規定によって生ずる場合（法定利息）とがある。

　　cf.　利息債権は元本債権の存在を前提として発生するものであるから、物の使用料や償却費などは利息ではない

2　利息債権には、①基本権たる利息債権（利息を生ずることを目的とする基本的な債権）と、②支分権たる利息債権（基本権たる利息債権の効果として一定期において一定額を支払うべき支分権）とがある。

　　ex.　100万円を1年間借金しその利息が年12％で月額1万円の返済約定だとすると、この約定通りの利息を支払わねばならない基本権的利息債権は元金債務が完済されるまで存続するとともに、毎月1万円ずつ支払うべき債権が支分権たる利息債権とされる

<元本債権と利息債権の関係>

	基本権たる利息債権	支分権たる利息債権
成立の付従性	あり	あり
消滅の付従性	あり	（＊）
処分の随伴性	あり	なし

＊　利息債権は元本債権から発生し、元本債権が消滅すれば、原則として全体的に消滅する（付従性あり）。元本債権が遡及的に消滅すれば、利息債権の消滅も遡及する。ただし、弁済期が到来し、すでに発生した一定額の利息債権については付従性から切断されて独立性を有するものと解する（独立して弁済でき、譲渡することもできる）〈同共。

二　利率

1　法定利率・約定利率の意義

　　金銭の消費貸借について利息をとるかどうか、利率をいくらに定めるかについ

いては、当事者の合意に委ねられているが、利息をとるという合意がない限り、民法では無利息が原則である（589Ⅰ）。一方、商法では民法の原則が修正され、商人間の金銭の消費貸借については当然に利息が生じるものとされている（商513Ⅰ）。

　法律の規定により利息が発生する場合（法定利息）において、利率につき法律に特段の定めがないときは、その利率は404条の規定する法定利率による。また、当事者の合意により利息が発生する場合（約定利息）、その利率は第一に当事者の合意によって定まる（約定利率）が、当事者が合意しなかったときは法定利率による。

　なお、約定利率については、法外な高利から債務者を保護するという趣旨から、利息制限法による制限がある。

2　法定利率の基準時

　利息を生ずべき債権（元本債権）について別段の意思表示がないときは、その利率は、「その利息が生じた最初の時点」（利息を支払う義務の履行期ではなく、利息を支払う義務が生じた最初の時点）における法定利率による（404Ⅰ）。

　　→適用される法定利率の基準時は「その利息が生じた最初の時点」であり、その後に法定利率が変動しても、支払うべき法定利率は変更されず、固定されたままである

3　法定利率の変動制

　民法は、法定利率について、変動制を基礎とする制度を採用している。

　まず、①改正民法施行時（令和2年4月1日）は年3％の法定利率から始まり（404Ⅱ）、②1期（3年）ごとに法定利率の見直しを行う（404Ⅲ）。その際、③直近変動期（変更がない場合は改正民法施行時の期）の「基準割合」と当期の「基準割合」との差をはかり、その差が1％を超えたときは、小数点以下を切り捨てて直近変動期の法定利率に加減する（404ⅣⅤ）。　⇒下記図表参照

　「基準割合」とは、「各期の初日の属する年の6年前の年の1月から前々年の12月までの各月」（過去5年間の各月）における「短期貸付けの平均利率」（当該各月において銀行が新たに行った貸付期間1年未満の貸付けに係る利率の平均、404Ⅴかっこ書）の合計を60で除して計算した割合（0.1％未満の端数切捨て）として法務大臣が告示するものをいう（404Ⅴ）。

　　→要するに、年3％の法定利率から始まり、3年ごとに、過去5年間の市中金利の平均値の新旧比較を行い、直近変動期の法定利率に1％刻みの加減をするということである

*　第2期と第4期との間でも1％の差が生じているが、法定利率が変動するの
は直近変動期（改正民法施行時）の基準割合と当期の基準割合との間に1％を
超える差が生じた場合であり、第1期と第2期及び第1期と第4期との間の差
は±0.5％しか生じていない以上、法定利率は変動しない。

三　利息制限法

1　利息制限法は、法外な高利から債務者を保護する趣旨で設けられたものであ
る。

2　利息が制限利率によって計算した金額を超える場合、その超過部分について
その利息契約は無効である（利息制限1柱書）。

3　利息制限法に定める利率を超えた利息分の支払

(1)　制限利息超過支払部分は489条により残元本に充当される（最大判昭
39.11.18参照）。

(2)　利息制限法所定の制限を超えて任意に支払を継続し、制限超過部分を元本
に充当すると、計算上元本が完済となったとき、その後に支払われた金額

は、債務が存在しないのにその弁済として支払われたものに他ならないから、不当利得（703、704）として返還請求できる（最大判昭43.11.13）。

(3)　利息を元本とともに一度に任意に支払った場合も不当利得として返還請求できる（最判昭44.11.25）。

(4)　受取証書の交付

支払が貸金業者の預金又は貯金口座に対する払込みによってなされたときであっても、特段の事情のない限り、貸金業者はその都度直ちに受取証書を債務者に交付しなければならない（最判平11.1.21）。この受取証書交付義務及びその記載事項は貸金業法で明示されたが、これを他の記載で代替できるとした内閣府令は法の委任の範囲を逸脱した違法な規定として無効である（最判平18.1.13・百選Ⅱ〔第8版〕56事件）。

(5)　期限の利益喪失特約のうち、支払期日に制限超過部分の支払を怠った場合に期限の利益を喪失するとしている部分は、利息制限法1条の趣旨に反して無効であり、支払期日に約定の元本及び利息の制限額を支払いさえすれば、制限超過部分の支払を怠ったとしても、債務者は期限の利益を喪失することはない（最判平18.1.13・百選Ⅱ〔第8版〕56事件）。

第405条　（利息の元本への組入れ）

利息の支払が1年分以上延滞した場合において、債権者が催告をしても、債務者がその利息を支払わないときは、債権者は、これを元本に組み入れることができる〈供〉。

[趣旨]債務者において著しく利息の支払を延滞しているにもかかわらず、その延滞利息に対して利息を付すことができないとすれば、債権者は、利息を使用できないため少なからぬ損害を受けることになるから、利息の支払の延滞に対して特に債権者の保護を図る趣旨に出たものである（最判令4.1.18・令4重判1事件）。

《注　釈》

▪ 重利（複利）とは、弁済期に達した利息を元本に組み入れてこれを元本の一部として利息を付することをいう。

▪ 重利の特約がない場合でも、①利息が1年以上遅滞し、②債権者から催告しても債務者がその利息を支払わないときに限り、債権者は遅滞利息を元本に組み入れることができる〈司〉。

▪ 特約による重利（約定重利）も当然有効だが、利息制限法による制限を受ける（最判昭45.4.21）。

▪ 不法行為に基づく損害賠償債務の遅延損害金は、405条の適用又は類推適用により元本に組み入れることはできない（最判令4.1.18・令4重判1事件）。

∵①　不法行為に基づく損害賠償債務は、貸金債務と異なり、債務者にとって履行すべき債務の額が定かではないことが少なくないため、債務者が遅延損害金を支払わなかったからといって、一概に債務者を責めることはできない

②　不法行為に基づく損害賠償債務については、何らの催告を要することなく不法行為の時から遅延損害金が発生するため、遅延損害金の元本への組入れ

を認めてまで債権者の保護を図る必要性も乏しい

第406条　（選択債権における選択権の帰属）

　債権の目的が数個の給付の中から選択によって定まるときは、その選択権は、債務者に属する〈同共〉。

《注　釈》

一　意義

1　選択債権とは、甲か乙かのいずれかを引き渡すことを内容とする債権をいう。
　ex.　試験に合格したら、新車を買うか旅行に連れて行く

2　甲・乙が同一種類の物であることも、特定物であることも必要ないが、個々の給付は、選択に値するだけの異なる個性を有する必要がある。

3　選択がされないと給付物が特定されず、特定されない場合は強制執行もできない。

二　選択債権の成立

　当事者の法律行為、又は法律の規定により生じる。法律の規定により生じる場合としては、無権代理人の責任（117 I）、占有者の費用償還請求権（196 II）、留置権者の費用償還請求権（299 II）、賃借人の費用償還請求権（608 II）等がある。

三　選択債権と類似の概念

1　種類債権では数個の給付が各々個性を有していない。　⇒ p.308

2　任意債権とは1個の給付を債権の本来の目的とするが、当事者が相手方の同意なくそれを他の給付に代える権利（代用権・補充権）を有するものをいう。任意債権では本来の給付が決まっており、代用の給付は補充的なものにすぎない点で選択権とは異なる。

第407条　（選択権の行使）

I　前条の選択権は、相手方に対する意思表示によって行使する。

II　前項の意思表示は、相手方の承諾を得なければ、撤回することができない〈同〉。

第408条　（選択権の移転）

　債権が弁済期にある場合において、相手方から相当の期間を定めて催告をしても、選択権を有する当事者がその期間内に選択をしないときは、その選択権は、相手方に移転する。

第409条　（第三者の選択権）

I　第三者が選択をすべき場合には、その選択は、債権者又は債務者に対する意思表示によってする。

II　前項に規定する場合において、第三者が選択をすることができず、又は選択をする意思を有しないときは、選択権は、債務者に移転する。

《注　釈》

一　選択権の行使

1　選択の意思表示（407Ⅰ）は、相手方のある単独行為であり、相手方の承諾を必要とせず、相手方に到達した時に（97Ⅰ）選択の効果を生じ、以後、給付の目的物は特定する。　→選択債権の特定（集中）という

2　選択の撤回（407Ⅱ）
いったんした選択の意思表示を撤回するには、相手方の承諾が必要となる（407Ⅱ）。なお、錯誤・詐欺・強迫によりなされた選択は、民法総則編に定める一般原則（95・96Ⅰ）により取り消しうる。

二　選択権者

1　特約のない限り債務者が有する（406）⟨同⟩。

2　当事者以外の第三者に選択させることにしてもよい（409）。その場合、当該第三者は、債権者・債務者の一方に意思表示すれば足りる。

3　選択権の移転
⑴　選択権者に対して相当の期間を定めてその間に選択せよと催告し、それにもかかわらず選択されなかった場合に、選択権が相手方に移転する（408）。

⑵　選択権を有する第三者が選択をすることができず、又は選択をする意思を有しない場合には、弁済期の到来や第三者への催告を要することなく、選択権は債務者に移転する（409Ⅱ）。

第410条　（不能による選択債権の特定）

債権の目的である給付の中に不能のものがある場合において、その不能が選択権を有する者の過失によるものであるときは、債権は、その残存するものについて存在する⟨共⟩。

《注　釈》

◆　不能による選択債権の特定

1　債権の目的である給付の中に、履行不能となった給付がある場合には、原則として、債権はその残存する給付に限定されない（410反対解釈）。

2　例外的に、「選択権を有する者の過失」により給付が不能になった場合には、債権はその残存する給付に限定される。債権者、債務者以外の第三者が選択権を有する場合も本条は適用される。
なお、残存する給付が数個あるときは、その数個の給付についての選択債権として存続する。

3　限定されない場合、選択権者は、不能となった給付を選択することができる。
⑴　選択権者が債権者であれば、履行不能による契約解除（542Ⅰ①）をすることができ、債務者に帰責事由があるときは、履行不能による損害賠償（415）を請求することができる。

⑵　選択権者が債務者であれば、履行不能となった給付を選択することができ、債権者は、履行不能による契約解除（542Ⅰ①）をすることができる。

＜不能による選択債権の特定の有無＞

選択権者 不能原因	債権者	債務者	第三者
債権者の過失	○	×	×
債務者の過失	×	○	×
第三者の過失	×	×	○
不可抗力	×	×	×

（○印は特定する）

第411条 （選択の効力）

　選択は、債権の発生の時にさかのぼってその効力を生ずる。ただし、第三者の権利を害することはできない。

《注　釈》

◆　選択の遡及効

1　選択は債権発生の時から効力を生じるので（本文）、選択された物が特定物ならそれが債権発生の時から給付の目的物であったことになる。

2　第三者が選択前に選択されるべき物を買い受けた場合

　　選択権の遡及効による物権の移転と、第三者の権利との優劣は、対抗要件をどちらが先に備えたかにより決せられる（177、178）。

　　→本条ただし書は無意味な規定

■第2節　債権の効力

《概　説》

一　総説

1　債権の内容をなす給付を債務者が任意に履行する場合

　　その履行は正当化される（債権の最小限度の効力）。

2　債権の内容をなす給付を債務者が任意に履行しない場合

　⑴　債権者は、国（裁判所）に、判決による履行を訴求でき、履行の強制（414）を求めることができる。

　⑵　履行の強制に限界がある場合（414Ⅰただし書）や債権者が履行の強制を欲しない場合には、債権者は損害賠償（415以下）による金銭的満足（417）を受けることになる。

　⑶　金銭的満足を受ける前提として、債務者の一般財産が保全されることが必要である。そのために債権者代位権（423）及び詐害行為取消権（424以下）制度が規定されている。

3　第三者によって債権が侵害され、債権の実現が阻止される場合（「第三者の債権侵害」）には、債権者は第三者に対し損害賠償請求（709）や妨害排除請求

をなしうる。

二　自然債務

自然債務とは、債務者が任意に履行をしない場合に、債権者が判決による履行を訴求しえない債務をいう⟨司⟩。

> ex.　徳義上の支払の約束にとどまる債務（カフェー丸玉女給事件）、消滅時効にかかった債務、不法原因に基づく債務（708）

三　債務と責任

1　責任なき債務

債務者に属する財産は、債権の摑取力（債権者が債務者の一般財産に対してかかっていくことのできる効力）に服し、債務の引当になるのが通常であるが、責任を伴わないあるいは制限される債務もある。このような債務は責任なき債務と呼ばれる。

> ex.　限定承認（922）、強制執行をしない旨の特約ある債務
>
> →債務につき判決を訴求しうる点で、自然債務と異なる

2　債務なき責任

責任だけあって債務のない法律関係を債務なき責任という。

> ex.　物上保証人、抵当不動産の第三取得者

四　第三者の債権侵害　⇒ p.633

1　不法行為の成否

709条の要件をみたす限り、不法行為責任が成立する（大判大 4.3.20）⟨画⟩。

∵　債権といえども権利である以上、不可侵性を備えている

2　妨害排除請求権の存否

(1)　対抗要件を備えた不動産賃貸借の不動産賃借人は、不動産賃借権に基づいて妨害排除請求権・返還請求権を行使することができる（605の4、最判昭 28.12.18・百選Ⅱ50事件等参照）。　⇒ p.554

(2)　対抗力を備えていない賃借権の場合についての明文はないが、賃貸人の所有権に基づく妨害排除請求権の代位行使（423）（大判昭 4.12.16）や、占有権に基づく占有訴権（197〜202）により救済されうる。

第1款　債務不履行の責任等

> **第412条　（履行期と履行遅滞）**
>
> Ⅰ　債務の履行について確定期限があるときは、債務者は、その期限の到来した時から遅滞の責任を負う。
>
> Ⅱ　債務の履行について不確定期限があるときは、債務者は、その期限の到来した後に履行の請求を受けた時又はその期限の到来したことを知った時のいずれか早い時から遅滞の責任を負う⟨画⟩。
>
> Ⅲ　債務の履行について期限を定めなかったときは、債務者は、履行の請求を受けた時から遅滞の責任を負う⟨画⟩。

《注　釈》

一　履行遅滞の意義

履行遅滞とは、履行が可能であるのに履行期を徒過した場合をいう。

二　履行遅滞の要件

① 債務が履行期に履行可能なこと

② 履行期が到来したこと

③ 履行しないこと

＊ 債務者は、免責事由の存在を主張・立証しなければ、責任を免れることはできない。　⇒p.329

1 ①債務が履行期に履行可能なこと

履行期に履行が不可能な場合には初めから履行不能（412の2Ⅰ）の問題となり、履行期を徒過した後に履行が不能となればその時から履行不能となる。

2 ②履行期が到来したこと

履行遅滞を生ずるには、履行期が到来することが絶対に必要だが、履行期が到来しただけで必ず遅滞になるわけではなく、債務の種類（ex.取立債務（493ただし書）の場合）や履行期の種類により差異がある。

＜遅滞に陥る時期＞

債務の種類		遅滞に陥る時期（＊1）
期限の定めのある債務	確定期限債務	原則：期限到来時（412Ⅰ） 例外：期限到来に加えて、 　① 指図証券等の場合は、証券の提示が必要（520の9、520の18、520の20） 　② 取立債務の場合は、債権者が必要な協力をすることが必要 共
	不確定期限債務	期限の到来した後に履行の請求を受けた時、又はその期限の到来したことを知った時のいずれか早い時（412Ⅱ）共
期限の定めのない債務（＊2）		履行の請求を受けた時 共書（412Ⅲ）（＊3）
	期限の定めのない消費貸借（591）	催告から相当期間経過後（591Ⅰ）共
	不法行為に基づく損害賠償債務（709）	不法行為時 同共書（＊4）

＊1　消滅時効の起算点との比較　⇒p.117

＊2　法律の規定により生ずる債務（ex.不当利得返還債務）は、原則として期限の定めのない債務である。

＊3　期限の定めのない債務は債務発生と同時に履行期が到来しているから、債権者はいつでも履行を請求できる。
→請求の到達した翌日から遅延損害金が発生する 同

＊4　不法行為と相当因果関係に立つ損害である弁護士費用の損害賠償請求権も不法行為による損害賠償債務に含まれるので、不法行為時に発生し、かつ、遅滞に陥る（最判昭58.9.6）同。

　3　③履行しないこと

　　　債務者に留置権（295）、同時履行の抗弁権（533）等、履行遅滞を正当化するような事由のある場合には、履行遅滞の責任を生じない。

　　　→自己の債務についての履行の提供が必要

　4　免責事由　⇒ p.329

三　履行遅滞の効果

　1　効果

　　①　遅延賠償（遅滞によって生じた損害の賠償）の請求

　　　→事情によっては塡補賠償（履行に代わる損害の賠償）の請求も可能
　　　　⇒ p.330

　　②　本来の給付の請求

　　③　契約から生じた債務については、契約解除権が発生する（541、542 など）

　　④　履行の強制（414 Ⅰ）

　　⑤　違約金の効力発生、担保権の実行など

　　　cf.　遅滞後は不可抗力による損害についても責任を負う（413 の 2 Ⅰ）

　2　解除しうる債務不履行　⇒ p.488

第412条の2　（履行不能）

Ⅰ　債務の履行が契約その他の債務の発生原因及び取引上の社会通念に照らして不能であるときは、債権者は、その債務の履行を請求することができない。

Ⅱ　契約に基づく債務の履行がその契約の成立の時に不能であったことは、第415条の規定によりその履行の不能によって生じた損害の賠償を請求することを妨げない〔論〕。

《注　釈》

一　履行不能の意義

　　履行不能とは、債務の履行が契約その他の債務の発生原因及び取引上の社会通念に照らして不能である場合をいう（412 の 2 Ⅰ）。

　　ex.　不動産の売主が目的物を第三者に譲渡して移転登記した場合（最判昭35.4.21）〔論〕〔論〕

　　＊　履行不能か否かは、「契約その他の債務の発生原因及び取引上の社会通念」に照らして判断されるが、この規律によって当事者の契約内容を変容させることは予定されておらず、その意味で、本条1項は、任意規定である。

　　　ex.　製作物供給契約上の特約において、ある原材料の価額が一定額以上に高騰した場合には履行不能と扱う旨が定められ、現にそのような価額の高騰が生じた場合に、契約及び取引通念に照らして判断した結果、履行不能とは認められないといったことは想定されていない

二　履行不能の要件

　　履行不能の要件は、履行が不能であることのみである。

　　→履行期の到来の有無を問わない

債
権

1　履行が不能であること

　「不能」の態様としては、次のものが挙げられる。

① 物理的不能：目的物の滅失によって履行が物理的に不可能となる場合

　　ex.　賃貸目的物の滅失（最判昭30.4.19 等）

② 法律的不能：法律上の規定により履行が不可能となっている場合

　　ex.　売買目的物の譲渡が法律で禁止された場合（大判明39.10.29）

③ 取引通念上の不能：物理的には履行可能であるが、取引通念上履行が不可能と判断される場合

　　ex.　不動産の二重譲渡がなされ、一方の買主に所有権移転登記を済ませた場合、他方の買主に対する売主の登記義務・引渡義務は履行不能となる（最判昭35.4.21 等）

　また、「不能」には、原始的不能（契約成立時において債務の履行が不能である場合）と後発的不能（契約成立時には履行が可能であり、その後に不能となる場合）のいずれも含まれる。

　そして、債務の履行が原始的不能であっても、契約は有効である〈予R5〉。

　∵ 412条の2第2項は、原始的不能の場合でも債権者に415条による損害賠償請求を認めている

　したがって、債権者は、損害賠償請求のみならず解除（542Ⅰ①）もなしうる。なお、損害賠償の範囲は、信頼利益（契約が有効であると信頼したことによって被った損害）に限らず、履行利益（債務の本旨に従った履行がなされていれば債権者が得られたであろう利益）にまで及ぶ。

2　免責事由　⇒ p.329

　履行不能が債務者の責めに帰することができない事由によるものである場合（415Ⅰただし書）、債務者は履行不能の責任を免れる。緊急避難（720Ⅱ。他人の動物の保管者が緊急避難としてこれを殺した場合など）の場合も免責事由が認められる。

三　履行不能の効果

1　債権者は、その債務の履行を請求することができない（412の2Ⅰ）。

2　履行不能が債務者の帰責事由による場合

① 債務者は、損害賠償責任を負う（415Ⅰ本文、Ⅱ柱書）。

　　→債権者は、債務の履行に代わる損害賠償（塡補賠償）を請求できる（415Ⅱ①）。この場合、契約を解除しなくても塡補賠償を請求できるが、債権者は自己の反対給付の履行を免れない〈司〉。解除して損害賠償を請求する場合には、自己の反対給付を履行せずに塡補賠償を請求することができる

② 債権者は、契約を解除することができる（542Ⅰ①）。

3　履行不能が当事者双方の帰責事由によらない場合

① 債務者は、損害賠償責任を負わない（415Ⅰただし書）。

② 債権者は、反対給付の履行を拒絶することができ（536Ⅰ）、契約を解除

することもできる（542Ⅰ①）。
4　履行不能が債権者の帰責事由による場合
　　①　債務者は、損害賠償責任を負わない（415Ⅰただし書）。
　　②　債権者は、反対給付の履行を拒絶することができず（536Ⅱ前段）、契約
　　　を解除することもできない（543）。
5　債権者は、債務者が、その債務が履行不能となったのと同一の原因により債
　務の目的物の代償である権利又は利益を取得したときは、代償請求権を取得す
　る（422の2）。　⇒p.338

第413条　（受領遅滞）

Ⅰ　債権者が債務の履行を受けることを拒み、又は受けることができない場合におい
　て、その債務の目的が特定物の引渡しであるときは、債務者は、履行の提供をした
　時からその引渡しをするまで、自己の財産に対するのと同一の注意をもって、その
　物を保存すれば足りる〈共〉。
Ⅱ　債権者が債務の履行を受けることを拒み、又は受けることができないことによっ
　て、その履行の費用が増加したときは、その増加額は、債権者の負担とする〈回〉。

［趣旨］ 受領遅滞の効果として、債務者の善管注意義務（400）が軽減されること
（413Ⅰ）、及び増加費用は債権者が負担すること（413Ⅱ）を明示することにより、
債務の本旨に従った履行の提供をした債務者と受領しなかった債権者との利害関係
を調整するものである。

《注　釈》

一　意義

　　受領遅滞とは、債務の履行につき、受領その他債権者の協力を必要とする場合
　で、債務者が債務の本旨に従った提供をしたにもかかわらず、債権者が債務の履
　行を受けることを拒んだり（受領拒絶）、又は債務の履行を受けることができない
　ため（受領不能）、履行が遅延している状態になることをいう。

二　要件

1　債務の本旨に従った履行の提供（弁済の提供）があること　⇒p.438
　　ex.　第三者が債務者の意思に反して債務を弁済することができる場合に、当
　　　　該第三者がなした履行の提供は、債務の本旨に従った履行の提供といえる
　　＊　なお、受領遅滞の効果が発生するには、履行が可能なことが前提となって
　　　　いる。したがって、履行不能と評価される場合は、もはや受領遅滞としては
　　　　処理できず、履行不能として処理される。
2　債権者が債務の履行を受けることを拒み、又は受けることができないこと
　　ex.1　使用者が工場を閉鎖して労働者の就業を拒絶すること
　　ex.2　売買契約の買主が目的物の引取を拒絶すること
　　ex.3　使用者の失火によって工場が焼失したため労働者の就業を受け容れら
　　　　　れなくなること
　⑴　「受領」とは、物理的な引取り（受取り）のことをいう。

（右側余白に縦書き）**債権**

受領拒絶・受領不能は、債務の履行につき受領その他債権者の協力が必要であることを前提とするものである。したがって、不作為債務については、受領遅滞は考えられない。

(2) 受領拒絶・受領不能について、債権者の帰責事由は不要である。

3　受領不能と履行不能

債務の履行が不能なために受領も不能になった場合、給付不能の原因が債権者と債務者のどちらの支配に属する範囲内の事由に基づくかを区別基準とする。

ex.1　病気・交通機関の途絶による就労不能の場合　→履行不能
　　∵　債務者の支配に属する範囲内の事由による

ex.2　工場の焼失による就労不能の場合　→受領不能
　　∵　債権者の支配に属する範囲内の事由による

三　効果

1　弁済提供の効果・受領遅滞の効果

＜弁済提供の効果・受領遅滞の効果＞圖

弁済提供の効果（＊）	① 履行遅滞責任を免れる（492） 　・債権者から損害賠償・遅延利息（遅延損害金）・違約金を請求されない 　・契約を解除されない 　・債権を担保するために設定されていた担保権を実行されない 　・約定利息が発生しない ② 債権者の同時履行の抗弁権（533）が消滅する
受領遅滞の効果	① 債務者の善管注意義務（400）が自己の財産に対するのと同一の注意義務へと軽減される（413 Ⅰ） ② 増加費用は債権者の負担となる（413 Ⅱ） ③ 受領遅滞中の履行不能の場合、その履行不能は債権者の責めに帰すべき事由によるものであるとみなされる（413の2 Ⅱ） 　・債権者は履行不能による損害賠償を請求できない（415 Ⅰただし書） 　・債権者は契約を解除できない（543） 　・双務契約の債権者は反対給付の履行を拒絶できない（危険の移転、536 Ⅱ本文） 　・売買その他の有償契約の債権者（買主等）は、上記に加えて追完請求・代金減額請求もできない（567 Ⅱ・559） ④ 債務者に供託権（494 Ⅰ）が発生する

＊　受領遅滞には弁済の提供が論理的に先行するので、弁済の提供の効果（492）が当然に生じる。

2　債務者からの損害賠償請求・契約解除の可否〈司R5〉

双務契約の場合、債務を受領しないような一方の債務者は、自らの債務も履行しないのが通常であるので、他方の債務者としては、債務不履行を理由に損害賠償請求や契約の解除をすれば足りる。

もっとも、一方の債務者が先履行義務を負う場合や、債権者が既に自らの債務の履行を済ませているような場合、債務者は通常の債務不履行責任を追及できない。そこで、債務者は、受領遅滞の効果として、損害賠償請求や契約解除ができないかが問題となる。

　この点について、判例は、債権者の一般的な受領義務は否定しつつ、個別の契約の事情に着目して、契約解釈や信義則を通じて個別に受領義務を認める立場に立っている。

∵① 　債権者が履行を受領しない場合における債務者の不利益については、受領遅滞制度（413）や供託制度（494）による手当てがあり、通常、債務不履行の効果までは必要とされない

② 　契約関係にある当事者は信義則（1Ⅱ）に服するとはいえ、債務者の損害賠償請求や契約解除の前提となる受領義務（債務者の給付義務に匹敵する受領義務）を、明文の規定もないのに、契約内容から離れて一般的に債権者に負わせることは困難である

　→なお、平成29年改正前民法413条は、「債権者は……遅滞の責任を負う」という一般的な規定ぶりであったため、その意味（受領遅滞の法的性質）をめぐり、債務不履行説と法定責任説とが対立していた（そのうち、債務不履行説は、一般的に債権者に受領義務を認めた上で、受領遅滞の効果として債務者からの損害賠償請求・契約解除を認めていた）。しかし、改正民法は、413条の一般的な表現を改め、受領遅滞の効果を具体的・個別的に規定する一方、債務者からの損害賠償請求・契約解除についての規定を置かなかったため、債務不履行説のように考えるのは解釈上無理があるものと解されている

　すなわち、判例は、請負契約について、債権者の受領遅滞を理由とする債務者からの契約の解除を否定する（最判昭40.12.3）〈司〉一方、採掘した鉱石を継続的に供給すべきものと定められた売買契約においては、信義則に照らして、債権者には債務者が「採掘し、提供した鉱石を引き取るべき義務があった」とした上で、債権者の「引取の拒絶は、債務不履行の効果を生ずる」としている（最判昭46.12.16・百選Ⅱ49事件）〈書〉。

　判例の立場によれば、債務者からの損害賠償請求・契約解除は、受領遅滞の効果として認められるものではなく、契約解釈又は信義則により個別に受領義務が認められる場合に、債務不履行の一般準則に従い、その違反の効果として損害賠償請求・契約解除が認められるものと解することになる。

第413条の2 　（履行遅滞中又は受領遅滞中の履行不能と帰責事由）

Ⅰ 　債務者がその債務について遅滞の責任を負っている間に当事者双方の責めに帰することができない事由によってその債務の履行が不能となったときは、その履行の不能は、債務者の責めに帰すべき事由によるものとみなす〈司〉。

Ⅱ 　債権者が債務の履行を受けることを拒み、又は受けることができない場合において、履行の提供があった時以後に当事者双方の責めに帰することができない事由によってその債務の履行が不能となったときは、その履行の不能は、債権者の責めに帰すべき事由によるものとみなす〈共〉。

[趣旨]本条1項は、履行遅滞中に、当事者双方に帰責事由がなく履行が不能になったときに、債務者に帰責事由があるものとみなすことで、履行不能を理由とする損害賠償請求権を債権者に与えるものである。

また、本条2項は、債権者が受領遅滞中に当事者双方の責めに帰することができない事由によって履行不能となった場合には、その履行不能を「債権者の責めに帰すべき事由によるものとみなす」ことにより、①債権者が契約を解除できないこと（543参照）、②双務契約の場合には、債権者は反対債務の履行拒絶をすることができないこと（536Ⅱ参照）を明示したものである。また、③債務者は、履行不能による損害賠償責任を負わないことになる（415Ⅰ）。

第414条　（履行の強制）

Ⅰ　債務者が任意に債務の履行をしないときは、債権者は、民事執行法その他強制執行の手続に関する法令の規定に従い、直接強制、代替執行、間接強制その他の方法による履行の強制を裁判所に請求することができる。ただし、債務の性質がこれを許さないときは、この限りでない。

Ⅱ　前項の規定は、損害賠償の請求を妨げない〈司〉。

[趣旨]債務者が債権者に対し債権の目的たる給付をしない場合、自力救済は禁止されていることから、国家機関が債権者の申立てによって強制的に給付を実現することとしている。なお、強制執行をしない旨の特約は有効であり、債権者は右特約に反して強制執行をすることができない（大判大15.2.24）〈司〉。

《注　釈》

一　直接強制（民執43以下、同168〜170）

国の執行機関の力により、債務者の意思にかかわりなく直接に債権内容を実現させる強制方法をいう。

＊　金銭債務は、原則として直接強制のみが認められる〈共〉。

二　代替執行（民執171）

債権者が裁判所に請求し、その裁判に基づいて、第三者（債権者でもよい）の手により債務者に代わって債権の内容を実現させ、その費用は債務者から強制的に徴収するという方法をいう。

→謝罪広告について、判例（最判昭31.7.4）は代替執行を認めている〈司〉

種類債権の履行の強制については、債権者は市場で代品を取得すればよく、代替執行になじまないので、代替執行をすることはできないと解されている〈司共〉。

三　間接強制（民執172、173）

1　債務の履行を確保するために相当と認める一定額の金銭の支払を命ずることにより債務者を心理的に圧迫して債権内容を実現させる方法をいう。

2　債権者からの申立てにより、直接強制や代替執行が可能な債務についても間接強制による強制履行が可能である（民執173Ⅰ）〈司〉。

3　債務者の人格を不当に圧迫し、人格尊重の理念に反する場合は、間接強制は認められない。

ex.1　人格尊重の見地から、妻の同居義務について間接強制は認められない（大決昭 5.9.30）

ex.2　監護親に対し非監護親が子と面会交流をすることを許さなければならないと命ずる審判において、面会交流の日時又は頻度、各回の面会交流時間の長さ、子の引渡しの方法等が具体的に定められているなど監護親がすべき給付の特定に欠けるところがないといえる場合は、当該審判に基づき監護親に対して間接強制をすることができる（最決平 25.3.28・百選Ⅲ 21 事件）

4　債務者が履行しようと思ってもすぐに実現できない内容の債務は間接強制しえない。

ex.　特殊の設備や第三者の協力を要する債務

四　意思表示の擬制（民執 177 Ⅰ）

法律行為を目的とする債務は、判決をもって債務者の意思表示に代えることができ、このことを前提に、民事執行法上も判決の確定時に債務者はその意思表示をしたものとみなされている（民執 177 Ⅰ）〈司〉。

もっとも、債務者の自由意思の尊重のため、相続放棄などの意思表示を強制することはできない〈予〉。

五　履行の強制と損害賠償（414 Ⅱ）

強制履行に関する 414 条 1 項の規定は、損害賠償の請求を妨げない（414 Ⅱ）。債務不履行に基づく損害賠償請求が強制履行にかかわらず認められることを注意的に規定したものである。

＜債務の種類と強制履行の方法の整理＞

債務の種類	強制履行の方法
引渡債務	・直接強制又は間接強制が可能〈司共〉 ・金銭債権については、原則として直接強制しか認められないが、扶養義務等に係る金銭債権についてのみ、例外的に間接強制も可能（民執 167 の 15）
代替的作為債務	・代替執行又は間接強制が可能〈司〉
不代替的作為債務	・間接強制のみ可能（＊1）
不作為債務	・代替執行又は間接強制が可能（＊2、＊3）〈司〉
意思表示をする債務	・判決をもって債務者の意思表示に代えることが可能（意思表示の擬制）〈司〉 ex.　不動産の移転登記については、判決による単独申請が可能（不登 63 Ⅰ）

＊1　不代替的作為債務のうち、夫婦の同居義務や芸術作品の創作義務等は間接強制すら許されず（414 Ⅰただし書）、債務不履行に基づく損害賠償請求ができるにとどまる〈司〉。

＊2　不作為義務の違反があっても、除去すべき有形的状態が存在しない場合や「将来のため適当な処分」（民執 171 Ⅰ②）が考えられない場合、代替執行はできない。

債権

＊3 間接強制をするには、債権者において、債務者がその不作為義務に違反するおそれがあることを立証すれば足り、債務者が現にその不作為義務に違反していることを立証する必要はない（最決平17.12.9）〈司〉。

第415条 （債務不履行による損害賠償）

Ⅰ 債務者がその債務の本旨に従った履行をしないとき又は債務の履行が不能であるときは、債権者は、これによって生じた損害の賠償を請求することができる。ただし、その債務の不履行が契約その他の債務の発生原因及び取引上の社会通念に照らして債務者の責めに帰することができない事由によるものであるときは、この限りでない。

Ⅱ 前項の規定により損害賠償の請求をすることができる場合において、債権者は、次に掲げるときは、債務の履行に代わる損害賠償の請求をすることができる。

① 債務の履行が不能であるとき。

② 債務者がその債務の履行を拒絶する意思を明確に表示したとき〈司〉。

③ 債務が契約によって生じたものである場合において、その契約が解除され、又は債務の不履行による契約の解除権が発生したとき。

《注 釈》

一 債務不履行の意義

債務不履行とは、債務者が債務の本旨に従った債務の履行をしないことをいう。

二 債務不履行に基づく損害賠償請求の要件〈司H19 司H25 予R4〉

1 総説

① 債務の存在

② 債務不履行の事実（債務の本旨に従った履行がされなかったこと）

③ 損害の発生

④ 債務不履行と損害との間の因果関係

これらの要件については債権者が主張・立証しなければならない。また、③損害が特別の事情（416Ⅱ）によって生じた場合、債権者は、債務者が債務不履行時に特別の事情を予見すべきであったことを主張・立証しなければならない。

これに対して、債務者は、債務の不履行が契約その他の債務の発生原因及び取引上の社会通念に照らして債務者の責めに帰することができない事由（免責事由）の存在を主張・立証しなければ、責任を免れることはできない。

2 ①債務の存在

契約によって債務が発生する。いかなる内容の債務を負うかは、契約解釈によって確定される。

3 ②債務不履行の事実

債務不履行には、履行遅滞、履行不能、不完全履行の3つの態様がある。

⑴ 履行遅滞 ⇒ p.320

⑵ 履行不能 ⇒ p.321

(3)　不完全履行

不完全履行とは、不完全な給付をしたことをいい、履行遅滞・履行不能のいずれにも含まれないものである。

(a)　履行過程において債権者の一般的法益に損害を与えた場合

たとえば、売買契約における売主の中心的義務は目的物の給付義務であるが、それ自体は果たしつつ、その履行過程において債権者の一般的法益を侵害した場合に債務不履行責任を追及できるのかが問題となる。

ex.　タンスの売買において、引渡しの際、売主が誤って買主宅の床（フローリング）を傷つけた場合

→契約関係にある当事者間では、契約の履行を通じて相手方の生命・身体・財産に損害を与えないという義務が当事者の合理的意思解釈によって導かれる。したがって、債務者が、この義務に違反するときは、債務不履行責任が認められる（415）

(b)　目的物の瑕疵が原因となって拡大損害が生じた場合

目的物の瑕疵自体による損害以上の損害を与えている場合、損害の全部について債務不履行責任を追及できるのかが問題となる。

ex.　鶏の売買において、売主が給付した鶏の一部が病気であったため、買主の他の鶏に病気が伝染した場合

→売買契約における売主の義務は、本来、目的物の給付義務につきるが、契約関係にある当事者間では、当該給付義務以外にも、契約の履行を通じて相手方の生命・身体・財産に損害を与えないという義務が当事者の合理的意思解釈によって導かれ、かかる義務に違反するときは債務不履行責任が認められる

4　③損害の発生

損害とは、もし加害行為がなかったとしたならばあるべき利益状態と、加害がなされた現在の利益状態との差をいう（差額説、最判昭39.1.28）。

＊　損害の種類　⇒ p.635

5　④債務不履行と損害との間の因果関係

因果関係とは、債務不履行がなければ損害が発生しなかったであろうという関係（事実的因果関係）をいう。もっとも、事実的因果関係があれば全ての損害が賠償されるわけではない。どのような損害が賠償されるか（損害賠償の範囲）については、後述する。　⇒ p.332

三　免責事由

1　意義

415条1項ただし書は、債務者の損害賠償責任の免責事由を規定するとともに、その主張・立証責任が債務者にあることも併せて示している。

この免責事由には、「契約その他の債務の発生原因及び取引上の社会通念に照らして」という文言が付加されており、免責事由の有無は契約の内容に即して捉えられるものであることを明らかにしている。すなわち、契約の場合には、

免責事由の有無は契約の趣旨に照らして判断されるのであり、「帰責事由」と「過失」を同一視する改正前民法下の従来の解釈は、改正民法下では認められない（過失責任原則の否定）。

また、「取引上の社会通念」という表現がなされている趣旨は、免責事由が契約当事者の主観的意思のみによってではなく、当該契約の性質、契約をした目的、契約締結に至る経緯その他の事情をも考慮して判断することを示すことにある。

2　履行遅滞後の履行不能

履行遅滞中に当事者双方の責めに帰することができない事由によって履行不能となった場合には、その履行不能は債務者の責めに帰すべき事由によるものとみなされる（413の2Ⅰ）。

四　履行補助者 〈司H25〉

1　履行補助者の意義

履行補助者とは、債務を履行するために債務者が履行の過程に使用した者をいう。

ex.　売買の売主が、買主に目的物を送付するに当たって、運送業者を使って送付した場合の運送業者等

2　履行補助者の行為に対する債務者の責任

履行補助者の行為に対して債務者が責任を負うか否かは、①債務不履行の有無を契約内容に即して確定する際に、履行補助者の「行為」をどのように組み込むかというレベル（本旨不履行の確定レベル）と、②債務不履行が認められた場合に、契約・取引上の社会通念に照らして債務者の免責事由の有無を判断する際の考慮要素として、履行補助者の「行為」をどのように評価するかというレベル（免責レベル）に区分して判断される。

ex.1　結果債務（ある結果の実現が保証されている債務）の場合は、免責レベルで判断される

ex.2　手段債務（ある結果の実現が保証されていない債務）の場合は、履行補助者の行為が債務の履行過程に組み込まれているかという本旨不履行の確定レベルの問題として扱う

→この場合には、①債務者が、履行補助者の行為を根拠として、損害賠償請求責任を負う場合と、②選任・指揮・監督義務違反という債務者自身の行為を根拠として、債務者が損害賠償責任を負う場合がある

五　債務不履行の効果

1　遅延賠償と塡補賠償

賠償されるべき損害は、履行が可能かどうかによって、その内容を異にする。

(1)　遅延賠償：履行の遅延を理由とする損害賠償（本来の履行と併せて請求される損害賠償）

→履行遅滞の場合に問題となる。遅延賠償は、「遅延履行＋遅延賠償」として本来の債権と価値的同一性を保つことになる

＊　履行遅滞に陥る時期（412）

cf.　履行遅滞の効果　⇒ p.321

(2)　塡補賠償：債務の履行に代わる損害賠償（415 Ⅱ参照）

→債務者が塡補賠償の責任を負うのは、次の場合である

①　債務の履行が不能であるとき（415 Ⅱ①）

cf.　履行不能の効果　⇒ p.322

②　債務者がその債務の履行を拒絶する意思を明確に表示したとき（同②）

③　債務が契約によって生じたものである場合において、その契約が解除され、又は債務の不履行による契約の解除権が発生したとき（同③）

＊　415条2項3号にいう「債務の不履行による契約の解除権が発生したとき」は、履行遅滞後に債権者が履行の催告をしたにもかかわらず、相当期間を経過してもなお債務者が履行をしなかったような場合を想定している。

2　損害賠償の範囲（416）

3　賠償方法（417）

損害を金銭に評価してその額を支払うという金銭賠償が原則とされる。

→任意規定

＊　不完全履行の場合には、追完請求権が生じる。追完請求権は、引き渡された物の修補（修補請求権）、代替品との取替え（代物請求権）、給付のやり直しなどといったさまざまな形態であらわれる。

六　追完に代わる損害賠償請求権 ◀同R2

追完に代わる損害賠償請求権の法的根拠については、以下のとおり争いがある。

A説：415条1項に基づく立場

∵①　415条2項の文言は追完に代わる損害賠償請求権を想定していない

②　415条2項3号の定める「解除権が発生したとき」でなくても、損害賠償請求権を認めるべき場合がある

B説：415条2項の適用又は類推適用に基づく立場

∵（直接適用説から）追完に代わる損害賠償も履行に代わる損害賠償の一種である

（類推適用説から）履行請求権と履行に代わる損害賠償請求権の関係は、追完請求権と追完に代わる損害賠償請求権の関係と同質である

七　請求権競合

債務不履行が同時に不法行為（709）の要件もみたす場合、それぞれに基づく損害賠償請求が認められる（請求権競合、最判昭38.11.5、最判昭44.10.17）。

ex.　借家人が失火で賃貸人所有の借家を焼いてしまったような場合

cf.　失火責任法は、債務不履行の場合には適用されない　⇒ p.632

債権

八　免責条項の有効性

　民法は、免責条項について一般的な規定を設けていない。そのため、私的自治の原則や契約自由の原則（521 参照）に照らすと、免責条項は、原則として有効であると解されている。

　もっとも、債務者の故意又は重過失による損害賠償責任をも免責する条項は、債権者の利益を一方的に害するものであり、信義則（1Ⅱ）又は公序良俗（90）に違反するものとして無効であると解されている。

　　→債務者は、一切損害賠償責任を負わない旨の免責条項がある場合でも、債務者が故意に債務を履行しなかったときには、当該免責条項による免責が認められない

第416条　（損害賠償の範囲）

Ⅰ　債務の不履行に対する損害賠償の請求は、これによって通常生ずべき損害の賠償をさせることをその目的とする。

Ⅱ　特別の事情によって生じた損害であっても、当事者がその事情を予見すべきであったときは、債権者は、その賠償を請求することができる。

[趣旨] 債務不履行と因果関係のある損害を通常損害と特別損害とに分け、前者は無条件的に、後者は特別事情を予見すべきであったことの立証があれば賠償義務が及ぶとするものである。

《注　釈》

◆　416条1項・2項の解釈（相当因果関係説）　司H24 司R5

1　416条の読み方

　本条1項は、相当因果関係の原則を定め、通常事情により通常生ずべき損害（通常損害）の賠償責任を定めたものである（大判大 7.8.27・百選Ⅱ7事件）。

　本条2項は、特別事情により通常生ずべき損害（特別損害）について、当事者に特別事情に関する予見可能性があることを前提に、当該事情を予見すべきであった場合に損害賠償の範囲に入ることを明らかにしたものである。

　　∵　416条2項は「特別の事情によって生じた損害」と規定するから、それ以外の「通常の事情によって生じた損害」は、同条1項によって賠償される。そして、416条1項は「通常生ずべき損害」と規定しており、それ以外の異常な損害については1項・2項ともに言及していないので、1項・2項ともに「通常生ずべき損害」のみが賠償される

2　予見可能性の主体及び判断時期

（1）本条2項の「当事者」とは、債務者のみをさす。

　　∵　特別事情が債務者にとって予見すべきであったと認められれば、それによって発生した損害を債務者に賠償させるほうが公平である

（2）予見可能性の判定時期は、債務不履行時である（大判大 7.8.27・百選Ⅱ7事件、大判昭 15.2.28）司書。

　　∵　これから債務不履行となる段階でどのような損害が生じるかを予測す

べきであったのならば、それを賠償すべきである

＜損害賠償額の算定基準時（判例の整理）＞

原則	履行不能の場合（＊）には、原則として、履行不能時の時価が基準となる（最判昭37.11.16）
目的物の価格が騰貴している場合	＜履行不能時に債務者が騰貴事実を予見すべきであった場合＞ 　債権者は騰貴した現在（事実審の口頭弁論終結時）の価格で損害賠償を請求することができる（最判昭37.11.16） 　∵　債務不履行がなければ、債権者は騰貴した価格のあるその目的物を現に保有しえたはずである 　→債権者が転売目的ではなく自己使用目的でその目的物の売買契約を締結した場合も同様（最判昭47.4.20・百選Ⅱ8事件）〈同〉 ＜債権者が騰貴前に目的物を他に処分したと予想される場合＞ 　債権者は騰貴した現在の価格で損害賠償を請求できない（最判昭37.11.16）
目的物の価格が一旦騰貴した後に下落した場合	＜騰貴した時に転売等により騰貴価格による利益を確実に取得したと予想される場合＞ 　債権者は騰貴した価格（中間最高価格）で損害賠償を請求できる（最判昭37.11.16）

＊　履行遅滞の場合、判例の立場は一貫しておらず、債権者が履行遅滞を理由に解除した事案においては、解除時の時価が基準となるとするもの（最判昭28.12.18・百選Ⅱ〔第8版〕8事件）がある一方、履行期の時価が基準となるとするもの（最判昭36.4.28）や、解除後に債権者が第三者と代替取引をした時点の時価が基準となるとするもの（大判大5.10.27、大判大7.11.14）もある。

《その他》

▪ 416条は不法行為の場合にも類推適用される（大連判大15.5.22）。　　⇒ p.636

第417条　（損害賠償の方法）

損害賠償は、別段の意思表示がないときは、金銭をもってその額を定める〈司共〉。

第417条の2　（中間利息の控除）

Ⅰ　将来において取得すべき利益についての損害賠償の額を定める場合において、その利益を取得すべき時までの利息相当額を控除するときは、その損害賠償の請求権が生じた時点における法定利率により、これをする。

Ⅱ　将来において負担すべき費用についての損害賠償の額を定める場合において、その費用を負担すべき時までの利息相当額を控除するときも、前項と同様とする〈司〉。

[趣旨] 本条は、改正前民法下の判例（最判平17.6.14）を踏まえ、損害賠償の算定に当たって中間利息を控除する場合には法定利率による旨を明文で定めると共に、404条が法定利率について変動制を採用しているために問題となる、中間利息の算定の基準となる法定利率の基準時を定めるものである。

債権

《注　釈》

一　中間利息の控除

将来定期的に生じると予測される不利益に対して損害賠償義務を負う場合、損害賠償の方法の1つとして、予測される将来の不利益を現在の価額に換算して一度に支払う一時金賠償方式がある。一時金賠償方式は、本来ならば定期的に支払われるべき金銭を一括して受け取る方式であるため、債権者は受け取った金銭を運用することが可能となり、これによって得た利得は不当利得となる。そのため、この利得の調整として行われるのが、中間利息の控除である。

→定期金賠償方式では中間利息の控除は不要

中間利息の計算には、「その損害賠償の請求権が生じた時点」における法定利率を用いる（417の2Ⅰ）。

→417条の2の規定は、722条1項により、不法行為による損害賠償に準用される

二　「利益」及び「費用」の具体例

1　417条の2第1項（及び同条を準用する722Ⅰ）の「将来において取得すべき利益」としては、たとえば、安全配慮義務違反によって発生した事故により生じた人身侵害に基づく逸失利益等が挙げられる。

2　417条の2第2項（及び同条を準用する722Ⅰ）の「将来において負担すべき費用」としては、たとえば、安全配慮義務違反によって発生した事故により、将来生じる介護・看護費用等が挙げられる。

三　「その損害賠償の請求権が生じた時点」

1　法定利率の基準時は「損害賠償の請求権が生じた時点」であり、債務不履行に基づく損害賠償請求権であれば、不履行時点が基準時となる。

cf.　722条1項により準用される不法行為による損害賠償の場合は、不法行為時が基準時となる

2　債務不履行に基づく損害賠償請求権の場合、中間利息の控除に用いる法定利率と遅延損害金の算定に用いる法定利率とが異なる場合が生じうる。

∵　中間利息の控除に用いる法定利率は債務不履行時（417の2Ⅰ）のものである一方、債務不履行に基づく損害賠償請求は期限の定めのない債務であるため、遅延利息の算定に用いる法定利率は損害賠償請求時（412Ⅲ、419Ⅰ本文）のものとなり、両者の基準時が異なるため

cf.　不法行為に基づく損害賠償請求の場合、損害賠償請求権は不法行為時に発生し、遅滞に陥るため、原則として、中間利息の控除に用いる法定利率も、遅延利息の算定に用いる法定利率も、共に不法行為時のものとなる

第418条　（過失相殺）

債務の不履行又はこれによる損害の発生若しくは拡大に関して債権者に過失があったときは、裁判所は、これを考慮して、損害賠償の責任及びその額を定める。

[趣旨]本条は損害賠償制度を指導する公平の原則と債権関係を支配する信義則（1

Ⅱ）とを具現化したものである。

《注　釈》
一　意義
1　過失相殺とは、債務の不履行又はこれによる損害の発生若しくは拡大に関し、債権者にも過失があったときに、裁判所が、損害賠償の責任及び賠償額を決定するに際して、債権者の過失を考慮する制度をいう。
　　＊　損害軽減義務
　　　　債務不履行が生じた場合に、債権者は損害の発生を最小限にするために積極的な行為をしなければならないという信義則上の義務をいう。学説上、損害軽減義務を過失相殺（418）との関係で論ずる見解もあるが、判例（最判平21.1.19・百選Ⅱ6事件　⇒p.555）は、損害軽減措置を怠ったことを過失相殺の問題としてではなく、「通常生ずべき損害」（416Ⅰ）の範囲を定めるに当たって考慮しており、改正民法下でも、このような損害軽減義務の位置付けに影響はないものと解されている。
2　「債権者に過失があった」とは、債権者が契約上、損害の発生・拡大を回避するために課されている措置をとらなかったことをいう。
3　本条は、適切な損害賠償額を算出するためのルールであるから、債務者の主張がなくても、裁判所は職権で過失相殺をすることができるが、債権者の過失を裏付ける具体的事実については、債務者が立証責任を負う（最判昭43.12.24）。
二　効果
　　裁判所は、責任及び額について必ず斟酌しなければならない。その上で、賠償額を軽減しうるだけでなく、事情によっては賠償責任を否定することもできる回。
　　cf.　不法行為での過失相殺（722Ⅱ）では、裁判所は賠償額を定めるにつき被害者に過失があればこれを斟酌することができる。過失相殺をするか否かは裁判所の自由裁量であるが、加害者の賠償責任そのものを全部免責することはできない（大判大9.11.26）　⇒p.656
三　損益相殺 司R5　⇒p.637
　　債務不履行は、債権者に損害を与えると同時に、利益を与え又は出費を免れさせることがある。このような場合に、その利益が債務不履行と相当因果関係に立つものである限り、これを控除した残額を賠償額としなければならないとするのが損益相殺であり、明文はないが、公平の理念から解釈上認められている。
　　ex.1　運送契約の不履行によって旅客を死亡させた運送人が、被害者が生きていたならば得られたであろう収益を賠償する場合には、生存中の生活費等を控除しなければならない（大判大2.10.20）
　　ex.2　（不法行為の場合）被保険者たる家屋所有者が家屋の焼失により保険金の支払を受けたときに、その限度で加害者に対する損害賠償請求権を失うのは、損益相殺によるものではない（最判昭50.1.31）
　　ex.3　売買の目的物である新築建物に重大な瑕疵がありこれを建て替えざるを

得ない場合において、当該瑕疵が構造耐力上の安全性にかかわるものであるため建物が倒壊する具体的なおそれがあるなど、社会通念上、建物自体が社会経済的な価値を有しないと評価すべきものであるときには、上記建物の買主がこれに居住していたという利益については、当該買主からの工事施工者等に対する建て替え費用相当額の損害賠償請求において損益相殺ないし損益相殺的な調整の対象として損害額から控除することはできない（最判平22.6.17・平22重判11事件）

第419条　（金銭債務の特則）

Ⅰ　金銭の給付を目的とする債務の不履行については、その損害賠償の額は、債務者が遅滞の責任を負った最初の時点における法定利率によって定める。ただし、約定利率が法定利率を超えるときは、約定利率による〈回〉。

Ⅱ　前項の損害賠償については、債権者は、損害の証明をすることを要しない。

Ⅲ　第1項の損害賠償については、債務者は、不可抗力をもって抗弁とすることができない。

[趣旨] 本条は、現代社会における金銭の万能的作用と極度の融通性に基づき、金銭債務の不履行に関して特則を定めたものである。

《注　釈》

一　要件に関する特則

1　債権者は、損害の証明をすることを要しない（419Ⅱ）。これは、債務不履行による損害賠償を請求するには損害の発生及び賠償額を証明しなければならないという原則に対する特則である。

2　金銭債権の債務者は、不可抗力の抗弁（415Ⅰただし書）をもって対抗することができない（419Ⅲ）〈同書〉。

3　常に履行遅滞となり、履行不能は認められない。

二　効果に関する特則

1　原則

　(1)　金銭債務の遅滞による損害賠償の額は、実際に生じた損害額いかんにかかわりなく、債務者が遅滞の責任を負った最初の時点における約定又は法定利率（404）により計算するのが原則であり、債権者は約定又は法定利率以上の実損害が生じたことを立証しても、その賠償を請求できない（最判昭48.10.11）〈同共書〉。

　(2)　法定利率より高い約定利率が定められている場合に限り、約定利率によって計算する（419Ⅰただし書）〈書〉。

2　例外

　(1)　法律に別段の定めがある場合

　　　ex.　647条、650条、669条、873条2項

　(2)　当事者間で遅延賠償の予定（420）がなされている場合

第420条 （賠償額の予定）

Ⅰ 当事者は、債務の不履行について損害賠償の額を予定することができる。

Ⅱ 賠償額の予定は、履行の請求又は解除権の行使を妨げない〈同〉。

Ⅲ 違約金は、賠償額の予定と推定する。

第421条

前条の規定は、当事者が金銭でないものを損害の賠償に充てるべき旨を予定した場合について準用する〈共書〉。

［趣旨］債務不履行の場合に債務者が賠償すべき額をあらかじめ当事者間の契約で定めておくことで、損害の発生及びその額を債権者が立証する面倒を避け、これに関する紛争を予防できるほか、債権者の迅速な損害回復に資する上に、債務者が予定された賠償額以上の責任を免れることができる。

《注 釈》

一 損害賠償額の予定（420Ⅰ）

1 意義

損害賠償額の予定とは、債務不履行の場合に債務者が賠償すべき額をあらかじめ当事者間の契約で定めておくことである。

2 効果

(1) 債権者は、債務不履行の事実さえ証明すれば、予定賠償額を請求できる（大判大11.7.26）。

(2) 特約のない限り、債務者は損害が発生しなかったとか、実損害が予定賠償額より少ないなどの主張はできない。債権者も、実損害が予定賠償額より多いとは主張できない。

賠償額の予定がある場合でも、過失相殺（418）を行うことは許される（最判平6.4.21）〈司共〉。

(3) 損害賠償額の予定がされた場合において、それが過大であった場合等に、裁判所が信義則（1Ⅱ）や公序良俗（90）等に基づき、その損害賠償額の予定条項を無効としたり、予定賠償額を減額したりすることができる。

もっとも、裁判所が予定賠償額を増額することは認められない。

また、金銭消費貸借であれば、利息制限法の制限を受ける。 ⇒ p.314

(4) 賠償額の予定がなされていても、履行の請求や解除をなしうる（420Ⅱ）〈司〉。

二 違約金（420Ⅲ）

1 意義

①債務不履行の場合に債務者が債権者に支払うべきことを約束した金銭という損害賠償の予定としての意味と、②損害は別に立証して賠償させるという違約罰としての意味がある。

2 違約金は損害賠償の予定と推定される（420Ⅲ）が、違約金が違約罰の意味をもつときは、当事者が反証して、推定を覆すことも可能である〈司〉。

第422条　（損害賠償による代位）

　債権者が、損害賠償として、その債権の目的である物又は権利の価額の全部の支払を受けたときは、債務者は、その物又は権利について当然に債権者に代位する。

[趣旨]賠償権利者をして、その損害賠償以上の利益を得させないことを目的とする。

《注　釈》

一　意義

　賠償者の代位とは、債務者が損害賠償として債権の目的である物又は権利の価額の全部を支払った場合に、債権者に代わって、その物又は権利及びこれに代わるものを法律上当然に取得することをいう。

二　要件（「物又は権利の価額の全部の支払を受けたとき」）

1　一部について賠償を受けた場合には適用がない。

2　損害賠償額全部を受ける方法は、必ずしも弁済の方法によることを要せず、弁済と同視される代物弁済（482）や相殺（505）の方法によってもよい。

三　効果（「債務者は、その物又は権利について当然に債権者に代位する」）

　債権の目的物又は権利につき、賠償者が当然に債権者の権利を取得する。

　　→譲渡行為や対抗要件は不要<司>

　cf.　422条は、不法行為についても類推適用されうる

第422条の2　（代償請求権）

　債務者が、その債務の履行が不能となったのと同一の原因により債務の目的物の代償である権利又は利益を取得したときは、債権者は、その受けた損害の額の限度において、債務者に対し、その権利の移転又はその利益の償還を請求することができる<司>。

[趣旨]本条は、判例（最判昭41.12.23・百選Ⅱ〔第8版〕10事件）・通説が公平の見地から認めている代償請求権を明文化したものである。

《注　釈》

一　具体例

①　特定物債権の目的物を第三者が故意・過失により破壊した場合

　　→債務者は引渡義務を免れるが、第三者に対して損害賠償請求権を取得したときは、債権者はその損害の限度で債務者に対してその移転を請求できる

②　建物賃貸借において、隣家からの延焼により建物が焼失した場合

　　→賃借人が火災保険金を受け取ったときには、賃貸人はその損害の限度でこれを移転することを請求できる（最判昭41.12.23・百選Ⅱ〔第8版〕10事件）<司>

二　債務者の帰責事由との関係

A説：代償請求は、債務の履行不能につき債務者に帰責事由のない場合にのみ認めれば足りる

∴　帰責性があれば債務者は損害賠償責任を負うので、あえて代償請求
を債権者に認める必要がない

B説：債務者に帰責事由のある場合でも代償請求を認めうる

∴　債権者としては債務者に対して損害賠償請求権を主張するよりも、
対象の確定的な代償請求権を行使した方が有利な場合もある

*　代償請求権の要件として、債務者に帰責事由がないことを要求するか否か
について、422条の2は、「債務者の責めに帰すべき事由」という文言を用い
ていないものの、帰責事由を不要とする立場に立ったというわけではなく、
依然として解釈に委ねられている。

第2款　債権者代位権

第423条　（債権者代位権の要件）〈行R2〉

Ⅰ　債権者は、自己の債権を保全するため必要があるときは、債務者に属する権利
（以下「被代位権利」という。）を行使することができる〈論〉。ただし、債務者の一身
に専属する権利及び差押えを禁じられた権利は、この限りでない。

Ⅱ　債権者は、その債権の期限が到来しない間は、被代位権利を行使することができ
ない。ただし、保存行為は、この限りでない。

Ⅲ　債権者は、その債権が強制執行により実現することのできないものであるときは、
被代位権利を行使することができない。

［趣旨］債権者代位権は、債務者がその財産権を行使しない場合に、債権者がその
債権を保全するために債務者に代わってその権利を行使して債務者の責任財産（一
般財産、すなわち債権者の共同担保）の維持・充実を図る制度である。強制執行と
異なり、債務名義（民執22）も不要であること、行使の際に債務者の同意が不要で
あること、執行の目的となりえない権利（ex.解除権・取消権）についても行使でき
ること等の利点がある。

《注　釈》

一　要件

1　被保全債権についての要件

①　被保全債権が存在すること（423Ⅰ本文）

②　被保全債権が弁済期にあること（423Ⅱ本文）

2　債務者についての要件

③　代位債権者が「自己の債権を保全」する必要があること（423Ⅰ本文）

④　債務者が未だ権利を行使していないこと

3　代位行使される権利（被代位権利）に関する要件

⑤　被代位権利が存在すること（423Ⅰ本文）

⑥　被代位権利が債務者の一身に専属する権利、差押えを禁じられた権利では
ないこと（423Ⅰただし書）

二 被保全債権についての要件

1 ①被保全債権が存在すること（423 I本文）
(1) 原則として、債権者代位権行使により保全されるべき債権（被保全債権）
は、金銭債権であることを要する。

∵ 債権者代位権は、「自己の債権を保全するため」（423 I本文）に認め
られる権利であり、第三債務者に対する権利行使により債務者の一般財
産が充実し、その一般財産から一般債権者として金銭的に満足を受ける
ものであるから

* なお、被保全債権が金銭債権以外でも債権者代位権が認められる場合に
ついて ⇒p.346

(2) また、詐害行為取消権と異なり、被保全債権は債権者代位権を行使する時
に存在していればよく、被代位権利の成立前に存在している必要はない（最
判昭33.7.15）〈司共〉。

(3) 被保全債権が強制執行により実現することのできないものであるときは、
被代位権利を行使することができない（423 III）。

∵ 債権者代位権は強制執行の準備を目的とする制度であるから

cf.1 単なる期待権（ex.推定相続人による被相続人の権利の代位行使）
は、被保全債権にはならない（最判昭30.12.26）〈司〉

cf.2 借地人の所有する建物の借家人は、借地人が土地の賃貸人に対して
有する建物買取請求権（借地借家13 ⇒p.550）を代位行使できない
（最判昭38.4.23）〈司書〉

∵ 建物買取請求権の行使により借地人が受ける利益は建物の代金
債権にすぎないため、借家人の賃借権は被保全債権に当たらない

cf.3 離婚によって生ずる財産分与請求権（768）は、協議あるいは審判等
によって具体的内容が形成されるまでは、被保全債権たりえない（最
判昭55.7.11）〈司予〉

∵ 財産分与請求権は、協議や審判等によって具体的内容が形成さ
れるまでは、その範囲及び内容が不確定、不明確である

2 ②被保全債権が弁済期にあること（423 II本文）
(1) 原則

債権者の債権の履行期が到来していない間は、代位権の行使は許されない
〈書〉。

∵ 債権の担保は、債務者が履行期に弁済しない場合に、はじめて債権者
がこれについて直接債権の満足を受けることができる

(2) 例外

保存行為は急いでする必要があるし、債務者に不利益を与えないため、保
存行為は弁済期前でも代位行使できるとされている（423 IIただし書）。

ex. 時効の完成猶予、未登記の権利の登記

三　債務者についての要件

1　③代位債権者が「自己の債権を保全」する必要があること（423 I 本文）

　　債権者が債務者の権利を行使しなければ自己の債権について完全な満足を受けられないおそれがあること（債務者の無資力）が必要となる。

　　∵　債務者の財産が十分にある場合は、債務者の財産管理への干渉を認める必要はないから

　　なお、債務者の無資力は、債権者がその主張・立証責任を負う（最判昭40.10.12）。

　　→債権者代位権の転用事例では不要とされる　⇒ p.346

＊　金銭債権保全のためであっても無資力要件が不要とされる場合がある。

　　ex.　BがAに土地を売却し、その代金の一部を受け取った後に死亡し、C・DがBを相続したところ、CはAから残代金の支払を受けることを望んだが、DはAへの移転登記義務の履行を拒否した場合、AからCDへの登記請求権と、CからAの残代金請求権とは、同時履行の関係に立ち、Cは、同時履行の抗弁権を失わせてAに対する代金債権を保全するため、Aの資力の有無を問わず、Aに代位して、Dに対するAの所有権移転登記請求権を行使できる（最判昭50.3.6・百選II 9事件）〈書〉

2　④債務者が未だ権利を行使していないこと

　　明文規定はないものの、債務者がすでに権利行使をしている場合には、その結果の良否にかかわらず、もはや債権者は代位権を行使できないと解されている（最判昭28.12.14）〈司〉。

　　∵　債務者の財産管理の自由をむやみに侵害しないため、債権者の干渉はなるべく必要最小限に限られるべきである

＊　なお、債務者が被代位権利を行使している場合において、債権者に残された方法としては、①詐害行為取消権を行使するか、②債務者が訴訟を提起しているときは、その訴訟に補助参加（民訴42）等をして自己の権利を保全することが考えられる。

四　代位行使される権利（被代位権利）に関する要件

1　⑤被代位権利が存在すること（423 I 本文）

(1)　債権者代位権は、債権の引当てとなる責任財産の保全（これによる強制執行の準備）を目的とする制度であるから、債務者に属する共同担保の保全に適するすべての権利が、原則として代位の客体となる。

　　ex.　損害賠償請求権、登記請求権、解除権、取消権〈予〉、第三者のためにする契約の受益の意思表示（537 II）（大判昭16.9.30）〈司〉、相殺権

(2)　債権の譲渡人による債権譲渡通知は債権者代位権の対象とならない（大判昭5.10.10）〈共書〉。この点、債権譲渡通知請求権の代位行使は認められることと区別を要する〈書〉。

2 ⑥被代位権利が債務者の一身に専属する権利、差押えを禁じられた権利では
ないこと（423 Iただし書）〈共〈予R2〉

(1) 債務者の一身専属権

ここで問題とされる一身に専属する権利とは、権利を行使するか否かが権
利者の個人的意思に委ねられるべき権利をいう（行使上の一身専属権）。

∵ 債務者の人格に対する不当な干渉を排除するため

① 身分法上の権利、身分法上の財産法的権利、権利行使が債務者の自由な
意思によって決定されるべき権利〈司〉

ex. 夫婦間の契約の取消権（754）〈子〉、財産分与請求権（768、771。た
だし、権利内容が具体化した後は代位行使可能〈百〈共予〉）、人格侵害に
よる慰謝料請求権（ただし、いったん被害者が権利を行使し具体的な
金額が確定すれば、その代位行使は可能（最判昭58.10.6）〈司予〉〈共〉、
認知請求権（787）〈司〉

② 権利行使を債務者の意思のみに委ねるのを妥当とする権利

ex. 契約の申込み・承諾、債権譲渡の通知（467 I）

cf.1 時効援用権（145）（最判昭43.9.26）〈司共書〉は代位権の目的となる

cf.2 錯誤取消権（95）も代位権の目的となる

∵ 錯誤の事実を認識しながら錯誤の主張をせず、無資力に陥って
履行をしない債務者の意思を尊重する必要性は乏しいのに対し、
債権保全の必要性は大きい

(2) 差押えを禁じられた権利

ex. 一定の割合の給料債権（民執152参照）

∵ 差押えを禁じられた権利は責任財産を構成せず、強制執行の準備とし
て無意味であるから、代位の客体とならない

五 行使方法・範囲

1 行使方法

債権者代位権は、裁判外でも裁判上でも行使できる〈書〉。

(1) 代位権の行使は、債権者が自己の名において債務者の権利を行使するので
あって、債務者の代理人として行使するのでない。

(2) 代位権行使の相手方（第三債務者等）は、債務者に対して有するすべての
抗弁（同時履行の抗弁権等）を代位債権者に対して主張できる（423の4）
〈司共〉。

∵ 相手方からすれば債務者の権利が行使されていることに変わりはない

ただし、94条2項の「第三者」には虚偽表示による無効を対抗しえない。

ex. 不動産が甲→乙→丙と譲渡された場合、甲乙間の売買が虚偽表示
で無効（94 I）でも、転得者たる丙が善意ならば丙は乙に代位して所
有権移転登記請求権を行使しうる〈百〉

(3) 他方、債権者は債務者自身が提出しうる攻撃防御方法しか主張し得ない
のが原則である〈司〉。

→第三債務者の提出した債務者に対する債権を自働債権とする相殺の抗弁に対し、代位債権者の提出することのできる再抗弁は、債務者自身が主張することのできる再抗弁事由に限定されるべきであって、債務者と関係のない、代位債権者の独自の事情に基づく抗弁を提出することはできない（最判昭54.3.16）〈司〉

(4)　債権者は債務者に代位して、債権の取立て、登記の申請、担保権の実行、訴訟の提起、強制執行等をなしうる。

この場合、代位債権者は、被代位権利を行使するに当たり、善管注意義務を負う〈共〉。

∵　代位債権者と債務者の間に法定委任の関係が生じる

2　範囲

債権者は、被代位権利の目的が可分であるときは、自己の債権の額の限度においてのみ、被代位権利を行使することができる（423の2）。

六　代位債権者の請求内容

1　債権者は、被代位権利が金銭の支払又は動産の引渡しを目的とするものであるときは、相手方に対し、その支払又は引渡しを自己に対してすることを求めることができる（423の3前段）。

∵　債務者が相手方からその物を自発的に受け取らないときは、代位権行使の目的が達成されない

→ただし、債務者が第三債務者に対して有する所有権移転登記請求権を債権者が代位行使する場合（423の7参照）、債権者は、第三債務者から直接自己への移転登記を求めることはできず、債務者への移転登記を請求できるにすぎない

423条の3前段の場合において、相手方が債権者に対してその支払又は引渡しをしたときは、被代位権利は消滅する（423の3後段）。

2　423条の3により、金銭を受領した代位債権者は、自らに対する債務者の受領金返還請求権と債務者に対する被保全債権（金銭債権）とを相殺することにより、他の債権者に優先して自己の被保全債権を回収することができる（事実上の優先弁済）。

もっとも、423条の5により、債権者代位権の行使を受けた相手方であっても、債務者に対して債務を履行することが可能であり、債務者自身も自ら取立てをすることができる。そして、債務者が相手方からの債務の履行を受領することで、被代位権利は消滅するから、このような場合、代位債権者による被保全債権の事実上の優先弁済は達成できなくなる。

七　効果

債権者が債務者に代位して債務者の権利を行使した効果は、直接債務者に帰属し、総債権者の共同担保となる。

→債権者代位権を行使した債権者は、他の債権者に対して優先弁済権を持たず、他の債権者と平等に分配を受ける

＜債権者代位権の効果＞

債務者への効果の帰属	債権者が債務者の権利を代位行使すると、その効果は直接債務者に帰属する →債権者が優先弁済を受けるためには、あらためて①債務者から任意弁済を受けるか、又は②債務名義に基づいて強制執行手続を経なければならない →ただし、代位行使した債権の目的物が金銭である場合は、債権者は相殺によって事実上優先弁済を受け得る（423の３）
時効の完成猶予・更新	・債権者Aの代位により、債務者Bの第三債務者Cに対する債権（被代位権利）の時効は完成猶予（147Ⅰ①）、更新（同Ⅱ）されうる ・これに対して、AのBに対する債権（被保全債権）の時効は完成猶予・更新されない
費用償還請求権	代位債権者は債権者代位権の行使に要した費用の償還請求権を有する →一種の法定委任関係に基づく費用償還請求権（650Ⅰ）と解する見解や、事務管理に基づく費用償還請求権（702）と解する見解がある →この費用は、共同担保の保全のための共益費用であるから、債権者は債務者の総財産上に先取特権を有する（306①、307）
代位訴訟の判決の効力	代位権行使が訴訟によって行われた場合、判決の既判力は、債務者にも及ぶ（法定訴訟担当、民訴115Ⅰ②） ∵ 代位して訴訟をする債権者もまた債務者のために訴訟を管理する権限がある →債務者に訴訟に関与する機会を保障（手続保障）すべく、債権者は、被代位権利の行使に係る訴えを提起したときは、遅滞なく、債務者に対し、訴訟告知をしなければならない（423の６）

八　債権者代位権の転用　⇒p.346

第423条の２　（代位行使の範囲）

　債権者は、被代位権利を行使する場合において、被代位権利の目的が可分であるときは、自己の債権の額の限度においてのみ、被代位権利を行使することができる。

[趣旨] 本条は、判例法理（最判昭44.6.24・百選Ⅱ〔第8版〕11事件）と同様の準則であり、債権者による債務者の財産管理への介入は抑制的であるべきである、という視点に立つものである。

第423条の３　（債権者への支払又は引渡し）

　債権者は、被代位権利を行使する場合において、被代位権利が金銭の支払又は動産の引渡しを目的とするものであるときは、相手方に対し、その支払又は引渡しを自己に対してすることを求めることができる。この場合において、相手方が債権者に対してその支払又は引渡しをしたときは、被代位権利は、これによって消滅する。

［趣旨］本条は、被代位権利が金銭の支払又は動産の引渡しを目的とするものである場合、代位債権者が債権者代位権を行使しても、債務者がこれらの受領を拒否すると、債権者代位権の目的が達成できないため、代位債権者に直接取立権・受領権を認めるべきであるという、判例（最判昭29.9.24）・通説の考え方を明文化したものである。

第４２３条の４ （相手方の抗弁）〈同書〉

　債権者が被代位権利を行使したときは、相手方は、債務者に対して主張することができる抗弁をもって、債権者に対抗することができる。

［趣旨］本条は、債権者代位権の行使を受けた相手方が、代位債権者に対して、自らが債務者に対して主張できる抗弁（相殺、同時履行、権利の消滅等）をもって対抗することができる旨定めたものである。これは、被代位権利の相手方からみれば、債務者の権利が行使されていること自体に変わりはないからであり、判例（大判昭11.3.23）・通説の考え方を明文化したものである。

　他方、本条は、相手方が代位債権者に対して有する固有の抗弁をもって、代位債権者に対抗することができないことも含意している（債権者代位権に基づいて行使される被代位権利は、債務者の相手方（第＝債務者）に対する権利であるため。最判昭54.3.16参照）。

第４２３条の５ （債務者の取立てその他の処分の権限等）〈共〉

　債権者が被代位権利を行使した場合であっても、債務者は、被代位権利について、自ら取立てその他の処分をすることを妨げられない〈改〉。この場合においては、相手方も、被代位権利について、債務者に対して履行をすることを妨げられない。

［趣旨］債権者による債権者代位権の行使は、差押えと同様の効果を生ずるものではないが、それにもかかわらず、債務者の被代位権利に係る処分権限が制限されるとすると、債務者の地位が著しく不安定となる。そこで、本条は、債権者が被代位権利を代位行使した場合であっても、債務者の被代位権利に係る処分権限は制限されない旨規定したものである。

《注　釈》

- 債権者代位権の行使を受けた相手方は、債務者に対して履行することができ、債務者がその履行を受領すれば、たとえ代位債権者が債権者代位訴訟において直接弁済をすべき旨の勝訴判決を取得・確定しても、その権利は消滅する。
- ある債権者が代位行使しても、債務者の処分権限に対する制限がないのであるから、他の債権者は、被代位権利を差し押さえたり、又は代位行使したりすることが可能である。

第４２３条の６ （被代位権利の行使に係る訴えを提起した場合の訴訟告知）〈共〉

　債権者は、被代位権利の行使に係る訴えを提起したときは、遅滞なく、債務者に対し、訴訟告知をしなければならない。

[趣旨]債権者代位訴訟を提起した代位債権者は、いわゆる法定訴訟担当（民訴115Ⅰ②参照）であり、その判決の効力は債務者に対しても及ぶ。そこで、債務者の債権者代位訴訟に関与する機会を保障（手続保障）するために、本条は、代位債権者に対して、遅滞なく債務者に訴訟告知をする義務を負わせたものである。

第423条の7　（登記又は登録の請求権を保全するための債権者代位権）

登記又は登録をしなければ権利の得喪及び変更を第三者に対抗することができない財産を譲り受けた者は、その譲渡人が第三者に対して有する登記手続又は登録手続をすべきことを請求する権利を行使しないときは、その権利を行使することができる〈類〉。この場合においては、前3条の規定を準用する。

[趣旨]本条は、責任財産の保全を目的としない債権者代位権（いわゆる転用型）として、登記・登録請求権を被保全債権とする場面のみを定めている。もっとも、この場合以外の転用型の債権者代位権を否定する趣旨ではなく、今後の解釈に委ねる趣旨である。

《注　釈》

◆　**債権者代位権の転用**

本条は、423条の4（相手方の抗弁）・423条の5（債務者の取立てその他の処分の権限等）・423条の6（被代位権利の行使に係る訴えを提起した場合の訴訟告知）の規定を準用する。

なお、本条は、転用型の場面を規定しているため、その性質上、代位行使の範囲（423の2）及び債権者への支払又は引渡し（423の3）に関する規定は適用されない。登記を直接自己に移転すべき旨（中間省略登記）を請求することもできない〈同〉。また、債務者の無資力要件は不要である（最判昭50.3.6・百選Ⅱ9事件）。

＜債権者代位権の転用＞

	被保全債権	事　案	判　例
非金銭債権保全への転用	登記請求権〈司書〉（＊）	不動産がA→B→Cと譲渡されたが、登記が未だAの下にある	Cが、C→Bに対する登記請求権を被保全債権として、B→Aに対する登記請求権を代位行使することを認めた（大判明43.7.6・百選Ⅱ〔第7版〕14事件）
	賃借権（土地の使用収益を受ける債権）〈司〉	BがAから賃借していた土地上に、Cが勝手に建物を建て、その土地を不法に占拠している場合に、土地所有者AがCに対して土地明渡請求権を行使しない	BのAに対する賃貸借契約上の債権（使用収益を受ける債権）を被保全債権として、土地所有者AのCに対する土地明渡請求権の代位行使を認めた（大判昭4.12.16）

	被保全債権	事　案	判　例
非金銭債権保全への転用	債権譲渡通知請求権	Aの甲に対する債権が、A→B→Cと譲渡されたが、甲に対して債権譲渡の通知がなされない	CはBに代位して、Aに対し、Bへの譲渡を甲に通知すべき旨を訴求できるとした（大判大8.6.26）〈書〉
	担保価値維持請求権〈同〉	抵当権の目的物が第三者により不法に占拠されている	所有者の不法占拠者に対する妨害排除請求権を抵当権者は代位行使することができる（最大判平11.11.24）
金銭債権保全への転用（特殊例）	共同相続人の代金債権〈同〉	BはAに土地を売却し、その代金の一部を受け取った後に死亡し、CDがBを相続した。CはAから残代金の支払を受けることを望んだが、Dは、Aへの移転登記義務の履行を拒否した	A→C・Dの登記請求権とC→Aの残代金請求権とは同時履行の関係に立つとし、Cは同時履行の抗弁権を失わせてAに対する代金債権を保全するため、Aの資力の有無を問わず、Aに代位して、相続人Dに対するAの所有権移転登記手続請求権を行使できるとした（最判昭50.3.6・百選Ⅱ9事件）

*　登記・登録請求権を被保全債権とする債権者代位権の転用については、423条の7が明文で規定している。

債
権

第3款　詐害行為取消権

《概　説》

　民法は、相手方が受益者の場合と転得者の場合とを区別して、全体の規律を構成している（424、424の5）。このような構成を採用したのは、①転得者は債務者の詐害行為の直接の相手方ではなく、債務者の経済状況等について知り得る立場にはないこと、②受益者と転得者とでは利害状況が異なることを考慮したことによる。
　詐害行為取消権においては、債務者の責任財産を保全する必要性、債務者が自己の財産を管理する自由という債権者代位権で問題となる要素に加えて、債権回収や受益者・転得者の取引の安全についても考慮する必要がある。このことから、債権者代位権とは異なり、「転用」という考え方は採り得ない。

第1目　詐害行為取消権の要件

第424条　（詐害行為取消請求）〈同R4　予R2〉

Ⅰ　債権者は、債務者が債権者を害することを知ってした行為の取消しを裁判所に請求することができる。ただし、その行為によって利益を受けた者（以下この款において「受益者」という。）がその行為の時において債権者を害することを知らなかったときは、この限りでない。

Ⅱ　前項の規定は、財産権を目的としない行為については、適用しない。

Ⅲ　債権者は、その債権が第1項に規定する行為の前の原因に基づいて生じたものである場合に限り、同項の規定による請求（以下「詐害行為取消請求」という。）をすることができる。

Ⅳ　債権者は、その債権が強制執行により実現することのできないものであるときは、詐害行為取消請求をすることができない。

[趣旨]詐害行為取消権は、債務者が債権者の債権回収を困難にするほど責任財産を減少させる行為（詐害行為）を相手方と行った場合に、その詐害行為を取り消し、債務者の責任財産から逸失した財産の回復を相手方に求めることができる債権者の権利である。本条の趣旨は、強制執行ができる状態を作出すること、すなわち責任財産を減少させる債務者の行為を否認することで、責任財産の回復を図り、後に続く強制執行に備える点にある。

　本条2項は、詐害行為取消権の目的が責任財産の保全にある以上、財産権を目的としない行為は詐害行為取消権の対象とならないことを定めたものである。

　本条3項は、被保全債権が詐害行為の前の原因に基づいて生じたものである場合には、債権者はその「原因」の時点における責任財産による引当てを期待していたといえるので、詐害行為取消請求をすることができる旨定めるものである。

　本条4項は、詐害行為取消権が強制執行の準備を目的とするものである以上、強制執行により実現できない債権（不執行の合意のある債権〈圖〉、夫婦の同居義務(752)等）を保全するために詐害行為取消請求をするのは不適切であるという観点から規定されたものであり、423条3項と同趣旨のものである。

《注　釈》
一　債権者側の要件
①　被保全債権が存在すること
②　被保全債権の発生原因が詐害行為前に成立したこと（Ⅲ）

1　①被保全債権が存在すること

(1)　被保全債権は金銭債権であり、原則として特定物債権は被保全債権とならない。

(2)　しかし、特定物債権（特定物の引渡しを目的とする債権）といえども、その目的物を債務者が処分することにより、その債務者が無資力となった場合には、当該特定物債権者は、右処分行為を詐害行為として取り消すことができる（最大判昭36.7.19・百選Ⅱ12事件）〈共〉〈司R4〉。

　∵　特定物債権も、究極において損害賠償債権に変じうるから、債務者の一般財産により担保されなければならないことは金銭債権と同様である

　→特定物債権者が詐害行為取消請求をするためには、行使時点までに、特定物債権の内容が損害賠償請求権になっていなければならない〈圖〉〈書〉

(3)　質権や抵当権のような物的担保を伴う債権については、優先弁済権が保障されているため、担保物の価額が債権額に不足する限度においてのみ取消請求が認められる。

　債務者以外の物上保証や優先弁済権の保障されない人的担保を伴う債権については、債権全額について取消請求が認められる。

(4)　被保全債権は、強制執行可能な債権でなければならない（Ⅳ）。

2　②被保全債権の発生原因が詐害行為前に成立したこと（Ⅲ）

(1)　「詐害行為の前の原因」に当たるためには、被保全債権の発生原因の全部が詐害行為の前に備わっている必要はなく、その主たる発生原因が備わっていれば足りる。

ex.1　詐害行為以前に発生原因が存在する債権で詐害行為当時履行期が未到来のもの〈書〉

ex.2　詐害行為以前に締結された保証契約に基づく事後求償権（459・462参照）

ex.3　調停により将来発生することとなった婚姻費用分担請求権（最判昭46.9.21）

(2)　詐害行為となる不動産の譲渡行為が取消権者の債権成立前になされた場合であっても、それが債権者の債権の発生原因よりも後になされたものであれば、その不動産の譲渡は詐害行為となり得る。

(3)　詐害行為後に債権が譲渡されても、譲受人は取消請求ができる。

∵　債権は同一性を保ったまま移転する

cf.　被保全債権が譲渡された場合、詐害行為取消権も譲受人に移転する

∵　詐害行為取消権は害された特定の債権につき発生するものである

(4)　詐害行為後に、旧来の債権を目的として準消費貸借（588）がなされても、準消費貸借の債権者は詐害行為を取り消しうる（最判昭50.7.17）。

∵　両債権は同一性を有する

二　債務者側の要件

1　客観的要件

③　債務者の無資力

④　財産権を目的とする行為（Ⅱ参照）

(1)　③債務者の無資力

共同担保である責任財産を減少させ、総債権者に完全な弁済をなしえない状態に陥ることが必要である。

債務者の無資力は詐害行為時と取消権行使時（厳密には事実審の口頭弁論終結時）の双方の時点で必要となる（大判大 15.11.13）〈司書〉。

∵　行為当時において無資力であっても、詐害行為取消権を行使した時点で資力が回復していれば責任財産の状態は債権者にとって十分であり、債権者による債務者の財産管理権への介入は無意味である

債権者は、詐害行為時に債務者が無資力であったことを主張・立証すれば足り、受益者・転得者は、取消請求時までに債務者の資力が回復していることを抗弁として主張・立証しなければならない（大判大 5.5.1）〈共〉。

ex.1　債務者が現在無資力であっても、法律行為の当時に資力を有していたときは、当該法律行為を取り消しえない

ex.2　債務者が第三者に債権者を害する贈与（549）をしても、後に資力を回復した場合は、贈与を取り消しえない

(2)　④財産権を目的とする行為（Ⅱ参照）

(a)　身分行為は取消請求の目的とならない。

　　　離婚に伴う財産分与については、768条3項の趣旨に反して不相当に過大であり、財産分与に仮託してなされた財産処分であると認められるような特段の事情のない限り、詐害行為とはならない（最判昭58.12.19）〈司予書〉〈予H30〉。離婚に伴う財産分与としての金銭給付の合意がなされた場合、前述のような特段の事情があるときは、不相当に過大な部分についてその限度において詐害行為となる（最判平12.3.9・百選Ⅲ19事件）〈共予〉。

cf.1　離婚に伴う慰謝料支払について、当該配偶者が負担すべき損害賠償義務の額を超えた金額の慰謝料を支払う旨の合意がなされた場合、債務の額を超えた部分についてその限度において詐害行為となる（最判平12.3.9・百選Ⅲ19事件）

cf.2　相続放棄（938）は詐害行為取消権行使の対象とならないが（最判昭49.9.20）〈司共〉、遺産分割協議（907Ⅰ）は取消権行使の対象となりうる（最判平11.6.11・百選Ⅲ76事件）〈司共書〉

(b)　法律行為のほか、準法律行為も取消請求の対象となる。もっとも、あらゆる行為が含まれるわけではなく、法律行為に準じて判断される。

　　ex.　債務免除等の単独行為、会社の設立等の合同行為、債務の承認

　　　　＊　新設分割（会社2㉚）について、新設分割によって設立された株式会社にその債権に係る債務が承継されず、新設分割について異議を述べることもできない新設分割株式会社の債権者は、詐害行為取消権を行使して新設分割を取り消すことができる（最判平24.10.12・平24重判6事件）。

　　cf.　債権譲渡の通知（467）について、債権譲渡行為自体が詐害行為を構成しない場合には、譲渡の通知のみを切り離して詐害行為として取り消すことはできない（最判平10.6.12・百選Ⅱ14事件）〈司共〉

(c)　無効の行為も取消請求の対象となる（大判昭6.9.16参照）。　　⇒ p.355

＜詐害行為取消しの対象となる行為の整理＞

取り消しうる行為		
	財産権を目的とする行為	契約、単独行為（権利の放棄、債務の免除・承認）、遺産分割協議（最判平11.6.11・百選Ⅲ76事件）
	財産減少の効果を伴う準法律行為	催告、時効更新のための債務の承認（152Ⅰ）
	法律行為をしたと同様の効果が与えられる場合	追認・追認拒絶がなされたとみられる場合 ex.　法定追認の効果を生じる行為（125各号）、意思表示に代わる判決（民執177参照）
	裁判上の法律行為	裁判上の和解、相殺、請求の放棄・認諾

取り消しえない行為	**債務者の自由意思に委ねられるべき行為**	債務者の不作為や労務を目的とする法律行為、贈与や遺贈を拒絶する行為
	身分行為	婚姻（739）、養子縁組（799）、相続の承認・放棄（915） cf. 離婚による財産分与（768）については、不相当に過大であり、財産分与に仮託してされた財産処分であると認めるに足りるような特段の事情があれば、その不相当に過大な部分の限度において、取消しの対象となる
	強制執行により実現することのできない債権	424条4項、民事執行法152条等

2　主観的要件（詐害意思、Ⅰ本文）

　　債務者の行為が「債権者を害することを知って」なされたことを要する。もっとも、「必ずしも害することを意図しもしくは欲し」たことまでを要しない（最判昭35.4.26）〈司〉。

3　行為の詐害性〈司H23〉

　　詐害行為の成否の判断は、客観的・主観的要件を相関的に判断して行う〈通〉。

　　→客観的に行為の詐害性が弱ければ主観的には債権者を害する意図まで必要となるが、客観的に行為の詐害性が強ければ主観的には債務超過の認識で足りる

　(1)　不動産その他の財産の譲渡

　　(a)　無償又は不当な廉価で譲渡した場合には詐害行為となる。

　　(b)　不動産の売却　⇒ p.352

　(2)　弁済・代物弁済

　　(a)　弁済は原則として詐害性はないが、①債務者が支払不能の時になされた場合（424の3Ⅰ①）、又は②債務者と受益者とが通謀して他の債権者を害する意図をもって行われた場合（424の3Ⅰ②）に詐害行為となる。

　　(b)　代物弁済（482）　⇒ p.353, 354

　(3)　担保設定行為　⇒ p.353

三　受益者側の要件

　　受益者が受益行為時に「債権者を害すべき事実」を知っている場合に限り、詐害行為取消請求をなし得る（Ⅰただし書）。もっとも、この要件については、転得者を相手方とする詐害行為取消請求の場合と異なり（424の5参照）、善意であること（債権者を害することを知らなかったこと）について、受益者側が主張・立証しなければならない〈趣〉。受益者は、受益の時点において善意であれば、その後に詐害の事実を知ったとしても、詐害行為取消請求を受けることはない。

四　転得者側の要件　⇒ p.354

五　詐害行為取消請求の方法

　　債権者は、詐害行為の取消しを「裁判所に請求」して行う（424Ⅰ本文、424

の5）。具体的には、訴え（反訴）を提起して行わなければならず、抗弁として行使することはできない（最判昭39.6.12）。

∵① 裁判所にその要件の充足の有無を判断させる必要がある
② 取消しの効果を判決主文で明確に示すことが適当である

第424条の2 （相当の対価を得てした財産の処分行為の特則）

債務者が、その有する財産を処分する行為をした場合において、受益者から相当の対価を取得しているときは、債権者は、次に掲げる要件のいずれにも該当する場合に限り、その行為について、詐害行為取消請求をすることができる。

① その行為が、不動産の金銭への換価その他の当該処分による財産の種類の変更により、債務者において隠匿、無償の供与その他の債権者を害することとなる処分（以下この条において「隠匿等の処分」という。）をするおそれを現に生じさせるものであること。
② 債務者が、その行為の当時、対価として取得した金銭その他の財産について、隠匿等の処分をする意思を有していたこと。
③ 受益者が、その行為の当時、債務者が隠匿等の処分をする意思を有していたことを知っていたこと。

[趣旨] 本条は、相当の対価を得て行った財産の処分行為について、原則としてその詐害行為性を否定する一方、本条各号の掲げる要件の全てを満たす場合に限り、例外的に詐害行為取消請求の対象となる旨を規定するものである。

《注 釈》
一 要件

1 債務者が受益者から相当の対価を取得していること（柱書）。
　　→相当の対価については、処分行為時における当該財産の適正な市場価格に基づき算定されるため、処分の後に目的物の価格が上昇したとしても詐害行為とは評価されない

2 財産処分行為が、不動産の金銭への換価その他の当該処分による財産の種類の変更により、債務者において隠匿等の処分をするおそれを現に生じさせるものであること（①）。
　　→隠匿等の処分をする「おそれ」の程度としては、「現に」、すなわち具体的な危険性が認められる程度のものでなければならない

3 債務者が、その行為の当時、対価として取得した金銭その他の財産について、隠匿等の処分をする意思を有していたこと（②）。
　　→「隠匿等の処分をする意思」とは、当該行為が責任財産を減少させる効果を有することの認識（一般的な詐害意思）に加え、処分の対価等を隠匿するなどして債権者の権利実現を妨げる意思のあることをいう

4 受益者が、その行為の当時、債務者が隠匿等の処分をする意思を有していたことを知っていたこと（③）。
　　→この要件は、受益者の悪意の要件（424 Ⅰただし書）と重複するものの、これを主張・立証するのは取消債権者側であるという点で、受益者の悪意

の要件と異なる

二　その他

　新たな借入れとそのための担保設定行為の詐害性の有無は、当該行為が経済的には担保の目的物を売却して資金調達をしたのと同様の実態を有することから、本条によって処理される。

第424条の3　（特定の債権者に対する担保の供与等の特則）

Ⅰ　債務者がした既存の債務についての担保の供与又は債務の消滅に関する行為について、債権者は、次に掲げる要件のいずれにも該当する場合に限り、詐害行為取消請求をすることができる〈同書〉。

①　その行為が、債務者が支払不能（債務者が、支払能力を欠くために、その債務のうち弁済期にあるものにつき、一般的かつ継続的に弁済することができない状態をいう。次項第1号において同じ。）の時に行われたものであること。

②　その行為が、債務者と受益者とが通謀して他の債権者を害する意図をもって行われたものであること。

Ⅱ　前項に規定する行為が、債務者の義務に属せず、又はその時期が債務者の義務に属しないものである場合において、次に掲げる要件のいずれにも該当するときは、債権者は、同項の規定にかかわらず、その行為について、詐害行為取消請求をすることができる。

①　その行為が、債務者が支払不能になる前30日以内に行われたものであること。

②　その行為が、債務者と受益者とが通謀して他の債権者を害する意図をもって行われたものであること。

[趣旨] 本条は、偏頗行為（特定の債権者を利する行為）についても、債務者による出捐と同額の債務の消滅をもたらすものであって、計数上、責任財産を減少させるものではないことを理由に、原則として詐害行為に当たらないことを規定しつつ、詐害行為取消請求の対象となるための例外要件を定めたものである。

《注　釈》

◆　要件

1　既存の債務についての担保の供与又は債務の消滅に関する行為（偏頗行為）が、債務者が支払不能状態に陥った時に、債務者と受益者とが通謀して他の債権者を害する意図をもって、債務者により行われたこと（Ⅰ①②）。

　　∵　支払不能状態に陥る前の時点では、弁済等は債務者にとっては義務の履行であり、債権者にとっては権利の行使であるため、債権者間の平等を確保する必要性は生じない

2　偏頗行為が、債務者の義務に属せず、又はその時期が債務者の義務に属しないものである場合において、債務者が支払不能になる前30日以内に、債務者と受益者とが通謀して他の債権者を害する意図をもって、債務者により行われたこと（Ⅱ①②）。

　　「債務者の義務に属せず、又はその時期が債務者の義務に属しないもの」とは、非義務行為といわれ、①代物弁済のように、債務者のした債務消滅行為が

債
権

債務者の義務に属さない場合、又は②期限前弁済のように、その時期に当該行為をすることが債務者の義務に属さない場合をいう。

第424条の4 （過大な代物弁済等の特則）

債務者がした債務の消滅に関する行為であって、受益者の受けた給付の価額がその行為によって消滅した債務の額より過大であるものについて、第424条に規定する要件に該当するときは、債権者は、前条第1項の規定にかかわらず、その消滅した債務の額に相当する部分以外の部分については、詐害行為取消請求をすることができる《司書》。

[趣旨]本条は、たとえ債務者が債務の消滅に関する行為をした場合であっても、受益者の受けた給付の価額が当該行為によって消滅した債務額よりも過大であり、かつ424条所定の要件を満たすときは、その超過部分について詐害行為取消請求をすることができる旨定めたものである。

《注 釈》

- 本条の適用場面としては、代物弁済が行われた場合や、債務者が所有する財産を第三者に適正価格で売却し、その売却代金を弁済に充てる場合等がある。なお、代物弁済は非義務行為（424の3Ⅱ）でもあるから、424条の3第2項所定の要件が満たされれば、代物弁済が過大かどうかを問わず、代物弁済全体を取り消すことができる。

第424条の5 （転得者に対する詐害行為取消請求）《司R4》

債権者は、受益者に対して詐害行為取消請求をすることができる場合において、受益者に移転した財産を転得した者があるときは、次の各号に掲げる区分に応じ、それぞれ当該各号に定める場合に限り、その転得者に対しても、詐害行為取消請求をすることができる。

① その転得者が受益者から転得した者である場合 その転得者が、転得の当時、債務者がした行為が債権者を害することを知っていたとき《書》。

② その転得者が他の転得者から転得した者である場合 その転得者及びその前に転得した全ての転得者が、それぞれの転得の当時、債務者がした行為が債権者を害することを知っていたとき《司》。

[趣旨]本条は、受益者からの転得者を詐害行為取消請求の相手方とする場合の要件を、受益者を相手とする場合に比して限定し、取引の安全を確保する趣旨に出たものである。

《注 釈》

一 要件

1 受益者に対する詐害行為取消請求が認められるための要件が満たされていること《共》。

→受益者の悪意も必要

2 ①受益者からの転得者を詐害行為取消請求の相手方とする場合には、その転

得者が、転得の当時、債務者がした行為が債権者を害することを知っていたこと（424の5①）。

　　→受益者の悪意について知っていることは要求されていない

　　②転得者からの転得者を詐害行為取消請求の相手方とする場合には、当該転得者及びその前のすべての転得者（中間転得者）が、それぞれの転得の当時、債務者がした行為が債権者を害することを知っていたこと（424の5②）。

　　→前の転得者の悪意について知っていることは要求されていない

二　その他

1　債務者の行為が虚偽表示（94Ⅰ）であることについて、転得者が善意の第三者（94Ⅱ）に当たるとしても、転得者が詐害の事実につき悪意である場合には、当該行為を詐害行為として取り消すことができる（大判昭6.9.16）〈共〉。

2　①の転得者及び②の転得者及び中間転得者の悪意については、取消債権者側が主張・立証しなければならない。

　　cf.　受益者を相手取って詐害行為取消請求をする場合は、受益者側が自己の善意を主張・立証しなければならない

3　転得者が債務者の親族、同居者、取締役、親会社その他の債務者の内部者であったときは、当該転得者は、その転得の当時、債務者がした受益者との間の行為について債権者を害すべき事実を知っていたものと推認される（悪意の推認）。

＜受益者・転得者の要件＞

受益者	転得者	効果
善意	善意	受益者・転得者いずれに対しても請求不可
善意	悪意	受益者・転得者いずれに対しても請求不可
悪意	善意	受益者に対してのみ請求可（価額償還）〈書〉 転得者の所有権には影響なし
悪意	悪意	受益者に対して価額償還 転得者に対して現物返還　のいずれも請求できる

第2目　詐害行為取消権の行使の方法等

第424条の6　（財産の返還又は価額の償還の請求）〈共〉〈司R4〉

Ⅰ　債権者は、受益者に対する詐害行為取消請求において、債務者がした行為の取消しとともに、その行為によって受益者に移転した財産の返還を請求することができる。受益者がその財産の返還をすることが困難であるときは、債権者は、その価額の償還を請求することができる〈司〉。

Ⅱ　債権者は、転得者に対する詐害行為取消請求において、債務者がした行為の取消しとともに、転得者が取得した財産の返還を請求することができる。転得者がその財産の返還をすることが困難であるときは、債権者は、その価額の償還を請求することができる。

[趣旨] 本条は、詐害行為取消権の性質に関する判例（大連判明44.3.24・百選Ⅱ〔第8版〕14事件）の考え方（詐害行為取消権は、債権者の担保となる責任財産を保全するべく、債務者の詐害行為を取り消し、かつ、その財産を行為前の状態に回復させるものである）を明文化したものである。

なお、詐害行為取消訴訟において、詐害行為の取消しとともに原状回復の請求をするか、その取消しのみを請求するかについては、取消債権者の自由に委ねられている〈共〉。

《注 釈》

◆ 逸出財産の取戻し

1　現物返還が原則である（Ⅰ前段、Ⅱ前段）。

(1)　受益者を相手方とする詐害行為取消請求の場合

　　ここにいう現物返還とは、①受益者に対して引き渡された物の返還、及び②受益者に交付された金銭の支払を指す（②は、現物返還が困難である場合に含まれない）。

(2)　転得者を相手方とする詐害行為取消請求の場合

　　ここにいう現物返還とは、転得者に対して引き渡された物の返還を指す。転得者が取得した金銭の支払を取消債権者が求める場合は、現物返還ではなく、価額償還として扱われる（受益者の場合と異なる。424の9Ⅰ参照）。

2　現物返還が困難であるときは、価額償還を請求できる（Ⅰ後段、Ⅱ後段）。

　　→価額償還における価額の算定基準時は、原則として詐害行為取消訴訟の事実審口頭弁論終結時である（最判昭50.12.1）

(1)　取消しの目的物が受益者ではなく転得者の下に存在する場合は、「財産の返還をすることが困難であるとき」に当たるため、価額償還によるほかない。

(2)　抵当権の設定された不動産が詐害行為の目的物である場合において、受益者又は転得者の下で当該抵当権が消滅し、抵当権設定登記が抹消されたようなときは、もはや原状回復は不可能であるから、「財産の返還をすることが困難であるとき」に当たる。このような場合、逸出財産の回復方法は、価額償還による（最大判昭36.7.19・百選Ⅱ12事件参照）。

　　もっとも、抵当権が設定された建物をその抵当権者に代物弁済として供するような場合は、債務者がした債務の消滅行為が債務者の義務に属さないもの（非義務行為、424の3Ⅱ柱書）に当たり、当該行為が詐害行為となる場合（過大な代物弁済等の特則（424の4）が適用される場合を除く。）には、代物弁済が全体として取り消される（424の3Ⅱ）。この場合、債権者は、当該建物所有権移転登記の抹消登記手続を請求することができるから、当該建物自体を債務者の一般財産として回復することができる。そして、抵当権者が当該建物を債務者に返還したときは、債務者に対する債権が復活し、抹消されていた抵当権設定登記も復活する（425の3）。

第424条の7　（被告及び訴訟告知）

Ⅰ　詐害行為取消請求に係る訴えについては、次の各号に掲げる区分に応じ、それぞれ当該各号に定める者を被告とする〈共〉。
①　受益者に対する詐害行為取消請求に係る訴え　受益者
②　転得者に対する詐害行為取消請求に係る訴え　その詐害行為取消請求の相手方である転得者
Ⅱ　債権者は、詐害行為取消請求に係る訴えを提起したときは、遅滞なく、債務者に対し、訴訟告知をしなければならない。

[趣旨] 本条1項は、判例（大連判明44.3.24・百選Ⅱ〔第8版〕14事件）の結論を明文化し、受益者又は転得者を被告とすることを定めたものである。また、本条2項は、債権者代位訴訟を提起した場合の訴訟告知に関する423条の6と同趣旨の規定である。すなわち、詐害行為取消請求を認容する確定判決の効力は債務者にも及ぶ（425参照）ことから、債務者の詐害行為取消訴訟に関与する機会を保障（手続保障）するために、取消債権者に対して、遅滞なく債務者に訴訟告知をする義務を負わせたものである。

《注　釈》

◆　**被告適格**

本条1項の反対解釈から、債務者は被告とならない（債務者には被告適格がない〈同共〉）と解されている。したがって、債務者を被告として詐害行為取消訴訟を提起しても、不適法として却下される。

第424条の8　（詐害行為の取消しの範囲）

Ⅰ　債権者は、詐害行為取消請求をする場合において、債務者がした行為の目的が可分であるときは、自己の債権の額の限度においてのみ、その行為の取消しを請求することができる。
Ⅱ　債権者が第424条の6第1項後段又は第2項後段の規定により価額の償還を請求する場合についても、前項と同様とする。

[趣旨] 詐害行為取消権は、共同担保の保全を直接の目的とするものではなく、あくまで債権者の個別具体的な被保全債権の引当てとなるべき財産を保全するための制度である。そのため、判例（大判大9.12.24等）は、詐害行為の目的物が金銭のように可分である場合には、詐害行為の全部の取消しを認めず、取消債権者の被保全債権額の限度で詐害行為取消請求を認めており、本条1項は、このような考え方を明文化したものである。また、本条2項は、債権者が受益者又は転得者に対して価額償還請求をする場合も、本条1項と同様とする旨を定めるものである。

《注　釈》

一　**目的物が可分である場合**

1　債権者は、自己の債権の額の限度においてのみ、取消請求をなしうる（Ⅰ）〈書〉。

→受益者又は転得者に対し価額償還請求をする場合も同様である（Ⅱ）

2　「債務者がした行為の目的が可分であるとき」としては、①金銭債務を弁済する行為が取り消される場合、②金銭債務を免除する行為が取り消される場合等が考えられる。

＊　取消しの範囲の基準となる被保全債権額には、遅延損害金も含まれる（最判平 8.2.8)。

二　目的物が不可分である場合〈予H30〉

本条1項の反対解釈から、債務者がした詐害行為の目的物が不可分である場合（不動産の譲渡契約等）、取消債権者は、自己の債権額にかかわらず、当該行為の全部を詐害行為として取り消すことができる（最判昭 30.10.11 等）〈司共〉。

＊　詐害行為の目的物が登記又は登録を伴うものである場合には、その抹消を請求しうる。

第424条の9　（債権者への支払又は引渡し）

Ⅰ　債権者は、第424条の6第1項前段又は第2項前段の規定により受益者又は転得者に対して財産の返還を請求する場合において、その返還の請求が金銭の支払又は動産の引渡しを求めるものであるときは、受益者に対してその支払又は引渡しを、転得者に対してその引渡しを、自己に対してすることを求めることができる。この場合において、受益者又は転得者は、債権者に対してその支払又は引渡しをしたときは、債務者に対してその支払又は引渡しをすることを要しない。

Ⅱ　債権者が第424条の6第1項後段又は第2項後段の規定により受益者又は転得者に対して価額の償還を請求する場合についても、前項と同様とする。

[趣旨] 本条は、詐害行為取消権を行使することにより取り戻されるものが金銭又は動産である場合、取消債権者が債務者の詐害行為を取り消しても債務者がこれらの受領を拒否すると、債務者の責任財産の保全という詐害行為取消権の目的を達成できなくなることから、取消債権者に受益者又は転得者に対する直接取立権・受領権を明示的に認めたものである。これは、423条の3と同趣旨の規定である。なお、転得者に対する金銭の支払請求は、本条においては価額の償還請求（Ⅱ）として位置づけられる。

《注　釈》

◆　取消債権者の直接取立権・受領権

1　被告とされた受益者が取消債権者に対して金銭の支払又は動産の引渡しをしたとき、又は被告とされた転得者が取消債権者に対して動産の引渡しをしたときは、その受益者・転得者は、債務者に対する支払義務又は引渡義務を免れる（Ⅰ後段）。価額の償還をした場合も同様である（Ⅱ）。

不動産については、直接債権者への引渡し・所有権移転登記を請求することはできない（最判昭 53.10.5・百選Ⅱ 13 事件）〈司共〉〈司R4〉。

∵　債務者の責任財産を戻した上で、これを差し押さえて強制執行を行うことが、「全ての債権者に対してもその効力を有する」という 425 条の趣旨

に合致する

2　取消債権者による直接取立権・受領権が認められる結果、金銭を受領した取消債権者は、債務者の返還請求権と被保全債権とを相殺することにより、事実上の優先弁済を受けることができる◆。この点、改正民法下において当該相殺を禁ずる規定は設けられていないため、被保全債権の事実上の優先弁済を阻止することは困難となっている。

　　そこで、他の債権者の利益保護の観点から、①他の債権者の分配請求を認めることができないか、②受益者も債権者である場合に按分額の支払拒絶権を認めることができないかが問題となる。

⑴　①については、詐害行為取消権は有害な行為を取り消し逸出した財産の回復を求める制度であって、債権者間の平等・満足を目的とするものではないこと、そもそも分配の手続等が現行法上規定されていないことから、取消債権者が他の債権者に平等の割合による分配の義務を負うと解することはできず、他の債権者の分配請求は否定すべきとするのが判例（最判昭37.10.9）である。

⑵　②については、詐害行為取消権は債務者の責任財産を回復するための制度であり、債権の満足や財産の分配をする制度ではないこと、按分額の支払を拒むことができるとすれば、いち早く自己の債権につき弁済を受けた受益者を保護することになり、総債権者の利益を無視することになることから、受益債権者の按分額の支払拒絶権は否定すべきとするのが判例（最判昭46.11.19・百選Ⅱ〔第7版〕19事件）である◆。

3　詐害行為取消請求を認容する確定判決の効力は債務者にも及ぶことから（425参照）、詐害行為取消請求の認容判決が確定したときは、債務者は、受益者・転得者に対して逸出財産の返還・償還を求めることができ、受益者・転得者が債務者にこれらを返還・償還すれば、取消債権者の直接取立権・受領権は消滅する。なお、この状況下においては、相殺による事実上の優先弁済の余地はない。

第3目　詐害行為取消権の行使の効果

第425条　（認容判決の効力が及ぶ者の範囲）

詐害行為取消請求を認容する確定判決は、債務者及びその全ての債権者に対してもその効力を有する◆。

《注　釈》

一　確定判決の効力

1　本条にいう「確定判決……の効力」としては、形成力と既判力が想定されている。そして、認容判決が確定することでこれらの効力が債務者にも及ぶ。そのため、債務者の手続保障を確保するために、取消債権者に対して、債務者への遅滞なき訴訟告知義務が課されている（424の7Ⅱ）。

→取消債権者は、代位債権者と異なり、法定訴訟担当（民訴115Ⅰ②参照）ではないため、敗訴判決の効力は債務者には及ばない

2　詐害行為取消しの効果は、詐害行為取消判決の確定により生じ、また、過去に遡って生ずる。したがって、受領した物の返還債務も、取消判決の確定により受領時に遡って生ずる。この返還債務は期限の定めのない債務であり、詐害行為取消判決の確定前にされた履行の請求も「履行の請求」（412Ⅲ）に当たり、これを受けた時に遅滞に陥る（最判平30.12.14・百選Ⅱ11事件参照）**司共書**。

二　認容判決の効力が及ぶ者

認容判決の効力が及ぶ者の範囲を整理すると、以下のようになる。

①　取消債権者（訴訟当事者、民訴115Ⅰ①）

②　被告となった受益者・転得者（訴訟当事者、民訴115Ⅰ①）
→被告とならなかった受益者・転得者であっても、債務者の債権者（下記④）であれば、425条により効力が及ぶ

③　「債務者」（425）
→取消債権者は、代位債権者と異なり、法定訴訟担当（民訴115Ⅰ②参照）ではないため、敗訴判決の効力は債務者には及ばない

④　債務者の「全ての債権者」（425）
→詐害行為時又は判決確定時より後に債権者となった者も含まれる
→受益者・転得者の債権者には効力が及ばない

他方、受益者や転得者であっても、訴訟当事者や債務者の債権者でなければ、効力は及ばない。たとえば、転得者を被告とする詐害行為取消訴訟の認容判決の効力は、当該転得者の前者（受益者や当該転得者より前の転得者）には及ばない**同**（ただし、当該前者が債務者の債権者であれば効力は及ぶ）。
→当該転得者が債務者に現物返還・価額償還をしても、当該転得者はその前者に反対給付の返還を求めたり、その前者に対して有していた債権の回復等を求めたりすることはできない

第425条の2　（債務者の受けた反対給付に関する受益者の権利）

債務者がした財産の処分に関する行為（債務の消滅に関する行為を除く。）が取り消されたときは、受益者は、債務者に対し、その財産を取得するためにした反対給付の返還を請求することができる。債務者がその反対給付の返還をすることが困難であるときは、受益者は、その価額の償還を請求することができる。

[趣旨]本条は、詐害行為取消しの効果が債務者にも及ぶことを前提として、債務者と受益者との利益衡量の観点から、債務者に対する受益者の反対給付返還請求権・価額償還請求権を定めるものである。

《注　釈》

◆　受益者による反対給付返還請求権・価額償還請求権

1　債務者Aが自己の所有する甲動産（200万円相当）を受益者Bに50万円で売

却した場合において、Aの債権者Cがかかる売買契約を詐害行為として取り消
し、甲動産の自己への引渡しを求めて詐害行為取消請求に係る訴えを提起した
ケースを想定する。

　Cの請求を認容する判決が確定した場合、受益者Bは、甲動産をCに引き渡
さなければならないが、本条前段により、債務者Aに対して、支払った50万円
の返還を請求することができる。

2　甲動産とBの乙動産（200万円相当）とが交換され、その後債務者Aが受益
者Bから取得した乙動産を売却するなどして、すでに乙動産を所有していない
ようなケースでは、受益者Bは、本条後段により、債務者Aに対して、乙動産
の価額である200万円の償還請求をすることができる。

3　なお、本条の文言から、受益者が詐害行為によって逸出した財産又はその価
額を取消債権者又は債務者に返還・償還することが先履行かどうかは明らかで
はないが、425条の3との整合性を考慮すると、受益者による取消債権者・債
務者への返還・償還が先履行になるものと解されている。

第425条の3　（受益者の債権の回復）

　債務者がした債務の消滅に関する行為が取り消された場合（第424条の4＜過大
な代物弁済等の特則＞の規定により取り消された場合を除く。）において、受益者が債
務者から受けた給付を返還し、又はその価額を償還したときは、受益者の債務者に対
する債権は、これによって原状に復する〈国〉。

[趣旨] 本条は、判例法理（大判昭16.2.10）を明文化したものである。

《注　釈》

- 受益者の債権の回復と受益者の債務者に対する給付又はその価額の返還・償還と
の間に同時履行の関係はなく、受益者の債務者に対する給付又はその価額の返
還・償還が先履行である。

　∵　「したときは」との文言上から明らかである

- 過大な代物弁済等の特則に関する424条の4の規定で取り消された場合が除外さ
れているのは、同条による取消しの場合、過大な部分のみが取り消されるのであ
って、受益者が取り消された過大な部分の価額を償還したとしても、当該代物弁
済によって消滅した債務の額に相当する部分の価額を償還したことにはならず、
受益者の債務者に対する債権が回復することはないためである。

第425条の4　（詐害行為取消請求を受けた転得者の権利）

　債務者がした行為が転得者に対する詐害行為取消請求によって取り消されたときは、
その転得者は、次の各号に掲げる区分に応じ、それぞれ当該各号に定める権利を行使
することができる。ただし、その転得者がその前者から財産を取得するためにした反対
給付又はその前者から財産を取得することによって消滅した債権の価額を限度とする。

①　第425条の2に規定する行為が取り消された場合　その行為が受益者に対す
る詐害行為取消請求によって取り消されたとすれば同条の規定により生ずべき受
益者の債務者に対する反対給付の返還請求権又はその価額の償還請求権〈国〉

債
権

② 前条に規定する行為が取り消された場合（第424条の4＜過大な代物弁済等の特則＞の規定により取り消された場合を除く。） その行為が受益者に対する詐害行為取消請求によって取り消されたとすれば前条の規定により回復すべき受益者の債務者に対する債権

［趣旨］本条は、425条の2及び425条の3と同様の見地から、転得者において、受益者による反対給付返還請求権・価額償還請求権ないし回復すべき受益者の債務者に対する債権を行使することができる旨を定める。もっとも、転得者に過剰な利益を与えることを防ぐために、柱書ただし書においてその上限が設けられている。

《注 釈》

◆ 転得者が行使する権利

債務者Aが自己の所有する甲動産（200万円相当）を受益者Bに50万円で売却し、さらに、受益者Bが転得者Cに甲動産を120万円で売却した場合において、Aの債権者Dが転得者Cを相手取り、AB間の売買契約を詐害行為として取り消した上で、甲動産の自己への引渡しを求めて詐害行為取消請求に係る訴えを提起したケースを想定する。

このケースにおいて、Dの請求が認められた場合、転得者Cは、甲動産を取消債権者D又は債務者Aに返還しなければならない。もっとも、かかる訴えの確定判決の効力は、転得者Cの前者である受益者Bには及ばない（425参照）。そのため、転得者Cが現物返還・価額償還をしても、転得者Cは前者である受益者Bに反対給付の返還等を求めることは許されず、また、425条の3のような債権の回復も認められない。

しかしながら、これでは転得者が一方的に不利であるから、前者から取得した財産又はその価額を返還・償還した転得者の保護を図る必要がある（なお、転得者による給付又はその価額の返還・償還が先履行であることは、前2条と同様である）。そこで、本条は、詐害行為取消しの対象となった行為が受益者を被告とする詐害行為取消請求によって取り消されたとすれば、受益者が債務者に対して有していたはずの債権の行使を、転得者に認めることとした。

したがって、Cは、Bの反対給付である代金50万円について、Aに対して請求することができる。

第4目　詐害行為取消権の期間の制限

第426条

詐害行為取消請求に係る訴えは、債務者が債権者を害することを知って行為をしたことを債権者が知った時から2年を経過したときは、提起することができない。行為の時から10年を経過したときも、同様とする。

［趣旨］詐害行為取消権は、実体法上の形成権とは異なり、裁判所の判決による形成行為を求める訴えとしての性質を有するものであるので、本条は、詐害行為取消権の消滅時効ではなく、詐害行為取消訴訟の出訴期間を定めている。そして、詐害行

為取消権は、もともと瑕疵のない債務者の行為を取り消すものであり、受益者・転得者などの第三者に影響するところが大きいので、法律関係の早期安定の必要から、比較的短い出訴期間を定めている。

《注　釈》

一　起算点

「債務者が債権者を害することを知って行為をしたことを債権者が知った時」（前段）の要件について、債権者が詐害の客観的事実を知った場合は、特段の事情がない限り、債務者の詐害意思をも知ったものと推定される（最判昭47.4.13）。

二　その他

詐害行為取消訴訟を提起した場合、債権者が債務者に対する債権（被保全債権）の存在を主張しても、被保全債権についての消滅時効の完成猶予・更新をもたらさない（最判昭37.10.12参照）。

∵　被保全債権自体は訴訟物でなく、「裁判上の請求」（147Ⅰ①）に当たらないため

■第3節　多数当事者の債権及び債務

《概　説》

債
権

＜多数当事者の債権及び債務のまとめ＞

		対外的効力	1人につき生じた事由	内部関係
分割	債権	個別的・無影響、分割割合は平等と推定（427）	無影響	特別の場合にのみ分配・分担する
	債務			
不可分	債権	連帯債権に同じ（428、432）	請求（履行遅滞、時効の完成猶予・更新）、弁済（代物弁済、供託、提供、受領遅滞）、相殺以外は無影響（428、435の2本文）	内部関係の割合に応じて給付利益を分与 特別の事情がない限り内部割合は平等と推定
	債務	連帯債務に同じ（430、436）	弁済（代物弁済、供託、提供、受領遅滞）、更改、相殺以外は無影響（430、441本文）	連帯債務に同じ（430、442～445）
連帯	債権	各債権者は、全ての債権者のために全部又は一部の履行を請求することができ、債務者は、全ての債権者のために各債権者に対して履行をすることができる（432）	原則として無影響（435の2本文）例外として請求、更改、免除、相殺、混同（432～435）	不可分債権に同じ

		対外的効力	1人につき生じた事由		内部関係
連帯	債務	債権者は、その連帯債務者の1人に対し、又は同時に若しくは順次に全ての連帯債務者に対し、全部又は一部の履行を請求することができる（436）	原則として無影響（441本文） 例外として弁済（代物弁済、供託、提供、受領遅滞）、更改、相殺、混同（438〜440）		平等分担の立場で一定の範囲の求償を認める（442〜445）
保証債務			主たる債務者	保証人	<受託保証人> 弁済その他免責のあった日以後の法定利息及び避けることのできなかった費用その他の損害の賠償を包含する（459Ⅱ・442Ⅱ、459の2Ⅱ） <無委託保証人> 保証人となったことが主たる債務者の意思に反しないときは免責行為をした当時に、意思に反するときは求償する時点で主たる債務者が利益を受ける限度で求償可（462）
	普通	保証人に催告・検索の抗弁権あり（452、453）	原則として及ぶ	主たる債務を消滅させる行為（弁済、代物弁済、供託、相殺）以外は、無影響	
	連帯	保証人に催告・検索の抗弁権なし（454）		影響を与える（連帯債務と同様・458）	

(左欄外: 債権)

第1款　総則

第427条　（分割債権及び分割債務）

　数人の債権者又は債務者がある場合において、別段の意思表示がないときは、各債権者又は各債務者は、それぞれ等しい割合で権利を有し、又は義務を負う。

[趣旨] 近代法の個人主義思想並びに法律関係の簡明化という見地から、分割債権関係を多数当事者の債権関係の原則形態とする。

《注　釈》

一　意義

　分割債権関係とは、もともと1個の同一の給付を目的とした債権・債務が多数の者に分割的に帰属する関係、すなわち多数の者が自己の持分につき独立して債権を有し、又は債務を負担する関係をいう。

二　成立

1　1個の可分給付につき「数人の債権者又は債務者がある場合」であること

(1)　数人の債権者がある場合（分割債権）

　　ex.1　共有物に対する不法行為による損害賠償請求権（最判昭29.4.8・百選Ⅲ69事件）〈通〉

　　ex.2　相続財産中の生命保険金請求権などの金銭債権（大判大9.12.22）〈通〉〈共〉

(2)　数人の債務者がある場合（分割債務）

ex.1　数人が共同でした売買契約による代金債務（大判大 4.9.21）

ex.2　連帯債務が共同相続された場合、共同相続人は、相続分に応じた分割債務としてこれを承継し、本来の債務者とともに連帯債務者となる（最判昭 34.6.19・百選Ⅲ 72 事件）〈予書〉

2　「別段の意思表示がないとき」であること

連帯債務が成立するには、その旨の明示若しくは黙示の意思表示がなければならず、連帯の推定は認められない（大判大 4.9.21）。

三　効力

1　対外的効力

各債権・債務は相互に全く独立したものとして取り扱われ、各債権者は自分の債権だけを単独で行使でき、また各債務者は自分の債務だけを弁済すべきことになる。

2　1人について生じた事由

各債権・債務は独立した権利・義務であるから、1人の債権者・債務者につき生じた事由は、すべて相対的効力しかなく、他の債権者・債務者に影響を与えない。

3　内部関係

他の債権者の分を受領したり、他の債務者の分を支払うのは、委任（643）か事務管理（697）、場合によっては不当利得（703、704）や不法行為（709）の問題となる。

4　共同相続の場合　⇒ p.744, 745

第2款　不可分債権及び不可分債務

第428条　（不可分債権）

次款（連帯債権）の規定（第433条＜連帯債権者の1人との間の更改又は免除＞及び第435条＜連帯債権者の1人との間の混同＞の規定を除く。）は、債権の目的がその性質上不可分である場合において、数人の債権者があるときについて準用する。

《注　釈》

一　意義

不可分債権とは、多数人が1個の不可分給付を目的とする債権を有する場合をいう。

二　成立

1　「性質上」の「不可分」とは、給付が分割できない性質である場合をいう。

ex.　使用貸借・賃貸借の終了を原因とする家屋明渡請求権を数名の貸主が行使する場合（最判昭 42.8.25）〈通〉

性質上可分か不可分かは、単に物理的・自然的な性状によってではなく、取引の実際ないし取引上の通念を標準としつつ、問題処理の妥当性を勘案して決められる。

　　　ex.　共有者の所有権に基づく共有物返還請求権（大判大 10.3.18）

　　2　当事者の意思表示によって、性質上可分な債権を不可分債権とすることは許されない。

　　3　本来可分給付の性質を有する金銭債権でも、不可分的な利益供与の対価であるときは、不可分債権となる（ex. 共同賃貸人の賃料債権）。

三　効力

　　1　対外的効力は、連帯債権と同様である。

　　　→各債権者は、「全ての債権者のために」債務者に対し全部又は一部の履行を請求でき、債務者は、「全ての債権者のために」各債権者に対して履行をすることができる（428、432）

　　2　1人について生じた事由の効力

　（1）履行の請求には絶対的効力が生じる（428、432）。

　（2）不可分債権では、債務者は誰か1人の債権者に履行すれば「全ての債権者のために」履行したことになる（428、432）ため、弁済その他債権者に満足を与える事由及びこれに関連する事由については、絶対的効力が生じる。

　　　→弁済・供託・弁済の提供・受領遅滞についても絶対的効力が生じる

　（3）（1）・（2）の事由を除いては、相対的効力が原則となる（428、435 の2本文）。

　　　→連帯債権では絶対的効力事由である更改・免除（433）及び混同（435）も、不可分債権では相対的効力事由である（428）〈同〉

第429条　（不可分債権者の1人との間の更改又は免除）

　不可分債権者の1人と債務者との間に更改又は免除があった場合においても、他の不可分債権者は、債務の全部の履行を請求することができる。この場合においては、その1人の不可分債権者がその権利を失わなければ分与されるべき利益を債務者に償還しなければならない〈共〉。

《注　釈》

▪ 不可分債権者相互間の内部関係については明文の規定はないが、債務の履行を受けた債権者は、内部関係の割合に応じて利益を分与すべきと解される。その際の分配割合は、特別の事情がない限り平等と推定される。

第430条　（不可分債務）

　第4款（連帯債務）の規定（第440条＜連帯債務者の1人との間の混同＞の規定を除く。）は、債務の目的がその性質上不可分である場合において、数人の債務者があるときについて準用する。

《注　釈》

一　成立

　「債務の目的がその性質上不可分である場合」に成立する〈同〉。

　　ex.1　共有物を売却した場合の目的物の引渡義務（大判大 12.2.23）

　　ex.2　賃借権を共同相続した場合の賃料支払義務（大判大 11.11.24）〈書〉

　　　ex.3　共有地上に地役権を設定する債務

二　効力

1　対外的効力は、連帯債務と同様である（430、436）。

　　→債権者は、債務者の1人又は全ての債務者に対して、同時又は順次に全部
　　　又は一部の履行を請求できる

2　1人について生じた事由の効力

　(1)　明文にはないが、弁済・供託・弁済の提供・受領遅滞は絶対的効力を生じ
　　　ると解される。

　(2)　(1)の事由及び更改・相殺を除いては、相対的効力が原則となる（430、441
　　　本文）。

　　　　また、混同の絶対的効力に関する440条も準用されていない（430かっこ
　　　書）ので、不可分債務者の1人について混同が生じても、相対的効力しか生
　　　じない。

　　　　∵　不可分債務の履行の内容とその求償の内容は通常異なるので、混同に
　　　　　より債権者としての地位も有する不可分債務者に履行した上でその者に
　　　　　求償を求めても、必ずしも迂遠な処理とはいえない

3　内部関係も連帯債務と同様である（430、442〜445）。

第431条　（可分債権又は可分債務への変更）

　不可分債権が可分債権となったときは、各債権者は自己が権利を有する部分につい
てのみ履行を請求することができ、不可分債務が可分債務となったときは、各債務者
はその負担部分についてのみ履行の責任を負う。

[趣旨]不可分債権・債務も、本来その主体の数だけの別個・独立の債権であって、
目的たる給付が不可分であるがゆえに特別の扱いが認められているにすぎない。し
たがって、給付が可分になれば、当然に分割債権・債務に変ずる。

《その他》

▪ 家屋の引渡しを目的とする債権・債務が債務者の過失により滅失して損害賠償債
　権・債務に変じた場合、「不可分債務が可分債務となったとき」といえ、当該債
　権・債務は分割債権・債務となる。

▪ 不可分債権が分割債権に転化した後に債権者の1人が全額弁済を受けても、その
　効果は他の債権者に及ばない。

第3款　連帯債権

《概　説》

一　意義

　　連帯債権とは、数人の債権者が、同一内容の給付について、各自が独立に全部
又は一部の履行を請求でき、かつそのうちの1人が弁済を受けた範囲で他の債権
者の債権も消滅する多数当事者の債権をいう。

債
権

二　性質

連帯債権は、債権者の数に応じた数個の独立した債権である。

→相対的効力が原則とされる（435の2本文）

三　成立

連帯債権は、「債権の目的がその性質上可分である場合」において、「法令の規定又は当事者の意思表示によって」成立する（432）。

ex.1　復代理人に対する本人の権利と代理人の権利（106Ⅱ参照）

ex.2　転借人に対する転貸人の権利と原賃貸人の権利（613参照）

第４３２条　（連帯債権者による履行の請求等）

　債権の目的がその性質上可分である場合において、法令の規定又は当事者の意思表示によって数人が連帯して債権を有するときは、各債権者は、全ての債権者のために全部又は一部の履行を請求することができ、債務者は、全ての債権者のために各債権者に対して履行をすることができる。

《注　釈》

▪ この場合、各債権者は、履行の請求をするに当たり、他の債権者の同意を得ることを要しない。

第４３３条　（連帯債権者の１人との間の更改又は免除）

　連帯債権者の１人と債務者との間に更改又は免除があったときは、その連帯債権者がその権利を失わなければ分与されるべき利益に係る部分については、他の連帯債権者は、履行を請求することができない。

[趣旨] 連帯債権は、通常、金銭債権であって性質上可分なものであるから、更改又は免除があった債権者以外の債権者が、債務者に対して、連帯債権全体について履行を求めるとともに、更改又は免除があった債権者がその権利を失わなければ分与されるべき利益に係る部分を債務者に償還しなければならないというのは、迂遠である。そこで、不可分債権の場合（429参照）と異なり、連帯債権では、更改又は免除が絶対的効力事由とされた。

《注　釈》

▪ その連帯債権者がその権利を失わなければ分与されるべき利益とは、その連帯債権者が連帯債権について有している持分的な利益をいうとされる。例えば、連帯債権者ＡＢが債務者Ｃに対して100万円の連帯債権（ＡとＢの持分は各50万円）を有している場合において、ＡとＣとの間に更改又は免除があったときは、ＢはＣに対して50万円のみの履行を請求できるにとどまる。

第４３４条　（連帯債権者の１人との間の相殺）

　債務者が連帯債権者の１人に対して債権を有する場合において、その債務者が相殺を援用したときは、その相殺は、他の連帯債権者に対しても、その効力を生ずる。

[趣旨] 相殺をした債務者の相殺に対する期待を保護するために、連帯債権者の１人

に対する相殺は絶対的効力事由とされている。

《注　釈》

▪ 明文にはないが、連帯債権者から相殺がされたときも同様に絶対的効力事由となる。

第435条　（連帯債権者の1人との間の混同）《同書》

　連帯債権者の1人と債務者との間に混同があったときは、債務者は、弁済をしたものとみなす。

[趣旨] 連帯債権者のうち混同を生じた者に対する他の連帯債権者からの全部の履行請求を認めると、受領したものの一部を返還しなければならないという迂遠な関係が生じるので、これを避けるために、連帯債権者の1人との間に生じた混同は、弁済がなされたものとみなされている。

第435条の2　（相対的効力の原則）《同》

　第432条から前条まで＜履行の請求等・更改・免除・相殺・混同＞に規定する場合を除き、連帯債権者の1人の行為又は1人について生じた事由は、他の連帯債権者に対してその効力を生じない。ただし、他の連帯債権者の1人及び債務者が別段の意思を表示したときは、当該他の連帯債権者に対する効力は、その意思に従う。

第4款　連帯債務

《概　説》

一　意義

　連帯債務とは、数人の債務者が、同一内容の給付について、各自が独立に全部の給付をなすべき債務を負担し、そのうちの1人の給付があれば、他の債務者の債務も消滅する多数当事者の債務をいう。

二　性質

　連帯債務は、債務者の数に応じた数個の独立した債務である。

　→相対的効力が原則とされる（441本文）

　ex.1　債権者は、特定の債務者に対する債権だけを分離して譲渡できる

　ex.2　各債務ごとに態様（利息・条件・期限の有無など）が異なってもよい《同》

　ex.3　連帯債務者の1人についてのみ保証人が存在したり、物的担保が設定されてもよい

三　成立

　1　連帯債務は、債務の目的がその性質上可分である場合において、「法令の規定又は当事者の意思表示によって」成立する。

　　ex.1　日常家事債務（761）の場合

　　ex.2　併存的債務引受をした場合の債務引受人と原債務者との関係（最判昭41.12.20・百選Ⅱ〔第8版〕31事件）《判》　⇒ p.418

　　ex.3　連帯債務を共同相続した場合　⇒ p.745

2　1人の債務者についての無効・取消しがあっても他の債務者については有効な債務が成立する（437）。

第436条　（連帯債務者に対する履行の請求）

債務の目的がその性質上可分である場合において、法令の規定又は当事者の意思表示によって数人が連帯して債務を負担するときは、債権者は、その連帯債務者の1人に対し、又は同時に若しくは順次に全ての連帯債務者に対し、全部又は一部の履行を請求することができる。

《注　釈》

- 「法令の規定」によって連帯債務が成立する場合としては、共同不法行為者の責任（719 I）、日常家事債務の連帯責任（761）等が挙げられる。

第437条　（連帯債務者の1人についての法律行為の無効等）

連帯債務者の1人について法律行為の無効又は取消しの原因があっても、他の連帯債務者の債務は、その効力を妨げられない。

《注　釈》

- 連帯債務は別個独立の債務であるから、その成立原因も個別的に扱うのが当事者の意思に適う。そこで本条は、連帯債務者の1人について無効・取消しの原因があっても、他の連帯債務者の債務は完全に有効に成立するものとした。
- 1個の契約で連帯債務を負担する場合にも適用される。
- 本条は任意規定である。

第438条　（連帯債務者の1人との間の更改）

連帯債務者の1人と債権者との間に更改があったときは、債権は、全ての連帯債務者の利益のために消滅する。

[趣旨] 当事者間の法律関係の決済を容易にするため、あるいは当事者の意思を推測して、更改に絶対的効力を認める。

《注　釈》

＜連帯債務者の1人との間の更改＞

1　甲とAとの更改によりB・Cは債務を免れる。
　　→Aは、他の連帯債務者B・Cの意思に反しても更改できる
2　B・Cは新たな債務について責任を負担しない。
3　AはB・Cに対して負担部分を求償できる。
4　もっとも、甲・A間の更改の際、B・Cに影響しない旨の特約を締結することは可能である（任意規定）。

第439条　（連帯債務者の1人による相殺等）

Ⅰ　連帯債務者の1人が債権者に対して債権を有する場合において、その連帯債務者が相殺を援用したときは、債権は、全ての連帯債務者の利益のために消滅する《同書》。

Ⅱ　前項の債権を有する連帯債務者が相殺を援用しない間は、その連帯債務者の負担部分の限度において、他の連帯債務者は、債権者に対して債務の履行を拒むことができる《同共書》。

[趣旨]相殺は実質的に弁済と同様の効果をもたらすものであるため、本条1項は、相殺を絶対的効力事由として定めている。また、相殺は、債務者の債権者に対して有する債権を処分して受働債権を消滅させる行為であるところ、債権者に対して債権を有する債務者ではない他の連帯債務者がこれを行使する権限はないから、本条2項は、履行拒絶の限度で他の連帯債務者にその効果を認めている。

＜連帯債務者の1人による相殺等＞

反対債権100万

相殺
甲 → A
→ B　150万の連帯債務
→ C　（負担部分平等）

1　Aが甲に対する反対債権（100万）で相殺したとき（Ⅰ）
　→A・B・Cは50万（150万－100万）の連帯債務を負担する
2　Aが相殺を援用しない間（Ⅱ）
　→甲の請求に対し、B・CはAの負担部分に対応する50万の限度で履行を拒絶することができる。他方、甲とAとの関係では、甲はAに150万の債権を、Aは甲に100万円の債権を有したままである

第440条　（連帯債務者の1人との間の混同）《同共書》

連帯債務者の1人と債権者との間に混同があったときは、その連帯債務者は、弁済をしたものとみなす。

[趣旨]法律関係を簡易に決済するため、混同に弁済と同様の絶対的効力を認めた。

《注　釈》

＜連帯債務者の1人との間の混同＞

債権譲渡→混同 → A
甲 → B　300万の連帯債務
→ C　（負担部分平等）

・　Aが甲の有する債権を譲り受けた場合混同が生じ、AはB・Cに対して求償権を有する《子》。

債
権

第４４１条　（相対的効力の原則）

第４３８条＜連帯債務者の１人との間の更改＞、第４３９条第１項＜連帯債務者の１人による相殺＞及び前条＜連帯債務者の１人との間の混同＞に規定する場合を除き、連帯債務者の１人について生じた事由は、他の連帯債務者に対してその効力を生じない〈同共予〉。ただし、債権者及び他の連帯債務者の１人が別段の意思を表示したときは、当該他の連帯債務者に対する効力は、その意思に従う。

《注　釈》

◆　「債権者及び他の連帯債務者の１人が別段の意思を表示したとき」（ただし書）

ex.　債権者Ａ、連帯債務者ＢＣＤがそれぞれ存在する場合において、ＡＢ間で「ＡがＣに対して履行の請求をしたときは、Ｂに対しても履行の請求をしたものとする」との合意をした場合

＊　なお、免除に関しては、全ての連帯債務者の債務を免除する意思で、債権者が１人の債務者に免除の意思を表示したときは、その免除に絶対的効力が認められる（最判平10.9.10・百選Ⅱ17事件）。

第４４２条　（連帯債務者間の求償権）

Ⅰ　連帯債務者の１人が弁済をし、その他自己の財産をもって共同の免責を得たときは、その連帯債務者は、その免責を得た額が自己の負担部分を超えるかどうかにかかわらず、他の連帯債務者に対し、その免責を得るために支出した財産の額（その財産の額が共同の免責を得た額を超える場合にあっては、その免責を得た額）のうち各自の負担部分に応じた額の求償権を有する〈同共書〉。

Ⅱ　前項の規定による求償は、弁済その他免責があった日以後の法定利息及び避けることができなかった費用その他の損害の賠償を包含する。

[趣旨] 求償権が認められているのは、連帯債務者の１人が自己の財産をもって共同の免責を得た場合には、他の連帯債務者も免責の効果を享受するため、その負担部分に応じて分担するのが公平に適うからである。

《注　釈》

一　負担部分

1　負担部分については、当事者間の特約によって決定することができる。

2　特約がなくとも連帯債務を負担することにより受けた利益の割合が異なる場合には、負担部分はその割合に従う〈共〉。

3　1・2により定まらない場合は、平等の割合とされる。

4　連帯債務者が、共同の免責を得たときは「免責を得た額が自己の負担部分を超えるかどうかにかかわらず」求償権を取得する（442Ⅰ）。

∵　連帯債務者の１人が自己の負担部分を超えない弁済をした場合においても、一部求償を認めることにより、債務者間の公平に資する上、連帯債務の弁済も促進され、債権者にとっても不都合がない

ex.　連帯債務者ＡＢＣが債権者Ｄに対して600万円の連帯債務を負担している場合（ＡＢＣの負担部分は各自3分の1、各200万円）において、ＡがＤに150万円を支払った場合、その額はＡの負担部分を超えないものの、ＡはＢＣの負担部分である3分の1に応じた額（各50万円）について、求償権を有することになる

二　求償権の成立要件

1　出捐があること

弁済の他、代物弁済、供託、相殺、更改、混同〈同予〉などを含む。

cf.　免除そのものは求償の基礎にならないが、免除を受けるための一部弁済や出費は求償の基礎となりうる

2　「共同の免責を得た」（Ⅰ）こと

連帯債務者全員の負っている債務を消滅又は減少させたこと、したがって他の連帯債務者の債務をも免責させたことをいう。

《その他》

- 本条2項は任意規定である。

　→法定利率より高い約定利率や任意弁済の翌日以降の遅延損害金を定めても有効である

- 「避けることができなかった費用」（Ⅱ）には弁済のために債権者方まで出向いた交通費を含む。

第443条　（通知を怠った連帯債務者の求償の制限）

Ⅰ　他の連帯債務者があることを知りながら、連帯債務者の1人が共同の免責を得ることを他の連帯債務者に通知しないで弁済をし、その他自己の財産をもって共同の免責を得た場合において、他の連帯債務者は、債権者に対抗することができる事由を有していたときは、その負担部分について、その事由をもってその免責を得た連帯債務者に対抗することができる。この場合において、相殺をもってその免責を得た連帯債務者に対抗したときは、その連帯債務者は、債権者に対し、相殺によって消滅すべきであった債務の履行を請求することができる〈同共〉。

Ⅱ　弁済をし、その他自己の財産をもって共同の免責を得た連帯債務者が、他の連帯債務者があることを知りながらその免責を得たことを他の連帯債務者に通知することを怠ったため、他の連帯債務者が善意で弁済その他自己の財産をもって免責を得るための行為をしたときは、当該他の連帯債務者は、その免責を得るための行為を有効であったものとみなすことができる〈予〉。

[趣旨] 本条1項の趣旨は、連帯債務者の抗弁権行使の機会を確保する点にある。また、本条2項の趣旨は、他の連帯債務者の二重弁済を防止する点にある。

《注　釈》

一　事前の通知を怠った場合（443 Ⅰ）

1　他の連帯債務者に対し、債権者に対する債権を有している旨通知する必要はない。

2 「他の連帯債務者があることを知りながら」

事前通知をしなければならないのは、弁済等の行為をした連帯債務者が他の連帯債務者の存在につき悪意の場合に限られる。

→事前通知を怠った連帯債務者が他の連帯債務者の存在につき善意の場合、求償を受けた他の連帯債務者は債権者に対抗することのできる事由をもって事前通知をしなかった連帯債務者に対抗できない

二 事後の通知を怠った場合（443Ⅱ）

たとえば、ＡＢＣが負担部分平等で90万円の連帯債務を負っており、Ａが弁済したことをＣに通知しなかったため、ＣがＡの弁済を知らずに、弁済する旨を他の債務者に通知して弁済したような場合である。

1 「他の連帯債務者があることを知りながら」

第一弁済者（Ａ）が他の連帯債務者の存在につき悪意でありながら事後通知を怠った場合に限り、善意の第二弁済者（Ｃ）は、自己の弁済を有効とみなすことができる。

→Ａが他の連帯債務者の存在につき善意の場合、Ｃは善意であっても自己の弁済を有効とみなすことができず、第一弁済（Ａの弁済）が有効となる

2 第二弁済者Ｃの弁済は当然に有効となるのではなく、Ｃの主張があって初めて有効となる。

3 「有効であったものとみなすことができる」の意味

第二弁済は、第一弁済者との関係でのみ有効となるという意味である（相対的効果説）（大判昭7.9.30）。

→第一弁済者（Ａ）は、第二弁済者（Ｃ）以外の債務者（Ｂ）に対しては求償権を有する

三 事前の通知・事後の通知ともに怠った場合

判例（最判昭57.12.17・百選Ⅱ16事件）は、第一弁済の事後通知、第二弁済の事前通知のいずれもがなかった場合につき、第一弁済が有効となり、第二弁済者は、自己の弁済を有効とみなすことはできないとしている。

第444条 （償還をする資力のない者の負担部分の分担）

Ⅰ 連帯債務者の中に償還をする資力のない者があるときは、その償還をすることができない部分は、求償者及び他の資力のある者の間で、各自の負担部分に応じて分割して負担する。

Ⅱ 前項に規定する場合において、求償者及び他の資力のある者がいずれも負担部分を有しない者であるときは、その償還をすることができない部分は、求償者及び他の資力のある者の間で、等しい割合で分割して負担する。

Ⅲ 前2項の規定にかかわらず、償還を受けることができないことについて求償者に過失があるときは、他の連帯債務者に対して分担を請求することができない。

[趣旨] 連帯債務者中に無資力者がいる場合、弁済者にのみ償還する資力が無いことの結果を負わせるのは公平に反することから、償還できない部分については、弁

済者と他の資力ある連帯債務者が、その負担部分に応じて負担することにした。

《注　釈》

◆　**連帯債務者ＡＢＣのうち、Ａが全額弁済し、Ｃが無資力者であった場合**

1　無資力者Ｃと弁済者Ａが負担部分を有し、他の債務者Ｂが負担部分を有しない場合には、ＡがＣの負担部分を負担することとなり、Ｂに求償することはできない（444Ⅰ参照）。

2　無資力者Ｃのみが負担部分を有し、弁済者Ａと他の資力ある債務者Ｂが負担部分を有しない場合、ＡＢが平等分担する（444Ⅱ）。

第445条　（連帯債務者の１人との間の免除等と求償権）〈略〉

　連帯債務者の１人に対して債務の免除がされ、又は連帯債務者の１人のために時効が完成した場合においても、他の連帯債務者は、その１人の連帯債務者に対し、第442条第１項の求償権を行使することができる。

《注　釈》

◆　**連帯の免除**

1　意義

　連帯の免除とは、債権者と連帯債務者との関係において連帯債務者の債務額をその負担部分に制限することをいう。一種の債務の免除であるから、債権者の単独行為でなしうる（519）。

2　種類

　連帯の免除には、①連帯債務者全員に対してなされる場合（絶対的連帯免除）と、②連帯債務者の一部の者に対してなされる場合（相対的連帯免除）とがある。

3　効力

⑴　絶対的連帯免除では、連帯債務は消滅して分割債務となり、求償関係も消滅する。

⑵　相対的連帯免除では、免除を受けた連帯債務者だけが負担部分につき分割債務を負担し、他の連帯債務者の連帯債務には何ら影響を及ぼさない〈図〉。

　　ただし、連帯の免除を受けた場合でも、負担部分の範囲では求償関係が存続する。

［不真正連帯債務］

一　意義

　不真正連帯債務とは、主観的共同関係がなく、債務者の１人について生じた事由が他の債務者に影響を及ぼさない連帯債務をいう。

　改正民法下では、（真正）連帯債務の絶対的効力事由が限定され、かつ、求償のルールをすべての連帯債務に適用するとしているため、（真正）連帯債務と不真正連帯債務の区別は無用のものと解されている。なお、後述のように、求償権に関する442条１項の適用の可否については争いがある。

　ex.　被用者の損害賠償債務と使用者の損害賠償債務（大判昭12.6.30）、共同不

債
権

法行為者（719）が負担する損害賠償債務（最判昭57.3.4）、法人の不法行為責任における法人の賠償義務（一般法人78）と理事その他の代表者の賠償義務（709）（大判昭7.5.27）

二　対外的効力及び1人について生じた事由

連帯債務と同じ（436以下）。

三　求償権と負担部分

1　判例上、不真正連帯債務の典型と解されている共同不法行為について、連帯債務者相互の間における求償を公平の見地から認め、その負担部分に関しては、過失の割合で定まるという解釈論がほぼ確立している。

2　改正前民法下の判例（最判昭63.7.1・百選Ⅱ〔第8版〕97事件）は、「被用者がその使用者の事業の執行につき第三者との共同の不法行為により他人に損害を加えた場合において、右第三者が自己と被用者との過失割合に従って定められるべき自己の負担部分を超えて被害者に損害を賠償したときは、右第三者は、被用者の負担部分について使用者に対し求償することができる」としていた。この点について、改正民法下では、2つの見解が存在する。

A説：不真正連帯債務について、改正民法442条1項を適用すべきであると解する見解

∵①　改正民法下では、連帯債務に関する規律（436以下）で統一的な処理が可能であるため、従来の連帯債務と不真正連帯債務とを区別する必要がない

②　一部求償を認める方が各債務者の負担を公平にする

③　自己の負担部分を超えなくても求償を認めることで連帯債務の弁済が促進されるから債権者に不利益は生じない

B説：不真正連帯債務について、改正民法442条1項を適用すべきではないと解する見解

∵　一部しか弁済されていない場合は、他の連帯債務者は、弁済をした連帯債務者からの求償に応じるよりもむしろそれを被害者への賠償に充てることが被害者保護に資するため、上記判例の趣旨が改正民法下も妥当する

＜絶対的効力事由のまとめ＞

	不可分債権（428）	連帯債権（432以下）	不可分債務（430）	連帯債務（436以下）
弁済（代物弁済・供託等）	○	○	○	○
請求	○（428、432）	○（432）	×	×
相殺	○（428、434）	○（434）	○（430、439）	○（439）

	不可分債権 （428）	連帯債権 （432以下）	不可分債務 （430）	連帯債務 （436以下）
更改	× （433準用 しない、429）	○ （433）	○ （430、438）	○ （438）
免除	× （433準用 しない、429）	○ （433）	×	×
混同	× （435 準用しない）	○ （435）	× （440 準用しない）	○ （440）
消滅時効の完成	×	×	×	×

第5款　保証債務
第1目　総則

> **第446条　（保証人の責任等）**
> Ⅰ　保証人は、主たる債務者がその債務を履行しないときに、その履行をする責任を負う。
> Ⅱ　保証契約は、書面でしなければ、その効力を生じない。〈同共〉
> Ⅲ　保証契約がその内容を記録した電磁的記録によってされたときは、その保証契約は、書面によってされたものとみなして、前項の規定を適用する〈同書〉。

《注　釈》
一　意義

　　他人の債務を保証した者は、他人がその債務を履行しない場合に、その債務を他人に代わって履行する責任を負う。この保証人によって保証される他人の債務を主たる債務といい、保証人の債務を保証債務という。

二　法的性質
1　別個独立性

　　保証債務は、債権者と保証人との間の契約によって設定される、主たる債務とは別個の債務である。

2　付従性　⇒ p.380

3　随伴性

　　主たる債務者に対する債権が移転すると、保証人に対する債権もともに移転する（∵保証債務は債権担保を目的とする）〈共〉。

　　→ただし、免責的債務引受の場合　⇒ p.423

4　補充性

　　保証人は、主たる債務者がその債務を履行しない場合に、はじめてその債務

債
権

を履行すればよい（446）。このことから、保証人は、債権者からの請求に対して、①まず主たる債務者に請求せよという催告の抗弁権（452）と、②まず主たる債務者の財産に執行せよという検索の抗弁権（453）とをもつ。

三　成立

1　保証債務の発生要件は、①主債務の存在、②保証契約の成立、③②が書面又は電磁的記録によってされたこと（446ⅡⅢ）の3つである。主債務者の同意は不要である《司》。

(1)　保証契約は債権者と保証人だけで有効に締結できる《共》。
　　→主たる債務の一部のみの保証も可能

(2)　保証契約は、書面でしなければ、その効力を生じない（要式行為、446Ⅱ）。その趣旨は、保証契約の内容を明確に確認し、また、保証意思が外部的に明らかになることを通じて保証をするに当たっての慎重さを要請する点にある《司H25》。

　　保証契約がその内容を記録した電磁的記録によってされたときは、その保証契約は、書面によってされたものとみなされ、その効力を有する（446Ⅲ）。

　　保証債務の内容が明確に記載された保証契約書又はその申込み等の意思表示が記載された書面にその者が署名し若しくは記名押印し、又はその内容を了知した上で他の者に指示等して署名ないし記名押印の代行をさせることにより、書面を作成した場合、その他保証人となろうとする者が保証債務の内容を了知した上で債権者に対して書面で上記と同視しうる程度に明確に保証意思を表示したと認められる場合に限り、その効力を生ずる（東京高判平24.1.19）。

(3)　保証人と主たる債務者との間の内部事情は、保証契約の成立には影響を及ぼさない《過》。

(4)　保証委託契約の無効は、保証契約に影響しない（大判大6.9.25）。

(5)　他に連帯保証人があると誤信して連帯保証をした場合でも、特にその旨を保証契約の内容としたのでなければ、保証人の錯誤は動機の錯誤にすぎない（最判昭32.12.19）。
　　cf.　被保証人の同一性の錯誤　⇒ p.49

(6)　保証人が主たる債務者に騙されて債権者と保証契約を締結した場合は、第三者による詐欺に当たる。　⇒ p.52

2　保証人の要件（450）
(1)　保証人となる資格については何らの制限もないから、当事者間の契約で、いかなる人でも保証人になることができる。
(2)　債務者が法律上又は契約によって保証人を立てる義務がある場合には、その保証人は行為能力者であること、弁済の資力を有することという2つの要件を備える者でなければならない（450Ⅰ）。

3　主たる債務が存在すること　⇒ p.380
　主たる債務が成立しなかったり、すでに消滅しているときは、保証債務も効

力を生じない（∵保証債務は主たる債務の存在を前提とする（付従性））。
主たる債務につき免責的債務引受がなされた場合、保証債務は消滅する。

第447条　（保証債務の範囲）

Ⅰ　保証債務は、主たる債務に関する利息、違約金、損害賠償その他その債務に従たるすべてのものを包含する。

Ⅱ　保証人は、その保証債務についてのみ、違約金又は損害賠償の額を約定することができる。

[趣旨] 1項は、保証債務の範囲につき債権者・保証人間に特約がない場合の補充規定である。2項は、保証債務の別個独立性に基づいて、保証債務についてのみ違約金や損害賠償の額を約定しうることを認めるが、これは、保証債務の履行を確実にするにすぎないので、内容の付従性（448）には反しない〈共〉。

《注　釈》

◆　解除に伴う原状回復義務と損害賠償義務

1　原状回復義務

(1)　解除に遡及効を認めた場合（直接効果説）、本来的債務と同一性がないことから保証人が責任を負うかが問題となる。

(2)　特定物売買の売主の保証の場合には、特に反対の意思表示のない限り、売主の債務不履行により契約が解除された場合における原状回復義務についても責任を負う（最大判昭40.6.30・百選Ⅱ18事件）〈同共〉。

∵　売主の債務不履行に起因して売主が買主に対し負担する可能性のある債務につき責任を負担する趣旨で保証がなされるのが通常

cf.　合意解除から生じる債務については保証人は責任を負わないのが原則である（∵保証人に過大な責任を負担させる結果となるおそれがある）が、合意解除が債務不履行に基づくものであり、解除の際に定められた約定の債務が実質的に見て解除権の行使による解除によって負担すべき主債務者の債務より重いものでない限り、特段の事情がなければ主債務者の保証人は約定の債務についても責めに任ぜられる（最判昭47.3.23）

2　損害賠償義務

契約解除後の損害賠償義務が保証債務の範囲に含まれるかについても、原状回復義務の場合と同様に、保証契約の趣旨に照らして判断すべきであり、通常、保証人の責任は肯定されるものと解されている。

ex.　賃借人の賃借物返還義務の不履行による損害賠償義務についても、保証人は責任を負う（最判昭30.10.28）〈同〉

第448条　（保証人の負担と主たる債務の目的又は態様）

Ⅰ　保証人の負担が債務の目的又は態様において主たる債務より重いときは、これを主たる債務の限度に減縮する。

Ⅱ　主たる債務の目的又は態様が保証契約の締結後に加重されたときであっても、保証人の負担は加重されない。

《注　釈》

一　意義

付従性とは、保証債務が主たる債務の存在を前提とし、主たる債務に従たる性質をもつことをいう。本条は、内容の付従性を定める。

二　付従性

1　成立における付従性

⑴　主たる債務が不成立である場合や、無効・取消しにより遡及的に消滅した場合には、保証債務も不成立・無効となる。

⑵　主たる債務は必ずしも現実に発生している必要はない。

　　→将来の債務のための保証や将来増減する債務を決算期に一定の限度額まで保証するいわゆる根保証（⇒ p.394）を成立させることも可能である

⑶　主たる債務が条件付のものであるときは、保証も条件付で効力を生じる。

2　消滅に関する付従性

主たる債務が消滅すれば（ex. 弁済・更改・免除）、保証債務も消滅する〈司〉。

3　目的・態様における付従性

⑴　主たる債務の同一性が失われずに目的・範囲を変更する場合、保証債務もそれに応じて変更する。

⑵　保証債務は、その目的・態様において主債務より重くてはならない（448 Ⅰ）。この付従性は当事者の特約で排除することはできない。

　　∵　保証債務の本質

　　ex. 保証人が同意しても、保証債務を主たる債務より重くすることはできない

　　cf. 保証債務自体についての違約金や損害賠償の額について約定する場合（447 Ⅱ）は、本条の例外であり、主たる債務よりも重い負担となりうる〈司〉

⑶　主たる債務の目的又は態様が保証契約の締結後に加重されても、保証人の負担は加重されない（448 Ⅱ）。

4　主たる債務者の抗弁権の援用（457 Ⅱ）

ex. 同時履行の抗弁権（533）、相殺権（457 Ⅲ）

5　主たる債務者について生じた事由は、原則として保証人にも効力が及ぶ（457 Ⅰ）。

《その他》

▪ 主たる債務の弁済期が延期されれば保証債務の弁済期も延期される（大判大9.3.24）〈司〉〈共〉。

▪ 主債務者が死亡し、相続人が限定承認（922）を行った場合、保証人の債務、責任は影響を受けない。

第449条　（取り消すことができる債務の保証）

　行為能力の制限によって取り消すことができる債務を保証した者は、保証契約の時においてその取消しの原因を知っていたときは、主たる債務の不履行の場合又はその債務の取消しの場合においてこれと同一の目的を有する独立の債務を負担したものと推定する〈同共〉。

《注　釈》

一　「その債務の取消し」

　本条の適用は、行為能力の制限を理由とする取消しの場合に限られる。

　∵　主たる債務の消滅にもかかわらず保証人に別個独立の債務を負担させることは、保証債務の付従性からすれば最小限にとどめられなければならない

二　「不履行」

　1　制限行為能力者の帰責事由による不履行の場合、損害賠償債務に転じた主たる債務に保証債務は及ぶので、本条は無意味である。

　2　制限行為能力者の帰責事由によらない不履行の場合、保証人に独立の債務を負わせることは酷であるから、本条の推定は働かない。

第450条　（保証人の要件）

Ⅰ　債務者が保証人を立てる義務を負う場合には、その保証人は、次に掲げる要件を具備する者でなければならない。

①　行為能力者であること〈共〉。

②　弁済をする資力を有すること。

Ⅱ　保証人が前項第2号に掲げる要件を欠くに至ったときは、債権者は、同項各号に掲げる要件を具備する者をもってこれに代えることを請求することができる。

Ⅲ　前2項の規定は、債権者が保証人を指名した場合には、適用しない〈共〉。

《注　釈》

◆　「債務者が保証人を立てる義務を負う場合」（450Ⅰ柱書）

　1　契約による場合

　2　法律の規定による場合

　　ex.　留置権消滅請求の際の担保提供義務（301）など

　3　裁判所の命令による場合

　　ex.　不在者管理人の担保提供義務（29）など

《その他》

▪ 保証人が後に制限行為能力者となってもいったん発生した保証債務には何の影響もないため、債権者に代替請求権を認めていない（450Ⅱ）。

第451条　（他の担保の供与）

　債務者は、前条第1項各号に掲げる要件を具備する保証人を立てることができないときは、他の担保を供してこれに代えることができる。

債
権

《注　釈》

- 債務者が要件を備えた保証人を立てることができない場合には、担保供与義務の不履行であるから、債務者は期限の利益を失う（137③）。

第452条　（催告の抗弁）

債権者が保証人に債務の履行を請求したときは、保証人は、まず主たる債務者に催告をすべき旨を請求することができる。ただし、主たる債務者が破産手続開始の決定を受けたとき、又はその行方が知れないときは、この限りでない。

[趣旨] 保証債務の補充性として、債権者からの債務履行の請求に対して、まず自分より前に主たる債務者に催告をするよう求める催告の抗弁権を定める。しかし、保証人が催告の抗弁権を行使しても、債権者は主たる債務者に対して、裁判上たると裁判外たるとを問わず、一度催告するのみでよく、その結果にかかわらず再び保証人に請求できるため、保証人は一時的に履行を拒絶し延期できるにすぎず、その実効性は必ずしも大きくない。

第453条　（検索の抗弁）

債権者が前条の規定に従い主たる債務者に催告をした後であっても、保証人が主たる債務者に弁済をする資力があり、かつ、執行が容易であることを証明したときは、債権者は、まず主たる債務者の財産について執行をしなければならない圖。

[趣旨] 保証債務の補充性として、債権者からの債務履行の請求に対して、まず主たる債務者の財産について執行するよう求める検索の抗弁権を定める。保証人としては、債権者がまず主たる債務者の財産について執行するまでは、保証債務の履行を拒絶できるという点で、催告の抗弁権に比べて保証人保護の実効性が大きい。

《注　釈》

一　要件

1　「弁済をする資力」は全額弁済できる資力は必要でない。

一部の弁済をなしうるにすぎない資力であっても、それが総債務額に対して相当な額であるならば「弁済をする資力」ありと考えて差し支えない（大判昭8.6.13）。

2　「執行が容易である」か否かは、現実に弁済を受けることが容易か否かにより決する（大判昭8.6.13）。

画一的には判断できないものの、一般的に、金銭・有価証券は執行が容易であり、不動産は原則として容易でないとされる。

二　効果

1　債権者はまず主たる債務者の財産に執行しなければ、保証人に対して履行請求することができない。ただし、一度執行すれば効果がなくても妨げないし、後日資産状態が改まっても重ねて検索の抗弁権を主張することはできない（大判昭8.6.13）。

2　主たる債務者に対して強制執行しない場合は、保証人は債権者が直ちに執行

すれば弁済を得ることができた限度においてその義務を免れる（455）。

《その他》

▪ 催告・検索の抗弁を行使しなくても保証人が主たる債務者に行使しうる権利（求償権など）に影響を与えない。

第454条　（連帯保証の場合の特則）

　保証人は、主たる債務者と連帯して債務を負担したときは、前2条の権利を有しない。

[趣旨]通常の保証の場合、保証人は補充的二次的責任を負うにとどまるが、連帯保証の場合は、保証人は主たる債務者とともに連帯して債務を負うことになる。そこで、連帯保証にあっては保証債務の性質の1つである補充性がないことを定めた。

cf.　通常の保証ではあるが保証人相互間に全額弁済の特約がある場合を保証連帯というところ、保証連帯はあくまで通常の保証なので、補充性は認められる

第455条　（催告の抗弁及び検索の抗弁の効果）

　第452条＜催告の抗弁＞又は第453条＜検索の抗弁＞の規定により保証人の請求又は証明があったにもかかわらず、債権者が催告又は執行をすることを怠ったために主たる債務者から全部の弁済を得られなかったときは、保証人は、債権者が直ちに催告又は執行をすれば弁済を得ることができた限度において、その義務を免れる。

《注　釈》

◆　連帯の合意の位置付け

　連帯保証債務は保証債務のもつ補充性を奪って債権者の権利を保護するものであると考えられているため、連帯保証債務の請求にかかる要件事実も、保証債務の履行請求に対し、検索・催告の抗弁がなされ、これに対し連帯の合意による再抗弁がなされることになる。

第456条　（数人の保証人がある場合）

　数人の保証人がある場合には、それらの保証人が各別の行為により債務を負担したときであっても、第427条＜分割債権及び分割債務＞の規定を適用する。

[趣旨]共同保証における保証人と債権者との関係を規定する。保証人の責任を軽減して共同保証人相互間の関係を簡略にしている。

《注　釈》

一　意義

　共同保証とは、数人が同一の主たる債務について保証債務を負担することをいう。

二　分別の利益

1　原則

　共同保証人は、原則として、主たる債務の額を平等の割合で分割した額についてのみ保証債務を負担する。

2 例外（分別の利益がなく、主たる債務全額の保証債務を負担する場合）

⑴ 主たる債務が不可分債務である場合

⑵ 各保証人が全額弁済すべき特約をした場合（保証連帯）

⑶ 連帯保証（⇒ p.386）の場合

第457条 （主たる債務者について生じた事由の効力） 司R3

Ⅰ 主たる債務者に対する履行の請求その他の事由による時効の完成猶予及び更新は、保証人に対しても、その効力を生ずる。

Ⅱ 保証人は、主たる債務者が主張することができる抗弁をもって債権者に対抗することができる。

Ⅲ 主たる債務者が債権者に対して相殺権、取消権又は解除権を有するときは、これらの権利の行使によって主たる債務者がその債務を免れるべき限度において、保証人は、債権者に対して債務の履行を拒むことができる。

[趣旨] 1項は、保証債務のみが時効消滅することを防止し、債権担保の維持を図り、2項・3項は、保証人に主債務者が有する抗弁による対抗や履行拒絶を認めることで、保証人の保護を図った。なお、本条3項と439条2項は同趣旨の規定である。

《注 釈》

一 主たる債務者に生じた事由の効力

1 原則

保証人にも効力が及ぶ（∵保証債務の付従性）。

ex. 主たる債務の消滅時効の完成猶予及び更新（457Ⅰ、153の例外）、債権譲渡の通知 司書、債務の免除 司

cf. 主たる債務者が破産しても、保証人は免責されない（破253Ⅱ参照）

∵ 主たる債務者が破産しても、債務や責任が減縮されるわけではない

2 例外

⑴ 主たる債務者が主たる債務について時効の利益を放棄しても、その効果は保証人には及ばない（大判昭6.6.4）供。

⑵ 債権者と主たる債務者との間で、保証契約成立後に主たる債務を加重しても、保証債務に効力を及ぼさない（448Ⅱ）。

→軽減された場合には効力が及ぶ

⑶ 主たる債務者が死亡し相続人が限定承認（922）しても、保証人の責任は軽減されない。

∵ 限定承認があっても、相続人は主たる債務をそのまま承継し、責任が相続財産の範囲に制限されるにすぎない

二 保証人について生じた事由の効力

1 原則

保証人について生じた事由は、主たる債務を消滅させる行為（弁済、代物弁済、供託、相殺）のほかは、主たる債務者に影響しない。

ex.1　保証人が保証債務の一部を弁済しても、主たる債務の残部につき時効
は更新しない　⇒p.105

ex.2　保証人に履行を請求しても主たる債務の時効の完成は猶予されない

ex.3　保証人に対してなされた債権譲渡の通知（467）は、主たる債務者及
び保証人についても効力を生じない

→いずれの債権譲渡についても、対抗要件は主債務者の通知・承諾〈司〉

2　例外

(1)　連帯保証については例外がある。　⇒p.386

(2)　保証人が主たる債務を相続したことを知りながら保証債務の弁済をした場
合、当該弁済は、特段の事情のない限り、主たる債務者による承認として当
該主たる債務の消滅時効が更新される（最判平25.9.13・平25重判3事件）。

∵①　保証債務の付従性に照らすと、保証債務の弁済は通常、主たる債務
が消滅せずに存在していることを当然の前提としている

②　主たる債務者兼保証人の地位にある個人が主たる債務者としての地
位と保証人としての地位により異なる行動をすることは想定し難いか
ら、主たる債務を相続したことを知りながらした保証債務の弁済は、
主たる債務の承認を表示することを包含する

三　保証人の抗弁権

1　保証人は、主たる債務者の抗弁権を債権者に対抗できる（保証債務の付従
性、457Ⅱ）。

ex.1　相殺の抗弁〈共子〉、同時履行の抗弁権（533）

ex.2　主たる債務が時効で消滅したときは、主たる債務者が時効利益を援用
するかどうかに関係なく、保証人は自分に対する関係で、これを援用し
て保証債務の消滅を主張することができる（145）（大判昭8.10.13）〈通〉〈司共〉

cf.　消滅時効の完成後に主たる債務者が債務の承認をし、それを知った保証
人も保証債務を承認した場合には、保証人が、主たる債務の時効援用によ
って責任を免れることは、信義則上許されない（最判昭44.3.20）

2　判例（大判昭20.5.21）は、保証人は120条に規定する取消権者に当たらない
として、主たる債務者が有する取消権の行使を認めない〈共〉。もっとも、保証人
は、主たる債務者が債権者に対して有する相殺権、取消権又は解除権の行使に
よって債務を免れる限度で、債務の履行を拒むことができる（457Ⅲ）。

第458条　（連帯保証人について生じた事由の効力）〈司〉

第438条＜連帯債務者の1人との間の更改＞、第439条第1項＜連帯債務者の
1人による相殺＞、第440条＜連帯債務者の1人との間の混同＞及び第441条＜
相対的効力の原則＞の規定は、主たる債務者と連帯して債務を負担する保証人につい
て生じた事由について準用する。

[趣旨]普通の保証において、保証人に生じた事由は主たる債務者に及ばない
（⇒p.384）が、連帯保証においては、主たる債務者にも及ぶ旨を規定する。絶対的

効力が及ぶ事由は、負担部分を前提とした規定を除き、連帯債務の場合と同様である。

《注　釈》

一　意義・成立

　　連帯保証とは、保証人が主たる債務者と連帯して保証債務を負担する場合をいう。

　　連帯保証は、債権者と保証人の間の保証契約に「連帯して」といった文言を入れるなどして、連帯保証契約が締結されることにより成立する。

二　性質

1　補充性なし　→催告・検索の抗弁権なし（454）

2　付従性あり　→437条の準用なし

3　分別の利益なし　→債権者は各連帯保証人に全額請求可〈予〉　⇒ p.393

三　1人について生じた事由の効力

1　主たる債務者について生じた事由の効力

　　普通の保証と同様、すべて連帯保証人に及び、連帯債務規定の適用はない（∵保証債務の付従性）。

2　連帯保証人について生じた事由の効力

　(1)　連帯債務の規定が準用される（438〜441）が、更改（438）・相殺（439Ⅰ）・相対的効力の原則（441）は保証債務の性質として当然に認められる〈予書〉。

　(2)　連帯保証人には負担部分がないから、その存在を前提とする439条2項（他債務者の履行拒絶）は準用の余地がない。

四　内部関係

　　普通の保証と同様である。　⇒ p.387 以下

《その他》

▪ 主たる債務が商行為により生じたとき、保証が商行為であるときは常に連帯保証となる（商511）。

第458条の2　（主たる債務の履行状況に関する情報の提供義務）〈同書〉

　　保証人が主たる債務者の委託を受けて保証をした場合において、保証人の請求があったときは、債権者は、保証人に対し、遅滞なく、主たる債務の元本及び主たる債務に関する利息、違約金、損害賠償その他その債務に従たる全てのものについての不履行の有無並びにこれらの残額及びそのうち弁済期が到来しているものの額に関する情報を提供しなければならない。

[趣旨] 主たる債務者が債務不履行に陥ったものの、保証人が長期間にわたってそのことを知らず、遅延損害金が積み重なって甚大な額になってしまった場合に、保証人が債権者からその履行を求められるのは酷である。本条の趣旨は、このような結果を回避するために債権者に情報提供義務を課し、もって保証人を保護する点にあ

る。

《注　釈》

- 情報提供義務の対象たる「残額」等には、主たる債務それ自体だけではなく、それに付随するものであって保証債務の対象となるもの（447 I 参照）も含むと解される。
- 債権者は、個人保証・法人保証を問わず、本条により情報提供義務を負う。債権者がこの情報提供義務に違反した場合には、債務不履行の一般法理（415・541以下）に従って処理される。

第458条の3　（主たる債務者が期限の利益を喪失した場合における情報の提供義務）

I　主たる債務者が期限の利益を有する場合において、その利益を喪失したときは、債権者は、保証人に対し、その利益の喪失を知った時から2箇月以内に、その旨を通知しなければならない。

II　前項の期間内に同項の通知をしなかったときは、債権者は、保証人に対し、主たる債務者が期限の利益を喪失した時から同項の通知を現にするまでに生じた遅延損害金（期限の利益を喪失しなかったとしても生ずべきものを除く。）に係る保証債務の履行を請求することができない。

III　前2項の規定は、保証人が法人である場合には、適用しない。

《注　釈》

- 債権者が本条1項の通知を怠ったからといって、主たる債務についての期限の利益喪失の効果を保証人に主張できなくなるわけではない。主たる債務者が期限の利益を失えば、通知の有無にかかわらず、保証人も期限の利益を喪失し、保証人は、残債務の全額に相当する保証債務についてその履行に応じなければならない。

第459条　（委託を受けた保証人の求償権）

I　保証人が主たる債務者の委託を受けて保証をした場合において、主たる債務者に代わって弁済その他自己の財産をもって債務を消滅させる行為（以下「債務の消滅行為」という。）をしたときは、その保証人は、主たる債務者に対し、そのために支出した財産の額（その財産の額がその債務の消滅行為によって消滅した主たる債務の額を超える場合にあっては、その消滅した額）の求償権を有する。

II　第442条第2項＜連帯債務者間の求償権の範囲＞の規定は、前項の場合について準用する。

[趣旨]保証における対内関係としての費用償還請求・求償関係について、委託を受けて保証した者は、委任事務の処理者とみることができるから、その出捐は、委任事務処理費用の償還の法理（650）に従うことになるはずである。しかし、保証における内部関係の特殊性に着目して、委任の右規定を適用せず、保証人の求償権に関する特別規定を設けた。

《注　釈》

一　求償権の発生・行使

1　一部弁済でも、その額について求償権が発生する。

2　主債務の弁済期前に保証人が弁済しても、求償権は成立する。ただし、期限前の弁済につき主債務者の承諾がない場合には、主債務の弁済期後でなければ求償権は行使できない（459の2Ⅲ）。

3　求償権につき、保証人・主たる債務者間で特約をなすことも可能である。

cf.　この特約は、弁済による代位により債権者の担保権を行使する際には、抵当権者・後順位担保権者に対して対抗できる

二　「債務を消滅させる行為」（Ⅰ）

弁済以外で、保証人の財産的出捐により債務消滅をもたらしたときをいう。

ex.　代物弁済（482）、供託（494）、更改（513）、相殺（505）、債権者が保証人の財産に強制執行をして満足を得た場合

→物上保証人が第三者弁済により債務を消滅させた場合だけでなく担保権が実行された結果、自己の不動産所有権を失う場合も「自己の財産」をもって債務を消滅させたと同様に考えうる（351条による保証債務に関する規定の準用）

cf.　免除を受けた場合は、たとえ債務が消滅しても保証人の出捐がないので求償権は発生しない

三　物上保証の目的物件についての第三取得者

第三取得者が自己の財産をもって弁済した場合、第三取得者が物上保証人に類似する地位にあることから、372条・351条の規定を準用し、かつ物上保証人に対する債務者の委託の有無によって本条ないし462条の規定が準用される。

《その他》

▪ 460条の事前求償権は本条に定める事後の求償権とは別個の権利であってその法的性質も異なるから、事前求償権を取得した者がその行使が可能な時から進行するその消滅時効期間が満了しても、当該保証人が、弁済その他自己の出捐をもって主たる債務を消滅させるべき免責行為をしたことにより本条1項に基づき取得する事後求償権の消滅時効は、免責行為をしたときから進行する（最判昭60.2.12）。

第459条の2　（委託を受けた保証人が弁済期前に弁済等をした場合の求償権）

Ⅰ　保証人が主たる債務者の委託を受けて保証をした場合において、主たる債務の弁済期前に債務の消滅行為をしたときは、その保証人は、主たる債務者に対し、主たる債務者がその当時利益を受けた限度において求償権を有する。この場合において、主たる債務者が債務の消滅行為の日以前に相殺の原因を有していたことを主張するときは、保証人は、債権者に対し、その相殺によって消滅すべきであった債務の履行を請求することができる。

> Ⅱ　前項の規定による求償は、主たる債務の弁済期以後の法定利息及びその弁済期以後に債務の消滅行為をしたとしても避けることができなかった費用その他の損害の賠償を包含する。
> Ⅲ　第1項の求償権は、主たる債務の弁済期以後でなければ、これを行使することができない。

［趣旨］委託を受けた保証人に対し、主たる債務の弁済期到来前に保証債務の弁済その他の債務の消滅行為を行うことを認める一方、主たる債務者の期限の利益を害することのないよう、求償権行使の範囲（Ⅰ前段、Ⅱ）及び時期（Ⅲ）の点において制限を課すことで、両者の利害調整を図る点にある。

第460条　（委託を受けた保証人の事前の求償権）

保証人は、主たる債務者の委託を受けて保証をした場合において、次に掲げるときは、主たる債務者に対して、あらかじめ、求償権を行使することができる。
①　主たる債務者が破産手続開始の決定を受け、かつ、債権者がその破産財団の配当に加入しないとき。
②　債務が弁済期にあるとき。ただし、保証契約の後に債権者が主たる債務者に許与した期限は、保証人に対抗することができない［同］。
③　保証人が過失なく債権者に弁済をすべき旨の裁判の言渡しを受けたとき。

［趣旨］保証人の弁済は委任事務処理費用としての性質を有し、保証人は当然その前払請求（649）ができそうである。しかし、常に前払請求できるとしたのでは主債務者自ら弁済すればよく保証を委託するのは迂遠な結果を招くこと、前払を受けた保証人が保証債務の履行をしない危険もあること等に鑑み、委任事務処理費用の前払請求の規定を排除又は制限する特則規定として本条を置いたと解するのが通説である。

《注　釈》

一　物上保証人の事前求償権〈予H24〉

A説：物上保証人にも事前求償権が認められる。
　　　∵①　物上保証人の担保提供は、委任事務に必要な物的有限責任の負担であり、その負担は現実化する可能性が高い
　　　　②　物上保証人は、保証人と異なり、催告・検索の抗弁権を行使することなく競売を甘受しなければならない
B説：物上保証人には事前求償権は認められない（最判平2.12.18）〈通〉〈司予書〉
　　　∵①　物上保証とは、他人のために物的担保を提供することであり、物上保証の委託は、担保物権の設定行為の委任である
　　　　②　物上保証人は、債務を負担することなく、物的有限責任を負担するにすぎず、被担保債権の弁済は、物上保証人の委託の趣旨には含まれない
　　　　③　担保物の客観的価値は、その存否さえも競売してみなければ確定し得ない

二　事前求償権を被保全債権とする仮差押えと事後求償権の時効完成猶予

　　事前求償権と事後求償権は別個の権利であるにもかかわらず、事前求償権を被保全債権とする仮差押えは、事後求償権の消滅時効の完成を猶予させる効力を有する（最判平27.2.17・平27重判5事件参照）。

　∵①　事前求償権は、事後求償権を確保するために認められた権利であり、事前求償権を被保全債権とする仮差押えをすれば、事後求償権についても権利を行使しているのと同等のものとして評価することができる

　　②　委託を受けた保証人が事前求償権を被保全債権とする仮差押えをした場合であっても、459条1項所定の行為をした後に改めて事後求償権について消滅時効の完成猶予の措置を採らなければならないとすることは、当事者の合理的な意思ないし期待に反する

第461条　（主たる債務者が保証人に対して償還をする場合）

Ⅰ　前条の規定により主たる債務者が保証人に対して償還をする場合において、債権者が全部の弁済を受けない間は、主たる債務者は、保証人に担保を供させ、又は保証人に対して自己に免責を得させることを請求することができる。

Ⅱ　前項に規定する場合において、主たる債務者は、供託をし、担保を供し、又は保証人に免責を得させて、その償還の義務を免れることができる。

[趣旨]主たる債務者が保証人に弁済資金を提供したうえ、さらに債権者に弁済しなければならない危険を防止するため、主たる債務者に、保証人の事前求償に対する対抗手段を認める。

第462条　（委託を受けない保証人の求償権）〈司R3〉

Ⅰ　第459条の2第1項＜委託を受けた保証人が弁済期前に弁済等をした場合の求償権＞の規定は、主たる債務者の委託を受けないで保証をした者が債務の消滅行為をした場合について準用する。

Ⅱ　主たる債務者の意思に反して保証をした者は、主たる債務者が現に利益を受けている限度においてのみ求償権を有する〈司共予〉。この場合において、主たる債務者が求償の日以前に相殺の原因を有していたことを主張するときは、保証人は、債権者に対し、その相殺によって消滅すべきであった債務の履行を請求することができる。

Ⅲ　第459条の2第3項＜委託を受けた保証人が弁済期前に弁済等をした場合の求償権の行使時期＞の規定は、前2項に規定する保証人が主たる債務の弁済期前に債務の消滅行為をした場合における求償権の行使について準用する。

[趣旨]保証人が、主たる債務者の委託を受けないで保証した場合にその出捐によって保証債務を履行したときは、その出捐は事務管理の費用といえ、その法理に基づき費用の償還請求ができるはずである（702）。しかし、保証人と主たる債務者の特殊な内部関係に即して、特別に、保証人の求償権の発生要件及びその範囲を定めたのが本条である。

第463条　（通知を怠った保証人の求償の制限等）

Ⅰ　保証人が主たる債務者の委託を受けて保証をした場合において、主たる債務者にあらかじめ通知しないで債務の消滅行為をしたときは、主たる債務者は、債権者に対抗することができた事由をもってその保証人に対抗することができる。この場合において、相殺をもってその保証人に対抗したときは、その保証人は、債権者に対し、相殺によって消滅すべきであった債務の履行を請求することができる。

Ⅱ　保証人が主たる債務者の委託を受けて保証をした場合において、主たる債務者が債務の消滅行為をしたことを保証人に通知することを怠ったため、その保証人が善意で債務の消滅行為をしたときは、その保証人は、その債務の消滅行為を有効であったものとみなすことができる〈改〉。

Ⅲ　保証人が債務の消滅行為をした後に主たる債務者が債務の消滅行為をした場合においては、保証人が主たる債務者の意思に反して保証をしたときのほか、保証人が債務の消滅行為をしたことを主たる債務者に通知することを怠ったため、主たる債務者が善意で債務の消滅行為をしたときも、主たる債務者は、その債務の消滅行為を有効であったものとみなすことができる。

［趣旨］ 主たる債務者と保証人の二重弁済を防止し、あるいは抗弁権があるのに弁済してしまうという不利益を避けるため、保証人に弁済をなす前と後とに主たる債務者に対してこれを通知する義務が課され、これを怠ると求償権に制限を受けることがあることを規定する。

《注　釈》

一　受託保証人の事前通知義務（Ⅰ）

1　受託保証人が弁済をする場合には、主債務者に対する事前の通知が必要である。

　　他方、無委託保証人が弁済をする場合には、求償額が制限されているため、主債務者に対する事前の通知は義務付けられていない。

2　事前の通知を怠った場合、主債務者は債権者に対抗できる事由を受託保証人に対抗できる。

二　主債務者の事後通知義務（Ⅱ）

1　主債務者が弁済をした場合には、受託保証人に対する事後の通知が必要である。

2　事後の通知を怠ったことにより受託保証人が善意で更なる弁済をした場合、受託保証人は自己の弁済を有効とみなすことができる。

三　保証人の事後通知義務（Ⅲ）

1　委託の有無にかかわらず、保証人が事後の通知を怠ったことにより主債務者が善意で更なる弁済をした場合、主債務者は自己の弁済を有効とみなすことができる。

2　主債務者の意思に反する委託を受けない保証人が弁済をした後に主債務者が善意で更なる弁済をした場合、主債務者は自己の弁済を有効とみなすことができる。

→事後通知を怠ったか否かにかかわらず、委託を受けない保証人が主債務者
に対し求償をした時までに主債務者が弁済していたときは、主債務者に対
し求償できない

＜保証人の求償権＞

	事前求償権の行使	求償権の内容
委託を受けた保証人（受託保証人）	○（460）	・事前通知あり →支出した財産額（支出した財産額が消滅した債務額を超える場合にはその消滅した額、459 I） ・事前通知なし →支出した財産額（支出した財産額が消滅した債務額を超える場合にはその消滅した額、459 I） →主債務者は債権者に対抗することができた事由を保証人に対抗することができる（463 I）
主債務者の意思に反しない無委託保証人	×	事前通知の有無に関係なく、債務消滅行為時に利益を受けている限度（462 I・459の2 I）
主債務者の意思に反する無委託保証人	×	事前通知の有無に関係なく、求償時に利益を受けている限度（現存利益、462 II）

《その他》

▪ 本条は、物上保証人にも適用される（351、372）。

第464条　（連帯債務又は不可分債務の保証人の求償権）

　連帯債務者又は不可分債務者の1人のために保証をした者は、他の債務者に対し、
その負担部分のみについて求償権を有する。

[趣旨] 求償関係の複雑化及び循環を避けるために、不可分債務者又は連帯債務者
の1人のために保証した者は、他の不可分債務者又は連帯債務者に対しても、その
負担部分に限って求償権を有するものとし、保証人のなす一度の求償によって決着
をつけられるようにしたものである。

《注　釈》

▪ 保証人は、被保証人に対し全額求償することも、保証しなかった各債務者に対し
負担部分について直接求償することも可能である〈司〉。

▪ 保証人の有する求償権の範囲は、被保証人が他の債務者に対して取得すべき求償
権の範囲と同一である。

　→被保証人以外の他の債務者に負担部分がない場合には、被保証人が無資力で
ある場合でも、他の債務者に求償することはできない

第465条　（共同保証人間の求償権）

Ⅰ　第442条から第444条まで＜連帯債務者間の求償権等＞の規定は、数人の保証人がある場合において、そのうちの1人の保証人が、主たる債務が不可分であるため又は各保証人が全額を弁済すべき旨の特約があるため、その全額又は自己の負担部分を超える額を弁済したときについて準用する〈同〉。

Ⅱ　第462条＜委託を受けない保証人の求償権＞の規定は、前項に規定する場合を除き、互いに連帯しない保証人の1人が全額又は自己の負担部分を超える額を弁済したときについて準用する。

[趣旨] 主たる債務者が償還の資力を十分有していない場合に、弁済など免責行為をなした保証人だけに損失を負担させるとすることは他の共同保証人との関係において不公平になることから、本条を置いて共同保証人間の公平を図った。なお、数人の保証人がある場合については、456条（⇒ p.383）参照。

《注　釈》

一　1項（分別の利益がない場合）〈同R3〉

1　各共同保証人は全額弁済義務を負う。共同保証人の1人が全額又は自己の負担部分を超過する額の弁済をなしたときは、連帯債務者の1人がなした弁済と同様に考えることができるので、連帯債務者間の求償の規定を準用した。

2　連帯債務と異なるのは、負担部分を超える弁済をした場合にその超える部分についてだけ、他の共同保証人に求償しうると解されていることである〈同〉。

∵　負担部分については主たる債務者に対する求償だけで満足し、それを超えた部分は共同に負担すべきものとするのが共同保証の趣旨である

二　2項（分別の利益がある場合）

1　各保証人は、対外関係のみならず内部関係でも、全部弁済義務を負担しないのが原則である。

2　共同保証人の1人が全額又は自己の分割債務額を超過する額の弁済をなしたときは、事務管理の場合と同様の関係になるので、委託を受けない保証人の規定を準用する。

三　**主債務者に対する求償権の時効の完成猶予・更新の効力が共同保証人間の求償権にも及ぶか**

共同保証人間の求償権は、共同保証人間の負担を最終的に調整するためのものであり、共同保証人間の公平を確保するものであって、保証人が主債務者に対して取得した求償権を担保するためのものではない。よって、保証人が主債務者に対して取得した求償権の消滅時効の完成猶予・更新事由がある場合であっても、共同保証人間の求償権について消滅時効の完成猶予・更新の効力は生じない（最判平27.11.19・平28重判5事件参照）。

＜保証と物上保証の比較＞ 予H24

	保証人	物上保証人
責任の範囲	その一般財産	担保に供した特定財産
直接の履行請求の可否	○	×
付従性・随伴性	○	○（根抵当では緩和）
補充性（催告・検索の抗弁）	○（452、453）	×通
主債務の時効援用権	○（145）	○（145）
保証人に対する時効の完成猶予・更新	○（457 I）	○（最判平7.3.10）
抗弁権の援用	○（457 II）	×（＊）
事前求償権の有無	○（460）	×（最判平2.12.18）
事後求償権の有無	○（459）	○（351、459）
求償権の範囲	○（459）	○（351、459）
複数存在する場合の処理	・分別の利益がないとき、特約なければ平等	・担保不動産の価格の割合で負担

＊　物上保証人についても、保証人と同様、他人の債務を負担する者であることから、相殺権等について、物上保証人による援用を認めるべきであるとする見解もある。

［根保証（継続的保証）］

一　意義

一定の期間の間に継続的に生じる不特定の債務を担保する保証をいう。以下の3類型がある。

①　継続的な売買取引・銀行取引等から生ずる不特定の債務の保証（信用保証）

②　不動産賃貸借から生ずる賃借人の債務の保証（アパートの賃貸借の保証等）

③　被用者についての身元保証

1　根保証における分類

以下の2つによる分類が可能である。

(1)　保証期間の有無

保証人が責任を負う期間の定めがあるものと、期間の定めのないものとがある。

(2)　限度額の有無

保証人が無限定の責任を負うのではなく、一定額を限度として責任を負うことが定められているものと、限度額が定められていないものとがある。

保証期間も限度額も定められていないものを包括根保証という。包括根保証は保証人の責任が過大となることが多いことから、根保証契約の解釈では、保証人を保護する方向で解釈する必要があると考えられている。

2 根保証契約の被保証債権の譲渡

個人貸金等根保証契約（465の3Ⅰ）に該当しない一般の根保証契約について、根保証契約の被保証債権を譲り受けた者は、その譲渡が当該根保証契約に定める元本確定期日前にされた場合であっても、当該根保証契約の当事者間において被保証債権の譲受人の請求を妨げるような別段の合意がない限り、保証人に対し、保証債務の履行を求めることができる（最判平24.12.14・百選Ⅱ20事件）〈司共〉。

cf. 元本確定前に根抵当権者から個々の被担保債権を譲り受けた者は、その債権について根抵当権を行使できない（398の7Ⅰ）

二 保証人の解約権

1 任意解約権

保証期間の定めがない場合に、主たる債務が発生し続ける限り永遠に保証人が責任を負わなければならないとすることは保証人に酷である。そのため、同じく継続的契約関係である賃貸借において期間の定めがない場合に任意解約権が法定されている（617Ⅰ）のと同様、解釈上、保証人にも、取引の性質から判断して相当な期間が経過した場合には、保証人は一方的に契約を解約することができると解釈され、任意解約権が認められている。

2 特別解約権

(1) 保証期間の定めがない場合

自己責任の原則から、保証人は、相当期間が経過するまでは責任を免れないのが原則である。しかし、根保証の場合は、保証人保護の要請が強いことから、任意解約権の他にも、特別の事情変更による解約権が認められる。

(2) 保証期間の定めがある場合

任意解約権が認められないのは当然であるが、特別解約権が認められるかは争いがある。

A 否定説：保証期間を定めた以上は、その期間については責任を負うべきである。

B 肯定説：事情変更の原則の適用の問題であり、それを認めるだけの事情の変更がある以上は、期間の定めは特別解約権を否定するだけの理由とならない。

(3) 解約までに生じた債務は全て保証されるか

解約権が発生しているにもかかわらず保証人が解約をしないので、そのまま債権者が主たる債務者と取引を継続した場合、基本たる保証契約が有効なままであることから、一切の債務が保証されるかが問題となる。

A 無制限説：保証人はいざというときのための担保であるから、保証人からの回収を期待して取引を継続しても何ら責められるべきものではない。

B 制限説：保証人が支払っても主債務者から回収できないことを知りながら、保証人が解約しないことを奇貨として債権者がそのま

ま取引を継続することは信義則に反する。しかも、保証人保
護の要請が強いことから、保証の範囲は信義則上妥当な範囲
に限界付けられるべきである。

三　相続の問題

1　相続までに生じた個々の保証債務

相続前に既に発生していた特定の保証債務は、当然に相続される（896 本
文）。

2　根保証契約の保証人たる地位

根保証契約は、主債務者と保証人との間に人的に特別な関係があったために
締結されたもので、「被相続人の一身に専属したもの」（896 ただし書）に当た
り、相続性は否定される（最判昭 37.11.9）。身元保証についても、身元保証法
に規定はないが、相続性は否定されている（大判昭 18.9.10）◀司▶。

［賃借人の債務の保証］

一　位置付け

賃借人の債務の保証については、不特定の債務を保証するという点で根保証に
位置付けられるから、保証人が個人である場合には、個人根保証契約の規定
（465 の 2 以下）が適用される。

二　解約権

保証期間の定めのない場合でも、相当期間が経過しただけでは保証契約の解約
は認められない◀司▶。

∵　保証人の予期しない額にわたる損害が生じる危険があまりない

ただし、期間の定めのない保証契約を締結後、相当の期間が経過し、かつ賃借
人がしばしば賃借料の支払を怠り将来においても誠実にその債務を履行する見込
みがない場合には、保証人は賃貸人に対する一方的意思表示により保証契約を解
約できる（大判昭 8.4.6）◀園▶。

三　相続性

保証人が死亡し、相続が開始した場合には、これにより元本の確定した債務に
係る保証債務が相続の対象となる（465 の 4 I ③参照）。相続開始後に生じた賃借
人の債務について保証債務を負うことはない。

→主たる債務者（賃借人）又は保証人の死亡は、元本確定事由（465 の 4 I ③）
であるため、賃借人が死亡した場合、その相続人が賃貸借関係を相続した後
に生じた相続人（賃借人）の債務についても、保証人が保証債務を負うこと
はない

第2目　個人根保証契約

第465条の2　（個人根保証契約の保証人の責任等）

Ⅰ　一定の範囲に属する不特定の債務を主たる債務とする保証契約（以下「根保証契約」という。）であって保証人が法人でないもの（以下「個人根保証契約」という。）の保証人は、主たる債務の元本、主たる債務に関する利息、違約金、損害賠償その他その債務に従たる全てのもの及びその保証債務について約定された違約金又は損害賠償の額について、その全部に係る極度額を限度として、その履行をする責任を負う〈書〉。

Ⅱ　個人根保証契約は、前項に規定する極度額を定めなければ、その効力を生じない〈同〉。

Ⅲ　第446条第2項及び第3項＜保証契約の有効要件としての書面・電磁的記録＞の規定は、個人根保証契約における第1項に規定する極度額の定めについて準用する。

《注　釈》

一　意義

　　個人根保証契約とは、一定の範囲に属する不特定の債務を主たる債務とする保証契約（根保証契約）であって、保証人が法人でないものをいう（Ⅰ）。

二　保証人の範囲

　　保証人は、個人である場合に限定される〈同〉。

　　∵　根保証における保証人が個人の場合には、人的無限責任を負うことに伴う経済生活の破綻のおそれがあるのに対し、法人の場合には、そのようなおそれはないうえに、保証の要否や必要の範囲につき合理的な判断が期待できることから、なお契約自由の原則に委ねるべきこととした

三　極度額

1　保証人は、主たる債務の元本、主たる債務に関する利息、違約金、損害賠償その他その債務に従たる全てのもの及びその保証債務について約定された違約金又は損害賠償の額について、その全部に係る極度額を限度として、その履行をする責任を負う（Ⅰ）〈同〉。

2　個人根保証契約は、極度額を定めなければ効力を生じない（Ⅱ）。
　　「極度額を定め」るとは、当事者間の合意により金額的な上限を定めることをいう。

3　極度額の定めには要式性が求められる（Ⅲ）〈同〉。

債
権

第465条の3 （個人貸金等根保証契約の元本確定期日）

Ⅰ 個人根保証契約であってその主たる債務の範囲に金銭の貸渡し又は手形の割引を受けることによって負担する債務（以下「貸金等債務」という〈明〉。）が含まれるもの（以下「個人貸金等根保証契約」という。）において主たる債務の元本の確定すべき期日（以下「元本確定期日」という。）の定めがある場合において、その元本確定期日がその個人貸金等根保証契約の締結の日から5年を経過する日より後の日と定められているときは、その元本確定期日の定めは、その効力を生じない。

Ⅱ 個人貸金等根保証契約において元本確定期日の定めがない場合（前項の規定により元本確定期日の定めがその効力を生じない場合を含む。）には、その元本確定期日は、その個人貸金等根保証契約の締結の日から3年を経過する日とする。

Ⅲ 個人貸金等根保証契約における元本確定期日の変更をする場合において、変更後の元本確定期日がその変更をした日から5年を経過する日より後の日となるときは、その元本確定期日の変更は、その効力を生じない。ただし、元本確定期日の前2箇月以内に元本確定期日の変更をする場合において、変更後の元本確定期日が変更前の元本確定期日から5年以内の日となるときは、この限りでない〈共〉。

Ⅳ 第446条第2項及び第3項＜保証契約の有効要件としての書面・電磁的記録＞の規定は、個人貸金等根保証契約における元本確定期日の定め及びその変更（その個人貸金等根保証契約の締結の日から3年以内の日を元本確定期日とする旨の定め及び元本確定期日より前の日を変更後の元本確定期日とする変更を除く。）について準用する。

《注 釈》

◆ 元本確定期日

1 元本確定期日とは、個人貸金等根保証契約において主たる債務の元本の確定すべき期日をいう（Ⅰ）。

元本確定期日を経過した後は、保証すべき主たる債務の元本が確定し、その後は確定した元本と、これに対する利息・損害金についてのみ保証責任を負う。

2 元本確定期日の定めの有無（ⅠⅡ）

＜元本確定期日の定めの有無と元本確定期日＞

元本確定期日の定めの有無	元本確定期日
元本確定期日がその個人貸金等根保証契約の締結の日から5年を経過する日より前の日と定められているとき（Ⅰ）	定められた元本確定期日（Ⅰ）〈同〉
元本確定期日の定めがない場合（元本確定期日がその個人貸金等根保証契約の締結の日から5年を経過する日より後の日と定められているときも含む）（Ⅱ）	その個人貸金等根保証契約の締結の日から3年を経過する日（Ⅱ）〈同共〉

3　元本確定期日の変更（Ⅲ）

＜元本確定期日の変更と元本確定期日＞

元本確定期日の変更	元本確定期日
変更後の元本確定期日がその変更をした日から5年を経過する日より前の日となるとき	変更された元本確定期日
変更後の元本確定期日がその変更をした日から5年を経過する日より後の日となるとき	元本確定期日の変更は、その効力を生じない
変更後の元本確定期日がその変更をした日から5年を経過する日より後の日となるときであっても、元本確定期日の前2か月以内に元本確定期日の変更をする場合において、変更後の元本確定期日が変更前の元本確定期日から5年以内の日となるとき	変更された元本確定期日

4　元本確定期日の定め及びその変更には、要式性が要求される（Ⅳ）。もっとも、その個人貸金等根保証契約の締結の日から3年以内の日を元本確定期日とする旨の定め及び元本確定期日より前の日を変更後の元本確定期日とする変更の場合には、要式性は要求されない（Ⅳかっこ書）。

第465条の4　（個人根保証契約の元本の確定事由）

Ⅰ　次に掲げる場合には、個人根保証契約における主たる債務の元本は、確定する。ただし、第1号に掲げる場合にあっては、強制執行又は担保権の実行の手続の開始があったときに限る〈回〉。

① 債権者が、保証人の財産について、金銭の支払を目的とする債権についての強制執行又は担保権の実行を申し立てたとき。

② 保証人が破産手続開始の決定を受けたとき。

③ 主たる債務者又は保証人が死亡したとき〈回〉。

Ⅱ　前項に規定する場合のほか、個人貸金等根保証契約における主たる債務の元本は、次に掲げる場合にも確定する。ただし、第1号に掲げる場合にあっては、強制執行又は担保権の実行の手続の開始があったときに限る。

① 債権者が、主たる債務者の財産について、金銭の支払を目的とする債権についての強制執行又は担保権の実行を申し立てたとき。

② 主たる債務者が破産手続開始の決定を受けたとき。

《注　釈》

◆　個人根保証契約の元本確定事由

1　本条1項1号にいう「担保権の実行を申し立て」とは、担保不動産競売の他、抵当不動産についての物上代位（372、304）も含まれる。ただし、強制執行又は担保権の実行の申立てがあった場合でも、その手続の開始があったときに限り、元本確定事由とされている（Ⅰ柱書ただし書）〈回〉。

2　個人根保証契約の元本確定事由（Ⅰ①～③）から、個人貸金等根保証契約の元本確定事由（Ⅱ①②）が除外されている理由は、以下のとおりである。

　　　すなわち、個人貸金等根保証契約以外の個人根保証契約として想定されてい
るのは、賃貸借契約における賃料債務の根保証契約と、継続的売買契約におけ
る代金債務の根保証契約であるところ、いずれの場合も①②の事由が生じても
契約が当然に終了するわけではない。そのため、主たる債務者の資力が悪化し
ても債権者が目的物を貸し続けたり、供給しなければならないから、これらの
賃料債務・代金債務についても保証人が負担するのが債権者との関係で合理的
であるとの理由による。

第465条の5　（保証人が法人である根保証契約の求償権）

Ⅰ　保証人が法人である根保証契約において、第465条の2第1項＜個人根保証契
約の保証人の責任限度＞に規定する極度額の定めがないときは、その根保証契約の
保証人の主たる債務者に対する求償権に係る債務を主たる債務とする保証契約は、
その効力を生じない。

Ⅱ　保証人が法人である根保証契約であってその主たる債務の範囲に貸金等債務が含
まれるものにおいて、元本確定期日の定めがないとき、又は元本確定期日の定め若
しくはその変更が第465条の3第1項若しくは第3項＜5年を経過する日より後の
日となるときは、その効力を生じない＞の規定を適用するとすればその効力を生じ
ないものであるときは、その根保証契約の保証人の主たる債務者に対する求償権に
係る債務を主たる債務とする保証契約は、その効力を生じない。主たる債務の範囲
にその求償権に係る債務が含まれる根保証契約も、同様とする。

Ⅲ　前2項の規定は、求償権に係る債務を主たる債務とする保証契約又は主たる債務
の範囲に求償権に係る債務が含まれる根保証契約の保証人が法人である場合には、
適用しない。

[趣旨] 本条1項の趣旨は、法人保証を介在させ、465条の2以下の適用を回避する
ことで個人求償保証（求償権に係る債務を主たる債務とする個人保証）の保証人が
害されるのを防止する点にある。本条2項も、個人求償保証の保証人が害されるの
を防止するという点で、本条1項と同様の趣旨である。なお、求償保証の保証人が
法人である場合（本条3項）、本条1項の趣旨は妥当しないので、本条1項は適用さ
れない。

第3目　事業に係る債務についての保証契約の特則

第465条の6　（公正証書の作成と保証の効力）

Ⅰ　事業のために負担した貸金等債務を主たる債務とする保証契約又は主たる債務の範囲に事業のために負担する貸金等債務が含まれる根保証契約は、その契約の締結に先立ち、その締結の日前1箇月以内に作成された公正証書で保証人になろうとする者が保証債務を履行する意思を表示していなければ、その効力を生じない〈同書〉。

Ⅱ　前項の公正証書を作成するには、次に掲げる方式に従わなければならない。

① 保証人になろうとする者が、次のイ又はロに掲げる契約の区分に応じ、それぞれ当該イ又はロに定める事項を公証人に口授すること。

イ 保証契約（ロに掲げるものを除く。） 主たる債務の債権者及び債務者、主たる債務の元本、主たる債務に関する利息、違約金、損害賠償その他その債務に従たる全てのものの定めの有無及びその内容並びに主たる債務者がその債務を履行しないときには、その債務の全額について履行する意思（保証人になろうとする者が主たる債務者と連帯して債務を負担しようとするものである場合には、債権者が主たる債務者に対して催告をしたかどうか、主たる債務者がその債務を履行することができるかどうか、又は他に保証人があるかどうかにかかわらず、その全額について履行する意思）を有していること。

ロ 根保証契約 主たる債務の債権者及び債務者、主たる債務の範囲、根保証契約における極度額、元本確定期日の定めの有無及びその内容並びに主たる債務者がその債務を履行しないときには、極度額の限度において元本確定期日又は第465条の4第1項各号若しくは第2項各号＜個人根保証契約の元本確定事由＞に掲げる事由その他の元本を確定すべき事由が生ずる時までに生ずべき主たる債務の元本及び主たる債務に関する利息、違約金、損害賠償その他その債務に従たる全てのものの全額について履行する意思（保証人になろうとする者が主たる債務者と連帯して債務を負担しようとするものである場合には、債権者が主たる債務者に対して催告をしたかどうか、主たる債務者がその債務を履行することができるかどうか、又は他に保証人があるかどうかにかかわらず、その全額について履行する意思）を有していること。

② 公証人が、保証人になろうとする者の口述を筆記し、これを保証人になろうとする者に読み聞かせ、又は閲覧させること。

③ 保証人になろうとする者が、筆記の正確なことを承認した後、署名し、印を押すこと。ただし、保証人になろうとする者が署名することができない場合は、公証人がその事由を付記して、署名に代えることができる。

④ 公証人が、その証書は前3号に掲げる方式に従って作ったものである旨を付記して、これに署名し、印を押すこと。

Ⅲ　前2項の規定は、保証人になろうとする者が法人である場合には、適用しない〈書〉。

[趣旨]本条1項は、事業のために負担する貸金等債務（事業債務）を主たる債務とする保証は多額にのぼることも多く、事業の不調時に個人である保証人が責任を負うリスクも高いことから、公正証書を要件とすることにより、個人である保証人を特に保護するものである。なお、本条3項は、保証人が法人である場合には本条1

項の趣旨が妥当しないため、本条の適用がないことを定めている。

《注　釈》

一　事業

　一定の目的をもってされる同種の行為の反復的・継続的な遂行を意味し、「営利」という要素は必要でない。

二　事業のために負担した債務

　事業の用に供するために負担した債務を意味する。

　主たる債務の融資の目的が特定されておらず、その債務が事業のために負担するものである可能性が排除されていない場合の根保証（ex. 使用目的が特定されていないキャッシュカードを用いた貸金債務の根保証）も、本条の規律対象となる。

第465条の7　（保証に係る公正証書の方式の特則）

Ⅰ　前条第1項の保証契約又は根保証契約の保証人になろうとする者が口がきけない者である場合には、公証人の前で、同条第2項第1号イ又はロに掲げる契約の区分に応じ、それぞれ当該イ又はロに定める事項を通訳人の通訳により申述し、又は自書して、同号の口授に代えなければならない。この場合における同項第2号の規定の適用については、同号中「口述」とあるのは、「通訳人の通訳による申述又は自書」とする。

Ⅱ　前条第1項の保証契約又は根保証契約の保証人になろうとする者が耳が聞こえない者である場合には、公証人は、同条第2項第2号に規定する筆記した内容を通訳人の通訳により保証人になろうとする者に伝えて、同号の読み聞かせに代えることができる。

Ⅲ　公証人は、前2項に定める方式に従って公正証書を作ったときは、その旨をその証書に付記しなければならない。

第465条の8　（公正証書の作成と求償権についての保証の効力）

Ⅰ　第465条の6第1項及び第2項並びに前条＜公正証書の作成・方式＞の規定は、事業のために負担した貸金等債務を主たる債務とする保証契約又は主たる債務の範囲に事業のために負担する貸金等債務が含まれる根保証契約の保証人の主たる債務者に対する求償権に係る債務を主たる債務とする保証契約について準用する。主たる債務の範囲にその求償権に係る債務が含まれる根保証契約も、同様とする。

Ⅱ　前項の規定は、保証人になろうとする者が法人である場合には、適用しない。

第465条の9　（公正証書の作成と保証の効力に関する規定の適用除外）

前3条の規定は、保証人になろうとする者が次に掲げる者である保証契約については、適用しない。

① 　主たる債務者が法人である場合のその理事、取締役、執行役又はこれらに準ずる者

② 　主たる債務者が法人である場合の次に掲げる者

イ 　主たる債務者の総株主の議決権（株主総会において決議をすることができる事項の全部につき議決権を行使することができない株式についての議決権を除く。以下この号において同じ。）の過半数を有する者

ロ 　主たる債務者の総株主の議決権の過半数を他の株式会社が有する場合における当該他の株式会社の総株主の議決権の過半数を有する者

ハ 　主たる債務者の総株主の議決権の過半数を他の株式会社及び当該他の株式会社の総株主の議決権の過半数を有する者が有する場合における当該他の株式会社の総株主の議決権の過半数を有する者

ニ 　株式会社以外の法人が主たる債務者である場合におけるイ、ロ又はハに掲げる者に準ずる者

③ 　主たる債務者（法人であるものを除く。以下この号において同じ。）と共同して事業を行う者又は主たる債務者が行う事業に現に従事している主たる債務者の配偶者

債
権

[趣旨] 本条1号に該当する場合（いわゆる経営者保証）には、465条の6～8は適用されず、公正証書の作成を要しない。その理由として、これらの者は主債務者の事業の状況を把握することができる立場にあり、保証のリスクを十分に認識せずに保証契約を締結するおそれが類型的に低いといえることのほか、これらの者による保証が融資の前提とされていることが実際にも少なくない実情に鑑みれば、厳格な意思確認の手続を義務づけるとかえって時間やコストを要することとなり、資金調達が阻害されるおそれがあることが挙げられる。また、本条2号は、経営者保証に準ずる保証がなされる場合についての規定である。

本条3号は、主たる債務者が個人事業主である場合等において、その事業主の共同経営者や、当該事業に現に従事している配偶者が「事業に係る債務」についての保証契約を締結する場合は、その共同経営者・配偶者が個人であっても、公正証書の作成を要しないとするものである。個人事業主に関しては、経営と家計の分離が必ずしも十分でないことから、現に配偶者を保証人とすることによって金融機関から融資を受けている事例も少なくないという実情に加え、個人事業主の配偶者は、特に事業に現に従事している場合においては事業の状況等をよく知り得る立場にあり、保証のリスクを認識することが可能であるから、当該事業の損益を個人事業主と実質的に共有する立場にあるといえることがその理由である。

第465条の10　（契約締結時の情報の提供義務）🈟

Ⅰ　主たる債務者は、事業のために負担する債務を主たる債務とする保証又は主たる
　債務の範囲に事業のために負担する債務が含まれる根保証の委託をするときは、委
　託を受ける者に対し、次に掲げる事項に関する情報を提供しなければならない。
　①　財産及び収支の状況〈同書〉
　②　主たる債務以外に負担している債務の有無並びにその額及び履行状況
　③　主たる債務の担保として他に提供し、又は提供しようとするものがあるときは、
　　その旨及びその内容
Ⅱ　主たる債務者が前項各号に掲げる事項に関して情報を提供せず、又は事実と異な
　る情報を提供したために委託を受けた者がその事項について誤認をし、それによっ
　て保証契約の申込み又はその承諾の意思表示をした場合において、主たる債務者が
　その事項に関して情報を提供せず又は事実と異なる情報を提供したことを債権者が
　知り又は知ることができたときは、保証人は、保証契約を取り消すことができる。
Ⅲ　前2項の規定は、保証をする者が法人である場合には、適用しない〈書〉。

[趣旨] 本条1項は、主たる債務者が「事業に係る債務」についての保証を個人に委
託する場合において、保証人となろうとする者に対し、契約締結時の情報提供義務
を主たる債務者に課すことで、個人である保証人の予測可能性を確保し、もって個
人である保証人を保護するものである。

　本条2項は、主たる債務者が情報を提供せず又は事実と異なる情報を提供したこ
とについて、債権者が悪意・有過失であったときに、保証人は保証契約を取り消す
ことができるとすることで、債権者の保証債権取得の利益と保証人の予想外の保証
債務の履行を回避する利益との調整を図るものである。

　本条3項は、本条1項・2項が個人保証の場合における保証人の保護を目的とす
る規定であることに照らし、保証人が法人である場合にはこれらの規定が適用され
ないことを定めたものである。

■第4節　債権の譲渡
《概　説》
一　意義
　1　債権譲渡は、旧債権者（譲渡人）と新債権者（譲受人）との間の合意のみに
　　より効力を生ずる諾成・不要式の契約である〈共〉。
　　cf.　法律上当然に移転する場合（422、499）、裁判所の命令により移転する
　　　場合（転付命令）、単独行為（遺言・寄附行為）により移転する場合のい
　　　ずれも債権譲渡ではない
　2　債権は譲渡されても同一性を失わない。
　　cf.　債権者の交替による更改（513③）は、従前の債権が消滅し、同一性の
　　　ない新債権が成立する点で、債権譲渡と区別される
　（1）　債権に付随している利息債権・違約金債権・保証債権・担保権などの権利
　　　は譲受人に移転する（随伴性）。

(2)　債権に付着している同時履行・期限猶予などの各種の抗弁権も当然に譲受人に移転する。

二　債権譲渡の法的性質

債権譲渡は、債権自体を移転することを目的とする契約であり、処分行為としての性質を有する。

1　売買・贈与等の原因行為と債権譲渡契約とは法理的に区別され、債権譲渡契約は準物権的行為と解されている◀通。もっとも、同一の意思表示に両者を包含しているものとみることも可能である。

2　原因行為の無効・取消し・解除は債権譲渡の効力に当然に影響する（有因関係）。たとえば、債権譲渡を含む契約の解除により、債権は当然に譲渡人に復帰する（大判昭 3.12.19）。

三　効力発生要件

①　当事者間に有効な契約が成立すること

②　債権が譲渡可能なもの（466）であり、かつ有効な債権として存在すること

③　譲渡人が当該債権につき処分権を有すること

→債権譲渡においては、譲渡人に処分権限がないときは、たとえ譲受人が善意・無過失であっても、譲受人は当該債権を取得しない

第466条　（債権の譲渡性）

Ⅰ　債権は、譲り渡すことができる。ただし、その性質がこれを許さないときは、この限りでない。

Ⅱ　当事者が債権の譲渡を禁止し、又は制限する旨の意思表示（以下「譲渡制限の意思表示」という。）をしたときであっても、債権の譲渡は、その効力を妨げられない〈予。

Ⅲ　前項に規定する場合には、譲渡制限の意思表示がされたことを知り、又は重大な過失によって知らなかった譲受人その他の第三者に対しては、債務者は、その債務の履行を拒むことができ、かつ、譲渡人に対する弁済その他の債務を消滅させる事由をもってその第三者に対抗することができる〈共。

Ⅳ　前項の規定は、債務者が債務を履行しない場合において、同項に規定する第三者が相当の期間を定めて譲渡人への履行の催告をし、その期間内に履行がないときは、その債務者については、適用しない〈共。

[趣旨] 資本主義経済の下、投下した資本の流動化を図るためには債権の譲渡が不可欠である。そこで、本条1項は、債権の自由譲渡性の原則とともに、例外的に譲渡が制限される場合について規定している。

もっとも、債務者にとっては、債権者を固定することにより、事務の煩雑化や過誤払いのリスクを回避し、債権者に対する相殺の機会を確保できるため、これらの利益を保護する必要がある。一方、債権者にとっても、債権譲渡は重要な資金調達手段である上、債権の譲受人の利益（取引の安全）を保護する必要もある。そこで、本条2項は、譲渡制限の意思表示（譲渡制限特約）を認めつつ、これに反する債権譲渡も有効である旨規定している。

　そして、本条3項は、債務者を保護するために、債権の譲受人等が譲渡制限特約について悪意・重過失である場合における債務者の対抗手段を規定する一方、本条4項は、第三者から譲渡人への履行の催告を受けた債務者が履行しない場合には本条3項の適用が除外される旨規定している。

《注　釈》

一　債権の自由譲渡性（Ⅰ本文）

ex.1　将来債権（ex.賃料債権、診療報酬債権）も、譲渡できる（466の6Ⅱ）
　　　→例外的に、契約内容等諸般の事情を総合的に考慮し、特段の事情が認められる場合には、債権譲渡契約が公序良俗に反するなどとして効力が否定されることがある（最判平11.1.29・百選Ⅱ22事件）〈同書〉

ex.2　連帯債務者の1人に対する債権も譲渡できる

二　債権の性質上譲渡が許されない場合（Ⅰただし書）

1　債権者を異にすることでその給付内容が全く変更してしまう債権は、絶対的に譲渡性が認められない。
　　ex.　自分の肖像画を描かせる債権
　　cf.　賃貸人は、賃料債権を賃貸人たる地位と切り離して第三者に譲渡できる
2　特定の債権者であることが重要な債権は、債務者の承諾がなければ譲渡性は認められない。
　　ex.　委任者の債権（大判大6.9.22）、賃借人の債権（612Ⅰ）

三　法律上譲渡が禁止される場合

ex.　民法上の扶養請求権（881）、恩給請求権（恩給11）

四　当事者が譲渡制限の意思表示をした場合（Ⅱ）

譲渡制限特約について、譲受人が悪意・重過失でも、当該債権譲渡は有効であり、債権者は譲受人となる。
　→譲渡人には、譲渡債権についての履行請求権も債務者に対する取立権もない

五　債権譲渡の譲受人等が譲渡制限特約につき悪意・重過失の場合（Ⅲ）

1　本条3項は、譲受人その他の第三者（譲受人等）が悪意・重過失である場合に、債務者が以下の対抗手段をとりうることを規定する。
　⑴　譲渡制限特約を主張して履行を拒絶することができる。
　⑵　譲渡人に対する弁済その他の債務消滅事由をもって対抗することができる。
　　　→悪意・重過失の譲受人等との関係では、本条2項によって債権者ではなくなった譲渡人に対する弁済等は有効となる
2　譲受人等が悪意・有過失であっても、債務者は譲渡制限特約の抗弁を放棄する旨の意思表示として、債権譲渡を承諾することができる〈予〉。
　　∵　譲渡制限特約は、債務者の利益を考慮して締結されるもの
3　悪意の譲受人から当該債権を譲り受けた転得者が譲渡禁止の特約について善意（無重過失）であった場合、債務者は、転得者に対し、譲渡禁止の特約を対抗することができない（大判昭13.5.14参照）〈共〉。

六　本条3項の適用が除外される場合（Ⅳ）

　債務者が、譲渡制限特約につき悪意・重過失の譲受人等からの請求に対しては同特約の悪意を理由に履行を拒み、譲渡人からの請求に対しても債権者ではないことを理由に履行を拒むことで、結局双方に支払わない事態が生じうる。そこで、本条4項は、かかる不都合を解消するため、①債務者が履行をしない場合に、②悪意・重過失の譲受人が相当の期間を定めて債務者に対し、「譲渡人に履行するように」との催告をしたにもかかわらず、③債務者がその期間内に履行をしないとき、本条3項の適用が除外されるものとした。

第466条の2　（譲渡制限の意思表示がされた債権に係る債務者の供託）

Ⅰ　債務者は、譲渡制限の意思表示がされた金銭の給付を目的とする債権が譲渡されたときは、その債権の全額に相当する金銭を債務の履行地（債務の履行地が債権者の現在の住所により定まる場合にあっては、譲渡人の現在の住所を含む。次条において同じ。）の供託所に供託することができる《新予》。

Ⅱ　前項の規定により供託をした債務者は、遅滞なく、譲渡人及び譲受人に供託の通知をしなければならない。

Ⅲ　第1項の規定により供託をした金銭は、譲受人に限り、還付を請求することができる。

第466条の3

　前条第1項に規定する場合において、譲渡人について破産手続開始の決定があったときは、譲受人（同項の債権の全額を譲り受けた者であって、その債権の譲渡を債務者その他の第三者に対抗することができるものに限る。）は、譲渡制限の意思表示がされたことを知り、又は重大な過失によって知らなかったときであっても、債務者にその債権の全額に相当する金銭を債務の履行地の供託所に供託させることができる。この場合においては、同条第2項及び第3項の規定を準用する《予》。

[趣旨]466条の2第1項の趣旨は、譲渡制限特約付き金銭債権が譲渡された場合に、弁済の相手方を固定したいという債務者の利益を保護すべく、緩和された要件で供託を認める点にある。466条の2第2項の規定は、供託の通知に関する495条3項と同趣旨である。466条の2第3項は、債権者である譲受人にのみ供託金還付請求権が帰属する旨明らかにした規定であり、譲渡人はこの権利を有しないし、譲渡人の債権者もこの権利を差し押さえることはできない。

　466条の3の趣旨は、譲受人が倒産手続外で債権全額の回収を受けられるようにすることで、財産不足時において譲受人が負うリスク（債権全額の回収が見込めない事態）を除去し、もって資金調達の円滑化を図り、債権譲渡を促進する点にある。譲受人は、金銭債権の「全額」を譲り受けた者でありさえすればよく、譲渡制限特約についての善意・悪意は問わない（466の3前段かっこ書）。この趣旨は、供託金をめぐる権利関係の複雑化を避ける点にある。

第466条の4　（譲渡制限の意思表示がされた債権の差押え）

Ⅰ　第466条第3項＜譲渡制限の意思表示の第三者に対する効力＞の規定は、譲渡制限の意思表示がされた債権に対する強制執行をした差押債権者に対しては、適用しない〈予〉。

Ⅱ　前項の規定にかかわらず、譲受人その他の第三者が譲渡制限の意思表示がされたことを知り、又は重大な過失によって知らなかった場合において、その債権者が同項の債権に対する強制執行をしたときは、債務者は、その債務の履行を拒むことができ、かつ、譲渡人に対する弁済その他の債務を消滅させる事由をもって差押債権者に対抗することができる〈珠〉。

[趣旨] 本条1項は、譲渡制限特約により差押禁止財産を作り出すことはできないとの判例法理（最判昭45.4.10）を明文化したものである。また、本条2項は、差押債権者が悪意・重過失の譲受人等の債権者である場合、かかる差押債権者に執行債務者（悪意・重過失の譲受人等）が有する権利以上の権利を認めるべきではないので、債務者は本条1項にかかわらず譲渡制限特約を対抗できる旨定めたものである。

第466条の5　（預金債権又は貯金債権に係る譲渡制限の意思表示の効力）

Ⅰ　預金口座又は貯金口座に係る預金又は貯金に係る債権（以下「預貯金債権」という。）について当事者がした譲渡制限の意思表示は、第466条第2項＜譲渡制限の意思表示をしても債権譲渡の効力は妨げられない＞の規定にかかわらず、その譲渡制限の意思表示がされたことを知り、又は重大な過失によって知らなかった譲受人その他の第三者に対抗することができる〈同〉。

Ⅱ　前項の規定は、譲渡制限の意思表示がされた預貯金債権に対する強制執行をした差押債権者に対しては、適用しない〈同〉。

[趣旨] 預貯金債権は、現金と同様の機能を営んでいるという性質を有しており、債権流動化による資金化にはなじまない。また、預貯金債権にも466条2項が適用されれば、銀行の預貯金債権の管理等に要するコストが著しく増大し、円滑な払戻し業務にも支障を来す。そこで、これらの不都合を回避し、金融システムの円滑な運用を確保するために、本条1項は、預貯金債権についてのみ特別に466条2項の例外を定めている。

　もっとも、譲渡制限特約により差押えを封じるべきではないので、本条2項は、預貯金債権の差押債権者に対しては、譲渡制限特約を対抗できない旨規定している。

《注　釈》

一　「預貯金債権」の範囲（Ⅰ）

　　本条にいう「預貯金債権」は、流動性・決済性の預貯金債権に限られるわけではなく、定期性・固定性の預貯金債権についても妥当する。

二　差押債権者への対抗不能（Ⅱ）

　　悪意・重過失の譲受人の一般債権者による預貯金債権の差押えは効力を有しない。

∴　悪意・重過失の譲受人等との関係では預貯金債権の譲渡は無効となり
（Ⅰ）、当該譲受人等は債権者ということができない

第466条の6　（将来債権の譲渡性）

Ⅰ　債権の譲渡は、その意思表示の時に債権が現に発生していることを要しない。

Ⅱ　債権が譲渡された場合において、その意思表示の時に債権が現に発生していない
ときは、譲受人は、発生した債権を当然に取得する。

Ⅲ　前項に規定する場合において、譲渡人が次条の規定による通知をし、又は債務者
が同条の規定による承諾をした時（以下「対抗要件具備時」という。）までに譲渡制
限の意思表示がされたときは、譲受人その他の第三者がそのことを知っていたもの
とみなして、第466条第3項＜譲渡制限の意思表示の第三者に対する効力＞（譲
渡制限の意思表示がされた債権が預貯金債権の場合にあっては、前条第1項）の規
定を適用する。

[趣旨] 本条1項は、判例法理（最判平11.1.29・百選Ⅱ22事件）を具体化し、
将来発生すべき債権も譲渡することが可能であることを明文化したものである。

　本条2項は、将来債権の譲渡においては債権が発生したときに譲受人がその債権
を当然に取得することを明示したものである（最判平13.11.22・百選Ⅰ98事件参
照）。

　本条3項は、債務者対抗要件（467）を備えた譲受人の債権取得に係る利益と、
譲渡制限特約により債権者を固定する債務者の利益との調整を図るものである。

《注　釈》

一　将来発生債権の譲渡が例外的に無効となる場合

　本条1項は、将来債権譲渡が例外的に無効となる余地を否定するものではな
い。

→契約内容等諸般の事情を総合的に考慮し、特段の事情が認められる場合に
は、右契約が公序良俗に反するなどとして効力が否定されることがある（最
判平11.1.29・百選Ⅱ22事件）

二　将来債権の譲渡後に譲渡制限特約が付された場合

1　将来債権の譲渡後、467条所定の債務者対抗要件が具備される前に譲渡制限
特約が付された場合

→譲受人等は譲渡制限特約について「悪意」とみなされ（466の6Ⅲ）、債務
者は譲渡制限特約をもって譲受人等に対抗できる

∴　債務者の利益を優先

2　将来債権の譲渡後、467条所定の債務者対抗要件が具備された後に譲渡制限
特約が付された場合

→譲受人等の主観的態様のいかんを問わず、債務者は譲渡制限特約を譲受人
等に対抗することができない（466の6Ⅲ反対解釈）

∴　譲受人の利益を優先

第467条　（債権の譲渡の対抗要件）

Ⅰ　債権の譲渡（現に発生していない債権の譲渡を含む。）は、譲渡人が債務者に通知をし、又は債務者が承諾をしなければ、債務者その他の第三者に対抗することができない〈書〉。

Ⅱ　前項の通知又は承諾は、確定日付のある証書によってしなければ、債務者以外の第三者に対抗することができない。

【動産及び債権の譲渡の対抗要件に関する民法の特例等に関する法律】

第4条（債権の譲渡の対抗要件の特例等）

Ⅰ　法人が債権（金銭の支払を目的とするものであって、民法第3編第1章第4節の規定により譲渡されるものに限る。以下同じ。）を譲渡した場合において、当該債権の譲渡につき債権譲渡登記ファイルに譲渡の登記がされたときは、当該債権の債務者以外の第三者については、同法第467条の規定による確定日付のある証書による通知があったものとみなす。この場合においては、当該登記の日付をもって確定日付とする〈同書〉。

Ⅱ　前項に規定する登記（以下「債権譲渡登記」という。）がされた場合において、当該債権の譲渡及びその譲渡につき債権譲渡登記がされたことについて、譲渡人若しくは譲受人が当該債権の債務者に第11条第2項に規定する登記事項証明書［注・動産の譲渡又は債権の譲渡について、動産譲渡登記ファイル又は債権譲渡登記ファイルに記録されている事項を証明した書面］を交付して通知をし、又は当該債務者が承諾をしたときは、当該債務者についても、前項と同様とする〈同書〉。

Ⅲ　債権譲渡登記がされた場合においては、民法第466条の6第3項、第468条第1項並びに第469条第1項及び第2項の規定は、前項に規定する場合に限り適用する。この場合において、同法第466条の6第3項中「譲渡人が次条」とあるのは「譲渡人若しくは譲受人が動産及び債権の譲渡の対抗要件に関する民法の特例等に関する法律（平成10年法律第104号）第4条第2項」と、「同条」とあるのは「同項」とする。

Ⅳ　第1項及び第2項の規定は当該債権の譲渡に係る第10条第1項第2号に掲げる事由に基づいてされた債権譲渡登記の抹消登記について、民法第468条第1項並びに第469条第1項及び第2項の規定はこの項において準用する第2項に規定する場合について、それぞれ準用する。この場合において、同法第468条第1項中「対抗要件具備時」とあるのは「動産及び債権の譲渡の対抗要件に関する民法の特例等に関する法律第4条第4項において準用する同条第2項に規定する通知又は承諾がされた時（以下「対抗要件具備時」という。）」と、同項並びに同法第469条第1項及び第2項中「譲渡人」とあるのは「譲受人」と、「譲受人」とあるのは「譲渡人」と読み替えるものとする。

> **第8条（債権譲渡登記）**
> Ⅰ　指定法務局等に、磁気ディスクをもって調製する債権譲渡登記ファイル
> を備える。
> Ⅱ〜Ⅴ　省略

[趣旨] 債権譲渡が譲渡人・譲受人間の意思表示によってなされる結果、その事実を知り得ない債務者が二重弁済の危険を負うことを防止するため、債務者に対する対抗要件として通知・承諾を要求し（Ⅰ）、さらに債権の二重譲渡があった場合など、同一の債権について両立し得ない法律上の地位を取得した者の優劣を決定するため、第三者に対する対抗要件として特に確定日付のある通知・承諾を要求した（Ⅱ）〈共〉。なお、この債権譲渡に関する特例法が制定されている。

《注　釈》

一　債務者に対する対抗要件（Ⅰ）

1　通知

(1)　通知は、観念の通知であるが、意思表示に関する規定が準用される。
　　ex.　錯誤・詐欺・強迫による通知は取り消すことができ、意思能力を欠く通知や虚偽表示による通知は無効である

(2)　通知は譲渡人のみがなしえ譲受人が代位してすることはできない（大判昭5.10.10）〈同共〉。
　　ただし、譲受人は譲渡人に譲渡の通知をするよう請求できる。譲受人が譲渡人の代理人又は使者として通知を行うことも可能である〈判〉。
　　ex.　Aの甲に対する債権がBCと順次譲渡された場合、CはBに代位して、Aに対し、AからBへの譲渡の通知を甲にすべきことを請求できる（大判大8.6.26）
　　cf.　Aの甲に対する債権がBCと順次譲渡された場合、Aは中間者Bの同意を得て、甲に対し、債権がAからCに譲渡された旨の通知をすることができる

(3)　譲渡前の通知は無効である。ただし、将来発生する債権を譲渡したときはその通知で足り、将来発生した時に改めて通知をする必要はない。通知は譲渡と同時でなくともよいが、譲渡後に通知された場合にはその時から対抗力を生じる。

(4)　対抗要件に関する規定は強行法規であり、通知を不要とする旨の特約は無効である（大判大10.2.9）。

(5)　債権譲渡の通知がない場合でも、債務者の側から譲渡の効力を認めることは可能である。

2　承諾

(1)　「承諾」とは、債務者が債権譲渡の事実についての認識を表明することであり観念の通知であるが、意思表示の規定が準用される。
　　ex.　代理人・使者による承諾が可能である

(2) 承諾の相手方は、譲渡人・譲受人のいずれでもよい（大判大6.10.2）⟨通⟩⟨同⟩。譲渡人が債務者の代理人として承諾をなすことも可能である（大判昭4.2.23）。

(3) 譲渡の目的たる債権及びその譲受人がいずれも特定している場合には、譲渡前の承諾も有効であり対抗要件となる（最判昭28.5.29）。

3 債務者が債権譲渡の事実を知っている場合でも、通知・承諾を欠く場合には債権譲渡の事実を債務者に対抗できない。

→債務者は譲渡人に弁済すればよい

4 適用範囲

(1) 本条は、意思表示による債権移転について適用があり、法律上当然に債権が移転する場合には適用されない。

ex. 相続、合併

(2) 弁済をするについて正当な利益を有する者が債権者に代位する場合の債権移転に関しては、本条の適用がなく（500かっこ書）、通知・承諾は不要だが、弁済をするについて正当な利益を有しない者が債権者に代位する場合の債権移転に関しては、本条が適用され、通知・承諾が必要となる（500、499）。

二 第三者に対する対抗要件（Ⅱ）

1 確定日付ある証書によって通知・承諾することで第三者に対する対抗要件を具備しうる⟨共書⟩。

通知の到達又は承諾の証明に確定日付によることを要するとするものではない（大連判大3.12.22）。

2 「第三者」とは、通知・承諾の欠缺を主張する正当な利益を有する者であり、譲渡債権そのものに法律上の利益を有する者に限る（大判大4.3.27）。譲渡により間接的に影響を受けるにすぎない者は含まれない。

＜467条2項の「第三者」の例＞

判例上、「第三者」に当たるとされた者	① 債権の二重譲受人 ② 債権上の質権者 ③ 債権を差し押さえた、譲渡人の債権者⟨同⟩ ④ 債権の譲渡人が破産した場合における破産債権者
判例上、「第三者」に当たらないとされた者	① 債権譲渡が無効である場合の無権利者 ② 譲渡債権の保証人 ③ 債権譲渡によって間接的に影響を受ける、債務者の単なる債権者 ex.1 甲の乙に対する債権を丙が譲り受けて、これを自働債権として自己の乙に対する債務と相殺した場合に、この受働債権を相殺後に差し押さえた乙の債権者丁 ex.2 甲が乙に対する債権を自己の丙に対する債務の代物弁済として譲渡した場合に、その代物弁済によって消滅した丙の甲に対する債権を丙から譲り受けた丁

3 対抗関係は存在する債権についてその帰属を争う関係であるから、債権がいったん消滅すれば、対抗関係の生じる余地はない。

　ex.　第一の債権譲渡後、債権が弁済等により消滅すれば、その後第二の債
　　　権譲渡が行われ、確定日付ある通知が具備されても、その譲渡行為は無
　　　効であり第二譲受人は優先しえない（大判昭 7.12.6）◀過

4　譲受人相互間の優劣関係は債務者にも効力を及ぼす。よって、債務者は対抗
　力を有する第三者に対して弁済をしなければならない。
　　他に譲受人がいない場合、単なる通知承諾も債務者に対する対抗力は有する
　からその譲受人への弁済は有効となる。
　　債務者が劣後譲受人に弁済してしまった場合、優先譲受人の債権譲渡行為又
　は対抗要件に瑕疵があると誤信してもやむを得ないときは、478 条によりその
　弁済は有効となる（最判昭 61.4.11・百選Ⅱ 26 事件）◀共。

5　確定日付ある通知・承諾が複数存在する場合

（1）　優劣の基準
　　　Ａ説：通知が債務者に到達した日時又は承諾の日時の先後により優劣を決
　　　　　　する（到達時説）（最判昭 49.3.7・百選Ⅱ 23 事件）◀過◀司
　　　　∵　467 条は、債務者の債権譲渡の認識を通じて債権の帰属を公示
　　　　　　するという点にその趣旨があり、確定日付が要求されるのは、当
　　　　　　事者による日時の仮装を可及的に防止するためのものにすぎない
　　　Ｂ説：確定日付の先後によって優劣を決する（確定日付説）
　　　　∵　画一的に優劣を決しうる
（2）　複数の確定日付ある通知が同時に到達した場合、各譲受人は全額の弁済を
　　請求することができ、債務者は単に同順位の譲受人が他に存在することを理
　　由に弁済の責めを免れることはできない（最判昭 55.1.11）◀過◀司共。
　　　→到達時の先後不明も同時到達と扱う（最判平 5.3.30・百選Ⅱ 24 事件）
（3）　確定日付ある通知の到達の先後が不明であって、各譲受人が互いに自己が
　　優先的地位にあることを主張しえないため、債務者が債権額を供託した場
　　合、供託金額が両債権額の合計に足りないときは、各譲受人は、債権額に応
　　じて供託金額を按分した額の供託金還付請求権を分割取得する（最判平
　　5.3.30・百選Ⅱ 24 事件）。

債
権

6　単なる通知と確定日付ある通知が存在する場合

単なる通知しか具備していなければ、いかに先に到達しても、確定日付ある通知を具備した第三者に対抗できない（大連判大8.3.28）<画><共>

7　二重譲受人双方ともに確定日付のない通知しか具備していない場合<共>

A説：債務者は、いずれの譲受人からの請求も拒めるが、いずれかの譲受人に弁済すれば、その弁済は有効であり、債務者は免責される<画>

∵　確定日付ある証書によらない通知・承諾も債務者に対しては対抗力をもつが、それが二重に行われるときは、いずれの対抗力も優先的なものではなくなるとみるのが妥当である

B説：債務者はいずれの譲受人からの請求も拒めず、その請求に応じて弁済すれば有効である

∵　債務者への対抗要件はみたされている（467Ⅰ）以上、債務者に対する請求を否定すべき理由はない

8　同一の債権に対する債権譲渡と債権差押えとの間の優劣は、債権譲渡についての第三者対抗要件が具備された日時と債権差押・転付命令が第三債務者へ送達された日時の先後によって決せられる（最判昭58.10.4）<同>。

《その他》

- 抵当権付債権を譲り受けた者は、通知・承諾を具備すれば、債務者との関係においては、登記がなくとも抵当権の取得を主張できる。

- 債権の譲渡予約につき確定日付のある証書により債務者に対する通知又は承諾がされても、予約の完結による債権譲渡の効力は、当該予約についてされた通知又は承諾をもって、第三者に対抗することはできない（最判平13.11.27）<同>。

第468条　（債権の譲渡における債務者の抗弁）<同><共><予>

Ⅰ　債務者は、対抗要件具備時までに譲渡人に対して生じた事由をもって譲受人に対抗することができる。

Ⅱ　第466条第4項＜催告の期間内に履行がないとき＞の場合における前項の規定の適用については、同項中「対抗要件具備時」とあるのは、「第466条第4項の相当の期間を経過した時」とし、第466条の3＜譲渡人に破産手続開始の決定があったとき＞の場合における同項の規定の適用については、同項中「対抗要件具備時」とあるのは、「第466条の3の規定により同条の譲受人から供託の請求を受けた時」とする。

［趣旨］本条1項は、債務者が対抗要件具備時までに譲渡人に対して生じた事由によって譲受人に対抗することができる旨を定めたものである。その趣旨は、債権譲渡契約の当事者ではない債務者の法的地位を、その意思が関与しないところで害されることを防止する点にある。本条2項は、譲渡制限特約付債権が譲渡された場合における譲受人に対抗可能な抗弁の基準時についての特則を定めたものである。

《注　釈》

一　「対抗要件具備時までに譲渡人に対して生じた事由」（Ⅰ）

1　意義〈司R2〉

既発生の抗弁や抗弁権の発生原因にとどまらず、抗弁権発生の基礎となる事実まで含む。

ex. 譲渡債権の不成立、取消し・解除などによる債権の消滅〈基〉、弁済、消滅時効の完成、その他による債権の全部又は一部の消滅、同時履行の抗弁権（533）〈基〉、限定承認（922）の抗弁、相殺の抗弁〈司〉

2　468条1項と第三者保護規定の優劣

(1)　468条1項と545条1項ただし書の優劣

譲受人は「第三者」（545Ⅰただし書）として保護されない（大判大7.9.25）。

→債務者は譲受人に対して解除を対抗しうる

∵　「第三者」（545Ⅰただし書）とは、解除された契約から生じた法律効果を基礎として新たな利害関係を取得した者であって、解除により消滅する債権そのものの譲受人は含まれない

(2)　468条1項と94条2項の優劣

譲受人は「善意の第三者」（94Ⅱ）として保護される（大判大3.11.20）。93条2項についても同様に解する。

→債務者は虚偽表示及び心裡留保により債権が不成立であることを対抗し得ない

∵　虚偽表示及び心裡留保により債務を負担した債務者を468条1項により保護する必要はない

(3)　468条1項と96条3項の優劣

譲受人は「第三者」（96Ⅲ）として保護される。95条4項についても同様に解する。

→債務者は詐欺及び錯誤により債権が不成立であることを対抗し得ない

∵　錯誤に関しては、情報収集を怠り騙されたという債務者の帰責性より、自分で間違ったという点で錯誤に陥った債務者の帰責性のほうがより大きい

二　基準時の修正（Ⅱ）

1　譲渡制限特約付債権が譲渡された場合において、譲受人等が悪意・重過失であり、かつ債務者が債務を履行しないときは、抗弁の基準時は、「対抗要件具備時」ではなく、譲受人等が催告をした後「相当の期間を経過した時」である（468Ⅱ）。

2　譲渡制限特約が付された債権が譲渡された場合において、譲渡人につき破産開始手続の決定があったときは、抗弁の基準時は、「対抗要件具備時」ではなく、「譲受人から供託の請求を受けた時」である（468Ⅱ）。

三　抗弁放棄の意思表示に関わる問題

1　明文はないが、債務者自身の意思表示により抗弁を放棄するのは自由である。

2　一般論として、放棄される抗弁の範囲が債務者にとって識別可能な程度に特定されていなければならない。

3　抗弁放棄の意思表示と90条の無効との関係

賭博債権の譲渡がなされた場合において、債務者が抗弁を放棄する旨の意思表示を行っても、賭博行為禁止の要請が取引安全の保護の要請を上回るため、債務者は譲受人に公序良俗違反による無効（90）を主張しうる（最判平9.11.11参照）。

4　抗弁放棄の意思表示が有効とされれば、譲受人等の善意・悪意は問われない。

四　抗弁放棄の意思表示の効果

1　抗弁放棄の意思表示に基づき、譲受人は、抗弁事由のない債権を譲り受けたことになる。

2　抵当権付き債権と抗弁放棄の意思表示

　(1)　被担保債権が弁済などにより消滅した場合には、抵当権も消滅し（付従性）、この抵当権の消滅は抹消登記なくして第三者に対抗できる（大判大9.1.29）回。

　(2)　抗弁放棄の意思表示前に抵当不動産を取得した者は、債務者による抗弁放棄の意思表示にかかわらず、譲受人に対して抵当権の不存在又は消滅を主張することができる（最判平4.11.6・百選Ⅱ〔第7版〕30事件参照）。

《その他》

・譲渡人へ弁済したが、債務者が不注意で弁済の抗弁を放棄し、二重弁済を強いられた場合、譲渡人に対して何らかの請求ができるかが問題となる。

→譲渡人には通常少なくとも過失が認められるであろうことから、不法行為に基づく損害賠償をすることが考えられる

第469条　（債権の譲渡における相殺権）

Ⅰ　債務者は、対抗要件具備時より前に取得した譲渡人に対する債権による相殺をもって譲受人に対抗することができる。

Ⅱ　債務者が対抗要件具備時より後に取得した譲渡人に対する債権であっても、その債権が次に掲げるものであるときは、前項と同様とする。ただし、債務者が対抗要件具備時より後に他人の債権を取得したときは、この限りでない。

　①　対抗要件具備時より前の原因に基づいて生じた債権〈難〉

　②　前号に掲げるもののほか、譲渡人の取得した債権の発生原因である契約に基づいて生じた債権

Ⅲ　第466条第4項＜催告の期間内に履行がないとき＞の場合における前2項の規定の適用については、これらの規定中「対抗要件具備時」とあるのは、「第466条第4項の相当の期間を経過した時」とし、第466条の3＜譲渡人に破産手続開始の決定があったとき＞の場合におけるこれらの規定の適用については、これらの規定中「対抗要件具備時」とあるのは、「第466条の3の規定により同条の譲受人から供託の請求を受けた時」とする。

[趣旨] 本条1項は、債務者対抗要件（467 I）具備時前に「取得」していた自働債権による相殺は譲受人に対抗できるとし、差押えと相殺の場面（511 I）と同様、無制限説（最大判昭45.6.24・百選II 32事件参照）に立つことを明文化した規定である。

　また、本条2項1号も、差押えと相殺の場面（511 II）と同様の規律となっている。その趣旨は、譲受人の対抗要件具備時に自働債権が発生していないものの、それ以前に債権の取得原因が存在する場合における、当該債権を自働債権とする債務者の相殺への期待を保護する点にある。

　本条2項2号は、差押えと相殺の優劣が問題となる局面以上に相殺への期待が保護される局面を拡張している。将来債権譲渡の場面では、譲渡後も譲渡人と債務者との間における取引が継続することが想定されるため、債務者の相殺への期待をより広く保護する必要性があること、また、将来債権の譲受人は継続的取引から生じる将来債権を譲り受ける以上、債務者からの相殺のリスクを予測しておくべきであることが根拠となっている。

　本条3項は、譲渡制限付特約債権が譲渡された場合において、債務者が相殺をもって対抗することができる場面を定めるに当たり準拠すべき時点についての特則を定めた規定である。

《注　釈》
一　469条1項・2項の構造

1　債権譲渡があった場合に、譲渡人に対して有する反対債権が以下のいずれかに該当する場合には、債務者は当該債権による相殺をもって譲受人に対抗することができる。

　　① 債務者対抗要件具備時より前に債務者が取得した債権（I）
　　② 債務者対抗要件具備時より「前の原因」に基づき債務者が取得した債権（II①）
　　③ 「譲受人の取得した債権の発生原因である契約」に基づき生じた債権（II②）
　　→いずれも、譲受人が債務者対抗要件を具備したときよりも前の時点において、債務者の相殺への期待が認められるもの

2　上記②③のいずれかに該当する場合でも、債務者対抗要件具備時より後に他人から取得した債権による相殺をもって譲受人に対抗することはできない（469 II柱書ただし書）。
　　∵ 譲受人が債務者対抗要件を具備した時よりも前の時点において、債務者の相殺への期待を認めることができない

二　債権譲渡と相殺の優劣（I）

無制限説（最大判昭45.6.24・百選II 32事件参照）
　→債務者は、自働債権が債務者対抗要件具備時前に取得されたものである限り、自働債権の弁済期が到来して相殺適状にさえ達すれば、対抗要件具備時より後においても相殺できる

三　「前の原因」（Ⅱ①）〈司R2〉

1　譲渡債権を発生させた原因である契約と同一のものである必要はない。
2　契約に限らず、不法行為や不当利得も「前の原因」に含まれる。
　　ex.　譲受人から譲渡債権の履行請求を受けた債務者は、譲受人が債務者対
　　　　抗要件を具備する前になされた不法行為に基づく損害賠償請求権を自働
　　　　債権として、譲受人に相殺を対抗できる

四　「譲受人の取得した債権の発生原因である契約」（Ⅱ②）〈司R2〉

1　譲渡債権を発生させる「原因」である「契約」と同一のものである必要があ
　る。
　　cf.　469条2項1号にいう「前の原因」
2　将来債権譲渡がなされた場面を想定しており、かかる場合に限って適用され
　る。
　　ex.　将来の請負報酬債権が譲渡され、債務者対抗要件が具備された後に請
　　　　負契約が締結されたところ、請負契約における目的物の不適合を理由とす
　　　　る修補に代わる損害賠償請求権が発生した場合

■第5節　債務の引受け

第1款　併存的債務引受

> **第470条　（併存的債務引受の要件及び効果）**
>
> Ⅰ　併存的債務引受の引受人は、債務者と連帯して、債務者が債権者に対して負担す
> る債務と同一の内容の債務を負担する〈司〉。
> Ⅱ　併存的債務引受は、債権者と引受人となる者との契約によってすることができる。
> Ⅲ　併存的債務引受は、債務者と引受人となる者との契約によってもすることができ
> る。この場合において、併存的債務引受は、債権者が引受人となる者に対して承諾
> をした時に、その効力を生ずる〈司〉。
> Ⅳ　前項の規定によってする併存的債務引受は、第三者のためにする契約に関する規
> 定に従う。

[趣旨] 本条1項は、併存的債務引受における債務者と引受人は、反対に解すべき特
段の事情のない限り連帯債務関係に立つとの判例法理（最判昭41.12.20・百選Ⅱ
〔第8版〕31事件）を明文化したものである。

　本条2項は、併存的債務引受が債権者・債務者・引受人（「引受人となる者」）の
三面契約によって行うことができることを当然の前提とした上で、併存的債務引受
の機能が保証と類似することから、債務者の意思に反しても、債権者と引受人との
間の契約ですることができる旨定めている〈司〉。

　本条3項・4項は、債務者と引受人となる者との契約によってもすることもでき、
この場合、第三者のためにする契約（537）に準じ、債権者が引受人に対する「承
諾」（受益の意思表示に相当）をした時に効力を生ずる旨規定するものである。

《注　釈》

一　意義

引受人Cは債務者Bと連帯して、同一内容の債務を負担する。なお、引受人Cは、従来の債務者Bの債務の一部について債務を引き受けることもできる（大判大 8.6.25）。

【併存的債務引受】

併存的債務引受によって引当てとなる一般財産が増加するので、併存的債務引受の機能は保証に類似する。

二　要件

1　保証に類似する結果、債務者Bの意思に反しても、債権者A・引受人C間の契約で行いうる（470 Ⅱ）〈司〉。

2　債務者B・引受人C間の契約も第三者のためにする契約として有効であり、債権者Aが受益の意思表示をすれば、引受人Cへの債権を取得する〈司共〉。この場合において、債権者の「承諾」は、第三者のための契約にいう「受益の意思表示」に相当し、併存的債務引受の効力要件と解される（470 ⅢⅣ）。

三　効果

1　債務者Bと引受人Cとの間に連帯債務関係が生じる（470 Ⅰ）〈司共〉。債務者Bの委託がない場合も同様である。

→債務者・引受人に生じた事由が他の者に及ぼす影響や、債務者・引受人のいずれかが弁済した場合における求償関係といった問題については、特別の合意がない限り連帯債務に関する規定（436 以下）が準用される〈司〉

2　原債務の時効消滅の効果は、相対効の原則に服するため（441 本文）、原債務者の負担部分について債務引受人には及ばない。

第471条　（併存的債務引受における引受人の抗弁等）

Ⅰ　引受人は、併存的債務引受により負担した自己の債務について、その効力が生じた時に債務者が主張することができた抗弁をもって債権者に対抗することができる。

Ⅱ　債務者が債権者に対して取消権又は解除権を有するときは、引受人は、これらの権利の行使によって債務者がその債務を免れるべき限度において、債権者に対して債務の履行を拒むことができる〈司〉。

[趣旨] 引受人の負担する債務は債務者の債務と同一であるので、引受人は、併存的債務引受の効力が生じた時に債務者が主張することができた抗弁をもって、債権者に対抗できる旨規定しているのが本条1項である。また、債務者が取消権又は解除権を行使しない間、引受人が履行を強いられるのは不当であるので、本条2項は、債務者が債権者に対して取消権又は解除権を有する場合に、「これらの権利の行使によって債務者がその債務を免れるべき限度」で、引受人が債権者に対して債務の履行を拒むことができる旨規定している。

債
権

《注　釈》

一　「債務者が主張することができた抗弁」（Ⅰ）

1　債務者・引受人間の契約による併存的債務引受がなされた場合、引受人は、「債務者に対して主張することができる抗弁」についても、債権者に対抗できる。

∵　この場合の併存的債務引受は第三者のためにする契約（470 ⅢⅣ）

→債務者・引受人間の引受契約に基づく抗弁（債務者に対して主張することができる抗弁）をもって債権者（「その契約の利益を受ける第三者」）に対抗可（539）

2　債権者・引受人間の契約による併存的債務引受がなされた場合、引受人は、「債務者が主張することができた抗弁」についてのみ、債権者に対抗できる。

二　債務者の履行拒絶（Ⅱ）

本条2項に相殺権は規定されていないが、債務者が債権者に対して相殺権を有するときは、引受人は、債務者の負担部分の限度において、債権者に対して債務の履行を拒むことができる（439 Ⅱ参照）。

∵　債務者と引受人との間には連帯債務関係が生じる（470 Ⅰ）

第2款　免責的債務引受

第472条　（免責的債務引受の要件及び効果）

Ⅰ　免責的債務引受の引受人は債務者が債権者に対して負担する債務と同一の内容の債務を負担し、債務者は自己の債務を免れる。

Ⅱ　免責的債務引受は、債権者と引受人となる者との契約によってすることができる。この場合において、免責的債務引受は、債権者が債務者に対してその契約をした旨を通知した時に、その効力を生ずる。

Ⅲ　免責的債務引受は、債務者と引受人となる者が契約をし、債権者が引受人となる者に対して承諾をすることによってもすることができる。

[趣旨] 本条1項は、免責的債務引受の意義について規定するものである。次に、本条2項が「債権者が債務者に対してその契約をした旨を通知した時」に効力を生ずると定めた趣旨は、債務者の関知しないところで債務者が変更されることにより、弁済のために準備した費用相当額の損害が生じるなど、債務者が予期せぬ不利益を被る事態を防止する点にある。また、本条3項の趣旨は、債権者の関知しないところで債務者が変更されることにより、債務の引当てとなる一般財産にも変更が生じ、債権者が予期せぬ不利益を被る事態を防止する点にある。

《注 釈》

一 意義

債務が債務者から引受人に移転し、従来の債務者
は債務を免れる（472 I）。

【免責的債務引受】

```
      A
      |
    × |  ⇒
      |  ↘
      B        C
```

二 要件

1 三面契約（A・B・C）の他、債権者A・引受人
C間の契約でなしうる。この場合、債務者の意思に
反して行うことも認められる。

∵ 債務免除が債権者の一方的意思表示でできることとの均衡を図るため

2 債務者B・引受人C間の契約も、債権者Aの承諾を要件として肯定してよい
（472 III）〈司〉。

(1) ここにいう「承諾」の効力は、債務者・引受人間の契約時まで遡らない。

→債務者・引受人間の契約の成立から債権者の承諾までの間に、免責的債
務引受によって消滅する債権者の債務者に対する債権を第三者が差し押
さえた場合、その後になされた承諾は、この第三者による差押えの効力
に影響を及ぼさない

(2) 債権者を利する契約でないため、第三者のためにする契約に関する規定は
適用されない。

cf. 併存的債務引受（470 III IV）

(3) 債務者・引受人間で免責的債務引受の合意がなされたものの、債権者が併
存的債務引受なら承諾する旨を通知した場合

→債務者の免責が得られなくても、引受人となる者は債務を引き受ける趣
旨の契約であったか否かという、債務者・引受人間の合意解釈による

三 効果

1 債務は同一性を失うことなく引受人Cに移転する（472 I）〈司〉。したがって、
旧債務者が債権者に対して有していた抗弁も引受人に移転する（472の2 I）。

もっとも、引受人は、旧債務者が債権者に対して有している債権を自働債
権、自己の引き受けた債務を受働債権とする相殺をすることはできない。

∵ 他人の債権を処分することになるため

2 債務者が債権者に対して取消権又は解除権を有する場合、引受人は債権者に
対し、「免責的債務引受がなければこれらの権利の行使によって債務者がその
債務を免れるべき限度」で債務の履行を拒むことができる（472の2 II）。

3 保証債務は、保証人の書面による承諾がなされれば、引受人に引き継がれる
（472の4 III～V）。

第472条の2 （免責的債務引受における引受人の抗弁等）

I 引受人は、免責的債務引受により負担した自己の債務について、その効力が生じ
た時に債務者が主張することができた抗弁をもって債権者に対抗することができる。

　Ⅱ　債務者が債権者に対して取消権又は解除権を有するときは、引受人は、免責的債務引受がなければこれらの権利の行使によって債務者がその債務を免れることができた限度において、債権者に対して債務の履行を拒むことができる〈司〉。

[趣旨] 引受人の負担する債務は債務者の負っていた債務と同一の内容である以上、債務者が主張できた抗弁も引受人に承継される。これを定めたのが本条1項である。もっとも、取消権や解除権のような契約の効力に影響を及ぼす権限は、契約当事者である債務者に留保されているため、本条2項は、債務者が債権者に対して取消権又は解除権を有する場合に、「免責的債務引受がなければこれらの権利の行使によって債務者がその債務を免れることができた限度」で、引受人が債権者に対して債務の履行を拒むことができる旨規定している。

《注　釈》

一　「債務者が主張することができた抗弁」（Ⅰ）

　1　債務者・引受人間の契約による免責的債務引受がなされた場合、引受人は債務者に対して主張することができる抗弁をもって債権者に対抗することはできない。

　　∵　債務者・引受人間の契約による免責的債務引受は、第三者のためにする契約ではない

　　cf.　債務者・引受人間の契約による併存的引受債務がなされた場合（471Ⅰ）

　2　債務者が相殺権を有していたとしても、引受人は債務の履行を拒むことができない。

　　∵　免責的債務引受がなされた場合、債務者は免責され、債務者と引受人との間に連帯債務関係が生じない以上、439条2項の適用もなく、債務者の有する相殺権は引受人の債務の帰趨に影響を与えない

二　債務者の履行拒絶（Ⅱ）

　債務者が相殺権を有していたとしても、引受人は債務の履行を拒むことができない〈司〉。

　　∵　免責的債務引受がなされた場合の債務者と引受人との間には連帯債務関係は生じず、439条2項の適用もない

　　cf.　併存的債務引受において債務者が債権者に対し相殺権を有する場合（471Ⅱ）

第472条の3　（免責的債務引受における引受人の求償権）

　免責的債務引受の引受人は、債務者に対して求償権を取得しない〈司〉。

[趣旨] 引受人は自らの意思で債務者の債務を自己の債務として引き受ける以上、債務者の債務を最終的に自らが負担するという意思があるものといえるし、債務から解放されたと考える債務者の期待を保護する必要もあるので、本条により求償権は不存在である旨規定された。

《注　釈》

一　債務者・引受人間に特段の合意がある場合

　　引受人が履行した債務相当額の支払を債務者に請求することは妨げられない。

二　債務者の委託に基づいて引受人が債務を引き受けた場合

　　特段の合意がなくても、引受人は委任事務処理費用の償還請求権（649・650）として、債務相当額の支払を債務者に請求できる。

第４７２条の４　（免責的債務引受による担保の移転）

Ⅰ　債権者は、第４７２条第１項＜免責的債務引受の効果＞の規定により債務者が免れる債務の担保として設定された担保権を引受人が負担する債務に移すことができる〈囲〉。ただし、引受人以外の者がこれを設定した場合には、その承諾を得なければならない。

Ⅱ　前項の規定による担保権の移転は、あらかじめ又は同時に引受人に対してする意思表示によってしなければならない。

Ⅲ　前２項の規定は、第４７２条第１項＜免責的債務引受の効果＞の規定により債務者が免れる債務の保証をした者があるときについて準用する。

Ⅳ　前項の場合において、同項において準用する第１項の承諾は、書面でしなければ、その効力を生じない。

Ⅴ　前項の承諾がその内容を記録した電磁的記録によってされたときは、その承諾は、書面によってされたものとみなして、同項の規定を適用する。

［趣旨］引受人の債務は債務者の債務と同一の内容であり、債務者が誰であるか以外に債権債務関係に変更はない以上、債権者の担保権設定に対する期待を保護する必要がある。そこで、本条１項本文は、免責的債務引受によって債務者が免れる債務に設定された担保権（物的担保）を、引受人が負担する債務に移すことができる旨規定している。もっとも、債務者の変更によってその資力や責任財産にも変更が生じるので、当該担保権設定者にとって誰が債務者であるかは重大な事項である。そこで、本条１項ただし書は、当該担保権設定者が引受人でない場合には、当該担保権設定者の承諾を得なければならないとすることで、当該担保権設定者に不測の損害が生じることを防止している（かかる趣旨から、当該担保権設定者が引受人である場合には、その承諾を要しない）。

　本条２項の趣旨は、免責的債務引受によって被担保債務が消滅すれば原則として担保権も消滅するという、担保権の消滅における付従性との抵触を回避する点にある。

　本条３項は、移転すべき担保が保証人であった場合でも本条１項・２項の手続により移転できるが、その保証人が引受人でない場合には、その保証人の承諾を要する旨規定するものである。そして、本条４項・５項は、保証契約の要式行為性（446ⅡⅢ）と平仄を合わせた規定である。

《注　釈》

◆　担保移転の承諾（Ⅰただし書）

①　免責的債務引受がされた債務について物上保証人や担保財産の第三取得者がいる場合において、当該物上保証人・第三取得者が引受人でない場合
→当該物上保証人・第三取得者の承諾を得なければ、引受人が負担する債務を担保するものとして、当該担保権を移転することができない

②　物上保証人や担保財産の第三取得者が引受人である場合
→当該物上保証人・第三取得者の承諾は不要

③　債務者が提供する担保権については、債務者・引受人間の契約によって成立する免責的債務引受の場合も、債権者・引受人間の契約によって成立する免責的債務引受の場合も、債務者の承諾を得なければ、債務者が負担する債務を担保するものとして、当該担保権を移転することができない。

［履行引受］

一　意義

引受人Cが債務者Bに対して債務を履行する義務を負う。

二　要件

債権者Aの意思にかかわらず債務者B・引受人C間の契約でなしうる。

【履行引受】

A
債権者
↓
B　→　C

三　効果

債務者Bは引受人Cに対して債権者Aに支払うべきことを請求できる。
→引受人Cが直接債権者Aに対して債務を負うわけではない

■第6節　債権の消滅

《概　説》

債権は、債権者が債務者に給付を要求することを内容とする権利であるから、給付内容が実現されれば、目的を達して消滅する。また、給付内容の実現が不能となった場合や、内容を実現させる必要がなくなった場合にも、その手段としての現実性を失うから消滅する。

第1款　弁済

第1目　総則

第473条　（弁済）

債務者が債権者に対して債務の弁済をしたときは、その債権は、消滅する。

《注　釈》

一　弁済の意味

「弁済」とは、債務者がその内容である給付を実現して債権者の利益を充足させる行為をいい、これにより債権はその目的を達して消滅することになる。

左余白：債権

履行は債権の動的側面から見た場合であり、弁済は債権の消滅という側面から見た場合であり、両者は同一のものである。

二　弁済の性質

弁済は、準法律行為としての性質をもつと解される。

∵　弁済は、債権の目的が達せられたという事実によって債権を消滅させるものであり、弁済をする者の効果意思に基づいて債権の消滅という効果を発生させるものではない

→詐欺により弁済した場合でも、弁済を取り消すことなく不当利得の返還請求（703、704）をなしうる

第４７４条　（第三者の弁済）

Ⅰ　債務の弁済は、第三者もすることができる。

Ⅱ　弁済をするについて正当な利益を有する者でない第三者は、債務者の意思に反して弁済をすることができない圖。ただし、債務者の意思に反することを債権者が知らなかったときは、この限りでない。

Ⅲ　前項に規定する第三者は、債権者の意思に反して弁済をすることができない圖。ただし、その第三者が債務者の委託を受けて弁済をする場合において、そのことを債権者が知っていたときは、この限りでない。

Ⅳ　前３項の規定は、その債務の性質が第三者の弁済を許さないとき、又は当事者が第三者の弁済を禁止し、若しくは制限する旨の意思表示をしたときは、適用しない。

[趣旨] 給付実現行為たる弁済は、必ずしも債務者の行為をまたないでも第三者の行為によって実現できる場合が多い。債権者にとっては給付者が誰であるかは関心がなく、第三者にとっても債務者に代わって弁済する必要がある場合が少なくない。そこで、本条１項は、一定の例外（Ⅱ・Ⅲ・Ⅳ参照）を除き、一般に第三者の弁済を有効なものとして認める旨規定する。

《注　釈》

一　第三者の弁済の意味

1　「第三者の弁済」とは、第三者が他人の債務を他人の債務として、自己の名において弁済することである。

→第三者が他人の債務を自己の債務として弁済するときには広義の非債弁済（707）となり、債務者本人の名においてなす場合は権限なき限り、無権代理となる

2　「弁済」とは、本来の意味の弁済に限らず、代物弁済（482）・供託（494）も含まれるが、相殺（505Ⅰ）はこれに含まれない。

∵　対立する両債権の当事者間の公平を図る相殺の趣旨に反する

二　第三者の弁済が許されない場合

1　2項

⑴　弁済をするについて「正当な利益」を有するとは、債務の弁済につき法的利害関係のあることをいう。

→弁済による代位が生じる（499）。この場合、対抗要件の具備は不要である（500）

ex. 借地上の建物賃借人（敷地の地代弁済について）（最判昭 63.7.1・百選Ⅱ25事件）＜判＞＜同共書＞、保証人（委託の有無を問わない）＜共＞、物上保証人＜共＞、後順位担保権者＜共＞、担保目的物の第三取得者は、「正当な利益」を有する

cf. 債務者の妻の姉妹の夫（大判昭 14.10.13）は、「正当な利益」を有しない

→債務者の意思に反しても弁済をなすことが可能

(2) 「債務者の意思に反して」とは、第三者の弁済当時に債務者の意思に反することを意味する。あらかじめその意思を表示したかどうかにかかわらず、事実上債務者の意思に反する場合をいう（大判大 6.10.18）＜判＞。ただし、この場合であっても、債務者の意思に反することを債権者が知らなかった場合には、当該弁済は有効となる（474 Ⅱただし書）。

2 3項

(1) 「債権者の意思に反して」弁済をすることができないとは、正当な利益を有しない第三者からの弁済の提供が債務者の意思に反しない場合であっても、債権者がこの受領を拒絶できることが原則であることを意味する。

→債権者は、「正当な利益」を有するか否かという客観的に判断可能な要件によってのみ、第三者からの給付を受領するか、拒絶するかを決定できる

(2) ただし、債務者の委託を受けた弁済であることを債権者が知っていた場合には、当該弁済は有効となる（474 Ⅲただし書）。

3 4項

(1) 「債務の性質が第三者の弁済を許さないとき」＜同＞
　一身専属的給付は、債務の性質上、第三者弁済が許されない。

(2) 「当事者が第三者の弁済を禁止し、若しくは制限する旨の意思表示をしたとき」
　契約により生じた債務については契約をもって、単独行為により生じた債務については一方的意思表示をもって、第三者の弁済を禁じ、若しくは制限することができる。

cf. 当事者が第三者による弁済を禁じた場合でも、保証人は自己の保証債務の弁済をなすことができる

三　第三者の弁済の効果

1 第三者の弁済が要件をみたして有効な場合は、債務者の債権は消滅し、第三者は債務者に対し求償権を取得する（弁済提供の効果も通常の債務者による弁済の提供と同一の効果）。

→弁済による債務の消滅は絶対的なもの

2 第三者の弁済が要件をみたさない場合、弁済は無効であり、第三者は債権者

に対して不当利得返還請求権を取得する。

第475条（弁済として引き渡した物の取戻し）

弁済をした者が弁済として他人の物を引き渡したときは、その弁済をした者は、更に有効な弁済をしなければ、その物を取り戻すことができない。

[趣旨] 弁済者たる債務者が、他人所有の物を引き渡したとき、弁済者には処分権限がないため所有権の移転等の処分の効果が生ずることはなく、通常は弁済の効力は生じない。したがって、債務者はその物の取戻しを請求しうるはずである。しかし他方で、債権者にしてみれば、反対給付をしているような場合に債務者から無条件に物の取戻しを請求されると不都合である。そこで本条は、弁済者の取戻しに制限を加え、債権者の利益、ひいては取引の安全を保護しようとした。

《注　釈》

◆　適用範囲

1　①債権の目的が物の給付であり、②種類物（不特定物）の引渡しを目的とする債権について適用される。

∵　特定物の引渡しを目的とする債権の場合には、弁済者は「更に有効な弁済」をすることができない

2　債権者が、即時取得（192）の要件を具備して、その物の所有権を取得したときは、債権は消滅する。したがって、債権者は弁済者に対しても真の所有者に対しても返還を要せず、債権者は不当に利得したことにならない（大判大9.11.24）。なお、弁済者は真の所有者からの返還請求には対抗しえず、不当利得返還の問題が生じる。

第476条（弁済として引き渡した物の消費又は譲渡がされた場合の弁済の効力等）

前条の場合において、債権者が弁済として受領した物を善意で消費し、又は譲り渡したときは、その弁済は、有効とする。この場合において、債権者が第三者から賠償の請求を受けたときは、弁済をした者に対して求償をすることを妨げない。

[趣旨] 前条の場合、弁済は無効であるのが原則である。しかし、債権者が善意で物を消費・譲渡した場合にこの原則を貫くと、債権者に酷な結果となり、弁済者にも再履行の費用と手数をかける。そこで、両者間の公平と便宜を考慮して、この弁済を有効とした。

《注　釈》

一　弁済者に対する関係（前段）

債権者が適法に権利を取得したものと信じてその物を消費・譲渡した場合は、その弁済は有効となり、債権は消滅する。弁済者が代物を提供しての取戻請求もできなくなる。この場合、消費・譲渡時の善意を要するが、無過失までは要求されていない。

二　所有者に対する関係

債権者が他人の物の引渡しを受けた場合は、さらに有効な弁済があるまではそ

の受領した物を留置できるが（475）、真の所有者からの所有権に基づく、若しくは不当利得による返還請求には対抗できない。債権者が所有者に対して不当利得又は不法行為による賠償責任を果たしたときは、債権者は弁済者に求償できる（476後段）。

三　本条の適用範囲

　　債権者が、即時取得（192）・取得時効（162）により目的物の所有権を取得すると、弁済は完全に効力を生ずる（大判大9.11.24）ため、本条を適用する必要はない。

　　∵　債権者は所有者の返還請求に応ずる必要はない

第４７７条　（預金又は貯金の口座に対する払込みによる弁済）〈同書〉

　　債権者の預金又は貯金の口座に対する払込みによってする弁済は、債権者がその預金又は貯金に係る債権の債務者に対してその払込みに係る金額の払戻しを請求する権利を取得した時に、その効力を生ずる。

[趣旨]預貯金口座への振込みによる弁済は、現代における債務の履行方法として一般化している。本条は、債権者の預貯金口座への振込みによる弁済が許容されている場合における、弁済の効力発生時期について規定するものである。

《その他》

- 「債権者がその預金又は貯金に係る債権の債務者に対してその払込みに係る金額の払戻しを請求する権利を取得した時」がいつの時点を指すのかは、当該預貯金契約の解釈に委ねられている。
　　ex.　顧客と銀行との取引における預金契約においては、入金記帳がされた時点で弁済としての効力が生じる
　　　　∵　通常、顧客と銀行との取引における預金契約においては、預金者の預金口座に振込額の入金が記録された時に預金債権が発生し、預金者が払戻請求権を取得する（最判平8.4.26・百選Ⅱ63事件）
- どの預貯金口座への払込みによって弁済をすることができるのかについても、当事者間の合意の解釈に委ねられている。

第４７８条　（受領権者としての外観を有する者に対する弁済）

　　受領権者（債権者及び法令の規定又は当事者の意思表示によって弁済を受領する権限を付与された第三者をいう。以下同じ。）以外の者であって取引上の社会通念に照らして受領権者としての外観を有するものに対してした弁済は、その弁済をした者が善意であり、かつ、過失がなかったときに限り、その効力を有する。

[趣旨]弁済の受領権者らしい外観を信頼した弁済者を保護するための規定である。もっとも、①弁済者が債権者との関係で給付を義務づけられており、②日常的に頻繁に行われる弁済の迅速性・安全性を担保することが真の債権者（本人）にとっても利益となることから、本人に帰責性があることは要求されない。

《注　釈》

一　「受領権者……以外の者であって取引上の社会通念に照らして受領権者としての外観を有するもの」

1　以下の①ないし③の類型すべてを含むものと解される。

　　① 債権帰属誤認型

　　　ex. 債権譲渡が無効なのに有効だと思い譲受人に弁済をした場合

　　② 受領権者誤認型

　　　ex. 債権者の有効な代理権を持つ代理人と思いこれに弁済をした場合

　　③ 債権者の同一性誤認型

　　　ex. Ａを債権者Ｂと勘違いしてＡに弁済をした場合

2　「取引上の社会通念に照らして受領権者としての外観を有するもの」（表見受領権者）

　　本条では、これがどのような者を指すのかについての具体的な明示はないが、以下の者たちを指すものと解される。

　　ex.1 債権者の代理人と詐称して債権を行使する者（詐称代理人）（最判昭37.8.21・百選Ⅱ〔第7版〕36事件参照）

　　ex.2 債権譲渡が無効であるときの譲受人

　　ex.3 受取証書の持参人

3　受領権者としての外観の作出につき、債権者の帰責事由は必要ではない。

　　cf. 表見代理（109・110・112）については、外観作出につき本人の帰責事由が必要となる

二　「弁済」

弁済は任意でなされたものに限らない（大判昭15.5.29）。

ex. 転付命令（民執159）

cf. 無権限者のした機械払の方法による預金の払戻しについても、478条の適用がある（最判平15.4.8・百選Ⅱ28事件参照）

三　弁済者の善意・無過失

1　弁済者は弁済時に善意・無過失であることが必要である。

　　∵ 取引の安全の保護

　　弁済手続に数人の者が段階的に関与して一連の手続をなしている場合において、当該一連の手続のいずれかの部分の事務担当者に過失があるときには、弁済者はその無過失を主張できない（最判昭37.8.21・百選Ⅱ〔第7版〕36事件）。

2　債権の二重譲渡において劣後譲受人に弁済した場合は、受領権者としての外観を有する者に対する弁済として本条により保護される場合がある（最判昭61.4.11・百選Ⅱ26事件参照）。　⇒ p.413

3　銀行の払戻し

⑴ 銀行の無権限者に対するキャッシュカードによる払戻しについて、真正なカードが用いられて正しい暗証番号が入力された場合は、銀行は免責約款により免責される（最判平5.7.19）。

(2) 無権限者のした機械払の方法による預金の払戻しについても、478条の適用があり、これが非対面のものであることをもって同条の適用を否定すべきではない 共。また、受領権者としての外観を有する者に対する機械払の方法による預金の払戻しにつき銀行が無過失であるというためには、払戻しの際に機械が正しく作動したことだけでなく、銀行において、預金者による暗証番号等の遺漏がないようにさせるため当該機械払の方法により預金の払戻しが受けられる旨を預金者に明示すること等を含め、機械払システムの設置管理の全体について、可能な限度で無権限者による払戻しを排除しうるよう注意義務を尽くしていたことを要する（最判平15.4.8・百選Ⅱ28事件参照）共。

四 受領権者としての外観を有する者に対する弁済の効果

1 弁済は有効とされ、債権は消滅し、債務者は債務を免れる。弁済者は受領権者としての外観を有する者に対し返還請求することはできない（大判大7.12.7）。

∵ 本条による債権消滅の効果は絶対的なもの

2 真の債権者は受領権者としての外観を有する者に対して不当利得に基づく返還請求（703、704）又は不法行為に基づく損害賠償請求（709）をなしうる 共。

弁済者が有過失で行った受領権者としての外観を有する者への弁済が有効とならなくても、真の権利者は受領権者としての外観を有する者に対して不当利得に基づく返還請求をなしうる（最判平16.10.26参照）同。

五 預金担保貸付

預金担保貸付の一般的な形態としては、預金債権に対して質権という担保物権を付けるとともに、満期に貸付債権と相殺するという相殺の予約をしておくという方法がとられる。

1 預金者の認定

預金の名義人と出捐者とが異なる場合は、出捐者が預金者である（客観説）（最判昭48.3.27）。

2 預金担保貸付と478条 共

銀行が預金者と貸付の相手方が異なるにもかかわらず、預金者＝貸付相手方と信じて貸付を行い、後に相殺した場合、金融機関として負担すべき相当の注意義務を尽くしたと認められるときには、478条類推適用により銀行は保護される（最判昭59.2.23・百選Ⅱ27事件参照）同（なお、いわゆる契約者貸付について、最判平9.4.24）。

∵ ①定期預金への担保権設定、②貸付、③相殺予約、④相殺という一連の行為を全体として捉える

3 善意・無過失の判断時期

相殺時ではなく、貸付時に善意・無過失であればよい（最判昭59.2.23・百選Ⅱ27事件）。

∵ 預金担保貸付による相殺は、実質的に定期預金の期限前解約による払戻し（期限前払戻は銀行の義務であり弁済と同視される）とみることができる

第479条　（受領権者以外の者に対する弁済）

前条の場合を除き、受領権者以外の者に対してした弁済は、債権者がこれによって利益を受けた限度においてのみ、その効力を有する〈同共〉。

[趣旨] 弁済が無効の場合、弁済者は真の債権者に対し債務を免れず、弁済を受領した者に対し不当利得返還を請求しうるはずである。しかし、弁済受領者が受領物を不当利得として返還し、債務者は改めて債権者に対して弁済するとすれば無用の煩雑を招く。そこで、本条は債権者が弁済により事実上利益を得た限度で、債権消滅の効力を認めた。

《注　釈》

- 債権者の受領は弁済と因果関係のある利益を受けることで足り、受領したもの自体を受け取ることを要しない。
- 弁済者が弁済受領者に弁済を受領する権限がないことを知っていたときでも、債権者が利益を受けた限度で、その弁済の効力が生じる（大判昭 18.11.13）〈同〉。

第480条　（受取証書の持参人に対する弁済）　削除

第481条　（差押えを受けた債権の第三債務者の弁済）

Ⅰ　差押えを受けた債権の第三債務者が自己の債権者に弁済をしたときは、差押債権者は、その受けた損害の限度において更に弁済をすべき旨を第三債務者に請求することができる。

Ⅱ　前項の規定は、第三債務者からその債権者に対する求償権の行使を妨げない。

[趣旨] 第三債務者がその支払を差し止められたときは、その債権者（差押債務者）は第三債務者からの弁済を受領することができない（民執145Ⅰ参照）ため、第三債務者の弁済の効力を差押債権者との関係では否定するものである。

《注　釈》

一　要件

「差押えを受けた」（Ⅰ）とは、債権者が自己の債権者から債権の差押え・仮差押え・仮処分を受けた場合である。

二　効果

第三債務者のなした弁済は、差押債権者との関係では有効であるが、差押債権者に対してはこれを主張できない（最判昭 40.11.19）。

→第三債務者が差押債権者に弁済をなした場合、差押債権者は第三債務者に対し弁済を請求できる（Ⅰ）。これにより二重払を強いられた第三債務者は、差押債務者に対して求償しうる（Ⅱ）〈同〉

《その他》

- 転付命令（取立命令）が無効な場合には本条は適用されないが、受領権者としての外観を有する者に対する弁済（478）として有効となる。
- 賃料債権の差押えを受けた債務者は、当該賃料債権の処分を禁止されるが（民執

債
権

145Ⅰ）、その発生の基礎となる賃貸借契約が終了したときは、差押えの対象となる賃料債権は以後発生しないことになるから、賃借人において賃料債権が発生しないことを主張することが信義則上許されないなどの特段の事情がない限り、差押債権者は、第三債務者である賃借人から、賃貸借契約終了後に支払期の到来する賃料債権を取り立てることができない（最判平24.9.4・平24重判8事件）。

第482条　（代物弁済）

弁済をすることができる者（以下「弁済者」という。）が、債権者との間で、債務者の負担した給付に代えて他の給付をすることにより債務を消滅させる旨の契約をした場合において、その弁済者が当該他の給付をしたときは、その給付は、弁済と同一の効力を有する。

《注　釈》
一　意義

代物弁済とは、本来の給付に代えて他の給付をすることにより債権を消滅させる債権者と弁済者との契約をいう。

　cf.　代物弁済契約が締結された場合でも、本来の債権に代わる新たな債権が発生するわけではない点で更改（513以下）と異なる

二　要件
1　債権の存在

　債権が存在しない場合には代物弁済は無効となり、非債弁済（705）となる。

2　本来の給付に代えて他の給付をすることについての当事者間の合意の存在

(1)　「弁済者」は、債務者に限らず第三者でもよい。

(2)　「給付」の種類に制限はなく、本来の給付に相当する価値を有することも要しない。

三　効果
1　代物弁済による債務消滅の効果を主張する場合には、代物弁済の合意が成立したことのほか、代物弁済契約に従って他の給付がなされたことの主張・立証が必要となる（最判昭39.11.26参照）。

　→「他の給付」が所有権の移転や債権の譲渡である場合には、対抗要件を具備しなければ代物弁済による債務消滅の効果が生じない（最判昭60.12.20）。ただし、不動産の所有権移転登記に必要な一切の書類の授受によって効力を生じさせる旨の特約は有効であり、この場合、書類の授受のみで債権は消滅する（最判昭43.11.19）

2　所有権移転の効果は、原則として当事者間の代物弁済契約の意思表示によって生ずる（176）（最判昭57.6.4参照）。

　→代物弁済による目的物の所有権移転後に、元の債務の発生原因となった契約が解除された場合、解除の意思表示によって元の債務は遡及的に消滅し、代物弁済による目的物の所有権移転の効果も遡って失われる（最判昭60.12.20）

3　代物弁済契約も有償契約であるため、給付された目的物が契約内容に不適合であった場合、他の有償契約と同様の処理がなされる（559、562以下）。

→債権者による追完請求（562）等

＊　代物弁済契約に適合した代物が給付・完了するまでは、債権は消滅しないため、債権者は依然として本来の給付を債務者に請求することができる。また、代物が他人の物であったためにその真の所有者から追奪された場合も、債権は消滅せず、債権者は依然として本来の給付を債務者に請求することができる。

4　代物弁済の合意と当初の給付〈B〉

代物弁済契約が締結された場合でも、本来の債権に代わる新たな債権が発生するわけではないため、債権者は、「当初の給付」を請求することができる。

→債権者が「当初の給付」を債務者に請求した場合において、債務者が「代物の給付」をすることができるか、また、債権者が「代物の給付」を債務者に請求した場合において、債務者が「当初の給付」をすることができるかについては、個々の代物弁済契約の解釈により判断される

四　代物弁済の予約

代物弁済の予約とは、債務者が将来弁済できないときには代物弁済するという、債権者と債務者の間の予約である。金銭の借主の所有不動産について、担保目的でなされることが多く、通常その仮登記がなされる。このように、不動産の代物弁済の予約は、実質的には担保的機能を営むものであるため、「仮登記担保法」により規制されている。

《その他》

▪ 既存の金銭債務（原因債務）の履行に代えて手形を振り出した場合は原因債務が消滅し、履行のために手形を振り出した場合は原因債務が消滅せずに手形債務と併存することになる。そして、判例（大判大7.10.29）は、どちらに当たるかの判断は、当事者の意思を基準として決めるべきとする。当事者の意思が不明の場合には、判例（最判昭45.10.22）は、既存債務に関しての約束手形の振出は、「支払に代えて」ではなく、「支払のために」なされたと推定されるとする〈回〉。

第483条　（特定物の現状による引渡し）〈重〉

　債権の目的が特定物の引渡しである場合において、契約その他の債権の発生原因及び取引上の社会通念に照らしてその引渡しをすべき時の品質を定めることができないときは、弁済をする者は、その引渡しをすべき時の現状でその物を引き渡さなければならない。

《注　釈》

一　本条の適用場面

本条の適用によって、現状引渡義務で足りるとされるのは、主として、法定債権としての特定物引渡債権である。

cf.　売買契約や請負契約が締結された場面では、本条の適用の余地はない

∴　これらの契約が締結される場面では、「契約その他の債権の発生原因
及び取引上の社会通念に照らしてその引渡しをすべき時の品質を定める
こと」(483) ができる

二　果実の引渡し

目的物に果実が生じたときは、債務者はこれを取得できるが、引渡しをなすべ
き時期以後の果実は、債権者に引き渡さなければならない。

→売買については 575 条の特則あり

第484条　（弁済の場所及び時間）

Ⅰ　弁済をすべき場所について別段の意思表示がないときは、特定物の引渡しは債権
発生の時にその物が存在した場所において、その他の弁済は債権者の現在の住所に
おいて、それぞれしなければならない〈同共書〉。

Ⅱ　法令又は慣習により取引時間の定めがあるときは、その取引時間内に限り、弁済
をし、又は弁済の請求をすることができる〈新〉。

《注　釈》

一　弁済の場所の決定

1　当事者の意思表示により決定する。意思表示は、明示・黙示を問わない。

2　別段の意思表示がなくても、その債権の発生原因の性質上、弁済場所が特定
する場合がある。

ex.　地代の支払を一定の時、一定の場所で受ける債権は賃貸借契約と同時
に発生し、これにより将来発生すべき個々の地代を受ける場所が決まる

3　特別規定による決定

ex.1　売買の目的物の引渡しと同時に代金を支払う場合は引渡場所が弁済地
となる (574)

ex.2　受寄物は保管をなすべき場所で返還することが必要とされる (664)

4　以上によっても弁済の場所が決定されない場合は、484 条 1 項の原則が適用
される。

二　弁済の場所

1　原則

(1)　意思表示や給付の性質などから弁済場所が決定される場合や、特定物の引
渡しの場合を除いて、「債権者の現在の住所」で弁済の提供をすることが必
要である（持参債務の原則）〈基〉。

(2)　「債権者の現在の住所」とは、弁済の時点での住所である。債権が譲渡さ
れた場合には、新債権者の住所が弁済地となる〈同〉。ただし、そのための増加
費用は債権者の負担となる (485 ただし書)。

2　特定物の引渡しにおける例外

(1)　特定物の引渡しを目的とする債務については、債権の発生当時その物の存
在した場所で引き渡さなければならない（取立債務）〈同〉。

(2)　ただし、特定物引渡債務も、それが履行不能により損害賠償債務に転化し

た場合は、原則に戻って持参債務になる（大判昭11.11.8）〈圖〉。

三　弁済時間

　弁済時間について民法上は各別の時間の指定がない（142参照）。しかし、法令又は慣習により取引時間の定めがあるときはその取引時間内に限られる（484Ⅱ）。もっとも、判例（最判昭35.5.6）は、取引時間外でも任意に弁済を受領しそれが弁済期日内であれば遅滞の責任を負わないとする〈圖〉。

第485条　（弁済の費用）

　弁済の費用について別段の意思表示がないときは、その費用は、債務者の負担とする。ただし、債権者が住所の移転その他の行為によって弁済の費用を増加させたときは、その増加額は、債権者の負担とする〈同書〉。

《注　釈》

一　原則（本文）

　「弁済の費用」は、特約がない限り、債務者が負担するのが原則である〈圖〉。
　ex.　運送費、荷造費、登記費用、関税、債権譲渡の際の通知費
　cf.　契約費用は、原則として当事者双方が平分して負担する（558、559）

二　例外（ただし書）

　債権者の住所の移転やその他の行為により「弁済の費用」が増加した場合は、増加費用は債権者の負担となる〈圖〉。その場合でも、債務者は、弁済費用を求償するか、弁済額からこれを控除できるにとどまり、同時履行の抗弁権を主張することはできないと解されている。

第486条　（受取証書の交付請求等）

Ⅰ　弁済をする者は、弁済と引換えに、弁済を受領する者に対して受取証書の交付を請求することができる。
Ⅱ　弁済をする者は、前項の受取証書の交付に代えて、その内容を記録した電磁的記録の提供を請求することができる。ただし、弁済を受領する者に不相当な負担を課するものであるときは、この限りでない。

[趣旨] 次条とともに弁済事実の立証を容易にし、二重弁済の危険を避ける点にある。

《注　釈》

- 受取証書とは、弁済を受領した旨を記載した文書である。
- 受取証書交付請求権は、一部弁済・代物弁済の場合にも認められる〈圖〉。

第487条　（債権証書の返還請求）

　債権に関する証書がある場合において、弁済をした者が全部の弁済をしたときは、その証書の返還を請求することができる。

《注　釈》

一　債権証書

債権証書とは、債権の成立を証明する文書である。通常、債務者が作成し、債権者に交付されるものであり、その所有権は債権者にある（大刑判明 43.10.13）。

二　債権証書の返還を請求できる場合

弁済者が、全部の弁済をなしたときに、その証書の返還を請求できる〈司〉。一部弁済者は、債権証書の返還請求権を行使できない。もっとも、一部弁済でも、弁済金額の不足が僅少であるときには、信義則（1Ⅱ）の適用により、債権者は証書の返還を拒否できない（大判昭 9.2.26）。

三　同時履行との関係

債権証書の返還と弁済とは同時履行の関係に立たない（大判昭 16.3.1）〈司〉。

∵　受取証書の交付が同時履行の関係にあれば、それにより債務者の保護は可能である

第488条　（同種の給付を目的とする数個の債務がある場合の充当）

Ⅰ　債務者が同一の債権者に対して同種の給付を目的とする数個の債務を負担する場合において、弁済として提供した給付が全ての債務を消滅させるのに足りないとき（次条第1項に規定する場合を除く。）は、弁済をする者は、給付の時に、その弁済を充当すべき債務を指定することができる。

Ⅱ　弁済をする者が前項の規定による指定をしないときは、弁済を受領する者は、その受領の時に、その弁済を充当すべき債務を指定することができる。ただし、弁済をする者がその充当に対して直ちに異議を述べたときは、この限りでない。

Ⅲ　前2項の場合における弁済の充当の指定は、相手方に対する意思表示によってする。

Ⅳ　弁済をする者及び弁済を受領する者がいずれも第1項又は第2項の規定による指定をしないときは、次の各号の定めるところに従い、その弁済を充当する。

① 債務の中に弁済期にあるものと弁済期にないものとがあるときは、弁済期にあるものに先に充当する。

② 全ての債務が弁済期にあるとき、又は弁済期にないときは、債務者のために弁済の利益が多いものに先に充当する〈予〉。

③ 債務者のために弁済の利益が相等しいときは、弁済期が先に到来したもの又は先に到来すべきものに先に充当する。

④ 前2号に掲げる事項が相等しい債務の弁済は、各債務の額に応じて充当する。

第489条　（元本、利息及び費用を支払うべき場合の充当）〈司〉

Ⅰ　債務者が1個又は数個の債務について元本のほか利息及び費用を支払うべき場合（債務者が数個の債務を負担する場合にあっては、同一の債権者に対して同種の給付を目的とする数個の債務を負担するときに限る。）において、弁済をする者がその債務の全部を消滅させるのに足りない給付をしたときは、これを順次に費用、利息及び元本に充当しなければならない〈供〉。

Ⅱ　前条の規定は、前項の場合において、費用、利息又は元本のいずれかの全てを消滅させるのに足りない給付をしたときについて準用する。

第490条 （合意による弁済の充当）

前2条の規定にかかわらず、弁済をする者と弁済を受領する者との間に弁済の充当の順序に関する合意があるときは、その順序に従い、その弁済を充当する。

第491条 （数個の給付をすべき場合の充当）

1個の債務の弁済として数個の給付をすべき場合において、弁済をする者がその債務の全部を消滅させるのに足りない給付をしたときは、前3条の規定を準用する。

《注 釈》

一 充当の方法

弁済の充当の方法には、①合意による充当（490）、②当事者の一方による指定充当（488ⅠⅢ）、③法定充当（488Ⅳ）がある。

①合意による充当では、充当の順序に制限はないが、②当事者の一方による指定充当では、489条所定の順序に反する充当の指定をすることができない。そして、当事者双方が充当の指定をしない場合又は弁済受領者による指定充当に対して弁済者が直ちに異議を述べた場合（488Ⅱただし書）には、③法定充当に移行する。

③法定充当では、弁済期にあるもの（488Ⅳ①）→債務者のために利益の多いもの（同②）→弁済期が先に到来したもの又は先に到来すべきもの（同③）の順序で充当されるが、それでも充当の先後が決定されないときは、各債務の額に応じて充当される（同④）。

二 合意充当

1 弁済の充当に関する合意（490）は、弁済時に存在している債務への充当合意のみならず、将来発生する債務への充当合意としてすることもできる（最判平26.7.24参照）。

2 既に弁済の効果を生じている場合であっても、当事者は、後の合意によってこの効果を覆し、充当関係を変更することもできる（最判昭35.7.1参照）。ただし、利害関係のある第三者が既に登場していたときは、既に生じた弁済の効果を事後的な充当合意によって覆したことをもって、この者に対抗することができない。

三 指定充当（当事者の一方の指定による充当）

1 当事者間に充当の合意がない場合は、当事者の一方の指定による。

⑴ 弁済者は、給付時に、弁済を充当すべき債務又は給付を指定できる（488Ⅰ、491）同。特約がなければ、弁済受領者はその指定を拒否することができない。

⑵ 弁済者が指定しないときは、弁済受領者が、その受領時において、その弁済充当を指定できる。ただし、弁済者が、その充当に対して直ちに異議を述べれば、その充当は無効となり、法定充当に移行する（488Ⅱ、491）同予。

⑶ 充当の指定は、相手方に対する意思表示で行う（488Ⅲ、491）。

2 指定充当の場合でも、489条に反する充当はなしえない予。

3 488条1項に基づく弁済充当特約において、債権者において任意の時期に充
当の指定ができる旨が合意されているとしても、上記合意に基づき弁済受領後
いつまでも充当の指定をすることが許されるとすると、法的安定性が著しく害
されるので、弁済充当特約に基づく充当指定権の行使が許されない場合（弁済
受領後1年以上経過した時期において初めて充当指定権を行使する場合等）が
ある（最判平22.3.16・平22重判3事件）。

四 法定充当

当事者が充当の指定をせず、又は、債権者に対して遅滞なく異議を述べたとき
は、法定充当となる。その充当は、次の順序に従う（488Ⅳ、491）。

1 弁済期にあるもの（488Ⅳ①）
履行期にあればよく、履行遅滞であることを要しない。

2 債務者のために利益の多いもの（488Ⅳ②）
ex. 無利息債務よりは利息付債務、低利の債務よりは高利の債務、無担保
債務よりは担保付債務が、債務者のために利益が多いといえる

3 弁済期が先に到来したもの又は先に到来すべきもの（488Ⅳ③）
cf. 期限の定めのない債務の場合、先に成立した債務が「弁済期が先に到来
したもの」に当たる（大判大6.10.20）

4 以上の基準で先後が決定されない場合には、各債務の額に応じて充当する
（488Ⅳ④）。
cf. 不動産競売手続における配当金が同一担保権者の有する数個の被担保債
権の全てを消滅させるに足りない場合、その配当金は、488条4項ないし
489条の規定に従って充当される（最判昭62.12.18参照）

第492条 （弁済の提供の効果）

債務者は、弁済の提供の時から、債務を履行しないことによって生ずべき責任を免
れる。

[趣旨]弁済に債権者の協力が必要な場合に、債権者が協力しなければ債務者は債
務不履行の責任を負う危険が生ずる。そこで、民法は、誠実な弁済の提供がなされ
たら、債務者の不履行責任を免れさせることとした。

《注 釈》

一 弁済の提供

「弁済の提供」とは、債務者側において給付を実現するために必要な準備をし
て、債権者の協力を求めることである。
→弁済をなすにつき「正当な利益」を有する第三者の弁済（474Ⅱ）によって
も通常の弁済の提供と同様の効果を生じる

二 弁済提供の効果

1 債務不履行を理由とする損害賠償、遅延利息、違約金を支払う必要がなく、
また担保権も実行されない。
cf. 弁済の提供により債務は消滅せず、担保物の返還は請求できない

2　双務契約の場合は、相手方の同時履行の抗弁権（533）を消滅させる。
　⇒ p.479

3　約定利息の発生を止める。

4　受領遅滞の効果との関係　⇒ p.324

第493条　（弁済の提供の方法）

弁済の提供は、債務の本旨に従って現実にしなければならない。ただし、債権者があらかじめその受領を拒み、又は債務の履行について債権者の行為を要するときは、弁済の準備をしたことを通知してその受領の催告をすれば足りる。

《注　釈》

一　現実の提供（本文）

現実の提供といえるためには、債務者は、債権者が給付を受領する以外には何もしなくてもよいほどに提供しなければならない。その程度は、取引上の慣習や信義則に従って判断されることになる。債務の本旨に従ってなすことを要する。

1　金銭債務

(1)　履行期後に弁済する場合には、代金債務とともに遅延損害金を併せて提供しなければならない（大判大 8.11.27）。

(2)　提供された金額が債務額にごくわずかに不足しても、信義則上、有効な提供となる（最判昭 35.12.15）。

(3)　金銭債務の債務者が、有効な提供をなすのに交付すべきものは金銭に限られない。

ex.1　郵便為替（大判大 8.7.15）、振替貯金払出証書（大判大 9.2.28）、銀行振出の小切手（最判昭 37.9.21）は有効な提供になる

ex.2　預金証書（大判大 15.9.30）、郵便切手、個人振出の小切手（最判昭 35.11.22）、デパートの商品券は有効な提供にならない

(4)　金銭を持参して支払う旨述べれば、呈示しなくても現実の提供となる。期日に現金を持参していつでも支払える準備ができていればよく、たとえ債権者が不在であった場合（大判明 38.3.11）や、履行の場所に来なかった場合（大判大 7.6.8）でも、現実の提供があったとされる。金銭を持参するのは債務者本人でなくともよい（大判昭 5.4.7）。

ex.　同道した転買人

(5)　甲建物を賃貸した賃貸人が賃借人に対して賃料の支払を求めたところ、賃借人が、乙建物及び丙土地も賃貸借の目的物であると主張して、甲建物の賃料に乙建物・丙土地の賃料を合わせた金額を、その全額が受領されるのでなければ支払わない意思で提供した場合には、債務の本旨に従った履行の提供があったものとすることはできない。

∵　賃貸人が、争われている目的物に相当する賃料をも合わせて受領すれば、それが賃貸借の目的物となっていることを承認していたと認められる資料となるおそれがある

2　金銭債務以外
　(1)　目的物を交付すべき場所が債権者の住所である場合には、そこに目的物を
　　　届ければ債権者が不在のために物を持ち帰っても現実の提供となる。
　(2)　目的物につき、契約内容に適合しない物を提供しても、債務の本旨に従っ
　　　た提供とはいえない。

二　口頭の提供（ただし書）〈司〉

　　口頭の提供とは、債務者が現実の提供をなすに必要な準備を完了して、弁済受
　領権者にその受領を催告することをいう。①「債権者があらかじめその受領を拒」
　んだ場合、②履行のために債権者の行為を必要とする場合に、口頭の提供が許さ
　れる。

1　①「債権者があらかじめその受領を拒」んだ場合
　　受領拒絶は黙示でもよい。受領期日の延期、契約解除の主張、反対給付の不
　履行などを債権者が相当な理由なく行うことは、全て受領の拒絶に該当する。

2　②履行のために債権者の行為を必要とする場合
　(1)　履行のために債権者の行為を必要とする債務には、取立債務（484 I）
　　　〈司共〉、登記債務、加工債務、債権者の指定する場所や期日において履行する
　　　債務（大判大 9.11.4）などがある。
　　　cf.　履行期日が定まった取立債務は、履行地で弁済の準備をすれば現実の
　　　　　提供となる　→受領の催告は不要〈予〉
　(2)　債権譲渡の当事者間において譲渡の効力に争いが生じても、「債権者の行
　　　為を要する」債務とはならず、債務者が履行遅滞の責任を免れるためには、
　　　口頭の提供ではなく現実の提供をする必要がある。

3　口頭の提供の方法
　　弁済の準備をしたことを通知して、その受領を催告すればよい。
　(1)　弁済の準備
　　　債権者の行為を必要とする場合は協力行為があれば直ちに履行できる程度
　　　の準備をすることを要する〈司〉。
　　　ex.1　現金を銀行から引き出して手元に置くこと
　　　ex.2　銀行に対する確実な資金借受契約をしておくこと（大判大 7.12.4）
　(2)　通知・催告
　　　債権者が契約そのものの存在を否定するなど債務者が口頭の提供をしても
　　　債権者が弁済を受領しない意思が明確であると認められた場合には、債務者は
　　　口頭の提供をしなくとも債務不履行の責めを免れる（最大判昭 32.6.5）〈司〉。受
　　　領拒絶の意思が明確な場合でも、債務者が弁済の準備もできないような不良な
　　　経済状態にある場合には、口頭の提供は免除されない（最判昭 44.5.1）〈司〉。

第2目　弁済の目的物の供託

第４９４条 （供託）〈同〉

Ⅰ　弁済者は、次に掲げる場合には、債権者のために弁済の目的物を供託することができる。この場合においては、弁済者が供託をした時に、その債権は、消滅する〈同〉。

①　弁済の提供をした場合において、債権者がその受領を拒んだとき。

②　債権者が弁済を受領することができないとき。

Ⅱ　弁済者が債権者を確知することができないときも、前項と同様とする。ただし、弁済者に過失があるときは、この限りでない〈同〉。

[趣旨]本条は、一般的な弁済供託の原因として、①債権者受領拒否、②債権者受領不能、③債権者不確知の3態様を規定し、かつ、弁済供託の効果として、債務の消滅を定めている。

《注　釈》

一　供託の法的性質

供託者と供託所との間に締結される第三者（債権者）のためにする寄託契約（657）である〈通〉。ただし、債権者が供託物引渡請求権を取得するのに、受益の意思表示は不要である。

二　供託の有効要件

①「弁済の提供をした場合において、債権者がその受領を拒んだ」こと、②「債権者が弁済を受領することができない」こと、又は、③弁済者が過失なく債権者を確知することができないことが必要である。

三　債権者の受領拒否及び受領不能（Ⅰ）

1　債権者の受領拒否（Ⅰ①）

(1)　「弁済の提供をした場合において」

→債権者があらかじめ受領を拒んでも、原則として債務者は口頭の提供をしてからでないと供託できない（Ⅰ①、大判大 10.4.30 参照）

(2)　口頭の提供をしても債権者が受領を拒むであろうことが明確な場合には、例外的に債務者は直ちに供託できる（大判明 45.7.3）〈同書〉。

2　債権者の受領不能（Ⅰ②）

債権者の受領不能は、事実上の受領不能であると法律上の受領不能であるとを問わない。受領不能に債権者の帰責事由は不要であり、その不能は一時的なものでよい（大判昭 9.7.17）。

ex.1　交通途絶により債権者が履行の場所に現れない場合（事実上の受領不能）

ex.2　債権者が制限行為能力者でありながらその法定代理人又は保佐人がいない場合（法律上の受領不能）

四　債権者不確知（Ⅱ）〈同〉

債権者を確知できない理由は、事実上の理由であると法律上の理由であるとを問わない。

ex.1 債権者が死亡して相続人が誰であるかを確知することができないとき（事実上の理由）

ex.2 債権譲渡の当事者間において譲渡の効力につき争いが生じ、債務者に真の債権者が誰であるか確知することができないとき（法律上の理由）〈司〉

ex.3 差押えが重複するとき（法律上の理由）

五　供託の目的物・内容

1　供託の目的物は、原則として弁済の目的物である。

→弁済の目的物が供託に適しない等の場合は、競売代価の供託（497）

2　供託が債務消滅の効果を生ずるためには、供託の目的物が債務の本旨に従った有効な弁済と等しいものでなければならない〈司〉。

ex.1 元本の他に遅延損害金がある場合には、その全額を供託しなければ供託は無効であり、特約のない限り元本債権のみが消滅することにはならない

ex.2 供託した金額に僅少の不足額がある場合、弁済の提供と同様、信義則（1Ⅱ）により、供託相当分につき（債務全額についてではない）有効な供託となる（最判昭35.12.15）

ex.3 交通事故による損害賠償請求訴訟の控訴審係属中に、加害者が被害者に対し、第一審判決によって命じられた損害賠償金の全額を任意に弁済提供した場合には、その提供額が損害賠償債務の全額に満たないことが控訴審において判明したとしても、その弁済提供はその範囲で有効であり、被害者がその金員の受領を拒絶したことを理由になされた弁済供託も有効である（最判平6.7.18）〈司〉

六　供託の効果

1　債権の消滅

供託の効果として、供託の時点で、債権が消滅し、債務者は債務から解放される（Ⅰ柱書）。

→供託による債権の消滅は、供託物の取戻しを解除条件とする

∵　供託物が取り戻されると、供託がされなかったものとみなされる（496Ⅰ後段）

2　債権者の供託物還付請求権の取得

債務者が債権者の給付に対して弁済するという債務の場合には、債権者はその給付をしなければ供託物の還付を請求しえない（498Ⅱ）。

ex.　同時履行の抗弁権（533）を有する買主が代金を供託した場合

3　供託物所有権の移転

(1) 金銭等の消費物の場合には、消費寄託（666）として、その所有権はいったん供託所に帰属し、債権者は供託所から受け取った時にその所有権を取得する。

(2) 特定物の場合には、供託所は所有権を取得せず、単に保管するにすぎない。

《その他》

▪ 債務者が供託をして債権者に供託の通知（495 Ⅲ）をしたときは、供託が無効であっても、債権の消滅時効は更新する（152 Ⅰ）。

第495条 （供託の方法）

Ⅰ 前条の規定による供託は、債務の履行地の供託所にしなければならない〈司〉。

Ⅱ 供託所について法令に特別の定めがない場合には、裁判所は、弁済者の請求により、供託所の指定及び供託物の保管者の選任をしなければならない。

Ⅲ 前条の規定により供託をした者は、遅滞なく、債権者に供託の通知をしなければならない〈司〉。

《注　釈》

◆　供託の方法

1　供託の当事者

　供託契約の当事者は、供託者と供託所である。供託者は債務者に限らず、弁済をすることのできるすべての第三者を含む。

2　供託の通知、供託書正本の交付

　債務者の債権者に対する供託の通知（Ⅲ）と供託書正本の交付は、供託の有効要件ではなく、弁済の効力は供託により生ずると解される。

第496条 （供託物の取戻し）

Ⅰ 債権者が供託を受諾せず、又は供託を有効と宣告した判決が確定しない間は、弁済者は、供託物を取り戻すことができる。この場合においては、供託をしなかったものとみなす〈司〉。

Ⅱ 前項の規定は、供託によって質権又は抵当権が消滅した場合には、適用しない。

[趣旨] 供託は弁済者の保護を目的とする制度であるから、民法は債権者又は債務者に不利益とならない限り、供託物の取戻しを弁済者に認めた（Ⅰ）。また、質権・抵当権が供託により消滅した場合については、質権・抵当権の復活を認めると第三者に不測の損害を及ぼすことを考慮して、取戻権が発生しないものとした（Ⅱ）。

《注　釈》

一　供託物の取戻しの効果

　取戻しは供託の取消し（撤回）である。

　　→取戻しがなされると供託はなかったものとなり、債権は消滅しなかったことになる。したがって、保証人の同意がなくとも保証債務は復活し、供託後の利息なども支払わなければならない

二　供託物の取戻しができなくなる場合〈司〉

1　債権者が供託を受諾したとき（Ⅰ前段）

2　供託を有効と宣告した判決が確定したとき（Ⅰ後段）

3　供託により質権・抵当権が消滅したとき（Ⅱ）〈共〉

4　供託者が取戻権を放棄したとき

債権

5 供託物取戻請求権が時効消滅したとき
→供託物取戻請求権は、供託時ではなく、紛争の解決などによって債権の不存在が確定するなど、供託者が免責の効果を受ける必要が消滅した時から、10年の消滅時効にかかる（最大判昭45.7.15参照）

第497条 （供託に適しない物等）

弁済者は、次に掲げる場合には、裁判所の許可を得て、弁済の目的物を競売に付し、その代金を供託することができる。

① その物が供託に適しないとき。
② その物について滅失、損傷その他の事由による価格の低落のおそれがあるとき。
③ その物の保存について過分の費用を要するとき回。
④ 前3号に掲げる場合のほか、その物を供託することが困難な事情があるとき。

《注 釈》

▪「その他の事由による価格の低落のおそれがあるとき」（②）としては、たとえば、市場での価格の変動が激しく、放置しておけば暴落するような場合等が挙げられる。
▪「その物を供託することが困難な事情があるとき」（④）としては、たとえば、債務の履行地に当該物品を保管することができる供託法所定の供託所が存在しないために、事実上物品供託ができない場合等が挙げられる。

＜供託と自助売却の整理＞

	意義	要件	効果
供託（494）	弁済者が弁済の目的物を債権者のために供託所に寄託して債務を免れる制度	①債権者の受領拒否（494Ⅰ①）、②債権者の受領不能（同Ⅰ②）、又は③債権者不確知（同Ⅱ）	① 債権が消滅（494）② 債権者の目的物還付請求権（496）
自助売却（497）	弁済者が給付義務を免れるために自ら弁済の目的物を競売すること	① 497条各号の事由のいずれかに該当すること・目的物が供託に適しない（同①）・目的物に滅失・損傷・その他の事由による価格の低落のおそれがある（同②）・目的物の保存に過分の費用を要する（同③）・同条1号～3号の場合の他、その物を供託することが困難な事情がある（同④）② 裁判所の許可	競売の代金を供託できる（供託により債権は消滅する）

第498条 （供託物の還付請求等）

Ⅰ　弁済の目的物又は前条の代金が供託された場合には、債権者は、供託物の還付を請求することができる。

Ⅱ　債務者が債権者の給付に対して弁済をすべき場合には、債権者は、その給付をしなければ、供託物を受け取ることができない回。

第3目　弁済による代位

第499条 （弁済による代位の要件）

債務者のために弁済をした者は、債権者に代位する。

第500条 〈回〉

第467条<債権の譲渡の対抗要件>の規定は、前条の場合（弁済をするについて正当な利益を有する者が債権者に代位する場合を除く。）について準用する。

[趣旨] 弁済が第三者や連帯債務者・保証人等のような終局的債務者でない者により行われた場合、これらの者は債務者に対する求償権を取得する。この求償権を確保するために認められたのが、弁済による代位（代位弁済）の制度である。すなわち、債務者について消滅した債権者の権利が求償権の範囲で弁済者に移転するものとされる供。

499条は、任意代位（弁済をするについて正当な利益を有しない者の弁済による代位）と法定代位（弁済をするについて正当な利益を有する者の弁済による代位）を区別することなく、代位弁済者の求償権を確保している。もっとも、任意代位の場合は、債務者や第三者に不測の損害を与えるおそれがあるため、500条により債権譲渡の対抗要件に関する467条が準用されている。

《注　釈》

一　意義

債務者のために弁済をした者は、債権者に代位する（499）。したがって、「弁済をするについて正当な利益を有する者」（500かっこ書）以外の者も、弁済によって当然に代位するが、債権譲渡の債務者対抗要件・第三者対抗要件を具備しなければ、代位の事実を債務者・第三者に対抗することができない（500）。

→「弁済をするについて正当な利益を有する者」は、弁済によって当然に代位する。譲渡ではなく法律上の移転であるから、対抗要件は不要である ⇒ p.412

cf.　弁済者が弁済による代位により取得した原債権を行使して訴訟においてその給付を請求するためには、原債権の発生原因事実のほか求償権の発生原因事実も主張立証しなければならない（最判昭61.2.20）予

二　要件

①　弁済その他（ex. 代物弁済、供託、相殺など）で債権者を満足させたこと

→担保権の実行・強制執行や、債権者と債務者との間で混同が生じた場合も

これに準じる

② 弁済者が債務者に対して求償権を有すること

三 「弁済をするについて正当な利益を有する者」（500 かっこ書）

1 「弁済をするについて正当な利益を有する者」とは、弁済しないことにより自己に損失が及ぶ法律上の地位にある者をいう。すなわち、①弁済しないと債権者から執行を受ける地位にある者や、②弁済しないと債務者に対する自己の権利が価値を失う地位にある者がこれに当たる。

2 「弁済をするについて正当な利益を有する者」の具体例

ex. 保証人（▶）、物上保証人（司予）、連帯債務者（大判昭 11.6.2）、後順位抵当権者（大決昭 6.12.18）〈司〉、債務者の財産保全の必要がある場合の一般債権者、担保目的物の第三取得者（大判明 40.5.16）

四 代位の効果（501〜504）

1 弁済者は、債権の効力及び担保としてその債権者が有していた一切の権利を行使することができる（501 Ⅰ）〈司〉。

→弁済による代位は、債権の法定移転であり、債権譲渡ではない〈予〉

2 代位弁済者が弁済による代位によって取得した担保権を実行する場合にその被担保債権として扱うべきものは、求償権ではなく原債権である（最判昭 59.5.29・百選Ⅱ 29 事件）〈司共〉。

3 弁済による代位の効果は、求償権確保にあり、これにより本来の債務者に対する固有の求償権は失わず、行使もできる。

4 弁済者が弁済による代位により取得した原債権と求償権とは別個に消滅時効にかかる（最判昭 61.2.20）〈予〉。

第501条 （弁済による代位の効果）

Ⅰ 前2条の規定により債権者に代位した者は、債権の効力及び担保としてその債権者が有していた一切の権利を行使することができる。

Ⅱ 前項の規定による権利の行使は、債権者に代位した者が自己の権利に基づいて債務者に対して求償をすることができる範囲内（保証人の1人が他の保証人に対して債権者に代位する場合には、自己の権利に基づいて当該他の保証人に対して求償をすることができる範囲内）に限り、することができる。

Ⅲ 第1項の場合には、前項の規定によるほか、次に掲げるところによる。

① 第三取得者（債務者から担保の目的となっている財産を譲り受けた者をいう。以下この項において同じ。）は、保証人及び物上保証人に対して債権者に代位しない〈司〉。

② 第三取得者の1人は、各財産の価格に応じて、他の第三取得者に対して債権者に代位する。

③ 前号の規定は、物上保証人の1人が他の物上保証人に対して債権者に代位する場合について準用する。

④ 保証人と物上保証人との間においては、その数に応じて、債権者に代位する〈司〉。ただし、物上保証人が数人あるときは、保証人の負担部分を除いた残額について、各財産の価格に応じて、債権者に代位する〈司〉。

⑤　第三取得者から担保の目的となっている財産を譲り受けた者は、第三取得者と
みなして第1号及び第2号の規定を適用し、物上保証人から担保の目的となって
いる財産を譲り受けた者は、物上保証人とみなして第1号、第3号及び前号の規
定を適用する。

[趣旨] 代位弁済者が取得した求償権を確保するために、代位者・債務者間、代位
者・債権者間や代位者相互間の利害を調整し、弁済による代位の効果を定めるもの
である。

《注　釈》

一　代位者・債務者間の効果

弁済者は、自己の求償権の範囲内において（特約に基づく遅延損害金を含む）、
債権の効力・担保として債権者が有していた一切の権利を行使することができる
◁同▷。

1　「担保」とは、広く人的担保・物的担保の一切をいう。

2　代位によって債権自体が移転するので、債権に付着した瑕疵や抗弁は当然に
代位者に承継される。

ただし、取消権・解除権のような契約当事者の地位に付随する権利は、代位
によって移転せず、取消し・解除は契約当事者のみなしうる。　⇒ p.448

3　代位弁済者が弁済による代位によって取得した担保権を実行する場合におい
て、その被担保債権として扱うべきものは原債権である◁同▷。

4　保証人が債権者に代位弁済した後、債務者が保証人に内入弁済（借金の一部
弁済）した場合、求償権と原債権にそれぞれ内入弁済があったとして、民法の
規定に従って弁済の充当があったとする（最判昭60.1.22）◁同▷。

∵　代位する原債権は求償権を確保するために認められたものであり、保証
人と主債務者との間では事実上同一のものである

二　代位者相互間の効果

1　当事者間で結んだ代位の割合を変更する旨の特約は有効である。この特約
は、後順位抵当権者等の第三者にも効力を及ぼす（最判昭59.5.29・百選Ⅱ29
事件）◁同▷。

2　保証人と物上保証人が数人存在するときは、その頭数に応じて、債権者に代
位する（501Ⅲ④本文）。物上保証人が数人存在するときは、保証人の負担部
分を除いた残額について、各財産の価格に応じて、債権者に代位する（501Ⅲ
④ただし書）。

→保証人が物上保証人を兼ねていても、1人として頭数を数える（最判昭
61.11.27）◁同予▷

3　物上保証人が死亡し、担保目的物に相続があった場合には、弁済時の共有持
分権者をそれぞれ1人として頭数を数える（最判平9.12.18）◁同▷。

三　代位者・債権者間の効果（503、504）

債権者は代位者に対して、代位した権利の行使を容易にさせる義務を負う。

債
権

第502条　（一部弁済による代位）

Ⅰ　債権の一部について代位弁済があったときは、代位者は、債権者の同意を得て、その弁済をした価額に応じて、債権者とともにその権利を行使することができる〈回〉。

Ⅱ　前項の場合であっても、債権者は、単独でその権利を行使することができる。

Ⅲ　前2項の場合に債権者が行使する権利は、その債権の担保の目的となっている財産の売却代金その他の当該権利の行使によって得られる金銭について、代位者が行使する権利に優先する。

Ⅳ　第1項の場合において、債務の不履行による契約の解除は、債権者のみがすることができる。この場合においては、代位者に対し、その弁済をした価額及びその利息を償還しなければならない。

《注　釈》

一　担保権の実行申立て（ⅠⅡ）

1　「債権者の同意を得て」（Ⅰ）

→一部代位者は債権者と共同してのみ担保権を実行できる

∵　一部代位者の単独での行使を認めると、債権者が換価時期を選択する利益を奪われ、望まない時期に担保権が実行されるおそれがある

2　1項の場合であっても、債権者は単独で権利行使ができる（Ⅱ）。

二　担保権の実行による配当（Ⅲ）

「その債権の担保の目的となっている財産の売却代金その他の当該権利の行使によって得られる金銭」については、債権者が代位者に優先する（原債権者優先主義）。

→本条3項は、競売手続の配当段階においては債権者が代位者に優先する旨の判例法理（最判昭60.5.23・百選Ⅰ91事件）を、抵当権の実行の場合を超えて、弁済者代位を通じての原債権からの満足が問題となる場面一般に拡張した上で、明文化したものである

三　1項の場合における債務不履行による契約の解除（Ⅳ）

1　4項前段

弁済による代位は、契約当事者の地位の移転ではないから、この地位に付属する解除権はそもそも代位の対象とはならず、前段は後段を導くための規定にすぎない〈回〉。

→全部代位の場合にも、代位者は解除権を行使することはできない

2　4項後段

一部弁済を受けた債権者が、残債務の不履行によって契約を解除した場合、すでに弁済を受けた分を含めて債権は遡及的に消滅する。そのため、債権者が受けた一部弁済は不当利得となる。

→後段は、悪意の不当利得（704）に準じ、債権者に特別の返還義務を負わせたもの

四　一部代位と区別される場合（複数債権の１個についての全部代位弁済）

　債権者・債務間に複数の債権が存在し、そのうち１個の債権について全部代位弁済がなされた場合（不動産を目的とする１個の抵当権が数個の債権を担保し、そのうちの１個の債権のみについての保証人が当該債権に係る残債務全額につき代位弁済した場合）は、502条の想定する一部代位の問題ではない。この場合において、代位弁済の問題をどのように解すべきかが問題となる。

　判例（最判平17.1.27）は、上記の例において、「当該抵当権は債権者と保証人の準共有となり、当該抵当不動産の換価による売却代金が被担保債権のすべてを消滅させるに足りないときには、債権者と保証人は、両者間に上記売却代金からの弁済の受領についての特段の合意がない限り、上記売却代金につき、債権者が有する残債権額と保証人が代位によって取得した債権額に応じて按分して弁済を受ける」としている〈司書〉。

　∵①　502条１項所定の債権の一部につき代位弁済がされた場合とは異なり、債権者は、上記保証人が代位によって取得した債権について、抵当権の設定を受け、かつ、保証人を徴した目的を達して完全な満足を得ており、保証人が当該債権について債権者に代位して上記売却代金から弁済を受けることによって不利益を被るものとはいえない
　　②　保証人が自己の保証していない債権についてまで債権者の優先的な満足を受忍しなければならない理由はない

第503条　（債権者による債権証書の交付等）

Ⅰ　代位弁済によって全部の弁済を受けた債権者は、債権に関する証書及び自己の占有する担保物を代位者に交付しなければならない〈司〉。
Ⅱ　債権の一部について代位弁済があった場合には、債権者は、債権に関する証書にその代位を記入し、かつ、自己の占有する担保物の保存を代位者に監督させなければならない。

第504条　（債権者による担保の喪失等）

Ⅰ　弁済をするについて正当な利益を有する者（以下この項において「代位権者」という。）がある場合において、債権者が故意又は過失によってその担保を喪失し、又は減少させたときは、その代位権者は、代位をするに当たって担保の喪失又は減少によって償還を受けることができなくなる限度において、その責任を免れる〈司〉。その代位権者が物上保証人である場合において、その代位権者から担保の目的となっている財産を譲り受けた第三者及びその特定承継人についても、同様とする。
Ⅱ　前項の規定は、債権者が担保を喪失し、又は減少させたことについて取引上の社会通念に照らして合理的な理由があると認められるときは、適用しない〈司〉。

《注　釈》

一　503条

　「債権に関する証書」（503Ⅰ）には、債権証書だけではなく、借用書・売買目的物の受取証など債権の存在を証明する書類や、違約金証書、担保設定証書など

も含まれる。

二　免責（504）の要件

1　当事者の存在

(1)　「弁済をするについて正当な利益を有する者」（504Ⅰ前段）

　　共同抵当不動産の一部について抵当権の放棄があった後に残存抵当不動産の一部を取得した者（第三取得者）も、債権者に対して本条の免責の効果を主張できる（504Ⅰ後段）。

(2)　「債権者」とは、原債権者に限られず、債権譲渡や代位等によって債権者の地位を承継した者も含まれる。

　　ex.　代位弁済した連帯保証人は、他の連帯保証人に対して、代位した抵当権につき保存義務を負う（大判昭9.10.16）

2　担保の喪失・減少

(1)　「担保」とは、弁済による代位の対象となるべき物的又は人的担保をいう。

　　ex.　担保権の放棄・損傷・順位変更、保証の免除

(2)　担保保存義務免除特約の効力

　　債権者と物上保証人との間に担保保存義務免除の特約があるため、債権者が担保を喪失し、又は減少させたときに、右特約の効力により504条による免責の効果が生じなかった場合は、担保物件の第三取得者への譲渡によって改めて免責の効果が生ずることはないから、第三取得者は、免責の効果が生じていない状態の担保の負担がある物件を取得したことになり、債権者に対し、504条による免責の効果を主張することはできない（最判平7.6.23・百選Ⅱ30事件）同。

3　故意又は過失

　　「故意又は過失」とは、担保の喪失・減少についての故意・過失である（大判明40.5.16）。

　　ex.　債権者の不適当な処置による抵当権の実行の遅れにより、目的不動産の価値が著しく低落した場合

三　免責（504）の効果

　　免責の効果は、担保の喪失・減少があれば法律上当然に生じ、債権者に対する弁済や免責請求を必要としない（大判昭6.3.16）。

第2款　相殺

第505条　（相殺の要件等）司H26

Ⅰ　2人が互いに同種の目的を有する債務を負担する場合において、双方の債務が弁済期にあるときは、各債務者は、その対当額について相殺によってその債務を免れることができる同共。ただし、債務の性質がこれを許さないときは、この限りでない。

Ⅱ　前項の規定にかかわらず、当事者が相殺を禁止し、又は制限する旨の意思表示をした場合には、その意思表示は、第三者がこれを知り、又は重大な過失によって知らなかったときに限り、その第三者に対抗することができる同。

［趣旨］本条は、相殺をなしうるための要件と効果を定めたものである。当事者の契約による相殺以外に、単独行為の相殺制度が認められたのは、実際の便宜（簡易決済機能、相手方の無資力のリスクを回避し、他の債権者に優先して債権を回収できるという相殺の担保的機能）と当事者間の公平とによる。

《注　釈》

一　相殺の意義

　　相殺とは、債権者と債務者とが相互に同種の債権・債務を有する場合に、その債権と債務とを対当額において消滅させる一方的意思表示（単独行為）をいう。相殺しようとする側の債権を自働債権、相殺される側の債権を受働債権という。

二　相殺適状

　　相殺をする（相殺権の発生）には、双方の債権が相殺適状にあることが必要である。相殺適状とは、次の諸要件を具備する債権の対立状態をいう。

1　「2人が互いに」債務を負担すること（505Ⅰ本文）

　(1)　当事者間に債権が対立すること

　　(a)　原則として、自働債権は相殺者が被相殺者に対して有する債権であることが必要である。

　　　　→条文上の例外あり（連帯債務・439Ⅱ、保証債務・457Ⅱ）

　　(b)　原則として、他人に対する債権をもって相殺することはできない。

　　　　→条文上の例外あり（連帯債務・443Ⅰ、保証債務・463Ⅰ、債権譲渡・468Ⅰ）

　　(c)　受働債権は、被相殺者が相殺者に対して有する債権であることが必要である。

　　　　ex.　抵当不動産の第三取得者は、抵当権者に対する債権をもって抵当権者が債務者に対して有している債権と相殺することはできない（大判昭8.12.5）同書

　(2)　対立する債権が有効に存在すること

　　いずれか一方の債権が不存在又は無効であるときには、相殺は無効である。

　　相殺の意思表示前に一方の債権が弁済・解除・相殺によって消滅した場合には、弁済・解除・相殺前に相殺適状にあったとしても相殺はなしえない（最判昭54.7.10）共。

　　ただし、時効消滅前に相殺適状にあった場合は相殺できる（508）。

2　双方の債権が「同種の目的」を有すること（505Ⅰ本文）

　　相殺は、原則として金銭又は代替物を目的とする種類債権に限られる。目的が同種であればよいから、原因又は債権額が同一であることや、履行期若しくは履行地が同一であることは必要ではない（507本文）。

　　cf.　合意に基づく相殺（相殺契約）においては、双方の債権が「同種の目的」を有するものでなくてもよいと解されている（大判昭17.2.18）司。

3　「双方の債務が弁済期にある」こと（505Ⅰ本文）

（1）　自動債権のみならず受働債権についても、弁済期が現実に到来していることが必要である（最判平25.2.28・百選Ⅱ31事件）〈覇〉。

　　∵　「双方の債務が弁済期にあるとき」（505Ⅰ本文）という文理

　　→既に弁済期にある自働債権と弁済期の定めのある受働債権とが相殺適状にあるというためには、受働債権につき、期限の利益を放棄することができるというだけではなく、期限の利益の放棄又は喪失等により、その弁済期が現実に到来していることを要する（最判平25.2.28・百選Ⅱ31事件）〈司〉。

　　　∵①　「双方の債務が弁済期にあるとき」（505Ⅰ本文）という文理

　　　　②　受働債権の債務者がいつでも期限の利益を放棄できることを理由に両債権が相殺適状にあると解することは、その債務者が既に享受した期限の利益を自ら遡及的に消滅させることとなって、相当でない

（2）　弁済期の到来している受働債権に対し、弁済期の定めのない債権を自働債権として相殺することができる。この場合、自働債権についてまだ催告がなされておらず債務者が履行遅滞となっていなくても差し支えない（大判昭17.11.19）。

　　→弁済期の定めのない債権については、契約成立と同時に弁済期にあるため、いつでも相殺可能〈司〉

4　「債務の性質」が相殺を許すものであること（505Ⅰただし書）

（1）　使用者が、労働者に対する不法行為に基づく損害賠償請求権を自働債権として、労働者の賃金債権と相殺することは許されない（最判昭31.11.2）。

（2）　自働債権に相手方の同時履行の抗弁権（533）、催告及び検索の抗弁権（452、453）（最判昭32.2.22）等が付着している場合、相殺が許されない〈司共書〉。

　　ただし、自働債権と受働債権がともに同時履行の関係にある場合には、例外的に相殺が認められる。

　　　ex.　請負目的物の修補請求に代わる損害賠償請求権を自働債権とし、請負人の報酬請求権を受働債権として相殺することは可能である〈覇〉

　　　cf.　受働債権に抗弁権が付着している場合は、相殺可

（3）　受任者が有する代弁済請求権（650Ⅱ前段）に対しては、委任者は、受任者に対する債権をもって相殺することができない（最判昭47.12.22）。

　　　⇒p.588

三　相殺禁止

　相殺適状を生じても、次の場合、相殺は禁止又は制限される。

1　当事者が相殺を禁止又は制限する旨の意思表示をしたとき（505Ⅱ）。ただし、特約につき善意・無重過失の第三者に対しては対抗できない（505Ⅱ）。

2　法律による禁止（不法行為等により生じた債権・509、差押禁止債権・510、差し押さえられた債権・511等）。

《その他》

- 有価証券に表章された金銭債権を債務者が「受働債権」として相殺するに当たっては、有価証券の占有は要しない（最判平13.12.18）《共》。

＜相殺が禁止される債権＞

	自働債権とすることが禁止されるもの	受働債権とすることが禁止されるもの
条文上禁止されるもの	差し押さえられた債権（民執145Ⅰ）弁済期前の債権（505Ⅰ本文）	不法行為等により生じた債権（509）差押禁止債権（510）差し押さえられた債権（511Ⅰ）
解釈上禁止されるもの	抗弁権が付着した債権質権が設定された債権	質権が設定された債権

第506条　（相殺の方法及び効力）

Ⅰ　相殺は、当事者の一方から相手方に対する意思表示によってする。この場合において、その意思表示には、条件又は期限を付することができない《共》。

Ⅱ　前項の意思表示は、双方の債務が互いに相殺に適するようになった時にさかのぼってその効力を生ずる。

［趣旨］本条は、相殺の方法を裁判上・裁判外を問わず意思表示によるとした。また、双方の債権が相殺適状にあるときは、既に双方の債権関係は決済されたとするのが当事者の意思に添うため、相殺の遡及効を認めた。

《注　釈》

一　相殺の方法（Ⅰ）

1　相殺は一方的な意思表示による（一種の形成権）。

⑴　相対立する債権を意思表示によって消滅させる意思が示されれば足り、相殺を明言することを要しない。

ex.　相手方の債務額から自己の債務額を控除して請求すれば、相殺の意思表示といえる

⑵　相殺する債権は示されることを要するが、債権の同一性を認識する程度に示されれば足りる。

⑶　相殺の意思表示の相手方は、その時点において受働債権を有する者である。そのため、受働債権が譲渡された場合、相殺の意思表示の相手方は「譲受人」である（大判明38.6.3、最判昭32.7.19）《共》。

2　条件・期限及び順序

法律関係の安定を図るため、相殺に条件を付することはできない《司共予》。また、相殺は遡及効を有するため、期限を付すことは無意味である（Ⅰ後段）《司》。

cf.　506条1項後段は法定相殺に関する規定であり、合意に基づく相殺（相殺契約）においては、公序良俗（90）に反しない限り、相殺の意思表示に条件・期限を付することもできる《共》

二　相殺の遡及効（Ⅱ）

1　相殺の効力は相殺適状成立時に遡及するため、適状成立後に発生した利息は発生しなかったことになり、支払済の利息については不当利得の返還の問題（703）を生ずる。また、相殺適状後に生じた遅滞の効果（損害賠償、違約金等）も消滅する〈司〉。

2　賃貸借契約が賃料不払のために適法に解除された以上、その後、賃借人の相殺の意思表示により右賃料債務が遡及して消滅しても、解除の効力に影響がない（最判昭32.3.8）〈司共書〉。

3　請負人が注文者に対して報酬請求をしたのに対して、注文者が目的物の瑕疵修補に代わる損害賠償請求権を自働債権とする相殺の意思表示をした場合、注文者の損害賠償債権が相殺適状時にさかのぼって消滅したとしても、相殺の意思表示をするまで注文者がこれと同時履行の関係にある報酬債務の全額について履行遅滞による責任を負わなかったという効果に影響はないと解すべきであるから、注文者は、請負人に対する相殺後の報酬債務について、相殺の意思表示の翌日から履行遅滞による責任を負う（最判平9.7.15）。

第507条　（履行地の異なる債務の相殺）

　相殺は、双方の債務の履行地が異なるときであっても、することができる〈書〉。この場合において、相殺をする当事者は、相手方に対し、これによって生じた損害を賠償しなければならない。

第508条　（時効により消滅した債権を自働債権とする相殺）

　時効によって消滅した債権がその消滅以前に相殺に適するようになっていた場合には、その債権者は、相殺をすることができる〈同共書〉。

［趣旨］本条は、対立する両債権が相殺適状にあるとき、当事者はあえて自分の債権の消滅も考えずに自動的に決済されたように考えて過ごす事情を顧慮して、当事者間のこのような信頼を保護するものである。

《注　釈》

一　本条の適用例

1　消滅時効が援用された自働債権はその消滅時効期間が経過する以前に受働債権と相殺適状にあったことを要する（最判平25.2.28・百選Ⅱ31事件）〈共予書〉〈同R3〉。

∴　当事者の相殺に対する期待を保護するという508条の趣旨

→既に時効消滅にかかった債権を譲り受け、これを自働債権として相殺しても、時効の援用があれば相殺は効力を生じない（最判昭36.4.14）〈通〉〈同書〉。

2　債権者が保証人に対して債務を負担していた場合、その債務と保証債務が相殺適状になった後に、主債務について時効が完成しても、債権者は主債務にかかる保証人に対する債権と、保証人の債権とを相殺することができる（大判昭8.1.31）。

二　期間の経過した債権への類推適用

請負契約において、注文者が637条1項所定の制限に係る期間の経過した損害賠償請求権を自働債権とし、請負人の報酬請求権を受働債権としてする相殺も、本条を類推適用して認められる（最判昭51.3.4）。

《その他》

- 受働債権の消滅時効が完成している場合に、時効の利益を放棄して相殺することは自由である（146）◀司▶。
- 相手方が既に時効の援用をしているかどうかは、本条の適用上問題とならない◀共▶。

第509条　（不法行為等により生じた債権を受働債権とする相殺の禁止）

次に掲げる債務の債務者は、相殺をもって債権者に対抗することができない。ただし、その債権者がその債務に係る債権を他人から譲り受けたときは、この限りでない◀司共▶
① 悪意による不法行為に基づく損害賠償の債務◀司共▶
② 人の生命又は身体の侵害による損害賠償の債務（前号に掲げるものを除く。）
　◀司書▶

[趣旨] 本条は、不法行為の被害者に現実の給付を得させることのほか、債権者による不法行為の誘発を防止するために規定されたものである。

《注　釈》

一　本条1号

不法行為の誘発防止という趣旨から、「悪意による不法行為に基づく損害賠償の債務」を負担する債務者による相殺を禁止している。

「悪意」というためには、単なる故意では足りず、積極的な「損害を与える意図」（害意）まで必要と解されている。

二　本条2号

1　被害者に現実の給付を得させるという趣旨から、「人の生命又は身体の侵害による損害賠償の債務」を負担する債務者による相殺を禁止している。

「損害賠償の債務」には、不法行為に基づく損害賠償債務のみならず、債務不履行（保護義務違反・安全配慮義務違反など）に基づく損害賠償債務も含まれる。

　∵　請求権が競合した場合に請求原因によって相殺禁止の区別をする合理的な理由がない

2　本条1号・2号からすると、悪意による不法行為に基づく損害賠償債務（①）でなく、かつ人の生命又は身体の侵害による損害賠償債務（②）でもない場合（双方の過失に起因する同一の不法行為（交通事故等）によって生じた物的損害についての損害賠償債権相互間等）に限り、その不法行為に基づく損害賠償債権を受働債権とする相殺が可能となる。

三　本条柱書ただし書

上記2つの債務にかかる債権を他人から譲り受けた場合には、相殺することができる。

∴　この場合に相殺を認めても、不法行為の誘発防止や被害者に現実の給付を得させるという趣旨に抵触しない

第510条　（差押禁止債権を受働債権とする相殺の禁止）

債権が差押えを禁じたものであるときは、その債務者は、相殺をもって債権者に対抗することができない。

《注　釈》

一　差押禁止債権の具体例

扶養料・俸給・恩給・扶助料（民執152、恩給11Ⅲ、生活保護58等）

二　本条の適用範囲

1　差押禁止債権を自働債権として相殺することは可能である。

2　差押禁止債権を自働債権とする相殺や相殺契約による相殺の場合は、本条の適用はない。

第511条　（差押えを受けた債権を受働債権とする相殺の禁止）

Ⅰ　差押えを受けた債権の第三債務者は、差押え後に取得した債権による相殺をもって差押債権者に対抗することはできないが、差押え前に取得した債権による相殺をもって対抗することができる〈同書〉。

Ⅱ　前項の規定にかかわらず、差押え後に取得した債権が差押え前の原因に基づいて生じたものであるときは、その第三債務者は、その債権による相殺をもって差押債権者に対抗することができる。ただし、第三債務者が差押え後に他人の債権を取得したときは、この限りでない〈供〉。

[趣旨]本条1項は、差押制度の実効性を確保し差押債権者を保護するため、差押えを受けた債権の第三債務者は、その後に取得した債権を自働債権として相殺しても、差押債権者に対抗できないと規定する〈同〉。一方で、相殺の担保的機能に対する期待を保護すべく、差押え前に取得した債権を自働債権とする相殺については、これを差押債権者に対抗できると規定する。

本条2項は、差押え時点における第三債務者の相殺への期待を保護するため、差押え後に取得した自働債権でも、それが差押えより前の原因に基づいて生じたものである場合、第三債務者はその自働債権による相殺を差押債権者に対抗することができる旨規定する。しかし、差押え後に取得した他人の債権でもってする相殺は、当該期待を保護するに値しないため、これを認めないと規定する。

《注　釈》
一　差押えの時期と受働債権及び自働債権の弁済期との関係

　判例（最大判昭45.6.24・百選Ⅱ32事件）は、第三債務者は自働債権が債権差押前に取得されたものである限り、自働債権の弁済期が到来して相殺適状にさえ達すれば、差押後においても相殺できるとしている（無制限説）司共予書。

　そして、511条1項はかかる判例法理を明文化した。

　∵　相殺の担保的機能を重視

＊　抵当権に基づく物上代位と相殺

　　判例（最判平13.3.13・百選Ⅰ85事件）は、抵当権者が物上代位権を行使して賃料債権の差押えをした後は、抵当不動産の賃借人は、抵当権設定登記後に賃貸人に対して取得した債権を自働債権とする賃料債権との相殺をもって、抵当権者に対抗できないとしている共書同H25。　⇒ p.259

　　この点、無制限説によれば、自働債権の取得と差押えの前後で相殺の可否が異なるため、自働債権の取得が抵当権設定登記後でも差押前であれば相殺が認められそうである。

　　しかし、本判例は、自働債権の取得と抵当権設定登記の前後で相殺の可否を分けている。これは、抵当権の効力が代位債権に及ぶことは抵当権設定登記によって公示されており、抵当権設定登記後に自働債権を取得した場合には、たとえ差押前であっても、相殺についての合理的な期待が生じないためと解されている。

＜一般債権による差押えと相殺＞

＜抵当権に基づく物上代位と相殺＞

＊　債権取得後、差押前に相殺をすることは認められる（511Ⅰ）。

二 債権譲渡と相殺

債権が譲渡され、その債務者が、債権譲渡の「通知」を受ける前に譲渡人に対し反対債権を取得していた場合、債務者は、譲受人に相殺を主張できるか。

判例（最判昭50.12.8・百選Ⅱ〔第8版〕28事件）は、債務者は譲渡債権及び反対債権の弁済期の先後を問わず、両者の弁済期が到来すれば、譲受人に相殺を主張できるとしている（無制限説）。

そして、469条1項はかかる判例法理を明文化し、債務者対抗要件具備時前に「取得」していた自働債権による相殺は、譲受人に対抗できると規定した。
⇒ p.417
∵ 債権譲渡の場合も差押えの場合と同様に考えるべきである

三 差押え後に取得した自働債権による相殺

1 「前の原因」（Ⅱ本文）は、債権譲渡と相殺の場面（469Ⅱ①参照）と同様、差押えを受けた債権と同一の契約による債権を自働債権とする場合に限らない。

ex. 差押えより前に委託を受けた保証人が差押えより後に保証債務を履行した場合、これによって生じた事後求償権を自働債権として、保証人は相殺を差押債権者に対抗することが可能となる

2 本条2項と同様の規律は、債権譲渡と相殺の場面でも設けられている。

第512条 （相殺の充当）

Ⅰ 債権者が債務者に対して有する1個又は数個の債権と、債権者が債務者に対して負担する1個又は数個の債務について、債権者が相殺の意思表示をした場合において、当事者が別段の合意をしなかったときは、債権者の有する債権とその負担する債務は、相殺に適するようになった時期の順序に従って、その対当額について相殺によって消滅する。

Ⅱ 前項の場合において、相殺をする債権者の有する債権がその負担する債務の全部を消滅させるのに足りないときであって、当事者が別段の合意をしなかったときは、次に掲げるところによる。

① 債権者が数個の債務を負担するとき（次号に規定する場合を除く。）は、第488条第4項第2号から第4号まで＜法定充当＞の規定を準用する。

② 債権者が負担する1個又は数個の債務について元本のほか利息及び費用を支払うべきときは、第489条＜元本、利息及び費用を支払うべき場合の充当＞の規定を準用する。この場合において、同条第2項中「前条」とあるのは、「前条第4項第2号から第4号まで」と読み替えるものとする。

Ⅲ　第1項の場合において、相殺をする債権者の負担する債務がその有する債権の全部を消滅させるのに足りないときは、前項の規定を準用する。

第512条の2

債権者が債務者に対して有する債権に、1個の債権の弁済として数個の給付をすべきものがある場合における相殺については、前条の規定を準用する。債権者が債務者に対して負担する債務に、1個の債権の弁済として数個の給付をすべきものがある場合における相殺についても、同様とする。

《注　釈》

一　512条1項

判例（最判昭56.7.2）は、自働債権・受働債権として複数の債権が対立関係にある場合において、相殺をする債権者の債権が債務者に対し負担する債務の全部を消滅させるのに足りないときは、充当に関する合意がなければ、まず元本債権相互間で相殺適状となった時期の順に従って相殺の順序を決めるべきであるとしている。本条1項は、かかる判例法理を明文化したものといえる。

二　512条2項

1　法定充当

上記判例は、時期を同じくする元本債権相互間及び元本債権とその利息・費用債権との間で、488条4項・489条（いずれも指定充当を認める規定）を準用して相殺の充当を行うべきであると判示していた。

これに対し、本条2項によれば、当事者が別段の合意をしなかった場合には、当事者による指定充当を認めず、本条2項1号・2号の定める方法による法定充当に従って処理すべきであると規定しており、上記判例法理を否定している。

2　具体例

(1)　本条2項1号の事例としては、次のようなケースが考えられる。

債権者Xが債務者Yに対して元本100万円の自働債権A（弁済期：4月1日）を有している。これに対し、債務者Yが債権者Xに対して元本60万円の受働債権B（弁済期：6月1日）、元本40万円の受働債権C（弁済期：8月1日）、元本40万円の受働債権D（弁済期：8月1日）を有する場合において、Xが10月1日に相殺したときは、まず、受働債権Bに充当される（512Ⅰ）。次に、弁済期を同じくする受働債権CDについて、各債務の額に応じて充当される結果（512Ⅱ①・488Ⅳ④）、受働債権CDについて、それぞれ元本20万円が残ることになる。

(2)　本条2項2号の事例としては、次のようなケースが考えられる。

債権者Xが債務者Yに対して元本100万円の自働債権A（弁済期：8月1日）を有する。これに対し、債務者Yが債権者Xに対して元本100万円、利息10万円の受働債権B（弁済期：10月1日）を有する場合において、Xが12月1日に相殺の意思表示をしたときには、費用・利息・元本の順に充当さ

れる結果（512Ⅱ②・489Ⅰ）、まず自働債権Aは受働債権Bの利息10万円に充当された後、受働債権Bの元本100万円に充当され、受働債権Bの元本10万円が残ることになる。

三　512条3項

債権者が相殺した場合において、相殺する債権者の負担する債務（受働債権に係る債務）が債権者の有する債権（自働債権）の全部を消滅させるに足りないときには、相殺に関する法定充当（512Ⅱ）の規律を準用する。

四　512条の2

債権者が債務者に対して有する債権（債務）に、1個の債権（債務）の弁済として数個の給付をすべきものがある場合における相殺については、512条の規律を準用する。

第3款　更改

> **第513条　（更改）**
>
> 当事者が従前の債務に代えて、新たな債務であって次に掲げるものを発生させる契約をしたときは、従前の債務は、更改によって消滅する。
> ①　従前の給付の内容について重要な変更をするもの
> ②　従前の債務者が第三者と交替するもの
> ③　従前の債権者が第三者と交替するもの

《注　釈》

一　意義

更改とは、旧債務に代えて、給付の内容について重要な変更をした新たな債務（513①）、債務者が交替した新たな債務（513②）、又は債権者が交替した新たな債務（513③）を成立させることを内容とする契約である。

二　要件

1　消滅すべき債務の存在
　旧債務と新債務とは有因関係にある。
　→更改によって消滅すべき債務が存在しない場合、更改は無効であって、新債務も成立しない
2　新債務の成立
　新債務が成立しない場合、更改は無効であって、原則として旧債務は消滅しない。
3　更改の意思
　更改となるためには、①給付の内容についての重要な変更、②債務者の交替、又は③債権者の交替に加え、当事者が新債務の成立によって旧債務を消滅させようとする意思（更改意思）が必要である。

三　効果

1　旧債務の消滅
　旧債務の消滅（513柱書）に伴い、旧債務の担保のために存在した担保権、

保証債務、違約金などの従たる権利も消滅する。ただし、質権及び抵当権は、更改当事者の特約によって、旧債務の目的の限度で新債務に移すことができる（518Ⅰ本文）。

　2　新債務の成立

　　新旧両債務に同一性がない以上、旧債務に付着していた抗弁権等は消滅する。債権者の交替による更改の場合であっても、更改契約の当事者として関与している以上、旧債務に伴う抗弁権は消滅する。

　3　更改契約の解除

　　更改契約は契約の1つであり、新債務が履行されないときは、契約解除の一般原則によって解除することができる（大判大 5.5.8）。

　(1)　新旧両債務が当事者間だけに存在したときは、旧債務が復活する（大判昭 3.3.10）。

　(2)　旧債務が新債務の当事者以外の間にも存在したときは、旧債務は復活しない（大判大 6.4.16）。

四　更改と類似の作用を有するもの

　1　更改では新旧債務は同一性を失うが、債権譲渡・債務引受では債権・債務は同一性を失わない。

　　→同一性の維持により、旧債権・債務に付随していた担保・抗弁権は新債権者・債務者に受け継がれる

　2　更改では新債務を成立させるが、代物弁済（482）では債務が消滅する。

第514条　（債務者の交替による更改）

Ⅰ　債務者の交替による更改は、債権者と更改後に債務者となる者との契約によってすることができる。この場合において、更改は、債権者が更改前の債務者に対してその契約をした旨を通知した時に、その効力を生ずる。

Ⅱ　債務者の交替による更改後の債務者は、更改前の債務者に対して求償権を取得しない。

[趣旨] 更改の本質は旧債務の消滅と新債務の発生であり、新債務者は自己の債務として新債務を負担することとなるため、新債務者の旧債務者に対する求償権を観念することができない。本条2項は、その旨を明文化したものであり、債権者・引受人間の契約による免責的債務引受（472の3）の効果と揃えたものである。

《注　釈》

◆　債務者の交替による更改の要件

　　債務者の交替による更改は、債権者・旧債務者・新債務者間の三面契約によって当然にすることができる。また、債権者・新債務者間の契約によってもすることができ（514Ⅰ前段）、債権者・引受人間の契約による免責的債務引受（472Ⅱ）の要件と同様、債務者の意思に反する場合であってもよい。

　　→この場合における更改の効力は、債権者が旧債務者に対してその契約をした旨を通知した時に生ずる（514Ⅰ後段）

第515条 （債権者の交替による更改）

Ⅰ 債権者の交替による更改は、更改前の債権者、更改後に債権者となる者及び債務者の契約によってすることができる。

Ⅱ 債権者の交替による更改は、確定日付のある証書によってしなければ、第三者に対抗することができない〈同書〉。

[趣旨] 債権者の交替による更改は、債務者に新債権者との間で新たな債務を負担させるものであるため、新旧債権者のほか債務者の意思も無視することはできない。そのため、本条1項は、債権譲渡と異なり、債務者も契約当事者となる必要があることを定めている。

第516条〜第517条 （債権者の交替による更改、更改前の債務が消滅しない場合） 削除

第518条 （更改後の債務への担保の移転）

Ⅰ 債権者（債権者の交替による更改にあっては、更改前の債権者）は、更改前の債務の目的の限度において、その債務の担保として設定された質権又は抵当権を更改後の債務に移すことができる。ただし、第三者がこれを設定した場合には、その承諾を得なければならない〈同書〉。

Ⅱ 前項の質権又は抵当権の移転は、あらかじめ又は同時に更改の相手方（債権者の交替による更改にあっては、債務者）に対してする意思表示によってしなければならない〈同〉。

[趣旨] 更改によって被担保債権である旧債務が消滅すると、その債務に付従する人的・物的担保もまた当然に消滅するのが原則である。しかし、当事者は更改によって同一の利益を得ようとするものであるほか、実際の便宜を図る必要があることから、本条1項は、質権・抵当権が担保していた債務の範囲で質権・抵当権の移転を認めている。また、本条2項は、更改の後に質権・抵当権を移転するのでは担保権の消滅における付従性と抵触してしまうことから、免責的債務引受の場合（472の4Ⅱ）と同様、遅くとも更改契約の時点までに質権・抵当権の移転の意思表示をしなければならない旨の規定を設けることで、付従性との抵触の問題を回避したものである。

第4款　免除

第519条

債権者が債務者に対して債務を免除する意思を表示したときは、その債権は、消滅する。

《注　釈》
一　意義
1　「免除」とは、債権を無償で消滅させる債権者の一方的意思表示をいう。免除は債権の放棄であるから、債権者の単独行為であり、債務者の承諾を必要としない《同共》。

2　免除は単独行為であるからその意思表示の撤回はできない。新たに債務者に不利益を課すものではないから、条件・期限を付けることは可能である《同》。

二　効果
1　免除により債権・債務は消滅する。また、債権に伴う担保物権・保証債務などの従たる権利・義務も消滅する。

2　債権が第三者の目的となっている場合は、免除をすることができない（∵免除によって第三者の利益を害することは許されない）。

　　ex.　債権が差し押さえられている場合・質権が設定されている場合

第5款　混同

第520条
　債権及び債務が同一人に帰属したときは、その債権は、消滅する《論》。ただし、その債権が第三者の権利の目的であるときは、この限りでない。

《注　釈》
一　意義
　「混同」とは、同一債権について債権者としての地位と債務者としての地位が同一人に帰属することをいう。

二　本文
1　混同により債権は消滅するのが原則である。

　　ex.　土地の賃貸人がその土地の所有権を取得する場合、土地の賃借権は消滅する（大判昭5.6.12）

2　不動産の賃借人が賃貸人から当該不動産の所有権を取得した場合、混同により賃借権は消滅する。もっとも、その賃借人が所有権移転登記を経由しない間に、第三者が当該不動産を譲り受けてその旨の所有権移転登記を経由したことにより、所有権を対抗することができなくなった場合には、一度混同によって消滅した賃借権は、当該第三者との関係では消滅しなかったことになる（最判昭47.4.20）《同》。

三　ただし書
　債権を存続させることに法律上意味がある場合は、債権は混同によって消滅しない《同》。

　　ex.1　家屋の転借人が当該家屋の所有者たる賃貸人の地位を承継しても、賃貸借関係及び転貸借関係は当事者間に合意のない限り消滅しない（最判昭35.6.23）《同》

　ex.2　保証人が主債務を相続した場合、保証が債権者に特別の利益を与えない
　　　　限り（保証債務のために担保物権が設定されているなど）、保証債務は消
　　　　滅する〈同予〉

　ex.3　混同により消滅する債権が、第三者の権利の目的になっている場合（遺
　　　　贈の対象とされている場合、債権質に供されている場合など）には消滅し
　　　　ない〈同〉

　cf.　所有権と賃借権の混同を179条1項ただし書の準用により否定した例〈同〉
　　　　⇒p.141

■第7節　有価証券

第1款　指図証券

第520条の2　（指図証券の譲渡）
　指図証券の譲渡は、その証券に譲渡の裏書をして譲受人に交付しなければ、その効
力を生じない。

第520条の3　（指図証券の裏書の方式）
　指図証券の譲渡については、その指図証券の性質に応じ、手形法（昭和7年法律第
20号）中裏書の方式に関する規定を準用する。

第520条の4　（指図証券の所持人の権利の推定）
　指図証券の所持人が裏書の連続によりその権利を証明するときは、その所持人は、
証券上の権利を適法に有するものと推定する。

第520条の5　（指図証券の善意取得）
　何らかの事由により指図証券の占有を失った者がある場合において、その所持人が
前条の規定によりその権利を証明するときは、その所持人は、その証券を返還する義
務を負わない。ただし、その所持人が悪意又は重大な過失によりその証券を取得した
ときは、この限りでない。

第520条の6　（指図証券の譲渡における債務者の抗弁の制限）
　指図証券の債務者は、その証券に記載した事項及びその証券の性質から当然に生ず
る結果を除き、その証券の譲渡前の債権者に対抗することができた事由をもって善意
の譲受人に対抗することができない。

第520条の7　（指図証券の質入れ）
　第520条の2から前条までの規定は、指図証券を目的とする質権の設定について
準用する。

第520条の8　（指図証券の弁済の場所）
　指図証券の弁済は、債務者の現在の住所においてしなければならない。

第520条の9　（指図証券の提示と履行遅滞）

　指図証券の債務者は、その債務の履行について期限の定めがあるときであっても、その期限が到来した後に所持人がその証券を提示してその履行の請求をした時から遅滞の責任を負う🈁。

第520条の10　（指図証券の債務者の調査の権利等）

　指図証券の債務者は、その証券の所持人並びにその署名及び押印の真偽を調査する権利を有するが、その義務を負わない。ただし、債務者に悪意又は重大な過失があるときは、その弁済は、無効とする。

第520条の11　（指図証券の喪失）

　指図証券は、非訟事件手続法（平成23年法律第51号）第100条に規定する公示催告手続によって無効とすることができる。

第520条の12　（指図証券喪失の場合の権利行使方法）

　金銭その他の物又は有価証券の給付を目的とする指図証券の所持人がその指図証券を喪失した場合において、非訟事件手続法第114条に規定する公示催告の申立てをしたときは、その債務者に、その債務の目的物を供託させ、又は相当の担保を供してその指図証券の趣旨に従い履行をさせることができる。

債権

《注　釈》

一　「指図証券」及び「裏書」の意義（520の2）

　「指図証券」とは、証券において権利者として指定された者又はその者が指示する者に対して給付する旨の記載がある証券をいう。

　「裏書」とは、指図証券の譲渡を目的とする証券的行為をいい、手形法上の裏書とは、手形法に定められた一定の方式による手形債権の譲渡行為をいう。

　520条の2は、裏書と証券の交付が指図証券の譲渡の効力要件であると定めている。

二　裏書の方式、権利の推定、善意取得（520の3〜5）

　1　裏書の方式（520の3）

　　本条は、裏書の方式について規定している。手形法上の裏書の方式としては、記名式裏書と白地式裏書がある（手形法77Ⅰ①、13Ⅰ）。記名式裏書とは、裏書人の署名のほか、裏書文句と被裏書人の名称を記載した裏書をいい、白地式裏書とは、被裏書人の名称を記載しないでする裏書をいう。

　2　権利の推定（520の4）

　　本条は、指図証券の所持人が裏書の連続によりその権利を証明するときは、その所持人の権利が推定される旨規定するものである。「裏書の連続」とは、証券の記載上、受取人から最後の被裏書人に至るまで各裏書の記載が間断なく続いていることをいう。

　3　善意取得（520の5）

　　本条は、指図証券の善意取得について規定している。ここにいう善意取得と

は、裏書によって善意無重過失で証券を取得した者は、その裏書が無効であったとしても、その証券上の権利を取得するものをいう。

三　人的抗弁の切断、質入れ（520の6〜7）

1　人的抗弁の切断（520の6）

本条は、指図証券の譲渡における債務者の抗弁の切断について規定するものである。

2　質入れ（520の7）

本条は、指図証券を質権の目的とする場合も、520条の2〜6までの規定を準用し、指図証券の譲渡の場合と同様の扱いをすることを定めている。

四　弁済の場所（520の8）

484条1項は、弁済の場所について、「弁済をすべき場所について別段の意思表示がないときは、特定物の引渡しは債権発生の時にその物が存在した場所において、その他の弁済は債権者の現在の住所において、それぞれしなければならない。」と定めている。本条は、その特則として、弁済すべき場所を「債務者の現在の住所」と定めている。

五　指図証券の提示と履行遅滞、債務者の調査の権利（520の9〜10）

412条1項は、「債務の履行について確定期限があるときは、債務者は、その期限の到来した時から遅滞の責任を負う。」旨定めているところ、520条の9は、その特則として、「期限が到来した後に所持人がその証券を提示してその履行の請求をした時から遅滞の責任を負う。」と定めている〈書〉。

また、520条の10は、指図証券の債務者の調査の権利について定めている。

六　公示催告手続、指図証券喪失の場合の権利行使方法（520の11〜12）

520条の11は、指図証券は公示催告手続によって無効とすることができると規定している。公示催告手続とは、公示催告によって当該公示催告に係る権利につき失権の効力を生じさせるための一連の手続をいう（非訟事件手続法100）。具体的には、裁判所が掲示板に掲示し、かつ官報に掲載する方法で行われる。

また、520条の12は、指図証券喪失の場合の権利行使方法について定めている。

第2款　記名式所持人払証券

第520条の13　（記名式所持人払証券の譲渡）

記名式所持人払証券（債権者を指名する記載がされている証券であって、その所持人に弁済をすべき旨が付記されているものをいう。以下同じ。）の譲渡は、その証券を交付しなければ、その効力を生じない。

第520条の14　（記名式所持人払証券の所持人の権利の推定）

記名式所持人払証券の所持人は、証券上の権利を適法に有するものと推定する。

第520条の15　（記名式所持人払証券の善意取得）

　何らかの事由により記名式所持人払証券の占有を失った者がある場合において、その所持人が前条の規定によりその権利を証明するときは、その所持人は、その証券を返還する義務を負わない。ただし、その所持人が悪意又は重大な過失によりその証券を取得したときは、この限りでない。

第520条の16　（記名式所持人払証券の譲渡における債務者の抗弁の制限）

　記名式所持人払証券の債務者は、その証券に記載した事項及びその証券の性質から当然に生ずる結果を除き、その証券の譲渡前の債権者に対抗することができた事由をもって善意の譲受人に対抗することができない。

第520条の17　（記名式所持人払証券の質入れ）

　第520条の13から前条までの規定は、記名式所持人払証券を目的とする質権の設定について準用する。

第520条の18　（指図証券の規定の準用）

　第520条の8から第520条の12まで＜指図証券の弁済の場所・指図証券の提示と履行遅滞・指図証券の債務者の調査の権利等・指図証券の喪失・指図証券喪失の場合の権利行使方法＞の規定は、記名式所持人払証券について準用する。

第3款　その他の記名証券

第520条の19

Ⅰ　債権者を指名する記載がされている証券であって指図証券及び記名式所持人払証券以外のものは、債権の譲渡又はこれを目的とする質権の設定に関する方式に従い、かつ、その効力をもってのみ、譲渡し、又は質権の目的とすることができる。

Ⅱ　第520条の11＜指図証券の喪失＞及び第520条の12＜指図証券喪失の場合の権利行使方法＞の規定は、前項の証券について準用する。

第4款　無記名証券

第520条の20

　第2款（記名式所持人払証券）の規定は、無記名証券について準用する。

《注　釈》

▪ 無記名証券とは、証券上に特定の権利者名が表示されておらず、その所持人が権利者としての資格を有する証券をいう。たとえば、入場券・乗車券・商品券等である。

▪ 無記名証券も有価証券であり、無記名証券を譲渡するには、証券の交付が効力要件となるほか（520の20、520の13）、無記名証券の善意取得については、520条の15により処理される。

債権

・第2章・【契約】

■第1節　総則

《概　説》

一　契約の意義

契約とは、複数の相対立する当事者が、互いに意思を表示し合い、かつ、これらの意思表示を内容的に合致させることにより、一定の事項について拘束力をもつ共同の取決めをする行為をいう。

二　契約自由の原則

個人が、独立かつ自由な人格者として、社会生活において、その意思に基づき自由に契約を締結して、その生活関係を処理することができることをいう。

cf. 所有権絶対の原則、過失責任の原則とともに、近代私法の三大原則とされる　⇒p.2

契約自由の原則の内容としては、以下のものが挙げられる。

1　契約締結の自由

何人も契約をするかどうかを自由に決定することができる（521 I）。

2　内容決定の自由

契約の当事者は、契約の内容を自由に決定することができる（521 II）。

3　相手方選択の自由

法令に特別の定めがある場合を除き、何人も契約の相手方を自由に選択することができる。

4　方式の自由

何人もどのような方式で契約を締結してもよいし、方式を備えることすら不要である。契約の成立には、法令に特別の定めがある場合を除き、書面の作成その他の方式を具備することは不要である（522 II）。

三　契約と信義則（1 II）

契約は当事者相互の信頼の基礎の上に成り立っており、契約当事者は相互に信頼し合い、その信頼に応えるような行動を基礎としなければならない。このように、契約法の分野においては、信義則が強く作用する。

1　契約締結上の過失

(1)　類型

(a)　契約締結上の準備段階に過失があり、不利な内容の契約を締結させられた場合

契約は有効に成立したが、一方当事者が契約締結に必要となる重要な情報を提供する義務（情報提供義務）やかかる情報に関する説明をする義務（説明義務）を怠ったため、他方当事者が自ら考えていたものとは異なる給付を受けて損害を被ったような場合である。

ex. マンションの隣地に高層建物が建つのを知りながらこれを告げず、その結果マンションの買主が日照等の被害を受けた場合

＊　判例（最判平 23.4.22・百選Ⅱ 4 事件）は、「契約の一方当事者が、契約締結に先立ち、信義則上の説明義務に違反して、当該契約を締結するか否かに関する判断に影響を及ぼすべき情報を相手方に提供しなかった場合には、当該当事者は相手方が契約締結により被った損害につき、不法行為責任を負うことは格別、債務不履行責任を負うことはない」としている〈同〉。

∵　一方当事者が信義則上の説明義務に違反したために、相手方が本来であれば締結しなかったはずの契約を締結するに至り、損害を被った場合には、後に締結された契約は、上記説明義務の違反によって生じた結果として位置付けられるのであって、上記説明義務をもって上記契約に基づいて生じた義務であることは、それを契約上の本来的な債務というか付随義務というかにかかわらず、一種の背理であるといわざるを得ない

(b) 契約締結の準備段階において過失があったが、契約締結に至らなかった場合

相手方の契約成立への期待を裏切って当事者の一方が契約交渉を打ち切り、相手方に無用の出捐をさせたような場合である。

ex.　マンション販売業者が相手方の希望に沿って設計の変更・工事の手直しまでしたにもかかわらず、契約締結に至らなかった場合（最判昭 59.9.18・百選Ⅱ 3 事件）

(2) 効果

相手方は過失ある者に対し、信義則上の注意義務違反を理由として、その契約を有効と誤信したことにより生じた損害（信頼利益）の賠償請求権を有する。

ex.　土地の売買契約を有効と信じ土地を調査に行った場合の調査費

2　安全配慮義務〈予-H30〉

(1) 意義〈同〉

ある法律関係に基づいて特別な社会的接触の関係に入った当事者間において、当該法律関係の付随的義務として当事者の一方又は相手方に対して信義則上負う義務をいう（最判昭 50.2.25・百選Ⅱ 2 事件）。

→拘置所に収容された被勾留者に対して、国は安全配慮義務を負わない（最判平 28.4.21・平 28 重判 4 事件）

∵　未決勾留による拘禁関係は、勾留の裁判に基づき被勾留者の意思にかかわらず形成され、法令等の規定に従って規律されるものであり、当事者の一方又は双方が相手方に対して信義則上の安全配慮義務を負うべき特別な社会的接触の関係とはいえない

(2) 類型

(a) 給付義務としての安全配慮義務

生命・健康等の安全の配慮自体を契約目的とし、安全配慮義務自体が給

付義務となる場合。

　　ex.　入院患者に対する病院の義務、託児所の乳幼児に対する義務
　(b)　付随義務としての安全配慮義務
　　　給付義務の中核をなす給付は別に存在し、それに付随して債権者の生命・健康等の安全に配慮すべき義務が債務者に課される場合。
　　ex.　使用者が被用者の就労に当たり、被用者の生命・健康等を危険から保護するよう配慮する義務
(3)　安全配慮義務の具体的内容
　　問題となる当該具体的状況に照らして、個別的・具体的に判断される。
　　ex.　使用者は、雇用契約において労務の提供の場所、設備等につき、労務者の生命及び身体等を危険から保護するよう配慮すべき義務を負う
　　　　→使用者が負う安全配慮義務には、被用者が運転者として道路交通法等に基づき当然に負うべき通常の注意義務は含まれない（最判昭58.5.27）〈判〉
(4)　安全配慮義務違反の主張・立証責任
　　国が国家公務員に対して負う安全配慮義務に違反したことを理由とする損害賠償請求訴訟において、右義務の内容を特定し、かつ、義務違反に該当する事実を主張・立証する責任は、原告にある（最判昭56.2.16）〈判〉。
(5)　履行遅滞となる時期
　　安全配慮義務違反を理由とする損害賠償債務は、期限の定めのない債務であり、債務者が履行の請求を受けた時に履行遅滞（412Ⅲ）となる（最判昭55.12.18）〈判書〉。
　　＊　債務不履行責任と不法行為責任の比較　⇒ p.629
(6)　消滅時効の起算点
　　じん肺に罹患したことを理由とする損害賠償請求権については、症状に関する最終の行政上の決定を受けた時から（最判平6.2.22・百選Ⅰ40事件）、じん肺によって死亡したことを理由とする損害賠償請求権については、死亡した時から（最判平16.4.27・百選Ⅱ99事件）、消滅時効が進行する。
(7)　第三者による加害と安全配慮義務
　　使用者は、宿直勤務の場所である社屋内に盗賊等が容易に侵入できないような物的施設を施したり、宿直員を増員したり、宿直員に安全教育を施す等の措置を講じる義務を負っており、使用者がかかる義務を一切履行しない状況下で、勤務場所に第三者が侵入し、労働者に危害を加えた場合には、使用者は安全配慮義務違反による損害賠償責任を負う（最判昭59.4.10）〈判〉。
(8)　下請企業の労働者に対する元請企業の安全配慮義務
　　下請企業に雇用される労働者が元請企業の労働者と同視できる場合、元請企業と下請企業の労働者とは特別な社会的接触の関係に入ったといえ、元請企業は、信義則上、右労働者に対し安全配慮義務を負う（最判平3.4.11）〈判〉〈予H30〉。

(9)　弁護士費用

　　労働者が、使用者に対し、安全配慮義務違反を理由とする債務不履行に基づく損害賠償を請求する場合、弁護士費用についても、安全配慮義務違反と相当因果関係に立つ損害として、その賠償を請求できる（最判平 24.2.24・平24 重判 5 事件）。

(10)　遺族固有の慰謝料請求権

　　労働者の遺族は遺族固有の慰謝料請求権を取得しない（最判昭 55.12.18）《司》。

　　∵　雇用契約ないしこれに準ずる法律関係の当事者ではない労働者の遺族らが、雇用契約ないしこれに準ずる法律関係上の債務不履行により固有の慰謝料請求権を取得するとは解しがたい

3　積極的債権侵害

　　不完全給付により拡大損害を生じた場合一般をいうとして、本来の義務の不履行（遅滞・不能）でなく、付随的義務の不履行・違反として処理される。

　　ex.　契約の履行に伴って、契約の目的物以外の契約当事者の財産が侵害された場合又は契約当事者以外の者の生命又は身体が害された場合、その侵害行為は債務不履行となりうる

4　事情変更の原則

　　契約締結後、当事者の責めに帰することができない事由により社会経済事情に当事者の予想しなかった急激な変動が生じた場合、契約内容をこれに応ずるように変更修正し、ことによっては解約することもある程度認められる、という原則をいう。

　　ex.　戦争の勃発・敗戦に伴う事情の変更、インフレーションの激化

　　cf.　事情変更の理由により当事者に解除権を認めるには、その事情変更が、客観的に観察して信義則上当事者を契約によって拘束することが著しく不合理と認められる場合であることを要する（最判平 9.7.1・百選Ⅱ 33 事件）

5　契約終了と信義則

(1)　契約存続中に生じたことについて善後措置を講ずる義務

　　ex.　委任終了後の応急処分義務（654）

(2)　契約存続中に生じた事実関係の処理

　　ex.　地上権・永小作権・賃貸借関係などの消滅後における原状回復の権利・義務（269・279、622・599ⅠⅡ）

四　典型契約の分類

　　典型契約（有名契約）とは、民法第 3 編第 2 章に規定されている 13 種類の契約をいう。典型契約以外の契約を、非典型契約（無名契約）という。

1　双務契約・片務契約

　　双務契約とは、契約当事者が互いに対価的意義を有する債務を負担する契約をいい、片務契約とは、一方の当事者のみが債務を負うか、又は双方の当事者が債務を負担するけれども、それが互いに対価的意義を有しない契約をいう。

　　→同時履行の抗弁権（533）、危険負担（536）の適否につき区別の実益がある

債権

2 有償契約・無償契約

有償契約とは、契約当事者が互いに対価的意義を有する出捐をする契約をいい、無償契約とは、一方の当事者のみが出捐をするか、又は双方の当事者が出捐をするけれども、それが互いに対価的意義を有しない契約をいう。

→売買の規定（特に契約不適合責任）が準用されるかにつき区別の実益がある ⇒ p.508 以下

cf. 双務契約はすべて有償契約である。しかし、有償契約はすべて双務契約とは限らない（ex. 利息付消費貸借）

3 諾成契約・要物契約

諾成契約とは、当事者の意思表示の合致のみで成立する契約をいい、要物契約とは、当事者の合意の他に、一方の当事者が物の引渡しその他の給付をなすことを成立要件とする契約をいう。

4 要式行為・不要式行為

要式行為とは、法の要求する要式を履行しないと契約が不成立となる法律行為をいい、不要式行為とは、要式を履行しなくても契約が成立する法律行為をいう。民法上の典型契約は、書面でする消費貸借（587 の 2）を除き、すべて不要式契約である。

＜典型契約の分類＞

	双務・片務	有償・無償	諾成・要物	解除の遡及効の有無
贈 与	片務	無償	諾成	あり
売 買	双務	有償	諾成	あり
交 換	双務	有償	諾成	あり
消費貸借	片務（＊）	無償（特約で有償）	要物（587 の 2 は諾成）	あり
使用貸借	片務	無償	諾成	なし（解釈）
賃貸借	双務	有償	諾成	なし（620）
雇 用	双務	有償	諾成	なし（630）
請 負	双務	有償	諾成	あり
委 任	片務（双務もある）	無償（特約で有償）	諾成	なし（652）
寄 託	片務（双務もある）	無償（特約で有償）	諾成	なし
組 合	契約総則その他の規定を排除すべきと解されるところ、合同行為とする説が有力			なし（684）
和 解	双務	有償	諾成	あり

＊ 書面による消費貸借（587 の 2）も片務契約である
∵ 貸主の「貸す債務」と借主の「返す債務」に対価的牽連性はない

第1款　契約の成立

> **第521条　（契約の締結及び内容の自由）**
> Ⅰ　何人も、法令に特別の定めがある場合を除き、契約をするかどうかを自由に決定することができる。
> Ⅱ　契約の当事者は、法令の制限内において、契約の内容を自由に決定することができる。

［趣旨］本条は、契約自由の原則のうち、契約締結の自由（Ⅰ）、内容決定の自由（Ⅱ）を明文で定めるとともに、これらの自由が法令の制限に服することを明示したものである。なお、①契約締結の自由、②内容決定の自由、③相手方選択の自由、④方式の自由を合わせて、契約自由の原則と呼ぶ。　⇒ p.468

《注　釈》
- 本条1項の「法令に特別の定めがある場合」とは、契約の締結を拒絶できない場合（鉄道運送法13、ガス事業法16、水道法15等）などである。
- 本条2項の「法令の制限」とは、強行規定（91）・公序良俗規定（90）、信義則・権利濫用（1ⅡⅢ）による制限を指す。

> **第522条　（契約の成立と方式）**
> Ⅰ　契約は、契約の内容を示してその締結を申し入れる意思表示（以下「申込み」という。）に対して相手方が承諾をしたときに成立する。
> Ⅱ　契約の成立には、法令に特別の定めがある場合を除き、書面の作成その他の方式を具備することを要しない。

［趣旨］本条1項は、「申込み」を「契約の内容を示してその締結を申し入れる意思表示」と定義した上で、申込みと承諾の合致によって契約が成立することを定めたものである。本条2項は、契約自由の原則のうち、方式の自由について明文で定めるとともに、521条と同じく、この原則も法令の制限に服することを明示したものである。

《注　釈》
一　「申込み」と「承諾」
1　「申込み」とは、特定の内容を有する契約を締結しようという意思をもって他人に対してなされる意思表示である。
　　「申込み」といえるためには、内容が確定していること、及び相手方の承諾に表意者が拘束されることが必要である。
　　　→相手方の承諾に対し、なお表意者が契約するかどうかの自由を留保している場合は、申込みとはいえず、いわゆる申込みの誘引にすぎない
2　「承諾」とは、申込みに対してこれを応諾し、申込みの通りの契約を締結しようという意思表示である。意思表示に関する一般原則に従い、通常は明示によってなされるが、黙示による承諾も認められている（大判大8.10.9）。
　　承諾は、契約を成立させる意思をもって申込受領者から申込者に対してなさ

債権

れなければならない（主観的合致）。また、承諾の内容は、申込みの内容と合致しなければならない（客観的合致）。なお、申込みに変更を加えた承諾については、528条参照。 ⇒ p.477

3　申込みに対し、承諾をする義務や、諾否の返事をする義務はない（契約自由の原則）。

二　「法令に特別の定めがある場合」（Ⅱ）

一定の方式を備えていることが契約の成立要件とされている要式契約の場合（保証契約（446ⅡⅢ）、諾成的消費貸借（587の2）等）や、要式契約とはされていないものの、方式を備えることに一定の意味がある場合（書面による贈与（550）等）などが挙げられる。

第523条　（承諾の期間の定めのある申込み）

Ⅰ　承諾の期間を定めてした申込みは、撤回することができない〈司〉。ただし、申込者が撤回をする権利を留保したときは、この限りでない〈司〉。

Ⅱ　申込者が前項の申込みに対して同項の期間内に承諾の通知を受けなかったときは、その申込みは、その効力を失う〈司書〉。

《注　釈》

一　申込みの拘束力

申込みが相手方に到達すると、申込者は原則として撤回（意思表示をした者が、取消原因に基づかず、一方的な意思表示により、その意思表示をなかったものとすること）することができない（523Ⅰ本文、525Ⅰ本文）。申込者に対して生じるこのような効力を、申込みの拘束力という。

→承諾期間を定めて申込みをした場合において、申込者がその期間内に撤回したとしても、撤回権を留保していない限り、かかる撤回は無効であり、相手方が承諾の意思表示をすれば契約が成立する（523Ⅰ）

二　申込みの効力（承諾適格）の存続期間

申込みが相手方に到達すると、申込みに対して承諾すれば契約を有効に成立させることのできる効力が生じる。このような効力を、申込みの承諾適格という。

→承諾期間の定めのある申込みの承諾適格は、その期間内存続し（523Ⅱ）、期間が経過すれば自動的に消滅する

第524条　（遅延した承諾の効力）

申込者は、遅延した承諾を新たな申込みとみなすことができる〈司〉。

[趣旨]承諾は申込みと同様の内容をもつ、契約締結への意思表示であるから、遅延した承諾であっても、これを申込者の側で新たなる申込みと解しても不都合は特に生じない。本条はこのことを明らかにしたものである。

第525条　（承諾の期間の定めのない申込み）

Ⅰ　承諾の期間を定めないでした申込みは、申込者が承諾の通知を受けるのに相当な期間を経過するまでは、撤回することができない〈回書〉。ただし、申込者が撤回をする権利を留保したときは、この限りでない〈回〉。

Ⅱ　対話者に対してした前項の申込みは、同項の規定にかかわらず、その対話が継続している間は、いつでも撤回することができる〈回〉。

Ⅲ　対話者に対してした第1項の申込みに対して対話が継続している間に申込者が承諾の通知を受けなかったときは、その申込みは、その効力を失う。ただし、申込者が対話の終了後もその申込みが効力を失わない旨を表示したときは、この限りでない。

[趣旨] 本条1項は、申込みを承諾するか否かを決めるために費用を支出した相手方が、申込みの撤回によって損失を被ることを防止する旨の規定である。また、本条2項は、対話の継続中は申込みの撤回によって相手方が害されるおそれがないことなどを理由に、対話者間でなされた承諾期間の定めのない申込みについて、「対話が継続している間」はいつでも撤回することができると定めたものである。

《注　釈》

一　申込みの拘束力

1　申込みの撤回が制限される「相当な期間」（Ⅰ本文）とは、申込みの到達に必要な時間、相手方が諾否を決するために必要な調査及び検討をする時間、承諾の通知が申込者に到達するのに必要な時間などを合わせたものである。

2　「相当な期間」の経過後は申込みを撤回することができる。

3　対話者間における承諾期間を定めない申込みにおいて、申込者が対話の終了後もその申込みが効力を失わない旨を表示したとき（Ⅲただし書）は、撤回権を留保した場合を除き、承諾の通知を受けるのに相当な期間を経過するまでは、その申込みを撤回することができない（Ⅰ）。

二　申込みの効力（承諾適格）の存続期間

「相当な期間」の経過後であれば申込みの撤回が可能であるが、かかる期間の経過によって当然に申込みの承諾適格が消滅するわけではない。

→承諾期間の定めのない申込みの承諾適格は、「相当な期間」の経過後であっても、取引慣行と信義則に従い、申込みを撤回しうる時からさらに相当期間が経過するまで存続する〈通〉

第526条　（申込者の死亡等）

申込者が申込みの通知を発した後に死亡し、意思能力を有しない常況にある者となり、又は行為能力の制限を受けた場合において、申込者がその事実が生じたとすればその申込みは効力を有しない旨の意思を表示していたとき、又はその相手方が承諾の通知を発するまでにその事実が生じたことを知ったときは、その申込みは、その効力を有しない〈回共書〉。

債

権

[趣旨]意思表示後に表意者が死亡し、あるいは意思能力や行為能力を失ったときであっても、意思表示の効力に影響はないのが原則である（97 Ⅲ）。本条は、申込者が死亡等の事実が生じたとすればその申込みは効力を有しない旨の意思を表示していたとき、又はその相手方が承諾の通知を発するまでにその事実が生じたことを知っていた場合について、申込者（又はその相続人）の保護のために、97条3項の例外を設けたものである。

《注　釈》

一　申込者が死亡し、意思能力を喪失し又は行為能力の制限を受けた場合

〈司共〉

1　①申込者が申込みの通知を発した後に死亡し、意思能力を喪失し又は行為能力の制限を受けた場合において、②申込者がその事実が生じたとすればその申込みは効力を有しない旨の意思を表示していたとき、又は申込みの相手方が承諾の通知を発するまでにその事実を知ったときは、その申込みは効力を有しない（526）。

2　申込者に死亡等の事実が生じたのが申込みの通知の到達の前であるか後であるかにかかわらず、本条が適用される。

　　→申込みの通知の到達前に申込者の死亡等の事実が生じ、到達後に相手方がその事実を知ったときであっても、本条が適用され、申込みは効力を失う

二　申込みの相手方が死亡するか意思能力又は行為能力を有しない場合

1　申込みの通知の到達前に、申込みの相手方が意思能力を喪失し又は行為能力の制限を受けていた場合には、受領能力（98の2）の問題となる。　⇒ p.57

2　申込みの通知の到達前に、申込みの相手方が死亡した場合には、死者に対して申し込んだことになり、効力を生じない。

第527条　（承諾の通知を必要としない場合における契約の成立時期）〈司〉

　申込者の意思表示又は取引上の慣習により承諾の通知を必要としない場合には、契約は、承諾の意思表示と認めるべき事実があった時に成立する。

[趣旨]本条は、迅速に申込みに応じた申込受領者が不測の損害を受けることを防止するため、申込者が特に承諾を必要としないとした場合、あるいは商慣習上承諾が必要とされない場合には、承諾の意思表示に代わる何らかの事実行為（意思実現行為）があった時に契約が成立するものとした。

《注　釈》

◆　意思実現による契約の成立

1　申込者が特に承諾を必要としないとした場合、あるいは商慣習上承諾が必要とされない場合において、意思実現行為があった場合には、承諾者による事実行為を承諾の意思表示と同一視して、このような意思実現行為があった時に契約が成立する〈司〉。

　　ex.　手紙でホテルの部屋を予約し、ホテル側が返事を出すことなく部屋を準備したような場合

　2　意思実現行為と黙示の承諾との違いは、申込受領者の行為が申込者に向けて
　なされたものか否かの点にある。
　　cf.　注文者の売買の申込みに対し品物を発送するような場合は、申込者に対
　　　し発せられているので、黙示の承諾と解される

《その他》
◆　交叉申込み
　1　交叉申込みとは、当事者双方が、相手方の申込みを知らずに同一内容の申込
　みを行った場合をいう。
　2　交叉申込みは、本条の規定する意思実現による場合に加えて、申込みと承諾
　の意思表示の合致以外の方法により契約が成立する場合の1つである。
　　∵　申込みと承諾の合致はなくとも、契約を成立させようとする当事者の意
　　　思表示の内容は合致しているため、契約の成立を肯定してよい
　3　遅い方の意思表示の到達時に契約が成立する（97Ⅰ）。

第528条　（申込みに変更を加えた承諾）
　承諾者が、申込みに条件を付し、その他変更を加えてこれを承諾したときは、その
申込みの拒絶とともに新たな申込みをしたものとみなす🔲。

[趣旨] 承諾の内容は申込みの内容と一致することを要する（客観的合致）。よって、
変更を加えた応諾は承諾ではない。しかし、取引円滑の見地から、申込みに変更を
加えた承諾は、申込みの拒絶とともに新たな申込みをしたものとみなすとした。

第529条　（懸賞広告）
　ある行為をした者に一定の報酬を与える旨を広告した者（以下「懸賞広告者」とい
う。）は、その行為をした者がその広告を知っていたかどうかにかかわらず、その者に
対してその報酬を与える義務を負う。

第529条の2　（指定した行為をする期間の定めのある懸賞広告）
Ⅰ　懸賞広告者は、その指定した行為をする期間を定めてした広告を撤回することが
　できない。ただし、その広告において撤回をする権利を留保したときは、この限り
　でない。
Ⅱ　前項の広告は、その期間内に指定した行為を完了する者がないときは、その効力
　を失う。

第529条の3　（指定した行為をする期間の定めのない懸賞広告）
　懸賞広告者は、その指定した行為を完了する者がない間は、その指定した行為をす
る期間を定めないでした広告を撤回することができる。ただし、その広告中に撤回を
しない旨を表示したときは、この限りでない。

第530条　（懸賞広告の撤回の方法）
Ⅰ　前の広告と同一の方法による広告の撤回は、これを知らない者に対しても、その
　効力を有する。

債権

Ⅱ　広告の撤回は、前の広告と異なる方法によっても、することができる。ただし、その撤回は、これを知った者に対してのみ、その効力を有する。

第531条　（懸賞広告の報酬を受ける権利）

Ⅰ　広告に定めた行為をした者が数人あるときは、最初にその行為をした者のみが報酬を受ける権利を有する。

Ⅱ　数人が同時に前項の行為をした場合には、各自が等しい割合で報酬を受ける権利を有する。ただし、報酬がその性質上分割に適しないとき、又は広告において1人のみがこれを受けるものとしたときは、抽選でこれを受ける者を定める。

Ⅲ　前2項の規定は、広告中にこれと異なる意思を表示したときは、適用しない。

第532条　（優等懸賞広告）

Ⅰ　広告に定めた行為をした者が数人ある場合において、その優等者のみに報酬を与えるべきときは、その広告は、応募の期間を定めたときに限り、その効力を有する。

Ⅱ　前項の場合において、応募者中いずれの者の行為が優等であるかは、広告中に定めた者が判定し、広告中に判定をする者を定めなかったときは懸賞広告者が判定する。

Ⅲ　応募者は、前項の判定に対して異議を述べることができない。

Ⅳ　前条第2項の規定は、数人の行為が同等と判定された場合について準用する。

第2款　契約の効力

《概　説》

一　契約の効力の発生要件

1　契約の内容が確定できるものであること

2　契約の内容が適法であって社会的妥当性のあるものであること

→公序良俗・強行規定に反する契約は無効である（90・91）

二　双務契約の特殊の効力

双務契約にあっては、当事者が対価的意義を有する債務を負担するが、両債務について次の特殊な効力が存在する。

1　同時履行の抗弁権（533）

一方の債務が履行されない以上、原則として、他方の債務もまた履行される必要がない（533）。

2　危険負担（536）

一方の債務が履行できなくなると、他方の反対給付も履行しなくてよい（536Ⅰ）。

第533条　（同時履行の抗弁）

双務契約の当事者の一方は、相手方がその債務の履行（債務の履行に代わる損害賠償の債務の履行を含む。）を提供するまでは、自己の債務の履行を拒むことができる〈回〉。ただし、相手方の債務が弁済期にないときは、この限りでない。

[趣旨] 1つの双務契約から生じた各債務が、他方の債務の履行と無関係に履行されるのは、公平ではなく、通常の当事者の意思に反する。また、取引の簡易迅速な処理に適さないといえる。そこで、民法は、双務契約の各債務の間の履行上の牽連関係を、同時履行の抗弁権という形で認めた。

《注　釈》

一　成立要件

① 同一の双務契約から生ずる両債務の存在

② 双方の債務がともに弁済期にあること

③ 相手方が自己の債務の履行又はその提供をしないで他方の債務の履行を請求してきたこと

1 ①同一の双務契約から生ずる両債務の存在

　ex.　土地の売買契約における、売主の所有権移転登記義務と買主の代金支払義務（大判大7.8.14）同

　債務の履行に代わる損害賠償債務（本文かっこ書）に加え、遅延賠償など本来の債務の不履行による損害賠償や、売買や請負の目的物が契約の内容に適合しない場合の損害賠償も、「債務」に含まれる。

　また、双務契約が存在する場合でなくとも準用・類推適用される場合がある。　⇒ p.481

2 ②双方の債務がともに弁済期にあること

(1) 契約の趣旨により、一方の債務者が先履行義務を負担する場合、先履行義務者に同時履行の抗弁権はない。

　cf.　不安の抗弁権

　　双務契約において、後履行義務者の財産状態が契約締結後に甚だしく悪化した場合、先履行義務者は自己の債権が満足を受けられるかどうか不安となる。この場合、先履行義務者といえども、無条件に先履行する必要はなく、公平を図るために何らかの抗弁権を認めようとする考えが有力である。この抗弁権を不安の抗弁権という

(2) 一方の債務者が先履行義務を負担する場合でも、後履行義務の期限到来後は、先履行義務者に同時履行の抗弁権が認められる論同。

3 ③相手方が自己の債務の履行又はその提供をしないで他方の債務の履行を請求してきたこと

(1) 相手方の弁済提供による同時履行の抗弁権の消滅

(a) 相手方が履行を請求してきた場合、相手方の履行の提供が継続されない限り、同時履行の抗弁権を主張できる（最判昭34.5.14）同共書。

　∵　履行の提供は債務を免れさせるものではなく、両債務の履行上の牽連関係は未だ存続していることから、他方当事者は、なお同時履行の抗弁権を主張することができる

(b) 相手方が契約解除を選択した場合、同時履行の抗弁権を失う（最判昭36.6.22）同。

(2) 当事者の一方が自己の債務を履行しない意思を明確にした場合

その相手方が自己の債務の弁済を提供しなくても、当事者の一方は抗弁権を主張しえなくなる（大判大 3.12.1、最判昭 41.3.22）。

(3) 一部ないし不完全な履行の場合

同時履行の抗弁権の趣旨に鑑み、公平の原則に従って解決する。

債務が可分の場合には、相手方の提供した部分又は額の割合で一部の履行を拒むことができ、債務が不可分の場合は相手方の提供した部分が重要か否かによる。

cf. 相手方の一部の履行が、債務の本旨に従った履行でないとして受領を拒絶できる場合には、当然に同時履行の抗弁権が認められる

二 効果

1 自分の債務の履行の拒絶ができる。

→相手方が現実の履行を求めて訴えを提起した場合は、引換給付判決がなされる 同予

2 自分の債務を履行しなくても履行遅滞にはならない（大判大 14.10.29）。

→損害賠償請求（415）されたり、解除されることはない 同予

ただし、債務の支払のために手形・小切手が交付された場合には、抗弁権を有していても債務の履行期を徒過しているときは履行遅滞の責任を負う（最判昭 40.8.24）。

cf.1 同時履行の抗弁権が付着している債権の時効消滅 ⇒ p.116

cf.2 相手方から同時履行の抗弁権を対抗される権利主張でも、自己の債権の消滅時効の完成は猶予される ∵債権行使の意思は明確

3 相殺されない。 ⇒ p.452

三 同時履行の抗弁権と留置権の比較

同時履行の抗弁権は、債務者に自己の債務の履行を拒否する権能を認める点において、留置権（295）と類似する。しかし、同時履行の抗弁権が双務契約の効力の一種であり、留置権が担保物権の一種である点で差異が生じる。

＜同時履行の抗弁権と留置権の比較＞

	同時履行の抗弁権	留置権
発 生	その債務と債権が1個の双務契約から生じ、互いに対価関係をなして対立（＊1）	1個の物につき、その返還債務とその物から生じた債権とが対立
内 容 共	給付の内容いかんを問わず履行拒絶可	他人の物を留置しうるにとどまる
効 力	相手方に対してのみ主張可能	第三者に対しても主張できる
対抗要件 共	なし	なし（ただし、占有継続が存続要件）
裁判上の効力	引換給付判決（大判明 44.12.11）共予書（＊2）	引換給付判決（最判昭 33.3.13）共書

	同時履行の抗弁権	留置権
代担保請求	なし《共書》	あり（301）《共書》
競 売 権	なし	あり
履行拒絶の割合	不履行度合に応じて割合的	不可分（296）

＊1　留置権者が被担保債権を譲渡した場合、目的物の占有を継続していても留置権を主張できないが、同時履行の抗弁権を主張しうる者が債権を譲渡した後でも、契約の当事者たる地位までは譲渡していないから、依然同時履行の抗弁権を主張しうる。

＊2　目的物引渡しの訴えに対し、留置権・同時履行の抗弁権について権利者が権利を行使する意思表示をしない限り、裁判所は引換給付の判決をすることはできない（最判昭27.11.27）《同予》。

四　本条の準用・類推適用

1　当事者に双務契約が存在する場合でなくとも、両当事者の対立する債務に関連させ、交換的に履行させることが公平の原則ないし信義則（1Ⅱ）に適する場合もある。そこで、このような場合には、条文上・解釈上、533条の準用・類推適用が認められている。

2　条文による準用

(1)　解除による双方の原状回復義務（546）《同》

(2)　負担付贈与における負担と贈与（553）

(3)　終身定期金契約の債務不履行解除の際の双方の原状回復義務（692）

3　解釈による類推適用

(1)　未成年取消し（5Ⅱ）による双方の原状回復義務（大判大14.3.3）《同》

(2)　第三者の詐欺による契約の取消し（96Ⅱ）における双方の原状回復義務（最判昭47.9.7）《同予》

　　　詐欺による契約の取消し（96Ⅰ）における双方の原状回復義務《同予》

(3)　賃貸借における賃貸人の修繕義務（606Ⅰ）と賃借人の賃料支払義務（大判大10.9.26）

　　　修繕義務が履行されないために目的物の使用収益ができないほどの場合であることを要する。

(4)　建物買取請求権（借地借家13）と土地の明渡し（最判昭35.9.20）

　　　cf.　同時履行の抗弁権を有していたとしても、居住によって得た利益は返還しなければならない

(5)　債務の支払と手形の返還（最判昭33.6.3、最判昭35.7.8）

4　同時履行の抗弁権が認められない場合

(1)　賃貸借終了時における敷金返還義務と目的物明渡義務（622の2Ⅰ①参照、最判昭49.9.2・百選Ⅱ57事件参照）《共書》　⇒ p.571

(2)　造作買取請求権（借地借家33）と建物の明渡し（最判昭29.7.22）《同》

(3)　弁済と債権証書の返還（大判昭16.3.1）《同》　⇒ p.436

(4)　弁済と抵当権登記の抹消手続（最判昭57.1.19、最判昭63.4.8）

債
権

cf. ただし、弁済することを条件として抹消登記手続を請求することは認められる（最判昭35.4.21、最判昭44.5.2）〈司〉

(5) 弁済と譲渡担保目的物の返還〈司〉

(6) 弁済と担保仮登記の抹消手続

cf. (4)(5)(6)については弁済が先履行である（最判昭57.1.19、最判昭63.4.8、最判平6.9.8、最判昭61.4.11）〈供〉

第534条〜第535条　（債権者の危険負担、停止条件付双務契約における危険負担）　削除

第536条　（債務者の危険負担等）

Ⅰ　当事者双方の責めに帰することができない事由によって債務を履行することができなくなったときは、債権者は、反対給付の履行を拒むことができる〈司〉。

Ⅱ　債権者の責めに帰すべき事由によって債務を履行することができなくなったときは、債権者は、反対給付の履行を拒むことができない〈司〉。この場合において、債務者は、自己の債務を免れたことによって利益を得たときは、これを債権者に償還しなければならない。

［趣旨］本条は、双務契約において、一方の債務が履行不能となった場合に、当事者間の公平を図るために、反対債務の債務者が履行を拒絶することを認めるものである（Ⅰ）。他方で、履行不能が債権者の責めに帰すべき事由によって生じた場合にまで債権者に履行拒絶権を認める必要はないので、この場合には、債権者の履行拒絶権を否定する（Ⅱ前段）とともに、債務を免れたことによって得た利益の償還を義務付けるものである（Ⅱ後段）。

《注　釈》

一　危険負担の意義

1　契約成立後、各債務が完全に履行される前に、一方の債務が当事者の責めに帰することができない事由によって履行不能となった場合に、反対債務の履行がどのようになるかを扱うのが、危険負担の問題である。

→危険負担の制度が扱っているのは、反対債務の履行を拒絶することができるか否かという問題であり、反対債務が消滅するかどうかという問題は、解除の制度が扱っている

∵　一方の債務が履行不能となった場合の反対債務の消滅・存続は、債権者の意思に委ねるのが妥当である

2　危険負担の規定は任意規定であるから、当事者の特約で排除できる。

二　要件及び効果

1　1項

(1) 要件

① 「債務を履行することができなくなった」こと

→「履行することができなくなったとき」とは、「契約その他の債務の

発生原因及び取引上の社会通念に照らして不能」（412の2Ⅰ）であることを意味する。したがって、過分の費用を要することなく目的物を契約の内容に適合した状態に修復して引き渡すことができるときであれば、目的物の引渡債務は「契約……に照らして不能」とはいえないので、「履行することができなくなったとき」とはいえず、危険負担の抗弁を主張することはできない〈共〉

② ①が「当事者双方の責めに帰することができない事由」に基づくものであること

cf. 危険負担の抗弁は権利抗弁（訴訟上の攻撃防御方法のうち、権利の発生原因事実が弁論に現れていても、訴訟上その権利行使の主張がなされなければ抗弁として斟酌できないもの）であるので、反対給付の履行を拒絶するとの主張（権利主張）をして行使しなければならない〈共〉

(2) 効果

(a) 債権者は反対給付の履行を拒むことができる。

(b) 危険負担による履行拒絶は、同時履行の抗弁のような一時的（延期的）な抗弁ではなく、履行不能を理由とした永久的な抗弁である。また、履行拒絶の抗弁が認められた場合には、引換給付判決ではなく、請求棄却判決が出される〈共〉。

(c) 1項は、債権者の反対給付の履行拒絶権を定めたに過ぎないが、債権者が既に反対給付を履行していた場合、債権者は、不当利得として、給付したものの返還を請求することができると考えられている。

∵ この場合には、給付されたものの保持を認める必要はない

2　2項

(1) 債権者の責めに帰すべき事由によって債務を履行することができなくなったときは、債権者は、反対給付の履行を拒むことができない（Ⅱ前段）。

(2) (1)の場合において、債務者が自己の債務を免れることによって利益を得たときは、これを債権者に償還しなければならない（Ⅱ後段）。

cf. 債権者の受領遅滞中に、当事者双方の責めに帰することができない事由によって履行不能を生じた場合　⇒ p.325

(3) 本条2項は、「反対給付の履行を拒むことができない」との文言を用いているが、請負契約などの役務提供型契約との関係では、本条2項に基づいて、報酬を請求することができるという効果をもつ〈予R5〉。

第537条　（第三者のためにする契約）

Ⅰ　契約により当事者の一方が第三者に対してある給付をすることを約したときは、その第三者は、債務者に対して直接にその給付を請求する権利を有する。

Ⅱ　前項の契約は、その成立の時に第三者が現に存しない場合又は第三者が特定していない場合であっても、そのためにその効力を妨げられない〈同予書〉。

Ⅲ　第1項の場合において、第三者の権利は、その第三者が債務者に対して同項の契約の利益を享受する意思を表示した時に発生する〈同予書〉。

第538条　（第三者の権利の確定）

Ⅰ　前条の規定により第三者の権利が発生した後は、当事者は、これを変更し、又は消滅させることができない 予。

Ⅱ　前条の規定により第三者の権利が発生した後に、債務者がその第三者に対する債務を履行しない場合には、同条第1項の契約の相手方は、その第三者の承諾を得なければ、契約を解除することができない 同予書。

第539条　（債務者の抗弁）〈予書〉

債務者は、第537条第1項＜第三者のためにする契約＞の契約に基づく抗弁をもって、その契約の利益を受ける第三者に対抗することができる。

《注　釈》

一　意義

1　第三者のためにする契約とは、契約当事者の一方が第三者に直接に債務を負担することを相手方に約する契約をいう。独立の契約類型ではなく、契約の法律効果の一部を第三者に帰属させる特約（付款）にすぎない。

　　ex.1　併存的債務引受が債務者間でなされる場合（470 Ⅲ Ⅳ）⇒ p.418

　　ex.2　死亡の際の保険金の受取人を自己の妻と定めた夫と保険会社の生命保険契約

2　契約当事者

(1)　第三者のためにする契約は、諾約者（第三者に対して債務を負担する者）及び要約者（第三者への履行を諾約者に請求する者）がそれぞれ自己の名においてするものであって、要約者が第三者の代理人になるものではない（大判大 8.2.1）。

(2)　第三者のためにする契約がなされる背後にある要約者と諾約者の関係を「補償関係」といい、要約者と受益者の関係を「対価関係」という。補償関係とは、諾約者が第三者（受益者）に対し債務を負担することに対する補償を要約者が諾約者にする関係をいい、対価関係とは、要約者が第三者（受益者）に利益を与える原因をいう。

　　→対価関係の不存在・瑕疵などは、契約の効力に影響しない 同

　　　∵　対価関係は、補償関係と異なり、第三者のためにする契約の要素ではない

二　成立要件

1　要約者・諾約者間の有効な契約の成立

2　第三者に直接権利を取得させる趣旨が契約の内容とされること（537 Ⅰ）

3　第三者に付随的な負担を負わせることも可能である（大判大 8.2.1）。この場合、第三者は負担を拒絶して利益だけを享受することはできない。

4　第三者のためにする契約の締結時に第三者が存しない場合（ex. 胎児、設立前の法人）〈同〉、又は第三者が特定していない場合であっても、そのために効力を妨げられない（537 Ⅱ）。しかし、受益の意思表示時には、現存し特定すること

を要する。

5　受益の意思表示は契約の成立要件ではない。

cf.　諾約者に対する受益者の権利の発生には、受益の意思表示を要する（537Ⅲ）

三　効果

＜受益者・要約者・諾約者の地位＞

要約者・諾約者間の関係	① 要約者・諾約者間に契約上の権利・義務が発生 ② 受益者に取得させた権利についても、要約者は、諾約者に対し、受益者に履行すべきことを請求できる〈司〉 ③ 取消し→要約者・諾約者は、契約につき取消原因があれば取り消しうる〈司〉　取消しの意思表示は受益の意思表示後においても相手方にする〈司〉 ④ 諾約者の債務不履行を理由とする解除・損害賠償請求 　→第三者の受益の意思表示前は可能 　→第三者の受益の意思表示後においては、要約者は、第三者の承諾を得なければ契約を解除することができない（538Ⅱ）〈司〉が、要約者に独自の損害があれば損害賠償請求が可能 ⑤ 法律行為の相手方の善意・悪意、過失・無過失が問題となる場合には、もっぱら要約者について考慮する 　∵　法律行為をするのは受益者ではなく、要約者である
受益者・諾約者間の関係	① 諾約者は第三者に対し給付する義務を負い、受益者は直接諾約者に対し給付を請求する権利を有する（537Ⅰ） 　→第三者が債務者に対して受益の意思表示をした時に権利が発生（537Ⅲ）〈司〉 　→諾約者が要約者との契約から生じる抗弁（同時履行の抗弁等）を有するときは、諾約者はこれを受益者に対しても主張できる（539）〈司〉 ② 受益の意思表示は黙示でもよい ③ 受益の意思表示をなしうる地位はいわゆる形成権であり、受益者の債権者は、受益者に代位して受益の意思表示をなしうる（大判昭16.9.30） 　→その消滅時効は、166条2項ではなく同条1項の消滅時効に服する 　∵　形成権行使の結果生じる債権と同様に解すべき 　なお、消滅時効の客観的起算点（166Ⅰ②）は、第三者のためにする契約の締結時である（大判昭18.4.16） ④ 受益者は自ら契約したのではないから、取消権・解除権を有しない〈司〉 ⑤ 受益の意思表示により権利が発生した後は、要約者・諾約者がこれを変更したり消滅させたりすることはできない（538Ⅰ）〈司〉 　→受益の意思表示前は変更・消滅可能（538Ⅰ反対解釈） ⑥ 第三者が受益の意思表示をした後に諾約者の債務不履行があるときは、第三者は損害賠償請求権を有する ⑦ 受益の意思表示をした後の第三者の不受領は受領遅滞となる 　→諾約者の責任は第三者・要約者の両者に対する関係で軽減される（413Ⅰ） ⑧ 要約者と諾約者間において、諾約者が受益者に対して有する債権を免除する旨を約した場合、諾約者による債務免除の意思表示（519）がなくても、受益の意思表示があれば受益者の債務は消滅する（大判大5.6.26）〈司〉

※　第三者保護規定の適用については、第三者は契約当事者と同様に扱われる〈予〉。

第3款　契約上の地位の移転

第539条の2

　契約の当事者の一方が第三者との間で契約上の地位を譲渡する旨の合意をした場合において、その契約の相手方がその譲渡を承諾したときは、契約上の地位は、その第三者に移転する〈囚〉。

《注　釈》

債権

一　意義

　　契約上の地位の移転とは、契約によって、契約当事者としての地位を譲渡人から譲受人に移転することをいう。

二　要件

　①　契約当事者の一方が第三者との間で契約上の地位を譲渡する合意をしたこと

　②　契約の相手方がその譲渡を承諾すること

　1　契約当事者の一方が第三者との間で契約上の地位を譲渡する合意をしたこと

　　　→本条による規律の対象となるのは、事業譲渡のような特定承継（個々の権利義務を承継すること）における当事者の合意による移転であり、相続や合併などの包括承継（他人の権利義務を一身専属権を除き一括して承継すること）や当事者の合意によらない移転（ex. 裁判所の命令に基づく移転）などは、規律の対象外である

　2　契約の相手方がその譲渡を承諾すること

　　　→契約によっては、一部の当事者の意思にかかわらず、契約上の地位の移転が生じることもある

　　　ex.　不動産賃貸人たる地位の移転（605の2）　⇒p.551

三　効果

　1　契約上の地位の移転を受けた者が新たな当事者となり、移転した者は契約関係から離脱する。

　2　契約から発生する債権債務（将来発生する債権債務や付随的な債権債務を含む）のほか、取消権・解除権も契約上の地位の移転に基づいて移転する。

　　　→既に発生した債権債務の移転の有無は当事者の合理的意思により判断する

第4款　契約の解除

第540条　（解除権の行使）

Ⅰ　契約又は法律の規定により当事者の一方が解除権を有するときは、その解除は、相手方に対する意思表示によってする。

Ⅱ　前項の意思表示は、撤回することができない〈団〉。

《注　釈》

一　契約の解除の意義

契約の解除とは、契約が締結された後に、その一方の当事者の意思表示によって、その契約が初めから存在しなかったのと同様の状態に戻す効果を生じさせる制度をいう。

二　解除権の種類

1　法定解除権（法律の規定によって取得する場合）

ex.　債務不履行による解除（541以下）、各種契約の特殊な解除権（612Ⅱ、641、651Ⅰ等）

2　約定解除権（契約によって解除権を留保した場合）

ex.　解約手付の授受（557Ⅰ）、不動産の買戻特約（579前段）

三　解除と類似の制度

1　告知

告知とは、契約によって生じている継続的な法律関係を当事者の一方的な意思表示によって終了させることをいう。

cf.　その効力が将来に向かってのみ生じ、契約が初めから存在しなかったのと同様の状態に戻す効果が生じない点で、解除と異なる

2　解除契約（合意解除）

解除権の有無を問わず、契約当事者が今までの契約を解消して契約がなかったのと同一の状態をつくることを内容としてなす新たな契約（相互の合意）をいう。

cf.1　その意思表示が、一方的意思表示ではなく相手方との合意である点で、解除と異なる

cf.2　適法な転貸借では、原賃貸借の合意解除は、転借人に対抗できない（613Ⅲ）

3　撤回

まだ終局的な法律効果を生じていない法律行為や意思表示の効力が将来発生しないように阻止することをいう。

4　取消し

瑕疵ある意思表示又は法律行為の効力を表意者その他の特定の者が遡及的に消滅させることをいう（121）。

5　上記のほか、解除条件・失権約款がある。

四 解除権の行使

解除権の行使は相手方に対する意思表示によってなされる（Ⅰ）。

1 撤回不可（Ⅱ）

　∵ 相手方の信頼を保護するため

　→相手方の承諾があれば撤回できる（最判昭51.6.15）

　cf. 制限行為能力や錯誤・詐欺・強迫を理由とする解除の意思表示の取消しは可能

2 条件を付けられない。

　∵ 相手方の地位を不安定にするから

　→催告期間内の不履行を停止条件とする解除の意思表示は有効（大判明43.12.9）〈同書〉

3 期限を付けられない。　⇒p.87

　∵ 遡及効がある解除に期限を付けることは無意味

第541条　（催告による解除）

　当事者の一方がその債務を履行しない場合において、相手方が相当の期間を定めてその履行の催告をし、その期間内に履行がないときは、相手方は、契約の解除をすることができる〈註〉。ただし、その期間を経過した時における債務の不履行がその契約及び取引上の社会通念に照らして軽微であるときは、この限りでない。

［趣旨］双務契約における債権者は、契約を存続させて、自分の債務を履行するとともに債務者に強制執行をかけ（414）、損害賠償を請求する（415）こともできる。しかし、債権者にとって、自分自身の債務から解放され、すでに履行したものを取り戻して原状に回復することの方が、一層有利な場合もある。そこで法は、債権者に対しこのような効果をもたらす解除権を認めた。このように、契約の解除は「債務の履行を得られなかった債権者を契約の拘束力から解放するための手段」として位置づけられるので、解除の要件として債務者の帰責事由の存在は不要である。

　本条ただし書は、不履行の部分が僅かである場合や契約の目的を達成するために必須とはいえない付随義務の不履行の場合には、契約の解除を認めないという判例（大判昭14.12.13、最判昭36.11.21・百選Ⅱ37事件等）の基本的な考え方を前提にした規定である。契約の解除は、債務の履行を得られない債権者を契約の拘束力から解放する手段である一方、契約の拘束力を尊重し、債務者の利益にも配慮する必要があることから、本条ただし書は、解除権の発生の障害要件を規定している。

《注　釈》

一　債務不履行に基づく催告解除の要件〈司H19 司R5〉

① 当事者の一方が債務を履行しないこと

② 相当の期間を定めて催告すること

③ 相当の期間が経過したこと

④ 債務の不履行が契約及び取引上の社会通念に照らし軽微でないこと

⑤ 債務の不履行につき債権者に帰責性がないこと（543）

1   ①当事者の一方が債務を履行しないこと
(1) 履行期に履行が可能なこと
     →履行が不可能である場合、履行不能による解除や危険負担の問題となる
(2) 履行期を徒過すること　⇒ p.320
(3) 履行しないことが違法であること
     債務者が同時履行の抗弁権（533）や留置権（295）を有する場合には、債権者は自分の債務の履行を提供しておかなければ解除することはできない🗒。
   (a) 債権者が提供を怠る場合には、債務者が提供を怠るからといって、契約を解除することはできない（最判昭 29.7.27、最判昭 51.12.2）。
        ∵　債務者は、債権者が履行の提供をしない以上同時履行の抗弁権（533）を有する
      ア　債務の履行について確定期限が定められているときに、債権者がその期限に提供した場合、債権者がその後に催告するには、提供を必要としない。
      イ　履行期として定められた確定期限に当事者双方が履行の提供をしなかった場合、又は初めから履行期の定めがない場合には、債権者は、催告と同時に提供すればよい（最判昭 36.6.22）。
      ウ　催告に示された履行期が一定の日時であるとき、債権者はその日時に提供すればよい。債務者がその期日を徒過すれば遅滞に陥り、解除できる状態になるので、債権者はその後提供を継続しなくともよい（最判昭 36.6.22）🗒。
      エ　履行期が一定の期間内とされたときは、債権者は、期間中は提供又は準備を継続しなければならない（最判昭 29.7.27）。
      オ　債権者は、催告期間内に自己の債務の提供をし、相手方を履行遅滞に陥れれば、その後重ねて催告する必要はない（大判大 6.6.27）。
        ∵　履行遅滞は解除権発生の要件であり、催告の要件ではない
   (b) 債権者側の提供の程度は、事情により軽減される。
        ∵　双務契約の解除の場合には、債務者は自己の債務の履行を怠っているため相手方の債務履行を拒絶する場合が多い
        →債権者のなす履行を受領する意思のないことが明白な場合には、債権者は提供をしないで履行を催告し、その履行がないときは契約を解除することができる（大判大 10.11.9、最判昭 34.8.28）
      cf.　受領遅滞（413）にある債権者は、改めて受領意思を表示し、自己の債務について履行の提供をしなければ有効に解除し得ない（最判昭 35.10.27）
2   ②相当の期間を定めて催告すること
(1) 「相当の期間」の意義
     これから履行の準備をして履行をするのに必要な期間ではなく、すでに履行の準備をしてある債務者が履行をするのに必要な期間をいう。

(2) 「催告」の意義

　　債務者に対して債務の履行を促す債権者の通知をいう。履行がなければ解除をする旨を警告する必要はない（大判昭15.9.3）〈司共〉。

(a)　過大催告、過小催告も債務の同一性がわかればよい（大判昭9.6.2）〈司〉。

(b)　不相当な期間を定めた催告、期間の定めのない催告も有効であり、相当期間経過後に解除できる（最判昭31.12.6、大判昭2.2.2）〈司共〉。

(c)　期限の定めのない債務の場合、412条3項の催告と541条の催告は兼ねることができ、各別に行う必要はない（大判大6.6.27）〈司〉。

(d)　①542条に基づく解除の場合、②催告不要の旨の特約がある場合には、催告は不要である。

(e)　予備的な催告も有効である〈司〉。

　　ex.　賃貸借契約の終了を理由に目的物の返還を請求しつつ、予備的に賃貸借契約が存続していれば一定額の賃料を支払うべき旨の催告（最判昭40.3.9）

(f)　催告期間内に履行しなければ契約を解除する旨の意思表示を他方当事者がしたときは、その催告期間内に履行がなければ、解除の効果が発生する（停止条件付解除）〈司共〉。

3　③相当の期間が経過したこと

4　④債務の不履行が契約及び取引上の社会通念に照らし軽微でないこと

(1) 軽微性の判定時期

　　不履行が軽微であるかどうかは、催告期間の経過時において判断される。

(2) 軽微性の判定基準

　　取引観念を考慮し、契約の趣旨に照らして判断される。

　　→不履行が軽微な場合には、①違反された義務自体が契約全体から見て軽微な場合（付随的債務のうち、契約全体からみて重要度が低い義務に違反があった場合）と、②義務違反の態様が軽微な場合（給付の遅れや不完全さが軽微な場合）とが含まれる

(3) 付随的債務の不履行に基づく解除の可否が問題となった事例としては、以下のものが挙げられる。

　　ex.1　不動産売買契約において買主の租税負担義務の不履行を理由とする解除は認められない（最判昭36.11.21・百選Ⅱ37事件）〈書〉

　　ex.2　代金完済まで土地上に工作物を築造しないという約款違反は付随的義務にとどまらず解除は認められる（最判昭43.2.23・百選Ⅱ38事件）

5　⑤債務の不履行につき債権者に帰責性がないこと（543）　⇒p.493

二　一部履行遅滞の場合の解除権

1　債務が可分の場合

　　債務が可分であって、その一部を履行しただけでも債権者にとって価値がある場合には、履行していない部分についてのみ解除権が発生する（大判大14.2.19）。もっとも、給付が可分でも全部の給付がなされなければ契約の目的を

達成することができない場合には、契約全部を解除することができる（最判昭
52.12.23）。

　2　債務が不可分の場合

　　債務が不可分の場合には、原則として契約全部について解除権が発生する。
もっとも、一部遅滞の程度がその契約及び取引上の社会通念に照らして軽微で
あるときは、この限りでない（541ただし書）。

《その他》

- 同一当事者間の債権債務関係が、その形式は甲契約及び乙契約といった2個以上
の契約からなる場合でも、それらの目的が相互に密接に関連付けられていて、社
会通念上、甲契約又は乙契約のいずれかが履行されるだけでは契約を締結した目
的が全体としては達成されないと認められる場合は、甲契約上の債務の不履行を
理由に、その債権者は法定解除権の行使として甲契約とあわせて乙契約も解除で
きる（最判平8.11.12・百選Ⅱ39事件）〈予R3〉。

第542条　（催告によらない解除）

Ⅰ　次に掲げる場合には、債権者は、前条の催告をすることなく、直ちに契約の解除
　をすることができる。
　①　債務の全部の履行が不能であるとき。
　②　債務者がその債務の全部の履行を拒絶する意思を明確に表示したとき。
　③　債務の一部の履行が不能である場合又は債務者がその債務の一部の履行を拒絶
　　する意思を明確に表示した場合において、残存する部分のみでは契約をした目的
　　を達することができないとき〈司予〉。
　④　契約の性質又は当事者の意思表示により、特定の日時又は一定の期間内に履行
　　をしなければ契約をした目的を達することができない場合において、債務者が履
　　行をしないでその時期を経過したとき〈司予〉。
　⑤　前各号に掲げる場合のほか、債務者がその債務の履行をせず、債権者が前条の
　　催告をしても契約をした目的を達するのに足りる履行がされる見込みがないこと
　　が明らかであるとき〈供〉。
Ⅱ　次に掲げる場合には、債権者は、前条の催告をすることなく、直ちに契約の一部
　の解除をすることができる。
　①　債務の一部の履行が不能であるとき。
　②　債務者がその債務の一部の履行を拒絶する意思を明確に表示したとき。

[趣旨] 本条は、債務不履行によって契約目的の達成が不可能になった結果として、
当該債務不履行により債権者が契約を維持する利益ないし期待を失っている場合
に、催告によることなく契約関係の全部（Ⅰ）又は一部（Ⅱ）を解消することを認
める規定である。なお、解除に債務者の帰責事由が不要であることは前条と同様で
ある〈書〉。

《注　釈》

◆　無催告解除の要件

①　542条1項各号・2項各号の事由があること

②　①の事由につき債権者に帰責性がないこと（543）

1　542条1項各号・2項各号の事由があること

(1)　履行不能（Ⅰ①、同③、Ⅱ①）〈予R3〉

履行不能に当たるかは、契約及び取引上の社会通念に照らして判断される（412の2Ⅰ参照）。　⇒ p.321

ex.1　不動産の売主が当該不動産を第三者に二重譲渡し、その第三者が所有権移転登記（177）を具備した場合（最判昭35.4.21）〈同書〉

cf.　買戻し（579）等その他の手段により所有権を回復することが可能な場合、仮登記の場合には履行不能とはいえない（大判大11.12.2、最判昭44.5.27）

ex.2　土地の賃貸人が当該土地を第三者に二重賃貸し、その第三者が土地上に建物を建築・使用している場合（最判昭52.3.11）

ex.3　不動産の売主がその不動産上に抵当権を設定したが、無資産で抵当権を抹消できない状態にあった場合（大判大11.11.13）

＊　一部履行不能の場合、残存する部分のみでは契約目的を達成できないときは契約の全部の解除が可能となる（Ⅰ③）。そうでない場合は、契約の一部の解除ができるにとどまる（Ⅱ①）。

(2)　履行拒絶（Ⅰ②、同③、Ⅱ②）

(a)　履行拒絶の意思が表示された時期は履行期の前後いずれであってもよい。

(b)　「明確に表示」とは、単に債務者の拒絶の意思が表明されているのみでは足りず、拒絶の意思が明確なものであって、その意思が表示されていることを要する。

＊　契約の一部の履行を拒絶する意思が明確に表示された場合、残存する部分のみでは契約目的を達成できないときは契約の全部の解除が可能となる（Ⅰ③）。そうでない場合は、契約の一部の解除ができるにとどまる（Ⅱ②）。

(3)　定期行為（Ⅰ④）

契約内容から判断して、給付の性質上又は当事者の意思によると、特定の日時又は一定の期間内に債務の内容に適合した履行がされなければ契約目的を達成することができないものを定期行為という。

(a)　絶対的定期行為（契約の性質による定期行為）

ex.　商人が中元の進物用のうちわを6月中に送付すべき約束でした売買契約（大判大9.11.15）

(b)　相対的定期行為（当事者の意思表示による定期行為）

動機が相手方に示され、履行期を厳守することが契約目的からして必要

債
権

かつ重要であることについて、当事者間に了解があることを要する。

ex.　4月上旬の繁忙期に料理店を営むために、3月30日までに家屋を
明け渡して引き渡すことを目的とする家屋の売買契約

⑷　催告しても履行を受ける見込みがないことが明らかであるとき（Ⅰ⑤）

同号は契約目的達成不能を理由とする無催告解除の補充的な包括規定である。本条により解除をなしうる具体例としては、以下のものが挙げられる。

ex.1　売買契約において目的物に契約不適合が認められ、売主による追完
が期待できないため契約の目的を達成できない場合

ex.2　賃貸借契約において賃借人が信頼関係を破壊するような態度をとっ
た場合

ex.3　付随義務・保護義務違反により契約の目的を達成できない場合

2　①の事由につき債権者に帰責性がないこと（543）

第543条　（債権者の責めに帰すべき事由による場合）

債務の不履行が債権者の責めに帰すべき事由によるものであるときは、債権者は、前2条の規定による契約の解除をすることができない🈩。

［趣旨］債務不履行について帰責事由が認められる債権者に契約の拘束力からの離脱を認めるのは妥当ではないため、そのような場合における契約の解除を制限した。

《その他》

▪ 受領遅滞中に生じた履行不能について当事者双方に帰責事由がない場合、その履行不能は債権者の帰責事由によるものとみなされる（413の2Ⅱ）。　⇒p.325

第544条　（解除権の不可分性）

Ⅰ　当事者の一方が数人ある場合には、契約の解除は、その全員から又はその全員に対してのみ、することができる。

Ⅱ　前項の場合において、解除権が当事者のうちの1人について消滅したときは、他の者についても消滅する🈩。

［趣旨］契約の一方又は双方の当事者が複数いる場合、各自の負担部分に応じた解除を認めるとすれば、法律関係を複雑にして不便となるだけでなく、通常の当事者の意思にも反することになる。そこで本条は、全員について解除させることとした（解除不可分の原則）。

《注　釈》

一　解除権の行使方法　⇒p.488

解除権行使の相手方は、通常、契約の相手方である。

→権利が譲渡されても、契約上の地位の移転（539の2）がない限り、譲受人は解除権をもたない

→権利が譲渡され、契約上の地位の移転がなされていない場合において、その譲渡人が解除をなす場合は、譲受人の同意を要する（大判大14.12.15）

∵　譲渡人の解除権の行使により、譲受人の債権が消滅する

二　解除権の不可分性

分割・不可分・連帯債務を問わず適用される。

1　行使における不可分性（Ⅰ）

(1)　意思表示まで同時になされる必要はない。同時になされなかった場合、解除の意思表示が全員に対して到達した時、又は全員の意思表示が到達した時に解除の効果が生じる。

(2)　本条は強行規定ではない。　→当事者全員の特約で排除することができる

(3)　初めから当事者が複数である場合だけでなく、後に当事者が複数になった場合にも本条は適用される。

　　ex.　賃借権を相続した共同相続人に対する契約解除の意思表示（大判大12.6.1）〈共〉

(4)　当事者が複数であっても、その内部関係によって一部の者で意思決定ができる場合は、本条は適用されない。

　　ex.　共有物の賃貸が共有物管理（252Ⅳ）となる場合（最判昭39.2.25）
　　　⇒ p.183

2　消滅における不可分性（Ⅱ）

行使における不可分性を認めた結果認められる。

(1)　相手方が複数で、その1人に対する解除権が消滅した場合も含む。

(2)　解除権の消滅原因は問わない。

　　→複数の解除権者の1人が解除権を放棄した場合も、全員について解除権が消滅する

第５４５条　（解除の効果）

Ⅰ　当事者の一方がその解除権を行使したときは、各当事者は、その相手方を原状に復させる義務を負う。ただし、第三者の権利を害することはできない〈同〉。

Ⅱ　前項本文の場合において、金銭を返還するときは、その受領の時から利息を付さなければならない〈同共予〉。

Ⅲ　第1項本文の場合において、金銭以外の物を返還するときは、その受領の時以後に生じた果実をも返還しなければならない〈同予〉。

Ⅳ　解除権の行使は、損害賠償の請求を妨げない。

[趣旨] 目的を達成できなくなった契約を解消して、その契約が存在しなかったのと同じ状態に回復することを目的とするものである。

《注　釈》

一　解除の効果の法的構成

1　問題の所在

契約による法的拘束からの解放、原状回復、損害賠償という3つのことを、解除という1つの行為から論理的に矛盾なく導き出すために、解除の法的構成をどうしたらいいか、ということが問題となる。

<解除の効果の法的構成>

		直接効果説（大判大 7.12.23、大判大 8.4.7）（＊）	間接効果説（＊）
意義		契約が解除されると解除の直接の効果として契約上の債権・債務は初めに遡って消滅する	契約が解除されても、解除の効果として契約上の債権・債務が消滅するのではなく、ただ当事者間に原状回復の債権・債務関係を発生させるにとどまり、それが履行されることによってはじめて契約関係は消滅する
解除	未履行債務	債務の遡及的消滅により履行義務を免れる	履行を拒絶する抗弁権が発生
	既履行債務	法律上の原因のない給付として不当利得返還義務を生ずる	解除時から新たに返還債務を生ずる
返還義務の性質		一種の不当利得返還義務 ただし、解除の場合は原状回復義務まで拡大されている	解除による原状回復は解除特有のものであり、不当利得とは何ら関係がない（独自の権利）
545条1項ただし書の意義		解除に物権的効果を認める以上、権利の転得者を保護するために解除の遡及効を制限しなければならない	契約により生じた物権変動も、解除により直接の影響を受けないから、第三者の保護はすべて対抗問題として処理される（545 Ⅰただし書は注意規定）

＊　その他、解除によって、未履行債務はその時点で消滅する（直接効果説と同様。もっとも遡及効を認めない点では異なる）が、既履行債務については消滅せず、新たな返還義務を生じるにとどまる（間接効果説と同様）とする折衷説もある。

2　解除の遡及効の及ぼす影響（直接効果説に立った場合）
(1)　解除された契約自体から生じた法律効果は解除により遡及的に消滅する。
　(a)　契約によって生じた債権・債務は解除により消滅する。
　(b)　物権移転の効果も当然に消滅する。
　　　ex.　契約の効果として所有権移転が生じていた場合、所有権も当然に復帰する（大判大 10.5.17）
　(c)　債権譲渡契約において、譲渡人が債務者へ通知をなした後（又は債務者が承諾した後）に譲渡契約を解除した場合、当事者間においてはその債権は譲渡人に復帰する。しかし、債務者への通知・承諾がなければ、その復帰を債務者に対抗し得ない（大判明 42.5.14）。
　　　∵　債権譲渡契約の解除の事実を債務者は容易に知り得ない
(2)　解除された契約によって消滅した権利も、原則として復活する。
　(a)　更改契約（513）・和解契約（695）
　　　更改契約や和解契約が解除されたときは、これらの契約によって消滅した権利が復活する（大判大 9.7.15、大判昭 13.12.7）。

債権

　(b)　賃貸人が賃借人に賃貸物を売却した場合

　　　その後この売買契約が解除されたときは、賃借人が所有権を取得した結果、混同によって消滅した賃貸借関係が原則として復活する（最判昭40.12.21）。

　(c)　相殺

　　　解除によって消滅する債権が解除以前に相殺に用いられていた場合には、契約が解除されればその債権は初めから存在しなかったことになるから、相殺は無効となり反対債権が復活する（大判大 9.4.7、最判昭 32.3.8）。

二　原状回復義務（Ⅰ本文）

1　目的物が存在すればその物を返還する義務を負う。目的物につき必要費・有益費の支出があった場合は、196 条の規定により処理される 通。

2　目的物が受領者の下で滅失・損傷して原物返還が不能になった場合には、その価格を返還する義務を負う。

3　代替物は同種・同等・同量の物を返還すればよい。

4　金銭を返還するときは、受領の時から利息を付けて返還しなければならず（Ⅱ）、金銭以外の物を返還するときは、受領の時から生じた果実を返還しなければならない（Ⅲ）。また、給付を受けた金銭以外の物から生じた使用利益も返還すべきである（最判昭 51.2.13・百選Ⅱ 40 事件）予H28。

　　cf.　特定物の売買における売主の保証人は、特に反対の意思表示のない限り、売主の債務不履行により契約が解除された場合に、原状回復義務である既払代金の返還義務についても保証責任を負う（最大判昭 40.6.30・百選Ⅱ 18 事件）司　⇒ p.379

三　損害賠償義務（Ⅳ）

直接効果説に立つと、債務不履行による損害賠償責任（415 Ⅰ）と考えられる。

1　原則として解除時の時価を基準とする（最判昭 28.10.15、最判昭 28.12.18・百選Ⅱ〔第 8 版〕8 事件）。

　　目的物の価格が騰貴している場合　⇒ p.333

2　履行不能を理由とする解除の場合には、不能が履行期前に生じたのであれば履行期の時価を基準とする（最判昭 36.4.28）。不能が履行期後に生じた場合は、履行不能時の時価を基準とする（最判昭 35.4.21）。

四　解除と「第三者」（Ⅰただし書）司H20

1　「第三者」とは、解除された契約から生じた法律効果を基礎として、解除までに新たな権利を取得した者をいう（大判明 42.5.14 参照）。善意・悪意を問わない。ただし、対抗要件を要する（最判昭 33.6.14）司書。

　　ex.　解除により消滅する債権自体の譲受人・差押債権者は「第三者」に当たらない

2　解除と物権変動の関係　⇒ p.127

＜解除と物権変動の関係＞

	直接効果説	間接効果説（折衷説）
解除前の第三者	545 Ⅰただし書 （ただし、登記必要）〈同〉	177〈同〉
解除後の第三者	177（大判大 10.5.17）〈同書〉 （94 Ⅱ類推適用も可）	177〈同〉

第546条　（契約の解除と同時履行）

　第533条＜同時履行の抗弁＞の規定は、前条の場合について準用する〈同共〉。

[趣旨] 解除は、1個の契約の解消によって両当事者が互いに契約のなかった状態を回復しようとするものだから、原状回復の債権・債務を同時履行の関係に立たせることが公平である。そこで、本条は533条を準用した。

第547条　（催告による解除権の消滅）

　解除権の行使について期間の定めがないときは、相手方は、解除権を有する者に対し、相当の期間を定めて、その期間内に解除をするかどうかを確答すべき旨の催告をすることができる。この場合において、その期間内に解除の通知を受けないときは、解除権は、消滅する〈同子〉。

[趣旨] 解除権の行使について期間の定めがない場合には、相手方は解除されるかどうかわからないという不安定な状態に置かれる。そこで、このような不安定な地位に立たされる相手方を保護するため、本条が規定された。

《注　釈》

- この催告によって解除権が消滅しても本来の契約上の債権・債務には影響はない〈共〉。
  - →債権者は本来の給付又は塡補賠償を請求しうる

第548条　（解除権者の故意による目的物の損傷等による解除権の消滅）

　解除権を有する者が故意若しくは過失によって契約の目的物を著しく損傷し、若しくは返還することができなくなったとき、又は加工若しくは改造によってこれを他の種類の物に変えたときは、解除権は、消滅する〈書〉。ただし、解除権を有する者がその解除権を有することを知らなかったときは、この限りでない〈同子〉。

[趣旨] 自らの故意・過失により目的物の原物返還を不可能にしておきながら解除権を認めることは、信義則（1Ⅱ）上許されず、また解除権を放棄したものと同視しうる。したがって、そのような場合には、原則として解除権の行使は認められない（本文）。もっとも、解除権を有することを知らない段階で目的物に損傷を加えた場合等にまで解除権を喪失するのは酷であり、解除権を放棄した場合と同視することもできないことから、例外的に解除権の行使を認めている（ただし書）。

債権

《注　釈》

一　本条による解除権の消滅

1　「解除権を有する者」の行為は、解除権が現実に発生した後の行為に限られない。

ex.　不完全な履行を受領した者が自ら目的物を損傷した後で催告し、解除をしようとする場合

2　「返還をすることができなくなったとき」には、目的物が第三者に譲渡された場合も含まれる。

3　目的物が代替物である場合は、それが滅失しても目的物と同種・同量・同品質の物を返還すればよいから、原物の返還ができなくても解除権は消滅しない。

4　目的物の損傷・改変等が目的物の僅少な部分にとどまる場合には、目的物全部につき解除権を失わない。給付が可分な場合には、その部分についてのみ解除権が消滅する。

5　解除権者の故意・過失によらない滅失、損傷ならば解除権は消滅しない■。

二　本条及び前条以外の事由による解除権の消滅

1　解除権行使前の債務の履行

履行遅滞による解除権が発生した後でも、債権者が解除をする前に債務者が本来の給付に遅滞による損害をも加えたものを提供したときは、一度生じた解除権はこれによって消滅する（大判大 6.7.10）■■。

2　解除権の放棄

解除権者が解除権を放棄した場合も消滅する。

3　解除権の失効

相手方がもはや解除権の行使はないものと信じるほど長い間、解除権を行使せずに放置している場合には、信義則（1Ⅱ）上、解除権を消滅させるのを妥当とする（権利失効の原則、最判昭 30.11.22）■。

4　解除権の消滅時効

解除権は、債権に準じ、債務不履行の時から 10 年（166Ⅰ②）、又は債権者が債務不履行の事実を知った時から5年（同①）の消滅時効にかかる。

cf.　解除権行使の結果生ずる原状回復義務は、解除時を起算点として、原則5年又は 10 年の期間の経過によって消滅する（大判大 6.11.14）

第5款　定型約款

第548条の2　（定型約款の合意）

Ⅰ　定型取引（ある特定の者が不特定多数の者を相手方として行う取引であって、その内容の全部又は一部が画一的であることがその双方にとって合理的なものをいう。以下同じ。）を行うことの合意（次条において「定型取引合意」という。）をした者は、次に掲げる場合には、定型約款（定型取引において、契約の内容とすることを目的としてその特定の者により準備された条項の総体をいう。以下同じ。）の個別の条項についても合意をしたものとみなす■。

① 定型約款を契約の内容とする旨の合意をしたとき。
② 定型約款を準備した者（以下「定型約款準備者」という。）があらかじめその定型約款を契約の内容とする旨を相手方に表示していたとき〈略〉。
Ⅱ 前項の規定にかかわらず、同項の条項のうち、相手方の権利を制限し、又は相手方の義務を加重する条項であって、その定型取引の態様及びその実情並びに取引上の社会通念に照らして第1条第2項＜信義誠実の原則＞に規定する基本原則に反して相手方の利益を一方的に害すると認められるものについては、合意をしなかったものとみなす。

［趣旨］現代社会では、「約款」（多数の取引に対して一律に適用するために事業者により作成され、あらかじめ定型化された契約条項）に基づく取引が広く行われている。約款における契約では、当事者が個別に合意をする場面は少ないため、当事者の合意がない限り契約の拘束力は生じないという民法の原則上、約款の細則が契約内容になるかどうか争いになる場合がある。そこで、本条は、約款に関するルールを明確に規定するため、「定型約款」という概念を設け、その限度で「約款」の効力を認めた。

《**注　釈**》

一　548条の2第1項

本条1項は、「定型約款」に該当するための要件と、「定型約款」の個別の条項について合意したものとみなすための要件を規定している。

1 「定型約款」に該当するための要件

定型約款とは、定型取引において、契約の内容とすることを目的として当該定型取引の当事者の一方により準備された条項の総体をいう（548の2Ⅰ柱書）。

そして、定型取引とは、ある特定の者が不特定多数の者を相手方として行う取引であって、その内容の全部又は一部が画一的であることがその双方にとって合理的なものをいう（548の2Ⅰ柱書）。

「定型約款」に該当するための要件をまとめると、次のようになる。

---

① 定型取引に用いられるものであること
①-1 ある特定の者が不特定多数の者を相手方として行う取引であること
①-2 取引の内容の全部又は一部が画一的であることがその双方にとって合理的なものであること
② 契約の内容とすることを目的として準備されたものであること
③ 当該定型取引の当事者の一方により準備されたものであること

これらの要件を満たすものであれば、事業者間の取引において用いられるものであっても、定型約款として548条の2以下の規定が適用される。

ex. 生命保険約款、損害保険約款、旅行業約款、宿泊約款、運送約款、預金規定

(1) ①-1は、相手方の個性に着目せずに行う取引であるかどうかに注目した要件である。

→労働契約のように労働者の能力・人格・技能など相手方の個性に着目して行われる取引は、「不特定多数の者」の要件を満たさず、定型取引に当たらないが、一定の集団に属する者との間で行われる取引であっても、相手方の個性に着目せずに行われるものであれば、「不特定多数の者」の要件を満たす

(2) ①-2にいう「取引の内容の全部又は一部が画一的であることがその双方にとって合理的なもの」とは、多数の相手方に対して同一の内容で契約を締結することが通常であり、かつ、相手方が交渉を行わず、一方当事者が準備した契約条項の総体をそのまま受け入れて契約の締結に至ることが取引通念に照らして合理的である取引（相手方の交渉による修正の余地のない取引）を意味する。

→当事者の個別的な交渉によって内容が変更されるものであったり、当事者の一方にのみ利便性が認められるものは、①-2の要件を満たさない

なお、「取引の内容の……一部が画一的であること」とされたのは、定型約款の定義に当てはまる場合であっても、例外的に定型条項の一部について別段の合意がされた場合、当該合意に係る個別合意条項（個別交渉条項）を定型約款から除外する趣旨である。

(3) ②にいう「契約の内容とすることを目的」とするとは、当該定型約款を契約内容に組み込むことを目的とするという意味である。

(4) ③は、当該定型取引の当事者の一方により準備されたものであることを示している。

2 「定型約款」の個別の条項について合意したものとみなすための要件

上記1の要件によって契約条項の総体が「定型約款」に該当したとしても、直ちに、当事者が当該「定型約款」の個別の条項について合意したものとみなされるわけではない。本条1項は、「定型約款」の個別の条項について合意したものとみなすための要件について、次のように規定している（定型約款におけるみなし合意）。

> ① 定型約款を契約の内容とする旨の合意をしたとき（548の2Ⅰ①）
> 又は
> ② 定型約款を準備した者（定型約款準備者）があらかじめその定型約款を契約の内容とする旨を相手方に表示していたとき（548の2Ⅰ②）

(1) 上記①は、定型取引を行うことの合意（定型取引合意）をした者が定型約款を契約の内容とする旨の合意をしたときは、「定型約款」の個別の条項について合意したものとみなす旨規定するものである。

→定型取引合意をした者は、その定型約款の全ての条項を具体的に認識していることを要しない

(2) 上記②は、定型約款準備者があらかじめその定型約款を契約の内容とする旨を相手方に表示していたときも、定型取引合意をした者は「定型約款」の個別の条項について合意したものとみなす旨規定するものである。ここでは、

債権

あらかじめ定型約款が相手方に表示された上で両当事者が定型取引に合意するというケースが想定されており、定型取引合意をした者は、定型約款が契約の内容に組み込まれることについて黙示の同意をしたものと考えられている。

二　548条の2第2項

1　本条2項は、消費者契約法10条（消費者の利益を一方的に害する条項の無効）と同様の枠組みを採用するものであるが、同法10条は「無効とする」と規定しているのに対して、本条2項は「合意をしなかったものとみなす」と規定しており、初めから契約内容に組み込まれなかったとする点で、消費者契約法10条（契約内容となった上で無効となる）と異なる。

　　cf.　事業者と消費者との契約（消費者契約）において定型約款が使用された場合、消費者は定型約款準備者である事業者に対し、本条に基づく不当条項の効力否定の主張と消費者契約法10条に基づく不当条項の無効という主張を選択的に行使できる

2　本条2項の「その定型取引の態様及びその実情並びに取引上の社会通念に照らして第1条第2項に規定する基本原則に反して相手方の利益を一方的に害すると認められるもの」という文言には、合意内容の希薄性（契約内容を具体的に認識しなくても定型約款の個別の条項について合意をしたものとみなされるという定型約款の特殊性）、契約締結の態様、合理的な取引慣行その他取引全体に関する事情を広く考慮し、当該条項の不当性の有無を判断するということが含意されている。

　　具体的には、定型約款の個別の条項が信義に反して相手方の利益を一方的に害する場合（不当条項　ex.解約する場合に過大な違約金が発生する条項、いかなる場合であっても事業者は責任を負わないという条項等）、又は予測し難い条項が置かれ、その条項が相手方の多大な負担を強いるような場合（不意打ち条項　ex.ある商品を購入したら継続的なメンテナンス費用を支払わなければならない条項等）には、当該条項の不当性が認められる。

第548条の3　（定型約款の内容の表示）

Ⅰ　定型取引を行い、又は行おうとする定型約款準備者は、定型取引合意の前又は定型取引合意の後相当の期間内に相手方から請求があった場合には、遅滞なく、相当な方法でその定型約款の内容を示さなければならない〈書〉。ただし、定型約款準備者が既に相手方に対して定型約款を記載した書面を交付し、又はこれを記録した電磁的記録を提供していたときは、この限りでない。

Ⅱ　定型約款準備者が定型取引合意の前において前項の請求を拒んだときは、前条の規定は、適用しない。ただし、一時的な通信障害が発生した場合その他正当な事由がある場合は、この限りでない〈同書〉。

[趣旨]定型約款準備者が相手方に対して、例外なく事前に定型約款の内容を逐一開示しなければ定型約款の拘束力（定型約款が契約の内容に組み込まれる効力）が

生じないとすると、契約が煩雑になり定型約款が上手く機能しない。他方、相手方に対しては、締結する（した）契約に用いられる定型約款の内容を確認する機会を与える必要もある。そこで、本条1項本文は、「相手方から請求があった場合」に限定して、定型約款の内容の開示義務を課すことで、両者のバランスを取ることとした。また、本条2項は、定型約款準備者が相手方に対して定型約款の事前開示を不当に拒絶した場合にまで定型約款の拘束力を認めるのは不当であるので、正当な事由がある場合を除き、548条の2の規定が適用されない旨規定している。

《注　釈》

一　548条の3第1項

1　本条1項本文は、定型取引合意の前又は合意の後相当の期間内に相手方から請求があった場合に限って、定型約款準備者に遅滞なく相当な方法での定型約款の内容の開示義務を課すものであり、言い換えれば、定型約款の事前開示を定型約款の拘束力を発生させるための要件としていない。

→相手方から請求がなかった場合には、定型約款準備者は相手方に対して事前に定型約款の内容を開示しなくても、定型約款の拘束力を生じさせることができる

なお、開示義務違反の効果は、債務不履行に基づく損害賠償義務である。

2　本条1項ただし書によれば、定型約款準備者がすでに相手方に対して定型約款を記載した書面・電磁的記録を交付・提供していたときは、定型約款準備者は、定型約款の内容の開示義務を負わない。

∵　定型約款を記載した書面等の事前交付により、相手方に対して、定型約款の内容を確認する機会を与えている

二　548条の3第2項

本条2項は、一時的な通信障害が発生した場合その他正当な事由がある場合を除き、548条の2の規定が適用されない旨規定するものである。

第548条の4　（定型約款の変更）

Ⅰ　定型約款準備者は、次に掲げる場合には、定型約款の変更をすることにより、変更後の定型約款の条項について合意があったものとみなし、個別に相手方と合意をすることなく契約の内容を変更することができる。

① 定型約款の変更が、相手方の一般の利益に適合するとき。

② 定型約款の変更が、契約をした目的に反せず、かつ、変更の必要性、変更後の内容の相当性、この条の規定により定型約款の変更をすることがある旨の定めの有無及びその内容その他の変更に係る事情に照らして合理的なものであるとき。

Ⅱ　定型約款準備者は、前項の規定による定型約款の変更をするときは、その効力発生時期を定め、かつ、定型約款を変更する旨及び変更後の定型約款の内容並びにその効力発生時期をインターネットの利用その他の適切な方法により周知しなければならない。

Ⅲ　第1項第2号の規定による定型約款の変更は、前項の効力発生時期が到来するまでに同項の規定による周知をしなければ、その効力を生じない。

Ⅳ　第548条の2第2項＜不当条項・不意打ち条項は合意しなかったものとみなす＞の規定は、第1項の規定による定型約款の変更については、適用しない。

[趣旨] 定型約款を用いて多数の取引が行われた後、法令の改正など事業を取り巻く環境の変化によって、定型約款を変更する合理的な必要性が生じる場合がある。定型約款を用いた契約は相手方が多数である場合が多く、定型約款準備者が相手方と個別に定型約款の変更に係る合意をしなければならないとすると、定型約款の変更が事実上不可能になることもあり得る。他方、定型約款準備者が一方的な意思によって常に定型約款を変更できてしまうとすると、相手方の権利・利益への影響が大きく、また契約の拘束力の発生根拠である当事者の合意を無視することになり妥当でない。そこで、本条は、定型約款準備者の利益と相手方の利益の双方に配慮し、定型約款の変更要件を定め、その要件を満たす場合には、個別に相手方と合意をすることなく契約の内容を変更することができる旨規定した。

《注　釈》
一　548条の4第1項
1　本条1項が規定する定型約款の変更の要件は、次のとおりである。

> ①　定型約款の変更が、相手方の一般の利益に適合するとき（548の4Ⅰ①）又は
> ②　定型約款の変更が、契約をした目的に反せず、かつ、変更の必要性、変更後の内容の相当性、この条の規定により定型約款の変更をすることがある旨の定めの有無及びその内容その他の変更に係る事情に照らして合理的なものであるとき（548の4Ⅰ②）

上記①の要件は、相手方にとって有利になる場合である。また、上記②の要件は、当該定型約款の変更の必要性、変更後の内容の相当性等に照らし、定型約款の変更が合理的なものといえる場合である。

2　上記②の要件を判断するに当たっては、定型約款の変更の効力が肯定された場合に相手方が受ける不利益と、定型約款の変更の効力を否定された場合に定型約款準備者が受ける不利益の利益衡量が基礎となる。

そして、合理性判断の際の考慮要素として、条文上は「変更の必要性、変更後の内容の相当性、この条の規定により定型約款の変更をすることがある旨の定めの有無及びその内容その他の変更に係る事情」が示されているが、これらはあくまで例示列挙であり、合理性判断の際には定型約款の変更に係る全ての事情が考慮される。

→相手方に解除権を付与するといった相手方の不利益を回避・補填・軽減する措置が現在の定型約款に講じられているか、個別に相手方と合意をすることにどの程度の困難が伴うか、といった事情も考慮事由となる

二　548条の4第2項
本条2項は、定型約款準備者の周知義務を規定するものである。

→定型約款準備者が本条1項に基づいて定型約款の変更をするときは、①効力

債権

発生時期を定め、かつ、②インターネットその他の適切な方法により、定型約款を変更する旨、変更後の定型約款の内容、効力発生時期を周知しなければならない

三 548条の4第3項

本条3項は、本条1項2号による定型約款の変更は、変更後の定型約款の効力発生時期が到来するまでに周知をしなければ、変更の効力が生じない旨定めるものである。

→本条1項1号による定型約款の変更が行われた場合には、たとえ変更後の定型約款の効力発生時期が到来した後に周知がなされた場合であっても、変更の効力が生じる

∵ 本条1項1号による定型約款の変更は、相手方にとって有利な変更であるから、周知が遅れても相手方にとって不利益はない

四 548条の4第4項

本条4項は、定型約款の変更に際しては、548条の2第2項を適用しない旨定めるものである。

∵ 定型約款の変更の合理性は専ら548条の4第1項によって判断されるが、この基準は548条の2第2項所定の要件よりも厳格であり、考慮事情も異なるため

■第2節 贈与

《概 説》

一 意義

1 贈与とは、贈与者が受贈者に対して無償である財産を相手方に与えることを目的とする契約である。贈与の目的物は「ある財産」(549) であれば足りるため、他人に属する財産の贈与契約も有効である《■》。

2 「財産を……与える」(549) とは、贈与者の財産の減少により受贈者の財産が増加することであり、受贈者のために地上権や地役権を設定する約束をすることも贈与である。

二 法的性質

無償・片務・諾成契約である。

第549条 （贈与）

贈与は、当事者の一方がある財産を無償で相手方に与える意思を表示し、相手方が受諾をすることによって、その効力を生ずる。

《注 釈》

一 贈与契約の成立

贈与は契約であるから、贈与者・受贈者の意思の合致が必要である《同共》。この意思の認定の解釈は、対価なしに一方的に相手方に財産を与える契約であることに留意して、動機も含めた慎重な判断が必要である。

債権

二　贈与者の義務

贈与者は契約により負担した債務を履行しなければならない〈判〉。

→特定物の贈与者は、善管注意義務を負う（400）〈判〉

第550条　（書面によらない贈与の解除）〈判〉

書面によらない贈与は、各当事者が解除をすることができる。ただし、履行の終わった部分については、この限りでない〈判〉。

[趣旨]本条は、贈与の意思を明確にするとともに軽率に贈与しないよう戒め、紛争の発生を防止するため規定された。

《注　釈》

一　贈与の「書面」の記載（本文）

贈与者の意思が書面に表示されていれば足りる〈判〉。

ex.1　贈与契約書でなくともよい（最判昭 60.11.29・百選Ⅱ 41 事件）

ex.2　受贈者の氏名や承諾の意思表示が書面上明らかでなくともよい

ex.3　書面による贈与の書面の作成は、贈与契約の成立と同時でなくともよい（大判大 5.9.22）

ex.4　売買契約書によって登記がなされたが、他の証拠から無償譲渡であることが立証された場合は、「書面」に当たる（大判大 15.4.7）

cf.　贈与者が自分の日記に贈与契約を締結した事実を記載した場合は、「書面」に当たらない

二　書面によらない贈与の「解除」（本文）

「各当事者」の解除を認める以上、受贈者からの解除も可能である。

→負担付贈与の場合に実益がある

贈与者が故意・過失により目的物を著しく損傷するなどした場合であっても、548 条が適用されることはない。

∵　目的物はまだ引き渡されておらず、548 条の予定する状況とは異なる

三　「履行の終わった」（ただし書）〈判〉

債務の履行は債務の本旨に従って給付を実現することであるが、贈与の履行が終わるとは、これよりも緩く、贈与者の贈与の意思を明確に表す程度の徴表であればよい。

1　不動産贈与

不動産の引渡しがあれば移転登記が済んでいなくても（最判昭 31.1.27）〈判〉、また、不動産の移転登記があれば引渡しが済んでいなくとも（最判昭 40.3.26）〈判〉、履行は終わったものとされる。

2　動産贈与

引渡しの有無により判断される。

3　引渡しには、現実の引渡しのみならず簡易の引渡し・占有改定も含まれる〈判〉。

4　現実贈与（意思表示と同時に実行行為の完了する贈与）においては、本条による解除が問題となる余地はない。

債

権

5　条件付贈与契約の場合、たとえ引渡しがなされても、条件が成就していない限り取り消しうる（最判昭 41.10.7）。

6　書面によらない贈与の目的物が、その履行前に合意により他の物に変更されても、履行と同視することはできない。

《その他》

▪ 書面による贈与であったとしても意思表示一般の取消しは何ら妨げられない。

▪ 書面による贈与や履行が終了した場合でも、親族間の情誼関係が贈与者の責めに帰すべき事由によらずして破綻消滅し、右贈与の効果をそのまま維持存続させることが諸般の事情からみて信義衡平の原則上不当と解されるときは、贈与者の贈与物返還請求を認めるのが相当である、とする下級審判例（新潟地判昭 46.11.12）がある。

第551条　（贈与者の引渡義務等）

Ⅰ　贈与者は、贈与の目的である物又は権利を、贈与の目的として特定した時の状態で引き渡し、又は移転することを約したものと推定する〈司〉。

Ⅱ　負担付贈与については、贈与者は、その負担の限度において、売主と同じく担保の責任を負う。

[趣旨] 贈与契約においても、財産移転契約たる売買契約と同様に、引き渡すべき目的物が契約の内容に適合していなかった場合には、贈与者は、債務不履行責任を負うとするのが妥当である（契約責任説）。しかし、本条1項は、贈与の無償性に鑑み、贈与者の責任を売買契約の売主のものよりも軽減することを定めた。

《注　釈》

一　「贈与の目的として特定したときの状態」

「贈与の目的として特定した時の状態」とは、特定物の贈与においては贈与契約を締結した時の状態を指し、それ以外の贈与においては目的物が特定した時（401Ⅱ）の状態を指す。

二　贈与者が責任を負う場合

1　贈与者が責任を負う場合としては、①「推定」（Ⅰ）に対する反証（当事者間での別段の合意等）がなされた場合、②負担付贈与の場合（Ⅱ）が挙げられる。

②の場合、贈与者は負担の限度で責任を負う〈司〉。この場合において、目的物の価額が負担の額に足りないとき、贈与者は負担の額と等しくなるまで損害を賠償すべきものと解されている。

2　上記①又は②の場合、受贈者は債務不履行の一般的な規律に従い、損害賠償請求（415）、解除（541以下）、追完請求（562）をすることができる。また、金銭の支払を内容とする負担付贈与の場合には、その減額請求（563）が可能となる。

> **第552条 （定期贈与）**
> 　定期の給付を目的とする贈与は、贈与者又は受贈者の死亡によって、その効力を失う《司書》。

《注　釈》

- 定期贈与とは、一定の時期ごとに無償で財産を与える契約をいう。
  ex. 　毎月一定の学費・生活費を与える
- 当事者の人的関係が重視されるため、贈与者又は受贈者の死亡によって効力は消滅する。ただし、反対の特約は可能である（∵本条は任意規定）。
  なお、本条は書面による贈与契約（550参照）でも適用がある《司》。

> **第553条 （負担付贈与）**
> 　負担付贈与については、この節に定めるもののほか、その性質に反しない限り、双務契約に関する規定を準用する《司》。

[趣旨] 負担付贈与では受贈者が負担を負うが、これは本来贈与者の給付と対価関係にあるわけではない。しかし実質的には、負担の範囲内では両者が対価関係にあるとみられる。そこで、法は負担付贈与にも有償・双務契約に関する規定（533、536等）を準用するものとした。諾成契約である点は変わらない。

《注　釈》
一　意義
　「負担付贈与」とは、贈与契約の一部として受贈者に一定の給付義務を負担させる契約をいう。受贈者の負担から利益を受ける者は、贈与者でも第三者でも不特定多数の者でも構わない。負担は贈与契約の付款にすぎず、履行がなされなくても贈与契約は効力を生じる。

二　解除の可否
　受贈者が負担を履行しないときは、贈与者は契約を解除できる（541以下準用）（最判昭53.2.17）《司書》。
　cf. 危険負担の準用の問題を生じるのは、主として負担だけが履行不能となった場合と解される
　　　∵ 贈与者の給付が履行不能となれば受贈者の負担は自ずから消滅する

《その他》
- 負担付贈与が書面によらない場合は、550条に従って解除することができる。
  cf. 負担のみが履行されている場合には、当事者は解除することができないとするのが多数説である

> **第554条 （死因贈与）**
> 　贈与者の死亡によって効力を生ずる贈与については、その性質に反しない限り、遺贈に関する規定を準用する。

[趣旨] 死因贈与は、死亡が効力発生要件である点などで遺贈に実質的に類似する

債権

ため、遺贈に関する規定が準用される。

《注　釈》

一　意義

　死因贈与とは、贈与者の死亡によって効力を生ずる贈与をいう。

二　遺贈の規定の準用〈司R4〉

　原則として遺贈に関する規定は死因贈与にも準用されるが、贈与は契約であることからすべての規定が準用されるわけではなく、準用されるのは効力に関する規定であり、遺贈が単独行為であるための規定（方式に関する規定等）は準用されない（最判昭 32.5.21）〈予〉〈司〉。

＜遺贈の規定の準用＞

準用される規定	準用されない規定
遺言の効力に関する規定（985、991〜） 遺言の執行に関する規定（1006〜） 遺言の撤回に関する規定（1022〜）〈司〉（＊）	能力に関する規定（961〈予〉、962） 方式に関する規定（967） 承認・放棄に関する規定等（986〜990）

＊　判例は、死因贈与については遺言の撤回に関する 1022 条がその方式に関する部分を除いて準用されるとして、贈与者の内容証明郵便による撤回を認めている。ただ、特段の事情があるとみられる場合には、例外的に撤回できないとしており、贈与者の生前にすでに負担の履行が済んでいたことが、「特段の事由」に当たるとする（最判昭 57.4.30・百選Ⅲ 90 事件）〈共〉。

三　遺贈と死因贈与

＜遺贈と死因贈与の異同＞

	遺　贈	死因贈与
法的性質	単独行為 →受贈者の承諾不要	契約 →受贈者の承諾必要
能　力	15 歳（961） →15 歳以上の者がした遺贈は制限 　行為能力を理由とする取消不可	18 歳（4）
代　理	不可	可
方　式	厳格に法定（967〜）	遺贈の条文は準用されない
胎児への遺贈・ 死因贈与の可否	可（886・965）	不可〈司〉

■第３節　売買

第１款　総則

《概　説》

一　意義

　売買とは、当事者の一方（売主）がある財産権を相手方（買主）に移転するこ

債
権

とを約束し、これに対して買主がその代金を支払うことを約束する契約をいう。

二　法的性質

売買は、有償・双務・諾成契約である。

三　売買の種類

本条以下で規定される売買は、債権契約としての売買契約であるが、日常生活において行われる現実売買（あらかじめ特別の合意なく、財貨と金銭とを即時に交付し合う形態の売買。ex. 自動販売機や通常の店頭販売）も、債権契約としての売買の一種として、本節の規定が適用される。

契約自由の原則からすると、売買契約の形態は当事者が自由に定めうる。特殊形態の売買の中でも典型的な例としては以下のようなものがある。

1　見本売買

見本により目的物の品質、属性を定めた売買で、目的物の性質が保証されたものをいう。見本売買成立には、契約締結途上で単に見本の提示のみならず、目的物を見本で定める明示・黙示の意思表示を要する。給付物が見本に適合しないときは売主の債務不履行とされる。

2　試味売買（試験売買）

目的物が買主の意に適したら買うとの、条件付売買をいう。試味売買では、売買の効力発生が買主の任意に委ねられ、売買の一方の予約（556）の一態様といえる。そこで、売主が相当期間を定めて催告し、期間内に買主が確答しない場合は、契約は無効となるとされる（556Ⅱ類推）。

3　継続的商品売買

商品売買が継続・反復して行われる場合であり、現象面からは単発の売買が何度も締結されている状態である。

第555条　（売買）

売買は、当事者の一方がある財産権を相手方に移転することを約し、相手方がこれに対してその代金を支払うことを約することによって、その効力を生ずる。

《注　釈》

一　売主の義務

1　①財産権移転債務（555、560）、②契約不適合責任（562以下）を負う。

ex.1　不動産の売主は、買主に対し、登記義務を負う（560）

ex.2　賃借権の譲渡人は、譲受人に対し、遅滞なく賃貸人の承諾を得る義務がある（560）

2　「財産権」とは、財産的価値のある権利を指し、物権・債権・無体財産権などを広く含む。性質上、法律上譲渡不能なものでない限りすべてが売買の目的物となる。逆に定義すると、強行法規違反、公序良俗違反以外のすべての権利が財産権といえる。

ex.　現存せず将来生じる物、第三者の所有物、物の一部だが独立の所有権の対象となるもの等も、「財産権」に含まれる

二　買主の義務

1　①代金支払債務（555）、②利息支払債務（575Ⅱ）を負う。

2　売主の財産権移転債務と対価関係に立つのは、金銭債務に限られる。他のものであるときは、売買ではなく交換となる（586）。

3　すべての売買契約において、代金額は何らかの方法で定める必要がある（契約の成立要件）。

第556条　（売買の一方の予約）

Ⅰ　売買の一方の予約は、相手方が売買を完結する意思を表示した時から、売買の効力を生ずる。

Ⅱ　前項の意思表示について期間を定めなかったときは、予約者は、相手方に対し、相当の期間を定めて、その期間内に売買を完結するかどうかを確答すべき旨の催告をすることができる。この場合において、相手方がその期間内に確答をしないときは、売買の一方の予約は、その効力を失う。

［趣旨］予約完結権者の一方的な意思表示により本契約が締結されたという法律効果を与えるとともに（Ⅰ）、予約義務者の法的地位の安定を図るため催告権が認められた（Ⅱ）。

《注　釈》

一　「売買の一方の予約」（Ⅰ）

1　意義

「売買の一方の予約」とは、売主又は買主となる者の一方だけが、本契約たる売買を成立させるという意思表示をする権利（予約完結権）を有し、これに基づき相手方に対して本契約を成立させるという意思表示（完結の意思表示）をすれば、相手方の承諾をまたずに、直ちに本契約たる売買は成立するということをあらかじめ約束することである。

2　一方の予約・双方の予約、片務予約・双務予約

片務予約とは、一方が本契約締結の権利を有し、他方がこれに応じこれに承諾する義務を負担するものをいう。相手方が承諾に応じない場合、それを求める訴えを提起しなければならない。

これら「一方の予約」「片務予約」に対応して、当事者の双方が本契約の締結権をもつ「双方の予約」や、双方が承諾義務を負う「双務予約」もある。

3　予約完結権

⑴　一方の予約の場合、予約完結権は一種の形成権であるが、その消滅時効は債権に準じて（166Ⅰ①②）5年又は10年である（大判大4.7.13、大判大10.3.5）。　⇒p.116

⑵　不動産についての物権移転を内容とする予約完結権は仮登記することができ、それにより第三者に対する対抗力を取得する。　⇒p.138

⑶　予約完結権は相手方の承諾を得ることなく譲渡でき、譲渡の第三者対抗要件は債権譲渡に準じて義務者への通知・承諾である（大判大13.2.29）。予約

完結権が仮登記によって保全されている場合には通知・承諾は不要であり、その際の対抗要件は仮登記への権利移転の付記登記である（大判大4.4.5）。

4　相手方の催告権

予約完結権行使（完結の意思表示）についての催告に対し、期間内に確答がなされない場合は売買予約の効力は失われる〈司〉。

二　再売買予約　⇒ p.529

再売買予約とは、担保目的でなされ、たとえばBがその所有不動産をいったんAに売却し、将来AがBにこれを売り渡すことにつき予約することをいう。

第557条　（手付）

Ⅰ　買主が売主に手付を交付したときは、買主はその手付を放棄し、売主はその倍額を現実に提供して、契約の解除をすることができる〈司書〉。ただし、その相手方が契約の履行に着手した後は、この限りでない〈司書〉。

Ⅱ　第545条第4項＜解除権の行使は損害賠償の請求を妨げない＞の規定は、前項の場合には、適用しない〈司〉。

［趣旨］手付が原則として解約手付の趣旨で交付されたものと解釈すべきであることを定めるとともに、解約手付による契約の解除の要件・効果を定める。

《注　釈》

一　手付の意義

売買契約の締結の際に当事者の一方から他方に対して一定額の金銭が支払われることがある。このように、手付とは、契約締結に際し、又はその後代金等の弁済期までに、当事者の一方より相手方に対して交付される金銭その他の有価物をいう。

二　手付の目的・種類

1　証約手付とは、契約を締結したということを示し、その証拠という趣旨で交付される手付をいう。手付が解約手付・違約手付の効果をもつ場合でも、常にそれと兼ねて最小限この効果をもっていると考えられている。

2　解約手付とは、手付の金額だけの損失を覚悟すれば、相手方の債務不履行がなくても契約を解除できるという趣旨で交付される手付をいう。

cf.　手付の授受があれば原則として解約手付と解する（最判昭24.10.4・百選Ⅱ〔第6版〕47事件）〈司〉

　　→当事者の特約により解約手付としての性質を排除することはできる

　　　∵　本条は任意規定

3　違約手付

違約手付とは、債務の不履行に対する威嚇として、履行を促す趣旨で交付される手付をいう。違約手付は、その性質に応じて違約罰と損害賠償の予定に分類される。

⑴　違約罰

買主が債務の履行をしないときに、損害賠償とは別に没収される金銭とし

て交付されるものをいう。

 cf. 違約手付は契約の拘束力を強めるつもりで交付されるものであるから、契約の解除を可能とし拘束力を弱める解約手付とは両立しえないとも考えられるが、判例（最判昭24.10.4・百選Ⅱ〔第6版〕47事件）は、両者の両立を認め、違約罰の約定があっても、それだけでは手付による解除を排除する意思表示があったとはいえないとする〈同〉

(2)　損害賠償額の予定

 損害賠償額の予定としての手付とも呼ばれるもので、損害賠償額が手付の額に制限されるものをいう（420参照）。

 cf. 損害賠償額の予定として手付が授受された場合に、違約手付であることの認定の他にさらに解約手付の性質を同時に認めることも可能（最判昭24.10.4・百選Ⅱ〔第6版〕47事件）

三　解約手付による解除の要件

1　手付の放棄・手付の倍返しの現実の提供（557Ⅰ本文）

 買主による手付の放棄により、売主は既に受領していた手付を確定的に取得することができる。これとの均衡を保つため、売主は買主に対し、「倍額を現実に提供」する必要がある（最判昭51.12.20参照）。

 →供託までは不要〈書〉

 cf. 買主が受領をあらかじめ拒んでいるときであっても、買主に対し、単に口頭により手付の倍額を償還する旨を告げその受領を催告するのみでは足りず、倍額につき現実の提供を行うことを要する（最判平6.3.22）〈同〉

2　「履行に着手した」（557Ⅰただし書）の意義

 「履行に着手した」とは、債務の内容たる給付の実行に着手すること、すなわち客観的に外部から認識しうるような形で履行行為の一部をなし、又は履行の提供をするために欠くことのできない前提行為をした場合を指す（最大判昭40.11.24・百選Ⅱ42事件）〈同書〉。したがって、履行期以前の行為について履行の着手を認めることも可能であるが、履行の着手に当たるか否かについては、当該行為の態様、債務の内容、履行期が定められた趣旨・目的等諸般の事情を総合勘案して決する（最判平5.3.16）。

 なお、本条1項ただし書で規定されているとおり、「履行に着手した」ことの主張立証責任は、手付解除の有効性を争う相手方が負う。

(1)　履行の着手に当たる例

 ex.1 買主が履行期到来後、売主にしばしば明渡しを求め、この間明渡しがあればいつでも残代金の支払をなしうる状態にあった場合（最判昭26.11.15）

 ex.2 履行期前に代金を提供した場合（最判昭41.1.21）〈書〉

(2)　履行の着手に当たらない例

 ex.1 買主が代金支払のために資金を銀行から借り入れる準備をした場合

 ex.2 履行期前に買主が銀行から融資に応じる旨の通知を受け取った場合

3　特約

本条1項は任意規定であり、履行着手後にも手付による解除ができる旨を当事者間で特約しても、有効である。

四　解約手付による解除の効果

1　手付が交付されている場合に債務不履行によって解除されると、損害賠償額の予定を兼ねる手付でない限り、一般原則通り手付の額と無関係に債務不履行に基づく損害賠償を請求できる。この場合、手付を交付した者は不当利得返還請求権（703）をもつが、損害賠償額から差し引かれるものとして扱われる。

2　解除しても損害賠償の問題は生じない（557Ⅱ）〈司〉。

∵　解約手付による解除は約定解除権の行使であって、債務不履行による解除（541以下）とは異なる

3　合意で契約が解除または取り消された場合には、特約のない限り、交付した者が不当利得として手付の返還を請求できる（大判昭11.8.10）。

《その他》

・手付は、交付されれば、その所有権は相手方に移転する。

・主たる契約である売買契約が取り消されれば手付契約も効力を失う。

第558条　（売買契約に関する費用）

売買契約に関する費用は、当事者双方が等しい割合で負担する〈司書〉。

［趣旨］売買契約は有償・双務契約であり、当事者が平等に利益を有するので、契約締結に必要な諸費用は当事者双方が平等に負担すべき旨を規定した。

《注　釈》

◆　「費用」の意義

「費用」とは、目的物の評価・測量費用等売買契約の締結に必要な費用をいう。⇒p.435

第559条　（有償契約への準用）〈択〉

この節の規定は、売買以外の有償契約について準用する。ただし、その有償契約の性質がこれを許さないときは、この限りでない。

［趣旨］売買は、有償契約の典型例であるから、本節の規定を売買以外の有償契約に準用することにした。

第2款　売買の効力

《概　説》

一　契約不適合責任の法的性質

売主は、目的物又は権利について、契約の内容に適合するものを移転する義務を負う。すなわち、売主が買主に物の引渡し又は権利移転をしたとしても、その内容が契約内容に適合しない場合は、売主としての義務が履行されておらず、売買契約上の債務不履行があったものと評価される。この場合において、買主が売

主に対して求めることのできる法的救済について規律するのが562条以下の規定であり、その法的性質は、債務不履行責任である（契約責任説）。

二　契約不適合責任の概要

民法は、目的物又は権利が契約内容に適合しない場合について、買主の追完請求、代金減額請求、損害賠償請求及び解除を認める。まず、目的物が契約内容に適合しない場合について規定し（562～564）、これらの規定を権利が契約内容に適合しない場合について準用している（565）。このように、目的物に関する契約内容の不適合と、権利に関する契約内容の不適合とを大別しつつ、共通のルールを設けているが、目的物が契約内容に適合しない場合の一部についてのみ、特別のルールを設けている。すなわち、目的物の種類又は品質が契約内容に適合しない場合は、売主の担保責任に期間制限（566）があり、また、競売における特則の対象から除外されている（568 Ⅳ）。

＜契約不適合責任の概要＞

契約不適合の種類		契約不適合責任の効果
目的物	種類・品質・数量（＊1）	① 追完請求権（562） ② 代金減額請求権（563） ③ 損害賠償請求権（564・415） ④ 契約の解除（564・541、542）
権利	移転した権利が契約内容に適合しない場合（権利の一部が他人に属する場合も含む）（＊2）	① 追完請求権（565・562） ② 代金減額請求権（565・563） ③ 損害賠償請求権（565・564・415） ④ 契約の解除（565・564・541、542）
	売買の目的不動産に契約内容に適合しない抵当権等が存する場合	費用の償還請求（570）

＊1　担保責任の期間制限（566）は、種類・品質に関する契約不適合については適用されるが、数量に関する契約不適合については適用されない。また、競売における担保責任の特則（568 Ⅰ～Ⅲ）は、種類・品質に関する契約不適合については適用されない（同Ⅳ）が、数量に関する契約不適合については適用される。

＊2　他人物売買である場合（権利の全部が他人に属する場合）は、権利移転義務（561）の不履行として、通常の債務不履行責任（415、541・542）として処理される。

債
権

<契約不適合責任の効果>

三 契約不適合の内容 同R2

　562条～564条は、「引き渡された目的物が種類、品質、又は数量に関して契約の内容に適合しないものであるとき」を要件としている。この要件に該当するか否かは、契約当時の取引上の社会通念をしん酌し、契約当事者間において目的物がどのような性状・性質を有することが予定されていたかを基準として判断される（最判平22.6.1・百選Ⅱ44事件参照）。なお、「引き渡された目的物」が特定物か不特定物か、代替物か不代替物かは問われない。

1　種類・品質に関する契約内容の不適合
　⑴　種類・品質に関する契約内容の不適合には、物理的不適合（目的物に不具合があるなど）のほか、環境的不適合（購入したマンションの日照・景観阻害など）、心理的不適合（購入した居住用不動産で自殺があったような場合など）が含まれる。
　⑵　種類・品質に関する契約内容の不適合は、売買の目的である「物」又は「権利」について判断しなくてはならない。
　　　ex.　建物とその敷地の賃借権が売買の目的とされた場合に、敷地に賃貸

人において修繕義務（606Ⅰ）を負担すべき欠陥があったとしても、賃貸人に修繕義務の履行を請求し、又は賃貸借の目的物に契約内容の不適合があるとして担保責任を追及することは格別、売買の目的物に契約内容の不適合があるとすることはできない（最判平3.4.2・百選Ⅱ48事件参照）〈司〉

(3) 法令上の制限（ex. 購入した土地が道路予定地に指定されていて、建物を建てても除却しなくてはならない場合）が付されていることが物に関する契約内容の不適合であるか、権利に関する契約内容の不適合であるかは解釈に委ねられている。改正前民法下の判例（最判昭41.4.14）は、法令上の制限を目的物の種類・品質に関する契約内容の不適合として扱っている。しかし、このように考えると、競売目的物の種類・品質に関し契約内容の不適合があった場合、568条4項によって売主の責任が否定されてしまうため、買主の保護に欠ける。そのため、権利に関する契約内容の不適合として位置づけ、同条1項を適用し、買主の救済を図るべきであるとの見解もある。

2　数量に関する契約内容の不適合

(1) 数量に関する契約内容の不適合は、数量に特別の意味を与え、それを基礎として売買を行っていた場合に問題となり、改正前民法565条の数量指示売買の場合をも含む。

(2) 数量指示売買とは、当事者において目的物の実際に有する数量を確保するため、その一定の面積、容積、重量、員数又は尺度があることを売主が契約において表示し、かつ、この数量を基礎として代金額が定められた売買をいう（最判昭43.8.20）。

第560条　（権利移転の対抗要件に係る売主の義務）

売主は、買主に対し、登記、登録その他の売買の目的である権利の移転についての対抗要件を備えさせる義務を負う。

[趣旨]売買契約における売主が買主に対して、目的物の対抗要件を備えさせるために必要な行為をすべき義務を負うことについては、学説上異論がない。本条は、その旨を明文化したものである。

第561条　（他人の権利の売買における売主の義務）

他人の権利（権利の一部が他人に属する場合におけるその権利の一部を含む。）を売買の目的としたときは、売主は、その権利を取得して買主に移転する義務を負う。

[趣旨]目的物の権利が他人に属し、売主の物でないときには、処分権がないため物権的には何の効力も生じない。もっとも、債権的関係としては、売主は第三者よりその権利を取得して買主に移転しなければならない債務を負担する。本条は、この当然の事理を規定したものである。

《注　釈》

一　他人物売買の効力

1　他人の物を売買契約の目的としても、売買契約は有効である。

2　権利の一部が他人に属するものを売買契約の目的としても、売買契約は有効である（561 かっこ書）。

3　目的物の所有者が売買契約成立時から当該目的物を他に譲渡する意思がなく、したがって売主が買主に移転できない場合でも、なおその売買は有効に成立する（最判昭 25.10.26）〈同旨〉。

二　他人の権利の売主をその権利者が相続した場合

他人の権利の売主をその権利者が相続し債務者としての履行義務を承継した場合でも、権利者は、信義則に反すると認められるような特別の事情のない限り、売主としての履行義務を拒否することができる（最大判昭 49.9.4）〈同〉。　　⇒ p.74

三　所有権の移転時期

特定物売買において、所有権は支障のない限り直ちに買主に移転する。したがって、売主が所有者たる他人から目的物を取得する契約を締結したとき、所有権は売主を経由して、何の意思表示も要せずに直ちに買主に帰属することになる（最判昭 40.11.19）〈同〉。

《その他》

- 他人物売買の契約当事者は、他人物売主と買主であって、真の所有者が事後的に同意してもその者が契約当事者となるわけではない。

- 売主が他人の権利を取得して買主に移転することができない場合、買主は、契約時に当該権利が売主に属しないことを知っていたかどうかにかかわらず、契約の解除や損害賠償請求をすることができる〈同〉〈予H28〉。

- 無権利者を委託者とする物の販売委託契約は、無権利者と受託者との間に有効に成立しているのであり、たとえ当該物の所有者が、自己と受託者との間に同契約に基づく債権債務を発生させる趣旨で追認をしたとしても、同契約に基づく債権債務が所有者に帰属することにはならない（最判平 23.10.18・百選Ⅰ 34 事件）。

第562条　（買主の追完請求権）

Ⅰ　引き渡された目的物が種類、品質又は数量に関して契約の内容に適合しないものであるときは、買主は、売主に対し、目的物の修補、代替物の引渡し又は不足分の引渡しによる履行の追完を請求することができる。ただし、売主は、買主に不相当な負担を課するものでないときは、買主が請求した方法と異なる方法による履行の追完をすることができる〈共〉。

Ⅱ　前項の不適合が買主の責めに帰すべき事由によるものであるときは、買主は、同項の規定による履行の追完の請求をすることができない〈共〉。

[趣旨] 物の種類・品質・数量に関して契約の内容に適合する物を引き渡すべき義務を売主に課している。引き渡した物が契約の内容に適合しない場合、売主は債務不履行責任を負う（契約責任説）。買主は、売主に対して、履行の追完を請求できる

債権

が、本条1項ただし書及び2項が一定の制約を設けている。

《注　釈》

一　追完請求権の要件

1　「引き渡された目的物が種類、品質又は数量に関して契約の内容に適合しないもの」であること（562 I 本文）　⇒p.515

2　契約内容の不適合が「買主の責めに帰すべき事由によるもの」でないこと（同Ⅱ）

∵　買主の帰責事由により契約内容の不適合が生じた場合にまで、売主に追完義務の負担を負わせることは妥当でない

二　追完方法の選択権

1　買主は、売主に対して、①目的物の修補、②代替物の引渡し又は③不足分の引渡しによる履行の追完を請求できる（I 本文）。この規定は、追完方法の選択権を買主に与えるものである。

2　買主に「不相当な負担」を課すものでなければ、売主は買主が請求した方法とは異なる方法で履行の追完をすることができる（I ただし書）。

ex.　売買によって工場に設置されたクレーンに欠陥がある場合において、買主が別のクレーンの納品を求めたときは、売主は、買主に不相当な負担を課すものでない限り、工場に設置されたクレーンを修理する方法で履行を追完することができる

第563条　（買主の代金減額請求権）〈司R2 予R4〉

Ⅰ　前条第1項本文に規定する場合において、買主が相当の期間を定めて履行の追完の催告をし、その期間内に履行の追完がないときは、買主は、その不適合の程度に応じて代金の減額を請求することができる〈共〉。

Ⅱ　前項の規定にかかわらず、次に掲げる場合には、買主は、同項の催告をすることなく、直ちに代金の減額を請求することができる〈司〉。

①　履行の追完が不能であるとき〈共〉。

②　売主が履行の追完を拒絶する意思を明確に表示したとき〈予〉。

③　契約の性質又は当事者の意思表示により、特定の日時又は一定の期間内に履行をしなければ契約をした目的を達することができない場合において、売主が履行の追完をしないでその時期を経過したとき。

④　前3号に掲げる場合のほか、買主が前項の催告をしても履行の追完を受ける見込みがないことが明らかであるとき。

Ⅲ　第1項の不適合が買主の責めに帰すべき事由によるものであるときは、買主は、前2項の規定による代金の減額の請求をすることができない〈司共〉。

[趣旨] 契約内容の不適合があった場合に、対価的不均衡を是正するべく契約内容の不適合の割合に応じて代金減額を認めることが、買主を救済する手段としては合理的であることなどから、本条により買主の代金減額請求権を認めることとした。

《注　釈》

一　代金減額請求権の法的性質

1　代金減額請求権は、形成権である。

2　代金減額請求権は、損害賠償請求権ではない。

> →買主から代金減額請求を受けた売主が、「契約内容の不適合は売主の責め
> に帰することができない事由によるものである」（415 Ⅰただし書参照）と
> の抗弁を主張することはできない

二　代金減額請求の要件

　買主の代金減額請求は、売買契約の一部解除と同様の機能を営む。そこで、本
条は解除の要件と同様のルールを定めている。　⇒ p.488、492

1　催告による代金減額請求の要件

①　「引き渡された目的物が種類、品質又は数量に関して契約の内容に適合し
ないもの」であること（562 Ⅰ本文）　⇒ p.515

②　「買主が相当の期間を定めて履行の追完の催告をし、その期間内に履行の
追完がない」こと（追完請求権の優位性、563 Ⅰ）

③　契約内容の不適合が「買主の責めに帰すべき事由によるもの」でないこと
（563 Ⅲ）

> ∵　買主の帰責事由により契約内容の不適合が生じた場合にまで、売主に
> 追完義務の負担を負わせることは妥当でない

> →契約の解除と同様に、不適合が契約当事者双方の責めに帰することがで
> きない事由によるものであっても、買主は代金の減額を請求すること
> ができる[共]

2　催告によらない代金減額請求の要件

①　「引き渡された目的物が種類、品質又は数量に関して契約の内容に適合し
ないもの」であること（562 Ⅰ本文）　⇒ p.515

②　本条2項各号のいずれかに該当すること（563 Ⅱ柱書）

③　契約内容の不適合が「買主の責めに帰すべき事由によるもの」でないこと
（563 Ⅲ）

三　救済方法相互の関係

1　代金減額請求をする場合には、まず追完の催告をしなければならず（563
Ⅰ）、追完請求が奏功しなかった場合にはじめて、代金減額請求が可能となる
（追完請求の優位性）。

2　代金減額の意思表示をなした後は、契約不適合を理由とする履行の追完請求
（562 Ⅰ本文）や、追完に代わる損害賠償請求、契約全部の解除を行うことはで
きない。

> ∵　代金減額請求権は契約の一部解除の性質を有するので、上記救済方法と
> 両立し得ない

3　代金減額請求をなしたとしても、付随義務違反・保護義務違反による損害賠
償が否定されるわけではない。また、他の解除原因がある場合の解除の可能性

が否定されるわけではない。

《その他》

- 本条は、代金減額請求が認められる場合の減額割合の算定基準時について特に規定を設けておらず、解釈に委ねられている。この点、代金減額請求は、引き渡された物を売買の目的物として受領するという買主の意思の表明でもあることを理由に、引渡時の価値を基準にすべきであるとする見解等がある。

- 売買目的物の数量を指示して売買したところ、数量が約定のものを超えていたとき（数量超過売買）、本条を類推適用して買主に対して代金の増額を主張することはできない（最判平13.11.27 参照）。

第564条　（買主の損害賠償請求及び解除権の行使）〈予R4〉

　　前2条の規定は、第415条<債務不履行による損害賠償>の規定による損害賠償の請求並びに第541条及び第542条<催告による解除・催告によらない解除>の規定による解除権の行使を妨げない〈共書〉。

[趣旨] 売主は、物の種類・品質・数量に関して、契約の内容に適合した物を提供すべき義務を負っており、かかる義務に違反して契約の内容に適合しない物を提供した売主は、債務不履行責任を負う（契約責任説）。

　したがって、買主は、追完請求権（562）・代金減額請求権（563）のほか、債務不履行の一般原則に従い、債務不履行に基づく損害賠償請求（415）及び解除権（541、542）をも行使することができる。本条は、この点について規定する。

第565条　（移転した権利が契約の内容に適合しない場合における売主の担保責任）

　　前3条の規定は、売主が買主に移転した権利が契約の内容に適合しないものである場合（権利の一部が他人に属する場合においてその権利の一部を移転しないときを含む〈同〉。）について準用する。

[趣旨] 本条は、契約の内容に適合した権利を供与すべき義務を売主に課し、これに違反した売主は債務不履行責任を負うことを前提に、売主が移転した権利が契約の内容に適合しない場合についても、売買契約の目的物が契約の内容に適合しない場合と同様の規律を及ぼすものである。

《注　釈》

一　権利に関する契約内容の不適合

　　ex.1　売買目的物の上に地上権・地役権・抵当権などの制限物権が存在している場合

　　ex.2　不動産売買において、その不動産のために存在するものとされていた敷地利用権が実際には存在しなかった場合

　　ex.3　不動産売買において、その不動産の上に対抗力を有する他人の賃借権が存在している場合

二　権利の一部を移転しない場合（かっこ書）

「権利の一部を移転しないとき」とは、権利の一部が他人に属することを意味する。

> cf.　権利の全部が他人に属する場合においてその権利を移転しない場合は、一般の債務不履行責任による
>> ∵　移転した権利が不完全であったのではなく、履行がされていない場合に当たる

第566条　（目的物の種類又は品質に関する担保責任の期間の制限）〈共書〉

売主が種類又は品質に関して契約の内容に適合しない目的物を買主に引き渡した場合において、買主がその不適合を知った時から1年以内にその旨を売主に通知しないときは、買主は、その不適合を理由として、履行の追完の請求、代金の減額の請求、損害賠償の請求及び契約の解除をすることができない。ただし、売主が引渡しの時にその不適合を知り、又は重大な過失によって知らなかったときは、この限りでない。

[趣旨]①目的物の引渡し後は履行が終了したとの期待が売主に生ずることから、このような売主の期待を保護する点、②「種類又は品質」に関する契約不適合の有無は目的物の使用や時間経過による劣化等により比較的短時間で判断が困難となることから、買主の通知により売主にその存在を認識し把握する機会を与える点、③短期の期間制限を設けることにより法律関係を早期に安定させる点にある。もっとも、売主が引渡し時にその不適合を知り、又は重大な過失によって知らなかったときは、売主保護の必要はなく、上記①②の趣旨が妥当しないことから、期間制限を適用しないこととした（同ただし書）。

《注　釈》

一　適用対象

1　本条は「種類又は品質」に関する契約不適合については適用があるが、数量不足については適用されない（562Ⅰ参照）〈共〉。
> ∵　「数量」に関する契約内容の不適合は、引渡しをする売主にとっては比較的容易に判断することができる

2　「権利」に関する契約内容の不適合の場合についても、期間制限の対象とならない。
> ∵　売主が契約の内容に適合した権利を移転したという期待を抱くことは想定し難い。また、短期間で契約内容の不適合の判断が困難になるともいえない

二　契約内容の不適合の「通知」

「通知」の趣旨は、「種類又は品質」に関する契約不適合の有無の判断が比較的短時間で困難となるため、買主の通知により売主にその存在を認識し把握する機会を与える点にある。そのため、「通知」は、単に契約内容の不適合がある旨を抽象的に伝えるのみでは不十分である。

もっとも、買主に過大な負担を強いるべきではないから、「通知」は、細目にわ

たる必要はなく、契約不適合の内容を把握することが可能な程度に、その不適合
の種類・範囲を通知すれば足りると解されている。

三　消滅時効との関係

　本条は、債権の消滅時効に関する一般原則（166 I）を排除するものではない。
したがって、契約不適合を理由とする買主の権利は、時効によって消滅する。時
効の起算点は、目的物の引渡し時である（最判平13.11.27・百選 II 47事件）
〈司共書〉

> ex.1　目的物の引渡しを受けた買主が、契約不適合の事実を知らないまま、目
> 的物の引渡しから10年が経過した場合、買主の権利は時効により消滅す
> る（166 I ②）
>
> ex.2　目的物の引渡しを受けた買主が、契約不適合を知ったにもかかわらず売
> 主に通知をしなかった場合、その不適合の事実を知った時から1年の経過
> により、契約不適合を理由とする買主の権利は失われる（566）
>
> ex.3　目的物の引渡しを受けた買主が、契約不適合を知った時から1年以内に
> その旨を売主に通知した場合、その不適合の事実を知った時から5年（166
> I ①）の経過により、又は目的物の引渡しから10年（166 I ②）の経過に
> より、買主の権利は時効により消滅する
>
> →両者のうち先に期間が満了した時点で買主の権利は消滅する

第567条　（目的物の滅失等についての危険の移転）

Ⅰ　売主が買主に目的物（売買の目的として特定したものに限る。以下この条におい
て同じ。）を引き渡した場合において、その引渡しがあった時以後にその目的物が当
事者双方の責めに帰することができない事由によって滅失し、又は損傷したときは、
買主は、その滅失又は損傷を理由として、履行の追完の請求、代金の減額の請求、
損害賠償の請求及び契約の解除をすることができない。この場合において、買主は、
代金の支払を拒むことができない〈共〉。

Ⅱ　売主が契約の内容に適合する目的物をもって、その引渡しの債務の履行を提供し
たにもかかわらず、買主がその履行を受けることを拒み、又は受けることができな
い場合において、その履行の提供があった時以後に当事者双方の責めに帰すること
ができない事由によってその目的物が滅失し、又は損傷したときも、前項と同様と
する〈共〉。

［趣旨］目的物の支配が売主から買主の下に移転した場合（Ⅰ）や、買主が契約に適
合した目的物の受領を拒絶等した場合（Ⅱ）において、その後に目的物が当事者双
方の責めに帰することができない事由によって滅失・損傷したときは、公平の観点
から、買主に危険が移転するものとされた。

《注　釈》

一　567条1項

1　本条1項における危険の移転は、目的物が買主の支配領域に入ったことを理
由とするから、「引渡し」とは、引渡しの受領を意味するものと解されている。

2　引渡し時に目的物に契約内容の不適合があった場合や、その引渡しが遅延し

た場合、買主は、目的物の滅失・損傷とは別の理由、すなわち、目的物の契約内容の不適合や履行遅滞を理由として、その責任を追及することができる。

3　目的物が種類物である場合、原則として、契約の内容に適合しない目的物の引渡しでは「特定」（401Ⅱ）は生じない。そのため、この場合には、567条1項は適用されず、上記2と同様に処理される。

4　目的物が種類物である場合において、「特定」の効果が生じたとしても（たとえば、取立債務において種類物を特定して他の種類物から分離したとしても）、「引渡し」によって買主側への支配領域の移動がなければ、目的物の滅失・損傷の危険は買主に移転しない。

二　567条2項

引渡しの提供があったとき以後の目的物の滅失・損傷が売主の責めに帰すべき事由による場合には、買主は追完請求権・代金減額請求権・損害賠償請求権・解除権を行使することができる。もっとも、受領遅滞の効果によって、売主の注意義務が軽減されている点に注意を要する（413Ⅰ参照）。

第568条　（競売における担保責任等）

Ⅰ　民事執行法その他の法律の規定に基づく競売（以下この条において単に「競売」という。）における買受人は、第541条及び第542条＜催告による解除・催告によらない解除＞の規定並びに第563条＜買主の代金減額請求権＞（第565条＜移転した権利が契約の内容に適合しない場合における売主の担保責任＞において準用する場合を含む。）の規定により、債務者に対し、契約の解除をし、又は代金の減額を請求することができる。

Ⅱ　前項の場合において、債務者が無資力であるときは、買受人は、代金の配当を受けた債権者に対し、その代金の全部又は一部の返還を請求することができる。

Ⅲ　前2項の場合において、債務者が物若しくは権利の不存在を知りながら申し出なかったとき、又は債権者がこれを知りながら競売を請求したときは、買受人は、これらの者に対し、損害賠償の請求をすることができる。

Ⅳ　前3項の規定は、競売の目的物の種類又は品質に関する不適合については、適用しない。

［趣旨］競売制度の信用を維持し、競売の結果取得した物に関する紛争を防止すべく、担保責任を軽減したものである。

《注　釈》

一　物の不適合について

競売の目的物の種類又は品質に関する不適合については、何人に対しても担保責任は追及できない（568Ⅳ）。数量不足に関する不適合がある場合には追及できる。

∵　買受人はある程度の瑕疵を覚悟している

二　権利の不適合について

1　債務者が無資力の場合、代金の配当を受けた債権者に対して、代金の全部又は一部の返還を請求できる（568Ⅱ）。

　　∵　公平の観念から、債権者に第二次的な責任を認めた

　　ex.　建物が借地権付のものとして強制競売されたところ、実際は借地権が存
　　　　在しなかった場合（競売直前に解除されていた）、買受人は、そのために
　　　　建物買受の目的を達することができず、債務者が無資力のときには、568
　　　　条1項・2項に基づき、解除又は代金減額請求をした上で、債権者に代金
　　　　の返還を請求することができる〈回〉

2　損害賠償請求は、原則として認められない（568 I 参照）。

　　→ただし、①債務者が物若しくは権利の不存在を知りながら申し出なかった
　　　　とき、又は②債権者がこれを知りながら競売を請求したときは、買受人は、
　　　　債務者又は債権者に対し、損害賠償を請求することができる（568 III）

3　解除・代金減額請求は、通常の場合と同様の要件の下で認められる〈共〉。

第569条　（債権の売主の担保責任）

Ⅰ　債権の売主が債務者の資力を担保したときは、契約の時における資力を担保した
ものと推定する。

Ⅱ　弁済期に至らない債権の売主が債務者の将来の資力を担保したときは、弁済期に
おける資力を担保したものと推定する。

[趣旨] 債権の売買において、目的たる債権に瑕疵が存するときは、売主は一般原則
に従って担保責任を負う。債務者の資力いかんについては、売主は当然には責任を
負わず、特約をした場合にのみ責任を負う。本条は、以上に関する意思推定規定で
ある。

《注　釈》

▪ 債権の売主の担保責任の内容は、損害賠償義務である。

▪ 売主が時期を定めず、単に資力を担保したときは、売買契約時の債務者の資力を
担保したものと推定される。

▪ 弁済期前の債務について、特に将来の資力を担保したときは、弁済期における資
力を担保したものと推定される。

第570条　（抵当権等がある場合の買主による費用の償還請求）

　　買い受けた不動産について契約の内容に適合しない先取特権、質権又は抵当権が存
していた場合において、買主が費用を支出してその不動産の所有権を保存したときは、
買主は、売主に対し、その費用の償還を請求することができる。

[趣旨] 先取特権・質権・抵当権といった担保物権は被担保債権の弁済があれば消
滅し、買主の取得した権利は完全なものとなる。よって、売主の担保責任は、担保
権実行の結果買主が所有権を喪失した場合や、買主が費用を支出して担保権を消滅
させその所有権を保存した場合に生じる。さらに、買主が悪意の場合にも、取得後
の担保権消滅への期待は保護されるべきであるので、買主の善意・悪意を問わず、
担保責任の追及を認めた。

《注　釈》

◆　適用範囲

担保権の存在について悪意の買主も保護されるが、当事者間で売買代金を定めるに当たり、担保権の被担保債権額の控除がなされた場合には本条は適用されない。

∵　買主が売主の債務を引き受けるか、少なくとも履行引受の特約を認定できる

第571条　（売主の担保責任と同時履行）　削除

第572条　（担保責任を負わない旨の特約）〈同共〉

売主は、第562条第1項本文又は第565条＜引き渡された目的物・移転した権利が契約の内容に適合しないものであるとき＞に規定する場合における担保の責任を負わない旨の特約をしたときであっても、知りながら告げなかった事実及び自ら第三者のために設定し又は第三者に譲り渡した権利については、その責任を免れることができない。

《注　釈》

- 売買の目的物の契約不適合に基づく損害賠償請求権と代金支払債務は同時履行の関係に立つ（533）。なお、対当額で相殺することもできる（最判昭50.2.25）。
- 売主の担保責任に関する規定は任意規定である。
  →特約によって免除（軽減）しても加重してもよい〈同〉
- 売主が知って告げなかった事実、第三者のために権利を設定し、あるいは第三者に譲渡した権利については、免除特約がある場合にも担保責任は生じる。
  ∵　信義則に反する行為について、免責を認める必要はない
- なお、572条は、559条を介して、有償契約一般に準用される。

第573条　（代金の支払期限）〈論〉

売買の目的物の引渡しについて期限があるときは、代金の支払についても同一の期限を付したものと推定する。

[趣旨] 双務契約である売買においては、両当事者は通常、同時履行の抗弁権（533）を有するから、売買の目的物引渡債務についてのみ期限の定めがある場合にも、買主の代金債務について同一の期限の定めがあるものと推定するのが衡平である。よって、本条が規定された。

第574条　（代金の支払場所）

売買の目的物の引渡しと同時に代金を支払うべきときは、その引渡しの場所において支払わなければならない。

債権

《注　釈》

◆　適用範囲

1　「目的物の引渡しと同時に代金を支払うべきとき」とは、特約がなされている場合に限らず、573条によって推定がなされる場合も含む。

2　特約があった場合でも、買主が引渡しを受けただけで代金を支払わなかったときには、原則通り（484）、売主の現在の住所で支払うべきである（大判昭2.12.27）〈共〉

第575条　（果実の帰属及び代金の利息の支払）

Ⅰ　まだ引き渡されていない売買の目的物が果実を生じたときは、その果実は、売主に帰属する〈判〉

Ⅱ　買主は、引渡しの日から、代金の利息を支払う義務を負う。ただし、代金の支払について期限があるときは、その期限が到来するまでは、利息を支払うことを要しない。

[趣旨]本条は、売主・買主間の権利関係を画一的に解決するため、果実を収取する利益と管理費用の差は代金の利息に等しいとみて、売主は目的物を引き渡すまでは果実を収取し管理費用を負担する反面、買主は代金の利息を支払う必要はないとして、両当事者間の複雑な関係を簡潔に解決し衡平を図ろうとした。

《注　釈》

一　「まだ引き渡されていない」（Ⅰ）

目的物が引き渡されていない理由は問わない。買主が代金を支払わない理由も問わない。

二　果実収取権の帰属

1　売主は、売買の目的物の引渡しを遅滞しているときでも代金の支払を受けない限り引渡しの時まで果実を収取できる（大連判大13.9.24）〈判〉

　　cf.　買主は、遅滞にあるときでも、目的物の引渡しを受けるまでの期間に対応する代金の利息を支払う必要はない（大判大4.12.21）〈共〉

2　本条の趣旨から、買主が代金の一部を支払ったのみでは果実収取権は移転しない。　　→果実収取権は依然売主に帰属

3　売主が代金支払・供託を受けたときは、売主は遅滞にあるか否かにかかわらず、以後の果実収取権を失う（大判昭7.3.3）〈判〉

　　∵　売主に代金の利用と果実取得の二重の利得を認めることは不均衡

4　買主が代金の支払をしていなくても、目的物の引渡しを受けた以上、575条の趣旨は妥当しないから、買主は果実収取権を有する〈判〉

5　買主が目的物の引渡しを受けた場合、原則として利息の支払を要する。ただし、代金の支払に期限があるときは、その期限が到来するまでは、買主は利息を支払う義務はない（Ⅱただし書）〈判〉

債
権

第576条　（権利を取得することができない等のおそれがある場合の買主による代金の支払の拒絶）

　売買の目的について権利を主張する者があることその他の事由により、買主がその買い受けた権利の全部若しくは一部を取得することができず、又は失うおそれがあるときは、買主は、その危険の程度に応じて、代金の全部又は一部の支払を拒むことができる。ただし、売主が相当の担保を供したときは、この限りでない。

[趣旨] 第三者が売買の目的物について権利を主張する場合には、買主は権利を取得することができない等のおそれが生じる。第三者が権利を確定的に取得した場合には損害賠償請求や契約の解除（415・542）等ができるが、第三者が権利を主張するにとどまる場合でも買主を保護し、売主・買主間の公平を図る必要がある。そこで、本条は買主に代金支払拒絶権を与え、損害の発生を未然に防止することにした。買主は、同時履行の抗弁権の行使が困難又は不可能な場合でも、本条により代金の支払を拒絶することができる。

《その他》

- 土地又は建物の賃借人は、賃借物に対する権利に基づき自己に対して明渡しを請求することができる第三者からその明渡しを求められた場合には、それ以後賃料の支払を拒絶できる（最判昭50.4.25参照）〈共予〉。　⇒ p.545

第577条　（抵当権等の登記がある場合の買主による代金の支払の拒絶）〈共〉

Ⅰ　買い受けた不動産について契約の内容に適合しない抵当権の登記があるときは、買主は、抵当権消滅請求の手続が終わるまで、その代金の支払を拒むことができる〈同書〉。この場合において、売主は、買主に対し、遅滞なく抵当権消滅請求をすべき旨を請求することができる。

Ⅱ　前項の規定は、買い受けた不動産について契約の内容に適合しない先取特権又は質権の登記がある場合について準用する。

[趣旨] 買い受けた不動産上に担保物権が存在する場合、買主は抵当権消滅請求をすることができる（379、341、361）が、抵当権消滅請求のために担保物権者に支払った費用は、売主の債務の弁済となるものであるから、売主から償還を受けることとなる（570）。本条は簡便性・公平の見地から、買主が抵当権消滅請求をする場合には、その終了まで買主に代金の支払拒絶権を認め、代金額から抵当権消滅請求に要した費用を差し引いて売主に支払うようにさせた。

《注　釈》

◆　代金の支払拒絶権が認められない場合

1　売主が買主に遅滞なく抵当権消滅請求をすべきことを請求したにもかかわらず、買主が遅滞なく抵当権消滅請求をしない場合（577Ⅰ後段）。

2　売主の供託請求（578）に応じず、買主が代金を供託しない場合（大判昭14.4.15）〈書〉。

3　当事者間で売買契約の代金を定めるに当たり、担保物権による負担を考慮し

て代金を決定した場合。

《その他》

- 不動産売買において、目的物に抵当権が設定されているだけでは、買主は約定代金のうち被担保債権に相当する額を拒絶することはできない。

第578条 （売主による代金の供託の請求）

前2条の場合においては、売主は、買主に対して代金の供託を請求することができる。

［趣旨］本条は、前2条の場合に買主に代金支払拒絶権を認めたこととの衡平上、買主の無資力による危険から売主を保護することを目的とする規定である。

《注　釈》

- 売主が本条の供託金請求をしたにもかかわらず買主が代金支払・供託のいずれもしない場合には、買主は576条、577条の代金支払拒絶権を失う（大判昭14.4.15）〈書〉

- 権利を主張する者が現れて権利喪失の危険が生じた576条の場面において、売主は、買主が権利を失うおそれが消失するまでは供託金を受領できない。

第3款　買戻し

第579条 （買戻しの特約）

不動産の売主は、売買契約と同時にした買戻しの特約により、買主が支払った代金（別段の合意をした場合にあっては、その合意により定めた金額。第583条第1項＜買戻しの実行＞において同じ。）及び契約の費用を返還して、売買の解除をすることができる〈予〉。この場合において、当事者が別段の意思を表示しなかったときは、不動産の果実と代金の利息とは相殺したものとみなす〈予書〉。

《注　釈》

◆　買戻しの意義

買戻しとは、たとえばBがその所有不動産をAに売却するに当たり、それと同時に買主が払った代金及び契約の費用を返還して売主が後日売買を解除する旨を特約することをいう。再売買の予約と同じく、債権担保のために用いられることが多い。

なお、買戻しの特約と売買契約は不可分に結合しているわけではないため、後に買戻しの特約のみを合意解除することは可能である（大判大10.3.31）。

- ＊　買戻特約付売買契約で、目的不動産を売主が引き続き占有している場合には、特段の事情がない限り、債権担保目的で締結されたと推認される。債権担保目的で締結された買戻特約付売買契約は、特段の事情のない限り、譲渡担保契約と解するのが相当である（最判平18.2.7・百選I 93事件）。

<買戻しと再売買予約の比較>

	買戻し	再売買予約
目的物	不動産に限る（579 前段）（＊1）	制限なし
特約の時期	売買契約と同時（579 前段）（＊2）登記も同様	制限なし
返還すべき額	代金（＊3）と契約の費用（579 前段） 利息を支払う旨の特約は有効だが買戻しに際して提供する必要はない（583 Ⅰ）（＊4） 必要費・有益費を要求する特約は無効	制限のための規定なし
対抗要件	登記（581 Ⅰ）	仮登記
行使される権利	買戻権	予約完結権
譲渡性	あり（買主の承諾不要）	あり（買主の承諾不要）
譲渡の対抗要件	登記（ただし買戻権が登記されていないときは通知・承諾による）	仮登記の付記登記（仮登記がなされていないときは通知・承諾による）
権利行使期間	・定めがなければ5年内（580 Ⅲ） ・定めがあっても10年を超えられない（580 Ⅰ） ・一度定めたときは伸長不可（580 Ⅱ）	・定めがなければ5年又は10年 ・定めがあればそれによる ∵消滅時効（166）
意思表示の相手方	転得者（転得者が対抗要件を備えていない場合には、譲渡人でよい）	予約の相手方
効　果	契約の解除（579）	売買契約の成立

＊1　動産を目的物とした場合、再売買の予約として556条の規定に従う。
＊2　売買契約と同時に買戻特約をしなかったとしても、「売主は、買主が支払った代金及び契約の費用を返還して、売買契約を解除することができる」との合意は、579条以下の適用はないが有効である（大判大 11.5.5）。
＊3　別段の合意をした場合は、その合意により定めた額（579 かっこ書）。
＊4　買戻しの際に利息の支払が不要（579 前段）なのは、当事者間で特約がない限り不動産の果実と相殺したものとみなされる（後段）ためである（大判大 15.1.28）。

第580条　（買戻しの期間）

Ⅰ　買戻しの期間は、10年を超えることができない〔予〕。特約でこれより長い期間を定めたときは、その期間は、10年とする。
Ⅱ　買戻しについて期間を定めたときは、その後にこれを伸長することができない〔予〕。
Ⅲ　買戻しについて期間を定めなかったときは、5年以内に買戻しをしなければならない。

[趣旨] 本条は買戻期間を強行的に制限している。これは、買戻権の永続によって不

安定な状態を続けさせることは、不動産の改良をおろそかにせしめ、かつその融通を妨げるゆえんであるばかりでなく、不動産の価格騰貴の傾向が買戻代金の固定と適合しなくなるという理由に基づく。

第581条　（買戻しの特約の対抗力）

Ⅰ　売買契約と同時に買戻しの特約を登記したときは、買戻しは、第三者に対抗することができる。

Ⅱ　前項の登記がされた後に第605条の2第1項＜不動産の賃貸人たる地位の移転＞に規定する対抗要件を備えた賃借人の権利は、その残存期間中1年を超えない期間に限り、売主に対抗することができる。ただし、売主を害する目的で賃貸借をしたときは、この限りでない。

［趣旨］本条は買戻特約を物権化して買戻権の財産的価値を確保・強化する一方で（Ⅰ）、利用権保護との調和を図る（Ⅱ）。

《注　釈》

- 買戻権の行使により、これに劣後する権利は買戻権者に対抗することができない（Ⅰ）（大判大10.3.4、大判大13.4.21）。
- 不動産上に賃借人が存在する場合も、原則として賃借権を買戻権者に対抗できないが、605条の2第1項に規定する対抗要件を備えた賃借権は、売主（買戻権者）を害する目的で賃借した場合を除き、残期1年間に限り対抗できることを認めた（Ⅱ）。

　→買戻権者の利益と賃借人の利用権との調和

第582条　（買戻権の代位行使）

　売主の債権者が第423条＜債権者代位権の要件＞の規定により売主に代わって買戻しをしようとするときは、買主は、裁判所において選任した鑑定人の評価に従い、不動産の現在の価額から売主が返還すべき金額を控除した残額に達するまで売主の債務を弁済し、なお残余があるときはこれを売主に返還して、買戻権を消滅させることができる。

［趣旨］売主の債権者が買戻権を代位行使する目的は、買戻代金と目的不動産の時価との差額価値にあり目的不動産の取得にはないので、この債権者の利益と買主の利益との調和を図ったものである。

第583条　（買戻しの実行）

Ⅰ　売主は、第580条＜買戻しの期間＞に規定する期間内に代金及び契約の費用を提供しなければ、買戻しをすることができない。

Ⅱ　買主又は転得者が不動産について費用を支出したときは、売主は、第196条＜占有者による費用の償還請求＞の規定に従い、その償還をしなければならない。ただし、有益費については、裁判所は、売主の請求により、その償還について相当の期限を許与することができる。

《注　釈》

- 買戻権の行使方法は、買戻期間内に、相手方（転得者）に対する意思表示によって、代金・契約費用を提供して行う。
- 提供は原則として現実の提供でなければならないが、買主が買戻特約の存在を争っている場合には口頭の提供で足りるとされる（大判大10.9.21）。
- 買戻しの効果としては、先の売買契約が遡及的に効力を失い、売主（買戻権者）は費用償還義務（196）を負う。

第584条　（共有持分の買戻特約付売買）

　不動産の共有者の1人が買戻しの特約を付してその持分を売却した後に、その不動産の分割又は競売があったときは、売主は、買主が受け、若しくは受けるべき部分又は代金について、買戻しをすることができる。ただし、売主に通知をしないでした分割及び競売は、売主に対抗することができない。

第585条

Ⅰ　前条の場合において、買主が不動産の競売における買受人となったときは、売主は、競売の代金及び第583条＜買戻しの実行＞に規定する費用を支払って買戻しをすることができる。この場合において、売主は、その不動産の全部の所有権を取得する。

Ⅱ　他の共有者が分割を請求したことにより買主が競売における買受人となったときは、売主は、その持分のみについて買戻しをすることはできない。

《注　釈》

一　584条

　不動産の共有持分を買戻特約付で譲渡し、その後、買戻権行使前に不動産が分割された場合の方法について規定する。

1　買戻権者に分割・競売の通知がなされた場合（本文）

　買戻権者は、現物分割による場合には買主の受けた部分について、代金分割・価格賠償による場合には代金についてのみ、買戻しをすることができる。

2　買戻権者への通知がなされない場合（ただし書）

　通知なく分割がなされた場合、買戻権者は分割がなされていないものとして、持分について買戻しをすることができる。

二　585条

　分割が競売によって行われ、買戻権の相手方が目的不動産全部の買受人となった場合の分割について規定する。

1　買主が分割請求をした場合（Ⅰ）

　買戻権者は、持分のみ、あるいは不動産全部の買戻しをすることができる。

2　買主以外の他の共有者が分割請求をした場合（Ⅱ）

　売主は、持分のみの買戻しをすることができない（必ず目的物全部の買戻しが必要）。

債権

■第4節　交換

第586条
Ⅰ　交換は、当事者が互いに金銭の所有権以外の財産権を移転することを約することによって、その効力を生ずる。
Ⅱ　当事者の一方が他の権利とともに金銭の所有権を移転することを約した場合におけるその金銭については、売買の代金に関する規定を準用する。

《注　釈》
一　意義
交換とは、当事者が互いに金銭の所有権以外の財産権を移転する契約をいう。
二　法的性質
交換は、有償・双務・諾成契約である。
三　効力
交換は有償契約であるから、売買の規定が準用される（559）。
目的物の価格差を埋めるために「金銭」所有権が移転する場合、この金銭（補足金）についても売買の代金に関する規定が準用される。

■第5節　消費貸借
《概　説》
一　意義
消費貸借とは、金銭その他の代替物を借りて、後にこれと同種・同等・同量の物を返還する契約をいう。
二　法的性質
消費貸借は、無利息の場合は無償・片務・要物契約である🔲。利息付消費貸借は有償契約ではあるが、片務・要物契約である。なお、利息に関する約定をしなかった場合、無利息の消費貸借となる🔲。

＜消費貸借・使用貸借・賃貸借の比較＞🔲

	消費貸借	使用貸借	賃貸借
債務の内容	借りた物を消費し同種・同等・同量の別の物を返す	借りた物そのものを返す	借りた物そのものを返す
有償か無償か	無償も有償（＊）もある	無償	有償
双務か片務か	片務	片務	双務
要物か諾成か	要物 ※　諾成的消費貸借契約（587の2）も認められる	諾成	諾成

532

	消費貸借	使用貸借	賃貸借
そ の 他	・借主は目的物の所有権を取得する	・目的物の所有権は貸主に留保される ・当事者間に特殊な人的関係がある場合に利用される	・目的物の所有権は貸主に留保される

＊　利息付消費貸借において、借主は、特約のない限り、元本を受け取った日を含めた利息を支払わなければならない（589Ⅱ、最判昭33.6.6参照）〈司共〉。

第587条　（消費貸借）

消費貸借は、当事者の一方が種類、品質及び数量の同じ物をもって返還をすることを約して相手方から金銭その他の物を受け取ることによって、その効力を生ずる〈司〉。

第587条の2　（書面でする消費貸借等）

Ⅰ　前条の規定にかかわらず、書面でする消費貸借は、当事者の一方が金銭その他の物を引き渡すことを約し、相手方がその受け取った物と種類、品質及び数量の同じ物をもって返還をすることを約することによって、その効力を生ずる〈司〉。

Ⅱ　書面でする消費貸借の借主は、貸主から金銭その他の物を受け取るまで、契約の解除をすることができる〈司〉。この場合において、貸主は、その契約の解除によって損害を受けたときは、借主に対し、その賠償を請求することができる〈予〉。

Ⅲ　書面でする消費貸借は、借主が貸主から金銭その他の物を受け取る前に当事者の一方が破産手続開始の決定を受けたときは、その効力を失う。

Ⅳ　消費貸借がその内容を記録した電磁的記録によってされたときは、その消費貸借は、書面によってされたものとみなして、前3項の規定を適用する。

[趣旨] 諾成契約としての消費貸借（諾成的消費貸借）を認めるべき実務上の必要性がある一方、安易・軽率な合意に拘束されることを防止する必要もあるため、諾成的消費貸借は書面でする場合に限り認めることとされた。

《注　釈》

一　587条の2第1項

諾成的消費貸借契約が「書面」でなされたといえるための要件は、①貸主の貸す意思と、②借主の借りる意思がともに書面に表れていること、すなわち、消費貸借の合意が書面化されていることが必要と解されている。

同じ要式契約であっても、保証人が一方的に債務負担をする保証契約の場合（446Ⅱ参照）とは異なる。

二　587条の2第2項

諾成的消費貸借契約の成立後、目的物が交付される前に、資金需要がなくなった借主に借りる債務を負わせて借入を強いるのは不合理である。そこで、かかる借主を契約の拘束力から解放すべく、諾成的消費貸借契約の借主の解除権を定めた（587の2Ⅱ前段）。

他方で、かかる解除権行使により貸主に資金調達コスト等の損害が発生した場

合、これを貸主に負担させるべきではない。そこで、かかる場合に貸主は損害賠償請求をすることができる（同項後段）。ここにいう「損害」としては、貸付金の調達コストなどのいわゆる積極的損害が想定されている。

三　587条の2第3項

本条3項は、諾成的消費貸借契約において、借主が貸主から金銭その他のものを受け取る前に「当事者の一方」が破産手続開始の決定を受けたときは、その効力を失うと規定するものであり、改正前民法589条と同趣旨の規定である。

四　587条の2第4項

諾成的消費貸借契約が電磁的記録によってされた場合も、書面による諾成的消費貸借契約と同様に扱うものとしている。

第588条　（準消費貸借）

金銭その他の物を給付する義務を負う者がある場合において、当事者がその物を消費貸借の目的とすることを約したときは、消費貸借は、これによって成立したものとみなす。

[趣旨] 本条は、消費貸借の要物性を緩和したものである。

《注　釈》

一　意義

準消費貸借とは、金銭その他の物を給付する義務を負っている者が、相手方との契約により、その物を消費貸借の目的とすることを約したときに成立したものとみなされる契約をいう〈共〉。

二　要件

1　「その物を消費貸借の目的とすること」
既存の消費貸借に基づく返還債務について準消費貸借とすることも可能である（大判大2.1.24）〈司〉。

2　旧債務が有効に成立していること
旧債務が無効・不存在の場合、準消費貸借も無効である（最判昭43.2.16）〈司〉。
∵　旧債務の消滅と新債務の成立とは原因・結果の関係に立つ
cf.1　準消費貸借が無効である場合、旧債務は消滅しない
cf.2　将来において発生する金銭債務を基礎としても準消費貸借は締結でき、金銭が貸与された時に準消費貸借は当然に効力を生ずる（最判昭40.10.7）〈司〉

三　効果

準消費貸借においては、元の債務と準消費貸借によって生じた債務との関係が問題となることが多い（更改や和解におけるのと共通の問題）。

<準消費貸借・和解・更改の比較>

	準消費貸借	和解	更改
旧債務のために存在した人的・物的担保	原則として存続 →当事者の意思によるがそれが明らかでないときは存続と推定される	原則として存続	消滅する ただし、518条1項
旧債務に付着した抗弁	諸般の事情を斟酌し、当事者の意思を探究して決せられる〈**同**〉 ex.　同時履行の抗弁権は存続	和解によって互譲の対象となった部分は消滅し、そうでない部分は存続	消滅する

第589条　（利息）

Ⅰ　貸主は、特約がなければ、借主に対して利息を請求することができない〈**司書**〉。

Ⅱ　前項の特約があるときは、貸主は、借主が金銭その他の物を受け取った日以後の利息を請求することができる。

《注　釈》

◆　利息発生の起算日

　　要物契約としての消費貸借であると、諾成的消費貸借であるとを問わず、金銭等を受け取った日から、その受け取った金額について利息が発生する（Ⅱ、最判昭33.6.6参照）。

　　∵　利息は金銭等の利用の対価であるため

第590条　（貸主の引渡義務等）

Ⅰ　第551条<贈与者の引渡義務等>の規定は、前条第1項の特約のない消費貸借について準用する。

Ⅱ　前条第1項の特約の有無にかかわらず、貸主から引き渡された物が種類又は品質に関して契約の内容に適合しないものであるときは、借主は、その物の価額を返還することができる〈**司書**〉。

[趣旨] 無利息の消費貸借の貸主に贈与者の引渡義務等と同様の義務を課すことにより、貸主の負担を軽減するとともに、借主を保護するために、契約不適合の場合における借主からの価額返還を認めたものである。

《注　釈》

一　贈与の引渡義務等（551）の準用（Ⅰ）

　　贈与の引渡義務等について規定する551条は、贈与の無償性に着目して、贈与者の負担を売買契約の売主よりも軽減する規定であるところ、無利息の消費貸借も無償性という点で贈与と共通するため、551条を準用して統一的な処理を図った。

　　すなわち、無利息の消費貸借の貸主は、目的物が消費貸借の目的として特定し

た時（401 II）の状態で、その目的物を引き渡せば足りる（590・551 I）。

なお、利息付消費貸借における借主は、履行の追完請求権や損害賠償請求権、解除権を行使することができる（559・562、564）。

二　借主からの価額返還（II）

契約内容に適合しない物が目的物として交付された場合、借主は、交付された目的物に代わり、その目的物の価額を返還することができる（II）。

∵　契約不適合の目的物と同じ程度に契約不適合の物を調達して返還するのは通常困難である

→利息の特約の有無を問わない

第591条　（返還の時期）

I　当事者が返還の時期を定めなかったときは、貸主は、相当の期間を定めて返還の催告をすることができる。

II　借主は、返還の時期の定めの有無にかかわらず、いつでも返還をすることができる〈司書〉。

III　当事者が返還の時期を定めた場合において、貸主は、借主がその時期の前に返還をしたことによって損害を受けたときは、借主に対し、その賠償を請求することができる。

《注　釈》

一　消費貸借における返還時期

1　貸主の返還請求

(1)　返還時期の定めがない場合

貸主は、相当の期間を定めて返還の催告をすることができ（591 I）、この催告の後相当の期間が経過することによって、借主は履行遅滞の責任を負う（大判昭 5.1.29）〈司共書〉。

(2)　返還時期の定めがある場合

貸主は、借主が期限の利益を放棄・喪失しない限り（136）、期限到来まで返還請求できない〈司〉。

→借主が破産手続開始の決定を受けた場合には、期限の定めの有無にかかわらず、貸主は返還請求できる

∵　借主は、破産手続開始の決定により期限の利益を失う（137 ①）

2　借主からの返還

借主は、返還時期の定めの有無にかかわらず、いつでも返還できる（591 II）。

二　損害賠償

消費貸借において返還の時期を定めた場合、貸主はその時期に返還されるものと期待するのが通常であることから、借主による期限前の返還（期限前弁済、591 II）によって貸主に損害が生じた場合、貸主はその損害及び額を主張して損害賠償を請求できる（591 III）ものとした。

第592条　（価額の償還）

借主が貸主から受け取った物と種類、品質及び数量の同じ物をもって返還をすることができなくなったときは、その時における物の価額を償還しなければならない。ただし、第402条第2項＜通貨が強制通用の効力を失っているとき＞に規定する場合は、この限りでない。

《注　釈》

▪ 借主において、同種・同等・同量の物を返還することが客観的に不能になった場合には、不能となった時点における価額を償還しなければならない。金銭消費貸借で、その通貨が返却時に強制通用力を失ったときは、他の通貨で返還できる。

■第6節　使用貸借

《概　説》

一　意義（593）

　使用貸借とは、当事者の一方がある物を引き渡すことを約し、相手方がその受け取った物について無償で使用及び収益をして契約が終了したときに返還をすることを約することにより成立する契約である。

二　法的性質

　使用貸借は、無償・片務・諾成契約である。

三　使用貸借と賃貸借の比較　⇒ p.543

第593条　（使用貸借）

使用貸借は、当事者の一方がある物を引き渡すことを約し、相手方がその受け取った物について無償で使用及び収益をして契約が終了したときに返還をすることを約することによって、その効力を生ずる。

第593条の2　（借用物受取り前の貸主による使用貸借の解除）

貸主は、借主が借用物を受け取るまで、契約の解除をすることができる〈団〉。ただし、書面による使用貸借については、この限りでない。

第594条　（借主による使用及び収益）

Ⅰ　借主は、契約又はその目的物の性質によって定まった用法に従い、その物の使用及び収益をしなければならない。

Ⅱ　借主は、貸主の承諾を得なければ、第三者に借用物の使用又は収益をさせることができない〈団〉。

Ⅲ　借主が前2項の規定に違反して使用又は収益をしたときは、貸主は、契約の解除をすることができる〈団〉。

第595条　（借用物の費用の負担）

Ⅰ　借主は、借用物の通常の必要費を負担する〈団予書〉。

Ⅱ　第583条第2項＜買戻しにおける売主の費用償還義務＞の規定は、前項の通常の必要費以外の費用について準用する。

第596条　（貸主の引渡義務等）

　第551条＜贈与者の引渡義務等＞の規定は、使用貸借について準用する。

[趣旨] 現代社会においては、使用貸借は、親族や友人等の好意に基づく便宜の提供によるものだけでなく、経済的な取引の一環として行われることも多くなっており、目的物が引き渡されるまで契約上の義務が生じないのでは、取引の安全が害されることになる。そこで、593条は、目的物の引渡し前でも、使用貸借に契約の拘束力を認めるべく、当事者間の合意のみによって使用貸借が成立するとした。

《注　釈》

一　貸主の権利義務

1　借用物受取り前の貸主による解除権（593の2）

　「書面による使用貸借」の場合を除き、貸主は、借主がまだ目的物を受領していない段階であれば、使用貸借を解除することができる。

　∵　使用貸借は諾成契約であるが、無償契約たる性質も考慮し、贈与における贈与者と同様に（550参照）、契約の拘束力を緩和し解除を認めるのが適切である。もっとも、「書面による使用貸借」の貸主は、軽率に契約を締結したものとは通常考えられないため、あえて契約の拘束力を弱める理由がない

　　→賃貸借は有償契約であるから、593条の2のような規定はない〈司〉。

2　解除権（598 I II）

3　使用収益を許容すべき義務

　借主が目的物を使用収益するのを妨げないという消極的な義務である。ただし、貸主が借主の正当な用益を妨げるときは債務不履行責任を生ずる。

4　引渡義務等

　無償契約であることから、贈与者の引渡義務等の規定（551）が準用される（596）。

(1)　目的である物又は権利を、使用貸借の目的として特定した時（使用貸借契約時）の状態で引き渡し、又は移転することを約したものと推定される（596・551 I）。

　　→同規定の下では、原則として、目的物の契約不適合について債務不履行責任を負うことはない。しかし、上記推定が覆れば、目的物に契約不適合があることを貸主が知らずに使用貸借したときであっても、目的物の契約不適合について貸主が債務不履行責任を負うこともあり得る

(2)　負担付の使用貸借においては、負担の限度において売主と同じ契約不適合責任を負う（596・551 II）。

二　借主の権利義務

1　使用収益権

(1)　契約の内容、それにより定まらないときは、その目的物の性質により定まった用法に従う必要がある（用法遵守義務、594 I）。また、貸主の承諾を得

ずに第三者に使用収益させることはできない（594Ⅱ）。

(2)　借主が(1)に違反した場合には、貸主は契約を無催告解除しうる（594Ⅲ）〈書〉。

　　→解除の効果は遡及しない（告知）　⇒ p.487

(3)　損害が生じた場合には、貸主は目的物の返還を受けた時から1年以内にその賠償を請求しうる（600Ⅰ）。

(4)　使用借権も、第三者の侵害行為により消滅させられたときは、財産権として賠償（709）の対象となる。

　　ex.　地上建物の滅失までという約定で設定された土地の使用貸借が、建物賃借人の失火による建物の焼失によって消滅したという場合、土地の使用借主は土地使用にかかる経済的利益の喪失による損害の賠償を建物賃借人に対して請求することができる（最判平6.10.11）

(5)　借主の目的物に対する使用収益権は、貸主に対して請求しうる債権としてのみ機能するのであって、貸主以外の第三者に対して主張しうるものではない。

　　ex.　借主Bは貸主Aの相続人Dから甲土地を譲り受けたEに対して使用借権を主張することはできず、EはBに対し、乙建物を収去して甲土地を明け渡すよう請求することができる

2　目的物引渡請求権等

　貸主は、使用貸借契約の合意により目的物を特定時の状態で引き渡す債務を負う（593、596・551Ⅰ）。したがって、貸主が目的物を引き渡さないときは、借主は、債務不履行の一般的な規律により、履行の請求（562参照）、債務不履行による損害賠償請求（415）、契約の解除（541、542）をすることができる。

3　解除権

　借主は、「書面による使用貸借」を締結した場合であっても、いつでも契約を解除することができる（598Ⅲ参照）。

4　目的物保管義務

(1)　目的物の保管につき善管注意義務を負う（400）〈司〉。

(2)　借主は通常の必要費（目的物の現状維持に必要な補修費・修繕費等）を負担する（595Ⅰ）〈共〉。もっとも、特別の必要費と有益費は貸主に償還請求が可能となる（595Ⅱ、583Ⅱ、196）。

　　→特別の必要費は支出額を、有益費は有益費の価額の増加が現存する場合に限り、貸主の選択で、支出額又は増価額を、それぞれ償還できる〈司共書〉

5　目的物返還義務

(1)　借主は、契約終了時に目的物を返還する義務を負う（593）。

(2)　附属物の収去義務を負い（599Ⅰ）、収去権を有する（同Ⅱ）。目的物に損傷が生じたときは、原状回復義務を負う（同Ⅲ本文）。

第597条　（期間満了等による使用貸借の終了）

Ⅰ　当事者が使用貸借の期間を定めたときは、使用貸借は、その期間が満了することによって終了する。

Ⅱ　当事者が使用貸借の期間を定めなかった場合において、使用及び収益の目的を定めたときは、使用貸借は、借主がその目的に従い使用及び収益を終えることによって終了する《同》。

Ⅲ　使用貸借は、借主の死亡によって終了する《同予書》。

第598条　（使用貸借の解除）

Ⅰ　貸主は、前条第2項に規定する場合において、同項の目的に従い借主が使用及び収益をするのに足りる期間を経過したときは、契約の解除をすることができる。

Ⅱ　当事者が使用貸借の期間並びに使用及び収益の目的を定めなかったときは、貸主は、いつでも契約の解除をすることができる《共予書》。

Ⅲ　借主は、いつでも契約の解除をすることができる。

《注　釈》

一　使用貸借の終了（597）

1　使用貸借の期間の定めがある場合において、当該期間が満了したとき（同Ⅰ）。

2　使用貸借の期間の定めがない場合において、使用・収益の目的を定めたときは、借主がその目的に従い使用・収益を終えたとき（同Ⅱ）。

3　借主が死亡したとき（同Ⅲ）。

　　→貸主の死亡によっては終了しない《司共予書》

二　使用貸借の解除

1　貸主の解除権

(1)　使用貸借の期間の定めがない場合において、使用・収益の目的を定めたときは、借主がその目的に従い使用・収益を終えていなくても、使用・収益をするのに足りる期間を経過したとき（598Ⅰ）《共》。

　　→使用貸借の期間の定めがなく、また、使用・収益の目的の定めもない場合には、貸主はいつでも解除できる（同Ⅱ）

(2)　借主が用法遵守義務に違反し又は無断で第三者に借用物を使用収益させたとき（594Ⅲ）。

(3)　借主がその他の債務不履行をしたとき（541）。

2　借主の解除権

　借主は、いつでも契約の解除をすることができる（598Ⅲ）。

3　解除（598、594Ⅲ）の効力

　遡及効がなく、将来に向かって効力が生じる。

三　使用貸借契約の終了・貸主による解除のまとめ

＜使用貸借契約の終了・貸主による解除のまとめ＞〈司〉

＊　もっとも、用法遵守義務違反（594Ⅲ）やその他債務不履行（541）を理由
とする解除が可能。
※　上記のほか、貸主が死亡した時点で終了する（597Ⅲ）。また、借主が借用物
を受け取るまで、貸主は解除が可能（593の2。ただし、書面によらない使用
貸借に限る）。

《その他》

▪ 使用貸借当事者間で信頼関係が破壊された場合に、598条1項の類推適用により
使用貸借契約の解約が認められる場合がある（最判昭42.11.24参照）。

債
権

第599条　（借主による収去等）

Ⅰ　借主は、借用物を受け取った後にこれに附属させた物がある場合において、使用貸借が終了したときは、その附属させた物を収去する義務を負う。ただし、借用物から分離することができない物又は分離するのに過分の費用を要する物については、この限りでない<ins>予</ins>。

Ⅱ　借主は、借用物を受け取った後にこれに附属させた物を収去することができる。

Ⅲ　借主は、借用物を受け取った後にこれに生じた損傷がある場合において、使用貸借が終了したときは、その損傷を原状に復する義務を負う。ただし、その損傷が借主の責めに帰することができない事由によるものであるときは、この限りでない。

《注　釈》

一　附属物の収去義務（Ⅰ）〈回〉

借主は、使用貸借が終了したときは、借用物に附属させた物を収去する義務を負う（Ⅰ本文）。もっとも、附属物を分離することができない場合や、附属物の分離に過分の費用を要する場合については、借主は収去義務を負わない（同ただし書）。

なお、収去は、借主の権利でもある（Ⅱ）。

二　原状回復義務（Ⅲ）

借主が目的物を受け取った後にこれに生じた損傷については、原則として、借主が原状回復義務を負う（Ⅲ本文）。もっとも、目的物の損傷が借主の責めに帰することができない事由によるものである場合には、貸主と借主の公平の観点から、借主は原状回復義務を負わない（同ただし書）。

→賃貸借の場合（621）と異なり、通常損耗や経年変化も原状回復義務の内容に含まれるかについては規定がなく、個々の使用貸借契約の解釈により定まる

第600条　（損害賠償及び費用の償還の請求権についての期間の制限）

Ⅰ　契約の本旨に反する使用又は収益によって生じた損害の賠償及び借主が支出した費用の償還は、貸主が返還を受けた時から1年以内に請求しなければならない。

Ⅱ　前項の損害賠償の請求権については、貸主が返還を受けた時から1年を経過するまでの間は、時効は、完成しない<ins>予</ins>。

［趣旨］貸主が目的物を貸し渡している期間中は、貸主が目的物の状況を把握するのは困難であるところ、借主が用法遵守義務に違反した時から10年（166Ⅰ②）でその損害賠償請求権が消滅時効にかかるとすると、10年以上継続する使用貸借の場合には、貸主が借主の用法遵守義務違反を把握することができたときには既に消滅時効が完成しているという不都合な事態が生じ得る。そこで、かかる不都合に対処するために、本条2項は、契約の本旨に反する使用・収益によって生じた損害賠償請求権は、貸主が返還を受けた時から1年を経過するまでは時効が完成しない旨（時効の完成猶予）を規定した。

■第7節 賃貸借

第1款 総則

《概 説》

一 意義

賃貸借とは、賃貸人がある物を賃借人に使用収益させ、これに対して賃借人が使用収益の対価（賃料）を支払い、契約終了時にその物を返還する契約をいう。

二 法的性質

賃貸借は、有償・双務・諾成・不要式契約である《回。

→有償契約である点で売買に関する担保責任の規定（562以下、559）が、双務契約である点で533条以下が適用される

cf.1 賃貸借の賃料支払債務と対価関係に立つのは、賃貸人の目的物を使用収益させる債務全体である

→目的物の引渡債務と賃料支払債務は対価関係になく、同時履行の関係に立たない

∵ 目的物引渡債務は、目的物を使用収益させる債務の一部にすぎない

cf.2 異常に低廉な賃料を定めた貸借関係を賃貸借と認定するためには、特別の事情の存在を確定する必要がある（大判大14.2.26）《回

＜使用貸借と賃貸借の比較＞《共

	使用貸借	賃貸借
有償か無償か	無償（＊）	有償
双務か片務か	片務	双務
諾成か要物か	諾成	諾成
目的物の新所有者への対抗の可否	不可	対抗要件（605、借地借家10、31等）を具備すれば対抗可
妨害排除請求の可否	借主たる地位に基づくものは不可	対抗要件を具備すれば「妨害の停止」や「返還」を請求できる（605の4①②）
貸主の修繕義務	なし	あり（606Ⅰ本文）
借主の用法遵守義務	あり（594Ⅰ）	あり（616、594Ⅰ）
転貸の可否	貸主の承諾なく第三者に使用収益させることができない（594Ⅱ）	貸主の承諾なく賃借権を譲渡し、又は転貸することができない（612Ⅰ）

債権

	使用貸借	賃貸借
費用負担	通常の必要費は借主が負担する（595 I ）	必要費は貸主が負担する（606 参照） →借主が必要費を支出したときは貸主に償還請求可（608 I ）
借主の収去義務・収去権	借主の収去義務・収去権あり（599 I II ）	借主の収去義務・収去権あり（622・599 I II ）
借主の原状回復義務	借主は原状回復義務を負う（599 III ） →通常損耗・経年変化を含むかは契約の趣旨による	借主は原状回復義務を負う（621 本文） →通常損耗・経年変化を含まない（621 かっこ書参照）
借主の死亡と契約の存続	借主が死亡した場合、特約のない限り、契約は終了する（597 III ） →使用借権は相続人に承継されない	借主が死亡しても契約は存続する →賃借権は相続人に承継される

＊ 建物の借主が、建物を含む貸主所有の不動産に賦課された固定資産税等の支払を負担するような事実があっても、この負担が建物の使用収益に対する対価の意味をもつものと認めるに足りる特段の事情のない限り、当該貸借関係は使用貸借である（最判昭41.10.27）〈同〉。

第601条 （賃貸借）

賃貸借は、当事者の一方がある物の使用及び収益を相手方にさせることを約し、相手方がこれに対してその賃料を支払うこと及び引渡しを受けた物を契約が終了したときに返還することを約することによって、その効力を生ずる。

[趣旨] 本条により、賃貸人の使用収益させる義務と賃借人の賃料支払義務が互いに対価関係に立つことが明らかにされている。

《注 釈》

一 総説

賃借人は目的物を占有し、現実の使用収益権能を有する。賃借権は債権である以上、その権能は本来債務者に対する請求権であるはずだが、社会的に重要な機能を果たす不動産賃借権は、賃借人保護の点から民法や特別法により修正され、物権化されて以下のような性質をもつ。

①対抗力の付与、②妨害排除請求権の承認、③処分（譲渡・転貸）の簡易化、④存続期間の長期化、⑤時効取得を肯定、⑥二重賃貸借関係の処理
⇒ p.549

二　他人物賃貸借

1　賃貸人・賃借人間の関係

　(1)　賃貸借契約の有効性

　　　他人物賃貸借も有効に成立する（559・561）。

　　　→賃借人は、原則として錯誤取消しの主張（95）もできない

　　　∵　他人物売買も有効に成立する以上、目的物が賃貸人に属するか否か
　　　　は、法律行為の目的及び取引上の社会通念に照らして重要なものである
　　　　とはいえ、賃貸人を所有者と誤信していたとしても錯誤には当たらな
　　　　い

　(2)　賃貸人の使用収益させる債務が履行不能になった場合（616の2）

　　　ex.　所有者から目的物の返還請求を受けた場合

　　　賃借人は、賃貸人の使用収益させる債務の不履行を理由として、損害賠償
　　　を請求し（415 I）、又は賃貸借契約を解除することができる（542 I①）。ま
　　　た、賃借人が賃貸人に賃貸権限がないことにつき悪意であっても、賃貸人に
　　　帰責性がある場合（ex.賃貸人が所有者から賃貸権限を得るための交渉を怠
　　　っていた場合）には、賃借人は損害賠償を請求し、又は解除をすることがで
　　　きる。

　　　cf.　賃借物につき権利を主張する第三者から明渡請求を受け、賃貸人の使
　　　　用収益させる債務が履行不能になるおそれが生じた後は、賃借人は、賃
　　　　貸人に対して賃料支払を拒絶することができる（559・576 本文、最判昭
　　　　50.4.25 参照）

2　所有者・賃貸人間の関係

　(1)　不当利得返還請求

　　　賃貸人が賃借人から受領した賃料は賃貸借契約の当事者たる賃貸人・賃借
　　　人間では正当なものであるが、所有者・賃貸人間では「法律上の原因」
　　　（703）がないものであるから、所有者は、賃貸人が収得した賃料額を不当利
　　　得として賃貸人に返還請求できる（703、704）。

　　　cf.　賃貸権限がないことにつき賃貸人が善意であった場合、所有者は賃料
　　　　を返還請求しえない（189 I）

　　　賃借人が他人物賃貸人に賃料を支払った場合、利得は賃借人ではなく賃貸
　　　人に存するが、賃借人が賃料支払を拒絶した場合には賃借人に使用価値相当
　　　分の利得があり、所有者は、賃借人に不当利得の返還を請求すべきである。

　(2)　不法行為責任

　　　所有者の権利侵害につき賃貸人に故意・過失があれば、所有者は賃貸人に
　　　不法行為に基づく損害賠償請求をすることができる（709）。

3　所有者・賃借人間の関係

　(1)　明渡請求

　　　所有者との関係では賃借人は無権限であるから、所有者は、所有権に基づ
　　　き目的物の明渡請求をすることができる。

債権

cf.　この場合、賃借人は賃貸人に対する損害賠償請求権を被担保債権とする留置権（295Ⅰ）の主張をすることはできない

(2)　不当利得返還請求

　　賃借人が賃貸人に賃料を支払っていた場合、賃料が相当額でなく通常より低廉でない限り、賃借人の利得はなく、所有者は、賃借人に返還請求をなしえない。賃借人が賃料を支払っていない場合又は滞納している場合、所有者は、賃料相当額を賃借人に請求しうる。

　　∵　賃借人は、賃貸人に対して賃料支払義務を負っているので利得がないとも考えられるが、終局的に利益を収めるべき所有者と現実に使用収益した賃借人との間に不当利得が成立すると解するのが公平に適し、不当利得制度の趣旨に合致する

(3)　不法行為責任

　　賃貸人が賃貸権限を有していなかったことを、賃借人が知っていたか過失により知らなかった場合には、所有者は賃借人に不法行為による損害賠償請求をなしうる（709）。

　　cf.　賃貸人との共同不法行為（719）となることもありうる

＜他人物賃貸借のまとめ＞

第602条　（短期賃貸借）

　処分の権限を有しない者が賃貸借をする場合には、次の各号に掲げる賃貸借は、それぞれ当該各号に定める期間を超えることができない團。契約でこれより長い期間を定めたときであっても、その期間は、当該各号に定める期間とする。

①　樹木の栽植又は伐採を目的とする山林の賃貸借　10年

②　前号に掲げる賃貸借以外の土地の賃貸借　5年

③　建物の賃貸借　3年

④　動産の賃貸借　6箇月

[趣旨] 賃貸借は、いわゆる管理行為であって処分行為ではないが、期間の長い賃貸借には、実際上、処分行為に近い効果がある。そこで本条は、処分の権限を有しない者が、単なる管理行為としてなしうる賃貸借を短期賃貸借に限定し、その期間の上限も目的物に応じて異なるものとした。

《注　釈》

一　要件

　　処分の権限を有しない者とは、不在者の財産管理人（28）、権限の定めのない代理人（103）、後見監督人のある場合の後見人（864）等である。

二　効果

　　処分の権限を有しない者が本条所定の期間を超える賃貸借をした場合、契約自体の効果は処分の能力又は権限に関するそれぞれの規定によって決せられる。

　　　→後見監督人のある場合の後見人の行為は取り消しうるものとなり（865）、不在者の財産管理人、権限の定めのない代理人の行為は無権代理行為となる

　　　もっとも、その期間については、各号所定の期間となる（柱書後段）。

第603条　（短期賃貸借の更新）

　前条に定める期間は、更新することができる。ただし、その期間満了前、土地については1年以内、建物については3箇月以内、動産については1箇月以内に、その更新をしなければならない。

《注　釈》

▪ 短期賃貸借はいずれも更新できるが、その更新期間も各々602条所定の期間を超えられない。

▪ 更新は目的物の種類に応じ、満了前の本条の期間内にしなければならない。

　∵　契約後すぐに更新して、事実上602条の期間制限を無意味にすることを防ぐ

▪ 更新前後の賃貸借は同一性を有し、特約のない限り更新前の条件が更新後にも引き継がれる。

第604条　（賃貸借の存続期間）

　Ⅰ　賃貸借の存続期間は、50年を超えることができない。契約でこれより長い期間を定めたときであっても、その期間は、50年とする。
　Ⅱ　賃貸借の存続期間は、更新することができる。ただし、その期間は、更新の時から50年を超えることができない。

《注　釈》

一　民法上の存続期間

　1　最長期間は50年、最短期間に制限はない。

　2　契約期間が「永久」とされる賃貸借は、期間の定めのないものと解釈される（最判昭27.12.11）。

二　契約期間の更新に関する借地借家法の規定

1　借地契約の更新についての修正

合意による更新（4）、借地権者の請求による更新（5Ⅰ、6）、借地権消滅後の使用継続による更新（5Ⅱ、6）、滅失建物の再築による更新（7、8）

2　借家契約の更新についての修正

期間満了前に賃貸人から更新拒絶の通知のない場合の更新（26Ⅰ）、使用の継続に対して賃貸人が異議を述べない場合の更新（26Ⅱ）

＜民法と借地借家法における存続期間＞

	最長期間の合意	最短期間の合意	期間の定めのない場合
民法	原則：50年（604Ⅰ） 例外：短期賃貸借（602） →山林の賃貸借（樹木の植栽、伐採目的）：10年 上記以外の土地の賃貸借：5年 建物の賃貸借：3年 動産の賃貸借：6か月	制限なし	解約申入後の猶予期間（617） →土地：1年 　建物：3か月 　動産及び貸席：1日
借地関係	制限なし （借地借家3ただし書）	30年 （借地借家3本文、9）	30年 （借地借家3本文）
借家関係 （＊）	制限なし （借地借家29Ⅱ）	1年 （1年未満のものは期間の定めのないものとみなされる、借地借家29Ⅰ）	解約申入後の猶予期間 （借地借家27、28） →6か月＋「正当の事由」

＊　借家関係については、民法604条は適用されない（借地借家29Ⅱ）。

第2款　賃貸借の効力

第605条　（不動産賃貸借の対抗力）

不動産の賃貸借は、これを登記したときは、その不動産について物権を取得した者その他の第三者に対抗することができる。

［趣旨］本条は、不動産賃借権の特殊性を考慮し、これを登記した場合に対抗力を付与することとし、賃借人の保護を図ったものである。

《注　釈》

一　不動産賃借権の物権化

＜不動産賃借権の物権化＞

	原　則	物権化
対抗力	「売買は賃貸借を破る」	「売買は不動産賃貸借を破らない」 不動産賃貸借は登記をすれば以後の物権取得者に対抗しうる（605、借地借家31…引渡し、借地借家10Ⅰ…借地上の建物の登記）〈司〉
第三者に対する効力	賃貸人に対する請求権にすぎない	第三者が目的不動産の占有を妨害しているときは妨害の停止を、これを占有しているときは返還を請求できる（605の4）
賃借権の譲渡性	賃貸人の承諾を得ない限り、賃借権の譲渡・転貸はできず、無断で行うと解除原因となる（612）	借地に関しては、譲渡・転貸について借地権設定者の承諾が得られない場合、裁判所はそれに代わる許可を与えることができる（借地借家19Ⅰ）〈共〉
賃借権の存続期間	存続期間は原則として、50年を超えることができず（604Ⅰ）、更新も50年が上限となる（604Ⅱ）	建物所有目的の借地については、最短期間が30年とされ（借地借家3）、上限はない（同3ただし書）。一定の場合に法定更新され（同5）、更新拒絶には正当事由が要求される（同6）。借家についても、1年未満のものは期間の定めがないものとされ（同29Ⅰ）、上限はない（同29Ⅱ）。法定更新と正当事由に関する制度も導入されている（同26、27、28）
賃借権の時効取得	債権の時効取得は認められない	①土地の継続的用益という外形的事実が存在し、②それが賃借の意思に基づくことが客観的に表現されている場合、所有者に対する賃借権の時効取得が認められる（最判昭43.10.8、最判昭62.6.5・百選Ⅰ43事件）〈司共書〉〈司H29〉 不動産につき賃借権を有する者がその対抗要件を具備しない間に、当該不動産に抵当権が設定されてその旨の登記がされた場合、賃借人は、抵当権設定登記後に時効取得に必要な期間、継続的に目的不動産を用益したとしても、目的不動産の第三取得者に対し賃借権を対抗することはできない（最判平23.1.21・百選Ⅰ44事件）〈共書〉
二重賃貸借の処理	債権であるから、同一内容の債権が併存的に成立する	対抗要件を具備することで排他性を取得するから（605、借地借家10Ⅰ、31）、対抗要件を先に具備した者が優先する

二　登記方法

賃貸人・賃借人の共同申請を原則とする（不登60）。

→賃借人には、特約がない限り、登記請求権がない（大判大10.7.11）〈予書〉

不動産賃借権に対抗力を付与しても、賃貸人が賃借権の登記に非協力的な場合が多い実情の下では、十分に機能しない。そこで、特別法により賃借権の登記に代わる対抗力の取得が認められている（借地借家10Ⅰ、31）。

三　借地関係

1　借地権の意義

借地権とは、建物所有を目的とする地上権・土地の賃借権をいう（借地借家2①）〈同〉。

一時使用目的の場合には除外されているものもある（借地借家25）。

2　対抗力の付与

土地の上に借地権者が登記された建物を所有していれば、借地権は排他性を備えることができるとして、対抗力を認める（借地借家10Ⅰ）〈同書〉。

(1)　親族名義・譲渡担保権者名義の建物登記と借地借家法10条

建物登記は借地人名義であることを要し、親族名義・譲渡担保権者名義で建物登記がなされた場合、借地借家法10条1項による借地権の対抗力は否定される（最大判昭41.4.27・百選Ⅱ51事件）〈同予〉。

(2)　表示の登記と借地借家法10条

不動産登記は、不動産の表示の登記と権利の登記からなる。177条の「登記」には権利の登記のみが含まれ表示の登記は含まれないが、借地借家法10条1項の「登記」には、権利の登記に限られず表示の登記も含まれる（最判昭50.2.13）〈同〉。

(3)　登記に記載された建物の所在番地表示が、実際とは多少相違していても、登記の表示全体から建物との同一性が判別できればよい。

3　建物買取請求権（借地借家13、14）〈同〉

(1)　建物代金支払と土地明渡との同時履行の抗弁権・留置権

借地人は、建物代金支払があるまで、建物のみならず土地についても同時履行の抗弁権（533）・留置権（295Ⅰ）を行使しうる（大判昭18.2.18、最判昭35.9.20）。⇒ p.223、481

第三者が借地上の建物を取得したが借地権設定者が賃借権譲渡を承諾しない場合は、第三者に建物買取請求権が認められる（借地借家14）。

(2)　債務不履行解除がなされた場合

借地人は、建物買取請求権を有しない（最判昭35.2.9）。

∵　建物買取請求権の規定は誠実な借地人保護の規定である

cf.　定期借地権（借地借家22、23）については、公正証書による特約で建物買取請求権を排除できる〈同〉

(3)　借地人の所有する建物の借家人による借地人の建物買取請求権の代位行使の可否　⇒ p.340

4　その他

(1)　借地条件の変更及び増改築の承諾に代わる許可の裁判（借地借家17）

(2)　借地契約更新後の建物の再築の承諾に代わる許可の裁判（借地借家18）

(3)　賃借権譲渡、転貸の承諾に代わる許可の裁判（借地借家19）〈共〉

(4)　建物競売等の場合における土地の賃借権譲渡の転貸の承諾に代わる許可の裁判（借地借家20）

　　→賃借権の目的である土地と他の土地とにまたがって建築されている建物を競売により取得した第三者が、借地借家法20条1項に基づき、賃借権の譲渡の承諾に代わる許可を求める旨の申立てをした場合において、借地権設定者が、同条2項、同法19条に基づき、自ら当該建物及び賃借権の譲渡を受ける旨の申立てをすることは許されない

　　∵　目的外の土地上の建物部分やその敷地の利用権を譲渡することを命ずることは、裁判所の権限の範囲外（最決平19.12.4・平20重判5事件）

四　借家関係

1　対抗力の付与

　　建物の賃借権は、「建物の引渡し」があれば対抗力を取得する（借地借家31）〈書〉。

2　造作買取請求権（借地借家33）

(1)　代金支払と建物明渡との同時履行の抗弁権・留置権

　　借家人は、同時履行の抗弁権・留置権を行使しえない（最判昭29.1.14、最判昭33.3.13）〈司〉。

　　∵　造作代金債務と建物引渡債務とは発生原因を異にし、かつ、両者の間には対価上の牽連関係がない

(2)　債務不履行解除がなされた場合

　　借家人は、造作買取請求権を行使しえない（大判昭13.3.1）。

　　∵　造作買取請求権は、賃貸借期間の満了等の場合について誠実な借家人を保護するために規定したものである

3　内縁の妻の借家権の承継　⇒ p.667

第605条の2　（不動産の賃貸人たる地位の移転）

Ⅰ　前条、借地借家法（平成3年法律第90号）第10条又は第31条その他の法令の規定による賃貸借の対抗要件を備えた場合において、その不動産が譲渡されたときは、その不動産の賃貸人たる地位は、その譲受人に移転する。

Ⅱ　前項の規定にかかわらず、不動産の譲渡人及び譲受人が、賃貸人たる地位を譲渡人に留保する旨及びその不動産を譲受人が譲渡人に賃貸する旨の合意をしたときは、賃貸人たる地位は、譲受人に移転しない。この場合において、譲渡人と譲受人又はその承継人との間の賃貸借が終了したときは、譲渡人に留保されていた賃貸人たる地位は、譲受人又はその承継人に移転する。

Ⅲ　第1項又は前項後段の規定による賃貸人たる地位の移転は、賃貸物である不動産について所有権の移転の登記をしなければ、賃借人に対抗することができない〈司〉。

Ⅳ　第1項又は第2項後段の規定により賃貸人たる地位が譲受人又はその承継人に移転したときは、第608条の規定による費用の償還に係る債務及び第622条の2第1項の規定による同項に規定する敷金の返還に係る債務は、譲受人又はその承継人が承継する〈共〉。

［趣旨］本条1項は、対抗要件（605、借地借家10、31等）を具備した不動産賃借人は、賃貸不動産の譲受人にも賃借権を主張することができることを前提として、賃貸不動産の譲渡とともに、賃貸人たる地位も賃貸不動産の譲受人に当然に移転するという判例法理（大判大10.5.30）〈同R元〉を明文化したものである。

　本条2項前段は、賃貸人たる地位の当然承継が生じる場面において、譲渡人と譲受人間の合意によって賃貸人たる地位を譲渡人に留保するための要件について、判例（最判平11.3.25・百選Ⅱ〔第6版〕33事件）が示す「特段の事情」の内容を明文化し、譲渡人への地位の留保を認めている。また、同項後段は、譲渡人への地位の留保がなされている場合において、譲渡人と譲受人又はその承継人との間の賃貸借が終了したときは、譲渡人に留保されていた賃貸人たる地位が当然に譲受人又はその承継人に移転する旨規定した。

　本条3項は、賃貸不動産の譲受人は、譲渡された賃貸不動産の所有権移転登記をしなければ、その賃貸人たる地位の移転（当然承継）を不動産賃借人に対抗することができない旨判示する判例法理（最判昭49.3.19・百選Ⅱ52事件）を明文化した。登記を要するとしなければ、賃借人は賃料の二重払いの危険を負うからである。

　本条4項は、賃貸人たる地位が譲受人等に移転した場合には、費用償還債務（608）・敷金返還債務（622の2Ⅰ）も譲受人等に承継される旨規定した。

《注　釈》

一　賃貸人たる地位の移転（Ⅰ）〈司H20〉

1　賃貸借関係の移行・存続

　　対抗要件（605、借地借家10、31等）を備えた賃借権が設定された不動産の譲受人は、譲渡人から賃貸人たる地位を承継するとともに、譲渡人は賃貸借関係から離脱し、賃借人・譲受人間に従来の賃貸借関係がそのまま移行・存続する。

　　∵①　賃貸人の目的物を使用収益させる債務は、賃貸人が誰であっても履行方法が特に異なることはない

　　　②　賃借人にとっては、賃貸借の目的物の所有権が移転した場合、目的物の譲受人が新賃貸人となって従前の賃貸借関係が存続する方が有利である

　　　③　目的不動産の譲受人にとっても、賃借権の対抗要件が具備されている以上、自ら目的不動産を使用収益できないのであるから、賃貸人たる地位を承継して賃料を取得するというのが譲受人の合理的な意思に合致する

cf. 同項は、地上権者が賃貸人である場合における当該地上権の譲受人につ
いても類推適用されると解されている

2　合意・承諾の要否

本項による賃貸人の地位の移転に際し、賃貸不動産の譲渡人・譲受人間の合
意、並びに賃借人の承諾は不要である。

3　賃借権に対抗力がない場合

(1)　目的不動産の譲受人は、賃貸人たる地位を承継せず、賃借人に対して明渡
請求ができる。

∵　賃借権は、賃貸人に対して賃料と引換えに賃借物を使用収益させるこ
とを求める債権にすぎないため、賃借人は譲受人に自己の賃借権を主張
することができない（「売買は賃貸借を破る」）

→賃借人に対する明渡請求が害意に基づく場合には、当該請求は、権利濫
用（1Ⅲ）として棄却されうるが、その場合も譲受人が所有権を失うわ
けではないので、占有権原のない賃借人は、不法行為に基づき賃料相当
額の損害賠償義務（709）を負う（最判昭41.6.24）

(2)　賃借権に対抗力がない場合であっても、譲渡人・譲受人間で合意すれば、
譲受人が賃貸人たる地位を承継することができ、その際に賃借人の同意は不
要である（605の3）。

(3)　数個の土地の借地権者が、ある土地について対抗要件（借地借家10Ⅰ）
を備えていなくても、他の土地について対抗要件を備えており、これらの土
地が社会通念上相互に密接に関連する一体として利用されている場合、対抗
要件のない借地権が設定されている土地の買主による明渡請求が、権利濫用
（1Ⅲ）に当たり許されないことがある（最判平9.7.1）

(4)　譲受人からの明渡請求が認められた場合には、賃借人は譲渡人に賃貸借契
約の履行不能に基づく損害賠償請求（601、415Ⅰ）ができる。

二　賃貸人たる地位の留保（Ⅱ）

1　賃貸不動産の譲渡に際し、譲渡人と譲受人の間で、賃貸人たる地位を譲渡人
に留保するとの合意をし、かつ、その不動産を譲受人が譲渡人に賃貸するとの
合意をしたときは、賃貸人たる地位は賃貸不動産の譲受人に移転しない（譲渡
人に留保される）（Ⅱ前段）。

→譲渡人・譲受人間に賃貸借関係が、譲渡人・賃借人間に転貸借関係が成立
することになり、賃借人は賃貸不動産を従前どおり使用・収益すること
ができる

2　譲渡人と譲受人等との間の賃貸借が終了したときは、賃貸人たる地位は譲受
人等に移転する（Ⅱ後段）。

→従前の内容での不動産賃貸人としての地位が保持され、賃借人は譲受人等
からの所有権に基づく明渡請求を拒むことができる

三　賃貸人たる地位の移転を賃借人に対抗するための要件（Ⅲ）

1　賃貸不動産の譲受人は、その不動産の所有権移転登記をすれば、不動産賃借

人の同意の有無にかかわらず、賃貸人たる地位を不動産賃借人に対抗すること
ができる。

2　賃借人側から未登記の譲受人を新賃貸人と認めることはできるため、賃借人
による未登記譲受人に対する賃料の支払は有効である（最判昭46.12.3）。

四　賃貸人たる地位の移転と敷金返還・費用償還債務（Ⅳ）

敷金返還債務について、判例（最判昭44.7.17）によれば、旧賃貸人（譲渡人）
に対する賃借人の未払賃料・損害賠償等の支払義務がある場合には当然にこれに
充当され、その残額が新賃貸人（譲受人等）に移転する〈同共書〉

→賃貸借終了後明渡前に、目的不動産の所有権が移転した場合は、敷金に関す
る権利義務は、譲渡人と譲受人の合意のみでは譲受人に承継されない（最判
昭48.2.2・百選Ⅱ〔第7版〕61事件）〈同〉

∵　賃貸借契約終了後における敷金に関する権利義務の承継は、債務引受の
性質を有することから、債権者である賃借人の合意が必要

第605条の3　（合意による不動産の賃貸人たる地位の移転）

不動産の譲渡人が賃貸人であるときは、その賃貸人たる地位は、賃借人の承諾を要
しないで、譲渡人と譲受人との合意により、譲受人に移転させることができる〈同書〉。
この場合においては、前条第3項及び第4項の規定を準用する。

[趣旨] 本条前段は、「貸す債務」の債務者（賃貸人）の交替（免責的債務引受）と
考えられる場面で、債権者（賃借人）の承諾（472 Ⅲ参照）を不要とするものであ
り、判例法理（最判昭46.4.23・百選Ⅱ34事件）〈同R元〉を明文化したものである。賃
貸人の賃借人に対する債務は、誰が賃貸人かによってその履行方法が異なるわけで
はない上、賃借人にとっても譲受人との間において賃貸借関係が承継される方が有
利であることから、本条前段は、契約上の地位の移転に関する539条の2の特則と
解されている。

また、本条後段は、この場合にも前条と同じく、賃貸不動産の所有権移転登記を
しなければ、譲受人は賃貸人たる地位を賃借人に対抗することができないこと（605
の2Ⅲ）、費用償還債務・敷金返還債務も譲受人に承継されること（同Ⅳ）を規定
する。

なお、賃借人が対抗要件を備えている場合については、605条の2が規定してい
ることから、605条の3が問題となる場面は、賃借人が対抗要件を備えていない場
合となる。

第605条の4　（不動産の賃借人による妨害の停止の請求等）

不動産の賃借人は、第605条の2第1項に規定する対抗要件を備えた場合におい
て、次の各号に掲げるときは、それぞれ当該各号に定める請求をすることができる。

①　その不動産の占有を第三者が妨害しているとき　その第三者に対する妨害の停
止の請求〈書〉

②　その不動産を第三者が占有しているとき　その第三者に対する返還の請求〈同〉

[趣旨]本条は、対抗要件を備えた不動産賃貸借の不動産賃貸人は、不動産賃借権に基づいて妨害排除請求権・返還請求権を行使することができるとする判例法理（最判昭28.12.18・百選Ⅱ50事件等）を明文化したものである（ただし、不動産賃借権に基づく妨害予防請求権までは認めていない）。

《注　釈》

▪本条にいう「第三者」には、不法占拠者のほか、劣後する二重賃借人も含まれる。

▪本条による請求には対抗要件が必要であるが、対抗要件を備えていない場合でも、不動産賃借権を保全するために、賃貸人の所有権に基づく妨害排除請求権を代位行使（423Ⅰ）しうる。　⇒p.346

第606条　（賃貸人による修繕等）

Ⅰ　賃貸人は、賃貸物の使用及び収益に必要な修繕をする義務を負う。ただし、賃借人の責めに帰すべき事由によってその修繕が必要となったときは、この限りでない〈共通〉。

Ⅱ　賃貸人が賃貸物の保存に必要な行為をしようとするときは、賃借人は、これを拒むことができない。

[趣旨]賃貸人は賃借人に対して、賃貸目的物を使用収益させる債務があり（601）、その結果として修繕義務を負う。この点で、使用貸主や用益物権における所有者とは異なる。

《注　釈》

一　賃貸人の修繕義務

1　賃貸人の修繕義務は、賃借人の責めに帰すべき事由による破損の場合には、生じない（Ⅰただし書）。

2　賃貸目的物が滅失した場合には、賃貸人は修繕義務を負わない。

3　修繕は賃貸人の義務であると同時に、目的物の保存行為を行う権利でもあるので、賃借人は修繕を拒めない（Ⅱ）〈司予〉。

二　賃貸人の修繕義務不履行の場合

1　賃貸人が修繕義務を履行しないときには、賃借人は賃貸人に対し不履行を理由とする損害賠償請求（415）をなしうる。

→事業用店舗の賃貸借において、賃貸人の修繕義務不履行により賃借人に生じた営業利益喪失の損害については、「通常生ずべき損害」（416Ⅰ）に当たり、賃貸人に対してその賠償を請求できるが、賃借人が営業を別の場所で再開する等の損害回避減少措置をなしえた時期以降の営業利益相当の損害については、条理上及び「通常生ずべき損害」の解釈上、賃貸人に対してその全部の賠償を請求できない（最判平21.1.19・百選Ⅱ6事件）〈共〉

2　賃貸人の修繕義務が賃料支払期以前に発生したが、これを履行しないため目的物が使用収益に適する状態に回復しない間は、賃借人は賃料支払を拒絶することができる（大判大10.9.26参照）〈司〉。

債
権

→目的物が使用収益に適する状態に回復しない間は、そもそも賃料債務は発生しないのではないかという問題点を指摘する見解もある

3　使用収益が妨げられただけの場合は、その割合に応じた賃料の一部の支払のみを拒むことができる（大判大5.5.22）。

三　修繕義務を賃借人に負わせる特約

一定の範囲で修繕を賃借人の義務とすることを特約してもよい（最判昭29.6.25）。ただし、このような特約は賃貸人が修繕義務を負わないという趣旨のものにすぎず、大修繕は依然として賃貸人の義務である。

→賃借人が家屋使用中に生じる一切の汚損・破壊箇所を自己の費用で修繕し目的家屋を当初と同一の状態に維持すべき義務を負うという趣旨のものではない（最判昭38.11.28）

第607条　（賃借人の意思に反する保存行為）

賃貸人が賃借人の意思に反して保存行為をしようとする場合において、そのために賃借人が賃借をした目的を達することができなくなるときは、賃借人は、契約の解除をすることができる。

[趣旨] 賃借人が、賃貸人の修繕（保存行為）を受忍しなければならないという不利益に配慮して、賃借人の解除権を認めたものである。

第607条の2　（賃借人による修繕）

賃借物の修繕が必要である場合において、次に掲げるときは、賃借人は、その修繕をすることができる。
①　賃借人が賃貸人に修繕が必要である旨を通知し、又は賃貸人がその旨を知ったにもかかわらず、賃貸人が相当の期間内に必要な修繕をしないとき。
②　急迫の事情があるとき。

[趣旨] 賃借物を修繕することは他人の所有権への干渉となるため、本来的には、処分権限を有する賃借物の所有者のみが賃借物を修繕することができるところ、本条は、賃借人が賃借物を修繕することができる2つの例外的な場合について規定している。すなわち、本条1号は、修繕の必要が生じた旨を賃貸人に通知し（615本文参照）、又は賃貸人がその旨を知ったにもかかわらず、賃貸人が相当の期間内に必要な修繕をしない場合について賃借人による修繕を認め、本条2号は、急迫の事情がある場合について賃借人による修繕を認めた。

第608条　（賃借人による費用の償還請求）

Ⅰ　賃借人は、賃借物について賃貸人の負担に属する必要費を支出したときは、賃貸人に対し、直ちにその償還を請求することができる。
Ⅱ　賃借人が賃借物について有益費を支出したときは、賃貸人は、賃貸借の終了の時に、第196条第2項＜占有者による有益費の償還請求＞の規定に従い、その償還をしなければならない。ただし、裁判所は、賃貸人の請求により、その償還について相当の期限を許与することができる。

[趣旨] 賃借人が賃貸目的物に対して費用を支出した場合、不当利得の観点から賃貸人への費用償還請求権を認めたものである。

《注　釈》

一　費用の範囲

1 必要費の範囲 〈司H25〉

必要費は、単に目的物自体の原状を維持し、又は目的物自体の原状を回復する費用に限定されず、通常の用法に適する状態において目的物を保存するために支出した費用も含む（大判昭12.11.16）。

→必要費は全額を償還請求できる

2 有益費の範囲

有益費は、賃借物の改良のために費やし、それによりその客観的価値を増すものの他、賃借物以外のものに加えた改良によって賃借物の価値を増加させる場合の費用も含む（大判昭5.4.26）〈通〉。

→使用収益自体を可能にするために支出した費用は、それにより目的物の改良の結果が生じても、有益費として償還請求できない（大判大9.10.16）

二　償還請求権の時期

必要費は支出後直ちに〈司予〉、有益費は賃貸借終了時に償還請求できる。

→賃借人が有益費を支出した場合、未払賃料債務のうち対当額の支払拒絶はできない

→有益費は、占有者の有益費償還の場合と同様に償還される　⇒ p.157

三　償還義務者・権利者

ex. 賃借人が有益費を支出後、賃貸人が交替した場合は、特段の事情のない限り、新賃貸人が償還義務者たる地位を承継するから、賃借人は旧賃貸人に有益費の償還を請求できない（最判昭46.2.19）〈司〉

《その他》

- 費用の償還は、目的物の返還の時期から1年以内（除斥期間、622・600Ⅰ）に、また必要費は費用支出時から、有益費は賃貸借終了時からそれぞれ5年又は10年以内（消滅時効、166Ⅰ①②）に請求しなければならない〈書〉。
- 費用償還請求権のための消極的な要件として、その費用が、建物とは独立性ある増築に費やされていないことを要する。
  ex. 賃借人が賃借建物に勝手に造作を取り付け、建物と別個の所有権の客体となっている場合には、費用償還請求権の問題にはならない
  →造作買取請求権（借地借家33）の問題
- 賃借人は、賃料不払で賃貸借契約が解除された場合も、既に支出した費用の償還請求権を有するときは建物を留置できる。
- 賃借人が賃貸人に対し、賃貸借終了後、建物の増築部分に係る有益費の償還を請求したが、建物返還前に賃貸人及び賃借人双方の帰責事由なくして増築部分が滅失した場合、賃借人が利得すべき増加価値は既に消滅していることから、特段の事情のない限り、賃借人の有益費償還請求権は消滅する（最判昭48.7.17）〈書〉。

第609条　（減収による賃料の減額請求）〈回

　耕作又は牧畜を目的とする土地の賃借人は、不可抗力によって賃料より少ない収益を得たときは、その収益の額に至るまで、賃料の減額を請求することができる。

第610条　（減収による解除）

　前条の場合において、同条の賃借人は、不可抗力によって引き続き2年以上賃料より少ない収益を得たときは、契約の解除をすることができる。

第611条　（賃借物の一部滅失等による賃料の減額等）

Ⅰ　賃借物の一部が滅失その他の事由により使用及び収益をすることができなくなった場合において、それが賃借人の責めに帰することができない事由によるものであるときは、賃料は、その使用及び収益をすることができなくなった部分の割合に応じて、減額される〈同共書。

Ⅱ　賃借物の一部が滅失その他の事由により使用及び収益をすることができなくなった場合において、残存する部分のみでは賃借人が賃借をした目的を達することができないときは、賃借人は、契約の解除をすることができる。

[趣旨]賃料とは、賃借物が賃借人による使用収益可能な状態に置かれたことの対価として発生するものであるから、賃借物の一部滅失等により使用収益不能な部分が生じたときは、賃料もその不能部分に対応する割合で当然に発生しないと解すべきである。もっとも、賃借人に帰責事由がある場合にまで賃料の減額を認めるべきではない。他方で、賃借物の一部滅失等により、残存する部分のみでは賃借人が賃借をした目的を達することができない場合であれば、賃借人の帰責事由の有無を問わず、賃借人による契約の解除を認めるのが相当である。そこで、本条は、以上の趣旨を規定として具体化した。

《注　釈》

◆　使用収益させる債務の後発的一部不能

1　賃借人に帰責事由がない場合

(1)　減額請求は不要であり、使用収益不能部分の割合に応じて当然に減額される（Ⅰ）〈共。

　　→賃借物の一部滅失等が賃借人の責めに帰することができない事由によるものであったことは、賃借人側が主張・立証責任を負う

　　　∵　賃借物が賃借人の支配下にあることから、賃貸人が賃借人の帰責事由の有無について把握するのは困難

(2)　「滅失」とは、賃貸目的物自体の滅失だけでなく、他の物の滅失で賃借物の利用価値が減少する場合も含む。

2　賃借人に帰責事由がある場合

　　賃料は減額されず（Ⅰ参照）、賃貸人は、賃借人に対し、損害賠償請求をすることができる（415Ⅰ）。

3　賃借人は、目的物の一部滅失等により、残存部分では賃貸借の目的を達し得

ない場合には、契約を解除できる（611Ⅱ）。

　　→賃借人に帰責事由がある場合でも、解除することができる

第612条　（賃借権の譲渡及び転貸の制限）

Ⅰ　賃借人は、賃貸人の承諾を得なければ、その賃借権を譲り渡し、又は賃借物を転
　貸することができない📖。

Ⅱ　賃借人が前項の規定に違反して第三者に賃借物の使用又は収益をさせたときは、
　賃貸人は、契約の解除をすることができる。

[趣旨]大事な財産を賃貸人の承諾を得ないで第三者に使用収益させること（無断譲
渡・転貸）は、賃貸人・賃借人間の信頼関係を破る最大の不信行為と考えられたた
め、本条は、賃借権の無断譲渡・転貸があれば原則として解除できるものとした。
ただし、不動産賃貸借においては賃借人にも投下資本を回収する必要性があるた
め、2項は立法的（借地借家19）にも、解釈上も制限的に適用されている。

《注　釈》

一　賃貸人の「承諾」

　1　賃借権の譲渡・転貸に必要とされる賃貸人の「承諾」は、事前・事後を問わ
　　ないし、その相手方は賃借人でも譲受人・転借人でもよい（最判昭31.10.5）。

　2　「承諾」は明示・黙示を問わないが、その後に承諾に基づく譲渡・転貸契約
　　の締結がなされていなくても、もはや撤回できないとされる（最判昭30.5.13）。

　3　譲渡について賃貸人の承諾があるときは、譲渡人は賃貸借関係から離脱し
　　て、譲受人が賃借人になる。

　4　譲渡について賃貸人の承諾がある場合には、賃貸借関係が同一の内容で譲受
　　人に移転する。しかし、旧賃借人の保管義務違反による損害賠償債務は特にこ
　　れを引き受ける契約がない限り移転しない📖。

二　無断譲渡・転貸の要件

　賃借人が賃貸人の承諾なく、現実に第三者に賃借物の使用・収益をさせたこと
が必要である📖。

　　→単に無断譲渡・転貸契約を締結しただけでは足りない

　1　賃借権の無断譲渡・転貸に当たるとされた例

　　ex.1　賃借地上の建物の売買契約が締結された場合には、特段の事情のない
　　　　限り、売主は買主に対し敷地の賃借権をも譲り渡したものと認められる
　　　（最判昭47.3.9）

　　　　∵　建物所有のためには土地賃借権の存在が必要不可欠なので、土地
　　　　　　賃借権は建物所有権の従たる権利として、主たる権利の処分に従う
　　　　　（87Ⅱ類推）　⇒ p.39

　　ex.2　賃借地上の建物が抵当権の実行により競落された場合には、特段の事
　　　　情のない限り、建物敷地の賃借権も旧建物所有者との関係では、競落人
　　　　に移転する（最判昭40.5.4・百選Ⅰ82事件）

債
権

2 賃借権の無断譲渡・転貸に当たらないとされた例

ex.1 賃借人が賃借地上に築造した建物を第三者に賃貸しても、土地賃借人は建物所有のため自ら土地を使用しているものであるから、賃貸地を第三者に転貸したとはいえない（大判昭8.12.11）◀司 司H29

→第三者に独立の使用収益権が与えられていなければ転貸に当たらない

ex.2 賃借人が借地上の建物につき譲渡担保権を設定した場合、建物所有権の移転は債権担保の趣旨でされたものであり、譲渡担保権者によって担保権が実行されるまでの間は譲渡担保権設定者は受戻権を行使して建物所有権を回復できるのであるから、譲渡担保権設定者が引き続き建物を使用している限り、右建物の敷地について本条にいう賃借権の譲渡・転貸がされたとは解されない（最判平9.7.17・平9重判9事件）

cf. この場合でも、譲渡担保権者が建物の引渡しを受け使用・収益するときは、建物の敷地について本条にいう賃借権の譲渡・転貸がされたと解する（最判平9.7.17・平9重判9事件）◀書

ex.3 賃借人である小規模で閉鎖的な有限会社が、持分譲渡及び役員交代により実質的な経営者が交代しても、そのことは本条にいう賃借権の譲渡には当たらない（最判平8.10.14・百選Ⅱ53事件）

三 無断譲渡・転貸の効果

1 原則

無催告解除（612Ⅱ）が可能である。

目的物の一部転貸がなされた場合、一部転貸自体が許されないときは全体について解除ができる（大判昭10.4.22、最判昭32.11.12）。

無断譲渡・転貸を理由とする賃貸借契約の解除権は、譲受人・転借人が目的物の使用収益を開始した事実を賃貸人が知った時から5年（166Ⅰ①）、又は譲受人・転借人が目的物の使用収益を開始した時から10年（166Ⅰ②）の消滅時効にかかる（最判昭62.10.8参照）◀司共。

2 修正（信頼関係理論）◀司H20 司H29

(1) 賃借人が賃貸人の承諾なく第三者に目的物を使用・収益させた場合でも、その行為が賃貸人に対する背信的行為と認めるに足りない特段の事情があるときは、解除権は発生しない（最判昭28.9.25）◀司。

(2) 「特段の事情」（背信性）の有無の判断基準

物的・経済的側面のみならず、個人的信頼関係、譲渡・転貸の対象の種別その他当事者の諸事情をも考慮して判断する（総合事情判断説）（最判昭42.11.24）◀書。具体的には、以下の事情を考慮する。

(a) 譲渡・転貸部分の範囲・継続性

ex. 譲渡・転貸部分がわずかである場合、又は譲渡・転貸が一時的である場合には、原則として背信性は否定される

債権

　　(b)　利用主体の変更の実質性
　　　　ex.　譲受人・転借人が同居の賃借人の近親者である場合や、賃借人が
　　　　　　個人経営を法人組織に改めただけの場合は、実質的に譲渡・転貸が
　　　　　　ないといえ、背信性は否定される
　(3)　解除権が制限される場合の法律関係
　　　承諾のない譲渡・転貸が背信的行為に当たらないとされた以上、賃貸人の
　承諾があったのと同様に、適法な譲渡・転貸になる。
　　　　→譲渡の場合、譲受人のみが賃借人となり、譲渡人は賃貸借関係から離脱
　　　　し、特段の意思表示がない限り、賃貸人に対して契約上の債務を負わな
　　　　い（最判昭45.12.11）

四　無断譲渡・転貸の場合の法律関係

　賃貸人をA、賃借人をB、譲受人（又は転借人）をCとする。
1　B・C間の関係
　(1)　B・C間では譲渡・転貸は有効である（最判昭26.5.31）。Bは、Cに対し
　て、譲渡・転貸が無効であることを主張して目的物の返還を請求できない。
　転貸の場合に、BはCに賃料を請求することができる◆。
　(2)　Bは、Cに対してAの承諾を取り付ける義務を負う（最判昭34.9.17）。
　　　　→承諾を取り付けられない場合、Bは債務不履行責任を負う
2　A・B間の関係
　　Aは、原則として、A・B間の賃貸借契約を解除することができる。
　　　　→Bは依然賃借人の地位を失っていないので解除の意思表示はBに対してな
　　　　されるべき
3　A・C間の関係
　(1)　A・B間の賃貸借契約が解除された場合は、CはAに対する関係では不法
　占拠者となる。AはCに対し、所有権に基づいて妨害排除請求のみならず、
　直接自己に引渡しを請求できる（大判昭15.2.23、最判昭26.4.27）◆。ま
　た、AがBから賃料の支払を受けたという特段の事情のない限り、AはCに
　賃料相当額について不法行為に基づく損害賠償請求（709）・不当利得返還請
　求（703、704）も可能となる。
　　　Cが費用を支出していても、それに基づく留置権の主張はできない（295
　Ⅱ類推）。
　(2)　Aは、A・B間の賃貸借契約を解除することなく、Cに対して妨害排除・
　明渡しを請求することができる（最判昭26.5.31）。

《その他》

▪本条に基づき解除できる場合、転借人に対して通知・催告する必要はない。
▪無断転貸において、賃貸人が転借人に明渡請求したときは、転借人は、転貸人と
　の転貸借契約を解除することができる。

> **第613条 （転貸の効果）**
> Ⅰ 賃借人が適法に賃借物を転貸したときは、転借人は、賃貸人と賃借人との間の賃貸借に基づく賃借人の債務の範囲を限度として、賃貸人に対して転貸借に基づく債務を直接履行する義務を負う。この場合においては、賃料の前払をもって賃貸人に対抗することができない。
> Ⅱ 前項の規定は、賃貸人が賃借人に対してその権利を行使することを妨げない。
> Ⅲ 賃借人が適法に賃借物を転貸した場合には、賃貸人は、賃借人との間の賃貸借を合意により解除したことをもって転借人に対抗することができない。ただし、その解除の当時、賃貸人が賃借人の債務不履行による解除権を有していたときは、この限りでない〈共〉。

[趣旨] 承諾転貸がなされた場合であっても、原賃貸人と転借人との間には直接の契約関係は生じない。しかし、賃借物を現実に使用収益するのは転借人であること、転貸人（原賃借人）が原賃貸人に賃料を支払わない場合もありうることから、原賃貸人を保護するために、本条1項は、「賃借人の債務の範囲を限度として、賃貸人に対して転貸借に基づく債務を直接履行する義務」（613Ⅰ前段）を転借人に負わせている。

本条3項は、適法な転貸借がなされた場合には、賃貸人と賃借人が賃貸借契約を合意解除しても、賃貸人はその合意解除をもって転借人に対抗できない（大判昭9.3.7）が、合意解除の当時、賃借人（転貸人）の債務不履行により賃貸借契約を解除することができた場合はこの限りでない（最判昭62.3.24）とする判例法理を明文化したものである。

《注 釈》
一 承諾転貸における法律関係
1 「転貸借に基づく債務」（Ⅰ前段）の意義
(1) 賃料支払義務だけでなく、目的物返還義務・目的物保管義務等も含み〈団〉、転借人の責めに帰すべき事由により目的物を滅失・損傷させた場合には、賃貸人に対して直接損害賠償義務を負う。
(2) 転借人は、賃貸人に対し、「賃借人の債務の範囲を限度として」（Ⅰ前段）、義務を負う〈団〉。
→転借人の賃貸人に対する賃料債務の支払時期は、転借人・賃借人双方の債務の弁済期が到来した時点である。また、賃料は、転借料と賃借料双方の範囲内である〈同書〉
→目的物が契約に適合せず、使用収益に適する状態が回復されない間は、賃借人（転貸人）は、賃貸人に対して賃料支払を拒絶することができるため（⇒ p.555）、転借人も、賃貸人に対して賃料支払を拒絶することができる〈団〉
(3) 転借人は、「賃料の前払」（Ⅰ後段）以外の義務については賃借人、賃貸人のいずれか一方に履行すれば、他方に対する義務は免責される。

(4)　転借人は賃人に対し権利を有するものではないから、適法な転借人は、修繕の要求や家屋につき支出した有益費の償還を賃貸人に請求することはできない〈司共書〉。

　　　→ただし、転借人は、賃借人の賃貸人に対する修繕請求（606 I 本文）を代位行使できる（423 I 本文）

2　「賃料の前払」（I後段）の意義

　「賃料の前払」とは、転貸借契約における賃料を、その契約で定められた弁済期よりも前に支払うことをいう（大判昭7.10.8）。

3　承諾転貸における転貸人・転借人間の法律関係

　原則として通常の賃貸借契約（601）と同様であり、たとえば、転貸人は転借人に対して修繕義務を負う（606 I 本文）〈償〉。もっとも、転借人が賃貸人に対して負う義務（ex.賃料支払、契約終了に伴う目的物の返還）を直接履行すれば、その限度で賃借人に対する義務を免れる点で特殊性がある。

4　承諾転貸における原賃貸借の賃貸人・賃借人間の法律関係

　転貸借の存在によって影響を受けない。

　　　→承諾転貸において、転借人が目的物を滅失・損傷させた場合、賃借人は賃貸人に対してどのような責任を負うかが問題となるが、これについては、賃貸人がした転貸の承諾（612 I）をどのように解釈するかによって処理すべきであり、通常、賃貸人の転貸への承諾には賃借人を免責する趣旨まで含まないことから、原則として、賃借人もその責任を負うと解されている

二　賃貸借関係終了の効果

1　期間満了による終了

　原賃貸借が期間満了で終了すれば、転貸借は、直ちには消滅しないとしても、転借人は転借権を原賃貸人に対抗できなくなるので、原賃貸人との関係では不法占拠者となり、原賃貸人からの目的物返還請求に応じざるを得ない（最判昭31.4.5）〈同共〉。

　　　∵　転貸借は、基本となる賃貸借の存在を前提に賃借人が有する権利の範囲内で成立するものである

　　　→その結果、転貸人の使用収益させる義務が履行不能となり、転貸借も転借人の解除をまたずに終了する（最判昭31.4.5）〈同〉

　　　cf.　借地借家法の適用がある場合、原賃貸人は原賃貸借の終了を転借人に「通知」することを要し、それを欠くと転借人に終了を対抗できない（借地借家34 I）。通知がなされると、転貸借は通知がなされた日から6か月を経過すると終了する（II）という修正がなされる

2　合意解除による終了〈予H29〉

　賃貸人と賃借人が賃貸借契約を合意解除しても、賃貸人は合意解除をもって転借人に対抗することはできない（III本文）〈同共書〉。その結果、①転貸借関係は存続し、原賃貸借関係もその限度で存続するという見解（原賃貸借契約存続

説）と、②原賃貸借関係は合意解除により消滅したことを前提として、原賃貸人と転借人が直接の賃貸借関係に立つとする見解（直接関係肯定説）がある。

3 債務不履行解除による終了

(1) 転借人の地位

　　賃借人の債務不履行により賃貸借が解除されたときは、転貸借は履行不能により終了し、転借人は賃貸人に対抗することができない（最判昭36.12.21）。承諾転貸がなされていた場合でも同様である。

(2) 転貸借契約が履行不能となる時期

　　承諾転貸において、賃貸借契約が賃借人の債務不履行を理由とする解除により終了した場合、転貸借は、原則として賃貸人が転借人に対して目的物の返還を請求した時に、転貸人の転借人に対する債務の全部の履行不能により終了する（616の2、最判平9.2.25・百選Ⅱ56事件参照）〈司共〉。

(3) 転借人に対する催告の要否

　　賃料の延滞を理由に賃貸借を解除するには、賃貸人は賃借人に催告すれば足り、転借人にその支払の機会を与える必要はない（最判平9.2.25・百選Ⅱ56事件）〈司〉。

4 サブリース

(1) 意義

　　サブリースとは、不動産会社が賃貸ビルの所有者（ビルオーナー）からビルを一棟借りし、これをテナントへ転貸借して転賃料を収取する反面、ビルオーナーには空室が生じても一定の賃料を支払うことを約束する契約である。

(2) 判例

(a) 賃料自動増額特約の下でも、不動産会社は賃料減額請求権の行使をすることができ（借地借家32）、当事者が当初に現実に賃料を合意した日以降の諸般の事情を総合考慮して賃料減額請求の当否が決せられる（最判平20.2.29・平20重判4事件、最判平15.10.21・百選Ⅱ58事件）〈司〉。

(b) サブリース契約は、形式上転貸借であるが、実質において不動産会社が知識・経験を利用して安定した賃料収入を得ることを企図したものであり、ビルオーナーも最初から不動産会社が転貸することを予定して結ばれたものであるから、ビルオーナーは信義則上、（期間満了による）不動産会社との賃貸借契約終了をテナント（転借人）に対抗できない（最判平14.3.28・百選Ⅰ3事件）。

《その他》

- 賃借権の譲渡・転貸の場合において、賃貸人の有する不動産賃貸の先取特権（312）は、譲受人・転借人の動産にも及ぶ（314前段）。

第614条　（賃料の支払時期）

　賃料は、動産、建物及び宅地については毎月末に、その他の土地については毎年末に、支払わなければならない。ただし、収穫の季節があるものについては、その季節の後に遅滞なく支払わなければならない。

第615条　（賃借人の通知義務）〈予〉

　賃借物が修繕を要し、又は賃借物について権利を主張する者があるときは、賃借人は、遅滞なくその旨を賃貸人に通知しなければならない。ただし、賃貸人が既にこれを知っているときは、この限りでない。

第616条　（賃借人による使用及び収益）

　第594条第1項＜借主による使用及び収益＞の規定は、賃貸借について準用する。

[趣旨] 同じく貸借型契約である使用貸借契約に関する借主の使用収益上の義務（用法遵守義務）の規定を準用し、賃借人の義務を明確にしたものである。

第3款　賃貸借の終了

第616条の2　（賃借物の全部滅失等による賃貸借の終了）〈司書〉

　賃借物の全部が滅失その他の事由により使用及び収益をすることができなくなった場合には、賃貸借は、これによって終了する。

[趣旨] 本条は、賃借物の全部が滅失等により使用・収益することができなくなった場合には、賃貸借は当然に終了するという判例法理（最判昭32.12.3 等）を明文化したものである。これは、賃借物の全部が滅失した場合等には、もはや賃貸借契約の目的を達成することが不可能であるにもかかわらず、契約の解除をしない限り賃料債務が発生するというのは不当であると考えられたことによる。

　賃貸借の目的物の滅失等について契約当事者の一方に帰責事由がある場合でも、賃貸借契約自体は当然に終了し、その後、債務不履行等による損害賠償請求（415）により処理がなされる。

第617条　（期間の定めのない賃貸借の解約の申入れ）

Ⅰ　当事者が賃貸借の期間を定めなかったときは、各当事者は、いつでも解約の申入れをすることができる。この場合においては、次の各号に掲げる賃貸借は、解約の申入れの日からそれぞれ当該各号に定める期間を経過することによって終了する〈司共〉。

①　土地の賃貸借　　　1年〈司〉
②　建物の賃貸借　　　3箇月
③　動産及び貸席の賃貸借　1日

Ⅱ　収穫の季節がある土地の賃貸借については、その季節の後次の耕作に着手する前に、解約の申入れをしなければならない。

[趣旨]本条は、期間の定めのない賃貸借は常に期限が到来しているものという前提に立って、いつでも解約申入れができるが、終了には一定期間の経過を要するとして、処理を図ったものである〈司共〉。

《注　釈》

◆　不動産についての特別法による修正

1　建物所有目的の借地権の存続期間は最短期が30年とされているので（借地借家3）、解約申入れによって賃貸借が終了する余地はない〈司〉。

2　借家関係においては、賃貸人からの解約申入れの場合、猶予期間を6か月とし、加えて明確な「正当の事由」の存在を要求しており（借地借家27、28）、本条は賃貸人からの解約申入れには適用されない〈司〉。

第618条　（期間の定めのある賃貸借の解約をする権利の留保）〈司〉

当事者が賃貸借の期間を定めた場合であっても、その一方又は双方がその期間内に解約をする権利を留保したときは、前条の規定を準用する。

第619条　（賃貸借の更新の推定等）〈司書〉

Ⅰ　賃貸借の期間が満了した後賃借人が賃借物の使用又は収益を継続する場合において、賃貸人がこれを知りながら異議を述べないときは、従前の賃貸借と同一の条件で更に賃貸借をしたものと推定する〈司〉。この場合において、各当事者は、第617条の規定により解約の申入れをすることができる。

Ⅱ　従前の賃貸借について当事者が担保を供していたときは、その担保は、期間の満了によって消滅する。ただし、第622条の2第1項に規定する敷金については、この限りでない。

[趣旨]約定期間終了後における当事者の意思の推定を基礎に、更新制度を置いた。

《注　釈》

一　要件

①　賃貸借終了後、賃借人が目的物の使用収益を継続していること（Ⅰ前段）

②　賃貸人が、これを知って異議を述べないこと（Ⅰ前段）

二　効果

①前賃貸借と同一の条件で賃貸借がなされたものと推定され、②その賃貸借の期間は、期間の定めのないものとみなされ、いつでも解約申入れができるとされる（Ⅰ）。さらに、③担保は敷金を除き、消滅する（Ⅱ）。

三　借地借家法

1　借地借家法に規定される法定更新（借地借家5Ⅱ、26Ⅱ）の適用がある場合には、本条の適用は排除される。

2　借地借家法は、契約の更新を原則とし（借地借家4、5Ⅰ、26Ⅰ参照）、「正当の事由」がある場合にのみ更新拒絶ができるとする（法定更新、借地借家6、28）〈司予〉。

cf.1　建物所有を目的とする借地契約の更新拒絶につき旧借地法4条1項

（借地借家6）所定の「正当の事由」があるかどうかを判断するに当たっては、土地所有者側の事情と借地人側の事情を比較考量してこれを決すべきである

右判断に際し、特段の事情のない限り借地人側の事情として借地上にある建物賃借人の事情をも斟酌することは許されない（最判昭58.1.20・百選Ⅱ 54事件）

cf.2　「正当の事由」（借地借家6）の判断に際して、立退料等金員の提供ないし増額の申出で、事実審口頭弁論の終結時までにされたものについては、土地所有者に信義に反するような事情がない限り、原則としてこれを補完事由として考慮することができる（最判平6.10.25・百選Ⅱ〔第8版〕62事件）〈司〉

3　期間の定めのある建物の賃貸借契約においては、公正証書による等書面によって契約するときに限り、契約の更新がないこととする旨を定めることができる（借地借家38Ⅰ）〈司〉。

四　合意更新

1　合意更新の意義

期間満了に際し、当事者は合意によっても賃貸借契約を更新することができる。法定更新の場合、更新後は、期間の定めのない契約となる（619Ⅰ後段、617Ⅰ）が、合意更新の場合、期間を定めることができる。

2　更新料

(1)　更新料とは、契約期間が満了し、賃貸借契約を更新する際に、賃貸人と賃借人の間で授受される金員である。更新料は、一般に、賃料の補充ないし前払、賃貸借契約を継続するための対価等の趣旨を含む複合的な性質を有するとされている（最判平23.7.15・百選Ⅱ 55事件）。

(2)　賃貸借契約における更新料条項は、更新料の額が賃料の額、賃貸借契約が更新される期間等に照らし高額に過ぎるなどの特段の事情がない限り、消費者契約法10条にいう「民法第1条第2項に規定する基本原則に反して消費者の利益を一方的に害するもの」には当たらない（前掲最判平23.7.15・百選Ⅱ 55事件）。

(3)　更新料の不払が解除原因となるかについて　⇒p.568

第620条　（賃貸借の解除の効力）

賃貸借の解除をした場合には、その解除は、将来に向かってのみその効力を生ずる。この場合においては、損害賠償の請求を妨げない〈司共〉。

[趣旨]いったん有効に成立した契約が、債務不履行等によって解除され、遡って無効にされるとすると、その法律関係を前提にして積み上げられてきた個々の法律行為や法律関係がすべて覆されることになるので、賃貸借のような継続的な契約関係においては当事者間の清算がきわめて複雑なものとなる。そこで本条前段は、遡及効を否定した。

《注　釈》

一　解除原因

1　賃借人から解除がなされる場合

① 　賃貸人が賃借人の意思に反する保存行為をした場合（607）

② 　耕作又は牧畜を目的とする土地の賃借人が不可抗力によって引き続き2年以上賃料より少ない収益を得たとき（609・610）

③ 　賃借人に過失なく賃借物が一部滅失し賃借をした目的の達成が不能となった場合（611 Ⅱ）

④ 　賃貸人の債務不履行（使用収益させる義務違反）に基づく解除

2　賃貸人から解除がなされる場合

① 　賃借人の無断譲渡・転貸（612 Ⅱ）

② 　賃借人の債務不履行（賃料延滞、用法遵守義務違反）に基づく解除

二　賃借人の債務不履行による解除

1　判例の準則

(1) 　継続的な契約である賃貸借契約において、賃借人の債務不履行があった場合、判例（大判昭14.12.13等参照）は、628条の類推適用などにより「やむを得ない事由」がないと解除できないとするのではなく、541条以下の一般的な規定を適用しつつ、信頼関係破壊の法理を用いて必要な修正を加えている。

(2) 　賃借人の義務違反が賃貸借の基礎をなす「信頼関係の破壊」に当たるのでないときは、催告のうえ解除の意思表示をする手続がとられていても解除の効力は認められない。　⇒ p.560

ex. 　増改築禁止特約は有効であるが、増改築が借地人の土地の通常の利用上相当であり、土地賃貸人に著しい影響を及ぼさないため、信頼関係を破壊するおそれがあると認めるに足りないときは、解除権を行使はできない（最判昭41.4.21）

cf. 　賃借人の義務違反が「信頼関係の破壊」に当たる場合には、賃貸人は催告することなく契約を解除することができる（542 Ⅰ⑤）

(3) 　賃貸人たる地位の移転があった場合、譲受人が移転前の賃料不払を理由に解約するためには、譲渡人より不払賃料債権を譲り受けていなくてはならない。

(4) 　更新料の不払が当該賃貸借契約の解除原因となりうるかは、単に更新料の支払がなくとも法定更新されたかどうかという事情のみならず、当該賃貸借成立後の当事者双方の事情、当該更新料の支払の合意が成立するに至った経緯その他諸般の事情を総合考量したうえ、具体的事実関係に即して判断されるべきである（最判昭59.4.20）。

2　無催告解除特約の効力

信頼関係破壊の法理により催告解除を制限していることが無意味とならないよう、かかる特約は、催告することなく解除しても不合理ではないような事情

がある場合に無催告解除を許す条項と制限解釈されて、効力が認められる（最判昭 43.11.21、最判昭 51.12.17）。

> ex. 借家契約において滞納家賃が3か月分以上に達したときは催告を要せず解除できる、という特約は有効である（大判明 43.12.9）〈同〉

三　解除の非遡及効

1　解除の非遡及効

本条に規定される解除の非遡及効については、雇用（630）、委任（652）、組合（684）に明文で準用されている。使用貸借や寄託についても解釈によって、継続的な契約である性質から当然に解除の効果は遡及しないと解されている。

> →遡及効を有しない各種継続的契約においては、法文上「解除」とされている場合でも告知を意味する〈連〉　⇒ p.487

2　本条後段は、注意規定である。

> →解除（告知）に遡及効がない以上、告知前に生じた損害賠償請求権は告知により影響を受けないのは当然

第621条　（賃借人の原状回復義務）

賃借人は、賃借物を受け取った後にこれに生じた損傷（通常の使用及び収益によって生じた賃借物の損耗並びに賃借物の経年変化を除く。以下この条において同じ。）がある場合において、賃貸借が終了したときは、その損傷を原状に復する義務を負う〈貼〉。ただし、その損傷が賃借人の責めに帰することができない事由によるものであるときは、この限りでない。

[趣旨] 本条は、通常損耗が生じることは賃貸借契約を締結する時に当然予定されており、通常は修繕費等の必要経費を織り込んで賃料額が定められるのであって、賃借人が通常損耗の回復義務を負うとすると、賃借人は予期しない特別の負担を課されることになるから、特約がある場合を除き、賃借人は通常損耗の回復義務を負わないという判例法理（最判平 17.12.16）を明文化したものである。

《注　釈》

- 判例は、通常損耗に該当する例として、①家具の設置による床・カーペットのへこみ、設置跡、②ＴＶ・冷蔵庫等の後部壁面の黒ずみ、③鍵の取り替え（破損・鍵の紛失のない場合）等を挙げている。
- 通常損耗の補修費用につき賃借人が負担する旨の特約をする場合には、賃借人の明確な合意が必要である（最判平 17.12.16）。
- 賃借人の責めに帰することができない事由の主張立証責任は、賃借人が負う。
- 賃借人が原状回復義務を履行しないときは、債務不履行に基づく損害賠償責任を負う（最判平 17.3.10）。

第622条　（使用貸借の規定の準用）

　第597条第1項＜期間満了による使用貸借の終了＞、第599条第1項及び第2項＜借主の収去義務及び収去権＞並びに第600条＜損害賠償及び費用の償還の請求権についての期間の制限＞の規定は、賃貸借について準用する。

《注　釈》

◆　収去、有益費償還請求権、造作買取請求権

　賃借人の収去権（622・599 II）が問題となる場合、有益費償還請求（608）、造作買取請求（借地借家 33　⇒ p.551）のいずれで解決をすべきかが問題となる。

1　付属物が建物から全く独立性を有さず、これを分離して収去することが不可能、又は損傷しなければ収去できない場合
　　→有益費償還請求の問題のみが生じ、収去権（収去義務）は生じない

2　付属物が建物からの独立性を有し、賃借人自身の所有権が認められる場合
　　→有益費償還請求権の問題は生じない

　(1)　「造作」の要件をみたす物
　　　→造作買取請求権又は収去権（収去義務）が認められる
　　　∵　造作は、その分離可能性ゆえに費用償還請求の対象とならない
　　　cf.　賃借人の債務不履行により賃借権が消滅した場合には、造作買取請求はなしえない（最判昭 31.4.16）　⇒ p.551

　(2)　「造作」ではない物
　　　→収去権（収去義務）のみが認められる

3　賃借人の所有権は認められない（付合する）が、収去することができる場合
　　→収去権（収去義務）又は有益費償還請求権が認められる

第4款　敷金

第622条の2

I　賃貸人は、敷金（いかなる名目によるかを問わず、賃料債務その他の賃貸借に基づいて生ずる賃借人の賃貸人に対する金銭の給付を目的とする債務を担保する目的で、賃借人が賃貸人に交付する金銭をいう。以下この条において同じ。）を受け取っている場合において、次に掲げるときは、賃借人に対し、その受け取った敷金の額から賃貸借に基づいて生じた賃借人の賃貸人に対する金銭の給付を目的とする債務の額を控除した残額を返還しなければならない。

　①　賃貸借が終了し、かつ、賃貸物の返還を受けたとき⟨共⟩。

　②　賃借人が適法に賃借権を譲り渡したとき⟨共⟩。

II　賃貸人は、賃借人が賃貸借に基づいて生じた金銭の給付を目的とする債務を履行しないときは、敷金をその債務の弁済に充てることができる。この場合において、賃借人は、賃貸人に対し、敷金をその債務の弁済に充てることを請求することができない⟨共⟩。

[趣旨]本条は、判例・通説に基づき、敷金の定義やその返還時期等、敷金に関する基本的な規律を明文化した。本条1項1号はいわゆる明渡時説（最判昭48.2.2・百選Ⅱ〔第7版〕61事件）を明文化したものであり、賃借物の返還が先履行となる。また、同2号も、判例（最判昭53.12.22・百選Ⅱ〔第8版〕66事件）の結論を明文化したものであり、賃借権の適法な譲渡があった場合においては、旧賃借人が差し入れた敷金は新賃借人に承継されない。

《注　釈》

一　敷金の意義

敷金とは、いかなる名目によるかを問わず、賃料債務その他の賃貸借に基づいて生ずる賃借人の賃貸人に対する金銭の給付を目的とする債務を担保する目的で、賃借人が賃貸人に交付する金銭をいう（Ⅰ柱書かっこ書）。

この要件に該当するものであれば、当事者間で「保証金」や「権利金」と呼ばれていたとしても、本条の適用を受ける。

二　敷金契約の法的性質

一種の停止条件付返還義務を伴う金銭所有権の移転であり、賃貸借契約に付随する従たる契約だが、別個の契約である〈同〉。

三　敷金返還請求権

1　発生時期

(1)　賃貸借が終了し、かつ、賃貸物の返還を受けたとき（Ⅰ①）

→敷金返還債務と賃貸物の返還債務は同時履行関係にない（最判昭49.9.2・百選Ⅱ57事件参照）〈同共〉

(2)　賃借人が適法に賃借権を譲渡したとき（Ⅰ②）

→賃借権の適法な譲渡があった場合においては、旧賃借人が差し入れた敷金は新賃借人に承継されない〈共〉

2　被担保債権の範囲

賃貸人は、敷金から「賃貸借に基づいて生じた賃借人の賃貸人に対する金銭の給付を目的とする債務の額」（未払賃料・損害賠償等）を控除した残額を賃借人に返還しなければならない（Ⅰ柱書）。

四　敷金の充当（Ⅱ）

賃貸借契約存続中においては、不履行に陥った賃料債務等について、賃貸人は敷金をその弁済に充てることができる（Ⅱ前段）。もっとも、賃借人が敷金を延滞賃料等の弁済に充当するよう賃貸人に請求することはできない（Ⅱ後段）〈共書〉。

賃貸借契約が終了し目的物が返還された場合、又は賃貸人が適法に賃借権を譲渡した場合には、賃貸人は敷金の額から賃借人の金銭債務の額を控除した残額を返還しなければならない（Ⅰ柱書）。

《その他》

1　賃貸人たる地位の移転と敷金関係（605の2Ⅳ）　⇒ p.554

2　居住用の家屋の賃貸借における敷金につき、賃貸借契約終了時にそのうちの一定金額又は一定割合の金員（敷引金）を返還しない旨の特約（敷引特約）が

債
権

された場合であっても、災害により賃借家屋が滅失し、賃貸借契約が終了した
ときは、特段の事情がない限り、敷引特約を適用することはできず、賃貸人は
賃借人に対し敷引金を返還すべき義務を負う（最判平10.9.3）〈重〉。

∵　賃貸借契約が災害により当事者が予期していない時期に終了した場合に
ついてまで、敷引特約が成立していたと解することはできない

なお、上記の「特段の事情」としては、いわゆる礼金として合意された場合
のように当事者間に明確な合意が存する場合が挙げられる〈重〉。

3　賃貸借契約の目的物の返還時に残存する賃料債権等は、敷金が存在する限度
において敷金の充当により当然に消滅することになり、賃料債権について物上
代位による差押えがなされた場合においても、その消滅を抵当権者に主張する
ことができる（最判平14.3.28）〈回〉。　⇒p.259

4　賃貸借終了後明渡前の敷金返還請求権の転付命令（民執159）は、明渡前に
おいては敷金返還請求権は未確定な債権として転付命令の対象となる適格がな
いため、無効となる（最判昭48.2.2・百選Ⅱ〔第7版〕61事件）〈回〉。

■第8節　雇用

《概　説》

一　意義

雇用とは、他人の労働それ自体を利用することを目的とする契約である。雇用
関係に対しては労働法が特別法としての性格を有するので、ほとんど労働契約法
や労働基準法の適用を受け、わずかに同居親族だけを使用する事業や事務所又は
家事使用人の雇用関係のみが適用除外となっている。

二　法的性質

有償・双務・諾成・不要式契約である。

1　雇用は、労働者自らが労働を提供することそれ自体を目的とする点で、他の
労働供給型契約とは異なる。すなわち、労働の結果としての仕事の完成を目的
とする請負や、一定の事務処理という裁量的な行為を目的とする委任と異なる
特質をもつ。　⇒p.582

2　雇用契約の各当事者（使用者・労働者）には、契約上の付随義務として安全
配慮義務が認められる（最判昭50.2.25・百選Ⅱ2事件）。　⇒p.469

第623条　（雇用）

雇用は、当事者の一方が相手方に対して労働に従事することを約し、相手方がこれ
に対してその報酬を与えることを約することによって、その効力を生ずる。

第624条　（報酬の支払時期）

Ⅰ　労働者は、その約した労働を終わった後でなければ、報酬を請求することができ
ない。

Ⅱ　期間によって定めた報酬は、その期間を経過した後に、請求することができる〈回〉。

第624条の2　（履行の割合に応じた報酬）

　労働者は、次に掲げる場合には、既にした履行の割合に応じて報酬を請求することができる。

①　使用者の責めに帰することができない事由によって労働に従事することができなくなったとき。

②　雇用が履行の中途で終了したとき。

[趣旨] 報酬の支払時期にかかわらず、労務提供に対する対価としての報酬という観点から、割合的な報酬請求を認めた。

《注　釈》

▪ 報酬の支払時期は後払が原則であるが（624 I）、前払の特約を結ぶこともできる〈同〉。

▪ 使用者の責めに帰すべき事由によって労務に従事することができなくなった場合、労働者は、536条2項前段の法意に照らして、対応する期間における報酬全額を請求することができると解されている。もっとも、労働者が労働従事義務を免れたことによって利益を得たときには、これを使用者に償還しなければならない（536 II 後段）。

第625条　（使用者の権利の譲渡の制限等）

Ⅰ　使用者は、労働者の承諾を得なければ、その権利を第三者に譲り渡すことができない。

Ⅱ　労働者は、使用者の承諾を得なければ、自己に代わって第三者を労働に従事させることができない。

Ⅲ　労働者が前項の規定に違反して第三者を労働に従事させたときは、使用者は、契約の解除をすることができる。

第626条　（期間の定めのある雇用の解除）

Ⅰ　雇用の期間が5年を超え、又はその終期が不確定であるときは、当事者の一方は、5年を経過した後、いつでも契約の解除をすることができる。

Ⅱ　前項の規定により契約の解除をしようとする者は、それが使用者であるときは3箇月前、労働者であるときは2週間前に、その予告をしなければならない。

[趣旨] 本条2項は、労働者が契約を解除しようとする場合の予告期間を「2週間前」と規定しているところ、これは、労働者の辞職の自由を確保する趣旨であり、期間の定めのない雇用契約に関する627条1項と平仄を合わせたものである。

債
権

第627条 （期間の定めのない雇用の解約の申入れ）

Ⅰ　当事者が雇用の期間を定めなかったときは、各当事者は、いつでも解約の申入れをすることができる。この場合において、雇用は、解約の申入れの日から2週間を経過することによって終了する。

Ⅱ　期間によって報酬を定めた場合には、使用者からの解約の申入れは、次期以後についてすることができる。ただし、その解約の申入れは、当期の前半にしなければならない。

Ⅲ　6箇月以上の期間によって報酬を定めた場合には、前項の解約の申入れは、3箇月前にしなければならない。

第628条 （やむを得ない事由による雇用の解除）

当事者が雇用の期間を定めた場合であっても、やむを得ない事由があるときは、各当事者は、直ちに契約の解除をすることができる。この場合において、その事由が当事者の一方の過失によって生じたものであるときは、相手方に対して損害賠償の責任を負う。

第629条 （雇用の更新の推定等）

Ⅰ　雇用の期間が満了した後労働者が引き続きその労働に従事する場合において、使用者がこれを知りながら異議を述べないときは、従前の雇用と同一の条件で更に雇用をしたものと推定する。この場合において、各当事者は、第627条の規定により解約の申入れをすることができる。

Ⅱ　従前の雇用について当事者が担保を供していたときは、その担保は、期間の満了によって消滅する。ただし、身元保証金については、この限りでない。

第630条 （雇用の解除の効力）

第620条＜賃貸借の解除の効力＞の規定は、雇用について準用する。

第631条 （使用者についての破産手続の開始による解約の申入れ）

使用者が破産手続開始の決定を受けた場合には、雇用に期間の定めがあるときであっても、労働者又は破産管財人は、第627条の規定により解約の申入れをすることができる。この場合において、各当事者は、相手方に対し、解約によって生じた損害の賠償を請求することができない。

《注　釈》

- 雇用契約において期間の定めがある場合、使用者が破産手続開始の決定を受けても、契約は当然には終了しない（631・627参照）。
- 雇用契約では人的要因が重要とされるため、解釈上、労働者の死亡は契約の終了事由とされる。

■第9節　請負

《概　説》

一　意義

　　請負とは、当事者の一方（請負人）がある仕事を完成することを約束し、相手
方（注文者）がその仕事の結果に対してこれに報酬を与えることを約束すること
によって成立する契約をいう。

　　cf.　製作物供給契約

　　　　単純に仕事の完成を目的とした請負契約とは異なり、さらに製作物の所有
　　　権を移転することを目的としており、売買契約の要素をも混合した内容と
　　　なっている点に特色がある

　　　　→売買契約と請負契約の両法条を混合させて適用する立場が通説

二　法的性質

　　有償・双務・諾成・不要式契約である〈論〉。

> **第632条　（請負）**
>
> 　請負は、当事者の一方がある仕事を完成することを約し、相手方がその仕事の結果
> に対してその報酬を支払うことを約することによって、その効力を生ずる。

《注　釈》

一　請負契約の効力

　1　請負人の仕事完成義務

　⑴　仕事に着手する義務

　⑵　契約に従い仕事をする義務

　⑶　完成物引渡義務

　2　注文者の報酬支払義務

　　請負契約は、報酬額が具体的に定められていなくても、報酬額の決定方法が
定められていれば成立する（東京地判昭48.7.16）〈判〉。

　3　履行補助者・下請負人の使用

　⑴　仕事の完成に必要な労働は、請負人自身が提供する必要はない（下請の原
　　則的自由）。

　　　→請負人は、個人の労働に重点を置いている場合、あるいは特約のある場
　　　　合を除き、自由に履行補助者に仕事を完成させることができる

　⑵　請負人は、自分で仕事を完成しないで、さらに第三者（下請負人）に請け
　　負わせることができる。

　　　→請負契約に下請負禁止の特約があっても、下請負契約は当然に無効とな
　　　　らず、請負人が特約違反の責任（債務不履行）を負うにすぎない

　⑶　下請負人や履行補助者の責めに帰すべき事由につき、請負人がすべて責任
　　を負う。

　⑷　注文者が下請を承諾していても、下請人との間に直接の契約関係は生じな
　　いので、注文者は、下請人に対して目的物の引渡請求はできない。また、請

負契約が解除により終了しても、下請負契約が当然に終了するわけではない。

二　製作物所有権の移転・帰属〈司〉〈司R元〉

1　特約があるときは、それに従う。

cf.　建築物完成前に請負代金の全額が支払われていた場合には、特別の事情がない限り、建築家屋は工事完成と同時に注文者に帰属させるという、暗黙の合意が当事者間にあると推認される（最判昭46.3.5）

2　特約がないとき

(1)　注文者が材料の全部又は主要部分を提供した場合

所有権は注文者に帰属する（大判昭7.5.9）。

→加工に関する246条1項ただし書は適用されない

(2)　請負人が材料の全部又は主要部分を提供した場合

所有権は請負人に帰属し、引渡しによって注文者に移転する（大判明37.6.22）〈司〉。

3　建築途中の建物への第三者による工事と所有権の帰属

建築物の請負契約において、目的物が土地とは独立の建物となる時期は建物の用途で異なり、一般家屋では屋根と荒壁があれば天井や床がなくても建物となる。建前はその前段階であり、土地の定着物として付合せず、独立の動産とされる（大判昭10.10.1・百選I 10事件）。

(1)　第一の請負人が、未だ独立の不動産に至らない建前を築造したままの状態で放置し、これに第二の請負人が材料を提供して工事を施し、独立の不動産である建物に仕上げた場合においての建物所有権の帰属は、243条（動産の付合）の規定によるのではなく、むしろ246条2項（加工）の規定により決定すべきである（最判昭54.1.25・百選I 68事件）。　⇒ p.179

(2)　246条2項の規定により所有権の帰属を決定するに当たっては、第二の請負人の工事終了時における状態に基づき、第一の請負人が建築した建前の価格と第二の請負人が施した工事及び材料価格を比較すべきである（前掲最判昭54.1.25・百選I 68事件）。

→基準時は建前が独立の不動産になった時点ではなく、工事終了時である

4　注文主と元請負人による所有権帰属についての特約と下請負人の材料提供

建物建築工事の注文者と元請負人との間に、請負契約が途中で解除された際の出来形部分の所有権は注文者に帰属する旨の約定がある場合、当該契約が途中で解除されたときは、元請負人から一括して当該工事を請け負った下請負人が自ら材料を提供して出来形部分を築造したとしても、特段の事情のない限り、出来形部分の所有権は注文者に帰属する（最判平5.10.19・百選II 60事件）〈司共〉。

債権

三　危険負担

＜目的物の滅失・損傷と危険負担＞〔団〕

		請負人に帰責事由	注文者に帰責事由	双方に帰責事由なし
仕事完成前の滅失・損傷	期限までに完成可能	請負人の仕事完成義務は存続する			
		請負人の債務不履行（履行遅滞）	注文者に対して損害賠償請求が可能（415・709）	増加費用は請負人の負担
	期限までに完成不可能	契約の解除（＊1）、損害賠償請求（415）が可能（＊2）	536条2項により、注文者は報酬請求を拒むことができない（最判昭52.2.22・百選Ⅱ59事件参照）〔書〕〔予R5〕（＊3）	536条1項により、注文者は報酬請求を拒むことができる〔書〕契約の解除も可能（542Ⅰ①）
仕事完成後の滅失・損傷		契約の解除（＊1）、損害賠償請求（415）が可能	536条2項により、注文者は報酬請求を拒むことができない（＊3）	536条1項により、注文者は報酬請求を拒むことができる契約の解除（＊1）も可能

＊1　目的物が滅失した場合には、全部の履行不能（542Ⅰ①）を理由に契約の解除が可能であり、目的物が損傷したにとどまる場合には、契約の目的達成不能（542Ⅰ③）等を理由に契約の解除が可能である。

＊2　注文者が残工事に要した費用として請負人に請求できるのは、その費用のうち未施工部分に相当する請負代金を超える部分に限られる（最判昭60.5.17）。

＊3　請負人は自己の債務を免れたことによる利益を注文者に償還しなければならない（536Ⅱ後段）（最判昭52.2.22・百選Ⅱ59事件）。

第633条　（報酬の支払時期）

　報酬は、仕事の目的物の引渡しと同時に、支払わなければならない〔書〕。ただし、物の引渡しを要しないときは、第624条第1項＜労働終了後でなければ報酬を請求できない＞の規定を準用する。

［趣旨］本条は、請負人の仕事の完成義務と対価関係に立つ注文者の報酬支払債務につき、その弁済時期を定めたものである。原則として報酬は後払（完成が先履行）とする。

《注　釈》

一　「同時に、支払わなければならない」（本文）の意味

　請負人の目的物の引渡義務と注文者の報酬支払義務は、同時履行の関係に立つ（大判大5.11.27）〔団〕。

→目的物の完成と支払は同時履行ではない

→物の引渡しを要しないときも報酬は後払である（633ただし書・624Ⅰ）〔団〕

債権

二　報酬債権の譲渡・差押えの可否

　　請負人の報酬債権は請負契約成立の時に発生するものであるから、工事完成前でも、報酬債権に対する差押え・転付命令（民執159）が可能となる（大判明44.2.21）。また、譲渡も可能である。

第634条　（注文者が受ける利益の割合に応じた報酬）

　次に掲げる場合において、請負人が既にした仕事の結果のうち可分な部分の給付によって注文者が利益を受けるときは、その部分を仕事の完成とみなす。この場合において、請負人は、注文者が受ける利益の割合に応じて報酬を請求することができる。
　①　注文者の責めに帰することができない事由によって仕事を完成することができなくなったとき〈回〉。
　②　請負が仕事の完成前に解除されたとき〈書〉。

[趣旨]本条は、仕事の一部について完成済みであるという状況において、注文者が請負人の債務不履行を理由に請負契約を債務不履行解除する場合、仕事の内容が可分であり、かつ、注文者が既に完成した給付に関して利益を有するときは、特段の事情のない限り、既に完成した給付については契約を解除することができないという判例法理（最判昭56.2.17）を、「請負が仕事の完成前に解除されたとき」（634②）にも拡張するものである。

《注　釈》

一　要件
　①　「注文者の責めに帰することができない事由によって仕事を完成することができなくなった」こと（634①）又は「請負が仕事の完成前に解除された」（634②）こと
　　→両当事者に帰責事由がない場合及び請負人に帰責事由がある場合も、「注文者の責めに帰することができない」に含まれる。これに対し、注文者に帰責事由がある場合には、請負人は報酬全額を請求することができる（536Ⅱ前段）
　②　仕事の内容が可分であること
　③　注文者が既に完成した給付に関して利益を有すること

二　効果
　①　請負人が既にした仕事の結果のうち可分な部分の給付によって注文者が利益を受けるときは、その部分は仕事の完成とみなされる（柱書前段）
　②　請負人は注文者の受ける利益の割合に応じて報酬を請求できる（柱書後段）

第635条　（請負人の担保責任）　削除

第636条　（請負人の担保責任の制限）

　請負人が種類又は品質に関して契約の内容に適合しない仕事の目的物を注文者に引き渡したとき（その引渡しを要しない場合にあっては、仕事が終了した時に仕事の目的物が種類又は品質に関して契約の内容に適合しないとき）は、注文者は、注文者の供した材料の性質又は注文者の与えた指図によって生じた不適合を理由として、履行の追完の請求、報酬の減額の請求、損害賠償の請求及び契約の解除をすることができない。ただし、請負人がその材料又は指図が不適当であることを知りながら告げなかったときは、この限りでない。

《注　釈》

一　請負人の担保責任

　請負契約は有償契約であるため、請負人の完成した仕事の目的物に契約不適合がある場合には、売買における売主と同様、請負人も担保責任を負う（559・562～564）。

　すなわち、請負人が種類又は品質に関して契約の内容に適合しない仕事の目的物を注文者に引き渡したときは、注文者は、履行の追完の請求、報酬の減額の請求、損害賠償の請求及び契約の解除をすることができる（559・562～564。なお、請負人は注文者との間で担保責任を負わない旨の特約をすることも可能であるが、559条により準用される572条に注意）。

→目的物の引渡しを要しない場合にあっては、仕事が終了した時に仕事の目的物が種類又は品質に関して契約の内容に適合しないときに、注文者は履行の追完の請求等ができる（636かっこ書参照）

　もっとも、売買と異なり、請負には注文者が請負人に材料を提供したり、指図したりするという特徴がある。そこで、注文者は、「注文者の供した材料の性質又は注文者の与えた指図によって生じた不適合」を理由として、履行の追完の請求等をすることができないこととされている（636本文）。

　ex.　注文者から与えられた設計書に誤りがあったため、請負人の製作した機械に欠陥が生じたような場合

　ただし、この場合でも、請負人がその材料又は指図が不適当であることを知りながら告げなかったときは、原則に戻り、注文者は履行の追完の請求等をすることができる（636ただし書）。

二　修補に代わる損害賠償と報酬請求権の同時履行

　上記一のとおり、請負契約も有償契約（632参照）であるので、仕事の目的物が契約の内容に適合しない場合の請負人の責任については、原則として、売買の節の規定が準用される（559）ところ、注文者は、目的物の修補請求（562 I 本文）が可能な場合であっても、修補に代わる損害賠償請求をすることができる（564・415）。そして、目的物の修補に代わる損害賠償請求は、「債務の履行に代わる損害賠償」（533かっこ書）として、請負人の報酬請求権と同時履行の関係に立つ。

　次に、注文者が同時履行の抗弁として支払を拒むことができるのは、損害相当額を限度とする部分に限らず、報酬の全額であると解されている〈囮〉。

　∵　仮に注文者が目的物である建物の修補を請求した場合、その修補請求の履行と報酬請求権の履行は全額において同時履行の関係に立つことになるが、注文者が修補に代わる損害賠償を請求した場合は損害相当額の限度でしか同時履行の関係に立たないとするのでは、両請求権の間に不均衡が生じる

第637条　（目的物の種類又は品質に関する担保責任の期間の制限）

Ⅰ　前条本文に規定する場合において、注文者がその不適合を知った時から1年以内にその旨を請負人に通知しないときは、注文者は、その不適合を理由として、履行の追完の請求、報酬の減額の請求、損害賠償の請求及び契約の解除をすることができない〈囮〉。

Ⅱ　前項の規定は、仕事の目的物を注文者に引き渡した時（その引渡しを要しない場合にあっては、仕事が終了した時）において、請負人が同項の不適合を知り、又は重大な過失によって知らなかったときは、適用しない。

第638条〜第640条　（請負人の担保責任の存続期間、担保責任の存続期間の伸長、担保責任を負わない旨の特約）　削除

債権

[趣旨] 目的物を引き渡した後は履行が終了したという請負人の期待を保護する必要がある一方、注文者が契約不適合を知らない場合でも1年以内に権利を行使しなければ失権するというのでは注文者にとって過度の負担となる。そこで、637条1項は、売買における規律（566）と同様に、注文者に対して、契約内容の不適合を「知った時」から1年以内にその旨を請負人に通知する義務を課し、その通知を怠ったときは、注文者の権利を失うという効果（失権効）を規定している。

《注　釈》

▪売買の場合と同様に請負人が引渡しの時（引渡しを要しない場合は仕事が終了した時）にその不適合を知り、又は重大な過失によって知らなかったときは、かかる請負人を注文者からの通知がないからとの理由で免責するのは不当であるため、この場合は注文者の権利は失権しない（637Ⅱ）。

第641条　（注文者による契約の解除）〈共書〉

　請負人が仕事を完成しない間は、注文者は、いつでも損害を賠償して契約の解除をすることができる。

[趣旨] 契約成立後、何らかの事情で注文者がもはや請負人による仕事の完成を必要としないと考えるに至った場合にまで請負人の仕事を継続させることは、注文者にとっては無用のことであり、また、社会経済上も不利益である。そこで本条は、一定の要件の下に、注文者の解除権を認める。

《注　釈》

◆　要件及び効果

1　注文者は、契約の成立後、仕事完成前であればいつでも解除権を行使することができる《司共》。

「損害を賠償して契約の解除をする」と定められているが、解除前においては損害額が不明確でその算定も困難であるため、まず解除をし、その後に請負人に損害があればその賠償責任を負うものと解されている。すなわち、解除権行使の方法は単なる意思表示で足り、損害賠償の提供を要しない（大判明37.10.1）。

2　解除権の行使により、請負契約は遡及的に消滅する（545 I）《判》《書》。　⇒ p.494

第642条　（注文者についての破産手続の開始による解除）

Ⅰ　注文者が破産手続開始の決定を受けたときは、請負人又は破産管財人は、契約の解除をすることができる《司》。ただし、請負人による契約の解除については、仕事を完成した後は、この限りでない《書》。

Ⅱ　前項に規定する場合において、請負人は、既にした仕事の報酬及びその中に含まれていない費用について、破産財団の配当に加入することができる。

Ⅲ　第1項の場合には、契約の解除によって生じた損害の賠償は、破産管財人が契約の解除をした場合における請負人に限り、請求することができる。この場合において、請負人は、その損害賠償について、破産財団の配当に加入する。

[趣旨]後払である請負人の報酬債権を確保して請負人を保護すべく、本来、当然には契約に影響を与えない注文者の破産手続開始の決定をもって、請負人・破産管財人に請負契約の解除権を与えるものである。他方で、仕事が既に完成した後は請負人を保護するという趣旨が妥当せず、その場合は請負人の解除権を認めていない。なお、請負人が破産手続開始の決定を受けても、注文者に解除権は発生しない。

■第10節　委任

《概　説》

一　意義

委任は、雇用・請負と並んで他人の労働を利用する契約の一種であるが、特定の不動産の売却・賃貸や訴訟事件の処理等の一定の事務を処理するための統一的な労働である。したがって、受任者は自己の知識・経験・才能などをフルに活用し多少の裁量権を行使して事務を処理するため、受任者には本質的に自主性が要請される。

二　法的性質

無償・片務・諾成・不要式契約であるのが原則だが、特約により有償となるときは、有償・双務契約になる（648 I）《司共書》。

<請負・雇用・委任の比較>

	請負（632）	雇用（623）	委任（643）
契 約 の 目 的	仕事の完成	労働の利用それ自体	一定の事務処理を相手方の自由な判断を信頼して委ねること
仕事完成の要否	必要	不要	不要
労務供給の程度	独立的	従属的	独立的
解除の遡及効	あり（620準用せず）	なし（630・620）	なし（652・620）
共 通 点	いずれも、他人の労働を利用する点で共通する		

第643条 （委任）
委任は、当事者の一方が法律行為をすることを相手方に委託し、相手方がこれを承諾することによって、その効力を生ずる。

《注　釈》

◆　代理権授与との関係

実際は、委任が法律行為の委託を目的とする場合には、委任が同時に受任者に対する代理権の授与を伴うことが少なくない。

cf. 事務が事実行為の場合　→準委任（656）

しかし、委任は一定の事務の処理を目的とする委任者・受任者間の契約である一方、代理権の授与は代理人が本人に直接効果の生じる法律行為をなしうる権限を本人によって授与されることであり、法律上の構成は明確に区別される。

ex.　AがBに事務を委任し、BはCに適法に復委任した場合、Cが相手方とした契約の効果はAには帰属しない

第644条 （受任者の注意義務）
受任者は、委任の本旨に従い、善良な管理者の注意をもって、委任事務を処理する義務を負う。

《注　釈》

一　「善良な管理者の注意」

受任者に要求される「善良な管理者の注意」とは、債務者が従事する職業、その社会的・経済的地位などに応じて一般的に要求される注意をいう。受任者は有償・無償を問わず、かかる善管注意義務を負う。　⇒ p.308

cf. 無償寄託では、受寄者は、善管注意義務を負わない（659）

二　自ら事務を処理する義務

受任者は、原則として、自ら委任事務を処理しなければならない。

→ただし、①委任者の許諾を得たとき、又は②やむを得ない事由があるときは例外（644の2Ⅰ）

三 付随義務 (645～647)

＜委任・寄託・組合・事務管理における権利・義務の比較＞

	受任者 （委任）	受寄者 （寄託）	業務執行組合員 （組合）	事務管理者 （事務管理）
善管注意義務	○ (644)	・有償→○(400) ・無償 →自己の財産と 同一の注意義 務 (659)	○ (671・644)	○ （ただし698）
報 告 義 務	○ (645)	危険通知義務 (660)	○ (671・645)	○(701・645)〈同旨〉 ・管理開始通知義 務 (699)
引 渡 義 務	○ (646)	○ (665・646)	○ (671・646)	○ (701・646)
利息支払・損 害賠償義務	○ (647)	○ (665・647)	○ (671・647)	○ (701・647)
報 酬 支 払 請 求 権	特約あれば○ (648)	特約あれば○ (665・648)	特約あれば○ (671・648)	×
費 用 前 払 請 求 権	○ (649)	○ (665・649)	○ (671・649)	×
費 用 償 還 請 求 権	○ (650 I)	○ (665・650 I)	○ (671・650 I)	有益費につき○ (702 I) ・本人の意思に反 する場合は現存 利益ある限度で ○ (702 III)
債務代弁済・ 担保供与 請 求 権	○ (650 II)	○ (665・650 II)	○ (671・650 II)	有益債務につき○ (702 II・650 II) ・本人の意思に反 する場合は現存 利益ある限度で ○ (702 III)
損 害 賠 償 請 求 権	○ (650 III) 委任者の過失不要	○ (661) 寄託者の過失必要	○ (671・650 III)	×

第644条の2　（復受任者の選任等）

Ⅰ　受任者は、委任者の許諾を得たとき、又はやむを得ない事由があるときでなければ、復受任者を選任することができない《同書》。

Ⅱ　代理権を付与する委任において、受任者が代理権を有する復受任者を選任したときは、復受任者は、委任者に対して、その権限の範囲内において、受任者と同一の権利を有し、義務を負う。

[趣旨] 復代理は復代理人が第三者との間でした法律行為の効果が直接本人に及ぶかどうかといういわば「外部関係」の問題であるのに対し、復委任は復受任者が委任者に対してどのような権利義務を有するかといういわば「内部関係」の問題であって、これらは代理権授与の有無にかかわらない。そこで、本条1項は、復代理に関する104条とは別に、復受任者の選任が認められる要件について、104条と同趣旨の規律を定めるものとした。また、本条2項は、復代理における本人・復代理人の権利義務関係に関する106条2項と同趣旨の規律を定めるものである。

第645条　（受任者による報告）《同》

受任者は、委任者の請求があるときは、いつでも委任事務の処理の状況を報告し、委任が終了した後は、遅滞なくその経過及び結果を報告しなければならない。

《注　釈》

◆　報告義務

報告義務は、善管注意義務に付随する義務である。

1　報告すべき場合

(1)　委任者の請求があればいつでも、委任者に報告する義務を負う《共》。委任者の利益のために必要があれば、委任者の請求がなくても報告すべきものとされている。

(2)　委任終了後は、「遅滞なく」報告する義務を負う。

2　特約による報告義務免除の可否

本条は強行規定ではない。

→明示又は黙示の特約により、報告義務を軽減又は免除しうる

第646条　（受任者による受取物の引渡し等）

Ⅰ　受任者は、委任事務を処理するに当たって受け取った金銭その他の物を委任者に引き渡さなければならない。その収取した果実についても、同様とする《同》。

Ⅱ　受任者は、委任者のために自己の名で取得した権利を委任者に移転しなければならない。

《注　釈》

◆　「果実」（Ⅰ後段）の意味

天然果実と法定果実とを含む（88）《同》。

第647条　（受任者の金銭の消費についての責任）

　受任者は、委任者に引き渡すべき金額又はその利益のために用いるべき金額を自己のために消費したときは、その消費した日以後の利息を支払わなければならない。この場合において、なお損害があるときは、その賠償の責任を負う。

《注　釈》

一　本条の責任の根拠

　受任者は、委任者のために金銭を受け取った場合は、速やかにこれを委任者に引き渡すか、銀行等へ預金して、その安全と利殖を図ることが、善良な管理者の注意（644）として当然要求される。

　　→かかる注意義務に反した受任者に、利息支払義務と損害賠償義務を認めた

二　一般の損害賠償の原則との関係

　委任者は、特に受任者の故意・過失の有無、損害の証明の有無を問わず、当然に法定利息を請求しうる。したがって、本条は、一般の損害賠償の原則に対する例外規定たる419条（金銭債務の特則）に対して、さらに例外をなす関係にある。　⇒ p.336

第648条　（受任者の報酬）

Ⅰ　受任者は、特約がなければ、委任者に対して報酬を請求することができない回。

Ⅱ　受任者は、報酬を受けるべき場合には、委任事務を履行した後でなければ、これを請求することができない。ただし、期間によって報酬を定めたときは、第624条第2項＜期間経過後に報酬を請求できる＞の規定を準用する。

Ⅲ　受任者は、次に掲げる場合には、既にした履行の割合に応じて報酬を請求することができる。

　①　委任者の責めに帰することができない事由によって委任事務の履行をすることができなくなったとき。

　②　委任が履行の中途で終了したとき。

《注　釈》

一　委任者の報酬支払義務の発生

1　原則として委任は無償契約であり、特約がなければ報酬を請求することができない（Ⅰ）回。なお、現在では委任契約の大多数が有償であることから、明示の特約がなくても報酬支払義務が認められる場合は多いとされる。

　　ex.　弁護士が訴訟事件を受任するに当たり、何ら報酬についての特約をしなかった場合でも、委任者にその報酬を請求できる（最判昭37.2.1）

2　委任が途中で終了した場合

(1)　委任者の責めに帰することができない事由によって委任契約が履行不能となった場合、又は受任者の履行の途中で委任契約が終了した場合（同共、受任者は、既にした履行の割合に応じて報酬を請求することができる（Ⅲ）回。

　　(a)　委任者の責めに帰することができない事由によって委任契約が履行不能

となった場合（Ⅲ①）とは、当事者双方の責めに帰することができない事由によって履行不能となった場合、及び受任者の責めに帰すべき事由によって履行不能となった場合を指す。

　　→受任者に帰責事由がある履行不能の場合に、委任事務の履行を受けられなくなった委任者が損害賠償を請求することは可能

これに対し、委任者に帰責事由がある場合には、受任者は報酬全額を請求することができる（536Ⅱ前段）。

(b)　委任が履行の中途で終了した場合（Ⅲ②）とは、委任が解除された場合（651Ⅰ）や、履行の途中で終了事由が生じた場合（653各号参照）を指す。これらの場合には、受任者に責めに帰すべき事由があっても、受任者は既にした履行の割合に応じて、報酬を請求することができると解される。

(2)　成功報酬の支払に条件が定められている場合に、委任者が故意に条件の成就を妨げたときは、受任者は条件が成就したものとみなして（130Ⅰ）、その報酬を請求できる（最判昭45.10.22）。

二　報酬支払義務の発生時期（Ⅱ）

1　報酬は特約がない限り、後払である〈圖〉。
　　→受任者は、報酬に関して同時履行の抗弁権を主張できない

2　期間をもって報酬を定めた場合の報酬支払時期は期間経過後である。

第648条の2　（成果等に対する報酬）

Ⅰ　委任事務の履行により得られる成果に対して報酬を支払うことを約した場合において、その成果が引渡しを要するときは、報酬は、その成果の引渡しと同時に、支払わなければならない〈圖〉。

Ⅱ　第634条＜注文者が受ける利益の割合に応じた報酬＞の規定は、委任事務の履行により得られる成果に対して報酬を支払うことを約した場合について準用する。

［趣旨］「成果完成型」の委任（ex.弁護士の成功報酬、不動産仲介業者の報酬）は、仕事の完成義務を負わない点で請負契約とは異なるものの、事務処理の結果として成果が達成されて初めて報酬を請求できる点で、請負契約に類似する。そこで、本条は、成果の引渡と報酬支払の同時履行を規定し（Ⅰ）、請負の場合（633本文）と同趣旨の規律を定めるとともに、請負に関する634条（注文者が受ける利益の割合に応じた報酬）を準用（648の2Ⅱ）している。なお、本条は任意規定であり、これと異なる合意を定めることも可能である。

《注　釈》

◆　成果完成型の委任における規律

1　報酬の支払時期

(1)　委任事務の履行により得られる成果に対する報酬支払が約束され、その成果の引渡しを要するときは、報酬はその成果の引渡しと同時に支払われなければならない（Ⅰ）。

(2)　成果の引渡しを要しないときは、原則どおり、委任事務の履行後に支払わ

れなければならない（648Ⅱ本文）。

2　委任の履行不能又は解除時の報酬請求

(1)　委任者の責めに帰することができない事由によって（双方に帰責事由がない場合及び受任者に帰責事由がある場合を含む）委任事務の履行ができず、成果を得ることができなくなった場合（648の2Ⅱ・634①）、又は委任が成果を得る前に解除された場合（648の2Ⅱ・634②）において、既にされた委任事務の履行の結果が可分であり、かつ、その給付によって委任者が利益を受けるときは、既に給付された部分について成果が得られたものとみなされる。その結果、受任者は、委任者に対して、委任者が受ける利益の割合に応じて、報酬を請求することができる。

(2)　委任者に帰責事由がある場合には、受任者は報酬全額を請求することができる（536Ⅱ前段）。

> ### 第649条　（受任者による費用の前払請求）
> 　委任事務を処理するについて費用を要するときは、委任者は、受任者の請求により、その前払をしなければならない同。
>
> ### 第650条　（受任者による費用等の償還請求等）
> Ⅰ　受任者は、委任事務を処理するのに必要と認められる費用を支出したときは、委任者に対し、その費用及び支出の日以後におけるその利息の償還を請求することができる同書。
> Ⅱ　受任者は、委任事務を処理するのに必要と認められる債務を負担したときは、委任者に対し、自己に代わってその弁済をすることを請求することができる書。この場合において、その債務が弁済期にないときは、委任者に対し、相当の担保を供させることができる。
> Ⅲ　受任者は、委任事務を処理するため自己に過失なく損害を受けたときは、委任者に対し、その賠償を請求することができる。

［趣旨］受任者は委任者との信頼関係に基づいて、委任者のために委任事務を処理するのであるから、委任事務に必然的に発生する負担があれば、それを委任者に請求しうるのは当然である。そこで、649条、650条では受任者に対して特別の経済的負担を負わせないよう、受任者にいくつかの権利を与えた。

《注　釈》

一　費用前払請求権（649）

委任者の費用前払と受任者の事務処理とは、同時履行の関係に立たない。もっとも、受任者が費用の前払がないために事務の処理に着手しないことは、履行遅滞を正当化する事由に当たるので、履行遅滞の責任を生じない。　⇒p.321

二　費用償還請求権（650Ⅰ）同

1　受任者は、委任事務処理に必要であるとして出費した費用と支出日以後の利息を事後的に請求しうる同共。

→支出の当時「必要と認められる」費用か否かは、純客観的標準ではなく、

受任者の過失ない判断を標準とすべきである〈団〉

2 「費用」とは、受任者が善管注意義務をもって処理に必要と判断して立て替えたものをいう。必ずしも事実上必要かつ有益な費用であることを要しない。費用は金銭でも、その他の財産でもよい。

三 代弁済請求権（650Ⅱ前段）

1 受任者は、事務処理のために受任者が負担した債務を、委任者に自ら弁済するよう請求しうる〈共〉。

2 受任者が有する代弁済請求権に対しては、委任者は、受任者に対する債権をもって相殺することができない（最判昭47.12.22）〈共書〉。 ⇒ p.452

∵ 両債権は同種の債権ではなく、また、相殺を認めれば、受任者は自己資金をもって事務処理費用の立替払を強制されることになる

四 担保供与請求権（650Ⅱ後段）

1 受任者は、委任者に対して、自己に担保を供与するよう請求しうる。

2 相当の担保とは、受任者の負担した債務の担保ではなく、受任者が自ら弁済することによって生じうる損害（ex. 弁済期までに委任者が無資力となり、受任者がなした立替金を償還できない）に対する担保のことを指す。

五 損害賠償請求権（650Ⅲ）

1 受任者は、委任事務の処理のために被った損害について、受任者に過失がない場合に、委任者に対して損害賠償請求をなしうる〈団〉。

2 委任者に、損害発生についての故意・過失は不要である。

→一種の無過失責任

第651条 （委任の解除）

Ⅰ 委任は、各当事者がいつでもその解除をすることができる〈団共〉。

Ⅱ 前項の規定により委任の解除をした者は、次に掲げる場合には、相手方の損害を賠償しなければならない。ただし、やむを得ない事由があったときは、この限りでない。

① 相手方に不利な時期に委任を解除したとき〈団〉。

② 委任者が受任者の利益（専ら報酬を得ることによるものを除く。）をも目的とする委任を解除したとき〈新〉。

[趣旨]本条2項2号は、受任者の利益をも目的とする委任であっても、その契約において委任者が委任契約の解除権を放棄していたものと解されない事情があるときは、委任者はやむを得ない事由がなくても、委任契約を解除することができ、受任者の被る不利益は損害賠償により塡補すれば足りるとした判例（最判昭56.1.19・百選Ⅱ62事件）を一部明文化した規律である。

《注 釈》

一 任意解約権（Ⅰ）

1 意義

委任契約は、当事者間の対人的信頼関係を基礎とする契約であるから、この

信頼関係が崩れると以後の委任事務の継続は無益である。そこで、原則として、委任者・受任者のいずれからでも、何ら特別の理由がなくても自由に解除できる（Ⅰ）司共。

cf.　委任者が受任者の債務不履行を理由に解除をした（541）が、債務不履行の事実がなかった場合でも、受任者に対する不信の表明があったといえるので、解除の意思表示は本条の解除の意思表示として効力を生じる（大判大3.6.4）通。

なお、本条所定のルールは任意規定であるため、任意解除権を放棄する合意も契約自由の原則から有効である。

2　解除の可否が問題となった事例

受任者の利益のためにも委任がされた場合であっても、委任契約が当事者間の信頼関係を基礎とする契約であることに徴すれば、受任者が著しく不誠実な行動に出る等、やむを得ない事由があるときは、委任者は契約解除が可能である。さらに、やむを得ない事由がない場合であっても、その契約において委任者が委任契約の解除権を放棄していたものと解されない事情があるときは、委任契約を解除することができる（前掲最判昭56.1.19・百選Ⅱ62事件）司書。

∵　委任契約が受任者の利益のためにもなされていることを理由として委任者の意思に反して事務処理を継続させることは、委任者の利益を阻害し委任契約の本旨に反する

二　任意解除をした当事者の損害賠償責任（Ⅱ）

1　責任が生じる場合

⑴　本条1項による任意解除がなされた場合、①一方が相手方に不利な時期に委任を解除したとき、又は②委任者が受任者の利益をも目的とする委任を解除したときには、解除した当事者は、相手方に生じた損害の賠償をしなければならない。

ここで、「受任者の利益」（Ⅱ②）のための委任とは、委任事務処理自体によって受任者が利益を受ける委任類型であり、単なる有償委任はこれに当たらない。

ex.　債務者（委任者）が第三者（受任者の債務者）に対して有する債権の取立てを債権者（受任者）に委任し、債権者が第三者から取り立てた金員をもって（受任者の委任者に対する）債権の弁済に充当することにより、受任者である債権者が利益を得る場合

⑵　本条2項柱書の「損害」とは、委任契約が解除されなければ受任者が得たであろう利益から受任者が債務を免れることによって得た利益を控除したものである。

この「損害」には、契約を解除されたことによって得ることができなくなった報酬（得べかりし報酬）は、原則として含まれないと解すべきである。

∵①　「受任者の利益」（Ⅱ②）には、報酬以外のものが想定されている

②　委任が解除された場合の受任者の報酬は限定されている（648Ⅲ、

648の2Ⅱ、634②)
③　報酬は、現実になされた事務処理の対価である
2　責任が生じない場合
(1)　受任者の利益をも目的とする委任であっても、「専ら報酬を得ること」を目的とする場合（Ⅱ②かっこ書）
(2)　やむを得ない事由がある場合（Ⅱ柱書ただし書）
受任者側の事由として、受任者の疾病や委任者の不誠実な行為などが挙げられ、委任者側の事由として、委任者にとってその事由を処理する必要が全くないことなどが挙げられる。

第652条　（委任の解除の効力）

第620条＜賃貸借の解除の効力＞の規定は、委任について準用する〈同共書〉。

第653条　（委任の終了事由）

委任は、次に掲げる事由によって終了する。
①　委任者又は受任者の死亡
②　委任者又は受任者が破産手続開始の決定を受けたこと。
③　受任者が後見開始の審判を受けたこと〈同書〉。

《注　釈》

＜委任の終了事由＞〈同共書〉

	死亡（653①)	破産手続開始の決定（653②)	後見開始の審判（653③)
委任者	○（*)	○	×
受任者	○	○	○

*　「委任者が死亡した場合、委任者の相続人が委任者の地位を当然に承継する」旨の委任者・受任者間の約定は有効である（最判平4.9.22参照）〈同〉。
cf.　請負においては、注文者が死亡しても請負契約が終了することはない〈同〉

第654条　（委任の終了後の処分）

委任が終了した場合において、急迫の事情があるときは、受任者又はその相続人若しくは法定代理人は、委任者又はその相続人若しくは法定代理人が委任事務を処理することができるに至るまで、必要な処分をしなければならない〈同〉。

第655条　（委任の終了の対抗要件）

委任の終了事由は、これを相手方に通知したとき、又は相手方がこれを知っていたときでなければ、これをもってその相手方に対抗することができない〈同共〉。

第656条　（準委任）

この節の規定は、法律行為でない事務の委託について準用する〈同共〉。

■第11節　寄託

《概　説》

一　意義

　　寄託は、物の保管を委託する契約である。民法は寄託を典型契約の1つとして
規定しているが、今日の寄託制度は、生産された大量の商品・運送途中の貨物等
の動産を保管する倉庫営業や金銭を寄託する銀行などが重要な機能を果たしてい
る。そこで、寄託制度の大部分は商法の適用を受ける（商595～617）ため、民法
上の寄託のもつ意義は比較的小さい。

二　法的性質

　　無償・片務・諾成・不要式契約が原則であるが、特約により有償となれば、有
償・双務契約になる（665・648）。

第657条　（寄託）〈共〉

　　寄託は、当事者の一方がある物を保管することを相手方に委託し、相手方がこれを
承諾することによって、その効力を生ずる。

《注　釈》

- 寄託物は、寄託者の所有する物でなくてもよい。なお、所有者が所有権に基づい
て当該寄託物の返還を受寄者に請求した場合については、660条参照。　　⇒ p.594
- 「当事者の一方がある物を保管することを相手方に委託し、相手方がこれを承諾
する」という文言には、保管した物を相手方に返還することを約するという意味
も含まれる。
- 寄託者が寄託物の引渡義務を負うとの特約がない限り、寄託者は、受寄者に対し
て、寄託物の引渡義務を負わない。

第657条の2　（寄託物受取り前の寄託者による寄託の解除等）

Ⅰ　寄託者は、受寄者が寄託物を受け取るまで、契約の解除をすることができる。こ
の場合において、受寄者は、その契約の解除によって損害を受けたときは、寄託者
に対し、その賠償を請求することができる。

Ⅱ　無報酬の受寄者は、寄託物を受け取るまで、契約の解除をすることができる〈同〉。
ただし、書面による寄託については、この限りでない〈共〉。

Ⅲ　受寄者（無報酬で寄託を受けた場合にあっては、書面による寄託の受寄者に限
る。）は、寄託物を受け取るべき時期を経過したにもかかわらず、寄託者が寄託物を
引き渡さない場合において、相当の期間を定めてその引渡しの催告をし、その期間
内に引渡しがないときは、契約の解除をすることができる。

《注　釈》

一　寄託者による解除（Ⅰ）

1　有償・無償を問わず、受寄者が寄託物を受け取るまでの間であれば、「寄託
者」は、契約を解除することができる（Ⅰ前段）。

　　∵　寄託契約は諾成契約であるため、契約成立後、受寄者が寄託物を受け取

債
権

るまでの間に寄託の必要がなくなったような場合であっても、当事者は契
約に拘束される。しかし、寄託契約は寄託者のために締結されるものであ
り、寄託物の返還時期の定めがあっても、寄託者はいつでも返還を請求で
きる（662Ⅰ）のであるから、寄託物の受取り前においても、寄託者によ
る契約の解除を認め、寄託物の授受を不要とすることができるようにして
おくのが合理的である

2　657の２第１項前段に基づく解除により受寄者に損害が生じた場合、受寄者
は、その損害の賠償を寄託者に請求することができる（同後段）。

「損害」の意義については、以下の２説に大別される。

A説：広く生じうる損害一般を想定すべきではなく、寄託者に対する償還請
求が可能であった費用に係る損害に限定すべきである

B説：契約が解除されなければ受寄者が得たと認められる利益から、受寄者
が債務を免れることによって得た利益を控除したものである

二　受寄者による解除（ⅡⅢ）

1　「無報酬の受寄者」（無償寄託の受寄者）は、「書面による寄託」がなされた
場合を除き、寄託物を受け取るまでの間であれば、契約を解除することができ
る（Ⅱ本文）。同共。

∵　無償寄託については、一般に好意的な契約と解されることから、契約に
強い拘束力を認めるべきではなく、また、無償寄託の受寄者に解除権を与
えて受寄者を保護する必要がある。他方、「書面による寄託」については、
無償であっても軽率になされるおそれが乏しく、受寄者の意思を明確にす
ることによって後日の紛争の防止を図ることができるため、受寄者に解除
権を与えないとしても不都合はない

cf.　本条２項ただし書と同趣旨の規定は、使用貸借にも置かれている（593
の２ただし書）　⇒ p.537

2　有償寄託と書面による無償寄託の受寄者は、寄託物を受け取るべき時期を経
過したにもかかわらず寄託者が寄託物を引き渡さない場合には、相当の期間を
定めて催告をした上で、その期間内に引渡しがなければ契約を解除することが
できる（Ⅲ）。

∵　寄託者が寄託物を引き渡さず、解除もしない場合において、受寄者がい
つまでも契約に拘束されるのは不都合である

→書面によらない無償寄託がなされた場合において、本条３項と同様の事態
が生じたときは、その受寄者は、本条２項により契約を解除することがで
きる

第658条　（寄託物の使用及び第三者による保管）

Ⅰ　受寄者は、寄託者の承諾を得なければ、寄託物を使用することができない〈同〉。

Ⅱ　受寄者は、寄託者の承諾を得たとき、又はやむを得ない事由があるときでなければ、寄託物を第三者に保管させることができない〈同共〉。

Ⅲ　再受寄者は、寄託者に対して、その権限の範囲内において、受寄者と同一の権利を有し、義務を負う。

[趣旨] 寄託は、当事者間の信頼関係に基づき、受寄者が寄託者のために寄託物を保管することを目的とする。したがって、原則として、寄託の目的を超えた寄託物の使用や第三者による保管は認められない。そこで、例外的にこれを認める場合につき、利益状況の類似する復委任（644の2参照）の規律を踏まえつつ、一般的な規定を置いた。

《注　釈》

一　受寄物の使用・再寄託の要件

1　受寄物を使用するためには、「寄託者の承諾」が必要となる（Ⅰ）。

2　受寄物を第三者に保管（再寄託）させるためには、「寄託者の承諾」又は「やむを得ない事由」が必要となる（Ⅱ）。

二　再寄託の効果

1　受寄者

　　再受寄者の行為によって生じた結果について債務不履行の一般原則に従って責任を負う。

　　∵　再寄託が適法になされたからといって、受寄者の責任を軽減する必要はなく、債務者が履行補助者を用いた場合の一般原則に委ねることで足りる

2　再受寄者

　　再受寄者は、寄託者に対して、その権限の範囲内において、受寄者と同一の権利・義務を有する（Ⅲ）。

　　ex.　再受寄者は、寄託者に対して、保管費用の償還を請求することができる（665、650Ⅰ）〈共〉

第659条　（無報酬の受寄者の注意義務）

　無報酬の受寄者は、自己の財産に対するのと同一の注意をもって、寄託物を保管する義務を負う〈同共〉。

《注　釈》

◆　受寄者の注意義務〈同H24〉

1　無償受寄者は、本条により「自己の財産に対するのと同一の注意」義務をもって受寄物を保管する。

2　有償受寄者は原則通り特定物の引渡義務者として善管注意義務（400）を負う。もっとも、400条は、当事者が契約で定めていない場合の補充的・一般的規定であるとされているから、有償受寄者の注意義務について、当事者の特約

によって、これを軽減することもできる〈同〉。

　→財産法上で自己の財産に対するのと同一の注意義務を負う者は、受領遅滞
　　（413 I）の場合を除き、無償受寄者のみである　⇒ p.308

3　商人がその営業の範囲内において寄託を受けた場合には、その商人が無償受
　寄者であっても、善管注意義務を負う（商595）〈同予〉。

第660条　（受寄者の通知義務等）

Ⅰ　寄託物について権利を主張する第三者が受寄者に対して訴えを提起し、又は差押
　え、仮差押え若しくは仮処分をしたときは、受寄者は、遅滞なくその事実を寄託者
　に通知しなければならない〈同共〉。ただし、寄託者が既にこれを知っているときは、
　この限りでない。

Ⅱ　第三者が寄託物について権利を主張する場合であっても、受寄者は、寄託者の指
　図がない限り、寄託者に対しその寄託物を返還しなければならない。ただし、受寄
　者が前項の通知をした場合又は同項ただし書の規定によりその通知を要しない場合
　において、その寄託物をその第三者に引き渡すべき旨を命ずる確定判決（確定判決
　と同一の効力を有するものを含む。）があったときであって、その第三者にその寄託
　物を引き渡したときは、この限りでない。

Ⅲ　受寄者は、前項の規定により寄託者に対して寄託物を返還しなければならない場
　合には、寄託者にその寄託物を引き渡したことによって第三者に損害が生じたとき
　であっても、その賠償の責任を負わない。

［趣旨］本条1項は、寄託契約上の本体たる保管義務に付随した義務として、受寄者
に対し寄託者への通知義務を課し、寄託者に自己の権利を防御する機会を保障する
ものである（なお、類似の規定として615条がある）。また、本条2項は、寄託物に
ついて権利を主張する第三者が現れた場合において、受寄者が誰に寄託物を返還す
べきかについて明確にしている。さらに、本条3項は、寄託者と第三者との間の寄
託物をめぐる紛争に受寄者が巻き込まれないようにする趣旨から、受寄者が寄託物
を返還したことにより第三者が被った損害については、寄託者と第三者との間で調
整することを定めている。

《注　釈》

一　受寄者の通知義務（Ⅰ）

1　「権利」の意義

　　所有権・使用権・担保権などである。

2　「通知」の意義

　　仮処分のあった旨を知らせればよく、その後の経過まで逐一報告しなくても
　よい（最判昭40.10.19）。

3　「通知」を要しない場合（Ⅰただし書）

　　寄託者が既に訴えの提起や差押え等の事実を知っていれば、受寄者は寄託者
　に対して通知しなくてもよい。あえて通知義務を課す必要はない。

　　∵　受寄者の通知義務は、寄託者に対処の機会を与える趣旨に基づくもので
　　あるから、寄託者が既に訴えの提起や差押え等の事実を知っていれば、通

知を待つまでもなく権利の防御が可能であるため、あえて受寄者に通知義務を課す必要はない

二　寄託物の返還義務（Ⅱ）

1　原則（Ⅱ本文）

受寄者は、寄託契約に基づき、寄託者に対して寄託物を返還する義務を負う。そのため、第三者が所有権を主張して寄託物の返還を求める場合であっても、受寄者は、当該第三者が寄託物の真の所有者であるか否かを問わず、寄託者にその寄託物を返還しなければならない（Ⅱ本文）。

→受寄者は、第三者からの寄託物の返還請求を拒むことができる

2　例外（Ⅱただし書）

この場合、受寄者は、寄託者に対して寄託物を返還する義務を負わない。

→寄託物返還義務の不履行を理由とする責任を負わない

(1)　①受寄者が通知義務を履行した場合又は通知を要しない場合であること

受寄者が本条2項ただし書により免責されるためには、本条1項の通知義務に違反していないことが必要である。

(2)　②寄託物を第三者に引き渡すべき旨を命ずる「確定判決」があったこと

(a)　「確定判決」には、「確定判決と同一の効力を有するもの」を含む（Ⅱただし書かっこ書）。

ex.　裁判上の和解、請求の認諾

(b)　「確定判決」は、「第三者に引き渡すべき旨を命ずる」ものであることを要するため、確認の訴えについての判決では、この要件を満たさない。

(3)　③第三者に対し寄託物を引き渡したとき

本条2項ただし書は、任意に引き渡す場面の規定である。受寄者が強制執行により寄託物を第三者に引き渡した場合は、寄託者に対する寄託物返還債務が履行不能となり、受寄者に帰責事由がないため、受寄者は損害賠償責任を負わない。

三　第三者との関係（Ⅲ）

受寄者が寄託者に寄託物を返還したこと（Ⅱ本文）により、第三者が損害を被ったとしても、受寄者は、当該第三者に対して、損害賠償責任を負わない（Ⅲ）。

→受寄者が寄託物を保管していたことによって第三者に生じた損害からの受寄者の免責を定めたものではない

第661条　（寄託者による損害賠償）

寄託者は、寄託物の性質又は瑕疵によって生じた損害を受寄者に賠償しなければならない。ただし、寄託者が過失なくその性質若しくは瑕疵を知らなかったとき、又は受寄者がこれを知っていたときは、この限りでない[司共予]。

《注　釈》

▪ 寄託物の性質・瑕疵から損害が生じた場合、寄託者は、受寄者に対して、損害賠償義務を負う。

- 寄託者が寄託物の性質・瑕疵について善意・無過失であること、又は受寄者が悪意であることを立証すれば、寄託者は賠償義務を免れうる。
  cf. 受任者の委任者に対する損害賠償の場合（650Ⅲ）は、受任者側の善意・無過失が賠償請求の要件とされる

第662条 （寄託者による返還請求等）
Ⅰ 当事者が寄託物の返還の時期を定めたときであっても、寄託者は、いつでもその返還を請求することができる〈共著〉。
Ⅱ 前項に規定する場合において、受寄者は、寄託者がその時期の前に返還を請求したことによって損害を受けたときは、寄託者に対し、その賠償を請求することができる。

第663条 （寄託物の返還の時期）
Ⅰ 当事者が寄託物の返還の時期を定めなかったときは、受寄者は、いつでもその返還をすることができる。
Ⅱ 返還の時期の定めがあるときは、受寄者は、やむを得ない事由がなければ、その期限前に返還をすることができない〈同書〉。

第664条 （寄託物の返還の場所）
寄託物の返還は、その保管をすべき場所でしなければならない。ただし、受寄者が正当な事由によってその物を保管する場所を変更したときは、その現在の場所で返還をすることができる。

[趣旨] 寄託は寄託者のために締結される契約であるから、寄託者にとって寄託物を寄託する必要がなくなった場合にまで強いて寄託物を預けさせる必要はない。そこで、662条1項の規定が置かれている。もっとも、受寄者の保護を図るため、別途、受寄者の損害賠償請求を認める旨の規定（662Ⅱ）が置かれている。

《注 釈》
一 受寄物の返還時期

＜消費貸借・寄託・消費寄託の返還時期＞

		期限の定めあり	期限の定めなし
原則		期限到来時（412Ⅰ）	請求を受けた時（412Ⅲ）
貸主・寄託者側からの返還請求	消費貸主	期限到来時	相当期間の催告をして期間経過後（591Ⅰ）
	寄託者	いつでも（662Ⅰ）〈予〉ただし、受寄者に損害が生じた場合には、損害賠償責任を負う（662Ⅱ）	いつでも（662Ⅰ）
	消費寄託者	いつでも（666Ⅰ、662Ⅰ）ただし、受寄者に損害が生じた場合には、損害賠償責任を負う（662Ⅱ）	いつでも（666Ⅰ、662Ⅰ）〈予〉

		期限の定めあり	期限の定めなし
借主・受寄者側から返還	消費借主	いつでも（591 Ⅱ）ただし、貸主に損害が生じた場合には、損害賠償責任を負う（591 Ⅲ）	いつでも（591 Ⅱ）
	受寄者	期限到来時ただし、やむを得ない事由のあるときは期限前も可（663 Ⅱ）〈司〉（＊1）	いつでも（663 Ⅰ）〈司〉
	消費受寄者	期限到来時ただし、やむを得ない事由のあるときは期限前も可（666 Ⅰ、663 Ⅱ）（＊2）	いつでも（666 Ⅰ、663 Ⅰ）

＊1　単に受寄者が死亡したにすぎない場合は「やむを得ない事由」に当たらない〈司〉。
＊2　預貯金契約による金銭の消費寄託の場合には、消費受寄者は、やむを得ない事由の有無にかかわらず、いつでも返還をすることができる（666 Ⅲ、591 Ⅱ）。ただし、期限前の返還により、消費寄託者が損害を受けたときは、消費受寄者は、その賠償をしなければならない（666 Ⅲ、591 Ⅲ）。

二　寄託物の返還場所

1　返還場所の特約ある場合には、特約に従う。

2　保管場所についてのみ特約がある場合（664）には、原則として保管場所において返還する。ただし、「正当な事由」により物を転置した場合は物が現在ある場所において返還する。

3　保管場所の定めもない場合には、債権発生当時に受寄物が存在した場所において返還する（484）。

第664条の2　（損害賠償及び費用の償還の請求権についての期間の制限）

Ⅰ　寄託物の一部滅失又は損傷によって生じた損害の賠償及び受寄者が支出した費用の償還は、寄託者が返還を受けた時から1年以内に請求しなければならない。

Ⅱ　前項の損害賠償の請求権については、寄託者が返還を受けた時から1年を経過するまでの間は、時効は、完成しない。

［趣旨］本条1項は、寄託物の一部滅失・損傷に関する寄託者の損害賠償請求権及び受寄者の費用償還請求権について、一部滅失等が受寄者の保管中に生じたものか否かが不明確になることを避けるため、その行使期間について、寄託物返還時から「1年以内」という短期の期間制限を設けるものである。本条2項は、寄託物の一部滅失・損傷に関する寄託者の損害賠償請求権についても消滅時効の規定（166 Ⅰ）の適用があるところ、寄託の期間が長期にわたる場合には、寄託者が寄託物の状況を把握できないうちに消滅時効が完成し、請求権自体が消滅してしまうという不都合が生じるため、寄託物返還時から「1年を経過するまでの間」、時効の完成を猶予するという趣旨に基づく規定である。なお、本条は、利益状況の類似する使用貸借（600）や賃貸借（622・600）の規律と同様の趣旨に出たものである。

債権

《注　釈》

- 寄託物の全部滅失の場合には、寄託物の返還自体が履行不能となり、債権債務関係の早期処理の要請も高くないことから、本条は適用されない。
  →この場合、債務不履行の一般原則に従い処理される

第665条　（委任の規定の準用）〈司共〉

第646条から第648条まで＜受任者による受取物の引渡し等、受任者の金銭の消費についての責任、受任者の報酬＞、第649条＜受任者による費用の前払請求＞並びに第650条第1項及び第2項＜受任者による費用の償還請求、代弁済請求＞の規定は、寄託について準用する。

[趣旨] 寄託は他人の物を保管するという一種の役務を伴う点で、委任と類似性を有していることから、委任に関する規定を準用したものである。　⇒ p.583

《注　釈》

一　報酬に関する問題点

1　報酬は原則として後払いである（665・648Ⅱ）。
2　受寄者は、寄託者が約定の報酬を提供するまでは寄託物の返還を拒める（大判明36.10.31）。
　　∵　委任に関する648条2項は、必ずしも寄託者に対する一切の義務を履行した後でなければ報酬を請求できないとするものではない

二　代弁済請求権・担保供与請求権

受寄者は、受寄物を保管するのに必要と認められる債務を負担したときは、寄託者に対し、自己に代わってその弁済をすることを請求することができる（代弁済請求権）。この代弁済請求権は、寄託の有償・無償を問わない〈共〉。

この場合において、その債務が弁済期にないときは、寄託者に対し、相当の担保を供させることができる（665・650Ⅱ）〈司〉。

第665条の2　（混合寄託）

Ⅰ　複数の者が寄託した物の種類及び品質が同一である場合には、受寄者は、各寄託者の承諾を得たときに限り、これらを混合して保管することができる〈共〉。
Ⅱ　前項の規定に基づき受寄者が複数の寄託者からの寄託物を混合して保管したときは、寄託者は、その寄託した物と同じ数量の物の返還を請求することができる。
Ⅲ　前項に規定する場合において、寄託物の一部が滅失したときは、寄託者は、混合して保管されている総寄託物に対するその寄託した物の割合に応じた数量の物の返還を請求することができる。この場合においては、損害賠償の請求を妨げない。

[趣旨] 本条は、混合寄託（混蔵寄託）に関する基本的な規定である。混合寄託は、寄託物の保管のための場所及び労力という負担を軽減し、寄託費用の節約にも繋がるため、実務上重要な役割を担っている。

債
権

《注　釈》

一　意義（Ⅰ）

　　混合寄託とは、複数の寄託者が寄託した物の種類及び品質が同一である場合において、受寄者が寄託者全員の承諾を得て、これらの寄託物を混合して保管し、混合物の中から寄託物と同量の物を返還する契約をいう。

　　ex. 石油、小麦等の穀物の寄託

　　混合寄託は、物を保管する点では通常の寄託と共通するが、寄託された物それ自体をそのまま返還する義務を負わない点で通常の寄託とは異なる。また、後者の点については、消費寄託（666）と共通する部分であるが、受寄者が寄託物の所有権を取得しない点で消費寄託とは異なる。

二　効果（ⅡⅢ）

　1　各寄託者は、単独で、受寄者に対し、寄託した物と同じ数量の物の返還を請求することができる（Ⅱ）。

　2　混合して保管されている寄託物の一部が滅失した場合、各寄託者は、受寄者に対し、総寄託物に対する自己の寄託した物の割合に応じた数量の物の返還を請求することができる（Ⅲ前段）。この場合において、寄託者は、受寄者の寄託物保管義務の不履行を理由として、415条1項に基づく損害賠償請求をすることができる（同後段）。

第666条　（消費寄託）

　Ⅰ　受寄者が契約により寄託物を消費することができる場合には、受寄者は、寄託された物と種類、品質及び数量の同じ物をもって返還しなければならない。

　Ⅱ　第590条＜貸主の引渡義務等＞及び第592条＜価額の償還＞の規定は、前項に規定する場合について準用する。

　Ⅲ　第591条第2項及び第3項＜借主による随時返還、借主の損害賠償義務＞の規定は、預金又は貯金に係る契約により金銭を寄託した場合について準用する〈改〉。

[趣旨] 消費寄託の利益は寄託者にあるのに対し、消費貸借の利益は目的物を利用する借主にある。このような性質の違いから、本条2項は、消費寄託について、原則として寄託の規定が適用されることを前提に、消費貸借と共通する部分（目的物の所有権が相手方に移転する点）に限り、消費貸借の規定（590、592）を準用することとしている。

　他方、預貯金契約については、受寄者である金融機関にも利益がある点で、専ら寄託者の利益を目的とする他の消費寄託とは性質が異なる。このような場合にも他の消費寄託と同様に663条2項の規定を適用するのは相当でないので、本条3項は、消費貸借に関する591条2項・3項を準用することとしている。

《注　釈》

一　意義（Ⅰ）

　　消費寄託とは、寄託の目的物が金銭その他の代替物である場合、受寄者が寄託中に目的物を一度消費した後、これと同種・同等・同量の物を返還することを約

する、諾成・片務契約である。受寄者が利息を払う内容の場合には有償、無利息の場合には無償契約となる。

ex. 銀行預金（普通預金は期限の定めのない消費寄託、定期預金は満期を期限とする消費寄託）

二 預金又は貯金に係る契約における受寄物の返還（Ⅲ）

1 預金又は貯金に係る契約（預貯金契約）

預金契約に関して、判例（最判平21.1.22・百選Ⅱ65事件）は、「預金者が金融機関に金銭の保管を委託し、金融機関は預金者に同種、同額の金銭を返還する義務を負うことを内容とするもの」であるとしている。

また、預貯金契約の性質について、判例（最大決平28.12.19・百選Ⅲ70事件、前掲最判平21.1.22・百選Ⅱ65事件）は、「消費寄託の性質を有するものであるが、預貯金契約に基づいて金融機関の処理すべき事務には、……委任事務ないし準委任事務の性質を有するものも多く含まれている」としている。

* なお、前掲判例（最判平21.1.22・百選Ⅱ65事件）は、「金融機関は、預金契約に基づき、預金者の求めに応じて預金口座の取引経過の開示をすべき義務」を負い（645・656）、預金者が死亡した場合、その共同相続人の1人は、「共同相続人全員に帰属する預金契約上の地位に基づき、被相続人名義の預金口座についてその取引経過の開示を求める権利を単独で行使することができる」（264・252Ⅴ参照）としている〈司〉。

2 寄託された金銭の返還

返還時期の定めがある場合、受寄者（金融機関）は、やむを得ない事由がなくても、いつでも返還することができる（591Ⅱ準用）〈共〉。もっとも、寄託者（預貯金者）に損害が生じた場合、金融機関はその賠償をする責任を負う（591Ⅲ準用）。

∵ 定期預金債権を受働債権とする相殺による貸付金の回収を図るという銀行取引を可能とするとともに、損害賠償による利害調整を図る

cf. 預貯金契約以外の消費寄託における受寄物の返還時期 ⇒p.596

三 預金債権と誤振込

1 預金債権

預金債権の帰属について、改正前民法下における判例は、金融機関が利害関係を有さないことを前提に、原資出捐者が預金者であるとしてきた。もっとも、個別的事情をも考慮して預金債権の帰属を判断した判例も見られる。

ex. 損害保険会社の代理店が保険料を管理する目的で開設した預金口座について、代理店がその口座を管理しており、預金原資は代理店が収受した保険料であり、代理店の所有する金銭であることを根拠に、預金者を代理店とした（最判平15.2.21・百選Ⅱ64事件）

2 誤振込

(1) 振込依頼人から受取人の銀行の普通預金口座に振込みがあったときは、振込依頼人と受取人との間に振込みの原因となる法律関係が存在するか否かに

かかわらず、受取人と銀行との間に振込金額相当の普通預金契約（消費寄託、666参照）が成立し、受取人が銀行に対して右金額相当の普通預金債権を取得する。この場合、振込依頼人は、受取人に対し、右同額の不当利得返還請求権を有するにとどまる（最判平8.4.26・百選Ⅱ63事件）〈回〉。

(2) 受取人が誤振込に基づく普通預金債権を有する以上、その行使が不当利得返還義務の履行手段としてのものなどに限定される理由はない。もっとも、払戻しを受けることが当該誤振込に係る金員を不正に取得するための行為であって詐欺罪等の犯行の一環を成す場合であるなど、これを認めることが著しく正義に反するような特段の事情がある場合には、権利の濫用に当たることがある（最判平20.10.10・平20重判1事件）。

■第12節　組合

《概　説》

一　意義

2人以上の当事者が共同の業務を達成する目的で相互に金銭その他の財産の出資又は労務の提供を約束することによって成立する契約である。

→自然人のみならず、法人も組合員になることができる〈共〉

二　法的性質

1　有償・双務・諾成・不要式契約である。この契約に基づいて各当事者には組合の成立・運営、さらには解散等をめぐる権利紛争について相互の、ときには第三者を相手方とする訴訟の当事者の資格が与えられる（民訴29）。

2　組合は、共同の目的のための人的結合体であるので社団に類似し、組合契約は合同行為（⇒p.41）としての性質を有する。その結果、有償・双務契約でありながら適用が制限される規定が存在する。

＜組合契約の法的性質＞

同時履行の抗弁権 （533）	適用されない（667の2Ⅰ） →各組合員は、他に出資しない組合員があっても、同時履行の抗弁権を行使して出資を拒めない
危険負担（536）	適用されない（667の2Ⅰ） →組合から出資義務を履行するよう請求された組合員が、ある組合員の出資義務が履行不能となったことを理由に、自己の出資債務の履行を拒絶することはできない
有償契約の通則である売買の規定 （559）	適用されないと解されている →脱退・解散によって処理する
解除	他の組合員が組合契約に基づく債務を履行しないことを理由としては、適用されない（667の2Ⅱ） →除名・脱退・解散等の団体構成の変動として処理する

債権

第667条　（組合契約）<予備書>

Ⅰ　組合契約は、各当事者が出資をして共同の事業を営むことを約することによって、その効力を生ずる。

Ⅱ　出資は、労務をその目的とすることができる<共>。

《注　釈》

一　「共同の事業」（Ⅰ）の意味

1　「共同」といいうるためには、最小限のところ業務執行の監視という形ででも、構成員全員が事業の遂行に関与するものでなければならない。

2　共同の事業に制限はない。継続的か一時的かを問わず、目的も営利、公益、親睦などを問わない。

3　利益を配分する場合には全員がこれを受けるものでなければならない。

cf.　組合員のうち、損失を分担しない者があることを組合契約の中で定めても差し支えない（大判明44.12.26）

二　「出資」の意味

「出資」とは、組合設立のために当事者によって拠出される経済的手段の総称であり、相当広い概念である（ex. 金銭、一般の動産・不動産）。

組合において「出資」義務は、全員が負うものでなければならない。

第667条の2　（他の組合員の債務不履行）

Ⅰ　第533条＜同時履行の抗弁＞及び第536条＜債務者の危険負担等＞の規定は、組合契約については、適用しない。

Ⅱ　組合員は、他の組合員が組合契約に基づく債務の履行をしないことを理由として、組合契約を解除することができない。

[趣旨]本条1項の趣旨は、組合の団体的性格を重視し、円滑な組合運営を確保する点にある。また、本条2項が規定されたのは、他の組合員が組合契約に基づく債務（主として出資債務）の履行をしないことを理由に組合契約を解除することができるとすると、組合の団体的性格に反するだけでなく、「やむを得ない事由があるとき」（683）に限って各組合員による組合の解散請求が認められていることにも反するからである。

《注　釈》

一　同時履行の抗弁（533）の不適用

組合契約に基づく出資債務を履行しない組合員が、組合から出資債務を履行するよう請求された場合において、他に出資債務を履行していない組合員がいることを理由に、同時履行の抗弁権を主張して自らの出資債務の履行を拒絶することはできない。

二　危険負担（536）の不適用

危険負担に関する536条1項を適用した場合、組合から出資債務を履行するよう請求された組合員は、他の組合員の出資債務が不可抗力によって履行不能とな

ったことを理由に、自己の出資債務の履行を拒絶することができることになる。そこで、本条1項は、これを避けるために536条1項を適用しないこととした。

第667条の3　（組合員の1人についての意思表示の無効等）

組合員の1人について意思表示の無効又は取消しの原因があっても、他の組合員の間においては、組合契約は、その効力を妨げられない新。

[趣旨] 組合は団体的性格を有しているところ、1人又は数人の組合員についてその意思表示が無効とされ、又は取り消されることにより、組合契約全体が無効となり、又は取り消されることとなれば、組合契約の目的である共同事業を達成することができず、組合の外形を信頼して取引関係に入った第三者の利益も害される。そこで、本条は、組合の団体的性格に鑑み、第三者と組合の取引の開始の前後を問わず、組合員の1人について意思表示の無効・取消しの原因があっても、他の組合員の間においては、その無効・取消しの効果は及ばず組合契約が存続する旨定めている。

第668条　（組合財産の共有）

各組合員の出資その他の組合財産は、総組合員の共有に属する。

《注　釈》

◆　「共有」の意味　⇒ p.179

判例は、組合財産についても、667条以下に特別の規定がない限り、249条以下の共有の規定が適用されるとしている。しかし、学説上は、本条の「共有」とは、一般に組合の共同目的のために拘束されて団体的性質が加味された「合有」を意味し、249条以下の「共有」とは性質を異にするとされている。

第669条　（金銭出資の不履行の責任）同子

金銭を出資の目的とした場合において、組合員がその出資をすることを怠ったときは、その利息を支払うほか、損害の賠償をしなければならない。

《注　釈》

◆　金銭債務に関する損害賠償の一般原則との関係

一般原則では、法定利息の賠償（419）で十分であるが、組合の場合には、組合事業のために特に金銭の必要があって出資するのだから、法定利息では組合の損害を償うのに不十分なだけではなく、組合財産の安定を確保できないことが多い。したがって、法定利息以上の賠償を請求できる。

第670条　（業務の決定及び執行の方法）

Ⅰ　組合の業務は、組合員の過半数をもって決定し、各組合員がこれを執行する新。

Ⅱ　組合の業務の決定及び執行は、組合契約の定めるところにより、1人又は数人の組合員又は第三者に委任することができる予。

Ⅲ　前項の委任を受けた者（以下「業務執行者」という。）は、組合の業務を決定し、これを執行する〈柱〉。この場合において、業務執行者が数人あるときは、組合の業務は、業務執行者の過半数をもって決定し、各業務執行者がこれを執行する〈柱〉。

Ⅳ　前項の規定にかかわらず、組合の業務については、総組合員の同意によって決定し、又は総組合員が執行することを妨げない。

Ⅴ　組合の常務は、前各項の規定にかかわらず、各組合員又は各業務執行者が単独で行うことができる。ただし、その完了前に他の組合員又は業務執行者が異議を述べたときは、この限りでない〈柱〉。

第670条の２　（組合の代理）

Ⅰ　各組合員は、組合の業務を執行する場合において、組合員の過半数の同意を得たときは、他の組合員を代理することができる。

Ⅱ　前項の規定にかかわらず、業務執行者があるときは、業務執行者のみが組合員を代理することができる。この場合において、業務執行者が数人あるときは、各業務執行者は、業務執行者の過半数の同意を得たときに限り、組合員を代理することができる。

Ⅲ　前２項の規定にかかわらず、各組合員又は各業務執行者は、組合の常務を行うときは、単独で組合員を代理することができる。

[趣旨] 本条１項は、業務執行者の定めがない場合の組合代理について、過半数の組合員の同意を集めることは必ずしも決議によることを要しないとする判例法理（最判昭35.12.9）を明文化し、670条１項と同様の規律を定めるものである。また、本条２項は、業務執行者の定めがある場合の組合代理について、通常、業務執行者以外の組合員に対して代理権は付与されないとする趣旨、及び業務執行者が数人あるときはその過半数の同意により代理権が付与される旨規定するものである。

《注　釈》

◆　組合代理

組合は法人格を持たず、自ら法律行為の主体となることができないため、組合が第三者と法律行為を行うには、組合員又は業務執行者による代理の形式を用いざるを得ない。この場合の代理形式を、組合代理という。

<組合の対外的関係のまとめ>

業務執行者を定めていない場合	常務に属する事項	各組合員は、他の組合員を代理する権限をもつ（670の２Ⅲ）
	常務に属さない事項	各組合員は、組合の業務を執行する場合において、組合員の過半数の同意を得たときは、他の組合員を代理することができる（670の２Ⅰ）

業務執行者を定めた場合	業務執行者のみが組合員を代理することができる（670の2Ⅱ前段）→各組合員は、常務も行うことができない
	複数の業務執行者がいる場合は、各業務執行者は、業務執行者の過半数の同意を得たときに限り、組合員を代理できる（670の2Ⅱ後段）→常務を行うときは、各業務執行者が単独で組合員を代理することができる（670の2Ⅲ）
	組合の事業目的の範囲を超えない限り、組合規約で業務執行者の権限を制限しても、善意・無過失の第三者には対抗できない（最判昭38.5.31）

＊　組合代理をするときは、組合自体に法人格がないので、理論的には全組合員の名において法律行為をするのが原則である。しかし、判例は便宜を図り、①組合名だけの表示や、②組合名と肩書を付した代表者名の表示でも十分だとしている（最判昭36.7.31）。

第671条　（委任の規定の準用）

　第644条から第650条まで＜受任者の権利及び義務＞の規定は、組合の業務を決定し、又は執行する組合員について準用する。

[趣旨]業務執行者とその他の組合員との間には、必ずしも本来の委任契約が存在するとはいえないが、実質的に委任契約における受任者・委任者との関係と同様であるため、受任者の権利義務に関する規定を準用した。　⇒p.583

　cf.　組合においては、業務執行者を常に置かなければならないわけではない（670Ⅰ参照）

第672条　（業務執行組合員の辞任及び解任）

Ⅰ　組合契約の定めるところにより1人又は数人の組合員に業務の決定及び執行を委任したときは、その組合員は、正当な事由がなければ、辞任することができない。
Ⅱ　前項の組合員は、正当な事由がある場合に限り、他の組合員の一致によって解任することができる。

第673条　（組合員の組合の業務及び財産状況に関する検査）

　各組合員は、組合の業務の決定及び執行をする権利を有しないときであっても、その業務及び組合財産の状況を検査することができる。

[趣旨]組合の業務は総組合員の共同業務であり、組合の財産は総組合員の共有（合有）財産であるから、業務執行権のない組合員にも業務・財産の状況の検査権を認め、その保護を図った。

《注　釈》

＜組合の対内的関係のまとめ＞

各組合員が業務執行権を保留する場合		過半数をもって決定し、各組合員がこれを執行する	670 Ⅰ
		組合の常務（その組合の目的遂行のために普通になすべき業務で特別に重要でないもの）については、各組合員が単独でなしうる（＊）	670 Ⅴ
一部の者を業務執行者と定める場合	組合契約をもって一部の組合員を業務執行者と定める場合	業務執行者の過半数をもって業務を決定し、各業務執行者がこれを執行する →総組合員の同意によって業務を決定し、又は総組合員が執行することを妨げない →ただし、常務は各業務執行者が単独で行うことができる（＊）	670 ⅢⅣⅤ
		業務執行者の職務に関し、受任者の権利義務に関する規定を準用する ∵　業務執行者の職務は受任者の職務に似ている →ただし、委任のようにいつでも告知できるものではなく、正当事由がなければ辞任できず、解任されることもない（651参照）	671
		解任するには、①正当事由に加えて、②他の組合員全員の同意が必要	672 Ⅱ
		各組合員は常務といえども決定・執行できないが、組合の業務・財産の状況を検査することはできる🔽	673
	第三者に業務執行を委任する場合	組合と第三者との委任契約として認められる〈📖〉	670 Ⅱ

＊　組合の常務は、その完了前に他の組合員又は業務執行者が異議を述べたときは、単独で行うことができない（670Ⅴただし書）。

第674条　（組合員の損益分配の割合）

Ⅰ　当事者が損益分配の割合を定めなかったときは、その割合は、各組合員の出資の価額に応じて定める〈📖〉。

Ⅱ　利益又は損失についてのみ分配の割合を定めたときは、その割合は、利益及び損失に共通であるものと推定する。

第675条　（組合の債権者の権利の行使）

Ⅰ　組合の債権者は、組合財産についてその権利を行使することができる。

Ⅱ　組合の債権者は、その選択に従い、各組合員に対して損失分担の割合又は等しい割合でその権利を行使することができる🔽。ただし、組合の債権者がその債権の発生の時に各組合員の損失分担の割合を知っていたときは、その割合による〈📖〉。

第676条　（組合員の持分の処分及び組合財産の分割）

Ⅰ　組合員は、組合財産についてその持分を処分したときは、その処分をもって組合及び組合と取引をした第三者に対抗することができない。

Ⅱ　組合員は、組合財産である債権について、その持分についての権利を単独で行使することができない〈共〉。

Ⅲ　組合員は、清算前に組合財産の分割を求めることができない〈共〉。

第677条　（組合財産に対する組合員の債権者の権利の行使の禁止）〈司〉

組合員の債権者は、組合財産についてその権利を行使することができない。

[趣旨] 組合財産の帰属について、668条は、総組合員の「共有」に属すると定めているが、これは一般的に「合有」と解されており、組合債務についても、1個の債務として総組合員に帰属し、組合財産がその引当てになることから、675条1項は、組合債権者が組合財産に対してその権利を行使できることを定めた。また、676条の趣旨は、組合活動の財産的基盤を確保する点にあり、特に同条2項は、個々の組合員が組合財産に属する債権を自己の持分に応じ分割して行使することはできないとする判例法理（大判昭13.2.12）を明文化したものである。また、677条の趣旨も組合活動の財産的基盤を確保する点にある。

《注　釈》

＜組合の財産関係＞

所有権などの物権	総組合員の「共有」（668）に属し、各組合員は出資額の割合に応じて持分を有する
	組合員は、組合財産についてその持分を処分したとしても、①組合及び②組合と取引をした第三者にその処分を対抗することができない（676 Ⅰ）〈司〉 ∵　これを認めると持分の譲受人と他の組合員との共有となり事業の執行に支障を来すし、組合債権者にとっても組合財産が減少してしまう →組合員の債権者は、組合財産についてその権利を行使することができない（677） 　∵　組合活動の財産的基礎を確保するため
	組合員は、清算前に組合財産の分割を求めることができない（676 Ⅲ）〈司〉 ∵　組合活動の財産的基盤を確保するため →組合員全員の合意があれば、一部の組合財産を分割することは可能（大判大2.6.28）
債権	組合財産である債権も総組合員の「共有」（668）に属し、各組合員は出資額の割合に応じて持分を有する
	組合員は、組合財産である債権について、その持分についての権利を単独で行使することができない（676 Ⅱ） →組合員は、組合財産である債権を行使するには、全員で共同してのみ行使することができる 　∵　427条の適用がないことを明確に示すことで、組合活動の財産的基礎を確保する ex.　組合が有する金銭債権の債務者（組合の債務者）Ａが組合員Ｂに対して金銭債権を有する場合、Ｂは、Ａに対して負う金銭債務とＡの組合に対する金銭債務とを相殺することはできない（同様にＡ側からの相殺も不可）

607

債務	組合の債権者は、組合財産について権利を行使することができる（675 Ⅰ） →金銭債務のように可分であっても、各組合員に分割されることなく全額が各組合員に帰属し、組合財産が引当てとなるため、たとえ組合の債権者が組合員の1人であっても、その債権が同人の負担部分について混同により消滅することはなく、全額を請求することができる（大判昭11.2.25・百選Ⅱ66事件）
	組合の債権者は、各組合員の個人的な財産に対して権利を行使することもできる ∵　各組合員は、個人財産を引当てとする個人的責任を負担する →組合員は、組合の債権者に対して負う債務とその債権者に対して有する債権とを相殺することができる 各組合員の負担する割合は、①各組合員の損失分担の割合、又は②等しい割合のいずれかにつき、債権者の選択により定まる（675 Ⅱ本文） →ただし、債権者が債権発生時に①各組合員の損失分担の割合を知っていたときは、その割合による（675 Ⅱただし書）
	組合の成立後に加入した組合員は、その加入前に生じた組合の債務については、個人責任を負わない（677の2 Ⅱ）
損益分配	損益分配の割合は、①組合契約、②出資の価額に応じて定まる（674 Ⅰ） →組合員の一部が損失を分担しない旨の合意も有効であり、その組合員は、他の組合員に対して当該合意の効力を主張することができる 利益又は損失についてのみ分配の割合を定めたときは、その割合は、利益及び損失に共通であるものと推定される（674 Ⅱ）

第677条の2　（組合員の加入）

Ⅰ　組合員は、その全員の同意によって、又は組合契約の定めるところにより、新たに組合員を加入させることができる。

Ⅱ　前項の規定により組合の成立後に加入した組合員は、その加入前に生じた組合の債務については、これを弁済する責任を負わない〈共書〉。

《注　釈》

▪ 本条2項は任意規定であるので、「組合の成立後に加入した組合員は、その加入前に生じた組合の債務について、これを弁済する責任を負う」旨の別段の定めをすることも許される。

第678条　（組合員の脱退）

Ⅰ　組合契約で組合の存続期間を定めなかったとき、又はある組合員の終身の間組合が存続すべきことを定めたときは、各組合員は、いつでも脱退することができる。ただし、やむを得ない事由がある場合を除き、組合に不利な時期に脱退することができない。

Ⅱ　組合の存続期間を定めた場合であっても、各組合員は、やむを得ない事由があるときは、脱退することができる〈共予〉。

第679条

前条の場合のほか、組合員は、次に掲げる事由によって脱退する。

① 死亡〈同〉

② 破産手続開始の決定を受けたこと。

③　後見開始の審判を受けたこと。

④　除名〈回

第680条　（組合員の除名）

　組合員の除名は、正当な事由がある場合に限り、他の組合員の一致によってすることができる。ただし、除名した組合員にその旨を通知しなければ、これをもってその組合員に対抗することができない。

《注　釈》

◆　組合関係からの離脱

　1　任意脱退：組合員の意思による組合関係からの離脱方法（678）

　　∵　脱退の自由を確保しつつ、組合及びその事業の存続を図る

　2　非任意脱退：本人の意思に基づかない法定の離脱方法（679、680）

　⑴　組合員が死亡した場合、原則としてその相続人は組合員とならない〈回。

　　　cf.　組合解散後に死亡した組合員の相続人は、残余財産分配請求権を相続する（最判昭33.2.13）〈回

　⑵　除名要件は、①正当事由の存在、②被除名者以外の組合員全員の同意である（680本文）。除名の対抗要件として、被除名者への通知を要する（680ただし書）。

第680条の2　（脱退した組合員の責任等）

　Ⅰ　脱退した組合員は、その脱退前に生じた組合の債務について、従前の責任の範囲内でこれを弁済する責任を負う〈回書。この場合において、債権者が全部の弁済を受けない間は、脱退した組合員は、組合に担保を供させ、又は組合に対して自己に免責を得させることを請求することができる。

　Ⅱ　脱退した組合員は、前項に規定する組合の債務を弁済したときは、組合に対して求償権を有する。

《注　釈》

- 脱退組合員が脱退後に組合債務を弁済することは、他人の債務の弁済に当たる。そのため、本条1項後段は、委託を受けた保証人から事前求償権の請求を受けた債務者と同様の権利（461Ⅰ参照）を行使できる旨規定した。

- 本条2項の適用については例外がある。脱退組合員が脱退後も債権者に対して債務を負い続けることを想定して、脱退の際に通常よりも多額の持分の払戻しがなされたような場合には、脱退した組合員が自らの債務として組合債務の履行をすべき旨の合意がされたものと考えられる。そのため、かかる場合には、脱退組合員は組合に対して求償権を行使することができないと解されている。

第681条　（脱退した組合員の持分の払戻し）

Ⅰ　脱退した組合員と他の組合員との間の計算は、脱退の時における組合財産の状況に従ってしなければならない。

Ⅱ　脱退した組合員の持分は、その出資の種類を問わず、金銭で払い戻すことができる〔予書〕。

Ⅲ　脱退の時にまだ完了していない事項については、その完了後に計算をすることができる。

《注　釈》

＜組合員の脱退＞

脱退の種類	任意脱退	(1) 組合契約で組合の存続期間を定めなかった場合 (2) ある組合員の終身の間組合が存続すると定めた場合 →いつでも脱退できる →やむを得ない事由があれば、組合に不利な時期でも脱退できる（強行法規である、最判平11.2.23・百選Ⅰ16事件）〈同〉	678 Ⅰ
		組合の存続期間を定めても、やむを得ない事由があれば脱退できる	678 Ⅱ
	非任意脱退	① 死亡〈同〉 ② 破産手続開始の決定を受けたこと ③ 後見開始の審判を受けたこと ④ 除名〈同〉 →要件：① 正当事由 　　　　　　　　② 他の組合員全員の同意 →対抗要件：本人への通知	679 680
脱退の効果		脱退時の組合財産の状況に基づき、事業の収支がプラスであれば脱退組合員の持分に従って相当する財産を払い戻し、収支がマイナスであれば、損失分担の割合に従った額を払い込ませる 脱退組合員は、脱退前に生じた債務については個人責任を負うが、脱退以後の債務は負わない 組合員が脱退前に生じた組合の債務を弁済したときは、組合に対して求償権を有する	680 の2 681

第682条　（組合の解散事由）〈同〉

組合は、次に掲げる事由によって解散する。

① 組合の目的である事業の成功又はその成功の不能

② 組合契約で定めた存続期間の満了

③ 組合契約で定めた解散の事由の発生

④ 総組合員の同意

第683条　（組合の解散の請求）

やむを得ない事由があるときは、各組合員は、組合の解散を請求することができる。

債権

第684条　（組合契約の解除の効力）

第620条＜賃貸借の解除の効力＞の規定は、組合契約について準用する。

《注　釈》

一　「解散」の意義

「解散」とは、組合がその目的である事業を達成するための積極的活動をやめ、清算手続に入ることをいう。

二　解散事由

① 目的である事業の達成、又は達成不能の確定（682①）
② 存続期間の満了（682②）
③ 組合契約で定めた解散事由の発生（682③）
④ 組合員全員の解散の合意（682④）
⑤ 組合員からの解散請求（683）〈予〉
→「やむを得ない事由」とは、組合を解散せざるを得ないやむを得ない事由であって、一組合員にとってのやむを得ない事由ではない
cf. この解散請求は、他の組合員に対する一方的意思表示により行われ、他の者の同意は不要である

三　解散の効力

その性質上当然に遡及効は否定される〈同〉。
→ 684条は当然の規定である　⇒ p.569
cf. 組合は、解散後も清算手続が終了するまで、その限度で存続する

第685条　（組合の清算及び清算人の選任）

Ⅰ　組合が解散したときは、清算は、総組合員が共同して、又はその選任した清算人がこれをする。
Ⅱ　清算人の選任は、組合員の過半数で決する。

第686条　（清算人の業務の決定及び執行の方法）

第670条第3項から第5項まで＜業務の決定及び執行の方法＞並びに第670条の2第2項及び第3項＜組合の代理＞の規定は、清算人について準用する。

第687条　（組合員である清算人の辞任及び解任）

第672条＜業務執行組合員の辞任及び解任＞の規定は、組合契約の定めるところにより組合員の中から清算人を選任した場合について準用する。

第688条　（清算人の職務及び権限並びに残余財産の分割方法）

Ⅰ　清算人の職務は、次のとおりとする。
① 現務の結了
② 債権の取立て及び債務の弁済
③ 残余財産の引渡し

Ⅱ　清算人は、前項各号に掲げる職務を行うために必要な一切の行為をすることができる。

Ⅲ　残余財産は、各組合員の出資の価額に応じて分割する。

《注　釈》

- 組合は、解散後清算手続が終了するまで、その限度で存続する。
- 清算人は原則として総組合員だが（685Ⅰ）、1人又は数人を組合員の過半数で選任してもよい（685Ⅱ）。
- 業務執行者が存在しても、清算人がその者である必要はなく、組合契約により任意に決定することも可能である（685条は任意規定）。その場合の辞任・解任は業務執行者の場合と同様（687・672）であり、清算業務の執行方法も通常の業務執行者の場合と同様である（686）。

■第13節　終身定期金

《概　説》

一　意義

終身定期金とは、当事者の一方が自己、相手方又は第三者の死亡に至るまで、定期的に金銭その他の物を相手方又は第三者に給付することを約することによって成立する契約をいう。

ex.　使用者が長年勤続した被用者に対して、被用者の死亡まで月3万円ずつを給付することを約束する場合等

cf.　終身定期金契約は、現在はほぼ利用されず、各種の公的年金制度が機能していることから適用されることはほとんどない

二　法的性質

対価があれば有償・双務・諾成・不要式契約であり、対価がなければ無償・片務・諾成・不要式契約である。

第689条　（終身定期金契約）

終身定期金契約は、当事者の一方が、自己、相手方又は第三者の死亡に至るまで、定期に金銭その他の物を相手方又は第三者に給付することを約することによって、その効力を生ずる。

第690条　（終身定期金の計算）

終身定期金は、日割りで計算する。

第691条　（終身定期金契約の解除）

Ⅰ　終身定期金債務者が終身定期金の元本を受領した場合において、その終身定期金の給付を怠り、又はその他の業務を履行しないときは、相手方は、元本の返還を請求することができる。この場合において、相手方は、既に受け取った終身定期金の中からその元本の利息を控除した残額を終身定期金債務者に返還しなければならない。

Ⅱ　前項の規定は、損害賠償の請求を妨げない。

第692条　（終身定期金契約の解除と同時履行）

第533条＜同時履行の抗弁＞の規定は、前条の場合について準用する。

第693条　（終身定期金債権の存続の宣告）

Ⅰ　終身定期金債務者の責めに帰すべき事由によって第689条に規定する死亡が生じたときは、裁判所は、終身定期金債権者又はその相続人の請求により、終身定期金債権が相当の期間存続することを宣告することができる。

Ⅱ　前項の規定は、第691条の権利の行使を妨げない。

第694条　（終身定期金の遺贈）

この節の規定は、終身定期金の遺贈について準用する。

■第14節　和解

《概　説》

一　意義

　　和解とは、当事者が互いに譲歩して、争いを自主的にやめることを目的として結ぶ契約である。

　　裁判制度の整った現代においては、法律紛争は裁判で決着がつくことが多い。しかし、訴訟手続は、技術的・専門的であり、多くの時間と費用がかかる。和解は法律の不備を補い、当事者の実情に即した解決が可能なこと等から規定されている。

二　法的性質

　　有償・双務・諾成・不要式契約である。

第695条　（和解）

　　和解は、当事者が互いに譲歩をしてその間に存する争いをやめることを約することによって、その効力を生ずる。

《注　釈》

◆　和解の成立要件

1　「争い」の存在

　　「争い」とは、法律関係の存否・範囲又は態様に関する主張の対立をいう（大判大 5.7.5）圓。

　(1)　争いの種類に制限はなく、権利関係について不確実な場合も広く含む。

　(2)　身分関係のような、当事者が自由に処分できないような法律関係についての争いについては和解できない。

2　当事者が「互いに譲歩」すること（互譲）

　　争われた法律関係についての主張の全部又は一部を放棄することが譲歩であるが、それに限られず、係争物以外の物の譲渡、一定金額の支払の負担も「譲歩」となる（最判昭 27.2.8）圃。

　3　「争いをやめる」という合意
　　　意思表示ないし契約についての通則規定が適用される。

第696条　（和解の効力）

　当事者の一方が和解によって争いの目的である権利を有するものと認められ、又は相手方がこれを有しないものと認められた場合において、その当事者の一方が従来その権利を有していなかった旨の確証又は相手方がこれを有していた旨の確証が得られたときは、その権利は、和解によってその当事者の一方に移転し、又は消滅したものとする。

[趣旨]本条は和解の効果を直接的に述べていないが、和解の内容に反する証拠が後に現れても、和解の効力は覆らないという和解の確定効を当然の前提としていると解されている。

《注　釈》
一　和解の効果

　1　和解の確定効
　　　和解契約の締結により、争いのあった法律関係は確定する。確定された事項は、仮に真実に反していても、契約当事者は和解の内容に拘束されて当事者間に新たな法律関係が創設されたことになる（確定効）。
　2　新旧債務の同一性　⇒ p.535
　　　債権額に関する争いについて和解が成立した場合には、旧債権関係の存在が前提とされているから、和解前の債権と和解契約で生じた債権とは同一性を有し、旧債務に付属していた人的・物的担保は消滅しない。
　　　和解契約前の旧債務に付着していた抗弁は、和解において互譲の対象となった部分に関するものは消滅し、それ以外についての抗弁は存続する。
　　　また、短期消滅時効にかかる債務について和解契約を締結した場合、その消滅時効は従前の債権の消滅時効による（大判昭7.9.30）。ただし、裁判上の和解については、その消滅時効の期間は10年となる（169 Ⅰ）。
　3　内容が違法である和解
　　　和解契約の内容が、公序良俗（90）や強行法規（91）に反するものであるときは、和解契約は無効である（最判昭46.4.9）。

二　和解と錯誤

　和解契約にも、原則として錯誤の規定（95）が適用されるが、和解の確定効との関係で問題が生じる。
　1　合意した事項自体の錯誤
　　　和解契約を取り消すことはできない。
　　　ex.　家屋賃貸借の当事者間に明渡の調停がなされたが、後に賃貸人には自己使用の必要性がなかったことが判明した場合
　2　それ以外の錯誤
　⑴　和解の対象とされた事項の当然の前提として、当事者によって疑いない事

実として予定されていた事項に錯誤があった場合には、95条が適用される《通》。

> ex.1　債権の差押え・転付命令（民執159）を得た債権者と第三債務者との間で弁済方法につき裁判上の和解をしたが、転付命令が無効であった場合（大判大6.9.18）
>
> ex.2　Aから甲債権を譲り受けたBと甲債権の債務者Cとの間で、甲債権に係る支払額について和解契約が締結されたが、ＡＢ間の甲債権の売買契約が無効であった場合（大判大6.9.18）《判》

(2)　争いの対象外の、与えることを約した物の品質に欠陥があったときも95条が適用される《通》《判》。

> ex.　金銭支払義務の存否に関する争いをやめるために、一方が他方に一定の品質を有するジャム缶一定量を代物弁済（482）として交付することになったところ、現実には粗悪品が提供された場合（最判昭33.6.14・百選Ⅱ67事件）

三　和解条項の解釈

賃料1か月分の遅滞で賃貸借契約が当然に解除される旨を定めた訴訟上の和解条項について、判例（最判昭51.12.17）は、「訴訟上の和解については、特別の事情のない限り、和解調書に記載された文言と異なる意味にその趣旨を解釈すべきものではない」とする一方、「賃貸借契約については、それが当事者間の信頼関係を基礎とする継続的債権関係であることにともなう別個の配慮を要する」とし、上記和解条項は、「和解成立に至るまでの経緯を考慮にいれても、いまだ右信頼関係が賃借人の賃料の支払遅滞を理由に解除の意思表示を要することなく契約が当然に解除されたものとみなすのを相当とする程度にまで破壊されたとはいえず、したがって、契約の当然解除の効力を認めることが合理的とはいえないような特別の事情がある場合についてまで、右賃料の支払遅滞による契約の当然解除の効力を認めた趣旨の合意ではないと解するのが相当である」とした《判》。

・第3章・【事務管理】

《概　説》

個人主義・自由主義を前提としつつも、社会生活における相互扶助を容易にすべく、他人の生活への干渉行為を適法と認めて、本人と管理者の利益の調節を図ったのが事務管理の制度である。

第697条　（事務管理）

Ⅰ　義務なく他人のために事務の管理を始めた者（以下この章において「管理者」という。）は、その事務の性質に従い、最も本人の利益に適合する方法によって、その事務の管理（以下「事務管理」という。）をしなければならない。

Ⅱ　管理者は、本人の意思を知っているとき、又はこれを推知することができるとき
は、その意思に従って事務管理をしなければならない**共書**

[趣旨] 事務管理は個人主義・自由主義の要請と、社会福祉主義という2つの相反す
る要請の調整の上に法定されており、民法は、個人主義・自由主義をやや重視し
て、もっぱら本人の意思と利益を重視して事務管理を認めたものである。

《注　釈》

一　要件

① 他人の事務を管理すること（Ⅰ）

② 他人のためにする意思があること（Ⅰ）

③ 法律上の義務がないこと（Ⅰ）

④ 本人の意思に反しないこと、及び本人に不利益であることが明らかでない
こと（700ただし書参照）

1　①他人の事務を管理すること（Ⅰ）

(1)　「事務」とは、人の生活に必要な一切の仕事をいう。
事実行為であるか、法律行為であるかを問わない。また、多少とも継続的
な行為であるか、一回的な行為であるかも問わない（大判大 8.6.26）。

(2)　性質上当然に他人の事務になるもの（ex. 他人の家屋の修繕）はもちろん、
性質上中性のもの（ex. 家屋修繕材料の購入）も、管理者が他人のためにす
る意思をもって管理するときは、「他人の」事務となる**通**。

(3)　事務の管理は、管理行為（保存行為、利用行為、改良行為）のみならず、
処分行為（ex. 契約解除の意思表示）も含む（大判大 7.7.10）**通**。

2　②他人のためにする意思があること（Ⅰ）

(1)　「他人のために」事務を管理する（Ⅰ）とは、他人の利益を図る意思をもっ
て事務を管理することである**通**。

(2)　他人のためにする意思は、自己のためにする意思と併存しても構わない**同**。
ex.　共有者の1人が各自の負担である費用の全部を支払う場合（大判大
8.6.26）

(3)　他人のためにする意思は、自己以外の者の利益を図る意思で足り、本人が
誰であるかを知っている必要はない。誰が本人であるかについて錯誤があっ
たときでも、真実の本人について事務管理が成立する。

(4)　他人の利益を図る意思が強く、必要な費用はすべて自分が負担するという
積極的な意思がある場合は、費用償還請求権を否定するのが通説であるが、
この場合にも事務管理自体は成立すると解されている。

(5)　もっぱら自己のためにする意思の場合（準事務管理）　⇒ p.618

3　③法律上の義務がないこと（Ⅰ）

管理者が、法律の規定や契約により、その事務を管理する義務を負っていな
いことが必要である。　→親権者や受任者には事務管理は成立しない**同**

4　④本人の意思に反しないこと、及び本人に不利益であることが明らかでない

こと（700ただし書参照）◀共▶

　本人の意思は適法なものでなければならない。したがって、事務の管理を欲しない本人の意思が強行法規又は公序良俗に反するときは、それに適合しなくても（ex. 自殺者を救護する場合）、事務管理は成立する。

二　効果

1　違法性阻却

　他人への干渉が不法行為にならない。また、その結果何らかの損害を与えても、不法行為は成立しない◀司▶。もっとも、管理方法が適切でなかったために損害が発生した場合には、事務管理の効果として発生した債務の不履行として責任を負う。

2　債権債務の発生

(1)　管理者の義務

(a)　本人の意思、利益に適合した方法で管理すべき義務（697）

(b)　管理開始の通知義務（699）

(c)　管理継続義務（700本文）◀司▶　→ただし、700条ただし書

(d)　注意義務

　本人の身体・名誉・財産に対する急迫の危害を免れさせるための事務管理（緊急事務管理）の場合には、管理者は悪意・重過失がある場合のみ責任を負う（698）。

　→この規定の反対解釈から、急迫の危害のない通常の場合には、管理者は善管注意義務を負い、本人の意思に従い、本人の利益に適するよう管理を行う必要がある◀通▶◀司予▶　⇒ p.308

(e)　付随義務（701、645〜647）　⇒ p.583

(2)　本人の義務

(a)　管理者が有益費を支出した場合は、有益費償還義務を負う（702 Ⅰ）。

(b)　管理者が有益な債務を負担した場合は、代弁済・担保供与義務を負う（702 Ⅱ・650 Ⅱ）。

(c)　本人の意思に反して管理した場合

　本人は現に利益を受ける限度において有益費償還義務、有益債務の代弁済・担保供与義務を負う（702 Ⅲ）。

(d)　報酬支払義務・損害賠償義務はない◀司書▶。

　→報酬や損害賠償請求権等を認めなければ不都合な場合もあるが、その場合は本人の有益費償還義務を広く認めることによって妥当な解決を図るべきである

(e)　事務管理者の地位が相続の対象になるかは争いがある。

三　事務管理と代理

1　管理者が自己の名で法律行為をした場合

　管理者と相手方の間に法律関係が生じ、本人と相手方の間には法律関係は生じない（最判昭36.11.30）。

∵　管理者は本人のためにすることを相手方に示しておらず、本人に効果を
　帰属させるのは、本人にとっても相手方にとっても、ともに酷といえる
2　管理者が本人の名で法律行為をした場合
　A説：管理者が本人の名で法律行為をしても、対外的には無権代理であり、
　　　　表見代理が成立するか、本人の追認がなければ本人には効果は及ばな
　　　　い（大判大7.7.10、最判昭36.11.30）〈司共予〉
　　　∵　事務管理は本人・管理者間の対内的関係を定めるものにすぎない
　　　→相手方は管理者に、無権代理人の責任（117Ⅰ）を追及する
　B説：適法な事務管理としてなされた法律行為の効果は当然に本人に及ぶ
　　　∵　およそ事務の処理には、必ずそれに相応する権限が与えられてい
　　　　　なければならず、民法が事務管理を適法行為として認めている以
　　　　　上、必要な代理権も当然に与えられているとみなければならない
cf.　このほか、基本的にはA説に立ちつつ、事態が緊急で、かつ管理者の法
　律行為の効果を本人に直接帰属させる必要がある場合（ex. 事故で意識不
　明の者を病院に運び治療を依頼するとき）には例外的に直接効果帰属を認
　める立場もある

四　準事務管理

1　意味
　　準事務管理とは、他人の事務と知りつつもっぱら自己のために事務を管理す
　る場合をいう（ex. 他人の物や不動産を無断で自己のものとして高価に売却し
　た場合）。
2　事務管理規定の類推適用の肯否
　A説：不当利得・不法行為における損失・損害の合理的な認定によって処理
　　　　するべきである（準事務管理否定説）〈通〉
　　　∵　本来利他的な行為を保護するための事務管理制度を、他人の事務
　　　　　を悪意で自己のために管理した場合に準用するのは筋違いである
　B説：客観的他人の事務を自己のためにする意思で管理したとき、及び事務
　　　　管理が本人の意思ないし利益に反することが明らかなときには、適法
　　　　な事務管理は成立しないが、管理者の義務については事務管理の規定
　　　　を類推適用すべきである（準事務管理肯定説）
　　　∵　本人はかかる管理者に対し不法行為による損害賠償請求（709）、
　　　　　又は不当利得返還請求（703）をなしうるが、いずれの場合にもそ
　　　　　の請求しうる範囲は本人の損失に限られ、しかもその証明は困難で
　　　　　ある
　　　　　→準事務管理として本人の損失の有無を問わず管理者の得た利益
　　　　　　を返還せしめることが、本人の保護に適する

債
権

第698条 （緊急事務管理）

　管理者は、本人の身体、名誉又は財産に対する急迫の危害を免れさせるために事務管理をしたときは、悪意又は重大な過失があるのでなければ、これによって生じた損害を賠償する責任を負わない〈司共予書〉。

[趣旨] 緊急の場合には、とっさの判断に基づく迅速な管理行為が要求され、管理により利益の帰属する本人側に相当の危険を負担させてもやむを得ない。そこで、この場合には注意義務が軽減され、悪意・重過失ある場合にのみ責任を負う。

第699条 （管理者の通知義務）〈書〉

　管理者は、事務管理を始めたことを遅滞なく本人に通知しなければならない。ただし、本人が既にこれを知っているときは、この限りでない〈予〉。

第700条 （管理者による事務管理の継続）

　管理者は、本人又はその相続人若しくは法定代理人が管理をすることができるに至るまで、事務管理を継続しなければならない〈予書〉。ただし、事務管理の継続が本人の意思に反し、又は本人に不利であることが明らかであるときは、この限りでない〈書〉。

[趣旨] 一度管理を開始した以上、勝手に中止するとかえって本人が損害を被ることがあるため、本人・その相続人・法定代理人が管理できるまでの管理継続義務を規定した。また、管理継続が本人の意思や利益に明らかに反する場合は継続が有害である以上、管理を中止しなければならない。
　→管理者はいつでも管理を中止できるわけではない

第701条 （委任の規定の準用）

　第645条から第647条まで＜受任者による報告・受取物の引渡し等・金銭消費の責任＞の規定は、事務管理について準用する〈司共予〉。

[趣旨] 事務管理は、委託により成立するものではないが、事務管理者が本人のために事務処理義務を負う点で委任に類似するから、受任者の報告義務（645）、受取物引渡し及び権利移転義務（646）、金銭消費の責任（647）に関する規定を準用することとした（一方、受任者による費用前払請求権に関する649条は準用していない〈共〉）。　⇒ p.583

第702条 （管理者による費用の償還請求等）

Ⅰ　管理者は、本人のために有益な費用を支出したときは、本人に対し、その償還を請求することができる。

Ⅱ　第650条第2項＜受任者の代弁済請求＞の規定は、管理者が本人のために有益な債務を負担した場合について準用する〈共予書〉。

Ⅲ　管理者が本人の意思に反して事務管理をしたときは、本人が現に利益を受けている限度においてのみ、前2項の規定を適用する。

債権

《注　釈》

◆　事務管理と報酬、損害賠償、有益費

1　報酬・損害賠償

管理者に報酬や損害賠償の請求権は認められない〈司共〉。

→ 701条では委任に関する648条（報酬）や650条3項（損害賠償）のいずれも準用されていない

∵　民法では個人主義的側面がやや重視されている

2　有益費

(1)　管理者が本人のために有益費を支出したときは償還請求できる（702Ⅰ）。

(2)　この有益費は通常の概念より広く、必要費を含む。有益か否かは支出時を基準に判断される。

　　cf.　占有者の場合の返還（償還）請求権の範囲・有益性判断の基準時　⇒ p.158

　　ex.　管理者が一時的に保護している動物が第三者に損害を与えた場合、第三者に対する損害賠償義務は、動物の所有者たる本人にとって「有益な」債務・費用とはいえない

(3)　ただし、本人の意思に反した管理の場合は、償還請求の範囲が既存利益に減縮される（Ⅲ）〈司共予書〉。

(4)　不在者Aの家屋の屋根が雨漏りしていることを知った隣人Bが大工Cに屋根の修理を依頼し、Cが屋根の修理を終えた場合、Bは、Aに対し、Cに対する当該修理契約上の報酬を支払うよう請求することができる（Ⅱ）〈司予〉。

《その他》

▪ 本人が有益費の償還義務を負う場合、これと事務管理者の負う目的物返還義務とは同時履行の関係にはない。

・第4章・【不当利得】

《概　説》

不当利得制度は、形式的・一般的には正当視される財産的価値の移動が、実質的・相対的には正当視されない場合に、公平の理念に従ってその矛盾の調節を試みる制度である〈通〉。

［不当利得類型論］

不当利得制度の根拠を正義公平の理念に求める通説とは異なり、より具体的で多元的な根拠を求め、類型ごとに要件・効果を明らかにすべきだとする見解が有力である（類型論）。その中の説の1つは不当利得を給付利得と侵害利得に分け、それぞれの解釈論を導く判断基準が異なるとする。

第703条　（不当利得の返還義務）

法律上の原因なく他人の財産又は労務によって利益を受け、そのために他人に損失を及ぼした者（以下この章において「受益者」という。）は、その利益の存する限度において、これを返還する義務を負う。

第704条　（悪意の受益者の返還義務等）

悪意の受益者は、その受けた利益に利息を付して返還しなければならない。この場合において、なお損害があるときは、その賠償の責任を負う。

《注　釈》

一　要件

① 他人の財産又は労務によって利益を得たこと
② 他人に損失を与えたこと
③ 受益と損失との間に因果関係があること
④ 法律上の原因がないこと

1　①他人の財産又は労務によって利益を得たこと

(1)　他人の財産

すでに他人の財産に帰属しているものに限らず、まだ帰属してはいないが当然その他人に財産として帰属すべきものを含む。

(2)　利益

財産が積極的に増加した場合（積極的利得）と、本来生じるはずであった財産の減少を免れた場合（消極的利得）を含む。

→債務者が単に債務の履行をしないこと自体は、利得とはいえない

2　②他人に損失を与えたこと

(1)　不当利得は個人間の利得と損失との均衡を図る制度であるから、一方に法律上の原因のない利得があっても、他方にこれに対応する損失がなければ不当利得とはならない。

ex.　鉄道の敷設によって沿線の住民が利益を受けたとしても、敷設工事をした者は格別損失を被らないので、不当利得は成立しない

(2)　損失は積極的減少・消極的減少を含む。

ex.1　権限なく他人の家屋を勝手に利用した場合、家屋の所有者が自ら使用収益しえたか、又はそれを欲したかにかかわらず、家賃相当額の損失が認められる

ex.2　債権者でない者に対して弁済をしたときであって、それが受領権者としての外観を有する者に対する弁済（478）とも認められない場合には、真の債権者に対して弁済をしたかどうかにかかわらず、債務者には「損失」がある（最判平17.7.11）

3　③受益と損失との間に因果関係があること

(1)　社会通念上、損失と受益との間に因果関係があればよい。

　　ex.　債権者が第三者所有の不動産の上に設定を受けた抵当権が不存在で
　　　　あるにもかかわらず、同抵当権の実行により第三者が不動産の所有権を
　　　　喪失したときは、第三者は売却代金から弁済金の交付を受けた債権者に
　　　　対して不当利得返還請求権を有する（最判昭63.7.1）〈旧〉

(2)　受益と損失との間に第三者の行為が介在する場合であっても、社会通念
　上、財産的価値の移動が利得者と損失者との間に行われたと認められる限
　り、不当利得の成立は肯定される。

　　ex.1　騙取金員による弁済
　　　　　他から金員を騙取した者が、その金員を他の債権者に対する債務の
　　　　弁済に充てた場合、社会通念上被騙取者の金銭で他の債権者の利益を
　　　　図ったと認められるだけの連結がある場合には、不当利得の成立に必
　　　　要な因果関係がある（最判昭49.9.26・百選Ⅱ71事件）〈旧〉

　　ex.2　いわゆる転用物訴権
　　　　　他人の所有物を賃借していた者が、それを修繕業者に修理させた場
　　　　合、修繕業者のした給付（修理）を受領した者が所有者でなく中間の
　　　　賃借人であることは、修繕業者の損失及び所有者の利得の間に直接の
　　　　因果関係を認めることの妨げとはならない（最判昭45.7.16）〈通〉

4　④法律上の原因がないこと
　「法律上の原因」がないとは、正義公平の理念からみて、財産価値の移動を
その当事者間において正当なものとするだけの実質的・相対的な理由がないと
いう意味である〈通〉。

　　ex.1　騙取金員による弁済
　　　　　騙取金員により債務の弁済を受けた債権者に悪意又は重大な過失があ
　　　　る場合には、その金員の取得は、被騙取者に対する関係では、法律上の
　　　　原因がない（最判昭49.9.26・百選Ⅱ71事件）〈同書〉

　　ex.2　いわゆる転用物訴権〈旧〉〈旧H23〉
　　　　　甲が、賃借人である乙との間の請負契約に基づき賃借物を修繕したと
　　　　ころ、乙が無資力になったため、乙に対する請負代金債権が無価値であ
　　　　る場合において、賃貸人である所有者丙が法律上の原因なくして利益を
　　　　受けたといえるのは、丙と乙との間の賃貸借契約を全体としてみて、丙
　　　　が対価関係なしに右利益を受けたときに限られる（最判平7.9.19・百選Ⅱ
　　　　70事件）

債
権

＜転用物訴権＞

二　効果

1　返還義務の範囲　→受益者の善意・悪意で区別される（703、704）

　　　cf.　法人の善意・悪意は、法人の機関の善意・悪意によって決せられる（最判昭30.5.13）

2　「その利益の存する限度」（703、現存利益）

（1）　現存利益とは、受けた利益が原形のまま存在するということではなく、利益が原物のまま、あるいは形を変えて残っている場合を意味する。

　　　cf.　利得者たる銀行が利得金を運用してあげた利益は、189条により返還請求が否定されるべきものではなく、社会通念上損失者が運用してあげえたであろうと認められる部分は、現存利益として返還されるべきである（最判昭38.12.24・百選Ⅱ68事件）〈論〉　⇒p.151

（2）　損失者の被った損害額より現存利益が大きい場合、損害額が利得返還の限度となる（大判昭11.7.8）。

（3）　受益者は、代替性のある物を第三者に売却処分した場合には、原則として、売却代金相当額の金員の不当利得返還義務を負う（最判平19.3.8・百選Ⅱ69事件）〈論〉。

3　悪意の受益者は、受けた利益に利息を付して返還し、損害があれば損害賠償義務も負う（704）〈図〉。なお、民法704条後段の規定は、悪意の受益者が不法行為の要件を充足する限りにおいて不法行為責任を負うことを注意的に規定したものにすぎず、悪意の受益者に対して不法行為責任と異なる特別の責任を負わせたものではない（最判平21.11.9・平22重判8事件）〈論書〉。

　受益者は、当初善意であっても、その利得に法律上の原因がないことを認識した後は、以後、悪意の受益者として扱われる。したがって、受益者が悪意になった後に利益が減少・消滅しても、不当利得返還義務の範囲は減少・消滅しない（最判平3.11.19）〈論書〉。

　4　消費貸借契約の借主甲が貸主乙に対して貸付金を丙に給付するよう求め、乙がこれに従って丙に対して給付を行った後甲が右契約を取り消した場合、乙からの不当利得返還請求に関しては、甲は特段の事情のない限り、乙の丙に対する右給付により、その価額に相当する利益を受けたといえる（最判平10.5.26・百選Ⅱ72事件）。

《その他》

▪ 双務契約が無効又は取り消された場合の返還義務相互に関しては、同時履行の関係が認められる。

　　ex.　行為能力の制限による取消し（5Ⅱ）（最判昭28.6.16）、詐欺による取消し（96Ⅰ）（最判昭47.9.7）

▪ 抵当権者は、不動産競売事件の配当期日において配当異議の申出をしなかった場合であっても、債権又は優先権を有しないにもかかわらず配当を受けた債権者に対して、その者が配当を受けたことによって自己が配当を受けることができなかった金銭相当額の金員の返還を請求することができる（最判平3.3.22）〈同〉。

　∵　配当の実施は係争配当金の帰属を確定するものではなく、利得に法律上の原因があるとすることはできない

第705条　（債務の不存在を知ってした弁済）

　債務の弁済として給付をした者は、その時において債務の存在しないことを知っていたときは、その給付したものの返還を請求することができない〈同〉。

[趣旨] 弁済者が特定の債務の弁済として給付をしたが、実は債務が存在しなかったという場合には、不当利得返還請求権が発生するはずである。しかし、民法は、この特則を規定し、公平の理念から一定の場合に返還請求を否定した（705〜707）。弁済者が債務の不存在を知りながら弁済した場合（狭義の非債弁済）には、自ら不合理なことをして損失を招いたといえる。そこで、本条は、そのような者を不当利得制度により保護する必要がないことを明らかにした。

《注　釈》

一　債務の不存在

　債務が弁済当時に不存在であったことだけでよく、その不存在の理由は問わない。

　　ex.　債務の発生原因である契約が無効であったり取り消されたりしていて最初から債務が存在しない場合や、弁済等によって消滅した場合でもよい

二　弁済としての給付

　「給付」は、任意の弁済であることが必要である（大判大6.12.11、最判昭40.12.21）。

　　ex.　強制執行を避けるため、又はその他の事由によりやむを得ず給付した場合は、本条の適用はなく、不当利得返還請求をなしうる（大判大6.12.11）〈同〉

三　弁済者の不知

　弁済者が債務の不存在を知らなかった理由は問題とならない〈同〉。

→知らないことに過失があっても返還請求できるし、債務の不存在について疑いを抱いているだけでは知っていることにならない

第706条 （期限前の弁済）

債務者は、弁済期にない債務の弁済として給付をしたときは、その給付したものの返還を請求することができない。ただし、債務者が錯誤によってその給付をしたときは、債権者は、これによって得た利益を返還しなければならない。

[趣旨]期限到来前でも債務は存在している以上、給付を受けた債権者に不当利得が成立しないことは当然である（本文）。しかし、弁済受領権者は期限の利益が放棄（136Ⅱ）されたものとして、受領物を処分してしまうこともある。それを返還させるのは酷なので、期限未到来を知らずに誤って弁済した場合のみ利得相当額の返還を請求できるものとした（ただし書）。

《注 釈》

- 債務者が期限前であることを知りつつ弁済した場合は、期限の利益相当分の返還請求はできない。
- 主たる債務者と債権者との間で支払猶予がなされ、委託を受けない保証人がこれを知らずに当初の期限に弁済をなした場合、本条に基づく返還請求ができる。

第707条 （他人の債務の弁済）

Ⅰ 債務者でない者が錯誤によって債務の弁済をした場合において、債権者が善意で証書を滅失させ若しくは損傷し、担保を放棄し、又は時効によってその債権を失ったときは、その弁済をした者は、返還の請求をすることができない。

Ⅱ 前項の規定は、弁済をした者から債務者に対する求償権の行使を妨げない。

[趣旨]他人の債務を自己の債務と誤信して弁済した場合は、債務者のために弁済したわけではないため、第三者の弁済（474）としての効力は生じない。したがって、弁済者は不当利得返還請求をなしうるはずである。しかし、無条件にこれを認めれば善意の債権者が不測の損害を被ることになる。そこで本条は、弁済者と債権者相互の利益を調整するために、不当利得返還請求権に一定の制限を設けた。

《注 釈》

一 要件

① 「錯誤によって債務の弁済をした場合」（Ⅰ）
→弁済者に過失があることは要件ではない

② 債権者の善意による証書の滅失若しくは損傷・担保放棄・時効による債権消滅（Ⅰ）

1 ①「錯誤によって債務の弁済をした場合」（Ⅰ）
弁済者は、他人の債務を自己の債務と誤信して弁済をなすことを要する。

ex. 真実は保証人でないのに保証人であると誤信して弁済した場合は、本条の問題となる

cf. 他人の債務を弁済しても、弁済者が他人の債務であることを知っている

場合は、本条の問題ではない（第三者弁済（474）の問題）

2 ②債権者の善意による証書の滅失若しくは損傷・担保放棄・時効による債権消滅（Ⅰ）〈回〉

(1) 「滅失」・「損傷」とは、物理的な滅失・損傷のみならず、債務者（弁済者）に証書を返還するなど、債権者が自由に証書を立証方法として使用できなくなった場合も含む。

(2) 「時効によってその債権を失った」とは、債権者が債務者に全く請求権を失った場合を指す。その債権を失っても、同一の事実関係に基づいて発生した他の債権を行使できる場合には本条の適用がない（大判昭 6.4.22）。

ex. 連帯債務、保証債務

二 効果

有効な弁済として債務は消滅する（Ⅰ）。この場合、弁済者は債務者に求償することができる（Ⅱ）。

第708条 （不法原因給付）

不法な原因のために給付をした者は、その給付したものの返還を請求することができない。ただし、不法な原因が受益者についてのみ存したときは、この限りでない〈回〉。

[趣旨] 本条は、不法の原因に基づいて給付した者の返還請求を否定する。自ら社会的に非難されるべき行為をした者がこれを理由として自己の損失を取り戻すために法の救済を求めることは、その心情において責められるべきものだからである（クリーンハンズの原則）。本条は、90条と表裏一体となって反社会的な行為に関与した者に一切の法律上の救済を否定する法理を定めたものである。

《注 釈》

一 要件

① 「不法な原因のため」（本文）

② 「給付」が行われたこと（本文）

1 ①「不法な原因のため」（本文）

(1) 「不法」とは、単に強行法規に違反するだけでは足りず、公序良俗に反することを意味する（最判昭 37.3.8）〈回〉。

∵ 単なる国家の政策によって定められる禁止規定（強行法規）に違反する場合にまで、本条を適用して給付の返還請求を阻止することは、かえって禁止規定が禁圧しようとした行為を追認する結果となる可能性がある

ex.1 芸娼妓契約と前貸が結び付いた抱主の貸金は、「不法」に該当する（最判昭 30.10.7）

ex.2 恩給証書を担保のために供するのは、単なる強行法規違反であり、「不法」に該当しない（大判昭 4.10.26）

→当事者が給付の「不法」について認識し、又は認識する可能性がなくても不法原因給付に該当しうる（大判大 8.9.15）〈回〉

債権

(2) 不法な「原因」とは、その給付により企図された目的のことをいう。給付の動機に不法があるにすぎない場合でも、動機が表示されて当事者がこれを知っている場合には、「原因」となりうる（大判大5.6.1）。

(3) その給付行為の基礎となった法律関係自体は適法なものでも、その行為のなされる目的や動機、条件が不法である場合、一定の事情の下では不法原因給付となりうる。

(4) 不法原因がもっぱら受益者にのみ存在し、給付者に不法性が存在しない場合には、不当利得返還請求をなしうる（ただし書）。

　　　また、給付者・受益者双方に不法原因がある場合でも、双方の不法性を比較して、給付者のそれが微弱であれば、返還請求が認められる（最判昭29.8.31）圓。

2　②「給付」が行われたこと（本文）

(1) 「給付」とは、相手方に利益を与えるものであれば、事実上の利益を与えるものでも、財産権や財産的利益を与えるものでもよいが、強制可能性を残さない相手方に終局的な利益を与えるものであることを要する。

　　　∵　終局的でない従属的な給付について返還請求権を拒否すれば、主たる給付の実現のための強制可能性を残すことになり、かえって90条、708条の趣旨に反する

(2) 「給付」された物が不動産の場合

　　　未登記不動産の場合は、引渡しのみで「給付」に該当する（最大判昭45.10.21・百選Ⅱ73事件）が、既登記不動産の場合は、登記がなされなければ「給付」に該当しない（最判昭46.10.28）圓。

(3) 「給付」された物が動産の場合　→引渡しのみで「給付」に当たる

(4) 担保権の設定

　　　不法な目的のために担保権が設定された場合（ex. 公序良俗に反する契約による相手方の債権を担保する目的で設定された抵当権）は、登記が経由されても「給付」に該当しない（最判昭40.12.17）。

(5) 使用貸借契約の場合

　　　不法な目的のために使用貸借契約がなされた場合（ex. 妾関係維持を目的とする建物の使用貸借）は、給付されたのは日々刻々の使用であると考え、過去の使用分の使用利益は708条により返還請求できないが、将来の分は未給付であるから708条は適用されず、目的物の返還を請求できるとする説が有力である。

二　効果

1　不当利得返還請求権の拒絶

　　不法原因給付の要件をみたす場合、給付者は不当利得返還請求をすることができない。

2　所有権に基づく物権の請求の可否

　　所有権に基づく物権的請求権についても708条を類推適用し、返還請求を

否定すべきである（最大判昭 45.10.21・百選Ⅱ 73 事件）〈司〉。

 cf. 返還請求が否定されることの反射的効果として、目的物の所有権は、受給者に移転する（最大判昭 45.10.21・百選Ⅱ 73 事件）〈司〉。なお、受給者は、給付者に対して所有権に基づく物権的請求をすることができるが、受給者・給付者間の契約は公序良俗に反し無効であるため（90）、給付者に対する債権的請求は認められない

3 不法行為に基づく損害賠償請求権

 不法行為に基づく損害賠償請求権についても 708 条を類推適用し、損害賠償請求を否定すべきである（最判昭 44.9.26、最判平 20.6.10）。

 不法行為による損害賠償（慰謝料）請求につき、本条ただし書が類推されたものと評される判例がある。

4 不法原因給付の返還の特約

 不法原因給付後にこれを任意に返還する特約は有効である（最判昭 28.1.22、最判昭 28.5.8、最判昭 37.5.25）〈司〉。

 ∵ 708 条は、受領者の所有を認めて動かし難いものにするわけではなく、受領者が任意に返還しない場合に、自ら社会的に非難されるべき行為をした給付者に法的助力を与えないとするにすぎない

・第5章・【不法行為】

《概　説》
一　不法行為

1 意義

 不法行為とは、他人の権利・利益を違法に侵害して損害を加える行為をいう。不法行為が行われることによって、金銭賠償を請求する債権が発生する。

2 目的

 不法行為に基づく損害賠償制度は、被害者に生じた現実の損害を金銭的に評価し、加害者にこれを賠償させることにより、被害者が被った不利益を補填して、不法行為がなかったときの状態に回復させることを目的とするものであり、また、損害の公平な分担を図ることをその理念とするところである（最判令 2.7.9・百選Ⅱ 94 事件）。

3 機能

 ① 被害者の救済（損害の塡補）

 ② 将来の不法行為の抑止

二　不法行為制度の性格

 不法行為制度は、不法行為責任の発動に対する予測可能性と、自己の行動を自制していれば責任を回避しうるという計算の可能性とを明確にすることによって、自由を保障する機能をもち、私的自治の原則を背面から支える制度としての性格を有する。

＜債務不履行責任と不法行為責任の比較＞〈予-H30〉

		債務不履行	不法行為
主張・立証責任		債務者が帰責事由の不存在の主張・立証責任を負う（＊1）	債権者（被害者）が故意・過失の存在の主張・立証責任を負う
消滅時効期間	原則	① 本来の債務の履行を請求しうる時から5年（166Ⅰ①、最判平10.4.24） ② 権利を行使することができる時から10年（166Ⅰ②）	① 損害及び加害者を知った時から3年（724①） ② 不法行為時から20年（724②）
	人の生命・身体の侵害による損害賠償請求権	① 損害及び債務者を知った時から5年（166Ⅰ①） ② 権利を行使することができる時から20年（167・166Ⅰ②）	① 損害及び加害者を知った時から5年（724の2・724①） ② 不法行為時から20年（724②）
損害賠償の範囲		416条の問題	規定なし（416類推適用）（大連判大15.5.22）
弁護士費用		原則：請求できない（＊2） 例外：安全配慮義務違反の場合は請求できる（最判平24.2.24・平24重判5事件）⇒p.471	請求できる（最判昭44.2.27）
履行遅滞となる時期		履行の請求を受けた時 ∵ 債務不履行に基づく損害賠償債務は期限の定めのない債務（412Ⅲ）であるため（最判昭55.12.18）	不法行為時（最判昭58.9.6）〈同〉
慰謝料請求権		債権者のみ（最判昭55.12.18） →遺族固有の慰謝料請求権は認められない	遺族固有の慰謝料請求権が認められる（711）
過失相殺		過失を「考慮して、損害賠償の責任及びその額を定める」（418）	過失を「考慮して、損害賠償の額を定めることができる」（722Ⅱ）
損害賠償債権を受働債権とする相殺の可否		可（人身損害の場合は不可（509②））	悪意による不法行為（509①）又は人身損害の場合は不可（509②）
失火責任法の適用		なし（最判昭30.3.25）〈同〉	あり（加害者に故意又は重過失がない限り、不法行為責任を追及できない）

債権

＊1　安全配慮義務違反を理由とする債務不履行の場合には、原告（債権者）が安全配慮義務の内容を特定し、かつ、義務違反に該当する事実を主張・立証する責任を負う（最判昭56.2.16）〈回〉。
　　→この場合の主張・立証責任の負担は、不法行為における過失の主張・立証の場合と実質的に異ならない

＊2　土地の売買契約の買主は、債務の履行を求めるための事務を弁護士に委任した場合であっても、売主に対し、その事務に係る弁護士報酬を債務不履行に基づく損害賠償として請求することはできない（最判令3.1.22・令3重判3事件）。
　　∵①　不法行為に基づく損害賠償を請求する場合と異なり、契約上の債務の履行を求めることは、侵害された権利利益の回復を求めるものではなく、契約の目的を実現して履行による利益を得ようとするものである
　　　②　契約を締結しようとする者は、任意の履行がされない場合があることを考慮して、契約の内容を検討したり、契約を締結するかどうかを決定したりすることができる

cf.　債務不履行責任と不法行為責任が競合したときは、債権者はいずれをも任意に主張して損害賠償を請求することができる（請求権競合説、最判昭38.11.5）

第709条　（不法行為による損害賠償）

故意又は過失によって他人の権利又は法律上保護される利益を侵害した者は、これによって生じた損害を賠償する責任を負う。

《注　釈》
一　要件

①故意・過失、②責任能力、③権利又は法律上保護される利益の侵害、④損害の発生、⑤行為と損害の間の因果関係

1　①故意・過失（過失責任・自己責任の原則）

　(1)　意義

　　(a)　故意

　　　　故意とは、一定の結果が発生すべきことを意図し、又は少なくともそうした結果の発生すべきことを認識ないし予見しながら、それを認容して行為をするという心理状態をいう。

　　(b)　過失

　　　　過失とは、結果発生の予見可能性がありながら、結果発生を回避するために必要とされる措置を講じなかったこと、すなわち、結果回避義務違反をいう。

　　ア　過失の客観化

　　　　従来、過失とは、自己の行為により一定の結果が発生することを認識すべきであるのに、不注意のためにその結果の発生を認識しないでその行為をするという心理状態であると理解されてきた。

　　　　しかし、判例は、結果発生防止のために必要・十分な注意を尽くしたかどうかという、客観的注意義務違反の有無を問題にするようになった（過失の客観化）。

　　　　たとえば、公害事件に関する大阪アルカリ事件判決（大判大5.12.22・百選Ⅱ74事件）は、事業の性質に従って相当の設備を施しているなら

ば過失はないとした。

イ　第三者に対する注意義務〈司H23〉

建物建築に携わる設計者等の負う注意義務との関係につき、判例（最判平19.7.6・百選Ⅱ76事件）は、建物に携わる設計者等は、建物の建築に当たり、契約関係にない居住者を含む建物利用者等に対する関係でも、当該建物に建物としての基本的な安全性が欠けることのないように配慮すべき注意義務を負っている。そして、かかる義務を怠ったために建築された建物に上記安全性を損なう瑕疵があり、それにより居住者等の生命等が侵害された場合には、設計者等は、不法行為の成立を主張する者が上記瑕疵の存在を知りながらこれを前提として当該建物を買い受けていたなど特段の事情がない限り、これによって生じた損害について不法行為による賠償責任を負うとしている。

不法行為に基づく損害賠償としての瑕疵修補費用相当額の請求において、建物としての基本的な安全性を損なう瑕疵の内容には、建物の瑕疵が居住者等の生命・身体又は財産に対する現実的な危険をもたらしている場合のみならず、放置するといずれは居住者等の生命・身体又は財産に対する危険が現実化することになる場合も含まれる（最判平23.7.21・平23重判12事件）。

ウ　医療機関に要求される医療水準の判断

判例（最判平7.6.9・百選Ⅱ75事件）は、注意義務の基準となるべきものは、診療当時のいわゆる臨床医学の実践における医療水準である（医学の水準ではない）。そして、新規の治療法の存在を前提にして治療に当たることが医療機関に要求される医療水準であるかどうかを決するについては、当該医療機関の性格、所在地域の医療環境の特性等の諸般の事情を考慮すべきであるとしている。

エ　チーム医療の場合の説明義務

判例（最判平20.4.24・平20重判8事件）は、チーム医療での手術における総責任者の患者やその家族に対する説明義務について、一般に総責任者が条理上説明義務を負うことについては肯定した上で、説明義務違反となるか否かについては、主治医が説明をするのに十分な知識・経験を有している場合においては、主治医の説明が不十分なものであっても、また、総責任者が自ら説明を行わなくとも、総責任者が必要に応じて主治医を指導・監督していたときには総責任者の説明義務違反は認められず、このことは総責任者が当該手術の執刀者であったとしても変わるところはないとした。

(2)　過失責任の原則

行為者に非難すべき点があるとき、それを理由に損害賠償責任を負担させようとする原則。

cf.　失火責任法による修正

失火の場合には、加害者に重過失がない限り、不法行為責任を負わない（失火責任法）

→我が国では木造家屋が多く、気候や消防の状況からみて、類焼などによる損害が膨大なものとなるので、重過失に限定したものである

＊　債務不履行責任には失火責任法の適用はないので、原則通り過失責任となる〈同〉。

(3)　故意・過失の立証

故意・過失の立証責任は、原告となる被害者が負う〈同〉。

ただし、場合によっては、立証責任の転換ができる（自賠3ただし書等）。

2　②責任能力

自己の行為が違法なものとして法律上非難されるものであることを弁識しうる能力があることをいう。　⇒ p.641

3　③権利又は法律上保護される利益の侵害

(1)　「権利又は法律上保護される利益の侵害」の意義

判例は、厳密な意味で「権利」とはいえなくても、「法律上保護セラルル一ノ利益」であれば、不法行為法による保護の対象になるとした（大判大14.11.28）。

ex.1　景観利益（良好な景観に近接する地域内に居住し、その恵沢を日常的に享受している者が有する良好な景観の恵沢を享受する利益）は法律上保護された利益である（最判平18.3.30・百選Ⅱ79事件）

＊　ただし、ある行為が景観利益に対する違法な侵害となるためには刑罰法規・行政法規違反、公序良俗違反など社会的に容認された行為としての相当性を欠くことが求められるとした。

ex.2　放送事業者等から放送番組のための取材を受けた取材対象者が、取材担当者の言動等によって、当該取材で得られた素材が一定の内容・方法で放送に使用されるものと期待し、あるいは信頼したとしても、その期待や信頼は原則として法的保護の対象とはならない（最判平20.6.12・平20重判9事件）。

ex.3　学校による生徒募集の際に説明、宣伝された教育内容等の一部が変更され、これが実施されなくなったことが、親の期待、信頼を損なう違法なものとして不法行為を構成するのは、当該学校において生徒が受ける教育全体の中での当該教育内容等の位置付け、当該変更の程度、当該変更の必要性、合理性等の事情に照らし、当該変更が、学校設置者や教師に裁量が認められることを考慮してもなお、社会通念上是認することができないものと認められる場合に限られる（最判平21.12.10・平22重判9事件）。

ex.4　元従業員等の競業行為が、社会通念上自由競争の範囲を逸脱した違法な態様で元雇用者の顧客を奪取したとみられるような場合には、その行為は元雇用者に対する不法行為に当たる（最判平22.3.25・平22

重判 10 事件）。

ex.5　テレビ番組における弁護士の懲戒請求の呼び掛け行為は、弁護士会における自律的処理の対象として検討されるのは格別、その態様、発言の趣旨、名宛人の弁護人としての社会的立場、本件呼び掛け行為により負うこととなった名宛人の負担の程度等を総合考慮すると、精神的苦痛が社会通念上受忍すべき限度を超えるとまではいい難く、これを不法行為法上違法なものであるということはできない（最判平23.7.15・平 23 重判 11 事件）。

ex.6　世間に広く知られている歌手の写真を無断で使用し雑誌に掲載する行為は、①肖像等それ自体を独立して鑑賞の対象となる商品等として使用し、②商品等の差別化を図る目的で肖像等を商品等に付し、又は③肖像等を商品等の広告として使用するなど、専ら肖像等の有する顧客吸引力の利用を目的とするといえる場合には、パブリシティ権（肖像等の有する顧客吸引力を排他的に利用する権利）を侵害するものとして、不法行為法上違法となる（最判平 24.2.2・平 24 重判 11 事件）。

ex.7　顧客情報として会社のサーバコンピュータに記録されている個人識別情報を、不正な利益を得る目的で複製し、複数の名簿業者に漏えいさせる行為は、法的保護の対象たる個人のプライバシーを侵害する行為に当たる（最判平 29.10.23・平 29 重判 8 事件）。

(2)　債権侵害の類型

　(a)　債権の帰属自体を侵害した場合

　　　ex.　第三者が債権者の作成した受取証書を窃取して弁済を受けた場合（478）（大判昭 8.3.14）

　(b)　債権の目的である給付を侵害して債権を消滅させた場合

　　　ex.　第三者が、債権の目的である立木を、自分の物と偽って他人に売却し、その他人が伐採してしまった場合（大判大 11.8.7）

　(c)　債権の目的である給付を侵害するが債権は消滅しない場合

　　　ex.　所有者から立木を売却するよう委任された者が、買主の代理人と共謀して、実際よりも低額で売れたように見せかけ、その差額を横領した場合（大判大 4.3.10・百選Ⅱ 15 事件）

　＊　債権が「自由競争原理」の上に成り立つものであり、この原理内において互いに侵し合うことはやむを得ない以上、第三者の債権侵害が不法行為となるには故意行為であることが必要であるとの立場が有力である。

(3)　違法性阻却事由（正当化事由）

　(a)　正当防衛（720 Ⅰ）、緊急避難（720 Ⅱ）

　(b)　自力救済

　　　違法な侵害に対し現状を維持することが不可能又は著しく困難と認められる緊急やむを得ない特別の事情がある場合、必要限度内で、自力の行使が認められる（最判昭 40.12.7）。

(c) 正当業務行為

  ex. 法規に適った犯人逮捕（刑訴213）、事務管理行為（⇒ p.615）、スポーツ中の加害行為（札幌高判昭61.9.30、最判平7.3.10）

(d) 被害者の承諾

  加害行為以前に被害者が自由意思をもって加害を明示又は黙示に承諾した場合は、その承諾が公序良俗に反しない限り、違法性が阻却される。

  ex. 献血

  承諾するに際して行為能力を要しないとするのが多数説である。また、事後の明示又は黙示の承諾は損害賠償請求権の放棄となり、承諾は、遅くとも加害行為があった時までには存在しなければならない。

(e) 名誉毀損と表現の自由の調整

 ア 事実の摘示による名誉毀損

  当該行為が公共の利害に関する事実にかかり、専ら公益を図る目的に出た場合には、摘示された事実が真実であることが証明されたときには、違法性が阻却される。

  また、真実性の証明がなされなくても、真実と信じるにつき、相当の理由があるときには故意・過失が欠けることになる（最判昭41.6.23）回。この点について、信頼のおける通信社からの記事をそのまま載せた新聞社には、真実と信じるにつき相当の理由があったとはいえないと判示した判例がある（最判平14.1.29・平14重判8事件）。しかし、近時の判例は、当該通信社と当該新聞社とが報道主体としての一体性を有すると評価することができるときは、配信記事の真実性に疑いを抱くべき事実があるにもかかわらず新聞社がこれを漫然と掲載したなど特段の事情のない限り、新聞社が発行した新聞に掲載した記事に摘示された事実を真実と信ずるについても相当の理由があるというべきである、とした（最判平23.4.28・平23重判10事件）。

 イ 意見表明による名誉毀損

  当該行為が公共の利害に関する事実にかかり、専ら公益を図る目的に出た場合には、意見又は論評の前提としている事実が重要な部分について真実であることの証明があったときには、人身攻撃に及ぶなど意見ないし論評としての域を逸脱したものでない限り、違法性を欠く（最判平10.7.17）。

  また、真実性の証明がなされなくても、真実と信じるにつき、相当の理由があるときには故意・過失が欠けることになる（最判平9.9.9・百選II 80事件）。

(f) プライバシー侵害と表現の自由の調整

  プライバシーの侵害については、その事実を公表されない法的利益とこれを公表する理由とを比較衡量し、前者が後者に優越する場合に不法行為が成立する（最判平6.2.8・最判平15.3.14）。

4 ④損害の発生
(1) 損害の意義

不法行為がなかったと仮定した場合と不法行為がなされた後の利益状態の差を金額で表示したものをいう（差額説、最判昭56.12.22・百選Ⅱ91事件）◀園。∴　金銭賠償の原則（722Ⅰ・417）

(2) 損害の種類

損害は、財産的損害と非財産的損害に大別される。財産的損害は、財産の積極的な減少という積極的損害（現実損害）と、増加するはずであった財産が増加しなかったという消極的損害（逸失利益）に分類される。非財産的損害は、精神的損害が中心である。

cf.1　不法就労外国人の逸失利益の算定については、予測される我が国での就労可能期間ないし滞在可能期間内は我が国での収入等を基礎とし、その後は想定される出国先（多くは母国）での収入等を基礎として逸失利益を算定するのが合理的である（最判平9.1.28）

cf.2　企業損害

形式上有限会社となっているが、実質上被害者個人の営業であって、**被害者を離れて会社の存続が考えられない**という事情がある場合、当**該不法行為と会社の利益の逸失との間に相当因果関係があり**、会社は加害者に損害賠償を請求できる（最判昭43.11.15・百選Ⅱ90事件）

5 ⑤行為と損害の間の因果関係
(1) 不法行為が成立するためには、加害行為に「よって」損害が発生したこと、すなわち、加害行為と損害との間に因果関係が存在することが必要である。

→損害賠償の範囲と密接に関連する

ex.　交通事故の被害者が事故後災害神経症・うつ病となり4年後に自殺に至ったケースで、当該事故と被害者の自殺との間には相当因果関係がある（最判平5.9.9）

(2) 因果関係の証明

因果関係の証明責任は被害者側にある。

訴訟上の因果関係の立証は、一点の疑義も許されない自然科学的証明ではなく、経験則に照らして全証拠を総合検討し、特定の事実が特定の結果発生を招来した関係を是認しうる高度の蓋然性を証明することであり、その判定は、通常人が疑いを差し挟まない程度に真実性の確信を持ちうるものであることを必要とし、かつそれで足りる（最判平11.2.25、最判昭50.10.24・百選Ⅱ77事件）。

cf.　疾病のため死亡した患者の診療に当たった医師の医療行為が、その過失により、当時の医療水準にかなったものでなかった場合において、当該医療行為と患者の死亡との間の因果関係の存在は証明されないけれども、医療水準にかなった医療が行われていたならば患者がその死亡の時点においてなお生存していた相当程度の可能性の存在が証明されるとき

は、医師は、患者に対し、不法行為による損害を賠償する責任を負う（最判平12.9.22・百選Ⅱ78事件）

二　効果

1　損害賠償義務

原則として金銭賠償（722 Ⅰ）、例外的に原状回復（723）がある。請求権は損害の発生時に発生する。

→交通事故の被害者が事故に起因する後遺障害による逸失利益について定期金による賠償を求めている場合において、被害者が被った不利益を補填して、不法行為がなかったときの状態に回復させるという不法行為に基づく損害賠償制度の目的及び損害の公平な分担を図るという理念に照らして相当と認められるときは、同逸失利益は、定期金による賠償の対象となる（最判令2.7.9・百選Ⅱ94事件）共

2　損害賠償の範囲

加害者が賠償すべき損害の範囲は、416条の類推適用により加害行為と相当因果関係に立つ損害である（相当因果関係説）（最判昭48.6.7・百選Ⅱ89事件）。　⇒ p.332

3　損害額の算定時期

原則として不法行為時を基準とするが、目的物の滅失・損傷後に価格の騰貴等の特別の事情があり、加害者に不法行為時にその事情の予見可能性があれば、騰貴価格の賠償請求が可能である（大連判大15.5.22、最判昭47.4.20・百選Ⅱ8事件）。

(1)　財産的損害の算定

(a)　所有物の滅失

原則として滅失時の交換価値が損害額となる（大連判大15.5.22）。

(b)　生命侵害

主として、生存したならば得られたであろう収入の喪失（逸失利益）が損害となる。

cf.1　交通事故による労働能力の一部喪失に基づく逸失利益の算定においては、その後被害者死亡の事実が生じても、事故当時その死亡が客観的に予測されていたのでない限り、死亡の事実は考慮すべきでない（最判平8.4.25・百選Ⅱ92事件）

cf.2　交通事故の被害者が事故のため介護を要する状態となった後に別の原因により死亡した場合、死亡後の期間にかかる介護費用を右交通事故による損害として請求することはできない（最判平11.12.20）

cf.3　就労前の女児の遺失利益の算定について、女性労働者の平均給与額を基準として算定した場合、男女差があるからといってこれに家事労働分を加算することはできない（最判昭62.1.19・百選Ⅱ93事件）

(c)　介護費用

介護費用については、その後被害者が死亡した場合には、死亡後の介護

費用については損害から控除すべきである（最判平11.12.20）。

(2) 非財産的損害の算定　⇒ p.640

4　賠償額の調整

(1) 損益相殺

(a) 不法行為により損害を受けながら、他方において、支出すべき費用の支出を免れたというように、同一の原因によって利益を受けている場合には、この利益を損害額から控除して賠償額を算定することを損益相殺という。

→損益相殺について規定が欠けるが、709条の「損害」は損益相殺をした後の損害を意味する

(b) 控除される利益は不法行為と相当因果関係が認められるものに限られる。

ex.1　死亡した被害者の生活費は控除される（最判昭 39.6.24）〈司〉

ex.2　生命保険は控除されない（∵保険金は、すでに払い込んだ保険料の対価である）（最判昭 39.9.25）〈司共書〉

ex.3　幼児の逸失利益の算定に当たって、労働可能年齢に達するまでの養育費の控除は、認められない（最判昭 53.10.20）

ex.4　売買の目的物である新築建物に重大な瑕疵がありこれを建て替えざるを得ない場合において、当該瑕疵が構造耐力上の安全性にかかわるものであるため建物が倒壊する具体的なおそれがあるなど、社会通念上、建物自体が社会経済的な価値を有しないと評価すべきものであるときには、上記建物の買主がこれに居住していたという利益については、当該買主からの工事施工者等に対する建て替え費用相当額の損害賠償請求において損益相殺ないし損益相殺的な調整の対象として損害額から控除することはできない（最判平 22.6.17・平22 重判 11 事件）

ex.5　不法行為により死亡した被害者の相続人が遺族補償年金の支給を受け、又は受けることが確定したときは、その支給が著しく遅滞するなどの特段の事情のない限り、不法行為の時に、逸失利益等の消極的損害の元本に塡補されたものとして、損益相殺的な調整をすべきである（最大判平 27.3.4・百選Ⅱ〔第 8 版〕103 事件）

∵　遺族補償年金の塡補の対象である被扶養損害は、逸失利益等の損害と同性質かつ相互補完性がある

cf.　遅延損害金にはそのような性質がないから、損益相殺的な調整の対象とならない（最大判平 27.3.4・百選Ⅱ〔第 8 版〕103事件）

(c) 損益相殺と過失相殺との順序

過失相殺を行った後に損益相殺を行う（最判平元.4.11）。

∵　過失相殺した結果が被害者が受けた真の損害であり、損益相殺はその後、現実の損害額を決定するものである

(2) 過失相殺（722 Ⅱ）

(3) 免責約款

　運送契約等で、契約上一定限度額以上損害賠償責任を負わない旨の免責約款（責任限度額条項）がある場合、かかる約款は不法行為責任についても効力を有する。そして、宅配便の特質及び責任限度額を定めた趣旨並びに本件約款が荷物の減失・毀損があったときの運送人の損害賠償額につき荷受人に生じた事情をも考慮していることに照らせば、荷受人も、少なくとも宅配便によって荷物が運送されることを容認していたなどの事情が存するときは、信義則上、責任限度額を超えて運送人に対して損害賠償を請求することは許されない（最判平 10.4.30・百選Ⅱ36 事件。責任限度額を超える部分につき請求棄却）。

三　損害賠償請求権の性質

1　譲渡性〈共〉

(1)　財産的損害の賠償請求権は譲渡可能である。

(2)　慰謝料請求権は、行使上の一身専属権であるとしても、慰謝料の具体的金額が債務名義（民執 22）や示談によって確定した場合は、慰謝料請求権を譲渡できる（最判昭 58.10.6）。

2　相続性

(1)　生命侵害による財産的損害（逸失利益）の賠償請求権

　A説：生命侵害の場合も被害者自身に賠償請求権が帰属し、相続人がそれを相続する（相続肯定説）（大判大 15.2.16）

　　∵①　即死の場合でも、受傷と死亡との間には観念的に時間の間隔が存在する

　　　②　遺族固有の損害賠償請求権は、被害者の逸失利益より少額となり、不均衡である

　　cf.　被害者の相続人が相続放棄をした場合であっても、相続人である配偶者や子等は、扶養利益の侵害による損害賠償請求権を行使できる（最判平 12.9.7 参照）

　　　∵　扶養請求権は配偶者や子等の固有の利益である

　B説：生命侵害の場合には被害者が賠償請求権を取得することはありえず、遺族は、その固有の損害（ex. 扶養利益の喪失）について賠償請求しうるのみである（固有損害説）

　　∵①　損害が発生する時点で被害者は既に死亡しており、権利能力者ではなくなっている

　　　②　相続を肯定すれば、笑う相続人・逆相続の弊害が生じる

(2)　生命侵害による慰謝料請求権

　A説：生命侵害を理由とする慰謝料請求権も被害者自身に帰属し、相続人がそれを相続する（相続肯定説）（最大判昭 42.11.1・百選Ⅲ60 事件）〈司共書〉

　　∵①　生命という被害法益は被害者の一身に専属するものではある

　　　　が、慰謝料請求権自体は、単なる金銭債権である

　　　②　被害者の慰謝料請求権と遺族固有の慰謝料請求権とは被害
　　　　　法益を異にするから、711条は、相続を否定する根拠とはなら
　　　　　ない

　B説：生命侵害による慰謝料請求権を被害者が取得することはあり得ず、
　　　　遺族は、その固有の慰謝料請求をなしうるのみである（固有損害説）

　　　∵①　死者が苦痛を感じることはあり得ない

　　　　②　711条が生命侵害における遺族固有の慰謝料請求権を規定
　　　　　　しているのは、生命侵害による慰謝料請求権の相続を否定する
　　　　　　趣旨である

　3　代位行使　⇒ p.341

四　差止請求

　　差止請求権は、特別法上規定があるものがある（不正競争防止3、特許100、
著作権112、独占禁止24等）が、民法上、明文はない。しかし判例上、人格権、
不法行為などを根拠に差止めを認めるものがある。

　　差止請求権が認められるのは、単に違法な侵害があるだけでは足りず、被侵害
利益の種類、被害の程度、加害行為の公共性などの要素を考慮して受忍限度を超
えた場合に限り差止請求が認められるとする。この意味で、金銭賠償は認められ
るが差止請求は認められないという場合もありうる。

　　道路の供用差止請求を求め、（却下されず）請求が棄却された例として最判平
7.7.7・百選II 100事件がある。

《その他》

一　示談と損害賠償

　　全損害を正確に把握し難い状況の下で、早急に少額の賠償金で満足する旨の示
談がなされた場合には、被害者が放棄した賠償請求権は、示談当時予想していた
損害の範囲に限られる（最判昭43.3.15・百選II 95事件）。

二　製造物責任法

　　製造物の欠陥により生命、身体又は財産を侵害されて損害を被った者が、製造
業者等に損害賠償請求をする場合、製造業者等に故意・過失があったことは要件
とされない（無過失責任、同法3）。

　　製造物責任法において、「欠陥」とは、「当該製造物が通常有すべき安全性を欠
いていること」をいう（同法2II）。欠陥は、製造物の引渡時（製造業者等が当該
製造物を流通に置いた時）に存在することが必要である。

第710条　（財産以外の損害の賠償）

　　他人の身体、自由若しくは名誉を侵害した場合又は他人の財産権を侵害した場合の
いずれであるかを問わず、前条の規定により損害賠償の責任を負う者は、財産以外の
損害に対しても、その賠償をしなければならない。

《注　釈》
一　慰謝料請求権
1　主体
(1)　慰謝料請求権の前提である苦痛の感受性は、被害の当時備わっている必要はない。
→幼児など、責任能力、事理弁識能力を欠く者であっても請求可能である（大判昭11.5.13）
(2)　生命侵害に比肩する精神的苦痛を受けた近親者も請求可能である（最判昭33.8.5）〈同〉。
2　発生
慰謝料請求権は、身体、自由又は名誉が害された場合の他、財産権が侵害された場合にも認められる（710）。
3　慰謝料額の算定
加害の程度、当事者双方の資産・年齢・職業・社会的地位などの諸般の事情を考慮して、裁判所が決定するべきである。
二　名誉
1　人の品性、徳行、名声、信用などの人格的価値について社会から受ける客観的評価のことをいう。
2　事実摘示により客観的な社会的評価が低下することで足り、本人が名誉毀損の事実を知る必要はない（最判平9.5.27・百選Ⅱ〔第8版〕91事件）。
3　刑事事件の犯人であるとの記事を記載した新聞の発行によって名誉毀損がなされた場合、後に刑事裁判で有罪判決がなされたからといって不法行為の成立が否定されるわけではない（最判平9.5.27・百選Ⅱ〔第8版〕91事件）。
4　法人も名誉が毀損され、無形の損害が発生した場合にも、金銭評価が可能である限り、710条に基づく損害賠償請求が可能である（最判昭39.1.28）〈共〉。

第711条　（近親者に対する損害の賠償）〈略〉
他人の生命を侵害した者は、被害者の父母、配偶者及び子に対しては、その財産権が侵害されなかった場合においても、損害の賠償をしなければならない。

[趣旨]生命侵害の場合について、被害者の父母・配偶者・子が、慰謝料請求権を有することを明確にし、立証責任の負担を軽減したものである〈同〉。

《注　釈》
一　生命侵害の場合の近親者の慰謝料請求
本条は、列挙している者についての立証責任を軽減したにとどまり、それ以外の者については、709・710条に基づき精神的損害を立証して慰謝料請求ができるとする説がある。
判例（最判昭49.12.17）は、本条に該当しない者であっても、被害者との間に本条所定の者と実質的に同視できる身分関係が存在し、被害者の死亡により甚大な精神的苦痛を受けた者にも、本条の類推適用を認めるとした〈同〉。

ex.1　祖父母、舅、兄弟姉妹、内縁配偶者（東京地判昭 36.4.25）〈司〉

ex.2　身体障害者であるため、長年にわたり被害者と同居してその庇護の下に
生活を維持し、将来もその継続を期待していた被害者の夫の妹

二　傷害の場合の近親者の慰謝料請求

不法行為により身体に傷害を受けた者の母が、そのために被害者の生命侵害の
場合にも比肩しうべき精神上の苦痛を受けたときは、709 条、710 条に基づいて
自己の権利として慰謝料請求できる（最判昭 33.8.5）〈共〉。

第712条　（責任能力）〈司共〉

未成年者は、他人に損害を加えた場合において、自己の行為の責任を弁識するに足
りる知能を備えていなかったときは、その行為について賠償の責任を負わない。

第713条

精神上の障害により自己の行為の責任を弁識する能力を欠く状態にある間に他人に
損害を加えた者は、その賠償の責任を負わない。ただし、故意又は過失によって一時
的にその状態を招いたときは、この限りでない〈共〉。

[趣旨]民法は故意・過失を不法行為責任の要件とする過失責任主義を採っている
が、故意・過失があるといえるには、理論上当然に一定の判断能力（責任能力）が
要求される。そこで、未成年者のうち年齢的に判断能力の未発達な者及び心神喪失
者を責任能力のない者として、不法行為責任を負わないものとした。

《注　釈》

一　未成年者（712）

1　「責任を弁識するに足りる知能」（責任能力）とは、加害行為の法律上の責任
を弁識するに足るべき知能をいう（大判大 6.4.30）。

2　責任能力を有するか否かは年齢・環境・生育度・行為の種類等により個別具
体的に判断されるが、平均すれば、11～12 歳程度に基準が置かれる〈司〉。

ex.1　加害者たる被用者に責任能力のあることが要求される使用者責任
（715）では、11 歳 11 か月の少年店員に責任能力が認められた（大判大
4.5.12）

ex.2　加害者に責任能力のないことが要求される監督義務者責任（714）に
おいては、12 歳 2 か月の少年の責任能力が否定された（大判大 6.4.30）

二　責任弁識能力を欠く者（713）

1　行為時の責任弁識能力を欠く状態を個別事情ごとに判断する点で、成年後見
制度とは無縁である。

2　責任弁識能力を欠く者の行為は責任が否定されるが、故意又は過失により一
時的に責任弁識能力を欠く状態を招いたときは、責任を負う〈司〉。

→故意・過失は、一時の責任弁識能力を欠く状態を招いた点（ex. 飲酒）に
ついて要求されるのであり、責任弁識能力を欠く状態になってなされる加
害行為についての故意・過失は不要である〈予〉

第714条　（責任無能力者の監督義務者等の責任）

Ⅰ　前2条の規定により責任無能力者がその責任を負わない場合において、その責任無能力者を監督する法定の義務を負う者は、その責任無能力者が第三者に加えた損害を賠償する責任を負う。ただし、監督義務者がその義務を怠らなかったとき、又はその義務を怠らなくても損害が生ずべきであったときは、この限りでない。

Ⅱ　監督義務者に代わって責任無能力者を監督する者も、前項の責任を負う。

[趣旨] 本条は、責任無能力者の加害行為は監督義務者の義務違反（保護・監督義務違反）に基づくものであること、及び監督者の責任を認めることで被害者の救済を図るべきであることを根拠として、監督義務者の責任を定める。監督上の過失が要件とされるが、その挙証責任が転換されている点で中間責任である。

《注　釈》

一　要件

① 責任能力を欠く者の行為が、責任能力以外の不法行為の一般的成立要件をみたすこと

② 監督義務を怠らなかったこと、又はその義務を怠らなくても損害が生ずべきであったことの立証がないこと（Ⅰただし書）〈司〉

1　①責任能力を欠く者の行為が、責任能力以外の不法行為の一般的成立要件をみたすこと

(1) 責任能力のない子供が、他人に加えた傷害行為に違法性がない場合には、親は、714条の責任を負わない（最判昭37.2.27）。

(2) 責任無能力者の不法行為による監督義務者の責任
未成年者に責任がない場合に発生する補充的責任である。

cf.　未成年者が責任能力を有する場合であっても、未成年者に資力がなければ、これに対する賠償請求は実効性を欠く。そこで、監督義務者に対して709条の責任を追及できるか問題となるが、判例（最判昭49.3.22・百選Ⅱ〔第7版〕89事件）は、監督義務者の義務違反と当該未成年者の不法行為によって生じた結果との間に相当因果関係を認めうるときは、監督義務者について709条の不法行為が成立するとしている〈司書〉〈司H27〉

∵　714条は、監督義務違反の挙証責任を転換したにすぎず、一般の不法行為の原則に基づく責任を否定するものではない

→責任能力を有する未成年者の責任と監督義務者の責任は併存し、両者は連帯債務の関係に立つ

2　②監督義務を怠らなかったこと、又はその義務を怠らなくても損害が生ずべきであったことの立証がないこと（Ⅰただし書）

本条の責任を認めるためには、監督者に監督義務違反があることが必要である。もっとも、この点については立証責任が転換されており、監督義務者の側で監督義務違反がなかったことを証明しなければならない〈司〉。また、715条1項ただし書と同様に、監督義務を怠らなくても損害が生ずべきであったことの

立証があった場合には、責任を負わない。

　判例（最判平27.4.9・百選Ⅱ82事件）は、「責任能力のない未成年者の親権者は、その直接的な監視下にない子の行動について、人身に危険が及ばないよう注意して行動するよう日頃から指導監督する義務がある」としつつも、「親権者の直接的な監視下にない子の行動についての日頃の指導監督は、ある程度一般的なものとならざるを得ないから、通常は人身に危険が及ぶものとはみられない行為によってたまたま人身に損害を生じさせた場合は、当該行為について具体的に予見可能であるなど特別の事情が認められない限り、子に対する監督義務を尽くしていなかったとすべきではない」と判示している〈書〉。

二　効果

1　責任主体

(1)　法定監督義務者

(a)　加害者が11〜12歳以下の責任無能力者である場合

→親権者・親権代行者、後見人、児童福祉施設の長が法定監督義務者に当たることに異論はない

(b)　加害者が成年の精神障害者である場合

判例（最判平28.3.1・百選Ⅱ83事件）によれば、保護者や成年後見人、同居の配偶者であるからといって、直ちに法定監督義務者には当たらない〈同書〉。

もっとも、上記判例は、「法定の監督義務者に該当しない者であっても、責任無能力者との身分関係や日常生活における接触状況に照らし、第三者に対する加害行為の防止に向けてその者が当該責任無能力者の監督を現に行いその態様が単なる事実上の監督を超えているなどその監督義務を引き受けたとみるべき特段の事情が認められる場合には、衡平の見地から法定の監督義務を負う者と同視してその者に対し民法714条に基づく損害賠償責任を問うことができるとするのが相当であり、このような者については、法定の監督義務者に準ずべき者〔LEC注：準監督義務者〕として、同条1項が類推適用される」とした上で、準監督義務者に当たるか否かは、「その者自身の生活状況や心身の状況などとともに、精神障害者との親族関係の有無・濃淡、同居の有無その他の日常的な接触の程度、精神障害者の財産管理への関与の状況などその者と精神障害者との関わりの実情、精神障害者の心身の状況や日常生活における問題行動の有無・内容、これらに対応して行われている監護や介護の実態など諸般の事情を総合考慮して、その者が精神障害者を現に監督しているかあるいは監督することが可能かつ容易であるなど衡平の見地からその者に対し精神障害者の行為に係る責任を問うのが相当といえる客観的状況が認められるか否かという観点から判断すべきである」としている〈書〉。

(2)　代理監督者

代理監督者が責任を負う場合は、この者の使用者も715条により責任を負

担する。

　この代理監督者の使用者といえるためには、現実に被用者の具体的な選任・監督に関与していることが必要である（会社の代表者であるということから直ちに代理監督者の使用者となるわけではない）。

　ex.　幼稚園長・小学校長・精神科病院長

2　両者の責任の関係

　監督義務者の責任と代理監督者の責任は併存し、代理監督者に託したことにつき過失のないことを立証しない限り、監督義務者も同時に責任を負う◀圏。そのため、監督義務者のほかに代理監督者がいることを主張しても抗弁として機能しない◀同。

三　失火責任法との関係

　失火責任法排除説、相関関係説等、学説上争いがあるが、判例は単純はめ込み説（監督につき重過失があった場合にのみ、監督義務者が責任を負う）に立つ（最判平7.1.24）◀同書。

第715条　（使用者等の責任）◀予H30

Ⅰ　ある事業のために他人を使用する者は、被用者がその事業の執行について第三者に加えた損害を賠償する責任を負う。ただし、使用者が被用者の選任及びその事業の監督について相当の注意をしたとき、又は相当の注意をしても損害が生ずべきであったときは、この限りでない。

Ⅱ　使用者に代わって事業を監督する者も、前項の責任を負う。

Ⅲ　前2項の規定は、使用者又は監督者から被用者に対する求償権の行使を妨げない◀共。

［趣旨］被用者の加害行為による損害について使用者が責任（使用者責任）を負う根拠としては、「使用者は被用者の活動によりその事業範囲を拡大し、利益をあげているのであるから、それによる損失をも負担すべきである」という報償責任の原理や、「被用者を用いて事業を拡大することにより、個人で事業を営む場合よりも社会的な危険を増大させているのであるから、その危険が実現したならばその損失を負担すべきである」という危険責任の原理が挙げられる。

　選任・監督上の過失が要件とされるが、その挙証責任が転換される点で中間責任である。

《注　釈》

一　要件

① 使用者と被用者との間に使用関係があること（Ⅰ本文）
② 被用者が第三者へ加害したこと（Ⅰ本文）
③ 被用者による加害が「事業の執行について」なされること（Ⅰ本文）
④ 被用者が不法行為の一般的成立要件を備えていること
⑤ 使用者に免責事由（Ⅰただし書）がないこと

1　①使用者と被用者との間に使用関係があること（Ⅰ本文）

　　通常は、雇用・委任その他の契約に基づくものであることが多いが、事実上仕事をさせているにすぎない場合も含まれる。

　　　→使用者と被用者との間に実質的な指揮・監督関係があればよい

　　ex.　組員による警官殺傷事件について、暴力団組長は、資金獲得活動を根拠に使用者関係を肯定でき、暴力行為の賞揚により事業執行性も肯定できるから、使用者責任を負う（最判平16.11.12・百選Ⅱ〔第6版〕83事件）

　　cf.1　弁護士、医師、タクシー運転手、船舶賃借人などのように、独立して仕事をしている者には、原則として指揮・監督関係が存在しないとみるべきであるから、依頼者との関係において使用関係は認められない

　　cf.2　請負の注文者の責任

　　　　請負人は注文者から独立して業務を行うのであるから、請負人の責任につき注文者は責任を負わないのが原則である（716本文）。もっとも、具体的な注文又は指図について注文者に過失があれば、注文者も責任を負う（716ただし書）。さらに、下請の場合にみられるように、事実上指揮・監督関係がある場合には、そこに使用関係があるとされ、注文者が使用者責任を負う場合もありうる

2　②被用者が第三者へ加害したこと（Ⅰ本文）

　　使用者及び加害をした被用者を除く、すべての者が、第三者の範囲に含まれる。

　　ex.　運転手・運転助手の共同過失による事故の場合、運転助手も共同不法行為者となるが、被害者であるときは「第三者」に含まれる（最判昭32.4.30）

3　③被用者による加害が「事業の執行について」なされること（Ⅰ本文）

　　客観的に行為の外形を標準として被用者の職務の範囲内かを判断する（外形標準説）（最判昭40.11.30）判。

　　　∵　被用者の行為によって使用者の社会的活動が拡張されているというところに使用者責任の根拠が求められるのであるから、客観的に事業の範囲内の行為ならば、「事業の執行について」に当たると解すべきである

　　　　→事業の範囲は、事業者の事業自体だけでなく、密接不可分の関係にある業務も含む

⑴　外形標準説は相手方の信頼を保護するためのものであり、相手方に悪意・重過失があるときは、使用者責任を問えない（最判昭42.11.2・百選Ⅱ84事件）判。

⑵　外形標準説の妥当する範囲

　　　判例は、取引的不法行為（ex.手形の偽造・流用）のみならず事実的不法行為（ex.自動車事故）にも外形標準説が妥当するとする。

　　　しかし、学説からは、事実行為については相手方の信頼は問題とならないとする批判があり、加害行為が客観的に使用者の支配領域内の危険に由来す

るか否かで判断すべきであるとする説が有力である。

4　④被用者が不法行為の一般的成立要件を備えていること

　　本条3項は使用者から被用者への求償を認めており、被用者が不法行為の一般的成立要件を備えていることを前提としている🔖。

　　使用者責任が成立する場合、被用者の責任が免責される余地はない。

5　⑤使用者に免責事由（Ⅰただし書）がないこと

　　使用者は、被用者の選任・監督につき相当の注意をしたこと、又は相当の注意をしても損害が生じたことを証明しない限り、使用者責任を免れることはできない（Ⅰただし書）🔖。

　　→古くは免責を認めた判例もあったが、現在では免責を認めるものはなく、実際上ただし書は死文化している

二　効果

1　責任主体

(1)　使用者（Ⅰ）と代理監督者（Ⅱ）が責任を負担する。

　　　代理監督者とは、客観的に見て、使用者に代わり現実に事業を監督する地位にある者をいう。

　　　→使用者が法人である場合、その代表者が、単に法人の代表機関として一般的業務執行権限を有するにとどまらず、現実に被用者の選任、監督を担当しているときは、当該代表者は代理監督者に該当する（最判昭42.5.30）🔖

(2)　被用者は独立して一般の不法行為責任を負担する🔖。

　　　→被用者の責任と使用者・代理監督者の責任は連帯債務となる

2　使用者の被用者に対する求償（Ⅲ）

(1)　根拠

　　　使用者責任は、他人（被用者）の不法行為に関する責任（代位責任）であり、最終的責任負担者が被用者であることからすれば、求償が認められることは当然である🔖。

(2)　修正

　　　事業の性格、規模、施設の状況、被用者の業務の内容、労働条件、勤務態度、加害行為の態様、加害行為の予防若しくは損失の分散についての使用者の配慮の程度その他諸般の事情に照らし、使用者の被用者に対する求償は、信義則（1Ⅱ）上相当と認められる限度に制限される（最判昭51.7.8・百選Ⅱ〔第8版〕95事件）🔖共。そして、求償権を信義則上制限すべきことを根拠付ける具体的事実については、使用者から求償を受けた被用者が、抗弁としてこれを主張・立証する。

　　　∵①　被用者は企業活動の一部として活動し、企業は多大な利益を収めている

　　　　②　報償責任を徹底すれば、使用者責任は被用者から独立した独自の責任であるべきである

(3) 逆求償

　使用者が被害者に賠償した場合と被用者が被害者に賠償した場合で使用者の損害の負担が異なることは相当でないため、被用者が賠償の支払を行った場合、被用者は、損害の公平な分担の見地から相当と認められる額について、使用者に求償（逆求償）できる（最判令2.2.28・百選Ⅱ85事件）◆共。

三　失火責任法との関係

　失火責任法排除説、使用者基準説等、学説上争いがあるが、判例は被用者基準説を採る。

→被用者に故意・重過失があることは必要であるが、被用者の選任・監督につき使用者に重過失があることは必要でない（最判昭42.6.30）◆司共

四　複数使用者間の求償問題

＜複数使用者間の求償問題の整理＞

丁が被害者に賠償した場合		
求償関係	丁→乙 （＊1）	丁と乙との過失割合に従って定められる自己の負担部分を超えるかどうかにかかわらず、その負担部分に応じた額について求償することができる（719、442Ⅰ）
	丁→甲 （＊2）	丁と乙との過失割合に従って定められる自己の負担部分を超えるかどうかにかかわらず、その負担部分に応じた額について求償することができる（715Ⅰ本文、442Ⅰ）
	丁→丙	丁は、損害の公平な分担の見地から相当と認められる額について、丙に求償（逆求償）できる（最判令2.2.28・百選Ⅱ85事件）

＊1　丁と乙との過失割合に従って定められる自己の負担部分を超えて賠償したときは、乙の負担部分について求償することができるとする見解もある。

＊2　改正前民法下の判例（最判昭63.7.1・百選Ⅱ〔第8版〕97事件）は、丁と乙との過失割合に従って定められる自己の負担部分を超えて賠償したときは、乙の負担部分について求償することができる旨判示している。

債権

		Bが被害者に賠償した場合
求償関係	B→C	715条3項を前提に、信義則上相当と認められる限度で求償できる（最判昭51.7.8・百選Ⅱ〔第8版〕95事件）
	B→E	判例（最判昭41.11.18）は求償を認めるものの、理論構成は不明（学説上は、使用者・被用者一体説、不当利得説等がある）
	B→D （＊）	CとEとの過失割合に従って定められる自己の負担部分を超えるかどうかにかかわらず、その負担部分に応じた額について求償することができる（715Ⅰ本文、442Ⅰ）
	B→A	求償の範囲については、B→Dの場合と同様である なお、各使用者の負担部分は、Cの加害行為の態様及びこれと各使用者の事業の執行との関連性の程度、Cに対する各使用者の指揮監督の強弱等を考慮して定められる（最判平3.10.25）

＊ 改正前民法下の判例（最判平3.10.25）は、CとEとの過失割合に従って定められる自己の負担部分を超える部分につき、CとEとの過失割合に従って定められるEの負担部分の限度で求償することができる旨判示している。

第716条 （注文者の責任）

注文者は、請負人がその仕事について第三者に加えた損害を賠償する責任を負わない。ただし、注文又は指図についてその注文者に過失があったときは、この限りでない〈同共書〉。

《注 釈》

▪ 本条ただし書は、709条の一般原則を注意的に定めたものであるため、被害者が注文者の注意義務違反と損害との間の因果関係を立証しなければならない。

第717条 （土地の工作物等の占有者及び所有者の責任）

Ⅰ 土地の工作物の設置又は保存に瑕疵があることによって他人に損害を生じたときは、その工作物の占有者は、被害者に対してその損害を賠償する責任を負う〈趣〉。ただし、占有者が損害の発生を防止するのに必要な注意をしたときは、所有者がその損害を賠償しなければならない〈同共書〉。

Ⅱ 前項の規定は、竹木の栽植又は支持に瑕疵がある場合について準用する。

Ⅲ 前2項の場合において、損害の原因について他にその責任を負う者があるときは、占有者又は所有者は、その者に対して求償権を行使することができる〈同書〉。

[趣旨]工作物責任の趣旨については、他人に損害を生ぜしめるかもしれない危険性をもった瑕疵ある工作物を支配している以上は、その危険が実現した場合にはその責任を負うべきであるとする危険責任の原理にあるとするのが多数説である。占有者の責任は、防止措置上の過失を要件とし、その無過失の挙証責任を転換している点で中間責任であるが、所有者の責任は何らの免責事由を認めていない点で無過失責任である。

《注　釈》

一　要件　《司H23 司R元》

① 「土地の工作物」によること（Ⅰ本文）

② 土地の工作物の設置・保存の瑕疵によること（Ⅰ本文）

③ 占有者に免責事由のないこと（Ⅰただし書）

→所有者に免責事由なし（無過失責任）《司》

1　①土地の工作物によること（Ⅰ本文）

「土地の工作物」とは、土地に接着して人工的に作出した物及びそれと一体となって機能している物も含む《過》。

→工場内の機械は土地に接着していないとの理由で「土地の工作物」に当たらないとした大審院判例もあるが、現在では工場内の機械設備は、建物と一体として「土地の工作物」に当たると解されている

2　②土地の工作物の設置・保存の瑕疵によること（Ⅰ本文）

⑴　「設置又は保存に瑕疵」とは、当該工作物が通常有すべき安全性を欠いていることをいう（最判昭45.8.20）《過》。

→占有者・所有者の義務違反を問題とせず、工作物の客観的性状から、通常予想される危険に対し通常備えるべき安全性を欠いていたかどうかを判断する（客観説）。この安全性を判断する場合には、土地の工作物の設置された場所の環境、通常の利用者の判断能力や行動能力等を具体的に考慮する

ex.　第三者や被害者の異常な行動による危険や、異常な不可抗力により生じた危険に対する安全性まで備えている必要はない

→「瑕疵」の存否を判断するに当たっては、当該工作物が通常有すべき安全性を欠くと評価されるようになったのはいつの時点からであるかを確定した上で、当該時点までの技術等の諸事情を考慮しなければならない（最判平25.7.12・平25重判11事件）

⑵　工作物責任が成立するためには、工作物の設置・保存の瑕疵と損害との間に因果関係がなければならない。

ex.　全く予想外の強風・豪雨という不可抗力によって工作物が破壊され、それによって損害が生じたときは、工作物に瑕疵がなくても損害が生じるほどのものであれば、工作物の設置・保存の瑕疵と損害との間に因果関係は認められない

cf.　損害の発生が工作物の瑕疵に起因している限りは、自然力又は第三者・被害者の行為が競合していても因果関係がある

⑶　工作物の瑕疵が、現所有者の前の所有者が工作物を所有していた時期に生じたものであり、その瑕疵があることによって第三者に損害が生じた場合であっても、その損害がその所有中に生じたものである限り、現所有者は工作物の所有者としての損害賠償責任を免れることができない（大判昭3.6.7）《司》。

債権

3 ③占有者に免責事由がないこと（Ⅰただし書）

「損害の発生を防止するのに必要な注意」を尽くしたといえるためには、損害の発生を現実に防止できるだけの措置を施したことが必要である。なお、占有者が単に無資力であっても、免責事由には当たらない〈同〉。

ex. 小学校の遊動円棒の支柱が腐朽して危険であるときに、3人以上乗るべからずと書いた札を立て、児童に申し聞かせていただけでは、相当の注意をしたものとはいえない（大判大 5.6.1）

二 効果

1 責任主体〈同H23〉

第一次的に占有者が責任を負い、免責事由を挙証すれば第二次的に所有者が責任を負う（Ⅰ）〈共〉。また、所有者に責任能力は不要である〈同〉。

→「占有者」には、直接占有者（不法占拠を含む）だけでなく間接占有者も含まれる（最判昭 31.12.18）〈同書〉

→「所有者」は現に工作物を所有している者であり、所有権移転登記を経由している必要はない

2 求償関係

工作物を築造した請負人、工作物の以前の占有者・所有者で、瑕疵を生ぜしめたことについて責任のある者（709）がいるときは、賠償をした占有者・所有者は、この者に求償権を行使できる（Ⅲ）。

→占有者のほかに、他の者（ex. 工作物を製作した者）が被害者に対して不法行為責任（709）を負う場合は、占有者とその者は連帯債務の関係となる

三 失火責任法との関係

判例は、工作物の設置・保存の瑕疵につき重過失があることが必要であるとしている（大判昭 7.4.11）。

四 竹木への適用

竹木の栽植・支持の瑕疵による損害の場合、竹木の占有者・所有者が工作物責任と同様の責任を負う。

第718条 （動物の占有者等の責任）

Ⅰ 動物の占有者は、その動物が他人に加えた損害を賠償する責任を負う。ただし、動物の種類及び性質に従い相当の注意をもってその管理をしたときは、この限りでない〈同〉。

Ⅱ 占有者に代わって動物を管理する者も、前項の責任を負う。

[趣旨] 動物から生ずる危険は、このような危険な物を所持している者が負担すべきであるとの一種の危険責任の見地から、動物の加害について、動物の占有者・管理者に責任を負わせる。管理上の過失を要件とするが、その挙証責任を転換している点で、中間責任である。

《注　釈》
一　要件
① 動物によること（Ⅰ本文）
② 動物の加えた損害であること（Ⅰ本文）
③ 占有者又は管理者に免責事由（Ⅰただし書）のないこと

1　①動物によること（Ⅰ本文）
動物の種類は問題でないが、占有又は管理されていることが必要である。

2　②動物の加えた損害であること（Ⅰ本文）
損害は、動物の動作による直接の加害に限らず、損害と動物の動作との間に因果関係があればよい。

3　③占有者又は管理者に免責事由（Ⅰただし書）のないこと
→被害者に過失があるときは、免責事由の問題ではなく、過失相殺（722Ⅱ）が問題となる

二　効果
1　責任主体
⑴　動物の占有者及び占有者に代わって管理する管理者
ex.　事務管理（697）により、飼主不明の動物を保護している者📕
動物の受寄者、運送人のように事実上その動物を管理する者が「占有者」に含まれるかについては学説が対立する。
→占有理論からすれば、これらの者も自己のために占有する意思があると理解するのが通常であることから、「占有者」に含まれる
⑵　直接占有者と間接占有者の責任の併存の有無
判例（最判昭40.9.24）は、直接占有者と間接占有者の併存的責任を肯定し（連帯債務）、占有者は免責事由を立証しない限り責任を負うとしている📕。

2　求償権
本条により損害賠償をした占有者や管理者は、他に責任を負うべき者がいる場合にはその者に求償権を行使しうる（717条3項のような規定はないが、当然のことと解されている）。

第719条　（共同不法行為者の責任）
Ⅰ　数人が共同の不法行為によって他人に損害を加えたときは、各自が連帯してその損害を賠償する責任を負う。共同行為者のうちいずれの者がその損害を加えたかを知ることができないときも、同様とする。
Ⅱ　行為者を教唆した者及び幇助した者は、共同行為者とみなして、前項の規定を適用する。

[趣旨] 本条は、共同不法行為者とされた者全員に損害の全部について連帯して賠償責任を負わせ（原則として免責・減責の主張を許さない）、被害者の責任追及を容易にすることによって被害者救済を厚くすることを目的とするものである。

《注　釈》

一　狭義の共同不法行為の要件（Ⅰ前段）

　　狭義の共同不法行為とは、共同者全員がいずれも損害の発生につき共同している場合をいう。

　　ex.　数人が共同して強盗する場合

<共同不法行為の要件についての学説の整理>

客観的 関連共同説 （最判昭43.4.23） （＊1、＊2）	①　各人の行為が不法行為の一般的成立要件をみたすこと ②　共同行為者間に客観的関連共同性、すなわち、社会的に見て数人の加害行為が一体とみられる関係があること
主観的 関連共同説	共同行為者間に主観的な関連共同性、すなわち、各人に他人の行為を利用し、他方、自己の行為が他人に利用されるのを認容する意思があること
類型化説	①　各人の行為が関連共同性を有すること 　→「強い関連共同性」（強い主観的関連と強い客観的関連）と、「弱い関連共同性」（弱い客観的関連）とがある ②　共同行為と損害との間に因果関係があること 　→「強い関連共同性」の場合、因果関係が擬制される（Ⅰ前段） 　　「弱い関連共同性」の場合、因果関係は推定されるにすぎない（Ⅰ後段）

＊1　判例は客観的関連共同説に立つといわれているが、下級審の裁判例には類型化説によったとみられるものもある（大気汚染による健康被害につき、排出源である企業と道路管理者の責任が問題となった事件で、客観的な関連性に加えて主観的な要素をもあわせて考慮すべきとした大阪地判平7.7.5・百選Ⅱ〔第8版〕96事件など）。

＊2　判例は、交通事故と医療事故が順次競合して1つの結果を発生させた事例において、共同不法行為の成立を認めた（最判平13.3.13・百選Ⅱ87事件）。

二　加害者不明の共同不法行為の要件（Ⅰ後段）

①　「共同行為者」であること
　　→直接の加害行為についてではなく、その前提となる集団行為について客観的共同関係がある場合をいうとするのが一般である

②　共同行為者のいずれかによる損害の惹起

③　各共同不法行為者が因果関係以外の不法行為の一般的成立要件をみたしていること
　　→本規定は被害者の保護を図るため、公益的観点から、因果関係の立証責任を転換したものであるので、自己の行為と損害の発生との因果関係の不存在を立証すれば免責される

④　被害者によって特定された複数の行為者のほかに被害者の損害をそれのみで惹起し得る行為をした者が存在しないこと（最判令3.5.17・百選Ⅱ88事件）
　　∵　719条1項後段は複数の行為者の中に真に被害者に損害を加えた者が

含まれている場合に適用されるところ、仮に、複数の行為者のほかに被害者の損害をそれのみで惹起し得る行為をした者が存在する場合にまで、同項後段を適用して上記の複数の行為者のみに損害賠償責任を負わせることとすれば、実際には被害者に損害を加えていない者らのみに損害賠償責任を負わせることとなりかねない

三　教唆者・幇助者（Ⅱ）

「教唆」とは、他人を唆して不法行為を実行する意思を決定させることであり、「幇助」とは、不法行為の実行を容易ならしめる行為をすることをいう。教唆者・幇助者は直接の加害行為を行ったわけではないが、共同行為者とされる。

四　効果

1　責任の連帯性

(1)　更改、相殺、混同を除き、連帯債務者の1人について生じた事由は、他の連帯債務者に対してその効力を生じない（相対的効力、441本文）。したがって、被害者が共同不法行為者の1人に対して損害賠償債務の履行を請求しても、他の共同不法行為者にはその効力が生じず、裁判上の請求による消滅時効の完成猶予（147Ⅰ①）の効力も生じない。

(2)　被害者が共同不法行為者の1人について債務を免除しても、他の共同不法行為者にはその効力が生じない。もっとも、被害者が他の共同不法行為者の残債務をも免除する意思を有していると認められる場合は、その者に対しても残債務の免除の効力が及ぶ（最判平10.9.10・百選Ⅱ17事件）〈司共〉。

2　賠償の範囲

不法行為による損害賠償の範囲については416条が類推適用され（大連判大15.5.22）、共同不法行為者は、共同不法行為と相当因果関係にある全損害について責任を負担する（最判昭43.4.23）。

ex.　特別事情による損害については、その損害の発生を予見すべきであった者のみが賠償責任を負う

cf.　複数の加害者の過失及び被害者の過失が競合する1つの交通事故においては、絶対的過失割合に基づく被害者の過失による過失相殺をした損害賠償額について、加害者らは連帯して共同不法行為に基づく賠償責任を負う（最判平15.7.11・平15重判14事件）〈共〉

3　求償関係

A説：共同不法行為者の1人が賠償をした場合には、その額が自己の負担部分を超えるかどうかにかかわらず、その負担部分に応じた額を他の共同不法行為者に求償できる（442Ⅰ）

∵①　連帯債務に関する規律（436以下）で統一的な処理が可能である

②　一部求償を認める方が各債務者の負担を公平にする

③　負担部分を超えなくても求償を認めることで連帯債務の弁済が促進されるから、債権者に不利益は生じない

653

B説：共同不法行為者の1人がその過失割合に従って定まる自己の負担部分
を超えて賠償をした場合には、その超える部分につき、他の共同不法
行為者に求償できる

∵　一部しか弁済されていない場合は、他の連帯債務者は、弁済をし
た連帯債務者からの求償に応じるよりもむしろそれを被害者への賠
償に充てることが被害者保護に資する

第720条　（正当防衛及び緊急避難）

Ⅰ　他人の不法行為に対し、自己又は第三者の権利又は法律上保護される利益を防衛
するため、やむを得ず加害行為をした者は、損害賠償の責任を負わない🏴。ただ
し、被害者から不法行為をした者に対する損害賠償の請求を妨げない。

Ⅱ　前項の規定は、他人の物から生じた急迫の危難を避けるためその物を損傷した場
合について準用する。

《注　釈》

一　正当防衛（Ⅰ）

1　要件

①「他人の不法行為」に対し、②「自己又は第三者の権利又は法律上保護さ
れる利益を防衛するため」、③「やむを得ず」、④「加害行為をした」こと

2　効果

違法性が阻却される（Ⅰ本文）。ただし、防衛行為により第三者に損害を与え
た場合は、第三者は、不法行為をなした者に対して損害賠償を請求できる（Ⅰ
ただし書）。

二　緊急避難（Ⅱ）

1　要件

①「他人の物から生じた急迫の危難を避けるため」、②やむを得ず、③当該
他人に属する「その物を損傷した」こと

2　効果

正当防衛の規定（Ⅰ）が準用される。

第721条　（損害賠償請求権に関する胎児の権利能力）

胎児は、損害賠償の請求権については、既に生まれたものとみなす。

[趣旨] 胎児は権利能力がないから、損害賠償請求をなしえないはずである。しかし
本条は、胎児の利益保護のために胎児の権利能力を擬制する。　⇒ p.5

第722条　（損害賠償の方法、中間利息の控除及び過失相殺）

Ⅰ　第417条＜損害賠償の方法＞及び第417条の2＜中間利息の控除＞の規定は、
不法行為による損害賠償について準用する。

Ⅱ　被害者に過失があったときは、裁判所は、これを考慮して、損害賠償の額を定め
ることができる。

《注 釈》

一 1項（損害賠償の方法）

1 金銭賠償の原則（Ⅰ、417）

2 特定的救済

　⑴ 名誉回復処分

　　名誉毀損による不法行為の場合には、裁判所は「名誉を回復するのに適当な処分」を命ずることができる（723）。

　　∵ 名誉毀損はその性質上必ずしも金銭その他の物品をもって賠償することができるものではない

　⑵ 差止請求権

　　将来において損害を生じさせるであろう原因となる行為を停止させることをいう。

　　→被侵害利益の重大性等に照らして、一定の場合に認められている

　⑶ 原状回復請求の可否

　　金銭賠償の原則が原状回復的方法を否定していると考えられるので、原状回復を求めることは不可能と解されている（大判大10.2.17）◀過。

3 中間利息の控除（417の2参照）　⇒ p.333

二 2項（過失相殺）

1 趣旨

　　被害者にも過失があったときには、損害賠償額算定に当たってもこれを斟酌するのが公平であることに鑑み、過失相殺が認められた。

2 「過失」の意義

　　過失相殺するには、被害者に損害の発生を避けるのに必要な注意をする能力、すなわち事理弁識能力が必要である（事理弁識能力必要説）（最大判昭39.6.24・百選Ⅱ96事件）◀司共書。

3 被害者側の過失◀司H27

　　「被害者に過失があった」とは、単に被害者本人の過失のみでなく、広く被害者側の過失を包含する。被害者側の過失とは、被害者と身分上ないしは生活関係上一体をなすとみられるような関係にある者の過失を意味する（最判昭42.6.27）◀共。

　⑴ 判例上、被害者側の過失が肯定された例

　　ex.1 被害者の被用者の過失

　　ex.2 子の損害賠償請求における親の過失◀司共

　　ex.3 妻の損害賠償請求における夫の過失（内縁関係も含む。なお、夫婦の婚姻関係がすでに破綻している場合などの特別の事情がある場合は除外される）（最判昭51.3.25）◀司書

　　ex.4 共同して暴走行為をした者の過失（最判平20.7.4・平20重判10事件）

(2) 判例上、被害者側の過失が否定された例

    ex.1 園児の損害賠償における引率中の保育士の過失（最判昭42.6.27）〈司〉

    ex.2 結婚予定だが婚姻も同居もしていない交際相手の過失

4 過失相殺の効果 ⇒ p.335

具体的事情の程度に応じて、賠償金の減額が行われる。賠償額の算定について、過失を考慮するか否かは、裁判所の自由裁量に委ねられる。

→全額免除は不可（大判大9.11.26）

5 被害者の素因

(1) 身体的素因〈司H23〉

被害者に対する加害行為と被害者のり患していた疾患とがともに原因となって損害が発生した場合において、当該疾患の態様、程度などに照らし、加害者に損害の全部を賠償させるのが公平を失するときは、裁判所は、損害賠償の額を定めるに当たり、民法722条2項の過失相殺の規定を類推適用して、被害者の当該疾患を斟酌することができる（最判平4.6.25）〈択〉。

    cf. 被害者が平均的な体格ないし通常の体質と異なる身体的特徴を有しており、それが加害行為と競合して傷害を発生させ、又は損害の拡大に寄与したとしても、その身体的特徴が疾患に当たらないときは、特段の事情がない限り、これを損害賠償の額を定めるに当たり斟酌することはできない（最判平8.10.29・百選Ⅱ97事件）〈書〉

(2) 心因的素因

被害者にとってどうすることもできない事情である身体的素因の場合と異なり、心因的素因の場合には、賠償額の減額事由となることについては争いはない。その法律構成については争いがあるが、この場合も本条項を類推適用するのが判例である〈司〉。

    ex.1 自動車事故により傷害を負わせたものの、被害者が特異な性格をしており、かつ回復への自発的意欲の欠如により損害が拡大した場合には、被害者の心因的素因が斟酌される（最判昭63.4.21）

    ex.2 事故により精神的に大きな衝撃を受け、それが原因で災害神経症状態に陥り自殺に至ったという場合（事故と自殺の相当因果関係は認められる）、自殺には被害者の心因的素因が寄与しているので、損害賠償の額を定めるに当たり心因的素因が斟酌される（最判平5.9.9）

第723条 （名誉毀損における原状回復）

他人の名誉を毀損した者に対しては、裁判所は、被害者の請求により、損害賠償に代えて、又は損害賠償とともに、名誉を回復するのに適当な処分を命ずることができる。

[趣旨] 名誉あるいは信用が毀損された場合、損害の金銭評価は困難であり、たとえ、金銭賠償がなされても、十分な救済効果が得られないことから、名誉、信用の毀損については、特に原状回復請求を認めた。

《注　釈》

- 「名誉」とは社会的名誉を指し、名誉感情を含まない（最判昭 45.12.18）〈司〉。

- 「名誉を回復するのに適当な処分」（名誉回復処分）について、謝罪広告事件判決（最大判昭 31.7.4・憲法百選 I 33 事件）は、裁判所が「単に事態の真相を告白し陳謝の意を表明するに止まる程度」の謝罪広告の掲載を命ずるのは、憲法 19 条に違反するものではない旨判示しているが、これは他人の名誉を毀損した者に対して認められる処分であって、プライバシーを侵害した者に対して認められるものではない〈司〉。

- 名誉を違法に侵害された者は、損害賠償（710）又は名誉回復処分（723）を求めることができるほか、人格権としての名誉権に基づき、加害者に対し、現に行われている侵害行為を排除し、又は将来生ずべき侵害を予防するため、侵害行為の差止めを求めることができる（北方ジャーナル事件、最大判昭 61.6.11・百選 I 4 事件）。
  - ∵　名誉は生命・身体とともに極めて重大な保護法益であり、人格権としての名誉権は、物権の場合と同様に排他性を有する権利である
  - →個人のプライバシーに属する事実をみだりに公表された者も、上記と同様に、人格権に基づき、侵害行為の排除・差止めを求めることができる（最判平 14.9.24〈司〉、最決平 29.1.31・平 29 重判 9 事件、最判令 4.6.24・令 4 重判 3 事件）
    - ∵　個人のプライバシーに属する事実をみだりに公表されない利益は、人格的価値を有し、法的保護の対象となる

> ### 第724条　（不法行為による損害賠償請求権の消滅時効）〈共書〉
> 不法行為による損害賠償の請求権は、次に掲げる場合には、時効によって消滅する。
> ①　被害者又はその法定代理人が損害及び加害者を知った時から３年間行使しないとき。
> ②　不法行為の時から２０年間行使しないとき〈司共〉。
>
> ### 第724条の2　（人の生命又は身体を害する不法行為による損害賠償請求権の消滅時効）〈書〉
> 人の生命又は身体を害する不法行為による損害賠償請求権の消滅時効についての前条第１号の規定の適用については、同号中「３年間」とあるのは、「５年間」とする。

[趣旨] 724 条 1 号において３年間の短期消滅時効が定められているのは、時間の経過により責任の有無や損害額の立証や確定が困難となり、被害者の感情も沈静化することによる。このような趣旨から、不法行為により生じた損害賠償に係る遅延利息にも 724 条が適用される〈司〉。

また、人の生命・身体を害する不法行為による損害賠償請求権については、生命・身体という法益の重大性を考慮し、民法上、債権一般の消滅時効のうち、主観的起算点からの短期の消滅時効が５年とされていること（166 I ①）と平仄を合わせるため、724 条の 2 による修正が加えられている。

《注　釈》

一　3年の消滅時効（724①）

1　「損害……を知った時」の意味

⑴　損害を「知った時」とは、被害者が損害の発生を現実に認識した時をいう（最判平14.1.29）◁回。損害賠償請求が事実上可能な程度に損害の発生を認識すれば足り、損害の程度又は数額を知ることまでは要しない。

⑵　もっとも、継続して不法行為が行われる場合（継続的不法行為）、上記原則を貫くと、被害者が最初の損害及び加害者を知った時から3年経過した場合、不法行為が継続中であっても損害賠償請求権が時効により消滅することになるという不都合が生じる。そのため、継続的不法行為に関しては、慎重な検討が必要となる。

ex.1　不法占拠のような継続的不法行為の場合には、その行為により日々発生する損害につき、被害者がその各損害を知った時から別個に消滅時効が進行する（大連判昭15.12.14）◁回

ex.2　夫婦の一方の配偶者が他方の配偶者と第三者との同棲により第三者に対して取得する慰謝料請求権について、判例は、全体として、同棲関係が終了した時点から消滅時効が進行するとした原審を破棄し、一方の配偶者が右の同棲関係を知った時から、それまでの慰謝料請求権の消滅時効が進行するとしている（最判平6.1.20）

2　「加害者を知った時」の意味

加害者に対する賠償請求が事実上可能な状況のもとに、その可能な程度にこれを知った時を意味する（最判昭48.11.16・百選Ⅱ98事件）。また、「加害者」には、監督義務者（714）や使用者（715）のように、直接の加害者ではないが、不法行為責任を負う者も含まれる。

ex.　715条に基づいて使用者に損害賠償を請求する場合、「加害者を知った」というためには、被害者らにおいて、使用者並びに使用者と不法行為者との間に使用関係がある事実に加えて、一般人が当該不法行為が使用者の事業の執行につきなされたものであると判断するに足りる事実をも認識することを要する（最判昭44.11.27）

3　138条及び140条との関係

判例は、民法724条所定の3年の時効期間の計算についても、138条により140条の適用があるから、損害及び加害者を知った時が午前零時でない限り、時効期間の初日はこれを算入すべきものではないとする（最判昭57.10.19）◁共。

二　5年の消滅時効（724の2）

1　人の生命又は身体を害する不法行為

ＰＴＳＤなどの精神的障害を生じさせる行為も、「身体を害する」に当たる。

2　後遺障害が生じた場合の消滅時効の起算点

判例は、不法行為により受傷した被害者が、受傷時から相当期間経過後に現れた後遺症のため、受傷時においては医学的に通常予想しえなかった治療を必

要とするに至り、その費用の支出を余儀なくされた場合には、その費用についての消滅時効はその治療を受けるまで進行しないとする（最判昭42.7.18）〈回〉。

三　**20年の消滅時効（724②）**

判例は、「不法行為の時」の意味について、「加害行為が行われた時に損害が発生する不法行為の場合には、加害行為の時がその起算点となる」が、他方で、「当該不法行為により発生する損害の性質上、加害行為が終了してから相当の期間が経過した後に損害が発生する場合には、当該損害の全部又は一部が発生した時」が起算点となるとする（最判平18.6.16・平18重判11事件、最判平16.4.27・百選Ⅱ99事件）〈回〉。

債
権

— MEMO —

親　族

第4編　親族

・第1章・【総則】

《概　説》

一　身分権

1　身分権とは、身分関係に基づいて親族法上有する権利のことである。

2　財産権に比べ、一身専属性が強く、譲渡性や相続性がない。また、他人による代理は原則として許されない。

二　身分行為

1　身分行為とは、身分上の法律効果を発生させる法律行為をいう。

2　特色

(1)　身分行為の要式性

　　形成的身分行為（直接的に身分の創設・廃止を生ぜしめる最も基本的な身分行為）は、原則として戸籍の届出（創設的届出）が必要となる点で、要式性が要求される。

(2)　身分行為の能力

　　身分行為には、財産的法律行為の場合ほど高度の能力は要求されない。形成的身分行為の場合には意思能力と一致する。

　　ex.　成年被後見人の婚姻（738）、成年被後見人の協議上の離婚（764、738）、認知（780）、成年被後見人の縁組（799・738）、成年被後見人の協議上の離縁（812、738）

(3)　身分行為における意思

　　身分行為においてはなるべく本人の意思が尊重され、財産的法律行為におけるような取引の安全の要請による第三者保護の面からの修正（ex. 94Ⅱ、96Ⅲ）は受けない。

(4)　身分行為の無効・取消し

　　財産的法律行為におけるような外観尊重の要請が働かないため、瑕疵ある意思表示、意思の欠缺に関する法律行為の規定は、原則として身分行為に適用されず、身分行為には特別の規定がある（ex. 742①、802①、747、764、808Ⅰ、812）。

親族

＜総則編の取消しと親族編の取消しの相違＞

	総則編	親族編
取消しの効力	遡及効あり（121）	① 婚姻・縁組の取消し →非遡及（748 I、808 I 前段） ② 離婚・離縁の取消し →遡及（764、812 が 748 を準用せず）
取消権の 存続期間	5 年ないし 20 年（126）	3 か月（747 II）又は 6 か月（808 I 後段） →離婚・離縁に準用
取消権の 行使方法	裁判外の行使も可	必ず訴えの形式による（743、744〜 747、803、804〜808、812、747）

⑸ 本人の意思を尊重すべく、身分行為については原則として代理が許されない。例外（ex. 797）は極めて限定的である。

第725条 （親族の範囲）〈譲〉

次に掲げる者は、親族とする。

① 6 親等内の血族

② 配偶者

③ 3 親等内の姻族

第726条 （親等の計算）

I 親等は、親族間の世代数を数えて、これを定める。

II 傍系親族の親等を定めるには、その 1 人又はその配偶者から同一の祖先にさかのぼり、その祖先から他の 1 人に下るまでの世代数による。

《注 釈》

一 血族

血族には、実際に血のつながりのある「自然血族」と、養子縁組によって血族の関係が擬制される「法定血族」とがある。

二 配偶者〈回〉

配偶者とは、法律上の婚姻関係にある相手方（夫からみた妻、妻からみた夫）を意味する。配偶者は、親族の中で特殊な地位にあり、血族でも姻族でもなく、親等もない。

三 姻族〈同共〉

自己の配偶者の血族又は自己の血族の配偶者を姻族という。たとえば、妻からみた夫の父母（自己の配偶者の血族）や、自己の兄弟姉妹の結婚相手（自己の血族の配偶者）などである。

四 直系親族・傍系親族

直系親族とは、血統が直上・直下する形で連結する親族をいう。

ex. 祖父母・父母・子・孫

傍系親族とは、血統が共同の始祖によって連結する親族をいう。

親
族

ex.　兄弟姉妹・いとこ

<親族の範囲と分類>

親
族

664

> **第727条 （縁組による親族関係の発生）**
>
> 養子と養親及びその血族との間においては、養子縁組の日から、血族間におけるのと同一の親族関係を生ずる〈重〉。

《注　釈》

一　血族関係の発生

1　自然血族関係は、出生により生ずる。　→出生届は報告的届出である
2　法定血族関係は、養子縁組により生ずる（727）。
　(1)　養親と養子の血族の間に親族関係は生じない（大決大 13.7.28）。
　(2)　縁組以前に生まれた養子の直系卑属と養親の間に親族関係は生じない（大判昭 7.5.11）〈同〉。

二　姻族関係の発生

婚姻を媒介として夫婦の一方と他方の血族との間に生じる。一方の血族と他方の血族との間には親族関係は生じない〈同共〉。

三　配偶者関係の発生

婚姻により生じる。内縁関係では生じない。

> **第728条 （離婚等による姻族関係の終了）**
>
> Ⅰ　姻族関係は、離婚によって終了する。
> Ⅱ　夫婦の一方が死亡した場合において、生存配偶者が姻族関係を終了させる意思を表示したときも、前項と同様とする。

> **第729条 （離縁による親族関係の終了）** 〈共〉
>
> 養子及びその配偶者並びに養子の直系卑属及びその配偶者と養親及びその血族との親族関係は、離縁によって終了する。

《注　釈》

一　血族関係の終了

1　自然血族関係は、死亡、失踪宣告（31）により終了する。
2　法定血族関係は、離縁、縁組の取消しにより終了する。
　(1)　当事者間のみならず、縁組によって生じた血族関係も終了する。
　(2)　縁組後に生まれた子と養親、その血族との間の血族関係も終了する（729）。

二　姻族関係の終了

1　離婚、婚姻の取消しにより終了する。
2　死亡により婚姻が解消しても、生存配偶者が姻族関係終了の意思表示をしない限り、姻族関係は当然には終了しない（728Ⅱ）〈同共〉。
　→死亡配偶者の血族の側から姻族関係を終了させることはできない

三　配偶者関係の終了

死亡、婚姻の取消し、離婚により終了する。

＜配偶者との姻族関係と氏＞

	姻族関係	氏
離婚	当然終了（728 I）	当然復氏（767 I） →ただし、離婚の際の氏を称することも可（767 II）
死別	生存配偶者からの意思表示（728 II）	復氏の意思表示があれば復氏（751 I）

第730条 （親族間の扶け合い）

直系血族及び同居の親族は、互いに扶け合わなければならない。

・第2章・【婚姻】

■第1節　婚姻の成立

第1款　婚姻の要件

《概　説》

一　婚姻予約

　婚姻予約は明文規定がない。

　しかし、婚姻を約し、それを裏付ける事実があれば、結納などがなくとも婚姻予約は成立し、不当に破棄した者には慰謝料の支払義務が生じる（最判昭38.9.5・百選III 22事件）。

二　内縁

1　内縁とは、婚姻意思をもって共同生活を営み、社会的には夫婦と認められているにもかかわらず、法の定める婚姻届を出していないため、法律的には正式の夫婦と認められない男女の結合関係をいう。

2　内縁の不当破棄は、契約責任（∵婚姻予約の不履行）だけでなく、不法行為責任（709）も負う（最判昭33.4.11・百選III 23事件）《共書》

3　内縁の効果

　内縁は婚姻に準じた関係と考えられるので（準婚理論）、婚姻届と直接に関連するものを除き、他の婚姻の効果はほとんど内縁にも与えることができる《通》。

　(1)　内縁夫婦は、共同生活に必要な費用を分担する（760準用）（最判昭33.4.11・百選III 23事件）《同》。

　　日常家事債務について規律する761条も準用される《同》。

　(2)　内縁夫婦間に生まれた子は非嫡出子として扱われる。

　(3)　原則として母の単独親権に服し、父子関係については父の認知が必要である《審》。

⑷　内縁継続中の懐胎が証明されれば、夫の子と事実上推定される（最判昭29.1.21）〈司〉。

⑸　内縁成立の日から200日経過後又は内縁解消の日から300日以内に生まれた子は、民法772条の類推適用により、内縁の夫の子と事実上推定される（最判昭29.1.21）〈司書〉。

⑹　内縁解消に伴う財産分与に当たり、離婚の際の財産分与に関する規定を類推適用して家庭裁判所の審判によりこれを決定しうるかについて、一方の死亡による内縁解消の場合は否定される（最決平12.3.10・百選Ⅲ24事件）が〈司共予書〉、合意若しくは一方的意思による内縁解消の場合は肯定される〈予〉。

＜婚姻に関する規定の内縁への準用＞

準用される規定	準用されない規定
①　同居協力扶助義務（752） ②　婚姻費用分担義務（760） ③　日常家事債務（761） ④　夫婦の財産の帰属（762） ⑤　離婚の際の財産分与（768）（＊2） ⑥　嫡出の推定（772）	①　同一の氏への変更（750） ②　夫婦間の契約取消権（754）（＊1） ③　子の嫡出性（772） ④　準正（789） ⑤　相続権（890）

＊1　内縁への準用を肯定する有力説もある。
＊2　一方の死亡による内縁解消の場合は準用されない（最決平12.3.10・百選Ⅲ24事件）〈予〉。

4　内縁の妻の建物賃借権
⑴　死亡配偶者に相続人がいない場合には賃借権を当然に承継しうる（借地借家36）〈司〉。
⑵　相続人がいる場合、家屋の所有権・賃借権を相続した者が被相続人の内縁配偶者に対して明渡しを請求することは権利の濫用（1Ⅲ）であり、また、賃貸人からの明渡請求に対し内縁配偶者は、相続人の承継した賃借権を援用して拒みうる（最判昭42.2.21）〈司書〉。
　　→建物使用にかかる不当利得返還請求も拒絶することができる（最判平10.2.26）〈司書〉
⑶　内縁の夫婦がその共有する不動産を居住又は共同事業のために共同で使用してきたときは、特段の事情のない限り、両者の間において、その一方が死亡した後は他方が右不動産を単独で使用する旨の合意が成立していたものと推認するのが相当である（最判平10.2.26）。

＜居住用建物の所有者・賃借人が死亡した場合における

配偶者・内縁配偶者の保護＞

		居住用建物が被相続人の持家である場合	居住用建物が賃貸住宅である場合
配偶者	他の相続人が存在しない場合	当該建物の所有権を単独相続する	当該建物の賃借権を単独相続する
配偶者	他の相続人が存在する場合	当該建物の所有権を共同相続する（＊） →配偶者居住権（1028 I）・配偶者短期居住権（1037 I）を取得することも可能	当該建物の賃借権を共同相続する →配偶者居住権等を取得することはできないが、配偶者は2分の1の法定相続分を有するため、他の相続人は配偶者の同意なく賃貸借契約を解除できない（252 I前段参照）
内縁配偶者	他の相続人が存在しない場合	特別縁故者（958の2）として当該建物の所有権の分与を受けうる	借地借家法36条1項により当該建物の賃借権を承継する
内縁配偶者	他の相続人が存在する場合	相続人からの明渡請求 →権利の濫用（1 III）の構成によって保護される（最判昭39.10.13）	① 賃貸人からの明渡請求 →内縁配偶者は相続人の承継した賃借権を援用して拒みうる（最判昭42.2.21） ② 相続人からの明渡請求 →権利の濫用（1 III）の構成によって保護される（最判昭39.10.13参照）

＊ 被相続人の持家である居住用建物を配偶者以外の者が共同相続した場合において、その共同相続人の1人が相続開始前から被相続人の許諾を得て当該建物に被相続人と同居してきたときは、特段の事情のない限り、遺産分割終了までの間は、被相続人の地位を承継した他の相続人等が貸主となり、当該同居の相続人を借主とする当該建物の使用貸借契約関係が存続する（最判平8.12.17・百選III 63事件）。

5 内縁の妻の社会保障給付等の受給権

　農林漁業団体職員共済組合法に基づく遺族年金給付につき、戸籍上の妻であっても婚姻が破綻し事実上の離婚状態にある者には受給権がなく、重婚的内縁関係にある者に受給権が認められる（最判昭58.4.14・百選III 25事件）。

　民法の婚姻法秩序に反するような内縁関係にある者は、原則として遺族厚生年金の支給を受けることができない。しかし、3親等以内の傍系血族間の内縁関係については、内縁関係が形成された経緯等に照らし、反倫理性、反公益性が婚姻法秩序等の観点から問題とする必要がない程度に著しく低いと認められる場合には、受給権が認められる（最判平19.3.8・百選III 26事件）。

6 内縁の妻の損害賠償請求権

　被害者の扶養を受けていた内縁配偶者は、加害者に対して、被害者に相続人

がいるとしても、内縁配偶者が被害者から受けることができた将来の扶養利益の喪失を損害として、賠償請求することができる〈回〉。

三　パートナーシップ関係

　旅行などをともにするが共同して生活をせず、共同財産もなく、子はあるが女が一切養育しない合意のある男女関係（いわゆるパートナーシップ関係）において、これを婚姻及びこれに準ずるものと同様に関係の存続が保障されたものとみることはできず、一方がかかる関係を一方的に解消しても不法行為責任を肯定できない（最判平16.11.18・百選Ⅲ27事件）。

第731条　（婚姻適齢）

婚姻は、18歳にならなければ、することができない。

第732条　（重婚の禁止）

配偶者のある者は、重ねて婚姻をすることができない。

第733条　（再婚禁止期間）　削除

第734条　（近親者間の婚姻の禁止）

Ⅰ　直系血族又は3親等内の傍系血族の間では、婚姻をすることができない。ただし、養子と養方の傍系血族との間では、この限りでない〈司共書〉。

Ⅱ　第817条の9＜実方との親族関係の終了＞の規定により親族関係が終了した後も、前項と同様とする。

第735条　（直系姻族間の婚姻の禁止）

直系姻族の間では、婚姻をすることができない。第728条＜離婚等による姻族関係の終了＞又は第817条の9＜実方との親族関係の終了＞の規定により姻族関係が終了した後も、同様とする〈書〉。

第736条　（養親子等の間の婚姻の禁止）

養子若しくはその配偶者又は養子の直系卑属若しくはその配偶者と養親又はその直系尊属との間では、第729条＜離縁による親族関係の終了＞の規定により親族関係が終了した後でも、婚姻をすることができない〈司〉。

第737条　（未成年者の婚姻についての父母の同意）　削除

第738条　（成年被後見人の婚姻）〈司共書〉

成年被後見人が婚姻をするには、その成年後見人の同意を要しない。

第739条　（婚姻の届出）

Ⅰ　婚姻は、戸籍法（昭和22年法律第224号）の定めるところにより届け出ることによって、その効力を生ずる。

Ⅱ　前項の届出は、当事者双方及び成年の証人2人以上が署名した書面で、又はこれらの者から口頭で、しなければならない。

親族

第740条　（婚姻の届出の受理）

　婚姻の届出は、その婚姻が第731条、第732条、第734条から第736条まで
＜婚姻障害＞及び前条第2項の規定その他の法令の規定に違反しないことを認めた後で
なければ、受理することができない。

第741条　（外国に在る日本人間の婚姻の方式）

　外国に在る日本人間で婚姻をしようとするときは、その国に駐在する日本の大使、
公使又は領事にその届出をすることができる。この場合においては、前2条の規定を
準用する。

《注　釈》

＜婚姻の要件＞

実質的要件	**婚姻意思の合致**	(1)　婚姻意思とは、当事者間に真に社会観念上夫婦であると認められる関係の設定を欲する効果意思をいう（実質的意思説、最判昭44.10.31・百選Ⅲ1事件）司共 　　　cf.　法律上の夫婦という身分関係を設定する意思はあっても、それが、単に他の目的を達するための便法として仮託されたものにすぎない場合（子に嫡出子の身分を与えるためだけの婚姻など。最判昭44.10.31・百選Ⅲ1事件）、当該婚姻は無効となる司共書 (2)　成年被後見人（738）も意思能力がある限り婚姻をなしうる予 (3)　婚姻意思は、届書作成時、届出時双方に必要
	婚姻障害の不存在	(1)　婚姻適齢（731） (2)　重婚禁止（732） 　①　重婚関係は、ある夫婦が協議離婚し、その一方が第三者と婚姻した後、当該協議離婚が取り消された場合であっても生じる書 　②　重婚関係が生じた場合、後婚については取消原因となり（744）、前婚については離婚原因となる（770Ⅰ①⑤） 　③　後婚が離婚によって解消されたときは、特段の事情のない限り、後婚が重婚に当たることを理由として、後婚の取消しを請求することは許されない（最判昭57.9.28・百選Ⅲ4事件） 　　　なお、前婚が相手方配偶者の死亡若しくは離婚によって解消した場合、後婚の重婚状態は治癒され、もはや後婚を取り消すことはできなくなる (3)　近親婚の禁止（734～736）司
形式的要件		書面又は口頭による届出（739） →届出により婚姻が成立（成立要件説画）し、かつ、効力も発生する（創設的届出）

第2款　婚姻の無効及び取消し

第742条　（婚姻の無効）

　婚姻は、次に掲げる場合に限り、無効とする。

　①　人違いその他の事由によって当事者間に婚姻をする意思がないとき共。

② 当事者が婚姻の届出をしないとき。ただし、その届出が第７３９条第２項に定める方式を欠くだけであるときは、婚姻は、そのためにその効力を妨げられない。

《注　釈》

一　婚姻の無効

1　婚姻無効原因があれば、表意者の過失の有無を問わず無効である⟨判⟩。

2　「人違い」とは、婚姻の相手方の同一性に関する錯誤をいい、性格や病気、生殖能力等に関する錯誤は無効原因とならない。

二　婚姻届書作成後の翻意

届出を婚姻の成立要件とみる立場⟨通⟩も、相手方若しくは届出委託をした者に対して明確な意思表示をするか、戸籍事務担当者に対し書面により不受理を申し出た場合でなければ、無効を主張できないとする。

三　婚姻届受理時の意思能力喪失

他人に婚姻届を委託した当事者が届書の作成当時婚姻意思を有していれば、届出受理当時意識を失っていたとしても、届書受理前に死亡した場合と異なり、婚姻は有効に成立する（最判昭45.4.21・百選Ⅲ２事件）⟨判⟩。

四　無効な婚姻の追認

事実上の夫婦の一方が他方の意思に基づかないで婚姻届を提出した場合において、婚姻届を作成提出した当時に夫婦としての実質的生活関係が存在しており、後に他方の配偶者が届出の事実を知ってこれを追認したときは、婚姻は追認によりその届出の当初に遡って有効となる（最判昭47.7.25・百選Ⅲ３事件）⟨判⟩。
⇒ p.76

親族

第７４３条　（婚姻の取消し）

婚姻は、次条、第７４５条及び第７４７条の規定によらなければ、取り消すことができない。

第７４４条　（不適法な婚姻の取消し）

Ⅰ　第７３１条、第７３２条及び第７３４条から第７３６条まで＜婚姻障害＞の規定に違反した婚姻は、各当事者、その親族又は検察官から、その取消しを家庭裁判所に請求することができる⟨重⟩。ただし、検察官は、当事者の一方が死亡した後は、これを請求することができない。

Ⅱ　第７３２条＜重婚の禁止＞の規定に違反した婚姻については、前婚の配偶者も、その取消しを請求することができる⟨重⟩。

第７４５条　（不適齢者の婚姻の取消し）

Ⅰ　第７３１条＜婚姻適齢＞の規定に違反した婚姻は、不適齢者が適齢に達したときは、その取消しを請求することができない。

Ⅱ　不適齢者は、適齢に達した後、なお３箇月間は、その婚姻の取消しを請求することができる。ただし、適齢に達した後に追認をしたときは、この限りでない。

第746条　（再婚禁止期間内にした婚姻の取消し）　削除

第747条　（詐欺は強迫による婚姻の取消し）

Ⅰ　詐欺又は強迫によって婚姻をした者は、その婚姻の取消しを家庭裁判所に請求することができる。

Ⅱ　前項の規定による取消権は、当事者が、詐欺を発見し、若しくは強迫を免れた後３箇月を経過し、又は追認をしたときは、消滅する。

《注　釈》

一　取消事由

731条〜736条に列挙された婚姻障害に抵触する婚姻（744）と詐欺・強迫による婚姻（747）が取消事由となる〈関〉。

二　取消権者

以下の者の請求に基づき家庭裁判所が取り消す〈司〉。

1　婚姻障害の場合

原則として当事者・親族・検察官が取消権者（744Ⅰ本文）となる〈司〉。ただし、検察官は、当事者の一方が死亡した後は、これを請求することができない（744Ⅰただし書）〈司〉。また、重婚の場合（732）には前婚の配偶者も取消権者に含まれる（744Ⅱ）。

2　詐欺・強迫の場合

詐欺・強迫を受けた当事者のみが取消権者となる（747Ⅰ）。

三　取消期間

原則として期間制限はない。ただし、①不適齢婚については、不適齢者以外は適齢後、不適齢者は適齢後３か月経過した後又は適齢に達した後に追認したときは取り消すことができなくなる（745Ⅱ）〈司〉。

②重婚については、後婚が離婚によって消滅した場合、特段の事情がない限り、後婚を取り消す法律上の利益はなくなるため、取り消すことができなくなる（最判昭57.9.28・百選Ⅲ４事件）。

また、③詐欺・強迫による婚姻は、詐欺を発見し、強迫を免れた時から３か月経過又は追認により取り消すことができなくなる（747Ⅱ）。

＜婚姻の取消しの方法＞

取消事由	取消権者		訴えの被告	期間その他取消制限
不適齢婚 （731）	各当事者・その親族・検察官（744 I 本文）	——	① 夫婦の一方が提起する場合には、他方の配偶者 ② 親族が提起する場合には、夫婦（一方が死亡しているときは生存者） ③ 相手方とすべき者が死亡しているときは、検察官（人訴12 II） ④ 検察官が提起する場合には、夫婦	不適齢者が適齢に達したとき →取消不可（745 I）。ただし、不適齢者本人は、適齢後3か月以内、又は追認するまで取消可（745 II）
重婚 （732）		前婚の配偶者（744 II）		後婚が離婚によって消滅した場合 →取消不可（最判昭57.9.28・百選III 4事件）
近親婚 （734〜736）		——		検察官は、一方の当事者が死亡すれば取消請求不可（744 I ただし書） ∵ 生存配偶者の意思の尊重
詐欺・強迫 （747） （＊）	当事者のみ		相手方配偶者	詐欺を発見し、強迫を免れた時から3か月経過、又は追認したとき →取消不可（747 II）

＊　配偶者によるものか第三者によるものかを問わない。

第748条　（婚姻の取消しの効力）

I　婚姻の取消しは、将来に向かってのみその効力を生ずる〈同書〉。

II　婚姻の時においてその取消しの原因があることを知らなかった当事者が、婚姻によって財産を得たときは、現に利益を受けている限度において、その返還をしなければならない。

III　婚姻の時においてその取消しの原因があることを知っていた当事者は、婚姻によって得た利益の全部を返還しなければならない。この場合において、相手方が善意であったときは、これに対して損害を賠償する責任を負う。

第749条　（離婚の規定の準用）

　第728条第1項＜離婚による姻族関係の終了＞、第766条から第769条まで＜離婚後の子の監護・復氏等・財産分与・復氏の際の祭祀に関する権利承継＞、第790条第1項ただし書＜出生前に父母が離婚した子の氏＞並びに第819条第2項、第3項、第5項及び第6項＜離婚の際の親権者の決定＞の規定は、婚姻の取消しについて準用する。

《注　釈》

◆　婚姻取消しの効果

　婚姻取消しの効果は、遡及しない（748 I）〈同（∵継続した婚姻の事実の尊

重）。

1　子の身分に関してはすべて嫡出子に関する規定が適用され、婚姻による準正の効果にも影響がない〈司書〉。

2　婚姻取消しの効果は離婚に類似するので、離婚の規定が準用される（749）。
　　離婚後の子の監護（766）、離婚による復氏（767）、財産分与（768）、祭祀に関する権利の承継（769）等が準用される。

　＊　もっとも、748条2項・3項で財産の返還、損害賠償を規定することから、財産分与の規定（768）の準用は不要との立場も有力である。

■第2節　婚姻の効力

第750条　（夫婦の氏）
夫婦は、婚姻の際に定めるところに従い、夫又は妻の氏を称する。

《注　釈》
▪ 判例（最大判平27.12.16・百選Ⅲ6事件）は、夫婦同氏制（750）について、「氏は、家族の呼称としての意義があるところ、現行の民法の下においても、家族は社会の自然かつ基礎的な集団単位と捉えられ、その呼称を一つに定めることには合理性が認められる」ことや、「夫婦が同一の氏を称することは、上記の家族という一つの集団を構成する一員であることを、対外的に公示し、識別する機能を有している」などの点を総合的に考慮すると、「夫婦同氏制が、夫婦が別の氏を称することを認めないものであるとしても、……個人の尊厳と両性の本質的平等の要請に照らして合理性を欠く制度であるとは認めることはできない。したがって、本件規定は、憲法24条に違反するものではない」と判示した。

第751条　（生存配偶者の復氏等）
Ⅰ　夫婦の一方が死亡したときは、生存配偶者は、婚姻前の氏に復することができる〈司共書〉。

Ⅱ　第769条＜離婚による復氏の際の権利の承継＞の規定は、前項及び第728条第2項＜死亡による姻族関係の終了＞の場合について準用する。

第752条　（同居、協力及び扶助の義務）
夫婦は同居し、互いに協力し扶助しなければならない。

《注　釈》
一　同居義務（752）

1　同居義務は、法的強制には親しまない。
　→同居義務については直接強制も、間接強制も許されない（大決昭5.9.30）
　　⇒ p.327

2　家事事件手続法に基づく夫婦同居に関する審判は本質的に非訟事件の裁判であって、公開の法廷における対審及び判決によらなくても、憲法32条・82条

に反しない（最大決昭40.6.30・百選Ⅲ7事件）。

二　貞操の義務

配偶者の不貞な行為は離婚原因（770Ⅰ①）となるから、夫婦は相互に平等に貞操義務を負うと解される。

1　第三者が配偶者と不貞な肉体関係をもった場合、第三者は他方配偶者に対して不法行為責任（709）を負う（最判昭54.3.30）。

2　婚姻関係がすでに破綻している夫婦の一方と肉体関係をもった第三者は、他方配偶者に対する不法行為責任は負わない（最判平8.3.26・百選Ⅲ11事件）。

第753条　（婚姻による成年擬制）　削除

第754条　（夫婦間の契約の取消権）

夫婦間でした契約は、婚姻中、いつでも、夫婦の一方からこれを取り消すことができる。ただし、第三者の権利を害することはできない。

《注　釈》

一　取消しの効果

取消しの効果は遡及し、履行完了後でも回復を求められる。

→書面によらない贈与の解除（550）より広範である

二　本条の適用範囲

婚姻が実質的に破綻している場合は、夫婦間の契約を取り消すことはできない（最判昭33.3.6）。

∵　「婚姻中」（本文）とは、単に形式的に婚姻が継続していることではなくて、実質的にもそれが継続していることをいうものと解すべきである

■第3節　夫婦財産制

第1款　総則

第755条　（夫婦の財産関係）

夫婦が、婚姻の届出前に、その財産について別段の契約をしなかったときは、その財産関係は、次款に定めるところによる。

第756条　（夫婦財産契約の対抗要件）

夫婦が法定財産制と異なる契約をしたときは、婚姻の届出までにその登記をしなければ、これを夫婦の承継人及び第三者に対抗することができない。

第757条　（同前―外国人の場合）　削除

第758条　（夫婦の財産関係の変更の制限等）

Ⅰ　夫婦の財産関係は、婚姻の届出後は、変更することができない。

Ⅱ　夫婦の一方が、他の一方の財産を管理する場合において、管理が失当であったことによってその財産を危うくしたときは、他の一方は、自らその管理をすることを家庭裁判所に請求することができる。

Ⅲ　共有財産については、前項の請求とともに、その分割を請求することができる。

第759条　（財産の管理者の変更及び共有財産の分割の対抗要件）

前条の規定又は第755条の契約の結果により、財産の管理者を変更し、又は共有財産の分割をしたときは、その登記をしなければ、これを夫婦の承継人及び第三者に対抗することができない。

《注　釈》

一　夫婦財産制

夫婦間の財産関係を規律する法制度を、夫婦財産制という。夫婦財産制には、夫婦財産契約による契約財産制と法定財産制の2つがあり、前者の契約がなされなかったときに、自動的に法定財産制が適用される（755）。

二　夫婦財産契約（755〜759）

1　婚姻届出前に、婚姻中の夫婦財産関係に関する契約を締結しうる（755）。
　　→婚姻後は、契約取消権（754）で取り消しうる

2　夫婦財産契約の効力は婚姻時に発生し、婚姻が無効・取消しとなれば効力を失う（748ⅡⅢ）。

3　夫婦財産契約を夫婦の承継人や第三者に対抗するには、登記が必要である（756）。

4　夫婦財産契約の内容は、原則的に、婚姻届提出後は変更できない（758Ⅰ）。

第2款　法定財産制

第760条　（婚姻費用の分担）

夫婦は、その資産、収入その他一切の事情を考慮して、婚姻から生ずる費用を分担する。

《注　釈》

- 婚姻が事実上破綻し別居生活に入ったとしても、離婚しない限り婚姻費用分担義務は消滅しない（判）が、別居・婚姻破綻につき帰責性のある者が自己の生活費分の婚姻費用分担請求をすることは権利濫用（1Ⅲ）に当たる（東京高決昭58.12.16・百選Ⅲ8事件）。

- 婚姻費用の分担は、当事者が婚姻関係にあることを前提とするものであるが、婚姻費用分担審判の申立ての後に婚姻関係が終了した場合であっても、婚姻費用分担請求権は消滅せず、裁判所は、離婚時までの過去の婚姻費用のみについて具体的な分担額を形成決定することができる（最決令2.1.23・令2重判6事件）。

第761条　（日常の家事に関する債務の連帯責任）

　夫婦の一方が日常の家事に関して第三者と法律行為をしたときは、他の一方は、これによって生じた債務について、連帯してその責任を負う。ただし、第三者に対し責任を負わない旨を予告した場合は、この限りでない。

[趣旨] 本条は、婚姻生活における家事処理の便を図り、かつ第三者の保護になるところから、夫婦に日常家事債務についての連帯責任を負わせている。

《注　釈》

一　日常家事債務の範囲 〈司R2〉

　「日常の家事」（本文）に関する法律行為とは、単に夫婦の内部的な事情やその行為の個別的な目的のみを重視して判断すべきでなく、さらに客観的にその法律行為の種類・性質等をも十分に考慮して判断すべきである（最判昭44.12.18・百選Ⅲ9事件）。

　ex.1　共同生活を営む家屋の賃貸借契約の締結、家族の病気の際の医療に関する契約、必需品の獲得に必要な範囲の消費貸借契約は、「日常の家事」に含まれる

　ex.2　他方配偶者の特有財産の処分にわたるもの、巨額の消費貸借契約の締結は、「日常の家事」に含まれない

二　連帯責任の根拠 〈司R2〉

　判例は、本条は、夫婦間の連帯責任という効果が生じる前提として、「夫婦は相互に日常の家事に関する法律行為につき他方を代理する権限を有することをも規定している」（最判昭44.12.18・百選Ⅲ9事件）とする。

三　110条の趣旨の日常家事への類推適用 〈司R2〉　⇒ p.70

　夫婦の一方が日常の家事に関する代理権の範囲を超えて第三者と法律行為をした場合、日常家事代理権（761）を基礎として本条の表見代理が成立するものではない（∵夫婦の財産的独立（762）を損なうおそれがある）。

　ただし、相手方において、その行為が当該夫婦の日常の家事に関する法律行為の範囲内に属すると信じるにつき正当の理由のあるときには、「110条の趣旨」を類推適用することにより第三者を保護しうる（最判昭44.12.18・百選Ⅲ9事件）〈司共〉。

四　連帯責任の内容　⇒ p.369

　連帯債務を負担するという意味であり、夫婦は同一内容の債務を併存的に負担し、一方について生じた事由（更改・相殺・混同）は、両者に無制限に効力を及ぼす一種独特の債務である。

第762条　（夫婦間における財産の帰属）

Ⅰ　夫婦の一方が婚姻前から有する財産及び婚姻中自己の名で得た財産は、その特有財産（夫婦の一方が単独で有する財産をいう。）とする。

Ⅱ　夫婦のいずれに属するか明らかでない財産は、その共有に属するものと推定する。

《注　釈》

▪ 762条1項及びそれを前提とする所得税法の規定（夫の財産取得につき妻の内助の功を考慮し夫と妻に二分して課税する方式を採っていない）は、憲法24条に反しない（最大判昭36.9.6・百選Ⅲ10事件）。

■第4節　離婚

第1款　協議上の離婚

第763条　（協議上の離婚）

夫婦は、その協議で、離婚をすることができる。

第764条　（婚姻の規定の準用）〈司〉

第738条＜成年被後見人の婚姻＞、第739条＜婚姻の届出＞及び第747条＜詐欺又は強迫による婚姻の取消し＞の規定は、協議上の離婚について準用する。

《注　釈》

一　協議離婚の成立

1　離婚意思の合致（要件①）

(1)　「協議」とは、離婚意思の合致をいう。離婚意思に関しては、通説は、社会通念上、離婚そのものをする意思と解している（実質的意思説）が、判例は、届出に向けられた意思（形式的意思説）と解しているとされる〈書〉〈予H30〉。

ex.1　債権者の強制執行を免れるための協議離婚は有効である（最判昭42.12.8）

ex.2　生活扶助を受けるための協議離婚は有効である（最判昭57.3.26・百選Ⅲ12事件）〈司書〉

(2)　意思能力の存在

成年被後見人であっても意思能力が回復している限り、その成年後見人の同意なくして離婚することができる（764、738）〈書〉。

cf.　意思能力は、届出書の作成又は委託の時にあれば足り、届出の時に喪失してもその受理前に翻意などをしない限り、その届出は有効と解される

2　協議離婚の届出（要件②）

協議離婚は、届出によって効力が生じる（764、739）〈共〉。

cf.　判決による離婚は認容判決が確定した時点で効力が生じる〈共〉

3　協議離婚届出書作成後の翻意

協議離婚の届出は協議離婚意思の表示とみるべきであるから、当該届出の当時離婚の意思を有せざることが明確になった以上、当該届出による協議離婚は無効である（最判昭34.8.7・百選Ⅲ13事件）〈司〉。

4　協議離婚は離婚意思の合致と届出により成立するのであって、子の監護について必要な事項に関する協議の不調、財産分与の協議の不調によって妨げられ

るものではない〈司〉。

5　協議上の離婚によって、婚姻の効力は将来に向かって解消する〈予〉。

二　協議離婚の無効・取消し

1　協議離婚の無効

総則の無効に関する規定を適用すべきでなく、婚姻の無効に関する規定（742）を類推適用すべきである。したがって、離婚の無効原因は、離婚意思の不存在と離婚届の未提出である（742）。

2　無効な離婚の追認

無効な離婚の追認は許される（最判昭42.12.8）〈過〉〈書〉。

∵　第三者は届出の外観に従って行動するのが通常であるから、第三者の利益を不当に害することにはならない

3　協議離婚の取消し

詐欺・強迫による離婚は、取り消すことができる。この取消権は、当事者が詐欺を発見し、若しくは強迫を免れた後3か月が経過し、又は追認したときは、消滅する（764、747）。

→取消しの効果は、婚姻取消の場合とは異なり、届出の時に遡及する点に注意（764は748を準用していない）

《その他》

▪ 15歳に達した未成年者の親権者の指定権を認めるような規定はない（961、962）〈予〉。

第765条　（離婚の届出の受理）

Ⅰ　離婚の届出は、その離婚が前条において準用する第739条第2項＜婚姻の届出の方式＞の規定及び第819条第1項＜協議上の離婚と親権者の決定＞の規定その他の法令の規定に違反しないことを認めた後でなければ、受理することができない。

Ⅱ　離婚の届出が前項の規定に違反して受理されたときであっても、離婚は、そのためにその効力を妨げられない〈書〉。

第766条　（離婚後の子の監護に関する事項の定め等）

Ⅰ　父母が協議上の離婚をするときは、子の監護をすべき者、父又は母と子との面会及びその他の交流、子の監護に要する費用の分担その他の子の監護について必要な事項は、その協議で定める〈司〉。この場合においては、子の利益を最も優先して考慮しなければならない。

Ⅱ　前項の協議が調わないとき、又は協議をすることができないときは、家庭裁判所が、同項の事項を定める。

Ⅲ　家庭裁判所は、必要があると認めるときは、前2項の規定による定めを変更し、その他子の監護について相当な処分を命ずることができる〈司〉。

Ⅳ　前3項の規定によっては、監護の範囲外では、父母の権利義務に変更を生じない。

第767条　（離婚による復氏等）

Ⅰ　婚姻によって氏を改めた夫又は妻は、協議上の離婚によって婚姻前の氏に復する〈共書〉。

Ⅱ　前項の規定により婚姻前の氏に復した夫又は妻は、離婚の日から3箇月以内に戸籍法の定めるところにより届け出ることによって、離婚の際に称していた氏を称することができる〈同書〉。

第768条　（財産分与）

Ⅰ　協議上の離婚をした者の一方は、相手方に対して財産の分与を請求することができる〈同予書〉。

Ⅱ　前項の規定による財産の分与について、当事者間に協議が調わないとき、又は協議をすることができないときは、当事者は、家庭裁判所に対して協議に代わる処分を請求することができる。ただし、離婚の時から2年を経過したときは、この限りでない〈書〉。

Ⅲ　前項の場合には、家庭裁判所は、当事者双方がその協力によって得た財産の額その他一切の事情を考慮して、分与をさせるべきかどうか並びに分与の額及び方法を定める。

《注　釈》

一　財産分与の法的性格〈予〉

財産分与は、単なる贈与（549）とは異なり、

① 婚姻中における夫婦財産関係の清算

② 離婚後における配偶者の扶養〈予〉

③ 離婚による慰謝料

の性格を有している。

二　財産分与請求権と慰謝料請求権との関係

1　離婚による精神的な苦痛を被ったことに対する慰謝料は、財産分与に含めて請求することもできるし、財産分与に含めずに別個に損害賠償請求権として請求することもできる（最判昭31.2.21）〈共書〉。

∵　財産分与の決定に際しては、一切の事情を考慮すべきであり、慰謝料をも含めて財産分与の額及び方法を定めることも認めるべきである

2　すでに財産分与を受けており、精神的な苦痛がすべて慰謝されたものと認められるときには、もはや重ねて慰謝料の請求をすることはできない。もっとも、その中に慰謝料が含まれない場合や、含まれるとしてもその額が精神的な苦痛を慰謝するに足りないと認められる場合には、別個に慰謝料を請求することも許される（最判昭46.7.23・百選Ⅲ18事件）〈予〉。

三　財産分与請求権の成立

具体的な請求権としての財産分与請求権の発生原因について、判例（最判昭55.7.11）は、財産分与請求権は離婚の事実により当然に発生するが、それは基本的抽象的請求権であり、当事者の協議あるいは審判等によって具体的内容が決定されることをもって、初めて具体的請求権が生ずるという立場に立っている。

→財産分与請求権は、協議あるいは審判等によって具体的内容が形成されるまでは、その範囲及び内容が不確定・不明確であるから、かかる財産分与請求

権を保全するために債権者代位権を行使することはできない

《その他》

- 夫婦の一方が過当に負担した婚姻費用の清算のための給付をも財産分与に含めることができる（最判昭53.11.14・百選Ⅲ17事件）〈共予書〉。
- 離婚により生ずる可能性のある財産分与請求権は、協議・審判等によりその具体的内容が形成される以前には代位行使（423）の対象とならない（最判昭55.7.11）〈予書〉。　⇒ p.340
- 離婚に伴う財産分与は、本条3項の趣旨に反して不相当に過大であり、財産分与に仮託してなされた財産処分であると認められるような特段の事情がない限り、詐害行為（424）とならない（最判昭58.12.19）〈予〈予H30〉。　⇒ p.350
- 離婚請求を認容するに当たり、単独で子を監護している妻の夫に対する別居後離婚までの間の子の監護費用の支払を命ずることができる（最判平9.4.10）。よって、裁判所は、離婚請求に併せて監護費用の支払を求める旨の申立てを受けた場合、審理判断しなければならない（最判平19.3.30）。
- 離婚請求に附帯して財産分与の申立てがされた場合において、裁判所が離婚請求を認容する判決をするに当たり、財産の一部について財産分与の裁判をしないことは許されない（最判令4.12.26・令5重判6事件）。

第769条 （離婚による復氏の際の権利の承継）

Ⅰ　婚姻によって氏を改めた夫又は妻が、第897条第1項＜祭祀に関する権利＞の権利を承継した後、協議上の離婚をしたときは、当事者その他の関係人の協議で、その権利を承継すべき者を定めなければならない。

Ⅱ　前項の協議が調わないとき、又は協議をすることができないときは、同項の権利を承継すべき者は、家庭裁判所がこれを定める。

第2款　裁判上の離婚

第770条 （裁判上の離婚）

Ⅰ　夫婦の一方は、次に掲げる場合に限り、離婚の訴えを提起することができる。

① 配偶者に不貞な行為があったとき〈書〉。

② 配偶者から悪意で遺棄されたとき。

③ 配偶者の生死が3年以上明らかでないとき。

④ 配偶者が強度の精神病にかかり、回復の見込みがないとき。

⑤ その他婚姻を継続し難い重大な事由があるとき。

Ⅱ　裁判所は、前項第1号から第4号までに掲げる事由がある場合であっても、一切の事情を考慮して婚姻の継続を相当と認めるときは、離婚の請求を棄却することができる〈司〉。

《注　釈》

一　裁判上の離婚

裁判上の離婚とは、協議離婚・調停離婚が成立せず（調停前置主義）、審判離

婚がなされていないときに、夫婦の一方の一定の原因に基づく離婚の請求に対して、裁判所が判決によって婚姻を解消させることをいう。

二　離婚原因

1　具体的離婚原因

(1)　配偶者に不貞な行為があったとき（Ⅰ①）

不貞行為とは、他方配偶者が任意であれば、それに至る相手方の任意性は問わない（妻の売春行為（最判昭38.6.4）、夫の不同意性交行為（最判昭48.11.15））。

(2)　配偶者から悪意で遺棄されたとき（Ⅰ②）

「悪意で遺棄」とは、積極的な意思で夫婦の共同生活を行わないことをいう。

(3)　配偶者の生死が3年以上明らかでないとき（Ⅰ③）

(4)　配偶者が強度の精神病にかかり、回復の見込みがないとき（Ⅰ④）

(a)　「精神病」とは、統合失調症その他の精神疾患であって、これにより婚姻共同生活を行えない状態が継続している状態をいう。

(b)　精神病を理由とする離婚請求は、2項により、諸般の事情を考慮しある程度病者の前途に方途の見込みがついたうえでなければ認められない（最判昭33.7.25）。もっとも、病者の配偶者が療養費を誠実に支払っているなどの事情により離婚請求が認められることもある（最判昭45.11.24・百選Ⅲ14事件）。

2　抽象的離婚原因（Ⅰ⑤）

「婚姻を継続し難い重大な事由」とは、夫婦の一方が他方の行動、生活や生活環境からその婚姻を継続し難いと考えた場合と、双方が婚姻についての意思を失い夫婦生活が回復し難く破綻している状態を指す。

*　有責配偶者からの離婚請求の可否（Ⅰ⑤）

かつての判例は、有責配偶者からの離婚請求を排除してきた。しかし、その後、有責配偶者の離婚請求であることのみをもって離婚請求を棄却（Ⅱ）することは許されないと判例を変更している。ただし、信義則（1Ⅱ）による請求棄却の余地は認める（最大判昭62.9.2・百選Ⅲ15事件）。

ex.1　有責配偶者からの離婚請求であっても、8年間別居している場合には、離婚を容認しうる（最判平2.11.8）

ex.2　未成熟子のいる場合であっても、別居が13年に及び子も高校卒業の年齢に達し、有責配偶者である原告の夫も、別居後は子の監護に意を尽くし、妻への財産分与も期待できるという場合には離婚を認容できる（最判平6.2.8）

第771条　（協議上の離婚の規定の準用）

　第766条から第769条まで＜離婚後の子の監護・復氏等・財産分与・復氏の際の祭祀に関する権利承継＞の規定は、裁判上の離婚について準用する。

《その他》

- 裁判所が当事者の称すべき氏を定めなければならないわけではない（771、767Ⅰ、Ⅱ）〈共〉。
- 妻が婚姻中に他男との間に子を設けたが、当該子と夫との間の自然的血縁関係の不存在を知りながらこれを夫に告げなかったため、もはや夫に当該子との親子関係を否定する法的手段が残されておらず、また、夫がこれまでに当該子の監護費用を十分に分担してきており、しかも、妻が夫との離婚に伴い相当多額の財産分与を受ける事案において、妻が夫に対し、当該子の監護費用を請求することは権利濫用に当たる（最判平23.3.18・百選Ⅲ16事件）。

・第3章・【親子】

■第1節　実子

第772条　（嫡出の推定）

Ⅰ　妻が婚姻中に懐胎した子は、当該婚姻における夫の子と推定する。女が婚姻前に懐胎した子であって、婚姻が成立した後に生まれたものも、同様とする。

Ⅱ　前項の場合において、婚姻の成立の日から200日以内に生まれた子は、婚姻前に懐胎したものと推定し、婚姻の成立の日から200日を経過した後又は婚姻の解消若しくは取消しの日から300日以内に生まれた子は、婚姻中に懐胎したものと推定する。

Ⅲ　第1項の場合において、女が子を懐胎した時から子の出生の時までの間に2以上の婚姻をしていたときは、その子は、その出生の直近の婚姻における夫の子と推定する。

Ⅳ　第3項の規定により父が定められた子について、第774条の規定によりその父の嫡出であることが否認された場合における前項の規定の適用については、同項中「直近の婚姻」とあるのは、「直近の婚姻（第774条の規定により子がその嫡出であることが否認された夫との間の婚姻を除く。）」とする。

《注　釈》

＜嫡出子・非嫡出子の分類と各種の訴え＞

親族

＜嫡出の推定①～772条1項＞

＜嫡出の推定②～772条2項＞

<嫡出の推定③〜772条3項>

* 上記の場合において、Cの子との推定が否定されると、Cを除く直近の婚姻、すなわち、①の夫Bの子と推定される（Ⅳ）。

一　嫡出子

嫡出子とは、婚姻関係にある男女間に懐胎・出生した子をいう。

1　推定される嫡出子（推定が及ぶ場合）

(1)　推定される嫡出子とは、772条に該当する子をいう。

ex.1　性同一性障害者の性別の取扱いの特例に関する法律3条1項に基づき、男性への性別の取扱いの変更の審判を受けた者は、同法4条1項により、法令の適用について、他の性別に変わったものとみなされるため、妻との性的関係によって子をもうけることはおよそ想定できないとしても、婚姻中にその妻が子を懐胎したときは、772条により当該子はその者の子と推定される（最決平25.12.10・百選Ⅲ37事件）

ex.2　772条の嫡出推定の及ぶ子について、夫と妻との婚姻関係が終了してその家庭が崩壊しているとの事情があっても、その一事をもって、嫡出否認の訴えの提起期間経過後に親子関係不存在確認の訴えをもって、父子関係を争うことはできない（最判平12.3.14）

ex.3　夫と子の間に生物学上の父子関係が認められないことが科学的証拠により明らかであり、かつ、夫と妻が既に離婚して別居し、子が親権者である妻に監護されている事情があっても、772条による嫡出の推定が及ばなくなる者ではなく、親子関係不存在確認の訴えをもって父子関係の存否を争うことはできない。もっとも、夫婦間に性的関係を持つ機会がなかったことが明らかであるなどの事情がある場合は、この限りでない（最判平26.7.17・百選Ⅲ29事件）

(2)　親子関係を争う方法

→嫡出否認の訴え（775）による

2　推定の及ばない子

(1)　推定の及ばない子とは、772条に該当するが、妻が夫によって懐胎することが不可能な事実がある場合の子をいう。

ex.　事実上の離婚状態にあり夫婦関係が断絶していた場合（最判平
　10.8.31）〈同〉、夫が行方不明の場合、夫が海外滞在中や在監中であった
　場合〈同共書〉

(2)　親子関係を争う方法
　　→親子関係不存在確認の訴えによる〈同〉

3　二重の推定が及ぶ嫡出子
(1)　二重の推定が及ぶ嫡出子とは、前婚の父性推定と後婚の父性推定とが重複
　する場合の嫡出子をいう。

ex.　重婚関係が生じた場合

(2)　親子関係を争う方法
　　→父を定めることを目的とする訴え（773）による

二　嫡出でない子（非嫡出子）

1　嫡出でない子（非嫡出子）とは、婚姻関係にない男女間に生まれた子をいう。

2　親子関係を争う方法
(1)　父子関係については、認知の訴え（787）による。親子関係不存在確認の
　訴えによることはできない（最判平 2.7.19）〈同〉。
(2)　母子関係については、原則として、母の認知をまたず、分娩の事実により
　当然発生するため、親子関係存否確認の訴えの対象となる（最判昭 37.4.27・
　百選Ⅲ 32 事件）〈同書〉。

第773条　（父を定めることを目的とする訴え）

　第732条＜重婚の禁止＞の規定に違反して婚姻をした女が出産した場合において、
前条の規定によりその子の父を定めることができないときは、裁判所が、これを定め
る。

第774条　（嫡出の否認）

Ⅰ　第772条＜嫡出の推定＞の規定により子の父が定められる場合において、父又
は子は、子が嫡出であることを否認することができる。

Ⅱ　前項の規定による子の否認権は、親権を行う母、親権を行う養親又は未成年後見
人が、子のために行使することができる。

Ⅲ　第1項に規定する場合において、母は、子が嫡出であることを否認することがで
きる。ただし、その否認権の行使が子の利益を害することが明らかなときは、この
限りでない。

Ⅳ　第772条第3項の規定により子の父が定められる場合において、子の懐胎の時
から出生の時までの間に母と婚姻していた者であって、子の父以外のもの（以下
「前夫」という。）は、子が嫡出であることを否認することができる。ただし、その否
認権の行使が子の利益を害することが明らかなときは、この限りでない。

Ⅴ　前項の規定による否認権を行使し、第772条第4項の規定により読み替えられ
た同条第3項の規定により新たに子の父と定められた者は、第1項の規定にかかわ
らず、子が自らの嫡出であることを否認することができない。

第775条　（嫡出否認の訴え）

Ⅰ　次の各号に掲げる否認権は、それぞれ当該各号に定める者に対する嫡出否認の訴えによって行う。

① 　父の否認権　子又は親権を行う母

② 　子の否認権　父

③ 　母の否認権　父

④ 　前夫の否認権　父及び子又は親権を行う母

Ⅱ　前項第1号又は第4号に掲げる否認権を親権を行う母に対し行使しようとする場合において、親権を行う母がないときは、家庭裁判所は、特別代理人を選任しなければならない。

第776条　（嫡出の承認）

　父又は母は、子の出生後において、その嫡出であることを承認したときは、それぞれその否認権を失う。

第777条　（嫡出否認の訴えの出訴期間）

　次の各号に掲げる否認権の行使に係る嫡出否認の訴えは、それぞれ当該各号に定める時から3年以内に提起しなければならない。

① 　父の否認権　父が子の出生を知った時

② 　子の否認権　その出生の時

③ 　母の否認権　子の出生の時

④ 　前夫の否認権　前夫が子の出生を知った時

第778条

　第772条第3項の規定により父が定められた子について第774条の規定により嫡出であることが否認されたときは、次の各号に掲げる否認権の行使に係る嫡出否認の訴えは、前条の規定にかかわらず、それぞれ当該各号に定める時から1年以内に提起しなければならない。

① 　第772条第4項の規定により読み替えられた同条第3項の規定により新たに子の父と定められた者の否認権　新たに子の父と定められた者が当該子に係る嫡出否認の裁判が確定したことを知った時

② 　子の否認権　子が前号の裁判が確定したことを知った時

③ 　母の否認権　母が第1号の裁判が確定したことを知った時

④ 　前夫の否認権　前夫が第1号の裁判が確定したことを知った時

第778条の2

Ⅰ　第777条（第2号に係る部分に限る。）又は前条（第2号に係る部分に限る。）の期間の満了前6箇月以内の間に親権を行う母、親権を行う養親及び未成年後見人がないときは、子は、母若しくは養親の親権停止の期間が満了し、親権喪失若しくは親権停止の審判の取消しの審判が確定し、若しくは親権が回復された時、新たに養子縁組が成立した時又は未成年後見人が就職した時から6箇月を経過するまでの間は、嫡出否認の訴えを提起することができる。

親
族

Ⅱ　子は、その父と継続して同居した期間（当該期間が２以上あるときは、そのうち最も長い期間）が３年を下回るときは、第７７７条（第２号に係る部分に限る。）及び前条（第２号に係る部分に限る。）の規定にかかわらず、２１歳に達するまでの間、嫡出否認の訴えを提起することができる。ただし、子の否認権の行使が父による養育の状況に照らして父の利益を著しく害するときは、この限りでない。

Ⅲ　第７７４条第２項の規定は、前項の場合には、適用しない。

Ⅳ　第７７７条（第４号に係る部分に限る。）及び前条（第４号に係る部分に限る。）に掲げる否認権の行使に係る嫡出否認の訴えは、子が成年に達した後は、提起することができない。

第７７８条の３　（子の監護に要した費用の償還の制限）

第７７４条の規定により嫡出であることが否認された場合であっても、子は、父であった者が支出した子の監護に要した費用を償還する義務を負わない。

第７７８条の４　（相続の開始後に新たに子と推定された者の価額の支払請求権）

相続の開始後、第７７４条の規定により否認権が行使され、第７７２条第４項の規定により読み替えられた同条第３項の規定により新たに被相続人がその父と定められた者が相続人として遺産の分割を請求しようとする場合において、他の共同相続人が既にその分割その他の処分をしていたときは、当該相続人の遺産分割の請求は、価額のみによる支払の請求により行うものとする。

《注　釈》

＜嫡出子と各種の訴え＞

	嫡出否認の訴え（775）	親子関係不存在確認の訴え	父を定めることを目的とする訴え（773）
適用場面	推定される嫡出子	推定の及ばない子〔同〕	二重の推定が及ぶ場合〔司共書〕
提訴権者	父、子、母、前夫等	利害関係人	子、母、前夫、後夫
相手方	①　父の否認権（＊１）→子又は親権を行う母（775 Ⅰ①） ②　子の否認権→父（同②） ③　母の否認権→父（同③） ④　前夫の否認権（＊１）→父及び子又は親権を行う母（同④）	①　確認を求める当事者 ②　当事者の一方が死亡した場合→検察官（＊２）	①　子又は母が原告→前夫及び後夫（人訴45Ⅱ①） ②　前夫が原告→後夫（同②） ③　後夫が原告→前夫（同③） ④　被告が死亡→検察官（人訴45Ⅱ柱書）

親族

	嫡出否認の訴え（775）	親子関係不存在確認の訴え	父を定めることを目的とする訴え（773）
出訴期間	原則：3年（777）例外：1年（778）	なし〈司〉	
消滅事由	承認（776）		

＊1　夫（前夫）の否認権を親権を行う母に対し行使しようとする場合において、親権を行う母がないときは、家庭裁判所が選任した特別代理人に対して行う（775Ⅱ）。

＊2　第三者が親子関係不存在確認の訴えを提起した場合において、当事者の一方がすでに死亡している場合には、死亡した者について検察官を被告に加える必要はなく、第三者は生存している当事者のみを被告とすれば足りる（最判昭56.10.1）〈司〉。

《その他》

▪ 現行の親子法制の下では、死後懐胎子と精子を提供した死亡した男性との間の法律上の親子関係の形成は認められない（最判平18.9.4・百選Ⅲ35事件）〈司予書〉。

▪ 他人夫婦の子として出生届がなされ、その旨戸籍に記載されている場合、この戸籍の記載を改めるには、まず親子関係不存在確認の訴えが必要である。

▪ 婚外子を妻の子として嫡出子出生届をしたときは、嫡出否認の訴え（775）によって父子関係を争うことはできず、親子関係不存在確認の訴えによって争うこととなる〈司〉。

▪ 真実の実親子関係と戸籍の記載が異なる場合には、実親子関係が存在しないことの確認を求めることができるのが原則である。しかし、真実の親子関係と異なる出生の届出に基づき戸籍上夫婦の嫡出子として記載されている子が、戸籍上の両親と長期間にわたり実の親子と同様に生活し、関係者もこれを前提として社会生活上の関係を形成してきた場合において、親子関係不存在の確認を戸籍上の両親以外の者が求めている場合、諸般の事情を考慮し、実親子関係の不存在を確定することが著しく不当な結果をもたらすものといえるときには、当該確認請求は権利の濫用（1Ⅲ）に当たり許されない（最判平18.7.7・百選Ⅲ30事件）。

第779条　（認知）

嫡出でない子は、その父又は母がこれを認知することができる。

第780条　（認知能力）

認知をするには、父又は母が未成年者又は成年被後見人であるときであっても、その法定代理人の同意を要しない〈共書〉。

第781条　（認知の方式）

Ⅰ　認知は、戸籍法の定めるところにより届け出ることによってする。

Ⅱ　認知は、遺言によっても、することができる〈司〉。

第782条　（成年の子の認知）

成年の子は、その承諾がなければ、認知することができない〈司〉。

親族

第783条　（胎児又は死亡した子の認知）

Ⅰ　父は、胎内に在る子でも、認知することができる《書》。この場合においては、母の承諾を得なければならない《同書》。

Ⅱ　<u>前項の子が出生した場合において、第772条の規定によりその子の父が定められるときは、同項の規定による認知は、その効力を生じない。</u>

Ⅲ　父又は母は、死亡した子でも、その直系卑属があるときに限り、認知することができる。この場合において、その直系卑属が成年者であるときは、その承諾を得なければならない《共書》。

第784条　（認知の効力）

認知は、出生の時にさかのぼってその効力を生ずる。ただし、第三者が既に取得した権利を害することはできない。

第785条　（認知の取消しの禁止）

認知をした父又は母は、その認知を取り消すことができない。

《注　釈》

<認知の整理>

任意認知	強制認知（認知の訴え）
(1) 母の認知は不要（最判昭37.4.27・百選Ⅲ32事件） 　→非嫡出母子関係は分娩の事実により当然に生じる《同書》 (2) 認知能力 　制限行為能力者も同意不要（780）《同書》 (3) 認知される者の意思 　① 成年の子を認知する場合には、その子の承諾が必要（782）《書》 　② 胎児を認知する場合には、母の承諾が必要（783Ⅰ）《同書》 　③ 直系卑属のいる死亡子を認知する場合には、その直系卑属が成年者であればその者の承諾が必要（783Ⅲ）《共》 (4) 方式 　届出（781Ⅰ）《同》《同H22》 　→遺言でも可（781Ⅱ） 　① 非嫡出子を本妻との間で嫡出子として出生届を出した場合、その嫡出子出生届は認知の効力をもちうる（最判昭53.2.24・百選Ⅲ31事件）《同》 　② 実親が未認知の非嫡出子を、いったん他人夫婦の嫡出子として届け出たうえ、その他人夫婦の代諾により自分の養子とした場合には、認知の効力も、養子縁組の効力もない（大判昭4.7.4）	(1) 性質 　形成訴訟（最判昭29.4.30） (2) 原告 　子、その直系卑属、これらの者の法定代理人（787本文） 　→子の直系卑属は、子の生存中は認知の訴えを提起しえない（＊） 　→推定の及ばない子（⇒p.685）も血縁上の父に対して認知の訴えを提起できる（最判昭44.5.29）《同》 (3) 被告 　父（父死亡後は検察官）（最判平元.4.6・百選Ⅲ38事件）《同》 (4) 出訴期間 　① 父の生存中はいつでも可 　② 父の死亡の日から3年を経過すると不可（787ただし書） (5) 胎児に認知請求権はない (6) 認知請求権の放棄契約は無効（最判昭37.4.10） (7) 嫡出でない子と父との間の法律上の親子関係は認知によってはじめて発生し、非嫡出子は認知によらずに父子関係存在確認の訴えを提起できない（最判平2.7.19）

親族

要件

	任意認知	強制認知（認知の訴え）
効果	(1) 出生時に遡及する（784 本文）〈司〉 (2) 親子関係に認められる効果が発生する 　① 認知後も母が親権者（cf.819 Ⅳ） 　② 母は父に養育費の償還請求が可 　③ 相続の問題あり（910） 　④ 認知後も母の氏を称し、母の戸籍に属する (3) 認知をした者は、その認知を取り消すことができないとされるが（785）、この「取消し」は、「撤回」を意味するのであって、認知が詐欺・強迫によるときは、取り消すことができるとする学説もある	

＊　認知を求められた父の、原告以外の子は、認知の訴えの当事者適格は有さない。ゆえに、父が子から強制認知させられた場合、認知訴訟の再審理である再審を別の子が求めることはできず、補助参加できるにすぎない（最判平元.11.10・百選Ⅱ 33 事件）。

※　民法が実親子関係を認めていない者の間にその成立を認める内容の外国裁判所の裁判は、我が国の法秩序の基本原則ないし基本理念と相いれないものであり、民訴法118 条 3 号にいう公の秩序に反する。現行民法の解釈としては、出生した子を懐胎し出産した女性をその子の母と解さざるを得ず、その子を懐胎、出産していない女性との間には、その女性が卵子を提供した場合であっても、母子関係の成立を認めることはできない（最決平 19.3.23・百選Ⅱ 36 事件）〈司書〉。

第786条　（認知の無効の訴え）

Ⅰ　次の各号に掲げる者は、それぞれ当該各号に定める時（第783条第1項の規定による認知がされた場合にあっては、子の出生の時）から7年以内に限り、認知について反対の事実があることを理由として、認知の無効の訴えを提起することができる。ただし、第3号に掲げる者について、その認知の無効の主張が子の利益を害することが明らかなときは、この限りでない。
　① 子又はその法定代理人　子又はその法定代理人が認知を知った時
　② 認知をした者　認知の時
　③ 子の母　子の母が認知を知った時

Ⅱ　子は、その子を認知した者と認知後に継続して同居した期間（当該期間が2以上あるときは、そのうち最も長い期間）が3年を下回るときは、前項（第1号に係る部分に限る。）の規定にかかわらず、21歳に達するまでの間、認知の無効の訴えを提起することができる。ただし、子による認知の無効の主張が認知をした者による養育の状況に照らして認知をした者の利益を著しく害するときは、この限りでない。

Ⅲ　前項の規定は、同項に規定する子の法定代理人が第1項の認知の無効の訴えを提起する場合には、適用しない。

Ⅳ　第1項及び第2項の規定により認知が無効とされた場合であっても、子は、認知をした者が支出した子の監護に要した費用を償還する義務を負わない。

《注　釈》

一　無効事由

1　認知意思を欠く場合には認知は無効である。

　　ex.　認知者（父）の意思によらずに父以外の者が父の氏名を冒用して認知届を出した場合には、たとえ真実の父子関係があるときであっても認知意

思を欠くものとして認知は無効である（最判昭52.2.14）

cf.　父が子を認知する意思を有し、かつ他人に対し認知届出の委託をしていたときには、届出が受理された当時父が意識を失っていたとしても、その受理の前に翻意したなどの特段の事情のない限り、右届出の受理により認知は有効に成立する（最判昭54.3.30）

2　任意認知が真実に反する場合（認知者と被認知者が血縁上の親子関係ではない場合）には無効である。

二　主張権者

認知をした者も自らした認知の無効を主張することができる（786Ⅰ②）。認知者が血縁上の父子関係がないことを知りながら認知をした場合においても同様である（最判平26.1.14・百選Ⅲ34事件）〈予書〉。

《その他》

▪ 認知後50数年を経過した時点での認知無効確認の訴えも、権利濫用に当たらない（最判昭53.4.14）。

▪ 認知の判決が正当な当事者の間で確定している以上、当該判決は第三者に対しても効力を有するから、これを再審の手続で争うのは別として、第三者は反対の事実を主張して認知の無効の訴えを提起することはできない（最判昭28.6.26）〈同〉。

第787条　（認知の訴え）

子、その直系卑属又はこれらの者の法定代理人は、認知の訴えを提起することができる〈同〉。ただし、父又は母の死亡の日から3年を経過したときは、この限りでない〈同共〉。

第788条　（認知後の子の監護に関する事項の定め等）

第766条＜離婚後の子の監護に関する事項の定め等＞の規定は、父が認知する場合について準用する〈共〉。

《注　釈》

◆　効力

認知の訴え（787）にかかる訴訟は人事訴訟に当たり（人訴2②）、その確定判決は、民事訴訟法115条1項の規定にかかわらず第三者に対してもその効力を有する（人訴24Ⅰ）。

第789条　（準正）

Ⅰ　父が認知した子は、その父母の婚姻によって嫡出子の身分を取得する〈同共〉。

Ⅱ　婚姻中父母が認知した子は、その認知の時から、嫡出子の身分を取得する。

Ⅲ　前2項の規定は、子が既に死亡していた場合について準用する。

《注　釈》

◆　意義

準正とは、非嫡出子がその父母の婚姻によって嫡出子たる身分を与えられることである。民法は、認知が婚姻の前後いずれであるかによって、2種類の準正を

親族

認めている。すなわち、認知された子の父母が婚姻する場合（Ⅰ）と父母の婚姻後、子が認知された場合（Ⅱ）である。前者が婚姻準正であり、後者が認知準正である。

＜準正の時期＞

＊　認知準正は、条文上「認知」時とされているが、相続分の違いが生ずるという不都合を回避するため、婚姻時と解されている〈通〉〈争〉。もっとも、旧900条4号ただし書前段が削除された現在では、かかる不都合が生じることもないため、認知準正の効力について、今後は文言通り「認知の時」から発生すると解することも可能とされている。

第790条　（子の氏）

Ⅰ　嫡出である子は、父母の氏を称する。ただし、子の出生前に父母が離婚したときは、離婚の際における父母の氏を称する。

Ⅱ　嫡出でない子は、母の氏を称する〈同〉。

第791条　（子の氏の変更）

Ⅰ　子が父又は母と氏を異にする場合には、子は、家庭裁判所の許可を得て、戸籍法の定めるところにより届け出ることによって、その父又は母の氏を称することができる〈同書〉。

Ⅱ　父又は母が氏を改めたことにより子が父母と氏を異にする場合には、子は、父母の婚姻中に限り、前項の許可を得ないで、戸籍法の定めるところにより届け出ることによって、その父母の氏を称することができる〈予書〉。

Ⅲ　子が15歳未満であるときは、その法定代理人が、これに代わって、前2項の行為をすることができる。

Ⅳ　前3項の規定により氏を改めた未成年の子は、成年に達した時から1年以内に戸籍法の定めるところにより届け出ることによって、従前の氏に復することができる〈同〉。

《注　釈》

＜氏の整理＞

氏の意義	各人の姓名のうち、姓を法律上、氏という
氏の取得	氏の取得とは、生まれて初めて取得する氏の生来取得又は原始取得をいう ①　嫡出子は出生により「父母の氏」を称し（790Ⅰ本文）、出生前に父母が離婚している子は「離婚の際における父母の氏」を称する（同ただし書） ②　非嫡出子は出生により母の氏を称する（同Ⅱ）〈司〉 　→胎児中に父に認知されていても出生により取得する氏は母の氏
氏の変動	(1)　婚姻による氏の変動（750） (2)　離婚・婚姻の取消による復氏（767、771・767、749・767） (3)　縁組による氏の変動（810） (4)　離縁・縁組の取消しによる復氏（816）
氏の変更	(1)　子の氏の変更 ①　父又は母が氏を改めた場合（791Ⅱ）〈司〉 ②　その他の原因により父又は母と氏を異にする場合（791Ⅰ）〈司書〉（＊） (2)　生存配偶者の復氏（751）

＊　子の福祉・利益を尊重する観点から、非嫡出子の父の氏への変更を許可した例として、大阪高決平9.4.25。

■第2節　養子

第1款　縁組の要件

第792条　（養親となる者の年齢）

　20歳に達した者は、養子をすることができる。

第793条　（尊属又は年長者を養子とすることの禁止）

　尊属又は年長者は、これを養子とすることができない。

第794条　（後見人が被後見人を養子とする縁組）

　後見人が被後見人（未成年被後見人及び成年被後見人をいう。以下同じ。）を養子とするには、家庭裁判所の許可を得なければならない。後見人の任務が終了した後、まだその管理の計算が終わらない間も、同様とする。

第795条　（配偶者のある者が未成年者を養子とする縁組）〈択〉

　配偶者のある者が未成年者を養子とするには、配偶者とともにしなければならない。ただし、配偶者の嫡出である子を養子とする場合又は配偶者がその意思を表示することができない場合は、この限りでない。

第796条（配偶者のある者の縁組）

配偶者のある者が縁組をするには、その配偶者の同意を得なければならない。ただし、配偶者とともに縁組をする場合又は配偶者がその意思を表示することができない場合は、この限りでない。

第797条（15歳未満の者を養子とする縁組）

Ⅰ　養子となる者が15歳未満であるときは、その法定代理人が、これに代わって、縁組の承諾をすることができる【予】。

Ⅱ　法定代理人が前項の承諾をするには、養子となる者の父母でその監護をすべき者であるものが他にあるときは、その同意を得なければならない。養子となる者の父母で親権を停止されているものがあるときも、同様とする【書】。

第798条（未成年者を養子とする縁組）

未成年者を養子とするには、家庭裁判所の許可を得なければならない。ただし、自己又は配偶者の直系卑属を養子とする場合は、この限りでない【司書】。

第799条（婚姻の規定の準用）【書】

第738条＜成年被後見人の婚姻＞及び第739条＜婚姻の届出＞【書】の規定は、縁組について準用する。

第800条（縁組の届出の受理）

縁組の届出は、その縁組が第792条から前条までの規定その他の法令の規定に違反しないことを認めた後でなければ、受理することができない。

第801条（外国に在る日本人間の縁組の方式）

外国に在る日本人間で縁組をしようとするときは、その国に駐在する日本の大使、公使又は領事にその届出をすることができる。この場合においては、第799条において準用する第739条＜婚姻の届出＞の規定及び前条の規定を準用する。

親
族

《注　釈》

＜縁組の要件＞

実質的要件	**縁組意思の合致**	(1)　縁組意思とは、社会通念上親子と認められる関係を成立させるという意思をいう（実質的意思説）（最判昭23.12.23）〈司〉 (2)　制限行為能力者も、本人の意思のみで縁組可能　→例外としての797条 (3)　縁組意思は、縁組届出時にも必要〈過〉
	縁組障害の不存在	(1)　養親となる者が20歳に達していること（792）〈同書〉 (2)　養子となる者が養親となる者の尊属又は年長者でないこと（793）〈同書〉 　　　→養親の双方とも養子より年長であることが必要 (3)　後見人が被後見人を養子とするには家庭裁判所の許可が必要（794）〈同共〉 (4)　未成年者を養子とするには、家庭裁判所の許可が必要（798本文）（＊1） 　　　ただし、自己又は配偶者の直系卑属を養子とする場合には不要（798ただし書）〈同共書〉 (5)　配偶者のある者の縁組（795、796） 　　　①　原則として配偶者の同意が必要（796本文）〈同共書〉 　　　　　例外的に、夫婦がともに縁組をする場合、配偶者が意思表示できない場合には不要（796ただし書） 　　　②　未成年者を養子とする場合の夫婦共同縁組の原則（795本文）〈共〉 　　　　　例外的に、配偶者の嫡出子を養子とする場合（同意が必要）、配偶者が意思表示できない場合（同意すら不要）には単独で可能（795ただし書） (6)　代諾縁組（797）〈共〉 　　　①　養子となる者が15歳未満の場合、家庭裁判所の許可に加えて、法定代理人による縁組の承諾が必要〈同共書〉 　　　②　代諾権者は法定代理人（797Ⅰ） 　　　　　→親権者と監護者が別である場合には、監護者の同意も必要。父母が親権を停止されている場合も同様（797Ⅱ）〈同〉 　　　③　適法な代諾を欠く場合 　　　　　生まれて間もない子をいったん他人の生んだ子として届け出ておき、後日戸籍上の親の代諾により養子にやる場合、養子が15歳に達した後に適法な追認をすれば、縁組は初めから有効となる（最判昭27.10.3）〈同〉（＊2）
	形式的要件	(1)　縁組届（799、739Ⅰ）〈同〉　→成立要件説〈過〉 (2)　書面、口頭による届出（799、739Ⅱ）　→創設的届出 　　　①　他人の子を自己の嫡出子として虚偽の出生届をした場合（藁の上の養子）に、これにより嫡出親子関係が生じないことは当然、養親子関係も生じない（出生届の縁組届への転換を否定）（最判昭25.12.28）〈書〉 　　　②　虚偽の認知届につき、認知者が被認知者を自己の養子とすることを意図しており、さらにその後、被認知者の法定代理人と婚姻した事実があっても、右認知届をもって養子縁組とみなすことはできない（最判昭54.11.2・百選Ⅲ〔初版〕37事件）

＊1　未成年養子縁組の許可をするには縁組が子の福祉に合致するかを十分検討すべき（新潟家審昭57.8.10）。
＊2　養子縁組の追認のような身分行為には116条ただし書は類推適用されない（最判昭39.9.8・百選Ⅲ41事件）。　⇒p.77

第2款　縁組の無効及び取消し

第802条　（縁組の無効）

縁組は、次に掲げる場合に限り、無効とする〈書〉。
①　人違いその他の事由によって当事者間に縁組をする意思がないとき。
②　当事者が縁組の届出をしないとき。ただし、その届出が第799条において準用する第739条第2項＜婚姻の届出＞に定める方式を欠くだけであるときは、縁組は、そのためにその効力を妨げられない。

《注　釈》

◆　「縁組をする意思」の不存在（①）〈司書〉

「縁組をする意思」とは、その時代の社会通念上親子関係と認められる関係を成立させるという意思である（実質的意思説）（最判昭23.12.23）〈書〉。

ex.1　当事者間において縁組の合意が成立しており、かつ、その当事者から他人に対し右縁組の届出の委託がなされていたときは、届出が、受理された当時、当事者が意識を失っていたとしても、その受理前に翻意したなどの特段の事情のない限り右届出の受理により養子縁組は有効に成立する（最判昭45.11.24）

ex.2　夫婦の一方が他方に無断で双方を共同当事者とする縁組届出をした場合、縁組の効力は原則として夫婦双方について無効であるが、795条の趣旨にもとることにならない「特段の事情」がある場合には、縁組の意思のない配偶者についてのみ無効となり、縁組意思のある配偶者と相手方との縁組は有効に成立する（最判昭48.4.12）

ex.3　相続税の節税の動機と縁組をする意思とは併存し得るものであるから、専ら相続税の節税のために養子縁組をする場合であっても、他に縁組をする意思がないことをうかがわせる事情のない限り、「縁組をする意思がないとき」に当たるとはいえない（最判平29.1.31・百選Ⅲ39事件）

第803条　（縁組の取消し）

縁組は、次条から第808条までの規定によらなければ、取り消すことができない。

第804条　（養親が20歳未満の者である場合の縁組の取消し）

第792条の規定に違反した縁組は、養親又はその法定代理人から、その取消しを家庭裁判所に請求することができる。ただし、養親が、20歳に達した後6箇月を経過し、又は追認をしたときは、この限りでない。

第805条　（養子が尊属又は年長者である場合の縁組の取消し）〈書〉

第793条の規定に違反した縁組は、各当事者又はその親族から、その取消しを家庭裁判所に請求することができる。

第806条　（後見人と被後見人との間の無許可縁組の取消し）

Ⅰ　第794条の規定に違反した縁組は、養子又はその実方の親族から、その取消しを家庭裁判所に請求することができる。ただし、管理の計算が終わった後、養子が追認をし、又は6箇月を経過したときは、この限りでない。

Ⅱ　前項ただし書の追認は、養子が、成年に達し、又は行為能力を回復した後にしなければ、その効力を生じない。

Ⅲ　養子が、成年に達せず、又は行為能力を回復しない間に、管理の計算が終わった場合には、第1項ただし書の期間は、養子が、成年に達し、又は行為能力を回復した時から起算する。

第806条の2　（配偶者の同意のない縁組等の取消し）

Ⅰ　第796条の規定に違反した縁組は、縁組の同意をしていない者から、その取消しを家庭裁判所に請求することができる。ただし、その者が、縁組を知った後6箇月を経過し、又は追認をしたときは、この限りでない。

Ⅱ　詐欺又は強迫によって第796条の同意をした者は、その縁組の取消しを家庭裁判所に請求することができる。ただし、その者が、詐欺を発見し、若しくは強迫を免れた後6箇月を経過し、又は追認をしたときは、この限りでない。

第806条の3　（子の監護をすべき者の同意のない縁組等の取消し）

Ⅰ　第797条第2項の規定に違反した縁組は、縁組の同意をしていない者から、その取消しを家庭裁判所に請求することができる。ただし、その者が追認をしたとき、又は養子が15歳に達した後6箇月を経過し、若しくは追認をしたときは、この限りでない。

Ⅱ　前条第2項の規定は、詐欺又は強迫によって第797条第2項の同意をした者について準用する。

第807条　（養子が未成年者である場合の無許可縁組の取消し）

　第798条の規定に違反した縁組は、養子、その実方の親族又は養子に代わって縁組の承諾をした者から、その取消しを家庭裁判所に請求することができる。ただし、養子が、成年に達した後6箇月を経過し、又は追認をしたときは、この限りでない。

第808条　（婚姻の取消し等の規定の準用）

Ⅰ　第747条＜詐欺又は強迫による婚姻の取消し＞及び第748条＜婚姻の取消しの効力＞の規定は、縁組について準用する。この場合において、第747条第2項中「3箇月」とあるのは、「6箇月」と読み替えるものとする。

Ⅱ　第769条＜離婚による復氏の際の権利の承継＞及び第816条＜離縁による復氏等＞の規定は、縁組の取消しについて準用する。

《注　釈》

＜縁組の取消しの整理＞

取消事由（＊1）（＊2）	取消権者	制　限
養親が20歳未満の者（804）	養親その法定代理人	養親が20歳に達した後、①6か月経過又は②追認したときはできない
養子が尊属又は年長者（805）	各当事者その親族	制限なし（＊3）
後見人・被後見人間の無許可縁組（806）	養子実方の親族	管理計算終了後、①6か月経過又は②追認したときはできない
配偶者の同意を欠く縁組（806の2）〈書〉	同意していない者	縁組を知った後、①6か月経過又は②追認したときはできない
	詐欺・強迫により同意した者	詐欺を発見し、強迫を免れた後、①6か月経過又は②追認したときはできない
監護者の同意を欠く縁組（806の3）	同意していない者	(1)　追認したときはできない (2)　養子が15歳に達した後、①6か月経過又は②追認したときはできない
	詐欺・強迫により同意した者	詐欺を発見し、強迫を免れた後、①6か月経過又は②追認したときはできない
養子が未成年の無許可縁組（807）	養子実方の親族代諾者	養子が成年に達した後、①6か月経過又は②追認したときはできない
詐欺又は強迫による縁組（808Ⅰ、747）	表意者	詐欺を発見し、強迫を免れた後、①6か月経過又は②追認したときはできない

＊1　夫婦共同縁組の取消し（夫婦の一方についてのみ取消原因がある場合）は、一方についての縁組のみ取り消しうる（最判昭53.7.17）。
＊2　縁組の取消しに遡及効はない（808Ⅰ、748Ⅰ）〈同〉。
＊3　民法総則の規定（126）の適用はない。

第3款　縁組の効力

第809条　（嫡出子の身分の取得）

　養子は、縁組の日から、養親の嫡出子の身分を取得する〈書〉。

第810条　（養子の氏）

　養子は、養親の氏を称する。ただし、婚姻によって氏を改めた者については、婚姻の際に定めた氏を称すべき間は、この限りでない〈書〉。

《注　釈》

◆　縁組の効力

1　嫡出子の身分の取得に関連する効果

(1)　養子は未成年のときは、養親の親権に服する（818 Ⅱ）〈共〉。

(2)　養子は養親の氏を称する（810本文）。ただし、婚姻により氏を改めた者は、婚姻継続中に養子となっても、養親の氏に変わることはない（810ただし書）〈同書〉。

→750条は810条に優先する

(3)　養親子は、相互に相続権を有し（887、889）、扶養義務を負う（877 Ⅰ）。

2　法定血族関係の発生

養親の血族との間にも親族関係が発生する。

3　養子と実親及び実方親族との関係への影響

縁組は、養子と実親及び実方親族との関係に、何ら影響しない〈同書〉。

→養子は実方と養方の二面の親族関係に立つ

4　養子は養親と離縁しなくても再度他の者の養子となれる（転養子）〈同共〉。

第4款　離縁

第811条　（協議上の離縁等）

Ⅰ　縁組の当事者は、その協議で、離縁をすることができる。

Ⅱ　養子が15歳未満であるときは、その離縁は、養親と養子の離縁後にその法定代理人となるべき者との協議でこれをする〈大書〉。

Ⅲ　前項の場合において、養子の父母が離婚しているときは、その協議で、その一方を養子の離縁後にその親権者となるべき者と定めなければならない。

Ⅳ　前項の協議が調わないとき、又は協議をすることができないときは、家庭裁判所は、同項の父若しくは母又は養親の請求によって、協議に代わる審判をすることができる。

Ⅴ　第2項の法定代理人となるべき者がないときは、家庭裁判所は、養子の親族その他の利害関係人の請求によって、養子の離縁後にその未成年後見人となるべき者を選任する。

Ⅵ　縁組の当事者の一方が死亡した後に生存当事者が離縁をしようとするときは、家庭裁判所の許可を得て、これをすることができる〈審〉。

第811条の2　（夫婦である養親と未成年者との離縁）〈審〉

養親が夫婦である場合において未成年者と離縁をするには、夫婦が共にしなければならない。ただし、夫婦の一方がその意思を表示することができないときは、この限りでない。

第812条　（婚姻の規定の準用）

　第738条＜成年被後見人の婚姻＞、第739条＜婚姻の届出＞及び第747条＜詐欺又は強迫による婚姻の取消し＞の規定は、協議上の離縁について準用する。この場合において、同条第2項中「3箇月」とあるのは、「6箇月」と読み替えるものとする🈩。

第813条　（離縁の届出の受理）

Ⅰ　離縁の届出は、その離縁が前条において準用する第739条第2項＜婚姻の届出の方式＞の規定並びに第811条及び第811条の2の規定その他の法令の規定に違反しないことを認めた後でなければ、受理することができない。

Ⅱ　離縁の届出が前項の規定に違反して受理されたときであっても、離縁は、そのためにその効力を妨げられない。

第814条　（裁判上の離縁）

Ⅰ　縁組の当事者の一方は、次に掲げる場合に限り、離縁の訴えを提起することができる。

①　他の一方から悪意で遺棄されたとき。

②　他の一方の生死が3年以上明らかでないとき。

③　その他縁組を継続し難い重大な事由があるとき。

Ⅱ　第770条第2項＜離婚請求の裁判所による裁量棄却＞の規定は、前項第1号及び第2号に掲げる場合について準用する。

第815条　（養子が15歳未満である場合の離縁の訴えの当事者）

　養子が15歳に達しない間は、第811条の規定により養親と離縁の協議をすることができる者から、又はこれに対して、離縁の訴えを提起することができる。

第816条　（離縁による復氏等）

Ⅰ　養子は、離縁によって縁組前の氏に復する。ただし、配偶者とともに養子をした養親の一方のみと離縁をした場合は、この限りでない🈔。

Ⅱ　縁組の日から7年を経過した後に前項の規定により縁組前の氏に復した者は、離縁の日から3箇月以内に戸籍法の定めるところにより届け出ることによって、離縁の際に称していた氏を称することができる。

第817条　（離縁による復氏の際の権利の承継）

　第769条＜離婚による復氏の際の権利の承継＞の規定は、離縁について準用する。

《注　釈》

<縁組の解消の整理>

意義	いったん完全・有効に成立した養子縁組が終了すること（＊） →死後離縁（811 Ⅵ）は、当事者の死亡により縁組が終了することを前提として死亡者の血族との親族関係を終了させることを意味するにすぎない
協議離縁	(1)　要件 　　①　離縁意思の合致（実質的意思説） 　　②　離縁の届出 (2)　代諾離縁（811 Ⅱ）〈同共〉 (3)　夫婦共同離縁の原則（811の2） 　　一方が意思表示できない場合には単独で可能（811の2ただし書） (4)　協議離縁の無効・取消し 　　①　離縁意思が存在しない場合には、離縁が無効となる 　　②　詐欺又は強迫による離縁は取り消しうる（812、747） 　　　　→遡及効あり
裁判離縁 **（814 Ⅰ）**	(1)　離縁原因 　　814条1項1号・2号の事由がある場合でも、裁判所は離縁の請求を棄却可能（814 Ⅱ、770 Ⅱ） (2)　有責者からの離縁請求 　　養親子関係の破綻の原因が全面的に又は主としてその解消を望む当事者側にある場合には、この者からの離縁請求は許されない（最判昭39.8.4）
離縁の効果	(1)　養親子間の法定嫡出関係の消滅 　　→養子と養親の血族との間の法定血族関係、縁組の後に発展した親族関係も消滅 (2)　復氏（816 Ⅰ）と復籍〈同〉 (3)　祭祀財産の承継者の決定（817、769）

＊　縁組は、民法の規定上は、離縁によってのみ解消する〈普〉。
＊　縁組の当事者の一方が死亡した後に生存当事者が離縁をしようとするとき（死後離縁）は、家庭裁判所の許可が必要〈共〉。
＊　協議離縁は、養子が未成年の場合でも、家庭裁判所の許可を要しない〈同〉。

第5款　特別養子

第817条の2　（特別養子縁組の成立）

Ⅰ　家庭裁判所は、次条から第817条の7までに定める要件があるときは、養親となる者の請求により、実方の血族との親族関係が終了する縁組（以下この款において「特別養子縁組」という。）を成立させることができる。

Ⅱ　前項に規定する請求をするには、第794条<後見人が被後見人を養子とする縁組>又は第798条<未成年者を養子とする縁組>の許可を得ることを要しない。

第817条の3　（養親の夫婦共同縁組）

Ⅰ　養親となる者は、配偶者のある者でなければならない〈共〉。

Ⅱ　夫婦の一方は、他の一方が養親とならないときは、養親となることができない。ただし、夫婦の一方が他の一方の嫡出である子（特別養子縁組以外の縁組による養子を除く。）の養親となる場合は、この限りでない。

第817条の４　（養親となる者の年齢）〈☞〉

　２５歳に達しない者は、養親となることができない。ただし、養親となる夫婦の一方が２５歳に達していない場合においても、その者が２０歳に達しているときは、この限りでない〈団〉。

第817条の５　（養子となる者の年齢）

Ⅰ　第817条の２に規定する請求の時に１５歳に達している者は、養子となることができない。特別養子縁組が成立するまでに１８歳に達した者についても、同様とする〈書〉。

Ⅱ　前項前段の規定は、養子となる者が１５歳に達する前から引き続き養親となる者に監護されている場合において、１５歳に達するまでに第817条の２に規定する請求がされなかったことについてやむを得ない事由があるときは、適用しない。

Ⅲ　養子となる者が１５歳に達している場合においては、特別養子縁組の成立には、その者の同意がなければならない〈団〉。

第817条の６　（父母の同意）

　特別養子縁組の成立には、養子となる者の父母の同意がなければならない〈共〉。ただし、父母がその意思を表示することができない場合又は父母による虐待、悪意の遺棄その他養子となる者の利益を著しく害する事由がある場合は、この限りでない〈共〉。

第817条の７　（子の利益のための特別の必要性）

　特別養子縁組は、父母による養子となる者の監護が著しく困難又は不適当であることその他特別の事情がある場合において、子の利益のため特に必要があると認めるときに、これを成立させるものとする。

第817条の８　（監護の状況）

Ⅰ　特別養子縁組を成立させるには、養親となる者が養子となる者を６箇月以上の期間監護した状況を考慮しなければならない。

Ⅱ　前項の期間は、第817条の２に規定する請求の時から起算する。ただし、その請求前の監護の状況が明らかであるときは、この限りでない。

第817条の９　（実方との親族関係の終了）

　養子と実方の父母及びその血族との親族関係は、特別養子縁組によって終了する〈同共〉。ただし、第817条の３第２項ただし書に規定する他の一方及びその血族との親族関係については、この限りでない。

親族

《注　釈》

＜特別養子縁組の成立の整理＞

意義	一定年齢に達しない子について、実親による監護が著しく困難又は不適当であるなどの特別の事情があり、その子の利益のために特に必要があると認められる場合に、家庭裁判所の審判により養親子関係を創設し、養子と実方の血族との親族関係が原則として終了する縁組のこと

要件	形式的要件	養親となる者の請求に基づいて、家庭裁判所の審判により成立する（817の2） →夫婦共同縁組を要する場合（817の3）には、夫婦共同で申立てをしなければならない〈司共〉
	実質的要件	(1)　養子となる者が、養親となる者の家庭裁判所への請求時に15歳未満であること（817の5Ⅰ前段） 　　→養子となる者が15歳に達する前から引き続き養親となる者に監護されている場合において、15歳に達するまでに上記請求がされなかったことについてやむを得ない事由があるときは、18歳に達するまで例外的に可能（817の5Ⅱ） 　　特別養子縁組が成立するまでに18歳に達した者は、養子となることができない（817の5Ⅰ後段） (2)　養子となる者が15歳に達している場合には、その者の同意（817の5Ⅲ）〈司〉 (3)　養親が25歳以上であること（817の4本文）〈司〉 　　夫婦の一方が25歳以上の場合には他方は20歳以上でよい（817の4ただし書）〈司〉 (4)　養親共同縁組の原則（817の3Ⅱ本文）〈共〉 　　夫婦の一方が他方の一方の嫡出子の養親となる場合（連れ子を特別養子とする場合）には夫婦共同縁組をしなくてよい（817の3Ⅱただし書）〈司〉 (5)　特別養子縁組の必要性（817の7） (6)　父母の同意（817の6本文）→実父母の他、養父母も含む〈司〉 　　例外的に、①父母が同意の意思表示をできない場合、②父母による虐待、③悪意の遺棄、④養子となる者の利益を著しく害する事由がある場合には、同意は不要（817の6ただし書） (7)　試験養育の考慮（817の8）〈司〉

効果	(1)　養子縁組一般の効果 　　嫡出子の身分を取得すること（809） (2)　特別養子縁組特有の効果 　①　特別養子と実父母（養父母）及びその血族との親族関係が終了する（817の9本文）〈司〉、近親婚禁止の規定は親族関係が終了した後も適用される（734Ⅱ、735後段） 　　→特別養子は実父母の相続人となる資格を失う〈司共〉 　②　親族関係終了の効果は、特別養子縁組成立の時（審判確定の時）から生ずる 　　→出生時に遡及しない 　③　特別養子縁組の審判が確定した場合、その子の血縁上の父による、子と戸籍上の父との間の親子関係不存在確認の訴えの利益は消滅するが、右審判に準再審の事由があるときは訴えの利益は消滅しない（最判平7.7.14・百選Ⅲ43事件）

- 817条の6ただし書にいう「その他養子となる者の利益を著しく害する事由がある場合」とは、父母の存在自体が子の利益を著しく害する場合をいう。
- 817条の7にいう「父母による養子となる者の監護が著しく困難」である場合とは、貧困その他客観的な事情によって子の適切な監護ができない場合をいい、また「不適当である」場合とは、父母による虐待や著しく偏った養育をしている場合を指し、「その他特別の事情がある場合」とは、これらに準じる事情のある場合をいう（東京高決平14.12.16・百選Ⅲ42事件）。

第817条の10　（特別養子縁組の離縁）〈麗〉

Ⅰ　次の各号のいずれにも該当する場合において、養子の利益のため特に必要があると認めるときは、家庭裁判所は、養子、実父母又は検察官の請求により、特別養子縁組の当事者を離縁させることができる〈麗〉。

①　養親による虐待、悪意の遺棄その他養子の利益を著しく害する事由があること。

②　実父母が相当の監護をすることができること。

Ⅱ　離縁は、前項の規定による場合のほか、これをすることができない。

第817条の11　（離縁による実方との親族関係の回復）

養子と実父母及びその血族との間においては、離縁の日から、特別養子縁組によって終了した親族関係と同一の親族関係を生ずる。

《注　釈》

＜特別養子と普通養子の比較＞

	特別養子	普通養子
成立	家庭裁判所の審判（817の2Ⅰ）	当事者の合意に基づく届出（799、739）
請求権者	養親となる者（817の2Ⅰ）	
被後見養子、未成年者養子の家庭裁判所の許可	不要（817の2Ⅱ）	必要（794前段、798本文）
養親となることができる者	配偶者のある者（817の3Ⅰ）〈司〉 原則：25歳以上（817の4本文）	20歳に達した者（792） （独身者でもよい）
養子となることができる者	原則として、請求時に15歳未満（817の5Ⅰ前段）、かつ、成立時に18歳未満（817の5Ⅰ後段）	①　養親より年長でないこと ②　養親の尊属でないこと （793）
父母の同意	原則：必要（817の6本文）	15歳未満の養子について、法定代理人による代諾（797） （単に父母であるにすぎない者の同意は不要）
成立要件	子の利益のために必要なものであること（817の7）	格別の制限なし

	特別養子	普通養子
試験養育期間	6か月以上（817の8）	不要
実親との関係	終了する（817の9）〈共〉	継続する
離縁	家裁の審判（817の10）	協議（811）、裁判（814）
離縁の申立権者	養子・実父母・検察官（817の10）→養親の側からの申立ては認められていない〈司〉	原則：当事者双方（例外：815）

・第4章・【親権】

■第1節　総則

第818条　（親権者）

I　成年に達しない子は、父母の親権に服する。

II　子が養子であるときは、養親の親権に服する〈書〉。

III　親権は、父母の婚姻中は、父母が共同して行う〈司〉。ただし、父母の一方が親権を行うことができないときは、他の一方が行う。

第819条　（離婚又は認知の場合の親権者）

I　父母が協議上の離婚をするときは、その協議で、その一方を親権者と定めなければならない〈共〉。

II　裁判上の離婚の場合には、裁判所は、父母の一方を親権者と定める。

III　子の出生前に父母が離婚した場合には、親権は、母が行う。ただし、子の出生後に、父母の協議で、父を親権者と定めることができる〈司〉。

IV　父が認知した子に対する親権は、父母の協議で父を親権者と定めたときに限り、父が行う〈司書〉。

V　第1項、第3項又は前項の協議が調わないとき、又は協議をすることができないときは、家庭裁判所は、父又は母の請求によって、協議に代わる審判をすることができる。

VI　子の利益のため必要があると認めるときは、家庭裁判所は、子の親族の請求によって、親権者を他の一方に変更することができる〈司書〉。

《注　釈》

一　親権の意義

「親権」とは、父母の養育者としての地位・職分から流出する権利義務の総称をいう。ここで、親権の内容としては①子の監護教育（身上監護権）、②子の財産管理（財産管理権）、③経済的扶養が挙げられる〈司〉。

＜親権者となるべき者＞

親権者			
実子	嫡出子	・実父母（818ⅠⅢ） ①　父母の一方が死亡し、又は失踪宣告を受けその他親権を行使できなくなったときは、他方が単独で親権者となる〈司〉 ②　父母双方が死亡しその他親権を失ったときは後見が開始する（838①）	
		父母の婚姻解消	(1)　父母の一方が死亡すれば、他方の単独親権となる (2)　父母が協議離婚するときは、協議で父母の一方を親権者と定める（819Ⅰ）〈子〉 　　協議が調わないときや協議ができないときは、協議に代わる審判による（819Ⅴ） (3)　裁判離婚の場合は、裁判所が父母の一方を親権者と定める（819Ⅱ）〈司〉 (4)　子の出生前に離婚が成立した場合には、母の単独親権となる（819Ⅲ本文）〈司書〉 　　ただし、子が生まれた後に父母の協議又は審判で父を親権者と定めることができる（819Ⅲただし書、Ⅴ）
		非嫡出子	(1)　母だけが親権を行う〈司〉 (2)　父の認知後、父母の協議又は審判によって父を親権者と定めたときに限り、父の単独親権となる（819ⅣⅤ）〈書〉
養子	・養父母 ①　未成年者が養子になると、実父母の親権を脱して養親の親権に服する（818Ⅱ）〈司共書〉（＊） ②　転縁組の場合は、第二の養父母が親権を行使する ③　養父母双方が死亡したときは、実親の親権は回復せず、後見が開始する ④　養父母双方と離縁すれば、死亡と異なり、実父母の親権が回復する		

＊　ただし、養親と実親とが夫婦である場合（夫婦の一方が他方の親権に服する嫡出子と養子縁組した場合（795ただし書参照）など）においては、実親の親権は消滅せず、養親と実親の共同親権となるとするのが実務（大阪家審昭43.5.28）である〈書〉。

二　親権者の変更

1　子の利益のため必要があると認めるときは、家庭裁判所は、子の親族の請求によって、親権者を他の一方に変更することができる〈司子〉。

2　親権者と定められた父又は母が死亡した場合には、審判（819Ⅳ）によっては他方に変更できず、後見が開始する〈過〉。

　なお、離婚時に父を親権者とし、後に母の再婚相手を親権者に変更することはできない。

三　親権能力（親権を行う能力）

1　親権は子の身分上及び財産上の広い権限を含むから（824参照）、行為能力者でなければ親権者にはなれない。

　cf.　成年被後見人・被保佐人の親権能力も否定される（大判明39.4.2）〈過〉〈書〉

2　親が制限行為能力者の場合

(1)　親が未成年者のときは、未成年者の親権者又は未成年後見人が親権を行う

　　(833、867)。
　(2)　親の一方が成年被後見人又は被保佐人である場合には、「父母の一方が親権を行うことができないとき」(818 Ⅲただし書) として、他の一方が単独で親権を行使する。また、他の一方の親がいない場合や、他の一方の親も成年被後見人又は被保佐人である場合等、親権を行使できる状態でなければ、「親権を行う者がないとき」(838 ①) として、子のために後見が開始する。

四　親権共同行使の原則 (818 Ⅲ本文)

　1　原則
　(1)　親権は、父母(養親も含む。)が婚姻中は父母が共同して行う (818 Ⅲ本文)。
　　　cf.　夫婦の協議や家庭裁判所の許可によっても一方の者を親権者とすることはできない
　(2)　夫婦一方の単独名義で法律行為を行う場合でも、他方の同意があれば共同行使の原則に反しない (最判昭 32.7.5)。
　(3)　他方の同意がない場合は、父母の法定代理人としての代理又は同意の効果を生じない。ただし、双方名義の場合には、善意の第三者保護のため共同行使の効果を生ずる (825)。

　2　例外
　　夫婦の一方に事実上、法律上親権を行使できない事情がある場合などには、単独行使の例外が認められる (818 Ⅲただし書)。
　　ex.　行方不明、後見開始の審判 (7) を受けた場合〈司〉

《その他》

▪母の婚姻中その子が母の夫から認知を受け、認知準正 (789 Ⅱ) が生じた場合にも、親権共同行使の原則が適用される。

▪父が認知した子は、その父母が婚姻することによって嫡出子の身分を取得し(婚姻準正、789 Ⅰ)、父母の共同親権に服する。

▪共同親権を有する父母の婚姻が破綻して別居状態にあるときは、家庭裁判所は離婚後の子の監護に関する場合と同様、子と同居していない親権者と子との面接交渉について相当な処分を命ずることができる (最決平 12.5.1・百選Ⅲ 20 事件)〈司〉

▪幼児の引渡請求は、親権者が子に対する親権を行使するにつき、その妨害の排除を求めるものであるから、当該請求の認容判決によって妨害が排除されるとしても、子に対し、親権者の支配下に入ることを強制しうるものではなく、居住移転の自由 (憲 22) を侵害するとはいえない (最判昭 35.3.15・百選Ⅲ 45 事件)。同様に、個人の尊厳 (憲 13) を侵害するともいえない (最判昭 38.9.17)。

▪人身保護法による幼児引渡請求が認められるには、拘束者の監護の下に置かれるよりも、請求者の監護の下に置かれることが幼児の幸福に適することが明白であることを要する (最判平 6.4.26・百選Ⅲ 47 事件)〈司〉

■第2節　親権の効力

第820条　(監護及び教育の権利義務)

親権を行う者は、子の利益のために子の監護及び教育をする権利を有し、義務を負う《同》。

第821条　(子の人格の尊重等)

親権を行う者は、前条の規定による監護及び教育をするに当たっては、子の人格を尊重するとともに、その年齢及び発達の程度に配慮しなければならず、かつ、体罰その他の子の心身の健全な発達に有害な影響を及ぼす言動をしてはならない。

第822条　(居所の指定)

子は、親権を行う者が指定した場所に、その居所を定めなければならない。

第823条　(職業の許可)

Ⅰ　子は、親権を行う者の許可を得なければ、職業を営むことができない《同》。

Ⅱ　親権を行う者は、第6条第2項＜営業に堪えることができない事由があるとき＞の場合には、前項の許可を取り消し、又はこれを制限することができる。

第824条　(財産の管理及び代表)

親権を行う者は、子の財産を管理し、かつ、その財産に関する法律行為についてその子を代表する。ただし、その子の行為を目的とする債務を生ずべき場合には、本人の同意を得なければならない。

《注　釈》

一　親権者の代理権

1　原則として、財産上の行為に限って認められる（824本文）。

2　例外的に認められる身分上の行為

(1)　認知の訴えの提起（787）

(2)　母たる親権者が嫡出否認の訴えの原告及び被告となる（774Ⅱ、775Ⅰ①④)。

(3)　15歳未満の子の縁組を代諾すること（797）

(4)　15歳未満の子の離縁の代諾及び訴えの提起（811Ⅱ、815）

(5)　20歳未満の者が養親となる縁組をした場合の取消請求（804）

(6)　相続の承認・放棄（917）《書》

二　財産管理権（本文）

1　「代表」(本文)の意味

親権者が子の財産的地位を全面的に代行する趣旨を言い表すためで、実質的に代理と変わらない。

2　法定代理権の濫用《同H28》

親権者の代理行為は利益相反行為に当たらない限り広範な裁量に委ねられるため、親権者が子を代理して子の所有する不動産を第三者の債務の担保に供す

る行為は、それが子の利益を無視して自己又は第三者の利益を図ることのみを目的としてされるなど、親権者に子を代理する権限を授与した法の趣旨に著しく反すると認められる特段の事情がない限り、濫用には当たらない（最判平4.12.10・百選Ⅲ51事件）〈司〉。

cf. 代理権濫用につき相手方が悪意又は有過失の場合、その行為は無権代理人による行為とみなされる（107）⇒p.65

3　自己のためにするのと同一の注意義務を負う（827）〈司〉。

→後見人の注意義務（869、644）と異なる点に注意

第825条　（父母の一方が共同の名義でした行為の効力）〈司書〉

父母が共同して親権を行う場合において、父母の一方が、共同の名義で、子に代わって法律行為をし又は子がこれをすることに同意したときは、その行為は、他の一方の意思に反したときであっても、そのためにその効力を妨げられない。ただし、相手方が悪意であったときは、この限りでない。

[趣旨] 父母の一方が、共同名義で、子に代わって法律行為をし又は子の法律行為に同意を与えた場合に、親権の共同行使があると信頼した相手方保護の観点から、代理行為の無効を対抗できない（本文）。もっとも、父母の一方の意思に反することにつき悪意の相手方は保護に値しないため、代理行為の無効を対抗できる（ただし書）〈司〉。

第826条　（利益相反行為）〈司H28〉

Ⅰ　親権を行う父又は母とその子との利益が相反する行為については、親権を行う者は、その子のために特別代理人を選任することを家庭裁判所に請求しなければならない。

Ⅱ　親権を行う者が数人の子に対して親権を行う場合において、その1人と他の子との利益が相反する行為については、親権を行う者は、その一方のために特別代理人を選任することを家庭裁判所に請求しなければならない。

[趣旨] 親権の濫用から子の利益を保護すべく、親権を行使する父又は母とその子との利益が相反する行為については、親権者は、特別代理人の選任を家庭裁判所に請求し、その者に代理又は同意させなければならないこととした。

《注　釈》

一　利益相反行為の判断基準

1　親権者と未成年の子との間の利益相反（826Ⅰ）が問題となる場合

判例（最判昭42.4.18）・通説は、「利益相反行為に該当するかどうかは、親権者が子を代理してなした行為自体を外形的客観的に考察して判定すべきであって、当該代理行為をなすについての親権者の動機、意図をもって判定すべきでない」という外形説に立っている。

外形説によれば、親権者が自己の名義で金銭を借り受け、その子が所有する不動産に抵当権を設定する行為は、たとえ親権者がその金銭を子の養育費に充当する意図を有していたときであっても、行為の客観的性質上、親権者と子と

の間に利害の対立を生ずるおそれのある行為と認められるから、利益相反行為
に該当する。

　一方、親権者がその子の名義で金銭を借り受け、その子が所有する不動産に
抵当権を設定する行為は、行為の客観的性質上、親権者と子との間に利害の対
立を生ずるおそれのある行為とは認められず、利益相反行為に当たらない〈司〉。

　　　→ただし、親権者がその金銭を自らの用途に供する意図を有していたときは、
　　　　親権者による代理権の濫用に当たる余地がある（最判平4.12.10・百選Ⅲ
　　　　51事件）〈司〉　⇒ p.709

2　未成年の子ら相互間の利益相反（826Ⅱ）が問題となる場合

　判例（最判昭49.7.22・百選Ⅲ〔第2版〕47事件）は、「826条2項所定の利
益相反行為とは、行為の客観的性質上数人の子ら相互間に利害の対立を生ずる
おそれのあるものを指称するのであって、その行為の結果現実にその子らの間
に利害の対立を生ずるか否かは問わない」としている。

二　利益相反行為該当性が問題となった行為

1　利益相反行為に該当する行為

　①　親権者と子の間の不動産売買・債権譲渡（不動産売買につき大判昭
　　　10.9.20、債権譲渡につき大判昭6.3.9参照）

　　　→どちらが売主・譲渡人でどちらが買主・譲受人かを問わない

　②　親権者が第三者から金銭を借り受けるに当たり、子を代理してその債務
　　　を保証する行為や、子の所有する不動産に抵当権を設定する行為（大判大
　　　3.9.28、大判昭11.8.7）〈書〉

　③　親権者が第三者の債務について子とともに連帯保証人になり、かつ子と
　　　の共有不動産の全部に抵当権を設定する行為（最判昭43.10.8・百選Ⅲ49
　　　事件）

　　　∵　債権者が抵当権の実行を選択するときは、不動産における子の持分
　　　　の競売代金が弁済に充当される限度で親権者の責任が軽減される

　④　親権者が債権者から自己の債務の免除を得る代償に、その債権者に対す
　　　る子の債権を放棄する行為（大判大10.8.10）

　⑤　遺産分割協議

　　　ex.1　父の相続に当たり、親権者である母とその子との間でなされた遺
　　　　　　産分割の協議

　　　　　　∵　親権者である母自身が相続人であれば、同じく相続人である
　　　　　　　子との間で利益相反関係が生じる

　　　　　　→親権者である母が相続放棄（938）をすれば、親権者と子との
　　　　　　　間に利益相反関係は生じないので、この場合になされた遺産分
　　　　　　　割協議は利益相反行為に該当しない

　　　ex.2　父の相続に当たり、親権者である母が共同相続人である数人の子
　　　　　　を代理して遺産分割の協議をする場合（最判昭49.7.22・百選Ⅲ〔第
　　　　　　2版〕47事件）〈司〉

∴ 行為の客観的性質上、相続人相互間に利害の対立を生ずるおそれがある

→共同相続人中の数人の子が、相続権を有しない1人の親権者の親権に服するときは、右子らのうち当該親権者によって代理される1人の者を除くその余の子については、各別に選任された特別代理人がその各人を代理して遺産分割の協議に加わることを要する

2 利益相反行為に該当しない行為

① 親権者がその子の名義で金銭を借り受け、その子が所有する不動産に抵当権を設定する行為（大判昭 9.12.21 等）〈司〉

∴ 行為の客観的性質上、親権者には何らの利益も帰属していない

② 第三者（親権者自身が代表取締役をする会社も含む）の債務について、親権者が子を代理してその債務を保証する行為や、子の所有する不動産に抵当権を設定する行為（最判平 4.12.10・百選Ⅲ 51 事件）〈司〉

∴ 行為の客観的性質上、親権者には何らの利益も帰属していない

③ 親権者から子に贈与する場合（大判昭 6.11.24）

∴ 子に何らの不利益もないので、826 条の趣旨に反しない

3 相続放棄の場合

父の相続に当たり、親権者である母が共同相続人である子を代理して相続放棄をした場合、その相続放棄は利益相反行為に該当する。

∴ 共同相続人の1人が相続放棄をすれば、他の共同相続人の相続分が増加するところ、親権者である母自身も相続人であれば、同じく相続人である子との間で利益相反関係が生じる

一方、親権者が既に相続放棄をしているか、又は親権者が自ら相続放棄をすると同時に、その子全員を代表して相続放棄をした場合、その相続放棄は利益相反行為に該当しない（親権者ではなく後見人が同様の状況にあった事案について、最判昭 53.2.24・百選Ⅲ〔初版〕49 事件）〈司〉。

三 違反行為の効果

1 利益相反行為につき親権者が子を代理してした行為は無権代理となる（108 Ⅱ）〈司〉。

2 子が成年に達した後、その追認がなければ本人に効力は及ばない（113 Ⅰ）〈司〉。

《その他》

▪ 共同親権者の1人とだけ利益が相反する場合、他方の単独親権となるのではなく、特別代理人と他方親権者との共同代理となる（最判昭 35.2.25・百選Ⅲ 50 事件）〈司〉。

▪ 特別代理人と未成年者との間に利益相反関係がある場合には、特別代理人は選任の審判によって付与された権限を行使することができず、これを行使しても追認をなしうる者による追認がない限り、無効である（最判昭 57.11.18）。

第827条（財産の管理における注意義務）

　親権を行う者は、自己のためにするのと同一の注意をもって、その管理権を行わなければならない〈回書〉。

第828条（財産の管理の計算）

　子が成年に達したときは、親権を行った者は、遅滞なくその管理の計算をしなければならない。ただし、その子の養育及び財産の管理の費用は、その子の財産の収益と相殺したものとみなす。

第829条

　前条ただし書の規定は、無償で子に財産を与える第三者が反対の意思を表示したときは、その財産については、これを適用しない。

第830条（第三者が無償で子に与えた財産の管理）

Ⅰ　無償で子に財産を与える第三者が、親権を行う父又は母にこれを管理させない意思を表示したときは、その財産は、父又は母の管理に属しないものとする〈回〉。

Ⅱ　前項の財産につき父母が共に管理権を有しない場合において、第三者が管理者を指定しなかったときは、家庭裁判所は、子、その親族又は検察官の請求によって、その管理者を選任する。

Ⅲ　第三者が管理者を指定したときであっても、その管理者の権限が消滅し、又はこれを改任する必要がある場合において、第三者が更に管理者を指定しないときも、前項と同様とする。

Ⅳ　第27条から第29条まで＜不在者の財産管理人の職務・権限・担保提供及び報酬＞の規定は、前2項の場合について準用する。

第831条（委任の規定の準用）

　第654条＜委任の終了後の処分＞及び第655条＜委任の終了の対抗要件＞の規定は、親権を行う者が子の財産を管理する場合及び前条の場合について準用する。

第832条（財産の管理について生じた親子間の債権の消滅時効）〈回〉

Ⅰ　親権を行った者とその子との間に財産の管理について生じた債権は、その管理権が消滅した時から5年間これを行使しないときは、時効によって消滅する。

Ⅱ　子がまだ成年に達しない間に管理権が消滅した場合において子に法定代理人がないときは、前項の期間は、その子が成年に達し、又は後任の法定代理人が就職した時から起算する。

第833条（子に代わる親権の行使）

　親権を行う者は、その親権に服する子に代わって親権を行う〈回〉。

親族

■第3節　親権の喪失

第834条　（親権喪失の審判）

　父又は母による虐待又は悪意の遺棄があるときその他父又は母による親権の行使が著しく困難又は不適当であることにより子の利益を著しく害するときは、家庭裁判所は、子、その親族、未成年後見人、未成年後見監督人又は検察官の請求により、その父又は母について、親権喪失の審判をすることができる〈同書〉。ただし、2年以内にその原因が消滅する見込みがあるときは、この限りでない。

第834条の2　（親権停止の審判）

Ⅰ　父又は母による親権の行使が困難又は不適当であることにより子の利益を害するときは、家庭裁判所は、子、その親族、未成年後見人、未成年後見監督人又は検察官の請求により、その父又は母について、親権停止の審判をすることができる〈同書〉。

Ⅱ　家庭裁判所は、親権停止の審判をするときは、その原因が消滅するまでに要すると見込まれる期間、子の心身の状態及び生活の状況その他一切の事情を考慮して、2年を超えない範囲内で、親権を停止する期間を定める〈同〉。

《注　釈》

▪ 児童虐待防止法制定前の裁判例であるが、児童相談所長による親権喪失申立て（児童福祉法33条の7参照）が認容された例として、東京家八王子支審昭54.5.16。

第835条　（管理権喪失の審判）

　父又は母による管理権の行使が困難又は不適当であることにより子の利益を害するときは、家庭裁判所は、子、その親族、未成年後見人、未成年後見監督人又は検察官の請求により、その父又は母について、管理権喪失の審判をすることができる〈書〉。

第836条　（親権喪失、親権停止又は管理権喪失の審判の取消し）

　第834条本文、第834条の2第1項又は前条に規定する原因が消滅したときは、家庭裁判所は、本人又はその親族の請求によって、それぞれ親権喪失、親権停止又は管理権喪失の審判を取り消すことができる。

第837条　（親権又は管理権の辞任及び回復）

Ⅰ　親権を行う父又は母は、やむを得ない事由があるときは、家庭裁判所の許可を得て、親権又は管理権を辞することができる〈同〉。

Ⅱ　前項の事由が消滅したときは、父又は母は、家庭裁判所の許可を得て、親権又は管理権を回復することができる。

・第5章・【後見】

■第1節　後見の開始

第838条

後見は、次に掲げる場合に開始する《司書》。
① 未成年者に対して親権を行う者がないとき、又は親権を行う者が管理権を有しないとき。
② 後見開始の審判があったとき。

《注　釈》

一　未成年後見の開始（①）

　1　未成年者に対して親権を行う者がいないとき《司》
　　ex. 単独親権者の死亡《司》、親権喪失（834）・親権停止（834の2）《司》、辞任（837Ⅰ）
　2　親権者が管理権を有しないとき《司》
　　ex. 管理権喪失の宣告（835）、管理権の辞任（837Ⅰ）

二　成年後見の開始（②）

　後見開始の審判がなされたときに後見が開始する《司》。
　→未成年者が後見開始の審判を受けた場合、親権者がいても後見が開始する

■第2節　後見の機関

第1款　後見人

第839条　（未成年後見人の指定）

Ⅰ　未成年者に対して最後に親権を行う者は、遺言で、未成年後見人を指定することができる《書》。ただし、管理権を有しない者は、この限りでない《書》。
Ⅱ　親権を行う父母の一方が管理権を有しないときは、他の一方は、前項の規定により未成年後見人の指定をすることができる。

第840条　（未成年後見人の選任）

Ⅰ　前条の規定により未成年後見人となるべき者がないときは、家庭裁判所は、未成年被後見人又はその親族その他の利害関係人の請求によって、未成年後見人を選任する。未成年後見人が欠けたときも、同様とする《書》。
Ⅱ　未成年後見人がある場合においても、家庭裁判所は、必要があると認めるときは、前項に規定する者若しくは未成年後見人の請求により又は職権で、更に未成年後見人を選任することができる《書》。

親
族

Ⅲ　未成年後見人を選任するには、未成年後見人の年齢、心身の状態並びに生活及び財産の状況、未成年後見人となる者の職業及び経歴並びに未成年被後見人との利害関係の有無（未成年後見人となる者が法人であるときは、その事業の種類及び内容並びにその法人及びその代表者と未成年被後見人との利害関係の有無）、未成年被後見人の意見その他一切の事情を考慮しなければならない〈書〉。

第841条　（父母による未成年後見人の選任の請求）

父若しくは母が親権若しくは管理権を辞し、又は父若しくは母について親権喪失、親権停止若しくは管理権喪失の審判があったことによって未成年後見人を選任する必要が生じたときは、その父又は母は、遅滞なく未成年後見人の選任を家庭裁判所に請求しなければならない〈書〉。

第842条　（未成年後見人の数）　削除

第843条　（成年後見人の選任）

Ⅰ　家庭裁判所は、後見開始の審判をするときは、職権で、成年後見人を選任する〈同書〉。

Ⅱ　成年後見人が欠けたときは、家庭裁判所は、成年被後見人若しくはその親族その他の利害関係人の請求により、又は職権で、成年後見人を選任する〈同書〉。

Ⅲ　成年後見人が選任されている場合においても、家庭裁判所は、必要があると認めるときは、前項に規定する者若しくは成年後見人の請求により又は職権で、更に成年後見人を選任することができる〈書〉。

Ⅳ　成年後見人を選任するには、成年被後見人の心身の状態並びに生活及び財産の状況、成年後見人となる者の職業及び経歴並びに成年被後見人との利害関係の有無（成年後見人となる者が法人であるときは、その事業の種類及び内容並びにその法人及びその代表者と成年被後見人との利害関係の有無）、成年被後見人の意見その他一切の事情を考慮しなければならない〈書〉。

《注　釈》

◆　後見の機関

後見の機関には後見人と後見監督人がある。

1　後見人の数

未成年後見、成年後見ともに、後見人は複数でもよい（840Ⅱ、843Ⅲ参照）〈同書〉。

2　法人による後見

未成年後見、成年後見ともに、法人が後見人になることができる（840Ⅲかっこ書、843Ⅳかっこ書参照）〈同共書〉。

＜未成年者・成年被後見人の後見人＞〈司〉

未成年者	(1) 指定後見人（839） 　　最後に親権を行う者が遺言による指定により選任される 　　→親権者が管理権を有しない場合は、指定権はない (2) 選定後見人（840） 　　839条により未成年後見人の指定がなされない場合に、利害関係人の 　　請求により家庭裁判所により選任される
成年 被後見人	選定後見人（843） 　成年後見人は、家庭裁判所が、成年被後見人の心身の状態並びに生活及び 財産の状況、成年後見人となる者の職業等とその他一切の事情を考慮して選 任する〈司〉 　→配偶者がいる場合でも、優先的に成年後見人に就任するわけではない 　〈司〉

第844条　（後見人の辞任）〈書〉

　後見人は、正当な事由があるときは、家庭裁判所の許可を得て、その任務を辞することができる。

第845条　（辞任した後見人による新たな後見人の選任の請求）

　後見人がその任務を辞したことによって新たに後見人を選任する必要が生じたときは、その後見人は、遅滞なく新たな後見人の選任を家庭裁判所に請求しなければならない。

第846条　（後見人の解任）

　後見人に不正な行為、著しい不行跡その他後見の任務に適しない事由があるときは、家庭裁判所は、後見監督人、被後見人若しくはその親族若しくは検察官の請求により又は職権で、これを解任することができる。

《注　釈》

＜後見人の辞任・解任＞〈司〉

	実質的要件	形式的要件	請求権者
辞任 （844）	正当な事由	家庭裁判所の許可	後見人本人
解任 （846）	不正行為・著しい不行 跡その他の後見の任務 に適しない事由	家庭裁判所の解任	後見監督人 被後見人 被後見人の親族 検察官 （裁判官の職権による解 任もあり）

第847条　（後見人の欠格事由）

　次に掲げる者は、後見人となることができない。

① 　未成年者〈書〉

② 　家庭裁判所で免ぜられた法定代理人、保佐人又は補助人
③ 　破産者〈団
④ 　被後見人に対して訴訟をし、又はした者並びにその配偶者及び直系血族
⑤ 　行方の知れない者

[趣旨] 後見人は被後見人の財産を管理し、身上監護・療養看護義務を負うことから、適正に職務を行うことができる能力を有している必要がある。そこで、本条は後見の職務を行うにふさわしくない者を除外する。

第2款　後見監督人

第848条　（未成年後見監督人の指定）

　未成年後見人を指定することができる者は、遺言で、未成年後見監督人を指定することができる。

第849条　（後見監督人の選任）〈

　家庭裁判所は、必要があると認めるときは、被後見人、その親族若しくは後見人の請求により又は職権で、後見監督人を選任することができる。

第849条の2　（成年後見監督人の選任）　削除

第850条　（後見監督人の欠格事由）

　後見人の配偶者、直系血族及び兄弟姉妹は、後見監督人となることができない〈団。

第851条　（後見監督人の職務）

　後見監督人の職務は、次のとおりとする。
① 　後見人の事務を監督すること。
② 　後見人が欠けた場合に、遅滞なくその選任を家庭裁判所に請求すること。
③ 　急迫の事情がある場合に、必要な処分をすること。
④ 　後見人又はその代表する者と被後見人との利益が相反する行為について被後見人を代表すること〈.

第852条　（委任及び後見人の規定の準用）

　第644条＜受任者の注意義務＞、第654条＜委任の終了後の処分＞、第655条＜委任の終了の対抗要件＞、第844条＜後見人の辞任＞、第846条＜後見人の解任＞、第847条＜後見人の欠格事由＞、第861条第2項＜後見の事務の費用＞及び第862条＜後見人の報酬＞〈の規定は後見監督人について、第840条第3項＜未成年後見人の選任＞及び第857条の2＜未成年後見人が数人ある場合の権限の行使等＞の規定は未成年後見監督人について、第843条第4項＜成年後見人の選任＞〈、第859条の2＜成年後見人が数人ある場合の権限の行使等＞及び第859条の3＜成年被後見人の居住用不動産の処分についての許可＞の規定は成年後見監督人について準用する。

《注　釈》

◆　後見監督人

　　選任に関しては後見人と同様の規定がある。また、欠格事由については成年後見人と未成年後見人で差異はない〈囲〉。

■第3節　後見の事務

第853条　（財産の調査及び目録の作成）

Ⅰ　後見人は、遅滞なく被後見人の財産の調査に着手し、1箇月以内に、その調査を終わり、かつ、その目録を作成しなければならない〈囲〉。ただし、この期間は、家庭裁判所において伸長することができる。

Ⅱ　財産の調査及びその目録の作成は、後見監督人があるときは、その立会いをもってしなければ、その効力を生じない。

第854条　（財産の目録の作成前の権限）

　　後見人は、財産の目録の作成が終わるまでは、急迫の必要がある行為のみをする権限を有する。ただし、これをもって善意の第三者に対抗することができない。

第855条　（後見人の被後見人に対する債権又は債務の申出義務）

Ⅰ　後見人が、被後見人に対し、債権を有し、又は債務を負う場合において、後見監督人があるときは、財産の調査に着手する前に、これを後見監督人に申し出なければならない。

Ⅱ　後見人が、被後見人に対し債権を有することを知ってこれを申し出ないときは、その債権を失う。

第856条　（被後見人が包括財産を取得した場合についての準用）

　　前3条の規定は、後見人が就職した後被後見人が包括財産を取得した場合について準用する。

第857条　（未成年被後見人の身上の監護に関する権利義務）

　　未成年後見人は、第820条から第823条まで＜監護及び教育・居所の指定・職業の許可＞に規定する事項について、親権を行う者と同一の権利義務を有する。ただし、親権を行う者が定めた教育の方法及び居所を変更し、営業を許可し、その許可を取り消し、又はこれを制限するには、未成年後見監督人があるときは、その同意を得なければならない。

第857条の2　（未成年後見人が数人ある場合の権限の行使等）

Ⅰ　未成年後見人が数人あるときは、共同してその権限を行使する〈囲共書〉。

Ⅱ　未成年後見人が数人あるときは、家庭裁判所は、職権で、その一部の者について、財産に関する権限のみを行使すべきことを定めることができる〈囲〉。

Ⅲ　未成年後見人が数人あるときは、家庭裁判所は、職権で、財産に関する権限について、各未成年後見人が単独で又は数人の未成年後見人が事務を分掌して、その権限を行使すべきことを定めることができる〈囲書〉。

Ⅳ　家庭裁判所は職権で、前2項の規定による定めを取り消すことができる。

親
族

Ⅴ　未成年後見人が数人あるときは、第三者の意思表示は、その1人に対してすれば足りる。

第858条　（成年被後見人の意思の尊重及び身上の配慮）

成年後見人は、成年被後見人の生活、療養看護及び財産の管理に関する事務を行うに当たっては、成年被後見人の意思を尊重し、かつ、その心身の状態及び生活の状況に配慮しなければならない〈同〉。

第859条　（財産の管理及び代表）

Ⅰ　後見人は、被後見人の財産を管理し、かつ、その財産に関する法律行為について被後見人を代表する〈同書〉。
Ⅱ　第824条ただし書＜子の行為を目的とする債務と本人の同意＞の規定は、前項の場合について準用する〈同〉。

第859条の2　（成年後見人が数人ある場合の権限の行使等）

Ⅰ　成年後見人が数人あるときは、家庭裁判所は、職権で、数人の成年後見人が、共同して又は事務を分掌して、その権限を行使すべきことを定めることができる。
Ⅱ　家庭裁判所は、職権で、前項の規定による定めを取り消すことができる。
Ⅲ　成年後見人が数人あるときは、第三者の意思表示は、その1人に対してすれば足りる。

第859条の3　（成年被後見人の居住用不動産の処分についての許可）

成年後見人は、成年被後見人に代わって、その居住の用に供する建物又はその敷地について、売却、賃貸、賃貸借の解除又は抵当権の設定その他これらに準ずる処分をするには、家庭裁判所の許可を得なければならない〈同共書〉。

第860条　（利益相反行為）

第826条＜利益相反行為＞の規定は、後見人について準用する。ただし、後見監督人がある場合は、この限りでない〈同〉。

第860条の2　（成年後見人による郵便物等の管理）

Ⅰ　家庭裁判所は、成年後見人がその事務を行うに当たって必要があると認めるときは、成年後見人の請求により、信書の送達の事業を行う者に対し、期間を定めて、成年被後見人に宛てた郵便物又は民間事業者による信書の送達に関する法律（平成14年法律第99号）第2条第3項に規定する信書便物（次条において「郵便物等」という。）を成年後見人に配達すべき旨を嘱託することができる。
Ⅱ　前項に規定する嘱託の期間は、6箇月を超えることができない。
Ⅲ　家庭裁判所は、第1項の規定による審判があった後事情に変更を生じたときは、成年被後見人、成年後見人若しくは成年後見監督人の請求により又は職権で、同項に規定する嘱託を取り消し、又は変更することができる。ただし、その変更の審判においては、同項の規定による審判において定められた期間を伸長することができない。
Ⅳ　成年後見人の任務が終了したときは、家庭裁判所は、第1項に規定する嘱託を取り消さなければならない。

第860条の3

Ⅰ　成年後見人は、成年被後見人に宛てた郵便物等を受け取ったときは、これを開いて見ることができる。

Ⅱ　成年後見人は、その受け取った前項の郵便物等で成年後見人の事務に関しないものは、速やかに成年被後見人に交付しなければならない。

Ⅲ　成年被後見人は、成年後見人に対し、成年後見人が受け取った第1項の郵便物等（前項の規定により成年被後見人に交付されたものを除く。）の閲覧を求めることができる。

第861条　（支出金額の予定及び後見の事務の費用）

Ⅰ　後見人は、その就職の初めにおいて、被後見人の生活、教育又は療養看護及び財産の管理のために毎年支出すべき金額を予定しなければならない。

Ⅱ　後見人が後見の事務を行うために必要な費用は、被後見人の財産の中から支弁する〈書〉。

第862条　（後見人の報酬）〈同書〉

家庭裁判所は、後見人及び被後見人の資力その他の事情によって、被後見人の財産の中から、相当な報酬を後見人に与えることができる。

第863条　（後見の事務の監督）

Ⅰ　後見監督人又は家庭裁判所は、いつでも、後見人に対し後見の事務の報告若しくは財産の目録の提出を求め、又は後見の事務若しくは被後見人の財産の状況を調査することができる。

Ⅱ　家庭裁判所は、後見監督人、被後見人若しくはその親族その他の利害関係人の請求により又は職権で、被後見人の財産の管理その他後見の事務について必要な処分を命ずることができる。

第864条　（後見監督人の同意を要する行為）

後見人が、被後見人に代わって営業若しくは第13条第1項各号＜保佐人の同意を要する行為＞に掲げる行為をし、又は未成年被後見人がこれをすることに同意するには、後見監督人があるときは、その同意を得なければならない。ただし、同項第1号に掲げる元本の領収については、この限りでない〈共〉。

第865条

Ⅰ　後見人が、前条の規定に違反してし又は同意を与えた行為は、被後見人又は後見人が取り消すことができる。この場合においては、第20条＜制限行為能力者の相手方の催告権＞の規定を準用する。

Ⅱ　前項の規定は、第121条から第126条まで＜取消し及び追認一般＞の規定の適用を妨げない。

親族

第866条　（被後見人の財産等の譲受けの取消し）

Ⅰ　後見人が被後見人の財産又は被後見人に対する第三者の権利を譲り受けたときは、被後見人は、これを取り消すことができる。この場合においては、第20条＜制限行為能力者の相手方の催告権＞の規定を準用する。

Ⅱ　前項の規定は、第121条から第126条まで＜取消し及び追認一般＞の規定の適用を妨げない。

第867条　（未成年被後見人に代わる親権の行使）

Ⅰ　未成年後見人は、未成年被後見人に代わって親権を行う〈書〉。

Ⅱ　第853条から第857条まで及び第861条から前条まで＜後見の事務一般＞の規定は、前項の場合について準用する。

第868条　（財産に関する権限のみを有する未成年後見人）

親権を行う者が管理権を有しない場合には、未成年後見人は、財産に関する権限のみを有する〈司書〉。

第869条　（委任及び親権の規定の準用）

第644条＜受任者の注意義務＞及び第830条＜第三者が無償で子に与えた財産の管理＞の規定は、後見について準用する。

《注　釈》
一　概要

＜後見の事務＞

後見人就職時の事務	① 財産の調査・財産目録の作成（853） ② 被後見人に対する債権債務の申出（855） ③ 支出金額の予定（861 Ⅰ）	
後見人在職中の事務	被後見人の身上についての事務	① 未成年被後見人には監護教育する権利義務（857）あり ② 成年被後見人には身上配慮義務（858）あり
	身分変動を生ぜしめる行為	(1) 未成年被後見人 　未成年者の養子縁組・離縁については、未成年者に親権者のある場合と同様 (2) 成年被後見人 　養子縁組・離縁・婚姻・離婚は、成年被後見人本人が本心に復したときになす（後見人は代理できない）
	被後見人の財産上の事務	① 善管注意義務あり（869、644）〈司書〉 ② 財産の調査・目録の作成（856、853） ③ 後見人と被後見人との利益相反行為の場合の特別代理人の選任請求（860本文、826） ④ 法定代理権及び同意権の制限（864、865） ⑤ 被後見人の財産又は被後見人に対する第三者の権利を後見人が譲り受けたときは、被後見人は、当該財産の譲渡を取り消すことができる（866 Ⅰ前段）

親
族

後見終了時の事務	① 後見終了時の管理の計算（870、871）
	② 未成年者・後見人間の契約や債務免除などの単独行為の取消し（872Ⅰ）
	③ 利息支払義務（873Ⅰ）
	④ 委任の規定の準用（874、654、655）
	⑤ 後見に関する債権の消滅時効（875）

二 利益相反行為

　後見人の利益と被後見人の利益とが相反する行為（利益相反行為）については、後見人は被後見人を代理することができず、後見監督人がいる場合を除き〈司〉、後見人は特別代理人の選任を家庭裁判所に請求する必要がある（860、826）。

　なお、保佐人、補助人にはこの規定が準用されていないことに注意を要する。

　利益相反行為に該当する場合には無権代理となるが、被後見人の意思に反することをもって直ちに無権代理となるものではない〈司〉。

《その他》

▪ Aに対して後見開始の審判がされ、Bが成年後見人に選任された場合、成年後見監督人が選任されていないときは、BのみでAが居住している建物を有効に売却することはできない（859の3）。

▪ Aに対して後見開始の審判がされ、Bが成年後見人、Cが成年後見監督人に選任された場合、BがCの同意なしにA所有の建物を売却したときは、Bは、売却行為を取り消すことができる（864、865）。

■第4節 後見の終了

第870条 （後見の計算）

　後見人の任務が終了したときは、後見人又はその相続人は、2箇月以内にその管理の計算（以下「後見の計算」という。）をしなければならない。ただし、この期間は、家庭裁判所において伸長することができる。

第871条

　後見の計算は、後見監督人があるときは、その立会いをもってしなければならない。

第872条 （未成年被後見人と未成年後見人等との間の契約等の取消し）

Ⅰ 未成年被後見人が成年に達した後後見の計算の終了前に、その者と未成年後見人又はその相続人との間でした契約は、その者が取り消すことができる〈供〉。その者が未成年後見人又はその相続人に対してした単独行為も、同様とする。

Ⅱ 第20条＜制限行為能力者の相手方の催告権＞及び第121条から第126条まで＜取消し及び追認一般＞の規定は、前項の場合について準用する。

第873条 （返還金に対する利息の支払等）

Ⅰ 後見人が被後見人に返還すべき金額及び被後見人が後見人に返還すべき金額には、後見の計算が終了した時から、利息を付さなければならない。

親族

723

Ⅱ　後見人は、自己のために被後見人の金銭を消費したときは、その消費の時から、これに利息を付さなければならない。この場合において、なお損害があるときは、その賠償の責任を負う。

第873条の2　（成年被後見人の死亡後の成年後見人の権限）

成年後見人は、成年被後見人が死亡した場合において、必要があるときは、成年被後見人の相続人の意思に反することが明らかなときを除き、相続人が相続財産を管理することができるに至るまで、次に掲げる行為をすることができる。ただし、第3号に掲げる行為をするには、家庭裁判所の許可を得なければならない。

① 　相続財産に属する特定の財産の保存に必要な行為

② 　相続財産に属する債務（弁済期が到来しているものに限る。）の弁済〈書〉

③ 　その死体の火葬又は埋葬に関する契約の締結その他相続財産の保存に必要な行為（前2号に掲げる行為を除く。）

第874条　（委任の規定の準用）

第654条＜委任の終了後の処分＞及び第655条＜委任の終了の対抗要件＞の規定は、後見について準用する。

第875条　（後見に関して生じた債権の消滅時効）

Ⅰ　第832条＜財産の管理について生じた親子間の債権の消滅時効＞の規定は、後見人又は後見監督人と被後見人との間において後見に関して生じた債権の消滅時効について準用する〈団〉。

Ⅱ　前項の消滅時効は、第872条の規定により法律行為を取り消した場合には、その取消しの時から起算する。

・第6章・【保佐及び補助】

■第1節　保佐

第876条　（保佐の開始）

保佐は、保佐開始の審判によって開始する。

第876条の2　（保佐人及び臨時保佐人の選任等）

Ⅰ　家庭裁判所は、保佐開始の審判をするときは、職権で、保佐人を選任する。

Ⅱ　第843条第2項から第4項まで＜成年後見人の選任＞及び第844条から第847条まで＜後見人の辞任・新たな後見人の選任・解任・欠格事由＞の規定は、保佐人について準用する。

Ⅲ　保佐人又はその代表する者と被保佐人との利益が相反する行為については、保佐人は、臨時保佐人の選任を家庭裁判所に請求しなければならない〈団〉。ただし、保佐監督人がある場合は、この限りでない。

親
族

第876条の3　（保佐監督人）

Ⅰ　家庭裁判所は、必要があると認めるときは、被保佐人、その親族若しくは保佐人の請求により又は職権で、保佐監督人を選任することができる。

Ⅱ　第644条＜受任者の注意義務＞、第654条＜委任の終了後の処分＞、第655条＜委任の終了の対抗要件＞、第843条第4項＜成年後見人の選任＞、第844条＜後見人の辞任＞、第846条＜後見人の解任＞、第847条＜後見人の欠格事由＞、第850条＜後見監督人の欠格事由＞、第851条＜後見監督人の職務＞、第859条の2＜成年後見人が数人ある場合の権限の行使等＞、第859条の3＜成年被後見人の居住用不動産の処分についての許可＞、第861条第2項＜後見の事務の費用＞及び第862条＜後見人の報酬＞の規定は、保佐監督人について準用する。この場合において、第851条第4号中「被後見人を代表する」とあるのは、「被保佐人を代表し、又は被保佐人がこれをすることに同意する」と読み替えるものとする。

第876条の4　（保佐人に代理権を付与する旨の審判）

Ⅰ　家庭裁判所は、第11条本文＜保佐開始の審判＞に規定する者又は保佐人若しくは保佐監督人の請求によって、被保佐人のために特定の法律行為について保佐人に代理権を付与する旨の審判をすることができる〈同書〉。

Ⅱ　本人以外の者の請求によって前項の審判をするには、本人の同意がなければならない〈同書〉。

Ⅲ　家庭裁判所は、第1項に規定する者の請求によって、同項の審判の全部又は一部を取り消すことができる。

第876条の5　（保佐の事務及び保佐人の任務の終了等）

Ⅰ　保佐人は、保佐の事務を行うに当たっては、被保佐人の意思を尊重し、かつ、その心身の状態及び生活の状況に配慮しなければならない。

Ⅱ　第644条＜受任者の注意義務＞、第859条の2＜成年後見人が数人ある場合の権限の行使等＞、第859条の3＜成年被後見人の居住用不動産の処分についての許可＞、第861条第2項＜後見の事務の費用＞、第862条＜後見人の報酬＞及び第863条＜後見の事務の監督＞の規定は保佐の事務について、第824条ただし書＜子の行為を目的とする債務と本人の同意＞の規定は保佐人が前条第1項の代理権を付与する旨の審判に基づき被保佐人を代表する場合について準用する。

Ⅲ　第654条＜委任の終了後の処分＞、第655条＜委任の終了の対抗要件＞、第870条＜後見の計算＞、第871条＜同前＞及び第873条＜返還金に対する利息の支払等＞の規定は保佐人の任務が終了した場合について、第832条＜財産の管理について生じた親子間の債権の消滅時効＞の規定は保佐人又は保佐監督人と被保佐人との間において保佐に関して生じた債権について準用する。

《注　釈》

一　保佐の意義

　　精神上の障害により事理を弁識する能力が著しく不十分な者に対して付された保佐人（11）が、これらの者に対して一定の重要な行為に対して同意を行うこと

をいう (13)。

二　保佐人

1　保佐人の選定

後見人の規定が準用される（876の2Ⅱ、843ⅡⅢⅣ、844～847）。

2　利益相反行為

保佐人が家庭裁判所に臨時保佐人の選任を請求し、その者が被保佐人に対して同意を与えることになる（876の2Ⅲ）。もっとも、保佐監督人がいる場合は保佐監督人が同意を与えればよい（876の2Ⅲただし書、876の3Ⅱ、851④）。

3　保佐人の代理権

家庭裁判所は被保佐人の請求又は同意を要件として、特定の法律行為について保佐人に代理権を付与する旨の審判をすることができる（876の4）。

三　保佐監督人

家庭裁判所は被保佐人等の請求又は職権で、保佐監督人を選任することができる（876の3Ⅰ）。保佐監督人の事務については後見人の規定が準用される（876の3Ⅱ）。

四　保佐人・保佐監督人に対する損害賠償請求

保佐人・保佐監督人の同意が不適切なために被保佐人が損害を被ったような場合の損害賠償請求権には、後見におけるのと同様の5年の短期消滅時効の規定が準用される（876の5Ⅲ、832）。

■第2節　補助

第876条の6　（補助の開始）

補助は、補助開始の審判によって開始する。

第876条の7　（補助人及び臨時補助人の選任等）

Ⅰ　家庭裁判所は、補助開始の審判をするときは、職権で、補助人を選任する。

Ⅱ　第843条第2項から第4項まで＜成年後見人の選任＞及び第844条から第847条まで＜後見人の辞任・新たな後見人の選任・解任・欠格事由＞の規定は、補助人について準用する。

Ⅲ　補助人又はその代表する者と被補助人との利益が相反する行為については、補助人は、臨時補助人の選任を家庭裁判所に請求しなければならない。ただし、補助監督人がある場合は、この限りでない。

第876条の8　（補助監督人）

Ⅰ　家庭裁判所は、必要があると認めるときは、被補助人、その親族若しくは補助人の請求により又は職権で、補助監督人を選任することができる。

Ⅱ　第644条＜受任者の注意義務＞、第654条＜委任の終了後の処分＞、第655条＜委任の終了の対抗要件＞、第843条第4項＜成年後見人の選任＞、第844条＜後見人の辞任＞、第846条＜後見人の解任＞、第847条＜後見人の欠格事由＞、第850条＜後見監督人の欠格事由＞〈圖〉、第851条＜後見監督人の職務＞、第859条の2＜成年後見人が数人ある場合の権限の行使等＞、第859条の3＜成年被後見人の居住用不動産の処分についての許可＞、第861条第2項＜後見の事務の費用＞及び第862条＜後見人の報酬＞〈圖〉の規定は、補助監督人について準用する。この場合において、第851条第4号中「被後見人を代表する」とあるのは、「被補助人を代表し、又は被補助人がこれをすることに同意する」と読み替えるものとする。

第876条の9　（補助人に代理権を付与する旨の審判）

Ⅰ　家庭裁判所は、第15条第1項本文＜補助開始の審判＞に規定する者又は補助人若しくは補助監督人の請求によって、被補助人のために特定の法律行為について補助人に代理権を付与する旨の審判をすることができる〈圖〉。

Ⅱ　第876条の4第2項及び第3項＜代理権付与の審判と本人の同意・審判の取消し＞の規定は、前項の審判について準用する。

第876条の10　（補助の事務及び補助人の任務の終了等）

Ⅰ　第644条＜受任者の注意義務＞、第859条の2＜成年後見人が数人ある場合の権限の行使等＞、第859条の3＜成年被後見人の居住用不動産の処分についての許可＞、第861条第2項＜後見の事務の費用＞、第862条＜後見人の報酬＞、第863条＜後見の事務の監督＞及び第876条の5第1項＜保佐の事務を行うに当たっての基準＞の規定は補助の事務〈圖〉について、第824条ただし書＜子の行為を目的とする債務と本人の同意＞の規定は補助人が前条第1項の代理権を付与する旨の審判に基づき被補助人を代表する場合について準用する。

Ⅱ　第654条＜委任の終了後の処分＞、第655条＜委任の終了の対抗要件＞、第870条＜後見の計算＞、第871条＜同前＞及び第873条＜返還金に対する利息の支払等＞の規定は補助人の任務が終了した場合について、第832条＜財産の管理について生じた親子間の債権の消滅時効＞の規定は補助人又は補助監督人と被補助人との間において補助に関して生じた債権について準用する。

《注　釈》

一　補助の意義

精神上の障害により事理を弁識する能力が不十分な者に対して付された補助人（15）が、これらの者に対して家庭裁判所が定めた行為に対して同意を行うことをいう（17）。

二　補助人

1　補助人の選定

後見人の規定が準用される（876の7Ⅱ、843ⅡⅢⅣ、844～847）。

2　利益相反行為

補助人が家庭裁判所に臨時補助人の選任を請求し、その者が被補助人に対し

て同意を与えることになる（876 の 7 Ⅲ）。もっとも、補助監督人がいる場合は補助監督人が同意を与えればよい（876 の 7 Ⅲただし書、876 の 8 Ⅱ、851 ④）。

　3　補助人の代理権

　　家庭裁判所は被補助人の請求又は同意を要件として、特定の法律行為について補助人に代理権を付与する旨の審判をすることができる（876 の 9）。

三　補助監督人

　　家庭裁判所は被補助人等の請求又は職権で、補助監督人を選任することができる（876 の 8 Ⅰ）。補助監督人の事務については後見人の規定が準用される（876 の 8 Ⅱ）。

四　補助人・補助監督人に対する損害賠償請求

　　補助人・補助監督人の同意が不適切なために被補助人が損害を被ったような場合の損害賠償請求権には、後見におけると同様の 5 年の短期消滅時効の規定が準用される（876 の 10 Ⅱ、832）。

・第7章・【扶養】

第877条　（扶養義務者）

　Ⅰ　直系血族及び兄弟姉妹は、互いに扶養をする義務がある〈団〉。

　Ⅱ　家庭裁判所は、特別の事情があるときは、前項に規定する場合のほか、3 親等内の親族間においても扶養の義務を負わせることができる〈同書〉。

　Ⅲ　前項の規定による審判があった後事情に変更を生じたときは、家庭裁判所は、その審判を取り消すことができる。

《注　釈》

一　「直系血族」（Ⅰ）の範囲

　　養親子たると実親子たるとを問わず、また、子が嫡出でも非嫡出でもよく、未成年たると成年たるとを問わない〈団〉。

二　「兄弟姉妹」（Ⅰ）の範囲

　　父母の双方を共通にする場合（全血）と、父母の一方だけを共通にする場合（半血）とを問わない。

三　過去の扶養料の求償

　　扶養義務者間で過去の扶養料を求償する場合、各自の分担額は、協議が調わない限り、家庭裁判所が審判で決定すべきであって、通常裁判所が判決手続で判定すべきではない（最判昭 42.2.17・百選Ⅲ 53 事件）〈同書〉。

《その他》

- ▪ 推定相続人である未成年の子が廃除（892）された場合でも、父はその子に対して扶養の義務がある。
- ▪ 直系姻族には当然には扶養の義務はない。
- ▪ 扶養義務者間の養育費支払の合意は、当事者でない扶養権利者に対して拘束力を

親族

有せず、単に扶養料算定の際、斟酌事由になるにすぎない（仙台高決昭 56.8.24・百選Ⅲ 52 事件）〈書〉。

第878条 （扶養の順位）〈団〉

　扶養をする義務のある者が数人ある場合において、扶養をすべき者の順序について、当事者間に協議が調わないとき、又は協議をすることができないときは、家庭裁判所が、これを定める。扶養を受ける権利のある者が数人ある場合において、扶養義務者の資力がその全員を扶養するのに足りないときの扶養を受けるべき者の順序についても、同様とする。

《その他》

▪ 遺言によって自己の配偶者に対する扶養義務者の順位を指定しえない。

第879条 （扶養の程度又は方法）

　扶養の程度又は方法について、当事者間に協議が調わないとき、又は協議をすることができないときは、扶養権利者の需要、扶養義務者の資力その他一切の事情を考慮して、家庭裁判所が、これを定める。

第880条 （扶養に関する協議又は審判の変更又は取消し）〈団書〉

　扶養をすべき者若しくは扶養を受けるべき者の順序又は扶養の程度若しくは方法について協議又は審判があった後事情に変更を生じたときは、家庭裁判所は、その協議又は審判の変更又は取消しをすることができる。

第881条 （扶養請求権の処分の禁止）

　扶養を受ける権利は、処分することができない〈団書〉。

《注　釈》

◆　扶養請求権の一身専属性の現れ

1　譲渡が禁止される。
2　強制執行により差し押さえることが制限、禁止される（民執 152 Ⅰ①）。
3　相殺の受働債権となしえない（510）。
4　原則として、相続の対象にならない（896 ただし書）。　⇒ p.741

親族

— MEMO —

相　続

第5編　相続

・第1章・【総則】

《概　説》

　相続とは、自然人の財産法上の地位（権利・義務）を、その者の死後に、法律及び死亡者の最終意思の効果として、特定の者に承継させることをいう。法律の規定に基づいて生ずる相続を法定相続といい、死亡者の最終意思に基づいて生ずる相続を遺言による相続という。

第882条　（相続開始の原因）
　相続は、死亡によって開始する。

《注　釈》
一　「開始」の意義
　　相続が「開始」するとは、相続によって生じる法律効果が発生することである。
二　「死亡」の意義
　1　自然死亡と失踪宣告による擬制的な死亡の2つが含まれる。
　2　失踪宣告がなされると、普通失踪の場合は失踪期間の満了時に、特別失踪の場合は危難終了時に死亡したものとみなされ（31）、相続が開始する（大判大5.6.1）。

第883条　（相続開始の場所）
　相続は、被相続人の住所において開始する。

第884条　（相続回復請求権）
　相続回復の請求権は、相続人又はその法定代理人が相続権を侵害された事実を知った時から5年間行使しないときは、時効によって消滅する。相続開始の時から20年を経過したときも、同様とする。

[趣旨]相続による承継は、占有支配を伴わない観念的な権利変動であるため、真正の相続人でない者（表見相続人）が真正相続人の権利を侵害することがある。そこで、真正相続人による侵害の排除を認めこれを保護するとともに、表見相続人を真正相続人と誤信して取引関係に入った第三者を保護し、相続権の帰属及びこれに伴う法律関係の早期かつ終局的確定を図るため、本条が規定された。

《注　釈》
一　法的性質
　　相続回復請求権の発生根拠が財産的相続権であり、それが形成権ではなく請求権であるとしても回、さらに個別的請求権、たとえば所有物返還請求権の集合に

すぎないのか（集合権利説）、それとも独立した特別の請求権であるか（独立権利説）につき争いがある。

＜相続回復請求権の法的性質＞

	内　容	根　拠	批　判
独立権利説	包括承継人としての相続人の地位の確保に奉仕する制度であり、相続開始当時の遺産の占有回復を目的とする個別的請求権と異なる特別の請求権である	① 表見相続人による遺産の占有は個々的な財産の侵害を超える包括的な侵害である ② ローマ法以来、個々の物の返還を求める訴権とは別に相続回復の訴権が認められてきた沿革	① 物権的請求権がなぜ行使できないのか、どうして相続回復請求の中に吸収されてしまうのかを説明できない ② 相続回復請求権の独自性の内容である包括請求をすることは解釈論として無理である
集合権利説	相続財産を構成する個々の権利の集合にすぎないが、それらの請求権を一括して短期の消滅時効に服させ、取引安全を図る点に意味がある	① 相続回復請求権の成立原因を簡明に説明できる ② 個別的請求権と相続回復請求権の関係を議論する必要がない	① 物権的請求権と同じなら、所有権に基づく請求権を内包するのに、なぜ、時効消滅するかを説明できない ② 遺産に属する財産を求める訴えであれば、誰に対するものでも相続回復請求であることになりかねない

※ 包括請求とは、相続人の知らない財産も含めての「相続財産全部を引き渡せ」という請求のこと。肯定するメリットとしては、相続人にとって便利ということの他、全財産につき時効の完成猶予・更新の効果を生じさせる点がある。

二　当事者

1　原告適格

(1)　相続回復請求権の権利者は、遺産占有を失っている真正相続人である（最判昭 32.9.19 参照）。

(2)　真正相続人の相続人は、被相続人の相続回復請求権を行使することはできない。

→相続人自身の相続権が侵害されたことを理由に、相続人固有の相続回復請求権を行使することになる

2　被告適格

(1)　表見相続人

被告適格は、表見相続人に限られる。ここに表見相続人とは、真正の相続人でないのに相続を根拠として相続財産を占有している者をいう。

(2)　表見相続人からの譲受人

判例は否定しているが、学説は、これでは譲受人が永久に物権的請求権の追及を受けることになり、取引安全を害するとして批判的なものが多い。

(3)　共同相続人

共同相続人間の相続争いに本条が適用されるか。主として、侵害者たる共同相続人による消滅時効の援用の可否と関連して問題となる。

→共同相続人間の相続権侵害についても本条が適用されるが、侵害者による相続権の侵害が悪意・有過失に基づく場合は適用されず、消滅時効を援用できない（最大判昭53.12.20・百選Ⅲ100事件）〈共〉

∵　相続権の侵害につき悪意・有過失のある共同相続人は、実質において一般の物権侵害者ないし不法行為者であり、消滅時効の援用を認められるべき者には当たらない

ex.　共同相続人の1人が遺産分割協議書を偽造し、相続財産である不動産について、自己の持分を超えて所有権移転登記をした場合（最判平7.12.5）〈共〉

三　消滅

1　期間の制限

(1)　「相続権を侵害された事実を知」（前段）るの意味

相続開始の事実を知るだけでなく、自分が、あるいは自分も真正相続人であることを知り、しかも自分が相続から除外されていることを知ることである（大判明38.9.19）。

(2)　表見相続人からの第三取得者

表見相続人からの第三取得者は、消滅時効を援用できない（大判大5.2.8）。

cf.　相続権を侵害している共同相続人の1人が悪意・有過失で相続回復請求の消滅時効を援用できない場合は、右相続人から相続財産を譲り受けた第三者も、時効を援用できない（最判平7.12.5）

(3)　20年の期間制限の法的性質

20年の期間の性質については議論があり、学説は除斥期間とするが、判例は時効としている（最判昭23.11.6）。

2　取得時効との関係

(1)　表見相続人は、真正相続人の有する相続回復請求権の消滅時効が完成する前であっても、当該真正相続人が相続した財産の所有権を時効により取得することができる（最判令6.3.19）。

∵①　884条所定の相続回復請求権の消滅時効と162条所定の所有権の取得時効とは要件及び効果を異にする別個の制度であって、特別法と一般法の関係にはない

②　民法その他の法令において、真正相続人の有する相続回復請求権の消滅時効が完成する前に、表見相続人が真正相続人の相続財産を時効取得することが妨げられる旨を定めた規定は存しない

(2)　表見相続人からの第三取得者は、表見相続人の占有をも併せ主張して時効取得できる（大判昭13.4.12）。

《その他》

▪ 相続回復請求権の事前放棄は許されない（大判昭13.7.26）。

第885条　（相続財産に関する費用）〈同〉

　相続財産に関する費用は、その財産の中から支弁する。ただし、相続人の過失によるものは、この限りでない。

・第2章・【相続人】

第886条　（相続に関する胎児の権利能力）

Ⅰ　胎児は、相続については、既に生まれたものとみなす〈同共〉。

Ⅱ　前項の規定は、胎児が死体で生まれたときは、適用しない。

第887条　（子及びその代襲者等の相続権）

Ⅰ　被相続人の子は、相続人となる。

Ⅱ　被相続人の子が、相続の開始以前に死亡したとき、又は第891条＜相続人の欠格事由＞の規定に該当し、若しくは廃除によって、その相続権を失ったときは、その者の子がこれを代襲して相続人となる〈共判〉。ただし、被相続人の直系卑属でない者は、この限りでない。

Ⅲ　前項の規定は、代襲者が、相続の開始以前に死亡し、又は第891条＜相続人の欠格事由＞の規定に該当し、若しくは廃除によって、その代襲相続権を失った場合について準用する。

第888条　（代襲相続）　削除

第889条　（直系尊属及び兄弟姉妹の相続権）

Ⅰ　次に掲げる者は、第887条の規定により相続人となるべき者がない場合には、次に掲げる順序の順位に従って相続人となる。

①　被相続人の直系尊属。ただし、親等の異なる者の間では、その近い者を先にする〈共〉。

②　被相続人の兄弟姉妹

Ⅱ　第887条第2項＜子の代襲者の相続権＞の規定は、前項第2号の場合について準用する〈共〉。

第890条　（配偶者の相続権）

　被相続人の配偶者は、常に相続人となる。この場合において、第887条又は前条の規定により相続人となるべき者があるときは、その者と同順位とする。

《注　釈》

一　相続人の範囲・順位

　1　相続人の範囲

　　(1)　血族相続人

　　　①　子（887Ⅰ）

→胎児を含む〈司〉（886、3Ⅰの例外）
② 直系尊属（889Ⅰ①）
→より近い親等の直系尊属が1人でもあれば、それより遠い親等の者は相続人になれない
→協議離婚をする際に、合意によりその一方を親権者と定めた場合であっても、他の一方の親権は喪失するが、親としての固有の権利・義務は影響を受けないので相続権は存続する〈予〉
③ 兄弟姉妹（889Ⅰ②）
(2) 配偶者たる相続人（890）
内縁関係にある者は含まれない〈司共〉。
2 相続人の順位
(1) 血族相続人のうち、相続開始時に生存する最先順位の者が相続人となる。
(2) 配偶者は、血族相続人とともに、常に相続人となる。

二 代襲相続

1 意義
代襲相続とは、被相続人の死亡以前に、相続人となるべき、子・兄弟姉妹が死亡し、又は廃除され、あるいは欠格事由があるために相続権を失ったとき、その者の直系卑属（兄弟姉妹の場合はその子に限る）がその者に代わってその者の受けるはずであった相続分を相続することをいう。

2 趣旨
相続権を失った者が、相続していたら自らもそれを承継しえたであろうという、直系卑属の期待利益を保護する公平の原理、及び、血縁の流れに従って上から下へ死者の財産を受け継がせようという価値判断に基づいて規定されている。

3 代襲原因
(1) 相続開始以前の死亡・欠格・廃除の3つに限られる〈司〉。
(2) 相続放棄（938）は代襲原因に含まれない〈司共書〉。

4 被代襲者についての要件
(1) 被相続人の子及び兄弟姉妹が被代襲者となる。
(2) 直系尊属及び配偶者には代襲相続は認められない〈司書〉。
(3) 相続開始と同時に死亡した者（32の2）も被代襲者に含まれる。

5 代襲者についての要件
(1) 被代襲者の直系卑属であること
(2) 被相続人の直系卑属であること〈司〉
被相続人の子が養子であり、その養子に縁組後の子がある場合も代襲相続する〈司〉。
→縁組前に生まれていた養子の子には代襲相続権はない〈書〉
(3) 相続開始前に直系卑属であること〈共〉
(4) 被相続人から廃除された者又は欠格者でないこと

6 再代襲相続
(1) 被相続人の子に代襲原因が発生すれば、孫が代襲相続人となるが、この孫についても代襲原因が発生すれば、孫の子、すなわち曾孫が代襲相続人となる（887Ⅲ）。
(2) 兄弟姉妹については再代襲は認められない〈同書〉。
　∵　889条2項は887条3項を準用していない
7 代襲相続の効果
　代襲者が被代襲者の相続順位に上がって、被代襲者の相続分を受けることになる。
　→数人の代襲相続人相互の相続分は平等（頭割）となる（901、900④）

＜代襲原因・代襲者のまとめ＞

	内　容	注　意　点
代襲原因	相続人たる子・兄弟姉妹の ① 相続開始以前の死亡 ② 欠格 ③ 廃除	・相続開始以前の死亡でなければならない 　→被相続人との同時死亡の場合も含まれる ・相続放棄は代襲原因ではない〈共〉
代襲者	① 相続人が子の場合：その者の子（887Ⅱ） 　代襲者たる子について代襲原因がある場合：その者の子（再代襲・再々代襲、887Ⅲ） ② 相続人が兄弟姉妹の場合：その者の子（889Ⅱ）〈共〉 　→再代襲・再々代襲は認められない 　∵　889条2項は再代襲に関する887条3項を準用していない	・代襲者は、被相続人の直系卑属でなければならない（887Ⅱただし書）〈同〉 ・代襲者は、相続開始の時に存在すれば足り、代襲原因発生の時に存在している必要はない（887Ⅱ）

第891条　（相続人の欠格事由）

次に掲げる者は、相続人となることができない。
① 故意に被相続人又は相続について先順位若しくは同順位にある者を死亡するに至らせ、又は至らせようとしたために、刑に処せられた者
② 被相続人の殺害されたことを知って、これを告発せず、又は告訴しなかった者。ただし、その者に是非の弁別がないとき、又は殺害者が自己の配偶者若しくは直系血族であったときは、この限りでない。
③ 詐欺又は強迫によって、被相続人が相続に関する遺言をし、撤回し、取り消し、又は変更することを妨げた者
④ 詐欺又は強迫によって、被相続人に相続に関する遺言をさせ、撤回させ、取り消させ、又は変更させた者
⑤ 相続に関する被相続人の遺言書を偽造し、変造し、破棄し、又は隠匿した者

[趣旨] 相続人の地位を占めるべき者であっても、一定の重大な事情が存するため、この者に相続させることが一般の法感情からみて妥当でない場合があるため、そのような事情のある場合に相続人の意思を問うことなく法律上当然に相続たる資格

相
続

を失うものとした。相続人の一定の重大な非行に対する制裁である。

《注　釈》

一　要件

1　「故意に被相続人又は相続について先順位・同順位にある者」を殺し、又は殺そうとして、刑に処せられた者（①）〈司書〉

　　殺人の既遂だけでなく、未遂・予備も含むが、故意犯であることが必要である。

　　　→過失致死、傷害致死は含まれない

2　被相続人が殺害されたことを知っていながら告訴・告発しなかった者（②本文）

　　その者に是非の弁別がないとき、又は殺害者が自己の配偶者・直系血族であったときは含まれない（②ただし書）。

3　詐欺・強迫によって被相続人の遺言の作成・撤回・取消し・変更を妨げた者（③）

4　詐欺・強迫により被相続人に相続に関する遺言をさせ、又はその撤回・取消し・変更をさせた者（④）

5　相続に関する被相続人の遺言書を偽造・変造・破棄・隠匿した者（⑤）

　　相続人が被相続人の遺言書を破棄又は隠匿した行為が相続に関して不当な利益を目的とするものでなかったときは、右相続人は、5号の相続欠格者に当たらない（最判平9.1.28・百選Ⅲ54事件）〈司書〉。

　　　→破棄・隠匿の故意の他に利得目的という二重の故意を要求するものである

二　効果

1　相続人資格の剥奪

　(1)　相対的効力

　　　欠格の効果は相対的であり、特定の被相続人との関係だけで相続人資格を奪う。

　　　ex.　親を殺した者も子を相続できる

　　　cf.　親を殺した欠格者は、祖父母を代襲相続できないと解されている

　(2)　一身専属的効力

　　　欠格の効果は一身専属的であり、直系卑属に及ばないから、欠格者に直系卑属があれば、この者が代襲相続する（887）。

2　受遺能力の喪失（965）

3　効力発生時期

　(1)　欠格原因たる事実があれば、格別の手続を要せず法律上当然に発生する。

　(2)　相続開始前に欠格原因たる事実があれば即時に、相続開始後に欠格原因が発生すれば相続開始時に遡って欠格の効果が生じる。

第892条 （推定相続人の廃除）

遺留分を有する推定相続人（相続が開始した場合に相続人となるべき者をいう。以下同じ。）が、被相続人に対して虐待をし、若しくはこれに重大な侮辱を加えたとき、又は推定相続人にその他の著しい非行があったときは、被相続人は、その推定相続人の廃除を家庭裁判所に請求することができる。

第893条 （遺言による推定相続人の廃除）

被相続人が遺言で推定相続人を廃除する意思を表示したときは、遺言執行者は、その遺言が効力を生じた後、遅滞なく、その推定相続人の廃除を家庭裁判所に請求しなければならない〈同書〉。この場合において、その推定相続人の廃除は、被相続人の死亡の時にさかのぼってその効力を生ずる〈論〉。

[趣旨] 被相続人が推定相続人に相続させることを欲せず、かつ欲しないことが一般の法感情からみて妥当とされるような事情があるときは、被相続人の意思により、遺留分を有する推定相続人の遺留分を否定して完全に相続権を剥奪できるようにした制度である。相続権の剥奪という点で欠格と同趣旨であるが、被相続人の意思を要件としていることから、欠格事由よりも軽い事由を対象とする。

《注　釈》

一　要件

1　対象者が遺留分を有する推定相続人（相続が開始した場合に相続人となるべき者）であること〈同書〉

　兄弟姉妹には遺留分がないので、これらの者に相続させたくない場合には、全財産を他の者に贈与若しくは遺贈をし、又は相続分をゼロと指定（902 Ⅰ）すればよい。

2　廃除原因があること

(1)　被相続人に対する「虐待」・「重大な侮辱」

　　ex.　892条にいう「虐待」又は「重大な侮辱」は、被相続人に対し精神的苦痛を与え又はその名誉を毀損する行為であって、それにより被相続人と当該相続人との家族的共同生活関係が破壊され、その修復を著しく困難ならしめるものを含む（東京高決平4.12.11・百選Ⅲ 55事件）

(2)　「その他の著しい非行」

　　ex.　被相続人に対する言動（虐待・侮辱）が一時的なものであって、将来反復のおそれがないときは「非行」とはいえない（大判大11.7.25）

3　家庭裁判所に廃除の請求をすること〈同〉

　廃除の方法には、生前廃除（892）と遺言廃除（893）〈同〉の2つがある。

4　廃除の審判又は調停があること

二　効果

1　相続権の喪失

(1)　相対的効力

　　被廃除者は廃除者たる被相続人に対してのみ相続権を奪われるだけであ

相
続

り、他の者に対する相続権は失わない。

(2)　一身専属的効果

被廃除者の子や孫の代襲相続権には影響がない。

2　欠格と異なり、受遺能力は失われない（965参照）。

3　効力発生時期

(1)　審判の確定又は調停の成立が、相続開始前にあったときは、即時に発生する。

(2)　相続開始後にあったときは、相続開始の時に遡って生じる。

→廃除の届出は報告的届出である（大判昭17.3.26参照）

《その他》

▪ 遺言による廃除の判決が確定した場合、廃除は被相続人の死亡の時に遡って効力を生じるから、判決確定前に被廃除者から相続財産に属する土地につき所有権その他の物権を取得し登記をした者であっても、177条の「第三者」に当たらず、その権利を主張することはできない（大判昭2.4.22）。

第894条　（推定相続人の廃除の取消し）

Ⅰ　被相続人は、いつでも、推定相続人の廃除の取消しを家庭裁判所に請求することができる〈譜〉。

Ⅱ　前条の規定は、推定相続人の廃除の取消しについて準用する。

第895条　（推定相続人の廃除に関する審判確定前の遺産の管理）

Ⅰ　推定相続人の廃除又はその取消しの請求があった後その審判が確定する前に相続が開始したときは、家庭裁判所は、親族、利害関係人又は検察官の請求によって、遺産の管理について必要な処分を命ずることができる。推定相続人の廃除の遺言があったときも、同様とする。

Ⅱ　第27条から第29条まで＜不在者の財産管理人の職務・権限・担保提供及び報酬＞の規定は、前項の規定により家庭裁判所が遺産の管理人を選任した場合について準用する。

相続

第3章・【相続の効力】

■第1節　総則

第896条　（相続の一般的効力）

相続人は、相続開始の時から、被相続人の財産に属した一切の権利義務を承継する。ただし、被相続人の一身に専属したものは、この限りでない。

[趣旨] 本条は、相続による権利の承継が包括承継であること、つまり相続によってこれまで被相続人が主体であったすべての法律関係が、全体として新たな主体、すなわち相続人にその担い手を変えるという、相続法の基本原理を示したものである。

《注　釈》

一　「一身に専属したもの」（一身専属権）

　一身専属権とは、被相続人その人にだけ帰属し、相続人に帰属することができない性質のもの、すなわち被相続人だけが享有しうる権利、被相続人だけが負担すべき義務を指し、帰属上の一身専属権という。

　ex.　委任契約上の権利義務

　cf.　扶養請求権は一身専属権である（881 参照）が、扶養義務の内容が具体的に確定し履行期が到来したものは、通常の金銭債権と異ならず、相続の対象になる

二　承継される相続財産に属する権利・義務（判例に現れたもの）

1　無権代理と相続　⇒ p.73

2　他人の権利の売主の地位　⇒ p.517

3　占有権の相続も認められる（最判昭 44.10.30）圏。　⇒ p.148

4　借家権

　(1)　問題の所在

　　　借家権＝家屋賃借権も財産権として相続人に承継されるが、被相続人と同居していたのが内縁の妻である場合、家主や相続人からの明渡請求により内縁の妻は住居を失うという不都合を生じる。そこで、その保護をいかにして図るかが問題となる。　⇒ p.668

　(2)　判例の立場

　　(a)　家主からの明渡請求に対し、内縁の妻は、相続人の賃借権を援用して、明渡しを拒むことができる。

　　(b)　相続人からの明渡請求に対し、内縁の妻は、権利濫用（1 Ⅲ）を主張して、明渡しを拒むことができる。

　　(c)　内縁の妻は、相続人と並んで共同賃借人となるわけではなく、賃料支払債務を負わない。

　(3)　共同相続の場合

　　　賃借権の共同相続において居住者と非居住者がいる場合、居住者保護の法律構成としては、非居住者の賃借権の相続を否定する立場や非居住者の賃借権の放棄を擬制する立場がある。

　(4)　賃借権の共同相続と解約等

　　　賃借権の共同相続において家主から解約申入・解除・明渡請求するには、共同賃借人全員に対してなすことを要する（大判大 11.11.24）。

5　保証債務　⇒ p.396

6　不法行為による損害賠償請求権　⇒ p.638

7　死亡退職金

　　　死亡退職金の支給規定を有しない財団法人において、理事長の死亡に際し、理事会の決定によりその配偶者に支払われた退職金が、相続関係を離れて受給者個人に支払われたものであると認めた判例がある（最判昭 62.3.3）。

相
続

8　生命保険金請求権

　　生命保険の約款に「保険金受取金指定のない場合には相続人に支払います」
と規定されていた場合、保険金請求権は、保険契約の効力発生と同時に相続人
の固有財産となるので、被保険者の遺産から離脱する（最判昭48.6.29）。

第897条　（祭祀に関する権利の承継）

Ⅰ　系譜、祭具及び墳墓の所有権は、前条の規定にかかわらず、慣習に従って祖先の
祭祀を主宰すべき者が承継する。ただし、被相続人の指定に従って祖先の祭祀を主
宰すべき者があるときは、その者が承継する〈囲〉。

Ⅱ　前項本文の場合において慣習が明らかでないときは、同項の権利を承継すべき者
は、家庭裁判所が定める。

《注　釈》

- 夫の死亡後生存配偶者はその祭祀を原始的に承継し、遺体・遺骨の所有権は通常
の遺産相続によることなく、その祭祀を主宰する生存配偶者に原始的に帰属する
（東京高判昭62.10.8・百選Ⅲ56事件）。

- 祭祀に関する物の所有権は慣習に従って祖先の祭祀を主宰する者が相続する。こ
の際、同氏であることは求められていない〈囲〉。

- 被相続人が所有していた祭祀財産は、相続や遺産分割の対象とならない〈囲〉。

- 相続人ではない者が祭祀の主宰者に指定されても、相続人とはならない〈囲〉。

第897条の2　（相続財産の保存）

Ⅰ　家庭裁判所は、利害関係人又は検察官の請求によって、いつでも、相続財産の管
理人の選任その他の相続財産の保存に必要な処分を命ずることができる。ただし、
相続人が1人である場合においてその相続人が相続の単純承認をしたとき、相続人
が数人ある場合において遺産の全部の分割がされたとき、又は第952条第1項の
規定により相続財産の清算人が選任されているときは、この限りでない。

Ⅱ　第27条から第29条までの規定＜不在者の財産管理人の職務・権限・担保提供
及び報酬＞は、前項の規定により家庭裁判所が相続財産の管理人を選任した場合に
ついて準用する。

【令3改正】今般の改正により、新たに相続財産の保存のための包括的・統一的な
制度として相続財産の管理人の制度が設けられた。

《注　釈》

◆　相続財産の管理人

　　遺産分割前の暫定的な遺産共有状態にある相続財産や、相続人が不存在である
場合（法定相続人の全員が相続放棄をした場合も含む）において相続財産の清算
人（952Ⅰ）が選任される前の過渡的な状態にある相続財産を適切に管理するた
め、家庭裁判所は、利害関係人又は検察官の請求によって、いつでも、相続財産
の管理人を選任することができる（897の2Ⅰ本文）。

　　ただし、①相続人が1人である場合においてその相続人が相続の単純承認をし
たとき、②相続人が数人ある場合において遺産の全部の分割がされたとき、③

952条1項の規定により相続財産の清算人が選任されているときは、相続財産の管理人を選任することができない（897の2Ⅰただし書）。

  ∵ ①②の場合は相続財産に属する財産が遺産分割前の暫定的な遺産共有状態にあるとはいえ、③の場合は清算人が管理人に代わるため

第898条　（共同相続の効力）

Ⅰ　相続人が数人あるときは、相続財産は、その共有に属する。

Ⅱ　相続財産について共有に関する規定を適用するときは、<u>第900条から第902条までの規定＜法定相続分、代襲相続人の相続分、遺言による相続分の指定＞により算定した相続分をもって各相続人の共有持分とする。</u>

【令3改正】今般の改正により、新たに898条2項が追加された。基本的に、遺産共有にも249条以下の共有に関する規定が適用されるところ、898条2項は、その際の共有持分についての基準を明確化するものである。

《注　釈》

一　「共有」の法的性質

　　判例（最判昭30.5.31）は、相続の開始から遺産分割に至るまでの遺産共有の法的性質について、一貫して、「249条以下に規定する『共有』とその性質を異にするものではない」という立場（共有説）に立っている。

　　そして、相続財産について共有に関する規定（249～）を適用するに当たっては、法定相続分（900、901）又は指定相続分（902）が各相続人の「共有持分」となる（898Ⅱ）。

　　→各相続人の具体的相続分は「共有持分」の基準とならない

二　共同相続と登記

　　共同相続人の1人が自己の持分を超えて第三者に相続財産を処分した場合、他の共同相続人は、自己の持分を登記なくして第三者に対抗できるか。

　　A説：他の共同相続人は、自己の法定相続分を超えない部分について、登記その他の対抗要件を備えなくても、その権利の承継を第三者に対抗することができる（899の2Ⅰ反対解釈、最判昭38.2.22・百選Ⅲ77事件参照）

　　　　〔司共予書〕

　　　　∵　共同相続人には持分以上の権利はなく、単独相続の登記は名義人の持分を超える範囲で無効であって、登記に公信力がない以上、第三者はその部分について権利を取得する余地がない

　　B説：他の共同相続人が第三者に対して自己の持分を対抗するには、登記が必要である（登記必要説）〔司〕

　　　　∵　共有者の持分は共有物全体に及ぶので、単独相続の登記も無権利者の登記ではないから、対抗関係となる

《その他》

▪共同相続人の1人が、共同相続した不動産につき無断で、自己名義の単独所有権移転の登記を経由した場合、他の共同相続人が自己の持分に対する妨害排除として、登記を実体的権利に合致させるため名義人に対し請求できるのは、所有権移

転登記の全部抹消登記手続ではなく、自己の持分についてのみの一部抹消（更正）登記手続にとどまる（最判昭38.2.22・百選Ⅲ 77事件）〈共〉。

- 共同相続人の1人が、相続開始前から被相続人の許諾を得て、遺産である建物に被相続人と同居していたときは、特段の事情のない限り、被相続人の死亡後遺産分割前まで、同居の相続人に建物を無償で使用させる旨の合意があったものと推認すべきである（最判平8.12.17・百選Ⅲ 63事件）〈同共〉。
- 遺産確認の訴えは、特定の財産が、現在、共同相続人による遺産分割前の共有関係にあることの確認を求める訴えである（最判昭61.3.13・百選Ⅲ 66事件）。

第899条

　各共同相続人は、その相続分に応じて被相続人の権利義務を承継する。

《注　釈》

一　物権の共同相続

　物権法の共有では、持分は相等しいものと推定されるが（250）、共同相続があった場合の持分の割合は、相続分によって決せられる〈同〉。

二　債権の共同相続

1　可分債権

　共同相続人にその相続分の割合に応じて当然に分割されて承継する（最判昭29.4.8・百選Ⅲ 69事件）〈同共〉。

　ex.1　共同相続人の全員の合意で遺産分割前に遺産を構成する特定不動産を第三者に売却したときは、その不動産は遺産分割の対象から逸出し、各相続人は第三者に対し持分に応じた代金債権を取得し、これを個々に請求することができる（最判昭52.9.19、最判昭54.2.22）〈共〉

　ex.2　相続開始から遺産分割までの間に、遺産である不動産から生じた賃料も、相続分に応じて分割単独債権として各共同相続人が確定的に取得し、後の遺産分割の影響を受けない（最判平17.9.8・百選Ⅲ 68事件）〈同共書〉

　cf.　共同相続された普通預金債権、通常貯金債権及び定期貯金債権は、いずれも、相続開始と同時にその相続分の割合に応じて当然に分割されることはなく、遺産分割の対象となる（最大決平28.12.19・百選Ⅲ 70事件）〈同書〉。定期預金債権及び定期積金債権についても同様である（最判平29.4.6・平29重判12②事件）　⇒ p.759

　　　∵①　預貯金債権は、具体的な遺産分割の方法を定めるに当たっての調整に資する財産として、確実かつ簡易に換価することができる点で現金に近く、遺産分割の対象とすべき要請がある

　　　　②　預貯金債権は、預貯金契約上の地位を準共有する共同相続人が全員で預貯金契約を解約しない限り、同一性を保持しながら常にその残高が変動し得るものとして存在し、各共同相続人に確定額の債権として分割されることはない

2　不可分債権

共同相続人全員に不可分的に債権が帰属し、債権者である共同相続人は共同して又は各債権者は総債権者のために履行を請求しうる（428、432）。

三　債務の共同相続

1　可分債務〈司H22 司H30〉

可分債権の場合と同じく、当然に各相続人の相続分に応じて分割される（大決昭5.12.4、最判昭34.6.19・百選Ⅲ72事件）〈同予〉。これに対し、債権者との関係については、902条の2の規定（⇒ p.749）に従うことになる。

2　不可分債務〈予H27〉

不可分債務の場合、各人に不可分的に帰属し、各相続人が全部について責任を負うことになる（大判大11.11.24）〈同書〉。

ex.　所有権移転登記義務の履行債務

3　連帯債務　⇒ p.369

A説：相続人は、各相続分に応じて分割された債務を承継し、各自その承継した範囲において本来の債務者（他の生存連帯債務者）とともに連帯債務者となる（分割承継説）（最判昭34.6.19・百選Ⅲ72事件）〈同書〉

∵①　連帯債務は相互に関連結合（主観的共同関係）しているが、なお可分である点で通常の金銭債権と同様である

②　債権者には、最小限相続財産を確保する途は開かれている（941）ことや、連帯債務者の死亡に備えてあらかじめ対応策を講じておくことも通常は不可能でないことを考えれば、分割承継原則が債権者にとって特に酷だとはいえない

B説：共同相続人全員が全部給付義務をそのまま承継し、全額につき本来の債務者とともに連帯債務者となる（不分割承継説）

∵①　分割承継では、連帯債務のもつ担保的機能が弱められ、また法律関係が複雑になる

②　遺産債務は本来分割に親しまないものであり、428条の「債権の目的がその性質上……不可分である場合」に該当する（可分債務でも分割承継を否定する立場からの理由）

四　金銭の共同相続

当然に分割されることなく共有とされ、したがってそれを遺産分割までの間相続財産として保管している相続人に対して、自己の相続分に相当する金銭の支払を求めることはできない（最判平4.4.10・百選Ⅲ67事件）〈同共書〉。

五　株式等の共同相続

株式は、自益権（会社105Ⅰ①②等）と共益権（会社105Ⅰ③等）からなっているところ、このような権利の内容及び性質に照らせば、共同相続された株式は、相続開始と同時に当然に相続分に応じて分割されることはなく、共同相続人の準共有（264）に属する。委託者指図型投資信託受益権及び国債についても同様である（最判平26.2.25・百選Ⅲ71事件）〈書〉。

六　遺産分割前の賃料債権と遡及効（909）との関係 [同H20]

　共同相続財産である不動産から生ずる賃料債権の帰属はどうなるか。まず、①共同相続された財産中の金銭債権は法律上当然に分割債権となるとされる。それでは、相続後発生する法定果実たる賃料の帰属はどうか。②分割債権とすると、その後、遺産分割された場合の遡及効によってその債権の帰属が影響するかという問題がある。

　判例は、①遺産は、相続人が数人あるときは、相続開始から遺産分割までの間、共同相続人の共有に属するものであるから、この間に遺産である賃貸不動産を使用管理した結果生ずる金銭債権たる賃料債権は、遺産とは別個の財産というべきであって、各共同相続人がその相続分に応じて分割単独債権として確定的に取得する。②当該賃料債権の帰属は、後にされた遺産分割の影響を受けないとする（最判平17.9.8・百選Ⅲ68事件）[同共書]。

第899条の2　（共同相続における権利の承継の対抗要件）

Ⅰ　相続による権利の承継は、遺産の分割によるものかどうかにかかわらず、次条及び第901条の規定により算定した相続分を超える部分については、登記、登録その他の対抗要件を備えなければ、第三者に対抗することができない[同書]。

Ⅱ　前項の権利が債権である場合において、次条及び第901条の規定により算定した相続分を超えて当該債権を承継した共同相続人が当該債権に係る遺言の内容（遺産の分割により当該債権を承継した場合にあっては、当該債権に係る遺産の分割の内容）を明らかにして債務者にその承継の通知をしたときは、共同相続人の全員が債務者に通知をしたものとみなして、同項の規定を適用する。

[趣旨]判例によれば、相続人は法定相続分を超えない部分については登記その他の対抗要件を備えなくても、その権利の承継を第三者に対抗できる（最判昭38.2.22・百選Ⅲ77事件）一方、遺産分割により法定相続分を超える権利を取得した相続人は、当該権利について対抗要件を具備しなければ、遺産分割後の第三者に対抗することができない（最判昭46.1.26・百選Ⅲ78事件）。本条は、これらの判例の趣旨を明文化したものである。

　また、相続させる旨の遺言による不動産の取得は、他の第三者に対して登記なくして対抗できるとするのがかつての判例（最判平14.6.10・百選Ⅲ〔第2版〕75事件）であったが、それでは遺言の有無や内容を知り得ない相続債権者や被相続人の債務者に不測の損害を与えるおそれがあった。そこで、相続債権者などの利益や第三者の取引の安全を確保するためにも、本条が設けられている。

《注　釈》

一　不動産及び動産に関する物権の共同相続による承継（899の2Ⅰ）

　不動産及び動産に関する物権の共同相続による承継は、法定相続分を超える部分については、民法177条又は民法178条所定の対抗要件を備えなければ第三者に対抗することができない。

二 債権の共同相続による承継（899の2ⅠⅡ）

債権の共同相続による承継についても、法定相続分を超える部分については、債務者対抗要件及び第三者対抗要件を備えなければ債務者及び第三者に対抗できない（899の2ⅠⅡ）。

1 債務者対抗要件の具備の方法

債務者対抗要件の具備の方法には、①共同相続人全員による債務者への通知（467Ⅰ参照）、②債務者による承諾（同Ⅰ参照）、③当該債権を承継した相続人が、遺言の内容を明らかにしてなす債務者への通知（899の2Ⅱ）がある。③の通知において遺言の内容を明らかにしなければならないとする趣旨は、虚偽通知の防止にある。そして、かかる通知は、債務者が客観的に遺言等の有無やその内容を判断できるものである必要がある。なお、遺言執行者は、遺言の執行として③の通知をすることができる（1014Ⅱ）。

2 第三者対抗要件の具備の方法

先述の①〜③の通知又は承諾を確定日付のある証書によってなすことで、第三者対抗要件を具備することができる。

■第2節 相続分

《概説》

◆ 相続分の意味

民法上、相続分という言葉は、以下のように様々な意味内容で用いられる。

1 共同相続人の相続すべき割合、すなわち遺産の総額に対する分数的割合（相続分率）

2 1の割合に従って計算した財産額又は現実に相続する財産額（相続分額、903・904の2）

3 遺産の分割前の共同相続人の地位、すなわち全遺産に対する包括的持分（相続分権、905）

＊ 共同相続人間において、具体的相続分についてその価額又は割合の確認を求める訴えは、確認の利益を欠くので不適法である（最判平12.2.24）。

第900条 （法定相続分）同書

同順位の相続人が数人あるときは、その相続分は、次の各号の定めるところによる。

① 子及び配偶者が相続人であるときは、子の相続分及び配偶者の相続分は、各2分の1とする。

② 配偶者及び直系尊属が相続人であるときは、配偶者の相続分は、3分の2とし、直系尊属の相続分は、3分の1とする。

③ 配偶者及び兄弟姉妹が相続人であるときは、配偶者の相続分は、4分の3とし、兄弟姉妹の相続分は、4分の1とする。

④ 子、直系尊属又は兄弟姉妹が数人あるときは、各自の相続分は、相等しいものとする。ただし、父母の一方のみを同じくする兄弟姉妹の相続分は、父母の双方を同じくする兄弟姉妹の相続分の2分の1とする。

[趣旨] 各共同相続人の相続分は、まず被相続人の意思によって定められるが（指定相続分、902）、我が国では、被相続人が指定することは多くなく、このような場合に備えて、法律の規定に基づいて、相続分が定められる（法定相続分）。

《注　釈》

◆　**本条の定める法定相続分の意味**

被相続人が死亡し、相続が開始した場合に、遺言によって相続分が指定されていない場合に適用があるものである（902 I）。また、遺言による相続分の指定が共同相続人の一部の相続分にとどまる場合は、他の共同相続人の相続分は、本条の定める法定相続分によることになる（902 II）。

<法定相続分>

他の相続人／相続人	配偶者（常に相続人）	子（第一相続人）	直系尊属（第二相続人）	兄弟姉妹（第三相続人）
配偶者（常に相続人）		2分の1	3分の2	4分の3
子（第一相続人）	2分の1	均等割（＊）	すべて子が相続	
直系尊属（第二相続人）	3分の1	——	均等割	すべて直系尊属が相続
兄弟姉妹（第三相続人）	4分の1	——	——	均等割 ただし、半血兄弟は全血兄弟の2分の1

＊　非嫡出子の法定相続分を嫡出子の2分の1とする旧900条4号ただし書前段の規定は憲法14条1項に反するとされ（最大決平25.9.4・百選III 59事件）、旧900条4号ただし書前段部分を削除する民法改正法が平成25年12月11日に公布・施行された。
→もっとも、上記最高裁大法廷決定は、「本決定の違憲判断が、先例としての事実上の拘束性という形で既に行われた遺産の分割等の効力にも影響し、いわば解決済みの事案にも効果が及ぶとすることは、著しく法的安定性を害する」とした上で、遅くとも平成13年7月当時から本決定の違憲判断時までの間に開始された他の相続につき、旧900条4号ただし書前段の規定を前提としてされた遺産の分割の審判その他の裁判、遺産の分割の協議その他の合意等により確定的なものとなった法律関係に影響を及ぼすものではないとした

《その他》

▪ 本条に定める割合に従って相続人が現実に相続する財産額（具体的相続分）を計算するに当たって、相続人間の公平の見地から、特別受益（903）、寄与分（904の2）の制度が設けられている。

第901条　（代襲相続人の相続分）

I　第887条第2項又は第3項の規定により相続人となる直系卑属の相続分は、その直系尊属が受けるべきであったものと同じとする〈畜〉。ただし、直系卑属が数人あるときは、その各自の直系尊属が受けるべきであった部分について、前条の規定に従ってその相続分を定める。

相続

　Ⅱ　前項の規定は、第889条第2項の規定により兄弟姉妹の子が相続人となる場合について準用する。

《注　釈》
一　代襲相続分
　子若しくは兄弟姉妹に代襲相続があった場合、代襲相続人の相続分は、被代襲者の受けるべきであった相続分と同じである（Ⅰ本文、Ⅱ）。
二　代襲相続人が数人あるとき
　代襲相続人が数人あるときは、その各自の相続分は、被代襲者が受けるべきであった部分について、900条の規定に従って定められる（Ⅰただし書）。

第902条　（遺言による相続分の指定）
　Ⅰ　被相続人は、前2条の規定にかかわらず、遺言で、共同相続人の相続分を定め、又はこれを定めることを第三者に委託することができる。
　Ⅱ　被相続人が、共同相続人中の1人若しくは数人の相続分のみを定め、又はこれを第三者に定めさせたときは、他の共同相続人の相続分は、前2条の規定により定める。

[趣旨] 被相続人の意思を尊重し、各共同相続人の諸事情を考慮して、具体的な実情に即した相続財産の合理的分配をすることを趣旨とする制度である。

《その他》
▪ 相続分とは、相続人が相続財産を承継する割合をいうから、「相続分の指定」も、相続分に対する分数的な割合で示すべきであるが、実際には、相続財産の種類を指定している場合や特定の相続財産を指定している場合であっても、相続財産全体に対する相続割合が示されているのであれば、「相続分の指定」であると解されている。そのため、特定の相続財産を特定の相続人に与える内容の遺言（いわゆる「相続させる」旨の遺言、特定財産承継遺言）がされた場合の遺言の解釈が問題となる（⇒ p.757）。

第902条の2　（相続分の指定がある場合の債権者の権利の行使）〈司書〉
　被相続人が相続開始の時において有した債務の債権者は、前条の規定による相続分の指定がされた場合であっても、各共同相続人に対し、第900条及び第901条の規定により算定した相続分に応じてその権利を行使することができる。ただし、その債権者が共同相続人の一人に対してその指定された相続分に応じた債務の承継を承認したときは、この限りでない。

[趣旨] 遺言により相続分の指定がされている場合に、被相続人の債権者は、法定相続人に対して、法定相続分に従った相続債務の履行を請求することが可能か否かについて、判例（最判平21.3.24・百選Ⅲ93事件）は、相続分の指定にかかわらず、法定相続分に従った相続債務の履行請求が可能である旨判示していた〈司〉。本条は、かかる判例の趣旨を明文化したものである。

相続

《注　釈》
一　相続による義務の承継（本文）

　　本条本文の規定により、民法902条の規定にかかわらず、相続債権者は、各共同相続人に対して、その法定相続分の割合で権利を行使することができる。かかる処理をする理由について、判例（最判平21.3.24・百選Ⅲ93事件）は、遺言による相続分の指定は、相続債権者の関与なくなされたものであるため、相続債権者との関係では効力が及ばないと解するのが相当であることを挙げている。

二　指定相続分の割合による義務の承継の承認（ただし書）

　　相続債権者が指定相続分に応じた債務の承継を承認した場合、その相続債権者は、法定相続分に従って相続債務の履行を求めることはできず、指定相続分の割合で権利を行使する。

　　→承認を受けた相続人は、他の共同相続人に対して、その義務が変更されたことを通知する必要はないと解されている

　　　∵　他の共同相続人が本来負担すべき額を超えて弁済をした場合は、不当利得返還請求によって対処が可能

　　→相続債権者の承認以前になされた相続人の弁済の効果が承認によって無効となることはない

　　　∵　相続債権者の承認に遡及効はない

第903条　（特別受益者の相続分）

Ⅰ　共同相続人中に、被相続人から、遺贈を受け、又は婚姻若しくは養子縁組のため若しくは生計の資本として贈与を受けた者があるときは、被相続人が相続開始の時において有した財産の価額にその贈与の価額を加えたものを相続財産とみなし、第900条から第902条までの規定により算定した相続分の中からその遺贈又は贈与の価額を控除した残額をもってその者の相続分とする⦅裁⦆。

Ⅱ　遺贈又は贈与の価額が、相続分の価額に等しく、又はこれを超えるときは、受遺者又は受贈者は、その相続分を受けることができない⦅裁⦆。

Ⅲ　被相続人が前2項の規定と異なった意思を表示したときは、その意思に従う⦅回⦆。

Ⅳ　婚姻期間が20年以上の夫婦の一方である被相続人が、他の一方に対し、その居住の用に供する建物又はその敷地について遺贈又は贈与をしたときは、当該被相続人は、その遺贈又は贈与について第1項の規定を適用しない旨の意思を表示したものと推定する⦅裁⦆。

[趣旨] 婚姻期間が20年以上の夫婦の一方である被相続人が、他方に対して、その居住の用に供する建物又はその敷地（以下「居住用不動産」という。）を遺贈又は贈与する場合、その遺贈・贈与は、配偶者の長年にわたる貢献に報いるとともに、老後の生活を保障する趣旨で行われる場合が多い。そこで、本条4項は、このような趣旨を尊重し、遺産分割の結果として反映させるために、居住用不動産の遺贈又は贈与について、特別受益としては扱わない旨の被相続人による意思表示（持戻しの免除の意思表示）がなされたものと推定する旨規定した。

《注　釈》

- 被相続人の意思により、生前贈与を考慮せずに、また遺贈を除外した残りの財産だけを対象に、受贈者・受遺者を含む共同相続人が法定相続分に従った分配を行うようにすることも可能である〈団〉。

- 死亡保険金請求権は遺贈又は贈与にかかる財産には当たらないが、保険金受取人である相続人とその他の共同相続人との間に生ずる不公平が民法903条の趣旨に照らし到底是認することができないほどに著しいものであると評価すべき特段の事情が存する場合には、同条の類推適用により、当該死亡保険金請求権は、特別受益ないしこれに準ずるものとして持戻しの対象になる（最決平16.10.29・百選Ⅲ61事件）。

- 共同相続人間においてされた無償による相続分の譲渡は、上記譲渡をした者の相続において、特別受益としての「贈与」（903Ⅰ）に当たる（最判平30.10.19・百選Ⅲ64事件）。
  - ∵　相続分の譲渡（個々の共有持分権ではなく、遺産全体に対する抽象的な相続分自体の譲渡）は、譲渡人から譲受人に対し経済的利益を合意によって移転するものである
  - →譲渡に係る相続分に含まれる積極財産及び消極財産の価額等を考慮して算定した当該相続分に財産的価値があるとはいえない場合は、「贈与」に当たらない

第904条

　前条に規定する贈与の価額は、受贈者の行為によって、その目的である財産が滅失し、又はその価格の増減があったときであっても、相続開始の時においてなお原状のままであるものとみなしてこれを定める〈耕〉。

第904条の2　（寄与分）

Ⅰ　共同相続人中に、被相続人の事業に関する労務の提供又は財産上の給付、被相続人の療養看護その他の方法により被相続人の財産の維持又は増加について特別の寄与をした者があるときは、被相続人が相続開始の時において有した財産の価額から共同相続人の協議で定めたその者の寄与分を控除したものを相続財産とみなし、第900条から第902条までの規定により算定した相続分に寄与分を加えた額をもってその者の相続分とする。

Ⅱ　前項の協議が調わないとき、又は協議をすることができないときは、家庭裁判所は、同項に規定する寄与をした者の請求により、寄与の時期、方法及び程度、相続財産の額その他一切の事情を考慮して、寄与分を定める。

Ⅲ　寄与分は、被相続人が相続開始の時において有した財産の価額から遺贈の価額を控除した残額を超えることができない〈団〉。

Ⅳ　第2項の請求は、第907条第2項の規定による請求があった場合又は第910条に規定する場合にすることができる。

《注　釈》

＜特別受益と寄与分＞

	特別受益者の相続分（903）	寄与分（904の2）
趣旨	相続人中に被相続人から特別の財産的利益を受けた者がある場合に、相続人間の不公平を計算上生じさせないようにする	相続人中に被相続人の財産の形成・維持につき特別の寄与をした者がある場合に、相続人間の不公平を計算上生じさせないようにする
対象	①　相続人の受けた遺贈 ②　相続人が婚姻・養子縁組のため若しくは生計の資本として受けた贈与	被相続人の事業に関する労務の提供又は財産上の給付、被相続人の療養看護その他の方法による被相続人の財産の維持又は増加についての特別の寄与
評価方法	受贈者の行為によって、目的たる財産が滅失・価格の増減があっても「相続開始の時においてなお原状のままであるものと」みなされる（904） →相続開始時を基準として評価する	①　共同相続人間の協議 ②　家庭裁判所の審判 　　→「寄与の時期、方法及び程度、相続財産の額その他一切の事情を考慮」する（904の2Ⅱ）
効果	被相続人が相続開始時に有した財産の価額に贈与の価額を加えたものを相続財産とみなし、相続分の中から遺贈・贈与の価額を控除する（903Ⅰ）（＊1）	被相続人が相続開始時に有した財産の価額からその者の寄与分を控除したものを相続財産とみなし、相続分に寄与分を加えた額をその者の相続分とする（904の2Ⅰ）（＊2）

＊1　特別受益者の具体的相続分〈司〉
　　（相続開始時の財産＋贈与の価額）×相続分率－遺贈・贈与価額
＊2　寄与者の具体的相続分〈司〉
　　（相続開始時の財産－寄与分）×相続分率＋寄与分

《その他》

- 寄与分を定めるに当たっては、これが他の相続人の遺留分を侵害する結果となるかどうかについても考慮しなければならない（東京高決平3.12.24）。

第904条の3　（期間経過後の遺産の分割における相続分）

　前3条の規定＜特別受益者の相続分、寄与分＞は、相続開始の時から10年を経過した後にする遺産の分割については、適用しない。ただし、次の各号のいずれかに該当するときは、この限りでない。
　①　相続開始の時から10年を経過する前に、相続人が家庭裁判所に遺産の分割の請求をしたとき。
　②　相続開始の時から始まる10年の期間の満了前6箇月以内の間に、遺産の分割を請求することができないやむを得ない事由が相続人にあった場合において、その事由が消滅した時から6箇月を経過する前に、当該相続人が家庭裁判所に遺産の分割の請求をしたとき。

【令3改正】今日では、所有者不明土地（所有者を知ることができず、又はその所在を知ることができない土地、264の2Ⅰ参照）の増加が社会的に問題となっている。その所有者不明土地が増加する主な原因は、相続登記がされないことにあると

ころ、相続登記がされるように促すには、その実質的な前提ともいえる遺産分割が
されるように促すことが極めて重要である。そこで、令和3年改正民法は新たに本
条を設け、相続開始時から10年以内に遺産分割をしないと具体的相続分による遺
産分割を求める利益を失うとすることにより、遺産分割がされるように間接的に促
している。

《注　釈》

◆　**期間経過後の遺産分割における相続分**

1　原則

特別受益者の相続分に関する903条・904条、及び寄与分に関する904条の
2の規定は、相続開始の時から10年を経過した後にする遺産の分割について
は、適用しない（904の3柱書本文）。

→この規定の適用を受ける共同相続人は、原則として、他の共同相続人の特
別受益や自己の寄与分を考慮した具体的相続分による遺産分割を求める利
益を失う（法定相続分・指定相続分に従って遺産分割がなされる）

2　例外

904条の3各号のいずれかに該当する場合には、上記の規定は適用されない
（904の3柱書ただし書）。

また、たとえ相続開始時から10年を経過した後であっても、共同相続人間
で具体的相続分による分割をするとの合意がされた場合には、それに従った協
議による遺産分割が有効であることはもとより、調停・審判による場合におい
ても、その合意に従って遺産分割されるものと解されている。

一方、相続開始時から10年を経過し、法定相続分によって遺産分割された
後、具体的相続分による遺産分割の場合よりも不利益を受けた共同相続人が、
利益を受けた他の共同相続人に対して不当利得等に基づく返還請求をしても、
これが認められることはないと解されている。

第905条　（相続分の取戻権）

Ⅰ　共同相続人の1人が遺産の分割前にその相続分を第三者に譲り渡したときは、他
の共同相続人は、その価額及び費用を償還して、その相続分を譲り受けることがで
きる《同書》。

Ⅱ　前項の権利は、1箇月以内に行使しなければならない《書》。

[趣旨]共同相続人の1人が遺産の相続開始から遺産分割までの間に自己の相続分を
他に譲渡することができることを認めたうえで、遺産分割に第三者が介入して紛糾
することを防止するため、他の共同相続人は、その価額及び費用を譲渡の相手方に
償還してその相続分を取り戻すことができることを規定した。

《その他》

▪ 共同相続人の1人が、遺産を構成する特定の不動産に対する同人の共有持分権を
第三者に譲渡しても、本条の規定を適用又は類推適用することはできない（最判
昭53.7.13・百選Ⅲ65事件）《同》。

■第3節　遺産の分割

《概　説》

一　遺産分割の意義

共同相続の場合に、一応相続人の共有になっている遺産を相続分に応じて分割して、各相続人の財産にすることをいう。共同相続財産の最終的帰属を決定するための手続である。

二　分割の実行

遺産分割は、第一に、遺言による分割指定の方法があれば、それに従う（指定分割、908 Ⅰ）。遺言による指定がなければ、第二に、共同相続人の協議による（協議分割、907 Ⅰ）。協議が調わないか、協議することができないときは、第三に、相続人の申立てによって家庭裁判所による分割が行われる（審判分割、907 Ⅱ）圖。家庭裁判所は、分割の審判に先立って、調停による分割を試みる（調停分割、家事事件手続 244 以下）。

cf.　相続人の1人に遺産を全部取得させるための方便として発給した、相続分不存在証明書を付してなされた単独名義の相続登記に遺産分割協議の効力を認めた例として、東京高判昭 59.9.25 がある。

三　当事者

1　相続人全員のほか、包括受遺者（990）、相続分の譲受人（905）、遺言執行者（1012）が含まれる圖。他方、後順位の相続人、相続放棄者、欠格者、被廃除者、個々の財産上の持分の譲受人などは含まれない。

相続人の一部を除外し、又は相続人でない者を加えてなされた遺産分割は無効である。もっとも、相続開始後に認知により新たに相続人となった者が出現した場合には、被認知者の利益の保護と遺産分割の安定性の要請との調和を図る観点から、遺産分割自体を有効としつつ、被認知者に価額による支払請求権が認められている（910）。　⇒ p.760

2　胎児

胎児には権利能力が認められる（886）が、停止条件説と解除条件説の対立がある。　⇒ p.5

停止条件説（判例・通説）に立てば、胎児は出生するまで遺産分割の当事者となることができない（法定代理人を通じて遺産分割の当事者となることもできない）。一方、解除条件説に立てば、胎児の法定代理人を通じて遺産分割の当事者となることができる。

四　分割の時期

原則として、いつでも可能である（907 Ⅰ）。遺産分割請求権は消滅時効にかからないが、相続回復請求に該当する場合には期間制限がある（884）。

五　分割の禁止

1　遺言による分割禁止（908 Ⅰ）

被相続人は、遺言で相続人全員あるいは一部に対して、遺産の全部又は一部の分割を禁止できるが、分割禁止期間は、5年を超えることはできない。

　　うことは可能と解されている
　2　協議による分割禁止（256）
　　　相続人の協議によって分割を禁止できるが、この場合の禁止期間も5年である（ただし、さらに5年に限って更新が認められる。256Ⅱ）。
　　　cf.　禁止期間内の分割も、全員の合意があれば、可能である
　3　審判による分割禁止（908Ⅳ）
　　　家庭裁判所は、「特別の事由」があるときに限って、「期間を定めて」分割を禁止できる。

六　分割の効力

　1　分割の遡及効（909）
　2　相続開始後に認知された者
　　　相続開始後認知された者がいる場合、いったんなされた分割が無効となるわけではなく、認知を受けた者に価額による支払請求権が認められる（910）。
　　　∵　いったんなされた遺産分割の効力をみだりに覆すべきでない
　3　担保責任（911〜914）
　　　遺産分割によって取得した財産に瑕疵がある場合には、公平の見地から、各共同相続人は、その相続分に応じて、売主と同じ担保責任を負う。

第906条　（遺産の分割の基準）

　遺産の分割は、遺産に属する物又は権利の種類及び性質、各相続人の年齢、職業、心身の状態及び生活の状況その他一切の事情を考慮してこれをする。

[趣旨]本条は、遺産分割を実行する際の分割の指針を定めたものである。共同相続人間に遺産分割が算術的に公平に行われるだけでなく、具体的に公平に行われ、かつ遺産の社会的・経済的価値ができるだけ損なわれないように行われることを企図している。

第906条の2　（遺産の分割前に遺産に属する財産が処分された場合の遺産の範囲）

Ⅰ　遺産の分割前に遺産に属する財産が処分された場合であっても、共同相続人は、その全員の同意により、当該処分された財産が遺産の分割時に遺産として存在するものとみなすことができる。
Ⅱ　前項の規定にかかわらず、共同相続人の1人又は数人により同項の財産が処分されたときは、当該共同相続人については、同項の同意を得ることを要しない。

[趣旨]遺産分割前に相続人の一人がその共有持分を処分する場合、その財産は遺産分割の対象とならないため、かかる場合はその共有持分を除いて遺産分割をせざるを得ない。その結果、具体的相続分に従って遺産分割をなすと、処分を行った共同相続人の最終的な財産の取得額が、他の共同相続人の取得額と比べて大きくなるという不公平が生じる。そこで、こうした事態に対処するため、本条は、遺産分割

相続

前に財産が処分された場合であっても、全員の同意により、その財産を遺産分割の
対象とすることができることとし、また、処分を行った共同相続人との関係ではそ
の同意を要しない旨規定した。

《注　釈》

▪ 本条1項における同意も意思表示であるため、民法総則に定める無効・取消しに
関する規定が適用される。しかし、この同意の意思表示は撤回できないとされて
いる。これは、同意の意思表示がなされた段階で実体法上の効果が生じ、一部の
者の意思のみによってその効果を覆滅させることは相当でないためである。

▪ 共同相続人の債権者が当該共同相続人の不動産の共有持分を差し押さえた場合で
も、買受人の代金納付前であれば、当該共有持分も遺産分割の対象となるため、
本条の適用を要しない。

→遺産分割前に買受人が代金を納付した場合は、差押えを受けた財産が遺産分割
の対象から外れることとなり、共同相続人間の不公平が生じるため、本条が適
用される余地がある

第907条　（遺産の分割の協議又は審判）

Ⅰ　共同相続人は、<u>次条第1項の規定により被相続人が遺言で禁じた場合又は同条第
2項の規定により分割をしない旨の契約をした場合</u>を除き、いつでも、その協議で、
遺産の全部又は一部の分割をすることができる〈団〉。

Ⅱ　遺産の分割について、共同相続人間に協議が調わないとき、又は協議をすること
ができないときは、各共同相続人は、その全部又は一部の分割を家庭裁判所に請求
することができる〈供〉。ただし、遺産の一部を分割することにより他の共同相続人の
利益を害するおそれがある場合におけるその一部の分割については、この限りでな
い。

第908条　（遺言の分割の方法の指定及び遺産の分割の禁止）

Ⅰ　被相続人は、遺言で、遺産の分割の方法を定め、若しくはこれを定めることを第
三者に委託し、又は相続開始の時から5年を超えない期間を定めて、遺産の分割を
禁ずることができる〈団共予〉。

Ⅱ　共同相続人は、5年以内の期間を定めて、遺産の全部又は一部について、その分
割をしない旨の契約をすることができる。ただし、その期間の終期は、相続開始の
時から10年を超えることができない。

Ⅲ　前項の契約は、5年以内の期間を定めて更新することができる。ただし、その期
間の終期は、相続開始の時から10年を超えることができない。

Ⅳ　前条第2項本文の場合において特別の事由があるときは、家庭裁判所は、5年以
内の期間を定めて、遺産の全部又は一部について、その分割を禁ずることができ
る。ただし、その期間の終期は、相続開始の時から10年を超えることができな
い。

Ⅴ　家庭裁判所は、5年以内の期間を定めて前項の期間を更新することができる。た
だし、その期間の終期は、相続開始の時から10年を超えることができない。

【令3改正】今般の改正により、具体的相続分による遺産分割を求める期間に制限

が設けられた（904の3参照）ことに関連して、遺産分割の禁止期間についても規律が改められた（908Ⅱ〜Ⅴ）。また、908条の改正に伴い、907条についても規律が修正された。

《注　釈》

一　協議分割（907Ⅰ）

1　意義

　　共同相続人は、遺言による相続分の指定（902）があっても、分割禁止遺言（908Ⅰ）又は分割禁止契約（908Ⅱ）がある場合を除き、いつでも、協議によって指定された相続分と異なる相続分の割合による遺産分割をすることができる（907Ⅰ）〈司〉。同様に、条文によって算出された具体的相続分がある場合（903・904の2）や、遺産分割の方法の指定がされている場合（908Ⅰ）も、それらと異なる分割をすることができる。

　　∵　被相続人の意思よりも、共同相続人の自由な意思が尊重される

2　協議分割の解除

⑴　共同相続人間において遺産分割協議が成立した場合に、相続人の1人がその協議で負担した債務を履行しないときであっても、その債権を有する相続人は541条によって右協議を解除できない（∵遺産分割の安定）（最判平元.2.9・百選Ⅲ75事件）〈司書〉。

⑵　共同相続人の全員がすでに成立した遺産分割協議の全部又は一部を合意により解除したうえ、改めて遺産分割協議をすることは、法律上当然に妨げられるものではない（最判平2.9.27）〈司共書〉。

二　審判分割（907Ⅱ）

　　審判分割は、共同相続人間に協議が調わないとき、又は協議をすることができないときに、家庭裁判所が、遺産分割の基準に関する906条を指針に、具体的相続分を基準として、審判で遺産を分割する方法である（907Ⅱ本文）。

　　もっとも、一部分割により他の共同相続人の利益を害するおそれがある場合には、その一部分割は認められない（907Ⅱただし書）。

三　指定分割（908Ⅰ）

1　意義

　　被相続人は、遺言で分割方法を指定し、又は相続人以外の第三者に分割方法の指定を委託することができる〈司共〉。遺産分割の方法のうち、この遺産分割方法の指定が最も優先される。

2　「相続させる」旨の遺言（特定財産承継遺言）〈司H30〉

⑴　特定の遺産を特定の相続人に「相続させる」趣旨の遺言は、特段の事情のない限り、相続分の指定や遺贈ではなく遺産分割方法の指定の一場合であり、何らの行為を要せずに、被相続人の死亡の時に直ちに当該遺産が当該相続人に相続により承継される（最判平3.4.19・百選Ⅲ92事件）〈司共〉。

　　この特定の財産の価額が、当該相続人の法定相続分を超える場合には、特段の事情がない限り、「相続分の指定」（902）を伴う遺産分割方法の指定を

定めたものと扱われる。そして、このような場合には、特段の事情（債務の承継割合を法定相続分から変更する意思がないことが明らかである等、最判平21.3.24・百選Ⅲ93事件参照）がない限り、債務もその割合で承継させる趣旨に意思解釈するのが合理的であると解されている。

　なお、特定の財産の価額が法定相続分を下回る場合には、特定の相続人の相続分が法定相続分を下回るものとするとの「相続分の指定」がされたと解すべきではない。

(2)　相続人の1人に対して財産全部を相続させる旨の遺言がされた場合、特段の事情のない限り、相続人間においては当該相続人が相続債務も全て承継したと解され、遺留分の侵害額の算定に当たり、遺留分権利者の法定相続分に応じた相続債務の額を遺留分の額に加算することは許されない（最判平21.3.24・百選Ⅲ93事件）。

(3)　「相続させる」旨の遺言により遺産を相続させるものとされた推定相続人が遺言者の死亡以前に死亡した場合には、遺言者が当該推定相続人の代襲者等に遺産を相続させる旨の意思を有していたとみるべき特段の事情ない限り、「相続させる」旨の遺言は効力を生じない（最判平23.2.22・平23重判14事件）

(4)　「相続させる」旨の遺言により法定相続分を超える権利を承継する場合、当該超過部分については対抗要件を備えなければ第三者に対抗することができない（899の2Ⅰ）。

3　遺言執行者不存在の場合
　分割方法の指定があっても、遺言執行者が存在しない限り、共同相続人全員の合意（協議分割）によって、指定と異なる分割をすることも可能であり、無効とはいえない。

《その他》

▪遺産相続により相続人の共有となった財産の分割については、家庭裁判所が審判によってこれを定めるべきものであり、通常裁判所が判決手続で判定すべきものではない（最判昭62.9.4）

▪共同相続人のうち、自己の相続分の全部を譲渡（905Ⅰ）した者は、「積極財産と消極財産とを包括した遺産全体に対する割合的な持分を全て失うことになり、遺産分割審判の手続等において遺産に属する財産につきその分割を求めることはできない」（最判平26.2.14）

第909条　（遺産の分割の効力）

　遺産の分割は、相続開始の時にさかのぼってその効力を生ずる。ただし、第三者の権利を害することはできない。

《注　釈》

一　本文（分割の宣言主義）

　遺産分割の効力につき、相続人保護のため、遡及効を与えて、遺産を被相続人

から相続人が直接承継したものと扱う（宣言主義）。

→相続開始と同時に、各相続人は遺産分割により取得した財産を承継していたのであり、分割はその効力を宣言するものにすぎないとする立場を宣言主義といい、これに対し、遺産分割により分割時から各相続人の単独所有等になるとする立場を移転主義という

二　ただし書

1　趣旨

宣言主義を貫くと第三者の権利を害するため、遡及効に制限を加えて取引の安全を図る〈司〉。

→実質上、移転主義（分割時に持分の交換が行われたとみる制度）と異ならなくなっている

2　第三者の意義

(1)　ただし書は、分割の遡及効により害される第三者を保護するものであるから、「第三者」とは、相続開始後分割前に生じた第三者をいう〈司〉。

(2)　「第三者」とは、相続人から個々の遺産の持分を譲渡又は担保に供された第三者、及び持分に対して差押えをなした債権者に限られ、相続分の譲受人（905）は含まれない。

3　第三者の保護要件

(1)　主観的要件

第三者の善意・悪意は問わない。

(2)　登記の要否

第三者が保護されるには、登記を具備していることが必要である。

→学説は、ここでの登記は対抗要件としての登記ではなく、権利保護資格要件としての登記と解している

三　遺産分割と対抗要件

遺産分割により自己の法定相続分を超える財産を承継した相続人は、当該超過部分について対抗要件を具備しなければ、分割後の第三者に対抗することができない（899の2Ⅰ）。　⇒p.746

第909条の2　（遺産の分割前における預貯金債権の行使）

各共同相続人は、遺産に属する預貯金債権のうち相続開始の時の債権額の3分の1に第900条及び第901条の規定により算定した当該共同相続人の相続分を乗じた額（標準的な当面の必要生計費、平均的な葬式の費用の額その他の事情を勘案して預貯金債権の債務者ごとに法務省令で定める額を限度とする。）については、単独でその権利を行使することができる。この場合において、当該権利の行使をした預貯金債権については、当該共同相続人が遺産の一部の分割によりこれを取得したものとみなす。

[趣旨]預貯金債権は遺産分割の対象に含まれる（最大決平28.12.19・百選Ⅲ70事件）ので、預貯金債権は遺産分割するまでの間、各共同相続人に準共有される。そうすると、遺産分割する前の時点で預貯金債権の払戻しを受けるには、共同相続人

の全員による共同行使が必要となるが、相続債務の弁済や葬儀費用、被相続人から扶養を受けていた相続人の当面の生活費の捻出などのために緊急の預貯金の払戻しが必要となるような場合には、単独で預貯金債権の行使を認めて小口の資金需要に対応できるようにするのが国民の利便に資する。そこで、本条は、遺産に属する預貯金債権のうち、相続開始時の債権額の3分の1に法定相続分を乗じた額については、単独で預貯金債権を行使できることとした。

第910条　（相続の開始後に認知された者の価額の支払請求権）

　相続の開始後認知によって相続人となった者が遺産の分割を請求しようとする場合において、他の共同相続人が既にその分割その他の処分をしたときは、価額のみによる支払の請求権を有する〈司共〉

第911条　（共同相続人間の担保責任）

　各共同相続人は、他の共同相続人に対して、売主と同じく、その相続分に応じて担保の責任を負う〈司〉。

第912条　（遺産の分割によって受けた債権についての担保責任）

Ⅰ　各共同相続人は、その相続分に応じ、他の共同相続人が遺産の分割によって受けた債権について、その分割の時における債務者の資力を担保する。

Ⅱ　弁済期に至らない債権及び停止条件付きの債権については、各共同相続人は、弁済をすべき時における債務者の資力を担保する。

第913条　（資力のない共同相続人がある場合の担保責任の分担）

　担保の責任を負う共同相続人中に償還をする資力のない者があるときは、その償還することができない部分は、求償者及び他の資力のある者が、それぞれその相続分に応じて分担する。ただし、求償者に過失があるときは、他の共同相続人に対して分担を請求することができない。

第914条　（遺言による担保責任の定め）

　前3条の規定は、被相続人が遺言で別段の意思を表示したときは、適用しない。

［趣旨］

- 910条：本条は、相続開始後に認知により相続人となった者が遺産分割を請求する際、既に遺産分割が終了している場合、当該遺産分割のやり直しを避け、一方で当該分割の効力を維持しつつ、他方で、被認知者に保護のために価額による支払請求を認めた〈共〉。

　→遺産の価額算定の基準時は、価額の支払を請求した時（最判平28.2.26・平28重判12事件）

　　∵　この時点までの遺産の価額の変動を他の共同相続人が支払うべき金額に反映させるとともに、その時点で直ちに当該金額を算定しうるものとするのが当事者間の衡平の観点から相当

　→本条に基づき支払われるべき「価額」は、分割等の対象とされた遺産

の価額を基礎として算定される。そして、分割の対象となるのは、遺産のうち積極財産のみであり、消極財産である相続債務は、認知された者を含む各共同相続人に当然に承継され、遺産の分割の対象とならない（最判令元.8.27・百選Ⅲ 74 事件）

- 911 条：本条は、遺産分割を相続人相互が自己の持分を譲渡し合うものと考えると、売買・交換に類似するところ、相続人が遺産分割の結果得た物又は権利に瑕疵がある場合に、他の共同相続人に売主と同じ担保責任を負担させることを規定した〈共〉。

- 912 条：本条は、債権を遺産分割の対象とした場合、債務者が無資力であるため、その債権を取得した相続人が全部又は一部の弁済を受けることができなかったときの共同相続人の担保責任を規定することにより、共同相続人間の公平を図ることを目的としている。

- 913 条：本条は、前 2 条によって担保責任を負う共同相続人のうち、無資力者がある場合に、そのリスクを他の共同相続人との間で公平に負担させることを目的としている。

- 914 条：本条は、前 3 条で規定する担保責任が共同相続人が相続分に応じて負担するのが原則であるところ、被相続人の意思を尊重して、被相続人の遺言により、上記担保責任を排除・変更することを認めている。

《その他》

- 嫡出でない子がいる母の死亡による相続について、その子が遺産の分割を請求しようとする場合において、他の共同相続人らがその子の存在を知らないまま、既に遺産分割の協議を成立させていたときは、784 条ただし書や 910 条を類推適用することはできず、再分割がなされる（最判昭 54.3.23）〈共〉。

・第4章・【相続の承認及び放棄】

■第1節　総則

《概　説》

　相続による財産上の権利義務の承継は、一応相続人の意思に関係なく、また相続人が知っていたかどうかにかかわらず、当然に生ずるとするのが法律の建前である。

　しかし、相続財産は、ときには消極財産の方が多い場合もあるし、たとえ積極財産の方が多くともその遺産をもらうことを潔しとしない場合もある。

　そこで、民法は、相続の承認及び放棄の章を設け、相続人の意思によって、一応生じた相続の効果を確定させるか否かの選択の自由を与えることとした。

相
続

<単純承認・限定承認・放棄>

	単純承認（920）	限定承認（922）	放棄（938）
意義	相続人が被相続人の権利義務を無限に相続すること	相続財産の限度でのみ相続債務・遺贈を弁済することを留保して相続を承認すること	民法所定の方式に従ってなされるところの、相続財産を一切承継しない旨の意思表示
要件	① 相続財産の全部又は一部を処分した（921①） →「処分」は法律行為の他、事実行為（破壊等）も含む →相続開始を知らないで処分した場合は含まれない ② 915条1項の期間（熟慮期間）内に限定承認・放棄をしない（921②） ③ 限定承認・放棄の後で相続財産の全部・一部を隠匿し、私に消費し、悪意で相続財産の目録中に記載しなかった（921③）	<家庭裁判所への申述（924、938）> ① 要式行為 　無方式の意思表示としての限定承認・放棄は無効である ② 申述すべき期間 　原則として3か月（熟慮期間、915Ⅰ本文） 　起算点：自己のための相続開始を知った時	
効果	熟慮期間が残っている場合でも、もはや限定承認・放棄はできず、相続人は無限に被相続人の権利義務を承継する（920）	<限定承認者の義務> ① 相続財産の目録の作成（924） ② 相続財産の管理（926Ⅰ） ③ 相続債権者・受遺者に対する公告・催告（927） ④ 相続債権者・受遺者への弁済（929） ⑤ 損害賠償責任（934）	<放棄者の義務> ・保存義務（940Ⅰ） <放棄の効果> ① 遡及効（939） 　他の相続人の相続分は、放棄者が初めからいなかったものとして算定される ② 代襲原因にならない（887）

相続

第915条 （相続の承認又は放棄をすべき期間）

Ⅰ 相続人は、自己のために相続の開始があったことを知った時から3箇月以内に、相続について、単純若しくは限定の承認又は放棄をしなければならない。ただし、この期間は、利害関係人又は検察官の請求によって、家庭裁判所において伸長することができる。

Ⅱ 相続人は、相続の承認又は放棄をする前に、相続財産の調査をすることができる。

[趣旨] 相続人が承認・放棄をするに当たり、相続財産の内容を調査して、いずれにするかを考慮するゆとりを与えるため、本条は、3か月の期間（熟慮期間・考慮期間）を置くものとした。相続人の保護を図るものであるが、相続債権者への考慮、すなわち相続における権利関係の早期確定という趣旨も存する。

《注　釈》

一　承認・放棄をなしうる時期

　相続の承認・放棄は、相続開始後になすべきものであり、開始前にその意思を表示しても無効である〈書〉。

二　熟慮期間の起算点

1　死亡の事実を知った時に加えて、それによって具体的に自分が相続人となったことを知った時である（大決大15.8.3）。

　　→被相続人に相続財産が全く存在しないと信ずるにつき相当な理由があれば、相続人が相続財産の全部又は一部の存在を認識した時又は通常これを認識しうべき時（最判昭59.4.27・百選Ⅲ81事件）〈書〉

2　相続人が数人あるときは、各相続人につき別々に起算することになる（最判昭51.7.1）。

第916条

　相続人が相続の承認又は放棄をしないで死亡したときは、前条第1項の期間は、その者の相続人が自己のために相続の開始があったことを知った時から起算する。

[趣旨] 相続人が相続の承認・放棄をしないで死亡したときは、その者の相続人（再転相続人）は、第1、第2の両相続を同時になすことができる。これを再転相続という。本条は、再転相続人（第2相続の相続人）に、相続財産の調査等の期間を十分になしうるようにさせるため、熟慮期間の特例を設けた。

《注　釈》

▪ 916条の「その者の相続人が自己のために相続の開始があったことを知った時」とは、相続の承認又は放棄をしないで死亡した者の相続人が、当該死亡した者からの相続により、当該死亡した者が承認又は放棄をしなかった相続における相続人としての地位を、自己が承継した事実を知った時をいう（最判令元.8.9・令元重判11事件）。

　→甲が死亡し、乙が甲を相続した場合（第1相続）において、乙が甲の相続の承認又は放棄をしないで死亡し、丙が乙を相続したとき（第2相続）、丙（甲の再転相続人）の熟慮期間のうち第1相続の熟慮期間は、丙が第2相続によって第1相続の承認又は放棄を選択しうる地位を承継したと認識した時から起算する

　　∵① 丙は、自己のために乙からの相続が開始したことを知ったからといって、当然に乙が甲の相続人であったことを知り得るわけではなく、丙自身において、乙が甲の相続人であったことを知らなければ、甲からの相続について承認又は放棄のいずれかを選択することはできない

　　② 丙が、乙から甲の相続人としての地位を承継したことを知らないにもかかわらず、乙からの相続が開始したことを知ったことをもって、甲からの相続に係る熟慮期間が起算されるとすることは、916条の趣旨（丙に対し、甲からの相続について承認又は放棄のいずれかを選択する機会を保障すること）に反する

相
続

- 916条は、甲からの相続に係る丙の熟慮期間の起算点について、乙が甲の相続人であることを知っていたか否かにかかわらず適用される（前掲最判令元.8.9・令元重判11事件）。
  - ∵① 916条は「相続の承認又は放棄をしないで死亡したとき」としか規定していない
  - ② 916条の趣旨（丙に対し、甲からの相続について承認又は放棄のいずれかを選択する機会を保障すること）
- 甲の相続につき、乙が承認又は放棄をしないで死亡した場合、乙の相続人である丙は、甲乙の相続それぞれについて放棄ができる。しかし、乙の相続を放棄した場合には、その後甲の相続を承認する余地はない。また、甲の相続を放棄した後に乙の相続を放棄しても、先にした甲の相続放棄の効力が遡って無効となることはない（最判昭63.6.21・百選Ⅲ82事件）〈司〉。

第917条 〈司〉

　　相続人が未成年者又は成年被後見人であるときは、第915条第1項の期間は、その法定代理人が未成年者又は成年被後見人のために相続の開始があったことを知った時から起算する。

《注 釈》

◆ **承認・放棄の行為能力**

　　相続人が承認及び放棄をするには、通常の財産法上の行為能力が必要となる。
　　cf. 被保佐人については本条の適用がない（∵保佐人の同意を得て本人がする（13Ⅰ⑥））

第918条 （相続人による管理）

　　相続人は、その固有財産におけるのと同一の注意をもって、相続財産を管理しなければならない〈司共〉。ただし、相続の承認又は放棄をしたときは、この限りでない。

【令3改正】改正前民法918条2項（「家庭裁判所は、利害関係人又は検察官の請求によって、いつでも、相続財産の保存に必要な処分を命ずることができる。」）・3項（「第27条から第29条までの規定は、前項の規定により家庭裁判所が相続財産の管理人を選任した場合について準用する。」）は、今般の改正により新設された相続財産の管理人の制度（897の2）に吸収された。

第919条 （相続の承認及び放棄の撤回及び取消し）

　Ⅰ　相続の承認及び放棄は、第915条第1項の期間内でも、撤回することができない〈司書〉。
　Ⅱ　前項の規定は、第1編（総則）及び前編（親族）の規定により相続の承認又は放棄の取消しをすることを妨げない〈司書〉。

Ⅲ　前項の取消権は、追認をすることができる時から6箇月間行使しないときは、時効によって消滅する。相続の承認又は放棄の時から10年を経過したときも、同様とする。

Ⅳ　第2項の規定により限定承認又は相続の放棄の取消しをしようとする者は、その旨を家庭裁判所に申述しなければならない〈司共書〉。

[趣旨] 相続の放棄や承認の撤回を自由に認めると、相続債権者や共同相続人、次順位の相続人等の利害関係人は、熟慮期間（915）の終了を待たなければならないことになり、相続過程が進行しないといった支障や混乱が生じるおそれがある。そのため、919条1項は、承認・放棄の効果を確定的なものとした。もっとも、919条1項は、民法総則と親族編に規定されている取消しまで否定する趣旨の規定ではない。919条2項は、この旨を明示したものである。

《注　釈》
一　取り消すことができる場合（Ⅱ）

1　行為能力の制限（5Ⅱ、9、13Ⅰ⑥・Ⅳ、17Ⅳ）、錯誤（95）、詐欺・強迫（96）及び後見監督人の同意の欠如（864、865、867）などの取消原因がある場合に、取消しが認められる。

2　取消しは、追認できる時から6か月以内に、家庭裁判所に申述して行う必要がある（919Ⅲ前段・Ⅳ）〈司〉。また、相続の承認又は放棄の時から10年以内に行う必要がある（919Ⅲ後段）。

二　無効となる場合

919条は無効について規定していないが、相続の放棄・承認の意思表示に無効原因があれば、無効の主張をすることができる（最判昭29.12.24）。

ex. 意思能力のない者がした相続の放棄・承認（3の2参照）、方式違反の相続放棄、熟慮期間（915Ⅰ）経過後の相続放棄、無権代理人による意思表示

■第2節　相続の承認

第1款　単純承認

第920条（単純承認の効力）
相続人は、単純承認をしたときは、無限に被相続人の権利義務を承継する。

第921条（法定単純承認）
次に掲げる場合には、相続人は、単純承認をしたものとみなす。

①　相続人が相続財産の全部又は一部を処分したとき。ただし、保存行為及び第602条に定める期間を超えない賃貸をすることは、この限りでない〈司書〉。

②　相続人が第915条第1項の期間内に限定承認又は相続の放棄をしなかったとき。

③　相続人が、限定承認又は相続の放棄をした後であっても、相続財産の全部若しくは一部を隠匿し、私にこれを消費し、又は悪意でこれを相続財産の目録中に記載しなかったとき。ただし、その相続人が相続の放棄をしたことによって相続人となった者が相続の承認をした後は、この限りでない〈同共〉。

［趣旨］1号・2号は、相続財産の処分・熟慮期間の経過を単純承認の黙示の意思表示とみて、3号は、相続人の背信行為に対する制裁として、単純承認の効果を負わせる。

《注　釈》

一　1号

相続人が自己のために相続が開始した事実を知り、又は確実に予想しながら、相続財産を処分した場合でなければ、本号に当たらない（最判昭42.4.27）〈同書〉

　ex.1　相続人がいったん有効に限定承認又は放棄をした後に相続財産を処分した場合は、「処分したとき」に当たらない（大判昭5.4.26）〈同〉

　ex.2　代物弁済（大判昭12.1.30）、債権の取立て（最判昭37.6.21）は「処分したとき」に当たる

二　2号

2号により、民法は、相続開始後、相続人につき単純承認の相続となることを本則としている。

三　3号

1　本号にいう「相続財産」には、消極財産（相続債務）も含まれる（最判昭61.3.20）。

2　ある相続人が相続の放棄をし、それによって相続人となった者が相続を承認した後は、隠匿行為があっても法定承認とはならない（ただし書）〈同〉。

四　その他

限定承認をした共同相続人の一部に法定単純承認となる事由があるときでも、他の共同相続人は単純承認をしたものとはみなされない（923、937）。

相続人が限定承認をしたときは、その被相続人に対して有していた権利義務は、消滅しない（925）。

第2款　限定承認

第922条　（限定承認）

相続人は、相続によって得た財産の限度においてのみ被相続人の債務及び遺贈を弁済すべきことを留保して、相続の承認をすることができる。

［趣旨］相続人は本来相続債務について無限責任を負うのであるが、債務の過大な承継から相続人の利益を守るために、本条は、相続財産を限度とする有限責任に転化する手段を相続人に与えた。

《注　釈》

◆　物的有限責任

1　限定承認した相続人といえども、被相続人に属していた債務の全額を承継するのであり、ただ債務の引当てとして、相続財産を限度とする有限責任を負うにすぎない（大判昭7.6.2）。

2　不動産の死因贈与（554）を受けた相続人が限定承認をした場合、死因贈与に基づく限定承認者への所有権移転登記が相続債権者による差押登記より先になされたとしても、信義則に照らし、限定承認者は、相続債権者に対して当該不動産の所有権取得を対抗できない（最判平10.2.13・百選Ⅲ83事件）〈共〉。

第923条　（共同相続人の限定承認）

相続人が数人あるときは、限定承認は、共同相続人の全員が共同してのみこれをすることができる〈同書〉。

[趣旨]個別の限定承認を許すと、清算手続（927以下）が煩雑になることから、本条は共同相続人全員での限定承認を要するとした。

cf.　共同相続人の1人が相続放棄した場合には、放棄した相続人は初めから相続人でなかったことになる（939）。それゆえ、他の共同相続人が全員で共同すれば限定承認はできるものと解される（923参照）〈同〉

第924条　（限定承認の方式）

相続人は、限定承認をしようとするときは、第915条第1項の期間内に、相続財産の目録を作成してこれを家庭裁判所に提出し、限定承認をする旨を申述しなければならない。

第925条　（限定承認をしたときの権利義務）

相続人が限定承認をしたときは、その被相続人に対して有した権利義務は、消滅しなかったものとみなす〈同〉。

第926条　（限定承認者による管理）

Ⅰ　限定承認者は、その固有財産におけるのと同一の注意をもって、相続財産の管理を継続しなければならない〈同〉。

Ⅱ　第645条＜受任者による報告＞、第646条＜受任者による受取物の引渡し等＞並びに第650条第1項及び第2項＜受任者による費用の償還請求、代弁済請求＞等の規定は、前項の場合について準用する。

第927条　（相続債権者及び受遺者に対する公告及び催告）

Ⅰ　限定承認者は、限定承認をした後5日以内に、すべての相続債権者（相続財産に属する債務の債権者をいう。以下同じ。）及び受遺者に対し、限定承認をしたこと及び一定の期間内にその請求の申出をすべき旨を公告しなければならない。この場合において、その期間は、2箇月を下ることができない。

Ⅱ　前項の規定による公告には、相続債権者及び受遺者がその期間内に申出をしない
　ときは弁済から除斥されるべき旨を付記しなければならない。ただし、限定承認者
　は、知れている相続債権者及び受遺者を除斥することができない。

Ⅲ　限定承認者は、知れている相続債権者及び受遺者には、各別にその申出の催告を
　しなければならない。

Ⅳ　第1項の規定による公告は、官報に掲載してする。

第928条　（公告期間満了前の弁済の拒絶）

　限定承認者は、前条第1項の期間の満了前には、相続債権者及び受遺者に対して弁
済を拒むことができる〈回〉。

第929条　（公告期間満了後の弁済）

　第927条第1項の期間が満了した後は、限定承認者は、相続財産をもって、その
期間内に同項の申出をした相続債権者その他知れている相続債権者に、それぞれその
債権額の割合に応じて弁済をしなければならない〈書〉。ただし、優先権を有する債権者
の権利を害することはできない。

第930条　（期限前の債務等の弁済）

Ⅰ　限定承認者は、弁済期に至らない債権であっても、前条の規定に従って弁済をし
　なければならない〈書〉。

Ⅱ　条件付きの債権又は存続期間の不確定な債権は、家庭裁判所が選任した鑑定人の
　評価に従って弁済をしなければならない。

第931条　（受遺者に対する弁済）

　限定承認者は、前2条の規定に従って各相続債権者に弁済をした後でなければ、受
遺者に弁済をすることができない〈共書〉。

第932条　（弁済のための相続財産の換価）

　前3条の規定に従って弁済をするにつき相続財産を売却する必要があるときは、限
定承認者は、これを競売に付さなければならない。ただし、家庭裁判所が選任した鑑
定人の評価に従い相続財産の全部又は一部の価額を弁済して、その競売を止めること
ができる。

第933条　（相続債権者及び受遺者の換価手続への参加）

　相続債権者及び受遺者は、自己の費用で、相続財産の競売又は鑑定に参加すること
ができる。この場合においては、第260条第2項＜共有物の分割への参加＞の規定
を準用する。

相
続

第934条　（不当な弁済をした限定承認者の責任等）

Ⅰ　限定承認者は、第927条の公告若しくは催告をすることを怠り、又は同条第1項の期間内に相続債権者若しくは受遺者に弁済をしたことによって他の相続債権者若しくは受遺者に弁済をすることができなくなったときは、これによって生じた損害を賠償する責任を負う。第929条から第931条までの規定に違反して弁済をしたときも、同様とする。

Ⅱ　前項の規定は、情を知って不当に弁済を受けた相続債権者又は受遺者に対する他の相続債権者又は受遺者の求償を妨げない。

Ⅲ　第724条＜不法行為による損害賠償請求権の消滅時効＞の規定は、前2項の場合について準用する。

第935条　（公告期間内に申出をしなかった相続債権者及び受遺者）〈試〉

　第927条第1項の期間内に同項の申出をしなかった相続債権者及び受遺者で限定承認者に知れなかったものは、残余財産についてのみその権利を行使することができる。ただし、相続財産について特別担保を有する者は、この限りでない。

第936条　（相続人が数人ある場合の相続財産の清算人）

Ⅰ　相続人が数人ある場合には、家庭裁判所は、相続人の中から、相続財産の清算人を選任しなければならない〈試〉。

Ⅱ　前項の相続財産の清算人は、相続人のために、これに代わって、相続財産の管理及び債務の弁済に必要な一切の行為をする。

Ⅲ　第926条から前条まで＜限定承認者による管理・弁済・責任等＞の規定は、第1項の相続財産の清算人について準用する。この場合において、第927条第1項中「限定承認をした後5日以内」とあるのは、「その相続財産の清算人の選任があった後10日以内」と読み替えるものとする。

第937条　（法定単純承認の事由がある場合の相続債権者）

　限定承認をした共同相続人の1人又は数人について第921条第1号〈試〉又は第3号＜法定単純承認＞に掲げる事由があるときは、相続債権者は、相続財産をもって弁済を受けることができなかった債権額について、当該共同相続人に対し、その相続分に応じて権利を行使することができる〈試〉。

【令3改正】改正前民法下では、相続財産の清算を目的とする場合とそうでない場合のいずれも「相続財産の管理人」の選任が可能とされていた。しかし、異なる目的を有するものを同一の名称で呼ぶことは相当ではなく、相続財産の管理人の制度（897の2）と区別する観点から、令和3年改正民法下では、相続財産の清算を目的として選任される者の名称が「相続財産の清算人」（936、952〜958参照）に改められた。

《注　釈》

- 929条ただし書にいう「優先権を有する債権者の権利」に当たるというためには、対抗要件を必要とする権利については、被相続人の死亡時（相続開始時）までに対抗要件を具備していることを要する（最判平11.1.21・百選Ⅲ58事件）。

■第3節　相続の放棄

第938条　（相続の放棄の方式）

相続の放棄をしようとする者は、その旨を家庭裁判所に申述しなければならない。

《注　釈》

一　相続放棄の意義

「相続の放棄」とは、自己のために開始した不確定な相続の効力を確定的に消滅させることを目的とする意思表示をいう。被相続人が債務超過である場合に、相続人が不利益を回避することを目的として利用される。

二　放棄の法的性質

1　要式行為である（938）。

2　相手方のない単独行為であり、受理審判によって効力を生じる。

3　相続放棄の意思表示も私法上の法律行為であるから、第1編の規定に従って取り消すことができ（919 II III）、また無効となりうる（最判昭29.12.24）同書。

4　身分行為であり、詐害行為取消権の対象とはならない（424 II）（最判昭49.9.20）。

5　相続放棄は、相続の効果を全面的に拒否するものであるから、条件・期限を付けることは許されない。

第939条　（相続の放棄の効力）

相続の放棄をした者は、その相続に関しては、初めから相続人とならなかったものとみなす書。

《注　釈》

一　相続放棄の効果

相続放棄がなされると、相続人は相続開始の時に遡って相続しなかったのと同じ地位に置かれることになる。

→遺産分割と異なり（909ただし書）、第三者保護規定なし（遡及効の貫徹）

二　相続放棄と登記の関係　⇒ p.130

相続放棄の効力は絶対的で、何人に対しても登記なくしてその効力を主張できる（最判昭42.1.20・百選III 79事件）同予書。

∵①　本条1項は、相続放棄の遡及効を定めている

　②　相続放棄の有無は家庭裁判所で調査できるし、相続放棄をなしうる期間は限られており（915 I 本文）、第三者の保護を図るべき要請は小さい

　③　相続放棄があっても、残りの相続人間での遺産分割が終了するまでは相続財産の帰属が終局的に決定されるわけではないから、相続人に登記を要求するのは酷である

第940条　（相続の放棄をした者による管理）

Ⅰ　相続の放棄をした者は、その放棄の<u>時に相続財産に属する財産を現に占有してい</u><u>るときは、相続人又は第952条第1項の相続財産の清算人に対して当該財産を引</u><u>き渡すまでの間</u>、自己の財産におけるのと同一の注意をもって、<u>その財産を保存し</u><u>なければならない</u>🈩。

Ⅱ　第645条＜受任者による報告＞、第646条＜受任者による受取物の引渡し等＞<u>並びに第650条第1項及び第2項の規定</u>＜受任者による費用等の償還請求、代弁済請求＞は、前項の場合について準用する。

【令3改正】今般の改正により、相続放棄者はどのような場合に義務を負うのか、また、どのような義務を負うのかといった点について改正が加えられた。

《注　釈》

◆　相続放棄者の保存義務

1　相続放棄者は、「その放棄の時に相続財産に属する財産を現に占有しているとき」（940Ⅰ）に限り、相続財産の保存義務を負う。

　　∵　相続放棄者が管理に一切関与していない相続財産についてまで保存義務を負うとするのは、相続による不利益を回避するという相続放棄の制度趣旨に反する一方、相続財産を現に占有する者であっても一切の保存義務を負わないとすると、管理不全となるリスクを放置することになるから、当該財産を引き継ぐまでは保存義務を負担することに合理性がある

2　相続放棄者は、「相続人」又は「相続財産の清算人」（952Ⅰ）に対して、「当該財産を引き渡すまでの間」、相続財産の保存義務を負う。

　　→法定相続人の全員が相続放棄をした結果、次順位の相続人が存在しない場合には、相続財産の清算人が選任されるので、その相続財産の清算人に引き渡すまでの間、相続放棄者は保存義務を負う

3　相続放棄者は、「自己の財産におけるのと同一の注意をもって、その財産を保存しなければならない」（940Ⅰ）。

　　→相続放棄者は、相続財産を滅失・損傷する行為をしてはならないという意味での保存義務を負う（相続財産の管理をする義務までは負わない）

相続

・第5章・【財産分離】

《概　説》

　「財産分離」とは、相続財産と相続人の固有財産との混合を避けるため、相続開始後に、相続債権者若しくは受遺者、又は相続人の債権者の請求によって相続財産を分離して管理・清算する手続である。

　相続債権者（被相続人の債権者）又は受遺者の請求による場合を①第一種財産分離（941～948）、相続人の債権者の請求による場合を②第二種財産分離（950）という。①は相続人の固有財産が債務超過の場合、②は相続財産が債務超過の場合に意味がある。いずれの場合も、相続財産の清算が行われ、その手続は限定承認の場合とほぼ同じであるが、相続人保護の制度である限定承認と異なり、債権者保護のための制度である点で異なる。

第941条　（相続債権者又は受遺者の請求による財産分離）

Ⅰ　相続債権者又は受遺者は、相続開始の時から3箇月以内に、相続人の財産の中から相続財産を分離することを家庭裁判所に請求することができる。相続財産が相続人の固有財産と混合しない間は、その期間の満了後も、同様とする。

Ⅱ　家庭裁判所が前項の請求によって財産分離を命じたときは、その請求をした者は、5日以内に、他の相続債権者及び受遺者に対し、財産分離の命令があったこと及び一定の期間内に配当加入の申出をすべき旨を公告しなければならない。この場合において、その期間は、2箇月を下ることができない。

Ⅲ　前項の規定による公告は、官報に掲載してする。

第942条　（財産分離の効力）

　財産分離の請求をした者及び前条第2項の規定により配当加入の申出をした者は、相続財産について、相続人の債権者に先立って弁済を受ける。

第943条　（財産分離の請求後の相続財産の管理）

Ⅰ　財産分離の請求があったときは、家庭裁判所は、相続財産の管理について必要な処分を命ずることができる。

Ⅱ　第27条から第29条まで＜不在者の財産管理人の職務・権限・担保提供及び報酬＞の規定は、前項の規定により家庭裁判所が相続財産の管理人を選任した場合について準用する。

第944条　（財産分離の請求後の相続人による管理）

Ⅰ　相続人は、単純承認をした後でも、財産分離の請求があったときは、以後、その固有財産におけるのと同一の注意をもって、相続財産の管理をしなければならない。ただし、家庭裁判所が相続財産の管理人を選任したときは、この限りでない。

Ⅱ　第645条から第647条まで＜受任者による報告・受取物の引渡し等・金銭消費の責任＞並びに第650条第1項及び第2項＜受任者による費用の償還請求・代弁済請求＞の規定は、前項の場合について準用する。

第945条　（不動産についての財産分離の対抗要件）

　財産分離は、不動産については、その登記をしなければ、第三者に対抗することができない。

第946条　（物上代位の規定の準用）

　第304条＜物上代位＞の規定は、財産分離の場合について準用する。

第947条　（相続債権者及び受遺者に対する弁済）

Ⅰ　相続人は、第941条第1項及び第2項の期間の満了前には、相続債権者及び受遺者に対して弁済を拒むことができる。

Ⅱ　財産分離の請求があったときは、相続人は、第941条第2項の期間の満了後に、相続財産をもって、財産分離の請求又は配当加入の申出をした相続債権者及び受遺者に、それぞれその債権額の割合に応じて弁済をしなければならない。ただし、優先権を有する債権者の権利を害することはできない。

Ⅲ　第930条から第934条まで＜限定承認者による弁済等＞の規定は、前項の場合について準用する。

第948条　（相続人の固有財産からの弁済）

　財産分離の請求をした者及び配当加入の申出をした者は、相続財産をもって全部の弁済を受けることができなかった場合に限り、相続人の固有財産についてその権利を行使することができる。この場合においては、相続人の債権者は、その者に先立って弁済を受けることができる。

第949条　（財産分離の請求の防止等）

　相続人は、その固有財産をもって相続債権者若しくは受遺者に弁済をし、又はこれに相当の担保を供して、財産分離の請求を防止し、又はその効力を消滅させることができる。ただし、相続人の債権者が、これによって損害を受けるべきことを証明して、異議を述べたときは、この限りでない。

第950条　（相続人の債権者の請求による財産分離）

Ⅰ　相続人が限定承認をすることができる間又は相続財産が相続人の固有財産と混合しない間は、相続人の債権者は、家庭裁判所に対して財産分離の請求をすることができる。

Ⅱ　第304条＜物上代位＞、第925条＜限定承認をしたときの権利義務＞、第927条から第934条まで＜限定承認者による弁済・責任等＞、第943条から第945条まで＜財産分離の請求後の相続財産の管理等＞及び第948条＜相続人の固有財産からの弁済＞の規定は、前項の場合について準用する。ただし、第927条の公告及び催告は、財産分離の請求をした債権者がしなければならない。

相

続

・第6章・【相続人の不存在】

《概　説》

　相続が開始すれば、相続財産は相続人に承継されることになるが、相続人の有無が不明のときは、一方で相続財産を管理・清算しつつ、他方で相続人を捜索することが必要となる。民法は、これらの手続を「相続人の不存在」として、本条以下に規定する。

第951条　（相続財産法人の成立）

　相続人のあることが明らかでないときは、相続財産は、法人とする〈書〉。

[趣旨] 相続人が不明の場合、次条以下に定めるように、相続財産に管理人が置かれて管理・清算の手続がなされる。本条は、この場合の管理人が誰の管理人であるかを明確にし、また、相続財産が無主物となることを避けることを目的とする。

《注　釈》

◆　「相続人のあることが明らかでないとき」

1　相続人のないことが明らかな場合も含むと考えられている。
　ex.　最終順位の相続人が、相続欠格（891）、廃除（892）、相続放棄（938）などの理由で相続権を有しなくなった場合
2　相続人の存在は明らかだが、その行方・生死が不明である場合は、相続人不存在の手続ではなく不在者（25〜）・失踪者（30〜）としての処理がなされる。
3　遺言者に相続人は存在しないが相続財産全部の包括受遺者が存在する場合は、民法951条にいう「相続人のあることが明らかでないとき」には当たらない（最判平9.9.12）〈同書〉。

第952条　（相続財産の清算人の選任）

Ⅰ　前条の場合には、家庭裁判所は、利害関係人又は検察官の請求によって、相続財産の清算人を選任しなければならない。
Ⅱ　前項の規定により相続財産の清算人を選任したときは、家庭裁判所は、遅滞なく、その旨及び相続人があるならば一定の期間内にその権利を主張すべき旨を公告しなければならない。この場合において、その期間は、6箇月を下ることができない。

第953条　（不在者の財産の管理人に関する規定の準用）〈同〉

　第27条から第29条まで＜不在者の財産管理人の職務・権限・担保提供及び報酬＞の規定は、前条第1項の相続財産の清算人（以下この章において単に「相続財産の清算人」という。）について準用する。

第954条　（相続財産の清算人の報告）

　相続財産の清算人は、相続債権者又は受遺者の請求があるときは、その請求をした者に相続財産の状況を報告しなければならない。

第955条　（相続財産法人の不成立）

相続人のあることが明らかになったときは、第951条の法人は、成立しなかったものとみなす。ただし、<u>相続財産の清算人</u>がその権限内でした行為の効力を妨げない〈⚫⚫〉。

第956条　（相続財産の清算人の代理権の消滅）

Ⅰ　<u>相続財産の清算人</u>の代理権は、相続人が相続の承認をした時に消滅する〈回〉。

Ⅱ　前項の場合には、<u>相続財産の清算人</u>は、遅滞なく相続人に対して<u>清算に係る計算</u>をしなければならない。

第957条　（相続債権者及び受遺者に対する弁済）

Ⅰ　第952条第2項の公告があったときは、相続財産の清算人は、<u>全て</u>の相続債権者及び受遺者に対し、<u>2箇月以上の期間を定めて</u>、その期間内にその請求の申出をすべき旨を公告しなければならない。この場合において、その期間は、<u>同項の規定により相続人が権利を主張すべき期間として家庭裁判所が公告した期間内に満了するものでなければならない</u>。

Ⅱ　第927条第2項から第4項まで＜相続債権者及び受遺者に対する公告及び催告＞及び第928条から第935条まで（第932条ただし書を除く。）＜限定承認者による弁済・責任等＞の規定は、前項の場合について準用する。

【令3改正】相続財産の管理人の制度（897の2）と区別する観点から、令和3年改正民法下では、相続財産の清算を目的として選任される者の名称が「相続財産の清算人」（936、952〜958参照）に改められている。また、今般の改正により、相続人不存在の場合（951）における相続財産の清算人の選任手続が合理化されている。

《その他》

- 相続財産の清算人は、相続開始時に未登記であった抵当権の相続債権者からの設定登記手続請求を拒絶すべきである（最判平11.1.21・百選Ⅲ58事件参照）〈同書〉。
  ∵　相続財産の清算人は全ての相続債権者及び受遺者のために法律に従って弁済を行うから、弁済に際して、他の相続債権者及び受遺者に対して対抗できない抵当権の優先権を承認することは許されない

相
続

第958条　（権利を主張する者がない場合）

<u>第952条第2項</u>の期間内に相続人としての権利を主張する者がないときは、相続人並びに<u>相続財産の清算人</u>に知れなかった相続債権者及び受遺者は、その権利を行使することができない〈同書〉。

【令3改正】今般の改正により、改正前民法958条（相続人の捜索の公告）は削除され、改正前民法958条の2が958条に繰上げとなっている。

《注　釈》

- 958条により失権した相続人は、特別縁故者に対する分与（958の2Ⅰ）がなされた後もなお残余財産が存在する場合であっても、その残余財産について相続権を主張することは許されない（最判昭56.10.30）〈同書〉。

第958条の2　（特別縁故者に対する相続財産の分与）

Ⅰ　前条の場合において、相当と認めるときは、家庭裁判所は、被相続人と生計を同じくしていた者、被相続人の療養看護に努めた者その他被相続人と特別の縁故があった者の請求によって、これらの者に、清算後残存すべき相続財産の全部又は一部を与えることができる〈同書〉。

Ⅱ　前項の請求は、第952条第2項の期間の満了後3箇月以内にしなければならない。

【令3改正】今般の改正により、改正前民法958条（相続人の捜索の公告）は削除され、改正前民法958条の3（特別縁故者に対する相続財産の分与）は958条の2に繰上げとなっている。

[趣旨]遺産を国庫に帰属させるよりも、内縁の妻や事実上の養子のように法律上は相続人でないが実際上被相続人と深い縁故をもっていた者に与える方が好ましいことから、本条が規定された。

《注　釈》

一　特別縁故者の性格

相続人の場合とは異なり、特別縁故者は、初めから民法上当然に存在するわけではなく、特別縁故者として相続財産の分与を受ける権利は、家庭裁判所の審判によって形成される権利にすぎない（最判平6.10.13）。

二　特別縁故者の範囲

1　本条は、「被相続人と生計を同じくしていた者、被相続人の療養看護に努めた者」（Ⅰ）を定めるが、これは例示であり、いかなる者が特別縁故者に当たるかは、裁判所の裁量に委ねられる。したがって、法人も特別縁故者に当たりうる。

2　「被相続人と生計を同じくしていた者」（Ⅰ）

ex.1　30年余苦楽をともにした事実上の養子

ex.2　20年にわたって家事一切の世話をした事実上の養親

ex.3　被相続人と同居し、看護や身の回りの世話を続け、他方経済面では別個独立の生活をしていた知人

三　共有持分の場合

共有持分についても本条の分与の対象となるか。

A説：255条による共有持分の移転は相続人不存在が確定したとき法律上当然に生じ、その部分は分与対象とならない（255条優先説）

∴　255条の「死亡して相続人がないとき」とは、相続人がいることが明らかでなく、相続人捜索、公告期間内に相続人としての権利を主張する者がいないため、相続人の不存在が確定したときを意味する

B説：分与の対象となしうる（958条の2優先説）（最判平元.11.24・百選Ⅲ57事件）〈同予書〉

∴　255条の規定は、相続人不存在の場合における相続財産の国庫への

帰属を定めた 959 条の例外規定として設けられたものである

第９５９条　（残余財産の国庫への帰属）

　前条の規定により処分されなかった相続財産は、国庫に帰属する〈掲〉。この場合においては、第９５６条第２項＜相続財産の清算人による管理の計算＞の規定を準用する。

《注　釈》

- 相続財産が国庫に帰属する時期は、特別縁故者に対する相続財産の分与の手続により処分されなかった残余財産を、相続財産清算人において国庫に引き継いだ時である（最判昭 50.10.24）〈掲〉。

＜相続人の不存在＞

相続開始
相続財産法人の成立（951）──── 相続人の存否が不明のとき、法律上当然に成立
　∵　相続財産が特別縁故者に分与され、又は最終的に国庫に帰属するまでの間、相続人不存在のため無主物の状態に陥るのを避ける

相続財産の清算人の選任──利害関係人又は検察官の請求による（952Ⅰ）
選任の公告・相続人捜索の公告（952Ⅱ）──── 家庭裁判所が行う
　→相続人の存在が明らかになったときは、相続財産法人は成立しなかったものとみなされ（955本文）、相続財産はその相続人に帰属していたものとして扱われる

相続債権者・受遺者に対する請求申出を求める公告（957Ⅰ）──── 相続財産の清算人が行う

２か月以上
　→この請求申出を求める公告は、相続人捜索の公告の期間内に満了するものでなければならない（957Ⅰ後段）

相続人・相続財産の清算人に知れなかった相続債権者・受遺者の失権（958）

３か月以内
特別縁故者に対する相続財産の分与（958の２）
　→958条の２による相続財産の分与を希望する者は、相続人捜索の公告の期間満了後３か月以内に分与請求をしなければならない（958の２Ⅱ）

相続財産の国庫帰属（959）
　→958条の２の規定により処分されなかった相続財産は、国庫に帰属する

６か月以上（相続人捜索の公告）

相
続

・第7章・【遺言】

■第1節　総則

《概　説》

一　意義

　　遺言とは、一定の方式で示された個人の意思に、この者の死後、それに即した法的効果を与えるという法技術である。

二　遺言制度の趣旨

　　個人は死後の自分の財産の行方についてもその意思で自由に決することができる（遺言自由の原則）。その遺言者の終意を尊重して、一定の事項につき、遺言者の死後の法律関係が遺言で定められたとおりに実現することを法的に保障する。

三　性質

1　要式行為である（960）。

　　∵　遺言は遺言者の死後に効力を生じるものであるため、遺言者の真意を明確にし、また他人の偽造・変造を防止する必要がある

2　相手方のない単独行為である（cf. 死因贈与は契約）。　⇒ p.508

3　本人の独立の意思に基づかなければならない。

　　∵　遺言は、遺言者の終意をできるだけ実現する制度であり、他人の意思による制約を受けるべきではない

　　→制限行為能力制度の適用は排除され、代理も許されない〈司〉

4　遺言者はいつでも遺言を撤回できる（1022）。

5　死後行為である。

　　cf. 受遺者は、遺言者の生存中は何らの権利・期待権ももたない（最判平11.6.11）

6　法定事項に限りなすことができる。

＜遺言によってなしうる行為の整理＞

遺言でも生前行為によってもなしうる行為	遺言によってのみなしうる行為
認知（781Ⅱ）、相続人の廃除（893）又はその取消し（894Ⅱ）、遺言の撤回（1022）	未成年後見人・未成年後見監督人の指定（839、848）、相続分の指定・指定の委託（902）、遺産分割方法の指定・指定の委託（908Ⅰ）、遺産分割の禁止（908Ⅰ）、相続人相互の担保責任の指定（914）、遺贈（964）、遺言執行者の指定・指定の委託（1006）、遺留分侵害額の負担の指定（1047Ⅰ②ただし書）

相

続

第960条 （遺言の方式）

遺言は、この法律に定める方式に従わなければ、これをすることができない。

第961条 （遺言能力）〈同予書〉

15歳に達した者は、遺言をすることができる。

第962条

第5条＜未成年者の法律行為＞、第9条＜成年被後見人の法律行為＞、第13条＜保佐人の同意を要する行為等＞及び第17条＜補助人の同意を要する旨の審判等＞の規定は、遺言については、適用しない〈同予〉。

第963条

遺言者は、遺言をする時においてその能力を有しなければならない。

［趣旨］

- 961条：本条は、通常の取引行為とは異なり、遺言をする場合には遺言者の意思を尊重する必要があるため、年齢を15歳に引き下げている〈同〉。
- 963条：本条は、通常の法律行為としては当然のことを規定しているが、遺言という行為が、他の法律行為とは異なり、行為の時と行為の効力発生の時との間に長い期間が介在することが多いことに鑑み、確認規定として規定した。

第964条 （包括遺贈及び特定遺贈）

遺言者は、包括又は特定の名義で、その財産の全部又は一部を処分することができる。

［趣旨］遺贈は、遺言者の生前の財産についての処分権の延長として、死亡時に残存する財産についての自由な処分を法的に保障したものであるから、その内容は自由に定めることができる。

《注　釈》

一　包括遺贈・特定遺贈

1　包括遺贈〈同H22〉
　遺産の全部又は一定割合で示された部分の遺産を受遺者に与える遺贈をいう。　⇒ p.789
　→受遺者は遺産の全部又は一部を割合として取得する点で相続人に類似することから、包括受遺者は相続人と同一の権利・義務を有する（990）

2　特定遺贈
　特定の具体的な財産的な利益の遺贈をいう。

二　受遺者

1　遺贈は、自然人の他、法人に対してもすることができる。

2　相続欠格者に当たる場合を除き（965、891）、相続人も受遺者となることができる〈共〉。

第965条　（相続人に関する規定の準用）

　第886条＜相続に関する胎児の権利能力＞及び第891条＜相続人の欠格事由＞の規定は、受遺者について準用する。

第966条　（被後見人の遺言の制限）

Ⅰ　被後見人が、後見の計算の終了前に、後見人又はその配偶者若しくは直系卑属の利益となるべき遺言をしたときは、その遺言は、無効とする＜テ＞。

Ⅱ　前項の規定は、直系血族、配偶者又は兄弟姉妹が後見人である場合には、適用しない。

■第2節　遺言の方式

第1款　普通の方式

《概　説》

　遺言は方式に従って意思表示をしなければ効力を生じないが（960）、民法は、遺言者がその事情に応じて利用できるよう、7つの方式を定めている。

＜遺言の方式の種類＞

第967条　（普通の方式による遺言の種類）

　遺言は、自筆証書、公正証書又は秘密証書によってしなければならない。ただし、特別の方式によることを許す場合は、この限りでない。

第968条　（自筆証書遺言）

Ⅰ　自筆証書によって遺言をするには、遺言者が、その全文、日付及び氏名を自書し、これに印を押さなければならない＜判＞。

Ⅱ　前項の規定にかかわらず、自筆証書にこれと一体のものとして相続財産（第997条第1項に規定する場合における同項に規定する権利を含む。）の全部又は一部の目録を添付する場合には、その目録については、自書することを要しない。この場合において、遺言者は、その目録の毎葉（自書によらない記載がその両面にある場合にあっては、その両面）に署名し、印を押さなければならない＜判＞。

Ⅲ　自筆証書（前項の目録を含む。）中の加除その他の変更は、遺言者が、その場所を指示し、これを変更した旨を付記して特にこれに署名し、かつ、その変更の場所に印を押さなければ、その効力を生じない🈳。

第969条 （公正証書遺言）

公正証書によって遺言をするには、次に掲げる方式に従わなければならない。
①　証人2人以上の立会いがあること🈳。
②　遺言者が遺言の趣旨を公証人に口授すること。
③　公証人が、遺言者の口述を筆記し、これを遺言者及び証人に読み聞かせ、又は閲覧させること。
④　遺言者及び証人が、筆記の正確なことを承認した後、各自これに署名し、印を押すこと。ただし、遺言者が署名することができない場合は、公証人がその事由を付記して、署名に代えることができる🈳。
⑤　公証人が、その証書は前各号に掲げる方式に従って作ったものである旨を付記して、これに署名し、印を押すこと。

第969条の2 （公正証書遺言の方式の特則）

Ⅰ　口がきけない者が公正証書によって遺言をする場合には、遺言者は、公証人及び証人の前で、遺言の趣旨を通訳人の通訳により申述し、又は自書して、前条第2号の口授に代えなければならない。この場合における同条第3号の規定の適用については、同号中「口述」とあるのは、「通訳人の通訳による申述又は自書」とする。
Ⅱ　前条の遺言者又は証人が耳が聞こえない者である場合には、公証人は、同条第3号に規定する筆記した内容を通訳人の通訳により遺言者又は証人に伝えて、同号の読み聞かせに代えることができる。
Ⅲ　公証人は、前2項に定める方式に従って公正証書を作ったときは、その旨をその証書に付記しなければならない。

第970条 （秘密証書遺言）

Ⅰ　秘密証書によって遺言をするには、次に掲げる方式に従わなければならない。
①　遺言者が、その証書に署名し、印を押すこと🈳。
②　遺言者が、その証書を封じ、証書に用いた印章をもってこれに封印すること。
③　遺言者が、公証人1人及び証人2人以上の前に封書を提出して、自己の遺言書である旨並びにその筆者の氏名及び住所を申述すること。
④　公証人が、その証書を提出した日付及び遺言者の申述を封紙に記載した後、遺言者及び証人とともにこれに署名し、印を押すこと。
Ⅱ　第968条第3項＜自筆証書遺言の加除・変更＞の規定は、秘密証書による遺言について準用する。

第971条 （方式に欠ける秘密証書遺言の効力）🈳

秘密証書による遺言は、前条に定める方式に欠けるものがあっても、第968条＜自筆証書遺言＞に定める方式を具備しているときは、自筆証書による遺言としてその効力を有する。

第972条　（秘密証書遺言の方式の特則）

Ⅰ　口がきけない者が秘密証書によって遺言をする場合には、遺言者は、公証人及び証人の前で、その証書は自己の遺言書である旨並びにその筆者の氏名及び住所を通訳人の通訳により申述し、又は封紙に自書して、第970条第1項第3号の申述に代えなければならない。

Ⅱ　前項の場合において、遺言者が通訳人の通訳により申述したときは、公証人は、その旨を封紙に記載しなければならない。

Ⅲ　第1項の場合において、遺言者が封紙に自書したときは、公証人は、その旨を封紙に記載して、第970条第1項第4号に規定する申述の記載に代えなければならない。

第973条　（成年被後見人の遺言）

Ⅰ　成年被後見人が事理を弁識する能力を一時回復した時において遺言をするには、医師2人以上の立会いがなければならない〈司共書〉。

Ⅱ　遺言に立ち会った医師は、遺言者が遺言をする時において精神上の障害により事理を弁識する能力を欠く状態になかった旨を遺言書に付記して、これに署名し、印を押さなければならない。ただし、秘密証書による遺言にあっては、その封紙にその旨の記載をし、署名し、印を押さなければならない。

第974条　（証人及び立会人の欠格事由）

次に掲げる者は、遺言の証人又は立会人となることができない。

① 未成年者〈司書〉
② 推定相続人及び受遺者並びにこれらの配偶者及び直系血族〈司〉
③ 公証人の配偶者、4親等内の親族、書記及び使用人

第975条　（共同遺言の禁止）〈司書〉

遺言は、2人以上の者が同一の証書ですることができない。

[趣旨] 遺言に財産目録を添付する場合、財産目録の全文を自書するのは煩雑であり、高齢者にとっては多大な労力を要する。そこで、968条2項は、財産目録を他人に代筆させることや、パソコンにより作成することを認めた。また、財産目録に不動産の登記事項証明書や預貯金通帳の写し等を添付することも可能となった。もっとも、自筆証書遺言の要件の緩和により遺言の偽造・変造のリスクが高まるため、自書によらない財産目録については、その全ての頁に署名し、押印することが必要とされている。

《注　釈》

一　自筆証書遺言の方式

1 「自書」

カーボン複写による自筆証書遺言も、968条1項の「自書」の要件をみたす（最判平5.10.19・百選Ⅲ85事件）。

2 「押印」

(1) 押印としては、必ずしも実印である必要はなく、認印や指印（拇指その他

の指頭に墨、朱肉等をつけて押捺すること）でも足りる（最判平元.2.16）〈共書〉。

　　∴　遺言者の真意を確保するという968条1項の趣旨からすると、認印等
　　でも問題ない

(2)　遺言書本文の入れられた封筒の封じ目にされた押印をもって、968条1項
　の「押印」の要件に欠けるところはない（最判平6.6.24・百選Ⅲ84事件）。

(3)　押印の代わりに花押（簡略な形に変形させた自書）を用いることはできな
　い（最判平28.6.3）〈書〉。

3　その他

　　自筆証書による遺言をするには、遺言者が、その全文、日付及び氏名を自書
　し、これに押印しなければならないが（968Ⅰ）、証書を封じ、これに封印する
　ことまでは要求されていない〈司〉。

　　自筆証書遺言に記載された日付が真実の作成日付と相違する場合には、それ
　が誤記であること及び真実の作成日付が証書の記載から容易に判明するとき
　は、当該遺言は有効である（最判昭56.12.18）〈書〉。

二　公正証書遺言の方式

1　遺言公正証書の作成に当たり、民法所定の証人が立ち会っている場合、たま
　たま当該遺言の証人となることができない者が同席していたとしても、この者
　によって遺言の内容が左右されたり、遺言者が自己の真意に基づいて遺言をす
　ることを妨げられたりするなど特段の事情のない限り、当該遺言公正証書の作
　成手続を違法ということはできず、同遺言が無効となるものではない（最判平
　13.3.27）〈書〉。

2　盲人も証人適格を有する（最判昭55.12.4・百選Ⅲ86事件）。

3　遺言者が遺言の趣旨を公証人に口授し、公証人がこれを筆記するなど、公証
　人のその作成への関与が必須である（969）〈司〉。

4　遺言者の署名が必要である（969④）〈司〉。

三　秘密証書遺言の方式

1　遺言者の署名が必要である（970Ⅰ①）〈司〉。

2　遺言者が公証人の前に封書を提出するなど、公証人のその作成への関与が必
　須である（970Ⅰ③④）〈司〉。

3　秘密証書による遺言は、970条に定める方式に欠けるものがあっても、968条
　に定める方式を具備しているときは、自筆証書による遺言としてその効力を有
　する（971）〈司〉。

四　共同遺言の禁止（975）

　　同一証書に2人の遺言が記載されている場合、そのうちの一方に氏名を自書し
　ない方式違背があるときでも、975条が禁ずる共同遺言に当たる（最判昭
　56.9.11・百選Ⅲ87事件）〈書〉。

第2款　特別の方式

《概　説》

　遺言においては遺言者の真意を確保すべく厳格な方式が要求されるが、特別の事情の下では、普通方式に従うことができない場合があり、この場合に方式に従っていないことを理由として遺言を無効とすることは現実に即さない。そこで、民法は、普通方式の要件に従うことができない場合に、要件を緩和した4種類の特別方式の遺言を認めている。

第976条　（死亡の危急に迫った者の遺言）

Ⅰ　疾病その他の事由によって死亡の危急に迫った者が遺言をしようとするときは、証人3人以上の立会いをもって、その1人に遺言の趣旨を口授して、これをすることができる＜[判]＞。この場合においては、その口授を受けた者が、これを筆記して、遺言者及び他の証人に読み聞かせ、又は閲覧させ、各証人がその筆記の正確なことを承認した後、これに署名し、印を押さなければならない。

Ⅱ　口がきけない者が前項の規定により遺言をする場合には、遺言者は、証人の前で、遺言の趣旨を通訳人の通訳により申述して、同項の口授に代えなければならない。

Ⅲ　第1項後段の遺言者又は他の証人が耳が聞こえない者である場合には、遺言の趣旨の口授又は申述を受けた者は、同項後段に規定する筆記した内容を通訳人の通訳によりその遺言者又は他の証人に伝えて、同項後段の読み聞かせに代えることができる。

Ⅳ　前3項の規定によりした遺言は、遺言の日から20日以内に、証人の1人又は利害関係人から家庭裁判所に請求してその確認を得なければ、その効力を生じない＜[判]＞。

Ⅴ　家庭裁判所は、前項の遺言が遺言者の真意に出たものであるとの心証を得なければ、これを確認することができない。

第977条　（伝染病隔離者の遺言）

　伝染病のため行政処分によって交通を断たれた場所に在る者は、警察官1人及び証人1人以上の立会いをもって遺言書を作ることができる。

第978条　（在船者の遺言）

　船舶中に在る者は、船長又は事務員1人及び証人2人以上の立会いをもって遺言書を作ることができる。

第979条　（船舶遭難者の遺言）

Ⅰ　船舶が遭難した場合において、当該船舶中に在って死亡の危急に迫った者は、証人2人以上の立会いをもって口頭で遺言をすることができる。

Ⅱ　口がきけない者が前項の規定により遺言をする場合には、遺言者は、通訳人の通訳によりこれをしなければならない。

Ⅲ　前2項の規定に従ってした遺言は、証人が、その趣旨を筆記して、これに署名し、印を押し、かつ、証人の1人又は利害関係人から遅滞なく家庭裁判所に請求してその確認を得なければ、その効力を生じない。

Ⅳ　第976条第5項＜家庭裁判所の確認の基準＞の規定は、前項の場合について準用する。

第980条　（遺言関係者の署名及び押印）

第977条及び第978条の場合には、遺言者、筆者、立会人及び証人は、各自遺言書に署名し、印を押さなければならない。

第981条　（署名又は押印が不能の場合）

第977条から第979条までの場合において、署名又は印を押すことのできない者があるときは、立会人又は証人は、その事由を付記しなければならない。

第982条　（普通の方式による遺言の規定の準用）

第968条第3項<自筆証書遺言の加除・変更>及び第973条から第975条まで<成年被後見人の遺言・証人及び立会人の欠格事由・共同遺言の禁止>の規定は、第976条から前条までの規定による遺言について準用する。

第983条　（特別の方式による遺言の効力）

第976条から前条までの規定によりした遺言は、遺言者が普通の方式によって遺言をすることができるようになった時から6箇月間生存するときは、その効力を生じない⟨回⟩。

第984条　（外国にある日本人の遺言の方式）

日本の領事の駐在する地に在る日本人が公正証書又は秘密証書によって遺言をしようとするときは、公証人の職務は、領事が行う。この場合においては、第969条第4号又は第970条第1項第4号の規定にかかわらず、遺言者及び証人は、第969条第4号又は第970条第1項第4号の印を押すことを要しない。

《注　釈》

◆　死亡危急時遺言の方式

死亡危急時遺言（976）の方式として日付は要求されない。また、976条所定の順序と異なり、筆記者である証人が筆記内容を清書した書面に遺言者の現在しない場所で署名捺印し、他の証人2人の署名を得たうえ、全証人の立会いの下に遺言者に読み聞かせ、その後に遺言者の現在しない場所で右証人2人が捺印し、それにより全証人の署名捺印が完成した場合も、筆記内容に変改を加えた疑いを挟む余地のない事情があるときは、遺言は有効である（最判昭47.3.17・百選Ⅲ〔第2版〕82事件）。

■第3節　遺言の効力

《概　説》

本節は、「遺言の効力」と規定しているが、遺言一般に適用されるのは985条だけで、他は遺贈に関する規定である。そして、包括受遺者は相続人と同一の権利・義務をもつとされるため（990）、本節の規定のほとんどは特定遺贈に関するものである。

→ 994条、995条、1002条、1003条が包括遺贈・特定遺贈双方に適用される規定である

相続

第985条　（遺言の効力発生の時期）

Ⅰ　遺言は、遺言者の死亡の時からその効力を生ずる。

Ⅱ　遺言に停止条件を付した場合において、その条件が遺言者の死亡後に成就したときは、遺言は、条件が成就した時からその効力を生ずる〈同書〉。

《注　釈》

一　特定遺贈の効力

1　特定の遺産を相続人に「相続させる」旨の遺言があった場合、当該遺産は、特段の事情のない限り何らの行為を要せずに、被相続人の死亡の時に直ちに相続により承継される（物権的効力説）（最判平 3.4.19・百選Ⅲ 92 事件）〈書〉。⇒ p.757

2　遺贈の効力を第三者に対抗するためには、対抗要件が必要である（最判昭 39.3.6・百選Ⅲ 80 事件、最判昭 46.11.16）〈同共予書〉。　⇒ p.131

二　遺言の無効・取消し

遺言も法律行為であるから、無効・取消しが問題となる。

三　遺言の解釈

1　遺言の解釈に当たっては、遺言書の文言を形式的に判断するだけでなく、遺言者の真意を探求すべきである（最判昭 58.3.18・百選Ⅲ 88 事件）。

2　遺言者自らが具体的な受遺者を指定せず、その選定を遺言執行者に委託する旨の遺言は、遺産の利用目的が公益目的に限定されている上、被選定者の範囲が国・地方公共団体等に限定されているものと解されるときは、遺言者の意思と離れることなく、有効である（最判平 5.1.19・百選Ⅲ 89 事件）。

＜遺言の無効・取消し＞

民法総則の適用	意思無能力	無効原因となる（3の2）
	制限行為能力	総則編の規定は適用されない（962） ① 満 15 歳に達した者は遺言能力を有する（961）（＊） ② 成年被後見人は、事理弁識能力を一時回復した時は、医師２人以上の立会いがあれば、自ら遺言できる（973、982） 　　→後見人による遺言は不可 ③ 被保佐人も保佐人の同意なしに遺言できる（962）
	公序良俗・強行法規違反	無効原因となりうる（90、91）
	心裡留保	常に有効　→ 93 条は適用されない〈通〉
	錯誤・詐欺・強迫	取り消しうる（95 Ⅰ、96 Ⅰ）〈通〉

相続

遺言に特有の無効原因		① 方式違反（960、967～984） ② 共同遺言（975）
	遺言事項ごとに問題になるもの	① 遺言者の後見人等が利益を受ける行為（966） ② 遺贈における受贈者の死亡（994） ③ 目的物が相続財産に属しなかったとき（996） ④ 認知における父子関係の不存在（786参照）
遺言に特有の撤回・取消原因		① 遺言の撤回（1022以下） 　→遺言者は自由に撤回することができる ② 負担付遺贈の取消し（1027）

* 公証人が遺言者に遺言能力があることを認めて公正証書遺言を作成した場合でも、相続人は、遺言能力がなかったことを理由として公正証書遺言の無効を主張することができる〈司〉。

第986条 （遺贈の放棄）

Ⅰ 受遺者は、遺言者の死亡後、いつでも、遺贈の放棄をすることができる〈司書〉。

Ⅱ 遺贈の放棄は、遺言者の死亡の時にさかのぼってその効力を生ずる。

[趣旨] 遺贈は、前条により、遺言者の死亡と同時に効力を生じるが、利益といえども強制されてはならないので、遺言者に認められる財産処分自由の原則との調和点として、本条は受遺者の放棄を規定する。

《注　釈》

一　本条の適用範囲

本条は特定遺贈にのみ適用があり、包括遺贈の放棄は915条以下の規定に従う（990）。したがって、包括遺贈の放棄をしようとする場合には、その旨を家庭裁判所に申述しなければならない（990、938）が、特定遺贈の放棄をしようとする場合については、本条1項が何ら規定していないことから、その旨を家庭裁判所に申述することを要しない〈司〉。

二　相続放棄との関係

被相続人が共同相続人の1人に特定の財産を「相続させる」旨の遺言を残した場合、当該相続人が一方的意思表示で遺言の効果を排除することは、遺言を遺贈と解すると相続を放棄しなくても可能であるが、遺産分割方法の指定と解すると相続を放棄する以外には不可能である〈最〉。

第987条 （受遺者に対する遺贈の承認又は放棄の催告）

遺贈義務者（遺贈の履行をする義務を負う者をいう。以下この節において同じ。）その他の利害関係人は、受遺者に対し、相当の期間を定めて、その期間内に遺贈の承認又は放棄をすべき旨の催告をすることができる。この場合において、受遺者がその期間内に遺贈義務者に対してその意思を表示しないときは、遺贈を承認したものとみなす〈司〉。

第988条　（受遺者の相続人による遺贈の承認又は放棄）

　受遺者が遺贈の承認又は放棄をしないで死亡したときは、その相続人は、自己の相続権の範囲内で、遺贈の承認又は放棄をすることができる〈同書〉。ただし、遺言者がその遺言に別段の意思を表示したときは、その意思に従う。

第989条　（遺贈の承認及び放棄の撤回及び取消し）

Ⅰ　遺贈の承認及び放棄は、撤回することができない〈同共〉。

Ⅱ　第919条第2項及び第3項＜第1編（総則）及び第4編（親族）の規定による相続の承認・放棄の取消しの許容＞の規定は、遺贈の承認及び放棄について準用する〈同〉。

第990条　（包括受遺者の権利義務）

　包括受遺者は、相続人と同一の権利義務を有する〈同共書〉。

《注　釈》

一　「相続人と同一の権利義務」

　包括遺贈とは、遺産の全部又は一定割合で示された部分の遺産を受遺者に与える遺贈である。包括受遺者は、相続人でもよいし、第三者でもよい。

　ex.　遺言者の子ではない者に遺言者の遺産の3分の1を分けるという遺言は、包括遺贈（割合的包括遺贈）に当たる

　包括受遺者は、遺贈の効力発生（遺言者の死亡の時、985Ⅰ）と同時に、積極財産のみならず消極財産をも承継する点で相続人に類似するため、「相続人と同一の権利義務を有する」（990）。

　→包括受遺者は、遺贈を承認・放棄することができ（915〜919。なお、遺贈の放棄に関する986〜989条は適用されない）、遺産分割の際にも、相続人と同様に扱われる

二　包括受遺者と相続人の相違点

　包括受遺者は、あくまでも「相続人と同一の権利義務を有する」だけであって、相続人そのものではない。したがって、包括受遺者は、次のような取扱いを受ける。

　①　包括受遺者が遺言者の死亡以前に死亡した場合であっても、その遺贈は効力を生じない（994Ⅰ）以上、代襲相続（887以下）の余地はない。

　②　包括受遺者には遺留分（1042以下）も認められない。

　③　複数の包括遺贈のうちの1つがその効力を生ぜず、又は放棄によってその効力を失った場合、遺言者がその遺言に別段の意思を表示したときを除き、その効力を有しない包括遺贈につき包括受遺者が受けるべきであったものは、他の包括受遺者には帰属せず、相続人に帰属する（最判令5.5.19・令5重判8事件）。

　　∵　995条本文は、受遺者が受けるべきであったものが相続人と受遺者以外の包括受遺者とのいずれに帰属するかが問題となる場面において、こ

れが「相続人」に帰属する旨を定めた規定であり、その文理に照らして、包括受遺者は995条の「相続人」には含まれない

→他の包括受遺者に帰属して、その持分が増えるわけではない

④　相続人の法定相続分については、対抗要件を備えなくても第三者に対抗することができる（899の2 I反対解釈）が、包括受遺者は、登記を備えなければ、その持分を第三者に対抗することができない（177、最判昭39.3.6・百選Ⅲ80事件参照）。

第991条　（受遺者による担保の請求）

　受遺者は、遺贈が弁済期に至らない間は、遺贈義務者に対して相当の担保を請求することができる。停止条件付きの遺贈についてその条件の成否が未定である間も、同様とする。

第992条　（受遺者による果実の請求）

　受遺者は、遺贈の履行を請求することができる時から果実を取得する。ただし、遺言者がその遺言に別段の意思を表示したときは、その意思に従う《択》。

第993条　（遺贈義務者による費用の償還請求）

Ⅰ　第299条＜留置権者による費用の償還請求＞の規定は、遺贈義務者が遺言者の死亡後に遺贈の目的物について費用を支出した場合について準用する。

Ⅱ　果実を収取するために支出した通常の必要費は、果実の価格を超えない限度で、その償還を請求することができる。

第994条　（受遺者の死亡による遺贈の失効）

Ⅰ　遺贈は、遺言者の死亡以前に受遺者が死亡したときは、その効力を生じない《同共書》。

Ⅱ　停止条件付きの遺贈については、受遺者がその条件の成就前に死亡したときも、前項と同様とする。ただし、遺言者がその遺言に別段の意思を表示したときは、その意思に従う。

《注　釈》

◆　同時存在の原則

　同時存在の原則とは、本来遺贈は特定の人に対してなされるから、受遺者となるべき者の相続人が代襲承継することはなく、遺贈が効力を発生する前（遺言者が死亡する前、985 I）に受遺者が死亡した場合（同時死亡を含む）は、遺贈は無効になるということである。もっとも、遺贈の効力発生時に胎児である者は、すでに生まれたものとみなされて受遺者となることができる（同時存在の原則の例外、965・886 I）。

相続

第995条　（遺贈の無効又は失効の場合の財産の帰属）

　遺贈が、その効力を生じないとき、又は放棄によってその効力を失ったときは、受遺者が受けるべきであったものは、相続人に帰属する。ただし、遺言者がその遺言に別段の意思を表示したときは、その意思に従う。

第996条　（相続財産に属しない権利の遺贈）

　遺贈は、その目的である権利が遺言者の死亡の時において相続財産に属しなかったときは、その効力を生じない。ただし、その権利が相続財産に属するかどうかにかかわらず、これを遺贈の目的としたものと認められるときは、この限りでない。

第997条

Ⅰ　相続財産に属しない権利を目的とする遺贈が前条ただし書の規定により有効であるときは、遺贈義務者は、その権利を取得して受遺者に移転する義務を負う。

Ⅱ　前項の場合において、同項に規定する権利を取得することができないとき、又はこれを取得するについて過分の費用を要するときは、遺贈義務者は、その価額を弁償しなければならない。ただし、遺言者がその遺言に別段の意思を表示したときは、その意思に従う。

第998条　（遺贈義務者の引渡義務）

　遺贈義務者は、遺贈の目的である物又は権利を、相続開始の時（その後に当該物又は権利について遺贈の目的として特定した場合にあっては、その特定した時）の状態で引き渡し、又は移転する義務を負う。ただし、遺言者がその遺言に別段の意思を表示したときは、その意思に従う。

[趣旨] 相続が開始した時の財産を遺贈の対象とすることが遺言者の通常の意思であると考えられる。そこで、本条は、遺贈義務者の引渡義務について、遺贈が贈与と同じく無償であることを踏まえ、贈与者の引渡義務等に関する551条と同様の規定を設けた。

相続

第999条　（遺贈の物上代位）

Ⅰ　遺言者が、遺贈の目的物の滅失若しくは変造又はその占有の喪失によって第三者に対して償金を請求する権利を有するときは、その権利を遺贈の目的としたものと推定する。

Ⅱ　遺贈の目的物が、他の物と付合し、又は混和した場合において、遺言者が第243条から第245条まで＜動産の付合・混和＞の規定により合成物又は混和物の単独所有者又は共有者となったときは、その全部の所有権又は共有権を遺贈の目的としたものと推定する。

第1000条　（第三者の権利の目的である財産の遺贈）　削除

第1001条　（債権の遺贈の物上代位）

Ⅰ　債権を遺贈の目的とした場合において、遺言者が弁済を受け、かつ、その受け取った物がなお相続財産中に在るときは、その物を遺贈の目的としたものと推定する。

Ⅱ　金銭を目的とする債権を遺贈の目的とした場合においては、相続財産中にその債権額に相当する金銭がないときであっても、その金額を遺贈の目的としたものと推定する。

第1002条　（負担付遺贈）

Ⅰ　負担付遺贈を受けた者は、遺贈の目的の価額を超えない限度においてのみ、負担した義務を履行する責任を負う〈司〉。

Ⅱ　受遺者が遺贈の放棄をしたときは、負担の利益を受けるべき者は、自ら受遺者となることができる。ただし、遺言者がその遺言に別段の意思を表示したときは、その意思に従う。

[趣旨] 1項は、遺贈は受遺者に恩恵を与えようとする遺言者の意図に基づくものであり、負担が遺贈の利益より大きいときは遺贈とはいえないことから、受遺者は目的物の限度で負担した義務を履行する責任を負うものとし、2項は、遺贈の放棄があった場合に、受益者の地位が確定しないことを防止し、受益者の権利を保護するため規定された〈司〉。

《注　釈》

一　負担付遺贈の意義

　　負担付遺贈とは、受遺者に一定の法律上の義務を課した遺贈をいう。

　　cf.　死因贈与も負担付でなしうる（553）

二　受遺者が負担を履行しない場合

　　受遺者が負担を履行しない場合は、相続人は、遺言の取消しを家庭裁判所に請求できる（1027）。

　　→無効になるというわけではない

第1003条　（負担付遺贈の受遺者の免責）

　負担付遺贈の目的の価額が相続の限定承認又は遺留分回復の訴えによって減少したときは、受遺者は、その減少の割合に応じて、その負担した義務を免れる。ただし、遺言者がその遺言に別段の意思を表示したときは、その意思に従う。

[趣旨] 本条は、負担付遺贈の目的の価額が相続の限定承認又は遺留分の回復によって減少した場合、受遺者は、遺贈の全部を受けることができないことから、かかる受遺者の利益を保護する点にある。

■第4節　遺言の執行

《概　説》

一　遺言の執行の意義

遺言者の死亡後、遺言の内容を実現するため必要な行為を行うことをいう。

本来、遺言の内容の実現は遺言者の権利義務の承継人たる相続人が行うべきであるが、遺言の内容によっては、相続人間での利害対立といった理由から、相続人自身による公正な執行が期待できない場合がある。そこで、このような場合に遺言執行者に遺言の執行を委ねることにより、遺言の適正かつ迅速な執行の実現を可能とするのが遺言執行者制度である。

二　遺言執行者

1　遺言執行者の意義

遺言執行者とは、遺言執行の目的のために特に選任された者をいう。①遺言により指定された者を指定遺言執行者（1006）、②家庭裁判所により選任された者を選任遺言執行者（1010）という。

2　遺言執行者には、未成年者と破産者を除けば、誰でもなれる（1009）〈共〉。

3　遺言執行者がある場合には、相続人は相続財産の処分その他遺言の執行を妨害する行為をすることができない（1013Ⅰ）。

ex.　遺言執行者は遺言の実現が妨害される状態が出現したような場合には、遺言執行の一環として、妨害排除のため、所有権移転登記抹消登記手続及び相続人への真正な登記名義の回復を原因とする所有権移転登記手続を求めることができる（最判平11.12.16・百選Ⅲ94事件）

4　遺言執行者は、遺言執行に関する権利主張をすることや、自己の名の下で遺言に関する訴訟の原告及び被告になることができる（最判昭51.7.19）。

ex.　特定の不動産を共同相続人以外の第三者に遺贈する旨の遺言がされた場合において、共同相続人らが遺言の無効を理由に当該不動産について共有持分権を有することの確認請求をする場合、遺言執行者は当該訴訟の被告となる〈書〉

第1004条　（遺言書の検認）

Ⅰ　遺言書の保管者は、相続の開始を知った後、遅滞なく、これを家庭裁判所に提出して、その検認を請求しなければならない〈司書〉。遺言書の保管者がない場合において、相続人が遺言書を発見した後も、同様とする。

Ⅱ　前項の規定は、公正証書による遺言については、適用しない〈司〉。

Ⅲ　封印のある遺言書は、家庭裁判所において相続人又はその代理人の立会いがなければ、これを開封することができない〈書〉。

《注釈》

▪ 検認は、遺言の有効性について判断するものではないから、検認がされた場合でも、相続人は、遺言を無効とする事由があることを主張することができる〈司〉。

第1005条　（過料）

前条の規定により遺言書を提出することを怠り、その検認を経ないで遺言を執行し、又は家庭裁判所外においてその開封をした者は、5万円以下の過料に処する〈同〉。

第1006条　（遺言執行者の指定）

Ⅰ　遺言者は、遺言で、1人又は数人の遺言執行者を指定し、又はその指定を第三者に委託することができる。

Ⅱ　遺言執行者の指定の委託を受けた者は、遅滞なく、その指定をして、これを相続人に通知しなければならない。

Ⅲ　遺言執行者の指定の委託を受けた者がその委託を辞そうとするときは、遅滞なくその旨を相続人に通知しなければならない。

第1007条　（遺言執行者の任務の開始）

Ⅰ　遺言執行者が就職を承諾したときは、直ちにその任務を行わなければならない。

Ⅱ　遺言執行者は、その任務を開始したときは、遅滞なく、遺言の内容を相続人に通知しなければならない。

[趣旨] 相続人は遺言の内容や遺言執行者の有無について重大な利害関係を有しているので、1007条2項は、遺言執行者にこれらを通知する義務を課している。

第1008条　（遺言執行者に対する就職の催告）

相続人その他の利害関係人は、遺言執行者に対し、相当の期間を定めて、その期間内に就職を承諾するかどうかを確答すべき旨の催告をすることができる。この場合において、遺言執行者が、その期間内に相続人に対して確答をしないときは、就職を承諾したものとみなす。

第1009条　（遺言執行者の欠格事由）

未成年者及び破産者は、遺言執行者となることができない〈司共書〉。

第1010条　（遺言執行者の選任）

遺言執行者がないとき、又はなくなったときは、家庭裁判所は、利害関係人の請求によって、これを選任することができる〈同〉。

第1011条　（相続財産の目録の作成）

Ⅰ　遺言執行者は、遅滞なく、相続財産の目録を作成して、相続人に交付しなければならない。

Ⅱ　遺言執行者は、相続人の請求があるときは、その立会いをもって相続財産の目録を作成し、又は公証人にこれを作成させなければならない。

第1012条　（遺言執行者の権利義務）

Ⅰ　遺言執行者は、遺言の内容を実現するため、相続財産の管理その他遺言の執行に必要な一切の行為をする権利義務を有する。

Ⅱ　遺言執行者がある場合には、遺贈の履行は、遺言執行者のみが行うことができる〈司〉。

Ⅲ　第644条＜受任者の注意義務＞、第645条から第647条まで＜受任者による報告、受取物の引渡し等、金銭消費についての責任＞及び第650条＜受任者による費用等の償還請求等＞の規定は、遺言執行者について準用する。

[趣旨]1012条1項の趣旨は、遺言執行者は遺言の内容の実現を責務とする者であり、必ずしも相続人の利益のために職務を行う者ではないということを明確にする点にある。また、1012条2項の趣旨は、遺言執行者がある場合には、受遺者は遺言執行者を相手方として遺贈の履行請求をすべきことを明確にする点にある。

第1013条　（遺言の執行の妨害行為の禁止）

Ⅰ　遺言執行者がある場合には、相続人は、相続財産の処分その他遺言の執行を妨げるべき行為をすることができない〈新〉。

Ⅱ　前項の規定に違反してした行為は、無効とする。ただし、これをもって善意の第三者に対抗することができない〈新〉。

Ⅲ　前2項の規定は、相続人の債権者（相続債権者を含む。）が相続財産についてその権利を行使することを妨げない。

[趣旨]本条2項は、本条1項の禁止に反する相続人の行為を無効とする旨明らかにする一方、その無効は善意の第三者に対抗できないとし、相続財産の処分について受遺者と善意の第三者が対抗関係に立つとすることで、取引の安全を図る趣旨である。

《注　釈》

- 1013条2項における「善意」について、無過失までは要求されず、また、その内容は、遺言執行者がいることを知らないことを意味すると解されている。
  - ∵　第三者に対し遺言の内容に関する調査義務を負わせることは相当でない
- 第三者が「善意」である場合、その第三者は1013条1項に違反する行為が無効であることを対抗されることはないが、受遺者に対し持分の取得を対抗するためには、別途登記などの対抗要件を備える必要がある。
- 相続人の債権者については、善意・悪意を問わず受遺者との間で対抗関係に立つ。

第1014条　（特定財産に関する遺言の執行）〈司〉

Ⅰ　前3条の規定は、遺言が相続財産のうち特定の財産に関する場合には、その財産についてのみ適用する。

Ⅱ　遺産の分割の方法の指定として遺産に属する特定の財産を共同相続人の1人又は数人に承継させる旨の遺言（以下「特定財産承継遺言」という。）があったときは、遺言執行者は、当該共同相続人が第899条の2第1項に規定する対抗要件を備えるために必要な行為をすることができる〈新〉。

Ⅲ　前項の財産が預貯金債権である場合には、遺言執行者は、同項に規定する行為の
ほか、その預金又は貯金の払戻しの請求及びその預金又は貯金に係る契約の解約の
申入れをすることができる。ただし、解約の申入れについては、その預貯金債権の
全部が特定財産承継遺言の目的である場合に限る。

Ⅳ　前2項の規定にかかわらず、被相続人が遺言で別段の意思を表示したときは、そ
の意思に従う。

［趣旨］本条は、特定財産承継遺言（いわゆる「相続させる」旨の遺言）がなされた
場合における遺言執行者の原則的な権限について定めるものである。

第1015条　（遺言執行者の行為の効果）

遺言執行者がその権限内において遺言執行者であることを示してした行為は、相続
人に対して直接にその効力を生ずる。

第1016条　（遺言執行者の復任権）🈟

Ⅰ　遺言執行者は、自己の責任で第三者にその任務を行わせることができる。ただし、
遺言者がその遺言に別段の意思を表示したときは、その意思に従う🈟。

Ⅱ　前項本文の場合において、第三者に任務を行わせることについてやむを得ない事
由があるときは、遺言執行者は、相続人に対してその選任及び監督についての責任
のみを負う。

［趣旨］一般に、遺言執行者の指定がなされる場合、相続人など必ずしも十分な法律
知識を有していない者が指定されることも多く、適切な遺言の執行が困難なことも
ありうるため、遺言執行者に広く復任権を認める必要がある。そこで、1016条は、
遺言執行者の職務の特殊性から、遺言執行者の復任権の行使要件を緩和している。

第1017条　（遺言執行者が数人ある場合の任務の執行）

Ⅰ　遺言執行者が数人ある場合には、その任務の執行は、過半数で決する。ただし、
遺言者がその遺言に別段の意思を表示したときは、その意思に従う。

Ⅱ　各遺言執行者は、前項の規定にかかわらず、保存行為をすることができる🈟。

第1018条　（遺言執行者の報酬）

Ⅰ　家庭裁判所は、相続財産の状況その他の事情によって遺言執行者の報酬を定める
ことができる。ただし、遺言者がその遺言に報酬を定めたときは、この限りでない。

Ⅱ　第648条第2項及び第3項＜受任者の報酬＞並びに第648条の2＜成果等に
対する報酬＞の規定は、遺言執行者が報酬を受けるべき場合について準用する。

第1019条　（遺言執行者の解任及び辞任）

Ⅰ　遺言執行者がその任務を怠ったときその他正当な事由があるときは、利害関係人
は、その解任を家庭裁判所に請求することができる。

Ⅱ　遺言執行者は、正当な事由があるときは、家庭裁判所の許可を得て、その任務を
辞することができる。

相続

第1020条　（委任の規定の準用）

　第654条＜委任の終了後の処分＞及び第655条＜委任の終了の対抗要件＞の規定は、遺言執行者の任務が終了した場合について準用する。

第1021条　（遺言の執行に関する費用の負担）

　遺言の執行に関する費用は、相続財産の負担とする。ただし、これによって遺留分を減ずることができない。

■第5節　遺言の撤回及び取消し

第1022条　（遺言の撤回）

　遺言者は、いつでも、遺言の方式に従って、その遺言の全部又は一部を撤回することができる〈同予書〉。

第1023条　（前の遺言と後の遺言との抵触等）

Ⅰ　前の遺言が後の遺言と抵触するときは、その抵触する部分については、後の遺言で前の遺言を撤回したものとみなす。

Ⅱ　前項の規定は、遺言が遺言後の生前処分その他の法律行為と抵触する場合について準用する。

第1024条　（遺言書又は遺贈の目的物の破棄）

　遺言者が故意に遺言書を破棄したときは、その破棄した部分については、遺言を撤回したものとみなす〈罰〉。遺言者が故意に遺贈の目的物を破棄したときも、同様とする。

第1025条　（撤回された遺言の効力）〈罰〉

　前3条の規定により撤回された遺言は、その撤回の行為が、撤回され、取り消され、又は効力を生じなくなるに至ったときであっても、その効力を回復しない。ただし、その行為が錯誤、詐欺又は強迫による場合は、この限りでない。

第1026条　（遺言の撤回権の放棄の禁止）

　遺言者は、その遺言を撤回する権利を放棄することができない〈同書〉。

第1027条　（負担付遺贈に係る遺言の取消し）〈同書〉

　負担付遺贈を受けた者がその負担した義務を履行しないときは、相続人は、相当の期間を定めてその履行の催告をすることができる。この場合において、その期間内に履行がないときは、その負担付遺贈に係る遺言の取消しを家庭裁判所に請求することができる。

《注　釈》

一　遺言撤回の自由と死因贈与

　1022条は、方式に関する部分を除いて、死因贈与にも準用される（最判昭47.5.25）。

＊　負担の履行期が贈与者の生前と定められた負担付死因贈与契約に基づいて受贈者が約旨に従い、負担の全部又はそれに類する程度の履行をした場合においては、取消しをすることがやむを得ないと認められる特段の事情がない限り、準用は相当でない（最判昭57.4.30・百選Ⅲ90事件）。　　⇒ p.508

二　撤回の方法

1　撤回の遺言（1022）

ex.　Aが「Bに甲不動産を与える」という遺言をした後、「Bに甲不動産を与える旨の前の遺言は撤回する」という遺言をした場合

2　法定撤回（1023）

(1)　前の遺言が後の遺言と抵触するときは、その抵触する部分については、後の遺言で前の遺言を撤回したものとみなす（Ⅰ）。

ex.　Aが「甲家屋をBに与える」という遺言をした後、「甲家屋をCに与える」という遺言をした場合

(2)　遺言が遺言後の生前処分その他の法律行為と抵触する場合は、その抵触する部分については、後の遺言で前の遺言を撤回したものとみなす（Ⅱ）。

ここにいう「抵触」とは、単に、後の生前処分を実現しようとするときには前の遺言の執行が客観的に不能となるような場合のみにとどまらず、諸般の事情より観察して後の生前処分が前の遺言と両立せしめない趣旨のもとにされたことが明らかである場合をも包含する（最判昭56.11.13・百選Ⅲ91事件）。

ex.　Aが「甲家屋をBに与える」という遺言をした後、甲家屋をほかに売却してしまった場合

3　遺言書の破棄（1024）

ex.　赤色のボールペンで遺言書の文面全体に斜線を引く行為（最判平27.11.20・平28重判13事件）

→「破棄」かどうかは、行為の有する一般的な意味に照らして、遺言の効力を失わせる意思の現れとみることができるかどうかによって判断する

4　撤回は遺言の方式によらなければならないが、同一方式による必要はない 司。前の公正証書遺言を後の自筆証書遺言で撤回してもよい 書。

ex.　Aが適式に第一の遺言を公正証書によってなした後、第二の遺言を自筆証書によってなした場合、その内容が抵触する部分については第二の遺言が効力を生じる

三　撤回の撤回（1025本文）

1022条から1024条までの規定による撤回行為がさらに撤回された場合、遺言者が第一の遺言を復活させる意思があるか否かは不明確であり、第一の遺言は復活しない（非復活主義）書。

ただ、撤回の撤回であっても、遺言書の記載に照らして遺言者の意思が原遺言の復活を希望するものであることが明らかなときは、1025条ただし書の法意に鑑み、遺言者の意思を尊重して原遺言の効力の復活が認められる（最判平9.11.13）。

四　撤回の取消し（1025ただし書）

　撤回行為が錯誤・詐欺・強迫による場合は、例外的に第一の遺言の復活が認められる。

・第8章・【配偶者の居住の権利】

■第1節　配偶者居住権

第1028条　（配偶者居住権）

Ⅰ　被相続人の配偶者（以下この章において単に「配偶者」という。）は、被相続人の財産に属した建物に相続開始の時に居住していた場合において、次の各号のいずれかに該当するときは、その居住していた建物（以下この節において「居住建物」という。）の全部について無償で使用及び収益をする権利（以下この章において「配偶者居住権」という。）を取得する。ただし、被相続人が相続開始の時に居住建物を配偶者以外の者と共有していた場合にあっては、この限りでない〈共書〉。
①　遺産の分割によって配偶者居住権を取得するものとされたとき。
②　配偶者居住権が遺贈の目的とされたとき。
Ⅱ　居住建物が配偶者の財産に属することとなった場合であっても、他の者がその共有持分を有するときは、配偶者居住権は、消滅しない〈共〉。
Ⅲ　第903条第4項＜持戻しの免除の意思表示の推定＞の規定は、配偶者居住権の遺贈について準用する。

［趣旨］高齢化社会の進展及び平均寿命の伸長に伴い、被相続人の配偶者が被相続人の死亡後も長期間にわたり生活を継続することが少なくないところ、配偶者としては、生活継続のため住み慣れた居住建物の居住権を確保しつつ、その後の生活資金として預貯金等の財産についても一定程度確保したいとの希望を持つのが通常である。そこで、本条は配偶者のために居住建物の使用収益権限を認め、遺産分割の際に配偶者が居住建物の所有権を取得する場合よりも低廉な価額で配偶者が居住権を確保できるようにした。

《注　釈》

一　意義・特徴

1　意義

　配偶者居住権とは、居住建物の全部について無償で使用及び収益をする権利である（1028Ⅰ柱書本文）。

2　特徴

⑴　配偶者居住権は、配偶者の居住権を保護するために特に認められた権利であり、帰属上の一身専属権である。そのため、配偶者居住権の帰属主体は配偶者に限定されるとともに、譲渡が制限され（1032Ⅱ）、相続の対象にもならない（1036、597Ⅲ）。さらに、その法的性質は賃借権類似の法定債権と考えられている。
⑵　生存配偶者が配偶者居住権を取得した場合は、その財産的価値に相当する

金額を相続したものとして扱う。

　ex.　被相続人Aの相続財産が3000万円の甲建物と2000万円の預貯金債
　　　権のみであり、配偶者居住権を取得した妻Bと子Cが相続人となる場
　　　合、甲建物についての配偶者居住権の価値が2000万円、配偶者居住権
　　　の負担がついた甲建物の価値が1000万円だとすると、Bは配偶者居住
　　　権のほか500万円の預貯金債権を取得することができ、Cは負担付きの
　　　甲建物と1500万円の預貯金債権を取得することができる

(3)　「居住建物の全部」に効力が及ぶ。逆にいえば、居住建物の一部について
　のみ配偶者居住権の成立を認めることはできない。
　　　∵　居住建物の一部について配偶者居住権の登記をすることを認めるのは
　　　　技術的に困難

(4)　配偶者は「無償」で居住建物を使用・収益をすることができる。すなわ
　ち、配偶者は、居住建物の所有者に対して、配偶者居住権の存続期間中、使
　用・収益に対する賃料相当額の対価を支払う義務を負わない。

(5)　「使用」のみならず「収益」もすることができる。これは、「使用」しか認
　められない配偶者短期居住権（1037以下）とは異なる特徴といえる。

二　成立要件
①　配偶者が相続開始の時に被相続人所有の建物に居住していたこと
②　その建物について配偶者に配偶者居住権を取得させる旨の遺産分割、遺
　贈、死因贈与がされたこと

1　①配偶者が相続開始の時に被相続人所有の建物に居住していたこと
(1)　「配偶者」とは、法律上被相続人と婚姻していた配偶者をいう。
　　　→内縁の配偶者は含まれない
　　　　∵①　内縁の配偶者には相続権がない
　　　　　②　仮に内縁の配偶者も権利主体に含めると、その該当性をめぐって
　　　　　　紛争が複雑化・長期化するおそれがある

(2)　配偶者居住権の目的となる建物（居住建物）は、相続開始の時点におい
　て、被相続人の財産に属した建物でなければならない。

(a)　被相続人が賃借していた建物に配偶者が居住していた場合には、配偶者
　居住権は成立しない。しかし、配偶者は少なくとも2分の1の法定相続分
　を有するため、他の相続人は配偶者の同意なく賃貸借契約を解除すること
　はできない（252Ⅰ前段参照）。これにより、居住建物における配偶者の居
　住利益は一定程度保障される。

(b)　被相続人が居住建物を配偶者以外の第三者と共有していた場合は、配偶
　者居住権を成立させることができない（1028Ⅰ柱書ただし書）。
　　　∵　この場合には、被相続人やその占有補助者たる配偶者は、被相続人
　　　　の生前ですら、共有持分に応じた利用権を有していたにすぎないか
　　　　ら、このような場合にまで無償の排他的な利用権である配偶者居住権
　　　　の成立を認めてしまうと、被相続人の死亡により第三者の利益が不当

に害される

　一方、被相続人が居住建物を配偶者のみと共有していた場合は、上記の
ような不利益を受ける者がいないため、配偶者居住権を成立させることが
できる（1028Ⅰ柱書ただし書反対解釈）。

　　→この場合、配偶者は共有持分に基づいて居住建物を使用できるもの
　　　の、他の共有者から居住建物の使用利益の不当利得返還請求を受けた
　　　り、又は共有物分割請求により居住建物の居住を継続できなくなるお
　　　それがあるため、配偶者居住権を認めることで、配偶者は居住建物に
　　　無償で居住し続けることが可能となる

⑶　「居住していた」とは、配偶者が当該建物を生活の本拠としていたことを
　意味する。

　　→配偶者が相続開始の時点で入院していたような場合でも、退院後は当該
　　　建物に帰ることが予定されているなど、当該建物が配偶者の生活の本拠
　　　としての実態を失っていないと認められる場合には、「居住していた」の
　　　要件を満たす

　また、配偶者が当該建物の一部を居住の用に供していれば、「居住してい
　た」の要件を満たす。この場合、配偶者居住権の効力は居住建物の全部に及
　ぶ。

　　ex.1　配偶者が当該建物を店舗兼住宅として使用していた場合

　　ex.2　被相続人が居住建物の一部を第三者に賃貸していた場合

2　②その建物について配偶者に配偶者居住権を取得させる旨の遺産分割、遺
　贈、死因贈与がされたこと

⑴　特定財産承継遺言（いわゆる相続させる旨の遺言、1014Ⅱ）によって配偶
　者居住権を取得することはできない。

　　∵①　仮に特定財産承継遺言による配偶者居住権の取得を認めると、配偶
　　　　者が配偶者居住権の取得を望まない場合にも、配偶者居住権の取得の
　　　　みを拒むことができず、相続放棄をするしかなくなり、かえって配偶
　　　　者の利益を害する

　　　②　配偶者居住権の取得には一定の義務を伴う（1032～1035参照）が、
　　　　遺産分割方法の指定については負担を付すことができない

⑵　死因贈与は1028条1項各号に明示されていないが、配偶者に配偶者居住
　権を取得させる旨の死因贈与も認められる。

　　∵　554条により、その性質に反しない限り遺贈に関する規定が準用され、
　　　1028条1項2号には「遺贈」が挙げられている

相
続

第1029条　（審判による配偶者居住権の取得）

　遺産の分割の請求を受けた家庭裁判所は、次に掲げる場合に限り、配偶者が配偶者
居住権を取得する旨を定めることができる。
①　共同相続人間に配偶者が配偶者居住権を取得することについて合意が成立して
　いるとき。
②　配偶者が家庭裁判所に対して配偶者居住権の取得を希望する旨を申し出た場合
　において、居住建物の所有者の受ける不利益の程度を考慮してもなお配偶者の生
　活を維持するために特に必要があると認めるとき（前号に掲げる場合を除く。）
　〈新〉。

[趣旨]1028条1項1号の「遺産の分割」には遺産分割の審判も含まれるため、他
の相続人が反対している場合であっても、家庭裁判所が審判によって配偶者に配偶
者居住権を取得させることも可能ではある。もっとも、居住建物の所有者が配偶者居
住権の設定に反対している場合において、審判により配偶者に配偶者居住権を取
得させることとすると、遺産分割に関する紛争が解決した後も配偶者と居住建物の
所有者との間で紛争が生じかねない。そこで、家庭裁判所は、本条各号に掲げる場
合に限り、配偶者が配偶者居住権を取得する旨を定めることができることとした。

第1030条　（配偶者居住権の存続期間）

　配偶者居住権の存続期間は、配偶者の終身の間とする。ただし、遺産の分割の協議
若しくは遺言に別段の定めがあるとき、又は家庭裁判所が遺産の分割の審判において
別段の定めをしたときは、その定めるところによる。

第1031条　（配偶者居住権の登記等）

Ⅰ　居住建物の所有者は、配偶者（配偶者居住権を取得した配偶者に限る。以下この
　節において同じ。）に対し、配偶者居住権の設定の登記を備えさせる義務を負う〈新〉。
Ⅱ　第605条＜不動産賃貸借の対抗力＞の規定は配偶者居住権について、第605
　条の4＜不動産の賃借人による妨害の停止の請求等＞の規定は配偶者居住権の設定
　の登記を備えた場合について準用する。

[趣旨]配偶者居住権は無償で居住建物を使用できる権利であるため、賃借権の場
合と異なり、建物譲受人や建物を差し押さえた債権者は、対抗要件を備えた配偶者
から建物使用の対価を受け取ることができない。そのため、第三者に権利内容を公
示すべき必要性が高い。また、配偶者が建物に居住していることを要件とするため、
単に引渡しをもって対抗要件とした場合、外観上何らの変化もなく対抗要件の具備
を認めることになり、公示手段として極めて不十分である。そこで、1031条2項は、
605条を準用し、配偶者居住権の第三者対抗要件として登記を要するとしている。

《注　釈》

◆　配偶者居住権の対抗力
　1　配偶者居住権の登記
　　　配偶者居住権を、居住建物について「物権を取得した者その他の第三者」に

対抗するためには、配偶者居住権の登記をしなければならない（1031Ⅱ、605）。

→居住建物について「物権を取得した者その他の第三者」の例としては、配偶者居住権が設定された建物の譲受人、抵当権者、差押債権者等が挙げられる

2　配偶者居住権に基づく妨害停止請求・返還請求

配偶者は、配偶者居住権につき登記を備えた場合、居住建物の占有を妨害する第三者に対しては妨害排除請求を、居住建物を占有する第三者に対しては返還請求をすることができる（1031Ⅱ、605の4）。

第1032条　（配偶者による使用及び収益）

Ⅰ　配偶者は、従前の用法に従い、善良な管理者の注意をもって、居住建物の使用及び収益をしなければならない。ただし、従前居住の用に供していなかった部分について、これを居住の用に供することを妨げない。

Ⅱ　配偶者居住権は、譲渡することができない〈共書〉。

Ⅲ　配偶者は、居住建物の所有者の承諾を得なければ、居住建物の改築若しくは増築をし、又は第三者に居住建物の使用若しくは収益をさせることができない。

Ⅳ　配偶者が第1項又は前項の規定に違反した場合において、居住建物の所有者が相当の期間を定めてその是正の催告をし、その期間内に是正がされないときは、居住建物の所有者は、当該配偶者に対する意思表示によって配偶者居住権を消滅させることができる。

第1033条　（居住建物の修繕等）

Ⅰ　配偶者は、居住建物の使用及び収益に必要な修繕をすることができる〈共〉。

Ⅱ　居住建物の修繕が必要である場合において、配偶者が相当の期間内に必要な修繕をしないときは、居住建物の所有者は、その修繕をすることができる。

Ⅲ　居住建物が修繕を要するとき（第1項の規定により配偶者が自らその修繕をするときを除く。）、又は居住建物について権利を主張する者があるときは、配偶者は、居住建物の所有者に対し、遅滞なくその旨を通知しなければならない。ただし、居住建物の所有者が既にこれを知っているときは、この限りでない。

第1034条　（居住建物の費用の負担）

Ⅰ　配偶者は、居住建物の通常の必要費を負担する。

Ⅱ　第583条第2項＜買戻しにおける売主の費用償還義務＞の規定は、前項の通常の必要費以外の費用について準用する〈同〉。

《注　釈》

◆　配偶者居住権の効力

1　配偶者は、無償で居住建物の全部を使用収益することができ（1028Ⅰ柱書本文）、使用収益に必要な限度でその敷地も利用することができる。

2　配偶者は、居住建物の使用収益に関し、用法遵守義務及び善管注意義務を負う（1032Ⅰ）。

3　配偶者居住権は、譲渡することができない（1032Ⅱ）。

∵　配偶者居住権は、住み慣れた居住建物の居住権を確保することで生活の継続を可能にするという目的で設けられた制度であるから、配偶者が配偶者居住権を第三者に譲渡することを認めるのは、かかる制度趣旨と矛盾する

4　配偶者は、居住建物の所有者の承諾を得なければ第三者に居住建物の使用収益をさせることができない（1032Ⅲ）。承諾を得た第三者による使用収益の場合には、賃貸借の転貸に関する規定が準用される（1036、613）。

→配偶者の家族や家事使用人を居住建物に住まわせて使用させるために、居住建物の所有者の承諾を得る必要はない

5　居住建物の修繕については、配偶者に一次的な権限が与えられている（1033ⅠⅡ）。また、配偶者は、居住建物の修繕を要し、又は居住建物について権利を主張する者があるときは、原則としてその旨を居住建物の所有者に通知しなければならない（1033Ⅲ）。

6　配偶者は、居住建物の通常の必要費を負担する（1034Ⅰ）。また、配偶者が通常の必要費以外の費用を支出した場合、居住建物の所有者は196条の規定に従いその償還をしなければならない（1034Ⅱ、583Ⅱ本文）。

7　配偶者の善管注意義務違反等による損害賠償請求権及び居住建物についての費用償還請求権は、居住建物の所有者が居住建物の返還を受けた時から1年以内に請求しなければならない（1036、600）。

第1035条　（居住建物の返還等）

Ⅰ　配偶者は、配偶者居住権が消滅したときは、居住建物の返還をしなければならない。ただし、配偶者が居住建物について共有持分を有する場合は、居住建物の所有者は、配偶者居住権が消滅したことを理由としては、居住建物の返還を求めることができない。

Ⅱ　第599条第1項及び第2項＜借主の収去義務・収去権＞並びに第621条＜賃借人の原状回復義務＞の規定は、前項本文の規定により配偶者が相続の開始後に附属させた物がある居住建物又は相続の開始後に生じた損傷がある居住建物の返還をする場合について準用する。

第1036条　（使用貸借及び賃貸借の規定の準用）

第597条第1項及び第3項＜期間満了・借主の死亡による使用貸借の終了＞、第600条＜損害賠償及び費用の償還の請求権についての期間の制限＞、第613条＜転貸の効果＞並びに第616条の2＜賃貸物の全部滅失等による賃貸借の終了＞の規定は、配偶者居住権について準用する。

《注　釈》

一　配偶者居住権の消滅原因

配偶者居住権の消滅原因としては、①存続期間の満了（1036、597Ⅰ）、②配偶者の死亡（1036、597Ⅲ）、③居住建物の全部滅失等（1036、616の2）、④居住建物が配偶者の財産になる場合（混同による消滅、ただし1028Ⅱ参照）、⑤居住

相続

建物の所有者による消滅請求（1032 Ⅳ）、⑥配偶者による配偶者居住権の放棄等が挙げられる。

二　配偶者居住権消滅後の権利義務

配偶者は、配偶者居住権が消滅したときは、居住建物について共有持分を有する場合を除き、居住建物の返還をしなければならない（1035 Ⅰ）。

また、配偶者が相続開始後に居住建物に附属させた物がある場合には、配偶者は、これを収去する権利を有し、義務を負う（1035 Ⅱ、599 Ⅰ Ⅱ）。

さらに、居住建物について相続開始後に生じた損傷（通常の使用によって生じた居住建物の損耗及び居住建物の経年変化を除く）がある場合には、当該損傷について配偶者に帰責事由が認められない場合を除き、配偶者は原状回復義務を負う（1035 Ⅱ、621）。ここにいう原状とは、相続開始時の状態を指す。

■第2節　配偶者短期居住権

第1037条　（配偶者短期居住権）

Ⅰ　配偶者は、被相続人の財産に属した建物に相続開始の時に無償で居住していた場合には、次の各号に掲げる区分に応じてそれぞれ当該各号に定める日までの間、その居住していた建物（以下この節において「居住建物」という。）の所有権を相続又は遺贈により取得した者（以下この節において「居住建物取得者」という。）に対し、居住建物について無償で使用する権利（居住建物の一部のみを無償で使用していた場合にあっては、その部分について無償で使用する権利。以下この節において「配偶者短期居住権」という。）を有する。ただし、配偶者が、相続開始の時において居住建物に係る配偶者居住権を取得したとき、又は第891条＜相続人の欠格事由＞の規定に該当し若しくは廃除によってその相続権を失ったときは、この限りでない。

①　居住建物について配偶者を含む共同相続人間で遺産の分割をすべき場合　遺産の分割により居住建物の帰属が確定した日又は相続開始の時から6箇月を経過する日のいずれか遅い日

②　前号に掲げる場合以外の場合　第3項の申入れの日から6箇月を経過する日

Ⅱ　前項本文の場合においては、居住建物取得者は、第三者に対する居住建物の譲渡その他の方法により配偶者の居住建物の使用を妨げてはならない。

Ⅲ　居住建物取得者は、第1項第1号に掲げる場合を除くほか、いつでも配偶者短期居住権の消滅の申入れをすることができる。

［趣旨］判例（最判平8.12.17・百選Ⅲ63事件）によれば、共同相続人の1人が被相続人の許諾を得て被相続人所有の建物に居住していた場合には、特段の事情がない限り、被相続人との間で、相続開始時から遺産分割終了時まで当該建物を無償で使用させる旨の合意があったものと推認するとされていた。しかし、当該建物を第三者に遺贈するなど、被相続人が反対の意思を表示した場合、合意が推認されず、配偶者等の居住が保護されないことになる。このような問題を解消し、配偶者の居住権を保護するため、被相続人の意思表示によらずに、最低6か月間の被相続人との使用貸借類似の居住権を認める制度として、本条が規定された。

《注　釈》

一　意義・特徴

1　意義

　　配偶者短期居住権とは、居住建物取得者に対し、居住建物について無償で使用する権利である（1037 I 柱書本文）。

2　特徴

(1)　配偶者居住権と同様、帰属上の一身専属権である。また、その法的性質は使用貸借に類似した法定債権である。

(2)　相続開始の時に配偶者が「居住建物の一部」のみを無償で使用していた場合にあっては、配偶者短期居住権が成立するのは当該部分に限られる（1037 I 柱書本文かっこ書）。

(3)　配偶者は「無償」で居住建物を使用することができる。

(4)　配偶者居住権が、居住建物の「使用」及び「収益」を目的とする権利であるのに対し、配偶者短期居住権は居住建物の「使用」のみを目的とする権利である（1037 I 柱書本文参照）。

(5)　配偶者が配偶者短期居住権の取得によって得た利益は、配偶者の具体的相続分に含まれない。

(6)　配偶者短期居住権には、第三者対抗力がない【予】。

　　→配偶者は居住建物取得者から居住建物を譲り受けた者に対して配偶者短期居住権を対抗することができない。もっとも、居住建物取得者は居住建物の譲渡等により配偶者の居住建物の使用を妨げてはならない（1037 II）ため、そのような場合には、居住建物取得者は、配偶者に対し、債務不履行に基づく損害賠償債務を負うことになる

二　成立要件等

1　成立要件【同R5】

　　配偶者が被相続人の財産に属した建物に相続開始の時に無償で居住していたこと

(1)　「配偶者」とは、法律上被相続人と婚姻していた配偶者をいう。

　　→内縁の配偶者は含まれない

(2)　配偶者居住権の目的となる建物（居住建物）は、相続開始の時点において、被相続人の財産に属した建物でなければならない。

　(a)　被相続人が賃借していた建物に配偶者が居住していた場合には、配偶者居住権は成立しない。しかし、配偶者は少なくとも2分の1の法定相続分を有するため、他の相続人は配偶者の同意なく賃貸借契約を解除することはできない（252 I 前段参照）。これにより、居住建物における配偶者の居住利益は一定程度保障される。

　(b)　被相続人が居住建物を所有していた場合のほか、共有持分を有していた場合も含まれる。

　　→一方で、配偶者短期居住権は持分取得者に対してのみ主張することが

できる債権であるから、他の共有者には配偶者短期居住権を主張する
ことはできない。もっとも、相続開始前に、被相続人と他の共有者の
間で被相続人の単独使用を認める旨の取り決めがあり、当該取り決め
が相続開始後も有効であると解される場合には、配偶者は他の共有者
に対してその利用権を援用して居住建物を利用することができると考
えられる

(3)　配偶者が居住建物を「無償」で使用していた場合でなければならない。

∵　有償で使用している場合には、配偶者と被相続人の間に賃貸借等の契
約関係があり、被相続人の契約上の地位が相続人に引き継がれて契約関
係が継続するため、配偶者短期居住権の成立を認める必要に乏しい

(4)　「居住していた」とは、配偶者居住権の場合と同様、当該建物を生活の本
拠としていたことを意味する。

また、配偶者が当該建物の一部を居住のために使用していれば、「居住し
ていた」の要件を満たす。この場合、配偶者短期居住権の効力が及ぶのは配
偶者が無償で「使用」していた部分に限られる。

2　配偶者短期居住権を取得しない配偶者

(1)　1号配偶者短期居住権を取得しない配偶者

1号配偶者短期居住権を取得するのは、「居住建物について配偶者を含む
共同相続人間で遺産の分割をすべき場合」である。したがって、①共同相続
人に対して、居住建物につき「相続させる遺言」（特定財産承継遺言）がさ
れた場合、②共同相続人又は相続人以外の者に対して居住建物の遺贈・死因
贈与がされた場合、③配偶者が相続放棄をした場合、④遺言により、配偶者
の相続分がゼロとされた場合、⑤遺言により、配偶者は居住建物について相
続しないものとされた場合には、配偶者は1号配偶者短期居住権を取得しな
い。

(2)　2号配偶者短期居住権を取得しない配偶者

2号配偶者短期居住権を取得するのは、「前号に掲げる場合以外の場合」
である。したがって、前記①ないし⑤に該当する場合、配偶者は2号配偶者
短期居住権を取得しうる。もっとも、居住建物について配偶者居住権を取得
した場合、又は配偶者に欠格事由が認められるか、廃除により相続権を失っ
た場合（1037 I 柱書ただし書）には、2号配偶者短期居住権も取得しない。

三　存続期間

1号配偶者短期居住権の存続期間については、早期に遺産分割が成立したとき
に、配偶者が転居に必要な猶予期間を確保するため、「相続開始の時から6か月」
と最低存続期間が定められている。一方、存続期間の上限は規定されていないた
め、配偶者短期居住権という名称にもかかわらず、実際には長期間に及ぶ可能性
がある。

また、2号配偶者短期居住権の存続期間は、配偶者短期居住権の消滅の「申入
れの日から6か月」とされる。

相
続

第1038条 （配偶者による使用）〈同R5〉

Ⅰ　配偶者（配偶者短期居住権を有する配偶者に限る。以下この節において同じ。）は、従前の用法に従い、善良な管理者の注意をもって、居住建物の使用をしなければならない。

Ⅱ　配偶者は、居住建物取得者の承諾を得なければ、第三者に居住建物の使用をさせることができない。

Ⅲ　配偶者が前2項の規定に違反したときは、居住建物取得者は、当該配偶者に対する意思表示によって配偶者短期居住権を消滅させることができる。

第1039条 （配偶者居住権の取得による配偶者短期居住権の消滅）

配偶者が居住建物に係る配偶者居住権を取得したときは、配偶者短期居住権は、消滅する。

第1040条 （居住建物の返還等）

Ⅰ　配偶者は、前条に規定する場合を除き、配偶者短期居住権が消滅したときは、居住建物の返還をしなければならない。ただし、配偶者が居住建物について共有持分を有する場合は、居住建物取得者は、配偶者短期居住権が消滅したことを理由としては、居住建物の返還を求めることができない。

Ⅱ　第599条第1項及び第2項＜借主の収去義務・収去権＞並びに第621条＜賃借人の原状回復義務＞の規定は、前項本文の規定により配偶者が相続の開始後に附属させた物がある居住建物又は相続の開始後に生じた損傷がある居住建物の返還をする場合について準用する。

第1041条 （使用貸借等の規定の準用）

第597条第3項＜借主の死亡による使用貸借の終了＞、第600条＜損害賠償及び費用の償還の請求権についての期間の制限＞、第616条の2＜賃借物の全部滅失等による賃貸借の終了＞、第1032条第2項＜配偶者居住権の譲渡禁止＞、第1033条＜居住建物の修繕等＞及び第1034条＜居住建物の費用の負担＞の規定は、配偶者短期居住権について準用する。

《注　釈》

一　配偶者短期居住権の効力

配偶者短期居住権については、居住建物の「使用」が認められているに過ぎず、収益権限は認められていない（1037Ⅰ柱書本文参照）。

配偶者が、居住建物の使用について用法遵守義務・善管注意義務を負うこと（1038Ⅰ）、第三者への譲渡（1041・1032Ⅱ）及び第三者の使用が禁止されること（1038Ⅱ）、そして、居住建物の修繕等（1041・1033）、必要費等（1041・1034）、損害賠償及び費用償還請求の期間制限（1041・600）等の規律については、配偶者居住権の場合と同様である。

また、配偶者居住権と異なり、増改築禁止に関する規定はないが、配偶者は用法遵守義務を負うため、従前の用法を変更することになる増改築をすることはできない。

二　配偶者短期居住権の消滅原因

　　配偶者短期居住権の消滅原因としては、①存続期間の満了（1037Ⅰ）、②居住建物取得者による消滅請求（1038Ⅲ）《司R5》、③配偶者居住権の取得（1039）、④配偶者の死亡（1041・597Ⅲ）、⑤居住建物の全部滅失等（1041・616の2）等が挙げられる。

三　配偶者短期居住権消滅後の権利義務

　　配偶者は、配偶者短期居住権が消滅したときは、原則として居住建物を返還しなければならないこと（1040Ⅰ）、居住建物に附属させた物について収去権を有し収去義務を負うこと（1040Ⅱ・599ⅠⅡ）、損傷について原状回復義務を負うこと（1040Ⅱ・621）は、配偶者居住権の場合と同様である。

・第9章・【遺留分】

《概　説》

一　遺留分制度の意義

　　遺留分制度とは、相続の場合に、相続人を保護するため、必ず相続財産の一定額をなんらかの方法で保障する制度をいう。

二　遺留分制度の趣旨

　　被相続人による財産処分の自由及び取引の安全と、相続人の生活の安定及び財産の公平な分配との調整という見地から、遺留分制度が定められた。

第1042条　（遺留分の帰属及びその割合）

Ⅰ　兄弟姉妹以外の相続人は、遺留分として、次条第1項に規定する遺留分を算定するための財産の価額に、次の各号に掲げる区分に応じてそれぞれ当該各号に定める割合を乗じた額を受ける《掲》。

①　直系尊属のみが相続人である場合　3分の1

②　前号に掲げる場合以外の場合　2分の1

Ⅱ　相続人が数人ある場合には、前項各号に定める割合は、これらに第900条及び第901条の規定により算定したその各自の相続分を乗じた割合とする。

[趣旨] 本条1項は、遺留分を有する者（遺留分権利者）と総体的遺留分の率を定め、2項は個別的遺留分の率を定めている。

《注　釈》

一　遺留分権利者

1　兄弟姉妹以外の相続人（配偶者・子・直系尊属）である《司予》。

(1)　胎児も、生きて生まれれば、子としての遺留分をもつ（886）。

(2)　子の代襲相続人も、被代襲者たる子と同じ遺留分をもつ（1042Ⅱ、901）《予》。

2　相続欠格・廃除・相続放棄によって相続権を失った者は、遺留分も失う《掲》。

二　遺留分の率

1　総体的遺留分

　　総体的遺留分とは、遺留分権利者全体に遺されるべき遺産全体に対する割合をいう。

　(1)　直系尊属のみが相続人である場合は遺留分を算定するための財産の価額の3分の1（Ⅰ①）

　(2)　その他の場合は遺留分を算定するための財産の価額の2分の1（Ⅰ②）
　　　→直系卑属のみ、配偶者のみ、配偶者と直系卑属、配偶者と直系尊属

2　個別的遺留分（1042Ⅱ、900〜901）

　　個別的遺留分とは、遺留分権利者が複数いる場合の各遺留分権利者の個人的遺留分の割合をいい、全体の遺留分の率に、それぞれの遺留分権利者の法定相続分の率を乗じることによって決せられる。

　　ex.　相続人が配偶者と嫡出子2人の場合、配偶者の遺留分率は1/2×1/2＝1/4、嫡出子2人の各遺留分率は1/2×1/2×1/2＝1/8である

第1043条　（遺留分を算定するための財産の価額）

Ⅰ　遺留分を算定するための財産の価額は、被相続人が相続開始の時において有した財産の価額にその贈与した財産の価額を加えた額から債務の全額を控除した額とする。

Ⅱ　条件付きの権利又は存続期間の不確定な権利は、家庭裁判所が選任した鑑定人の評価に従って、その価格を定める。

第1044条

Ⅰ　贈与は、相続開始前の1年間にしたものに限り、前条の規定によりその価額を算入する。当事者双方が遺留分権利者に損害を加えることを知って贈与をしたときは、1年前の日より前にしたものについても、同様とする。

Ⅱ　第904条＜特別受益者の相続分＞の規定は、前項に規定する贈与の価額について準用する。

Ⅲ　相続人に対する贈与についての第1項の規定の適用については、同項中「1年」とあるのは「10年」と、「価額」とあるのは「価額（婚姻若しくは養子縁組のため又は生計の資本として受けた贈与の価額に限る。）」とする。

《注　釈》

一　「相続開始の時において有した財産」（1043Ⅰ）の意義

　　相続財産中の積極財産を意味する。遺贈（964）や死因贈与（554）された財産も、ここに含まれる。

二　1044条所定の贈与

　1　算入の対象となる贈与は、相続人に対してされた贈与に限られない。

　2　相続人以外の者に対する贈与の場合は、原則として「相続開始前の1年間」になされた贈与（1044Ⅰ前段）が算入の対象となる。他方、相続人に対する贈与の場合は、原則として相続開始前の「10年」間になされた贈与（1044

Ⅲ、Ⅰ前段）が対象となる。

3　「当事者双方が遺留分権利者に損害を加えることを知って」なした贈与は、上記の期間制限に関わらず、算入の対象となる（1044 Ⅰ後段）司書。

　　cf.　「損害を加えることを知って」（1044 Ⅰ後段）とは、贈与当時の財産状態で遺留分を害するという事実の認識だけでなく、将来においても財産が増加し、その結果遺留分が充足されることはありそうにないという予見を必要とする（大判昭 11.6.17）

4　特別受益として贈与した財産の価額を遺留分算定の基礎となる財産に加える場合、それが金銭である場合には相続開始の時の貨幣価値に換算した価額をもって評価する（最判昭 51.3.18）。

《その他》

▪ 負担付贈与は、目的物の価額から負担の価額を控除して加算する（1045 Ⅰ）。

第1045条

Ⅰ　負担付贈与がされた場合における第1043条第1項に規定する贈与した財産の価額は、その目的の価額から負担の価額を控除した額とする。

Ⅱ　不相当な対価をもってした有償行為は、当事者双方が遺留分権利者に損害を与えることを知ってしたものに限り、当該対価を負担の価額とする負担付贈与とみなす。

[趣旨] 有償行為は贈与などの無償処分と異なり侵害額請求の対象とならないが、不相当な対価をもってされた有償行為は、被相続人の財産を一方的に減少せしめ、遺留分権利者を害する。そこで、当該有償行為の当事者双方が遺留分権利者に損害を与えることを知ってしたものに限り、本条2項で規制することとした。

第1046条　（遺留分侵害額の請求）

Ⅰ　遺留分権利者及びその承継人は、受遺者（特定財産承継遺言により財産を承継し又は相続分の指定を受けた相続人を含む。以下この章において同じ。）又は受贈者に対し、遺留分侵害額に相当する金銭の支払を請求することができる司共。

Ⅱ　遺留分侵害額は、第1042条の規定による遺留分から第1号及び第2号に掲げる額を控除し、これに第3号に掲げる額を加算して算定する。

　①　遺留分権利者が受けた遺贈又は第903条第1項に規定する贈与の価格

　②　第900条から第902条まで、第903条及び第904条の規定により算定した相続分に応じて遺留分権利者が取得すべき遺産の価額

　③　被相続人が相続開始の時において有した債務のうち、第899条の規定により遺留分権利者が承継する債務（次条第3項において「遺留分権利者承継債務」という。）の額

[趣旨] 本条は、遺留分権利者の最低限の相続分を確保し、その生活保障を図るという遺留分制度の趣旨を実現するために、金銭債権である遺留分侵害額請求権について規定するものである。

相続

《注　釈》

一　遺留分侵害額請求権の成立

遺留分をもつ相続人が被相続人から得た純財産額が、その遺留分額に達しないときに、遺留分侵害ありとして、遺留分侵害額請求権が成立する。

二　請求権者

遺留分権利者のほか、承継人にも認められる《団。

∵　相続開始後の具体的な遺留分侵害額請求権は、1つの財産権であり、帰属上の一身専属権ではない

cf.　なお、行使上の一身専属権であるため、原則として債権者代位権（423）の目的とすることはできないが、権利行使の確定的意思を外部に表明したと認められる特段の事情があれば、目的とすることができる（最判平13.11.22・百選Ⅲ 96事件参照）

三　相手方

受遺者・受贈者・その包括承継人である。

四　請求の方法

1　遺留分侵害額は各相続人ごとに算定され（1042Ⅱ参照）、遺留分権利者は、「遺留分侵害額に相当する金銭」（1046Ⅰ）、すなわち、それぞれの相続人の遺留分侵害額の限度で請求しうる。また、複数の受遺者又は受贈者がいる場合には、1047条1項に規定される限度で、各人に対して請求しうる。

2　遺留分侵害額の算定方式は、［（積極相続財産額＋贈与額−相続債務額）（1043Ⅰ）×（総体的遺留分率（1042Ⅰ）×遺留分権利者の法定相続分の割合（1042Ⅱ））−当該遺留分権利者の特別受益額（1046Ⅱ①）−遺留分権利者が相続によって得た財産の額（1046Ⅱ②）＋遺留分権利者が負担すべき相続債務の額（1046Ⅱ③）］となる（最判平8.11.26・百選Ⅲ 95事件参照）《団。

3　遺留分権利者が数人あるときは、各自の遺留分侵害額を保全するに必要な限りで請求ができるのであって、共同の権利行使が要求されるのではない《団。

五　権利の性質

遺留分侵害額請求権は形成権であり、その権利行使は受遺者・受贈者に対する意思表示によってなせば足り、必ずしも裁判上の請求によることは要しない（形成権説）（最判昭41.7.14・百選Ⅲ〔第2版〕92事件参照）《同予。

《その他》

▪ 自己を被保険者とする生命保険契約の契約者が死亡保険金の受取人を変更する行為は、遺留分侵害額の算定の基礎となる遺贈又は贈与に当たらない（最判平14.11.5参照）《共書。

相
続

第1047条　（受遺者又は受贈者の負担額）

Ⅰ　受遺者又は受贈者は、次の各号の定めるところに従い、遺贈（特定財産承継遺言
による財産の承継又は相続分の指定による遺産の取得を含む。以下この章において
同じ。）又は贈与（遺留分を算定するための財産の価額に算入されるものに限る。以
下この章において同じ。）の目的の価額（受遺者又は受贈者が相続人である場合にあ
っては、当該価額から第1042条の規定による遺留分として当該相続人が受ける
べき額を控除した額）を限度として、遺留分侵害額を負担する。

① 受遺者と受贈者とがあるときは、受遺者が先に負担する。

② 受遺者が複数あるとき、又は受贈者が複数ある場合においてその贈与が同時に
されたものであるときは、受遺者又は受贈者がその目的の価額の割合に応じて負
担する。ただし、遺言者がその遺言に別段の意思を表示したときは、その意思に
従う。

③ 受贈者が複数あるとき（前号に規定する場合を除く。）は、後の贈与に係る受贈
者から順次前の贈与に係る受贈者が負担する。

Ⅱ　第904条＜特別受益者の相続分＞、第1043条第2項及び第1045条＜遺留
分を算定するための財産の価額＞の規定は、前項に規定する遺贈又は贈与の目的の
価額について準用する。

Ⅲ　前条第1項の請求を受けた受遺者又は受贈者は、遺留分権利者承継債務について
弁済その他の債務を消滅させる行為をしたときは、消滅した債務の額の限度におい
て、遺留分権利者に対する意思表示によって第1項の規定により負担する債務を消
滅させることができる。この場合において、当該行為によって遺留分権利者に対し
て取得した求償権は、消滅した当該債務の額の限度において消滅する。

Ⅳ　受遺者又は受贈者の無資力によって生じた損失は、遺留分権利者の負担に帰する。

Ⅴ　裁判所は、受遺者又は受贈者の請求により、第1項の規定により負担する債務の
全部又は一部の支払につき相当の期限を許与することができる。

[趣旨] 遺留分権利者の相続債務額は、遺留分侵害額算定の基礎に算入することと
されており（1046Ⅱ③）、その算入によって加算された分だけ受遺者等が遺留分権
利者に対して支払うべき金銭債務を増加させることとなる。そして、たとえば遺贈
の目的物に相続債務にかかる債権を被担保債権とする担保が付されている場合等、
受遺者等が相続債務を消滅させる必要に迫られる場合がある。そうすると、受遺者
等が遺留分権利者の相続債務を消滅させる行為をした場合には、当該相続債務額を
遺留分侵害額算定の基礎に算入しないのと同様の計算になるにもかかわらず、これ
を算入した上で、受遺者等がさらに遺留分権利者に求償をすることとするのは、不
都合である。そこで、本条3項前段は、かかる不都合を回避するため、遺留分権利
者から遺留分侵害額請求権の行使を受けた受遺者等が、当該遺留分権利者の負担す
る相続債務について、債務を消滅させる行為をした場合には、消滅させた相続債務
の限度において、遺留分侵害額請求の行使により受遺者等が負担することとなった
金銭債務の消滅を請求できることとした。

　また、遺留分権利者の相続債務を弁済等により消滅させた受遺者等が、金銭債務
の消滅の請求をした場合に、受遺者等が遺留分権利者に対してさらに求償権を行使

できるとすると、受遺者等に実質的に二重の利益を得させることとなる。そこで、同項後段は、これを防止するために、受遺者等の請求により消滅した当該債務の額の限度で、受遺者等の遺留分権利者に対して有する求償権も消滅することとした。

　本条5項については、受遺者等が遺留分侵害額請求の行使を受けると、金銭債務を弁済しなければならなくなるため、弁済の原資となる金銭を準備する時間を与え、受遺者等の保護を図るために規定されたものである。

《注　釈》

＜遺留分侵害額の負担の順序＞〈司共〉

先

後

（1047 Ⅰ①）

受遺者	受遺者相互間では価額の割合に応じて負担する（1047 Ⅰ②）
受贈者（＊）	受贈者相互間では相続開始時に近い贈与にかかる受贈者から負担する（1047 Ⅰ③） →同時なら価額割合に応じて負担（1047 Ⅰ②）

＊　死因贈与は贈与として取扱い、遺贈→死因贈与→生前贈与の順に負担する（東京高判平 12.3.8・百選Ⅱ 99 事件）。

第1048条　（遺留分侵害額請求権の期間の制限）

　遺留分侵害額の請求権は、遺留分権利者が、相続の開始及び遺留分を侵害する贈与又は遺贈があったことを知った時から1年間行使しないときは、時効によって消滅する。相続開始の時から10年を経過したときも、同様とする。

[趣旨] 本条で遺留分侵害額請求権について特別の短期存続期間を定めたのは、法律関係の早期安定を図る点にある。

《注　釈》

一　「知った時」（前段）の意味

　単に相続開始・贈与・遺贈があったことを知るのみではなく、それが遺留分を侵害し、遺留分侵害額請求をすべきものであることを知った時である（最判昭57.11.12 参照）。

二　10 年の期間の性質（後段）

　除斥期間と解するのが多数説である。

第1049条　（遺留分の放棄）

Ⅰ　相続の開始前における遺留分の放棄は、家庭裁判所の許可を受けたときに限り、その効力を生ずる〈司共予書〉。

Ⅱ　共同相続人の1人のした遺留分の放棄は、他の各共同相続人の遺留分に影響を及ぼさない〈共書〉。

[趣旨] 遺留分権も個人的な財産権であるから、本来は事前にこれを放棄しうるはずである。しかし、無制約に放棄を許すと被相続人の威力により相続人に放棄を強要することも考えられる。そこで本条は、家庭裁判所の後見的役割を期待し、その許可を得た場合に限り、事前放棄は効力を生ずるものとした。

相続

《注　釈》

一　遺留分の放棄の効果

　遺留分は各相続人について定められるものであるから、遺留分を有する共同相続人のうちの1人が遺留分を放棄しても、他の相続人の遺留分は増加しない（Ⅱ）《共》。

　→被相続人の自由に処分しうる財産額が、放棄された分増加するだけである

　遺留分を放棄した者は、相続放棄をしたわけではないから、相続人としての地位は失わない《同》。一方、相続放棄した者は、初めから相続人とならなかったものとみなされる（939）ので、他の相続人の遺留分は増加する《予》。

二　相続開始後の遺留分の放棄

　明文の規定はないが、個人財産権の処分の自由の見地から、家庭裁判所の許可なく認められる《共》。

《その他》

- 被代襲者が遺留分を事前放棄すると、代襲相続人にも遺留分はなくなる。
- 共同相続人の1人が相続の放棄をしたときは、他の共同相続人が遺留分として受ける額は増える《予》。
  - ∵「相続の放棄」（938）をした場合、共同相続人の1人は初めから相続人とならなかったものとみなされる（939）

・第10章・【特別の寄与】

第1050条

Ⅰ　被相続人に対して無償で療養看護その他の労務の提供をしたことにより被相続人の財産の維持又は増加について特別の寄与をした被相続人の親族（相続人、相続の放棄をした者及び第891条の規定に該当し又は廃除によってその相続権を失った者を除く。以下この条において「特別寄与者」という。）は、相続の開始後、相続人に対し、特別寄与者の寄与に応じた額の金銭（以下この条において「特別寄与料」という。）の支払を請求することができる《同書》。

Ⅱ　前項の規定による特別寄与料の支払について、当事者間に協議が調わないとき、又は協議をすることができないときは、特別寄与者は、家庭裁判所に対して協議に代わる処分を請求することができる《重》。ただし、特別寄与者が相続の開始及び相続人を知った時から6箇月を経過したとき、又は相続開始の時から1年を経過したときは、この限りでない。

Ⅲ　前項本文の場合には、家庭裁判所は、寄与の時期、方法及び程度、相続財産の額その他一切の事情を考慮して、特別寄与料の額を定める。

Ⅳ　特別寄与料の額は、被相続人が相続開始の時において有した財産の価額から遺贈の価額を控除した残額を超えることができない《書》。

Ⅴ　相続人が数人ある場合には、各相続人は、特別寄与料の額に第900条から第902条までの規定により算定した当該相続人の相続分を乗じた額を負担する。

相続

［趣旨］相続人以外の親族が被相続人に対して無償の療養看護をしたとしても、遺言や契約の存在がない限り、相続財産を取得することができないのは公平に反する。そこで、本条は、被相続人の療養看護に努めた親族の貢献に報いることで実質的公平を図るため、当該親族（特別寄与者）に相続人に対する特別寄与料の支払請求を認めている。

《注　釈》

一　特別寄与者による特別寄与料の請求（Ⅰ）

被相続人に対して、無償で療養看護その他の労務を提供し、これにより被相続人の財産の維持又は増加について特別の寄与をした親族（相続人、相続の放棄をした者、欠格又は廃除により相続権を失った者を除く。以下「特別寄与者」という。）は、相続が開始した後、各相続人に対して、特別寄与者の寄与に応じた額の金銭（以下「特別寄与料」という。）の支払を請求できる（1050Ⅰ）。同項にいう「特別の寄与」とは、民法904条の2の場合のように、被相続人と相続人の身分関係に基づいて通常期待される程度の貢献を超えるものであるとは解されておらず、貢献が一定の程度を超えることを要求する趣旨であると解されている。

二　協議が調わない場合（ⅡⅢ）

特別寄与料について、当事者間に協議が調わないとき、又は協議をすることができないときは、特別寄与者は、家庭裁判所に対して、協議に代わる処分を請求することができる（1050Ⅱ本文）。もっとも、相続開始及び相続人を知ったときから6箇月の経過、又は相続開始の時から1年を経過するまでに請求しなくてはならない（同ただし書）。

家庭裁判所に上記の請求がなされた場合には、寄与の時期、方法及び程度、相続した財産の額その他一切の事情を考慮して、家庭裁判所が、特別寄与料の額を決定する（1050Ⅲ）。

三　請求金額の上限（Ⅳ）

特別寄与料の額は、被相続人が相続開始の時において有した財産の価額から遺贈の価額を控除した残額を超えることができない（1050Ⅳ）。かかる規定は、現行の寄与分の規定と同様に、特別寄与料の上限を定めたものである（904の2Ⅲ参照）。

相
続

完全整理　択一六法

付　録

借地借家法

借地借家法

第1章　総則

第1条（趣旨）

　この法律は、建物の所有を目的とする地上権及び土地の賃借権の存続期間、効力等並びに建物の賃貸借の契約の更新、効力等に関し特別の定めをするとともに、借地条件の変更等の裁判手続に関し必要な事項を定めるものとする。

第2条（定義）

　この法律において、次の各号に掲げる用語の意義は、当該各号に定めるところによる。
① 借地権　建物の所有を目的とする地上権又は土地の賃借権をいう。
② 借地権者　借地権を有する者をいう。
③ 借地権設定者　借地権者に対して借地権を設定している者をいう。
④ 転借地権　建物の所有を目的とする土地の賃借権で借地権者が設定しているものをいう。
⑤ 転借地権者　転借地権を有する者をいう。

第2章　借地

第1節　借地権の存続期間等

第3条（借地権の存続期間）

　借地権の存続期間は、30年とする。ただし、契約でこれより長い期間を定めたときは、その期間とする。

第4条（借地権の更新後の期間）

　当事者が借地契約を更新する場合においては、その期間は、更新の日から10年（借地権の設定後の最初の更新にあっては、20年）とする。ただし、当事者がこれより長い期間を定めたときは、その期間とする。

第5条（借地契約の更新請求等）

Ⅰ　借地権の存続期間が満了する場合において、借地権者が契約の更新を請求したときは、建物がある場合に限り、前条の規定によるもののほか、従前の契約と同一の条件で契約を更新したものとみなす。ただし、借地権設定者が遅滞なく異議を述べたときは、この限りでない。

Ⅱ　借地権の存続期間が満了した後、借地権者が土地の使用を継続するときも、建物がある場合に限り、前項と同様とする。

Ⅲ　転借地権が設定されている場合においては、転借地権者がする土地の使用の継続を借地権者がする土地の使用の継続とみなして、借地権者と借地権設定者との間について前項の規定を適用する。

第6条（借地契約の更新拒絶の要件）

　前条の異議は、借地権設定者及び借地権者（転借地権者を含む。以下この条において同じ。）が土地の使用を必要とする事情のほか、借地に関する従前の経過及び土地の利用状況並びに借地権設定者が土地の明渡しの条件として又は土地の明渡しと引換えに借地権者に対して財産上の給付をする旨の申出をした場合におけるその申出を考慮して、正当の事由があると認められる場合でなければ、述べることができない。

第7条（建物の再築による借地権の期間の延長）

Ⅰ　借地権の存続期間が満了する前に建物の滅失（借地権者又は転借地権者による取壊しを含む。以下同じ。）があった場合において、借地権者が残存期間を超えて存続すべき建物を築造したときは、その建物を築造するにつき借地権設定者の承諾がある場合に限り、借地権は、承諾があった日又は建物が築造された日のいずれか早い日から２０年間存続する。ただし、残存期間がこれより長いとき、又は当事者がこれより長い期間を定めたときは、その期間による。

Ⅱ　借地権者が借地権設定者に対し残存期間を超えて存続すべき建物を新たに築造する旨を通知した場合において、借地権設定者がその通知を受けた後２月以内に異議を述べなかったときは、その建物を築造するにつき前項の借地権設定者の承諾があったものとみなす。ただし、契約の更新の後（同項の規定により借地権の存続期間が延長された場合にあっては、借地権の当初の存続期間が満了すべき日の後。次条及び第１８条において同じ。）に通知があった場合においては、この限りでない。

Ⅲ　転借地権が設定されている場合においては、転借地権者がする建物の築造を借地権者がする建物の築造とみなして、借地権者と借地権設定者との間について第１項の規定を適用する。

第8条（借地契約の更新後の建物の滅失による解約等）

Ⅰ　契約の更新の後に建物の滅失があった場合においては、借地権者は、地上権の放棄又は土地の賃貸借の解約の申入れをすることができる。

Ⅱ　前項に規定する場合において、借地権者が借地権設定者の承諾を得ないで残存期間を超えて存続すべき建物を築造したときは、借地権設定者は、地上権の消滅の請求又は土地の賃貸借の解約の申入れをすることができる。

Ⅲ　前２項の場合においては、借地権は、地上権の放棄若しくは消滅の請求又は土地の賃貸借の解約の申入れがあった日から３月を経過することによって消滅する。

Ⅳ　第１項に規定する地上権の放棄又は土地の賃貸借の解約の申入れをする権利は、第２項に規定する地上権の消滅の請求又は土地の賃貸借の解約の申入れをする権利を制限する場合に限り、制限することができる。

Ⅴ　転借地権が設定されている場合においては、転借地権者がする建物の築造を借地権者がする建物の築造とみなして、借地権者と借地権設定者との間について第２項の規定を適用する。

第9条（強行規定）

　この節の規定に反する特約で借地権者に不利なものは、無効とする。

第2節　借地権の効力

第10条（借地権の対抗力等）

Ⅰ　借地権は、その登記がなくても、土地の上に借地権者が登記されている建物を所有するときは、これをもって第三者に対抗することができる。

Ⅱ　前項の場合において、建物の滅失があっても、借地権者が、その建物を特定するために必要な事項、その滅失があった日及び建物を新たに築造する旨を土地の上の見やすい場所に掲示するときは、借地権は、なお同項の効力を有する■。ただし、建物の滅失があった日から2年を経過した後にあっては、その前に建物を新たに築造し、かつ、その建物につき登記した場合に限る。

第11条（地代等増減請求権）

Ⅰ　地代又は土地の借賃（以下この条及び次条において「地代等」という。）が、土地に対する租税その他の公課の増減により、土地の価格の上昇若しくは低下その他の経済事情の変動により、又は近傍類似の土地の地代等に比較して不相当となったときは、契約の条件にかかわらず、当事者は、将来に向かって地代等の額の増減を請求することができる。ただし、一定の期間地代等を増額しない旨の特約がある場合には、その定めに従う。

Ⅱ　地代等の増額について当事者間に協議が調わないときは、その請求を受けた者は、増額を正当とする裁判が確定するまでは、相当と認める額の地代等を支払うことをもって足りる。ただし、その裁判が確定した場合において、既に支払った額に不足があるときは、その不足額に年1割の割合による支払期後の利息を付してこれを支払わなければならない。

Ⅲ　地代等の減額について当事者間に協議が調わないときは、その請求を受けた者は、減額を正当とする裁判が確定するまでは、相当と認める額の地代等の支払を請求することができる。ただし、その裁判が確定した場合において、既に支払を受けた額が正当とされた地代等の額を超えるときは、その超過額に年1割の割合による受領の時からの利息を付してこれを返還しなければならない。

第12条（借地権設定者の先取特権）

Ⅰ　借地権設定者は、弁済期の到来した最後の2年分の地代等について、借地権者がその土地において所有する建物の上に先取特権を有する。

Ⅱ　前項の先取特権は、地上権又は土地の賃貸借の登記をすることによって、その効力を保存する。

Ⅲ　第1項の先取特権は、他の権利に対して優先する効力を有する。ただし、共益費用、不動産保存及び不動産工事の先取特権並びに地上権又は土地の賃貸借の登記より前に登記された質権及び抵当権には後れる。

Ⅳ　前3項の規定は、転借地権者がその土地において所有する建物について準用する。

第13条（建物買取請求権）

Ⅰ　借地権の存続期間が満了した場合において、契約の更新がないときは、借地権者は、借地権設定者に対し、建物その他借地権者が権原により土地に附属させた物を時価で買い取るべきことを請求することができる。

Ⅱ　前項の場合において、建物が借地権の存続期間が満了する前に借地権設定者の承諾を得ないで残存期間を超えて存続すべきものとして新たに築造されたものであるとき

は、裁判所は、借地権設定者の請求により、代金の全部又は一部の支払につき相当の
期限を許与することができる。

Ⅲ　前2項の規定は、借地権の存続期間が満了した場合における転借地権者と借地権設
定者との間について準用する。

第14条（第三者の建物買取請求権）

第三者が賃借権の目的である土地の上の建物その他借地権者が権原によって土地に附
属させた物を取得した場合において、借地権設定者が賃借権の譲渡又は転貸を承諾しな
いときは、その第三者は、借地権設定者に対し、建物その他借地権者が権原によって土
地に附属させた物を時価で買い取るべきことを請求することができる。

第15条（自己借地権）

Ⅰ　借地権を設定する場合においては、他の者と共に有することとなるときに限り、借
地権設定者が自らその借地権を有することを妨げない。

Ⅱ　借地権が借地権設定者に帰した場合であっても、他の者と共にその借地権を有する
ときは、その借地権は、消滅しない。

第16条（強行規定）

第10条、第13条及び第14条の規定に反する特約で借地権者又は転借地権者に不
利なものは、無効とする。

第3節　借地条件の変更等

第17条（借地条件の変更及び増改築の許可）

Ⅰ　建物の種類、構造、規模又は用途を制限する旨の借地条件がある場合において、法
令による土地利用の規制の変更、付近の土地の利用状況の変化その他の事情の変更に
より現に借地権を設定するにおいてはその借地条件と異なる建物の所有を目的とする
ことが相当であるにもかかわらず、借地条件の変更につき当事者間に協議が調わない
ときは、裁判所は、当事者の申立てにより、その借地条件を変更することができる。

Ⅱ　増改築を制限する旨の借地条件がある場合において、土地の通常の利用上相当とす
べき増改築につき当事者間に協議が調わないときは、裁判所は、借地権者の申立てに
より、その増改築についての借地権設定者の承諾に代わる許可を与えることができる。

Ⅲ　裁判所は、前2項の裁判をする場合において、当事者間の利益の衡平を図るため必
要があるときは、他の借地条件を変更し、財産上の給付を命じ、その他相当の処分を
することができる。

Ⅳ　裁判所は、前3項の裁判をするには、借地権の残存期間、土地の状況、借地に関す
る従前の経過その他一切の事情を考慮しなければならない。

Ⅴ　転借地権が設定されている場合において、必要があるときは、裁判所は、転借地権
者の申立てにより、転借地権とともに借地権につき第1項から第3項までの裁判をす
ることができる。

Ⅵ　裁判所は、特に必要がないと認める場合を除き、第1項から第3項まで又は前項の
裁判をする前に鑑定委員会の意見を聴かなければならない。

第18条（借地契約の更新後の建物の再築の許可）

Ⅰ　契約の更新の後において、借地権者が残存期間を超えて存続すべき建物を新たに築
造することにつきやむを得ない事情があるにもかかわらず、借地権設定者がその建物

の築造を承諾しないときは、借地権設定者が地上権の消滅の請求又は土地の賃貸借の解約の申入れをすることができない旨を定めた場合を除き、裁判所は、借地権者の申立てにより、借地権設定者の承諾に代わる許可を与えることができる。この場合において、当事者間の利益の衡平を図るため必要があるときは、延長すべき借地権の期間として第7条第1項の規定による期間と異なる期間を定め、他の借地条件を変更し、財産上の給付を命じ、その他相当の処分をすることができる。

Ⅱ　裁判所は、前項の裁判をするには、建物の状況、建物の滅失があった場合には滅失に至った事情、借地に関する従前の経過、借地権設定者及び借地権者（転借地権者を含む。）が土地の使用を必要とする事情その他一切の事情を考慮しなければならない。

Ⅲ　前条第5項及び第6項の規定は、第1項の裁判をする場合に準用する。

第19条（土地の賃借権の譲渡又は転貸の許可）

Ⅰ　借地権者が賃借権の目的である土地の上の建物を第三者に譲渡しようとする場合において、その第三者が賃借権を取得し、又は転借をしても借地権設定者に不利となるおそれがないにもかかわらず、借地権設定者がその賃借権の譲渡又は転貸を承諾しないときは、裁判所は、借地権者の申立てにより、借地権設定者の承諾に代わる許可を与えることができる。この場合において、当事者間の利益の衡平を図るため必要があるときは、賃借権の譲渡若しくは転貸を条件とする借地条件の変更を命じ、又はその許可を財産上の給付に係らしめることができる。

Ⅱ　裁判所は、前項の裁判をするには、賃借権の残存期間、借地に関する従前の経過、賃借権の譲渡又は転貸を必要とする事情その他一切の事情を考慮しなければならない。

Ⅲ　第1項の申立てがあった場合において、裁判所が定める期間内に借地権設定者が自ら建物の譲渡及び賃借権の譲渡又は転貸を受ける旨の申立てをしたときは、裁判所は、同項の規定にかかわらず、相当の対価及び転貸の条件を定めて、これを命ずることができる。この裁判においては、当事者双方に対し、その義務を同時に履行すべきことを命ずることができる。

Ⅳ　前項の申立ては、第1項の申立てが取り下げられたとき、又は不適法として却下されたときは、その効力を失う。

Ⅴ　第3項の裁判があった後は、第1項又は第3項の申立ては、当事者の合意がある場合でなければ取り下げることができない。

Ⅵ　裁判所は、特に必要がないと認める場合を除き、第1項又は第3項の裁判をする前に鑑定委員会の意見を聴かなければならない。

Ⅶ　前各項の規定は、転借地権が設定されている場合における転借地権者と借地権設定者との間について準用する。ただし、借地権設定者が第3項の申立てをするには、借地権者の承諾を得なければならない。

第20条（建物競売等の場合における土地の賃借権の譲渡の許可）

Ⅰ　第三者が賃借権の目的である土地の上の建物を競売又は公売により取得した場合において、その第三者が賃借権を取得しても借地権設定者に不利となるおそれがないにもかかわらず、借地権設定者がその賃借権の譲渡を承諾しないときは、裁判所は、その第三者の申立てにより、借地権設定者の承諾に代わる許可を与えることができる。この場合において、当事者間の利益の衡平を図るため必要があるときは、借地条件を変更し、又は財産上の給付を命ずることができる。

Ⅱ　前条第2項から第6項までの規定は、前項の申立てがあった場合に準用する。

Ⅲ　第1項の申立ては、建物の代金を支払った後2月以内に限り、することができる。

Ⅳ 民事調停法（昭和２６年法律第２２２号）第１９条の規定は、同条に規定する期間内に第一項の申立てをした場合に準用する。

Ⅴ 前各項の規定は、転借地権者から競売又は公売により建物を取得した第三者と借地権設定者との間について準用する。ただし、借地権設定者が第２項において準用する前条第３項の申立てをするには、借地権者の承諾を得なければならない。

第２１条（強行規定）

第１７条から第１９条までの規定に反する特約で借地権者又は転借地権者に不利なものは、無効とする。

第４節　定期借地権等

第２２条（定期借地権）

Ⅰ 存続期間を５０年以上として借地権を設定する場合においては、第９条及び第１６条の規定にかかわらず、契約の更新（更新の請求及び土地の使用の継続によるものを含む。次条第１項において同じ。）及び建物の築造による存続期間の延長がなく、並びに第１３条の規定による買取りの請求をしないこととする旨を定めることができる。この場合においては、その特約は、公正証書による等書面によってしなければならない。

Ⅱ 前項前段の特約がその内容を記録した電磁的記録（電子的方式、磁気的方式その他人の知覚によっては認識することができない方式で作られる記録であって、電子計算機による情報処理の用に供されるものをいう。第３８条第２項及び第３９条第３項において同じ。）によってされたときは、その特約は、書面によってされたものとみなして、前項後段の規定を適用する。

第２３条（事業用定期借地権等）

Ⅰ 専ら事業の用に供する建物（居住の用に供するものを除く。次項において同じ。）の所有を目的とし、かつ、存続期間を３０年以上５０年未満として借地権を設定する場合においては、第９条及び第１６条の規定にかかわらず、契約の更新及び建物の築造による存続期間の延長がなく、並びに第１３条の規定による買取りの請求をしないこととする旨を定めることができる。

Ⅱ 専ら事業の用に供する建物の所有を目的とし、かつ、存続期間を１０年以上３０年未満として借地権を設定する場合には、第３条から第８条まで、第１３条及び第１８条の規定は、適用しない。

Ⅲ 前２項に規定する借地権の設定を目的とする契約は、公正証書によってしなければならない。

第２４条（建物譲渡特約付借地権）

Ⅰ 借地権を設定する場合（前条第２項に規定する借地権を設定する場合を除く。）においては、第９条の規定にかかわらず、借地権を消滅させるため、その設定後３０年以上を経過した日に借地権の目的である土地の上の建物を借地権設定者に相当の対価で譲渡する旨を定めることができる。

Ⅱ 前項の特約により借地権が消滅した場合において、その借地権者又は建物の賃借人でその消滅後建物の使用を継続しているものが請求をしたときは、請求の時にその建物につきその借地権者又は建物の賃借人と借地権設定者との間で期間の定めのない賃貸借（借地権者が請求をした場合において、借地権の残存期間があるときは、その残

存期間を存続期間とする賃貸借）がされたものとみなす。この場合において、建物の借賃は、当事者の請求により、裁判所が定める。

Ⅲ　第1項の特約がある場合において、借地権者又は建物の賃借人と借地権設定者との間でその建物につき第38条第1項の規定による賃貸借契約をしたときは、前項の規定にかかわらず、その定めに従う。

第25条（一時使用目的の借地権）

　第3条から第8条まで、第13条、第17条、第18条及び第22条から前条までの規定は、臨時設備の設置その他一時使用のために借地権を設定したことが明らかな場合には、適用しない。

第3章　借家

第1節　建物賃貸借契約の更新等

第26条（建物賃貸借契約の更新等）

Ⅰ　建物の賃貸借について期間の定めがある場合において、当事者が期間の満了の1年前から6月前までの間に相手方に対して更新をしない旨の通知又は条件を変更しなければ更新をしない旨の通知をしなかったときは、従前の契約と同一の条件で契約を更新したものとみなす。ただし、その期間は、定めがないものとする。

Ⅱ　前項の通知をした場合であっても、建物の賃貸借の期間が満了した後建物の賃借人が使用を継続する場合において、建物の賃貸人が遅滞なく異議を述べなかったときも、同項と同様とする。

Ⅲ　建物の転貸借がされている場合においては、建物の転借人がする建物の使用の継続を建物の賃借人がする建物の使用の継続とみなして、建物の賃借人と賃貸人との間について前項の規定を適用する。

第27条（解約による建物賃貸借の終了）

Ⅰ　建物の賃貸人が賃貸借の解約の申入れをした場合においては、建物の賃貸借は、解約の申入れの日から6月を経過することによって終了する。

Ⅱ　前条第2項及び第3項の規定は、建物の賃貸借が解約の申入れによって終了した場合に準用する。

第28条（建物賃貸借契約の更新拒絶等の要件）

　建物の賃貸人による第26条第1項の通知又は建物の賃貸借の解約の申入れは、建物の賃貸人及び賃借人（転借人を含む。以下この条において同じ。）が建物の使用を必要とする事情のほか、建物の賃貸借に関する従前の経過、建物の利用状況及び建物の現況並びに建物の賃貸人が建物の明渡しの条件として又は建物の明渡しと引換えに建物の賃借人に対して財産上の給付をする旨の申出をした場合におけるその申出を考慮して、正当の事由があると認められる場合でなければ、することができない。

第29条（建物賃貸借の期間）

Ⅰ　期間を1年未満とする建物の賃貸借は、期間の定めがない建物の賃貸借とみなす。

Ⅱ　民法（明治29年法律第89号）第604条の規定は、建物の賃貸借については、適

用しない。

第30条（強行規定）

この節の規定に反する特約で建物の賃借人に不利なものは、無効とする。

第2節　建物賃貸借の効力

第31条（建物賃貸借の対抗力等）

建物の賃貸借は、その登記がなくても、建物の引渡しがあったときは、その後その建物について物権を取得した者に対し、その効力を生ずる。

第32条（借賃増減請求権）

Ⅰ　建物の借賃が、土地若しくは建物に対する租税その他の負担の増減により、土地若しくは建物の価格の上昇若しくは低下その他の経済事情の変動により、又は近傍同種の建物の借賃に比較して不相当となったときは、契約の条件にかかわらず、当事者は、将来に向かって建物の借賃の額の増減を請求することができる。ただし、一定の期間建物の借賃を増額しない旨の特約がある場合には、その定めに従う。

Ⅱ　建物の借賃の増額について当事者間に協議が調わないときは、その請求を受けた者は、増額を正当とする裁判が確定するまでは、相当と認める額の建物の借賃を支払うことをもって足りる。ただし、その裁判が確定した場合において、既に支払った額に不足があるときは、その不足額に年1割の割合による支払期後の利息を付してこれを支払わなければならない。

Ⅲ　建物の借賃の減額について当事者間に協議が調わないときは、その請求を受けた者は、減額を正当とする裁判が確定するまでは、相当と認める額の建物の借賃の支払を請求することができる。ただし、その裁判が確定した場合において、既に支払を受けた額が正当とされた建物の借賃の額を超えるときは、その超過額に年1割の割合による受領の時からの利息を付してこれを返還しなければならない。

第33条（造作買取請求権）

Ⅰ　建物の賃貸人の同意を得て建物に付加した畳、建具その他の造作がある場合には、建物の賃借人は、建物の賃貸借が期間の満了又は解約の申入れによって終了するときに、建物の賃貸人に対し、その造作を時価で買い取るべきことを請求することができる。建物の賃貸人から買い受けた造作についても、同様とする。

Ⅱ　前項の規定は、建物の賃貸借が期間の満了又は解約の申入れによって終了する場合における建物の転借人と賃貸人との間について準用する。

第34条（建物賃貸借終了の場合における転借人の保護）

Ⅰ　建物の転貸借がされている場合において、建物の賃貸借が期間の満了又は解約の申入れによって終了するときは、建物の賃貸人は、建物の転借人にその旨の通知をしなければ、その終了を建物の転借人に対抗することができない。

Ⅱ　建物の賃貸人が前項の通知をしたときは、建物の転貸借は、その通知がされた日から6月を経過することによって終了する。

第35条（借地上の建物の賃借人の保護）

Ⅰ　借地権の目的である土地の上の建物につき賃貸借がされている場合において、借地権の存続期間の満了によって建物の賃借人が土地を明け渡すべきときは、建物の賃借

人が借地権の存続期間が満了することをその１年前までに知らなかった場合に限り、裁判所は、建物の賃借人の請求により、建物の賃借人がこれを知った日から１年を超えない範囲内において、土地の明渡しにつき相当の期限を許与することができる。

Ⅱ　前項の規定により裁判所が期限の許与をしたときは、建物の賃貸借は、その期限が到来することによって終了する。

第３６条（居住用建物の賃貸借の承継）

Ⅰ　居住の用に供する建物の賃借人が相続人なしに死亡した場合において、その当時婚姻又は縁組の届出をしていないが、建物の賃借人と事実上夫婦又は養親子と同様の関係にあった同居者があるときは、その同居者は、建物の賃借人の権利義務を承継する。ただし、相続人なしに死亡したことを知った後１月以内に建物の賃貸人に反対の意思を表示したときは、この限りでない。

Ⅱ　前項本文の場合においては、建物の賃貸借関係に基づき生じた債権又は債務は、同項の規定により建物の賃借人の権利義務を承継した者に帰属する。

第３７条（強行規定）

第３１条、第３４条及び第３５条の規定に反する特約で建物の賃借人又は転借人に不利なものは、無効とする。

第３節　定期建物賃貸借等

第３８条（定期建物賃貸借）

Ⅰ　期間の定めがある建物の賃貸借をする場合においては、公正証書による等書面によって契約をするときに限り、第３０条の規定にかかわらず、契約の更新がないこととする旨を定めることができる。この場合には、第２９条第１項の規定を適用しない。

Ⅱ　前項の規定による建物の賃貸借の契約がその内容を記録した電磁的記録によってされたときは、その契約は、書面によってされたものとみなして、同項の規定を適用する。

Ⅲ　第１項の規定による建物の賃貸借をしようとするときは、建物の賃貸人は、あらかじめ、建物の賃借人に対し、同項の規定による建物の賃貸借は契約の更新がなく、期間の満了により当該建物の賃貸借は終了することについて、その旨を記載した書面を交付して説明しなければならない。

Ⅳ　建物の賃貸人は、前項の規定による書面の交付に代えて、政令で定めるところにより、建物の賃借人の承諾を得て、当該書面に記載すべき事項を電磁的方法（電子情報処理組織を使用する方法その他の情報通信の技術を利用する方法であって法務省令で定めるものをいう。）により提供することができる。この場合において、当該建物の賃貸人は、当該書面を交付したものとみなす。

Ⅴ　建物の賃貸人が第３項の規定による説明をしなかったときは、契約の更新がないこととする旨の定めは、無効とする。

Ⅵ　第１項の規定による建物の賃貸借において、期間が１年以上である場合には、建物の賃貸人は、期間の満了の１年前から６月前までの間（以下この項において「通知期間」という。）に建物の賃借人に対し期間の満了により建物の賃貸借が終了する旨の通知をしなければ、その終了を建物の賃借人に対抗することができない。ただし、建物の賃貸人が通知期間の経過後建物の賃借人に対しその旨の通知をした場合においては、その通知の日から６月を経過した後は、この限りでない。

Ⅶ　第１項の規定による居住の用に供する建物の賃貸借（床面積（建物の一部分を賃貸

借の目的とする場合にあっては、当該一部分の床面積）が２００平方メートル未満の建物に係るものに限る。）において、転勤、療養、親族の介護その他のやむを得ない事情により、建物の賃借人が建物を自己の生活の本拠として使用することが困難となったときは、建物の賃借人は、建物の賃貸借の解約の申入れをすることができる。この場合においては、建物の賃貸借は、解約の申入れの日から１月を経過することによって終了する。

Ⅷ　前２項の規定に反する特約で建物の賃借人に不利なものは、無効とする。

Ⅸ　第３２条の規定は、第１項の規定による建物の賃貸借において、借賃の改定に係る特約がある場合には、適用しない。

第３９条（取壊し予定の建物の賃貸借）

Ⅰ　法令又は契約により一定の期間を経過した後に建物を取り壊すべきことが明らかな場合において、建物の賃貸借をするときは、第３０条の規定にかかわらず、建物を取り壊すこととなる時に賃貸借が終了する旨を定めることができる。

Ⅱ　前項の特約は、同項の建物を取り壊すべき事由を記載した書面によってしなければならない。

Ⅲ　第１項の特約がその内容及び前項に規定する事由を記録した電磁的記録によってされたときは、その特約は、同項の書面によってされたものとみなして、同項の規定を適用する。

第４０条（一時使用目的の建物の賃貸借）

この章の規定は、一時使用のために建物の賃貸借をしたことが明らかな場合には、適用しない。

第４章　借地条件の変更等の裁判手続

第４１条（管轄裁判所）

第１７条第１項、第２項若しくは第５項（第１８条第３項において準用する場合を含む。）、第１８条第１項、第１９条第１項（同条第７項において準用する場合を含む。）若しくは第３項（同条第７項及び第２０条第２項（同条第５項において準用する場合を含む。）において準用する場合を含む。）又は第２０条第１項（同条第５項において準用する場合を含む。）に規定する事件は、借地権の目的である土地の所在地を管轄する地方裁判所が管轄する。ただし、当事者の合意があるときは、その所在地を管轄する簡易裁判所が管轄することを妨げない。

第４２条（非訟事件手続法の適用除外及び最高裁判所規則）

Ⅰ　前条の事件については、非訟事件手続法（平成２３年法律第５１号）第２７条、第４０条、第４２条の２及び第６３条第１項後段の規定は、適用しない。

Ⅱ　この法律に定めるもののほか、前条の事件に関し必要な事項は、最高裁判所規則で定める。

第４３条（強制参加）

Ⅰ　裁判所は、当事者の申立てにより、当事者となる資格を有する者を第４１条の事件の手続に参加させることができる。

Ⅱ　前項の申立ては、その趣旨及び理由を記載した書面でしなければならない。

Ⅲ　第1項の申立てを却下する裁判に対しては、即時抗告をすることができる。

付録

第44条（手続代理人の資格）

Ⅰ　法令により裁判上の行為をすることができる代理人のほか、弁護士でなければ手続代理人となることができない。ただし、簡易裁判所においては、その許可を得て、弁護士でない者を手続代理人とすることができる。

Ⅱ　前項ただし書の許可は、いつでも取り消すことができる。

第45条（手続代理人の代理権の範囲）

Ⅰ　手続代理人は、委任を受けた事件について、非訟事件手続法第23条第1項に定める事項のほか、第19条第3項（同条第7項及び第20条第2項（同条第5項において準用する場合を含む。）において準用する場合を含む。次項において同じ。）の申立てに関する手続行為（次項に規定するものを除く。）をすることができる。

Ⅱ　手続代理人は、非訟事件手続法第23条第2項各号に掲げる事項のほか、第19条第3項の申立てについては、特別の委任を受けなければならない。

第46条（事件の記録の閲覧等）

Ⅰ　当事者及び利害関係を疎明した第三者は、裁判所書記官に対し、第41条の事件の記録の閲覧若しくは謄写、その正本、謄本若しくは抄本の交付又は同条の事件に関する事項の証明書の交付を請求することができる。

Ⅱ　民事訴訟法（平成8年法律第109号）第91条第4項及び第5項の規定は、前項の記録について準用する。

第47条（鑑定委員会）

Ⅰ　鑑定委員会は、3人以上の委員で組織する。

Ⅱ　鑑定委員は、次に掲げる者の中から、事件ごとに、裁判所が指定する。ただし、特に必要があるときは、それ以外の者の中から指定することを妨げない。

①　地方裁判所が特別の知識経験を有する者その他適当な者の中から毎年あらかじめ選任した者

②　当事者が合意によって選定した者

Ⅲ　鑑定委員には、最高裁判所規則で定める旅費、日当及び宿泊料を支給する。

第48条（手続の中止）

裁判所は、借地権の目的である土地に関する権利関係について訴訟その他の事件が係属するときは、その事件が終了するまで、第41条の事件の手続を中止することができる。

第49条（不適法な申立ての却下）

申立てが不適法でその不備を補正することができないときは、裁判所は、審問期日を経ないで、申立てを却下することができる。

第50条（申立書の送達）

Ⅰ　裁判所は、前条の場合を除き、第41条の事件の申立書を相手方に送達しなければならない。

Ⅱ　非訟事件手続法第43条第4項から第6項までの規定は、申立書の送達をすることができない場合（申立書の送達に必要な費用を予納しない場合を含む。）について準用する。

第51条（審問期日）

Ⅰ 裁判所は、審問期日を開き、当事者の陳述を聴かなければならない。

Ⅱ 当事者は、他の当事者の審問に立ち会うことができる。

第52条（呼出費用の予納がない場合の申立ての却下）

裁判所は、民事訴訟費用等に関する法律（昭和46年法律第40号）の規定に従い当事者に対する期日の呼出しに必要な費用の予納を相当の期間を定めて申立人に命じた場合において、その予納がないときは、申立てを却下することができる。

第53条（事実の調査の通知）

裁判所は、事実の調査をしたときは、特に必要がないと認める場合を除き、その旨を当事者及び利害関係参加人に通知しなければならない。

第54条（審理の終結）

裁判所は、審理を終結するときは、審問期日においてその旨を宣言しなければならない。

第55条（裁判書の送達及び効力の発生）

Ⅰ 第17条第1項から第3項まで若しくは第5項（第18条第3項において準用する場合を含む。）、第18条第1項、第19条第1項（同条第7項において準用する場合を含む。）若しくは第3項（同条第7項及び第20条第2項（同条第5項において準用する場合を含む。）において準用する場合を含む。）又は第20条第1項（同条第5項において準用する場合を含む。）の規定による裁判があったときは、その裁判書を当事者に送達しなければならない。

Ⅱ 前項の裁判は、確定しなければその効力を生じない。

第56条（理由の付記）

前条第1項の裁判には、理由を付さなければならない。

第57条（裁判の効力が及ぶ者の範囲）

第55条第1項の裁判は、当事者又は最終の審問期日の後裁判の確定前の承継人に対し、その効力を有する。

第58条（給付を命ずる裁判の効力）

第17条第3項若しくは第5項（第18条第3項において準用する場合を含む。）、第18条第1項、第19条第3項（同条第7項及び第20条第2項（同条第5項において準用する場合を含む。）において準用する場合を含む。）又は第20条第1項（同条第5項において準用する場合を含む。）の規定による裁判で給付を命ずるものは、強制執行に関しては、裁判上の和解と同一の効力を有する。

第59条（譲渡又は転貸の許可の裁判の失効）

第19条第1項（同条第7項において準用する場合を含む。）の規定による裁判は、その効力を生じた後6月以内に借地権者が建物の譲渡をしないときは、その効力を失う。ただし、この期間は、その裁判において伸長し、又は短縮することができる。

第60条（第一審の手続の規定の準用）

第49条、第50条及び第52条の規定は、第55条第1項の裁判に対する即時抗告

があった場合について準用する。

第61条（当事者に対する住所、氏名等の秘匿）

　第41条の事件の手続における申立てその他の申述については、民事訴訟法第1編第8章の規定を準用する。この場合において、同法第133条第1項中「当事者」とあるのは「当事者又は利害関係参加人（非訟事件手続法（平成23年法律第51号）第21条第5項に規定する利害関係参加人をいう。第133条の4第1項、第2項及び第7項において同じ。）」と、同法第133条の2第2項中「訴訟記録等（訴訟記録又は第132条の4第1項の処分の申立てに係る事件の記録をいう。第133条の4第1項及び第2項において同じ。）」とあるのは「借地借家法第41条の事件の記録」と、同法第133条の4第1項中「者は、訴訟記録等」とあるのは「当事者若しくは利害関係参加人又は利害関係を疎明した第三者は、借地借家法第41条の事件の記録」と、同条第2項中「当事者」とあるのは「当事者又は利害関係参加人」と、「訴訟記録等」とあるのは「借地借家法第41条の事件の記録」と、同条第7項中「当事者」とあるのは「当事者若しくは利害関係参加人」と読み替えるものとする。

判例索引

事項索引

ハ行

マ行

司法試験&予備試験対策シリーズ

2025年版 司法試験&予備試験 完全整理択一六法　民法

1999年12月20日　　第1版　　第1刷発行
2024年11月15日　　第26版　　第1刷発行

編著者●株式会社　東京リーガルマインド
　　　　LEC総合研究所　司法試験部

発行所●株式会社　東京リーガルマインド
　　　　〒164-0001　東京都中野区中野4-11-10
　　　　アーバンネット中野ビル
　　　　LECコールセンター　　✉ 0570-064-464
　　　　　　　受付時間　平日9：30～19：30／土・日・祝10：00～18：00
　　　　　　　※このナビダイヤルは通話料お客様ご負担となります。
　　　　書店様専用受注センター　　TEL 048-999-7581 / FAX 048-999-7591
　　　　　　　受付時間　平日9：00～17：00／土・日・祝休み
　　　　www.lec-jp.com/

カバーデザイン●桂川　潤
本文デザイン●グレート・ローク・アソシエイツ
印刷・製本●株式会社　シナノパブリッシングプレス

C-Book 【改訂新版】

法律独習用テキスト『C-Book』なら初めて法律を学ぶ方でも、
司法試験&予備試験はもちろん、主要な国家試験で出題される
必要・十分な法律の知識が身につきます。法学部生の試験対策にも有効です。

C-Book 5つの特長

1 「学習の指針」でその節の構成を示しているので、ポイントを押さえた**効率的な学習**が可能！

2 「問題の所在」と「考え方のすじ道」で論理的思考プロセスを修得。さらに「アドヴァンス」で論点をより深く理解することができます。

3 重要な「判例」と、試験上有益な情報を記載した「OnePoint」で、合格に必要十分な知識を習得できます。

INPUT

司法試験＆予備試験対策シリーズ
司法試験＆予備試験
完全整理択一六法

徹底した判例と条文の整理・理解に！
逐条型テキストの究極形『完択』シリーズ。

	定価
憲法	本体2,700円+税
民法	本体3,500円+税
刑法	本体2,700円+税
商法	本体3,500円+税
民事訴訟法	本体2,700円+税
刑事訴訟法	本体2,700円+税
行政法	本体2,700円+税

※定価は2025年版です。

司法試験＆予備試験対策シリーズ
C-Book【改訂新版】

短答式・論文式試験に必要な知識を整理！
初学者にもわかりやすい法律独習用テキストの決定版。

	定価
憲法Ⅰ〈総論・人権〉	本体3,600円+税
憲法Ⅱ〈統治〉	本体3,200円+税
民法Ⅰ〈総則〉	本体3,200円+税
民法Ⅱ〈物権〉	本体3,500円+税
民法Ⅲ〈債権総論〉	本体3,200円+税
民法Ⅳ〈債権各論〉	本体3,800円+税
民法Ⅴ〈親族・相続〉	本体3,500円+税
刑法Ⅰ〈総論〉	本体3,800円+税
刑法Ⅱ〈各論〉	本体3,800円+税
会社法[2025年5月発刊予定]	

ラインナップと今後の発刊予定は
こちらでご覧になれます。(随時更新)
https://www.lec-jp.com/
shihou/book/

※画像はイメージです。※上記の内容は事前の告知なしに変更する場合があります。

OUTPUT

司法試験&予備試験 単年度版
短答過去問題集
（法律基本科目）

短答式試験（法律基本科目のみ）
の問題と解説集。

	定価
令和元年	本体2,600円+税
令和2年	本体2,600円+税
令和3年	本体2,600円+税
令和4年	本体3,000円+税
令和5年	本体3,000円+税
令和6年	本体3,000円+税

司法試験&予備試験
体系別短答過去問題集【第3版】

平成18年から令和5年までの
司法試験および平成23年から
令和5年までの予備試験の短
答式試験を体系別に収録。

	定価
憲法	本体3,800円+税
民法（上）総則・物権	本体3,600円+税
民法（下）債権・親族・相続	本体4,300円+税
刑法	本体4,300円+税

司法試験&予備試験 論文過去問
再現答案から出題趣旨を読み解く。
※単年度版

出題趣旨を制することで論文式
試験を制する！
各年度再現答案を収録。

	定価
令和元年	本体3,500円+税
令和2年	本体3,500円+税
令和3年	本体3,500円+税
令和4年	本体3,500円+税
令和5年	本体3,700円+税

司法試験&予備試験 論文5年過去問
再現答案から出題趣旨を読み解く。
※平成27年～令和元年

5年分の論文式
試験再現答案
を収録。

	定価		定価
憲法	本体2,900円+税	刑事訴訟法	本体2,900円+税
民法	本体3,500円+税	行政法	本体2,900円+税
刑法	本体2,900円+税	法律実務基礎科目・	本体2,900円+税
商法	本体2,900円+税	一般教養科目(予備試験)	
民事訴訟法	本体2,900円+税		

【速修】矢島の速修インプット講座　 Input

講義時間数

216時間

憲法	32時間	民訴法	24時間
民法	48時間	刑訴法	24時間
刑法	40時間	行政法	24時間
会社法	24時間		

通信教材発送／Web・音声DL配信開始日

2024/9/2(月)以降、順次

Web・音声DL配信終了日

2025/9/30(火)

使用教材

矢島の体系整理テキスト2025
※レジュメのPDFデータをWebupは致しませんのでご注意ください。

タイムテーブル

講義 4時間	途中10分休憩あり

担当講師

矢島 純一
LEC専任講師

おためしWeb受講制度

おためしWEB受講制度をお申込みいただくと、講義の一部を無料でご受講いただけます。

詳細はこちら→

講座概要

本講座(略称:矢島の【速修】)は、既に学習経験がある受験生や、ほとんど学習経験がなくても短期間で試験対策をしたいという受験生のための講座です。合格するために修得が必須となる事項を効率よくインプット学習するための講座です。合格に必要な重要論点や判例の分かりやすい解説により科目全体の本質的な理解を深める講義と、覚えるべき規範が過不足なく記載され自然と法的三段論法を身に付けながら知識を修得できるテキストが両輪となって、本試験に対応できる実力を養成できます。忙しい毎日の通勤通学などの隙間時間で講義を聴いたり、復習の際にテキストだけ繰り返し読んだり、自分のペースで無理なく合格に必要な全ての重要知識を身に付けられるようになっています。また、本講座は直近の試験の質に沿った学習ができるよう、テキストや講義の内容を毎年改訂しているので、本講座を受講することで直近の試験考査委員が受験生に求めている知識の質と広さを理解することができ、試験対策上、誤った方向に行くことなく、常に正しい方向に進んで確実に合格する力を修得することができます。

講座の特長

1 重要事項の本質を短期間で理解するメリハリある講義

最大の特長は、分かりやすい講義です。全身全霊を受験指導に傾け、寝ても覚めても法律のことを考えている矢島講師の講義は、思わず惹き込まれるほど面白く分かりやすいので、忙しい方でも途中で挫折することなく受講できると好評を博しています。講義中は、日頃から過去問研究をしっかりとしている矢島講師が、試験で出題されやすい事項を、試験で出題される質を踏まえて解説するため、講義を聴いているだけで確実に合格に近づくことができます。

2 司法試験の合格レベルに導く質の高いテキスト

使用するテキストは、全て矢島講師が責任をもって作成しており、合格に必要な重要知識が体系ごとに整理されています。受験生に定評のある基本書、判例百選、重要判例集、論証集の内容がコンパクトにまとめられており、試験で出題されそうな事項を「矢島の体系整理テキスト」だけで学べます。矢島講師が過去問をしっかりと分析した上で、合格に必要な知識をインプットできるようにテキストを作成しているので、試験に不必要な情報は一切なく、合格に直結する知識を短時間で効率よく吸収できるテキストとなっています。すべての知識に重要度のランク付けをしているため一目で覚えるべき知識が分かり、受験生が講義を復習しやすい工夫もされています。また、テキストの改訂を毎年行い、法改正や最新判例に完全に対応しています。

受講料

受講形態	科目	回数	講義形態	一般価格 税込(10%)	大学生協・書籍部価格 税込(10%)	代理店書店価格 税込(10%)	講座コード
通学 通信	一括	54	Web※1	112,200円	106,590円	109,956円	通学：LA24587 通信：LB24597
			DVD	145,750円	138,462円	142,835円	
	憲法	8	Web※1	19,250円	18,287円	18,865円	
			DVD	25,300円	24,035円	24,794円	
	民法	12	Web※1	30,800円	29,260円	30,184円	
			DVD	40,150円	38,142円	39,347円	
	刑法	10	Web※1	26,950円	25,602円	26,411円	
			DVD	35,200円	33,440円	34,496円	
	会社法/民訴法/ 刑訴法/行政法※2	各6	Web※1	15,400円	14,630円	15,092円	
			DVD	19,800円	18,810円	19,404円	

※1音声DL+スマホ視聴付き　※2いずれか1科目あたりの受講料となります

【論完】矢島の論文完成講座　 Input

講義時間数

120時間

憲法 16時間　　民訴法 16時間
民訴 20時間　　刑訴法 20時間
刑法 20時間　　行政法 16時間
商法 16時間

通信教材発送／Web・音声DL配信開始日

2025/1/14 (火) 以降、順次

Web・音声DL配信終了日

2025/9/30 (火)

使用教材

矢島の論文メイン問題集2025
矢島の論文補強問題集2025
※レジュメのPDFデータをWebup無しますのでご注意ください。

タイムテーブル

講義　4時間　途中休憩あり ※2回（合計15分程度）

担当講師

矢島純一
LEC専任講師

講座概要

本講座（略称：矢島の【論完】）は、論文試験に合格するための事例分析能力、法的思考力、本番の試験で合格点を採る答案作成のコツを、短期間で修得するための講座です。講義で使用する教材は解答例を含め全て矢島講師が責任を持って作成しており、問題文中の事実に対してどのように評価をすれば試験考査委員に高評価を受けられるかなど、合格するためには是非とも修得しておきたいことを分かりやすく講義していきます。論文試験の答案の書き方が分からないという受験生はもちろん、答案の書き方はある程度修得しているのに本試験で良い評価を受けることができないという受験生が、確実に合格答案を作成する能力を修得できるように矢島講師が分かりやすい講義をします。なお、教材及び講義の内容は、令和7年度試験の出題範囲とされている法改正や最新の判例に全て対応しているので、情報収集の時間を省略して、全ての時間をこの講座の受講と復習にかけて効率よく受験対策をすることができます。

講座の特長

1 論文対策はこの講座だけで完璧にできる

限られた時間で論文対策をするには検討すべき問題を次年度の試験の合格に必要なものに限定する必要があります。そこで、本講座は、次年度の論文試験の合格に必要な知識や法的思考能力を効率よく修得するのに必須の司法試験の過去問、近年の試験の形式に合わせた司法試験の改問やオリジナル問題、知識の隙間を埋めることができる予備試験の過去問を、試験対策上必要な数に絞り込んで取り扱っていきます。取り扱う問題を真に必要な数に絞り込んでいるので、途中で挫折せずに合格に必要な論文作成能力を確実に修得できます。

2 矢島講師が責任をもって作成した解答例

合格者の再現答案には不正確な部分があり、こうした解答例を元に学習をすると、悪いところを良いところだと勘違いして、誤った思考方法を身につけてしまうおそれがあります。本講座で使用する解答例は、出題趣旨や採点実感を踏まえて試験考査委員が要求する合格答案となるよう、矢島講師が責任をもって作成しています。矢島講師作成の解答例は法的な正確性が高く、解答例中の法的な規範のところは、そのまま論証例として使うことができ、あてはめのところは、規範に事実を当てはめる際の事実の評価の仕方を学ぶ教材として用いることができるため、論文試験用の最強のインプット教材になること間違いなしです。矢島講師の解答例なら繰り返し復習して正しい法的思考能力を修得することができるので、余計なことを考えずに安心して受験勉強に専念できます。なお、矢島講師作成の解答例は、前年度以前の過去問について以前作成したものであっても、直近の試験で試験考査委員が受験生に求める能力を踏まえて毎年調整し直しています。

受講料

受講形態	科目	回数	講義形態	一般価格	大学生協・書籍部価格	代理店書店価格	講座コード
				税込(10%)			
通学・通信	一括	30	Web※1	112,200円	106,590円	109,956円	通学：LA24514　通信：LB24504
			DVD	145,750円	138,462円	142,835円	
	民法/刑法※2	各5	Web※1	28,600円	27,170円	28,028円	
			DVD	36,850円	35,007円	36,113円	
	憲法/商法/民訴法　刑訴法/行政法※2	各4	Web※1	20,350円	19,332円	19,943円	
			DVD	26,400円	25,080円	25,872円	

※1 音声DL＋スマホ視聴付き
※2 いずれか1科目あたりの受講料となります

■一般価格とは、LEC各本校・LEC提携校・LEC通信事業本部・LECオンライン本校にてお申込される場合の受付価格です。■大学生協・書籍部価格とは、LECと代理店契約を結んでいる大学内の生協、購買会、書店にてお申込される場合の受付価格です。■代理店書店価格とは、LECと代理店契約を結んでいる一般書店（大学内の書店は除く）にてお申込される場合の受付価格です。※上記大学生協・書籍部価格、代理店書店価格を利用される場合には、必ず本冊子を代理店窓口までご持参ください。

矢島の短答対策シリーズ　 Input

講義時間数

18時間

民事訴訟法	6時間
刑事訴訟法	6時間
商法総則・商行為・手形法	
	6時間

通信教材発送/Web・音声DL配信開始日

2025/2/3(月)

Web・音声DL配信終了日

2025/7/31(木)

使用教材

○民事訴訟法/刑事訴訟法/
　商法総則・商行為・手形法
【受講料込】
矢島の基本知識プラステキスト2025
※レジュメPDFデータのwebupは致しません。

担当講師

矢島 純一
LEC専任講師

講座概要

本シリーズは、短答試験でのみ出題される分野のみを集中的に学習したいという受験生のための講座をラインナップしたものです。特に短答試験に特有な事項が多い、民事訴訟法・刑事訴訟法・商法総則・商行為・手形法を扱います。矢島の速修インプット講座で論文試験や短答試験の重要基本知識の学習が終わって、いわゆる短答プロパーといわれる短答試験でのみ出題される分野の学習を本格的にしたいという受験生にお勧めです。

※矢島の短答対策シリーズとして以前まで実施していた「憲法統治」、「家族法」、「会社法」、「行政法」については、テキストの情報を整理して「矢島の速修インプット講座」のテキストに掲載しました。

講座の特長

1 民事訴訟法

管轄、移送、送達、争点整理手続、上訴、再審などの民事訴訟法の短答プロパーの他に、民事保全法や民事執行法の重要基本部分を修得できます。

2 刑事訴訟法

告訴、保釈、公訴時効、公判前整理手続、証拠調べ手続、上訴、再審などの短答プロパーを取り扱います。

3 商法総則・商行為・手形法

商法総則・商行為・手形法を取り扱います。手形法については、論文の事例処理ができるようにどの論点をどの順番で書けばよいのかについてもしっかりと講義していきます。

受講料

受講形態	科目		回数	講義形態	一般価格	大学生・審籍部価格	代理店書店価格	講座コード
						税込 (10%)		
通信	一括		3	Web※1	14,600円	13,870円	14,308円	LB24497
				DVD	19,400円	18,430円	19,012円	
	科目別	民事訴訟法・刑事訴訟法	各1	Web※1	5,500円	5,225円	5,390円	
				DVD	7,300円	6,935円	7,154円	
		商法総則/商行為	各1	Web※2	6,600円	6,270円	6,468円	
				DVD	8,800円	8,360円	8,624円	

※1 音声DL＋スマホ視聴付き
※2 いずれか1科目あたりの受講料となります

【スピチェ】矢島のスピードチェック講座

講義時間数

72時間

憲法　8時間	民訴法 8時間
民法　16時間	刑訴法 8時間
刑法　16時間	行政法 8時間
会社法　8時間	

通信教材発送/Web・音声DL配信開始日

上3法：2025/4/28（月）
下4法：2025/5/12（月）

Web・音声DL配信終了日

2025/9/30（火）

使用教材

矢島の要点確認ノート2025
※レジュメのPDFデータはWebup しませんのでご注意ください。

タイムテーブル

講義
4時間　途中10分休憩あり

担当講師

矢島 純一
LEC専任講師

講座の特長

1 72時間で最重要知識が総復習できる

　本講座で必修7科目の論文知識を72時間という短時間で総復習することができます。日ごろから試験考査委員が公表している出題趣旨や採点実感を分析している矢島講師が、直近の試験傾向を踏まえて本番の試験で受けがよい見解や思考方法を講義しますので、「試験直前期に最終確認しておくべき最重要知識」の総まとめには最適なものとなっています。講義時間は矢島の速修インプット講座の2分の1未満で、試験前日まで繰り返し講義を聴くことで最重要知識が修得できるため、試験が近づいてきたのに論文知識に自信がない受験生受験生にもお勧めです。

2 情報量を絞り込み、繰り返し復習することで知識を確実に

　講義時間が短いことから、隙間時間を利用して各科目の全体を試験直前期まで続けて復習することができます。全て覚えるまで復習を繰り返せば、本番で重要論点を落とすミスを回避できます。矢島の速修インプット講座を受講されている方でも本講座を受講することにより短時間で論文試験の合格に必要な最重要知識を総復習して確実に合格できる力を身に付けることができます。

3 論証集としても使えるテキスト

　本講座のテキストは論文知識の中でも本試験で絶対に落とせない重要度の高い論点の要件、効果及び判例ベースの規範と論証例が掲載されています。市販の論証集は読んでも意味が分からないものが多々あるといわれていますが矢島講師作成の本テキストは初学者から上級者まで誰が読んでも分かりやすい論証が掲載されている上に、講義の際に論証の使い方のポイントを説明します。市販の論証集を購入して独学しても身に付けられない論証力を短時間で修得できることをお約束します。

通学スケジュール

※通学講義は教室で教材を配布します（発送はございません）。

科目		日程	科目		日程
憲法	1	25/3/29（土）	13:00～17:00	民訴法	1	4/10（木）	13:00～17:00
	2		18:00～22:00		2		18:00～22:00
民法	1	4/1（火）	13:00～17:00	刑訴法	1	4/12（土）	13:00～17:00
	2		18:00～22:00		2		18:00～22:00
	3	4/3（木）	13:00～17:00	商法	1	4/15（火）	13:00～17:00
	4		18:00～22:00		2		18:00～22:00
刑法	1	4/5（土）	13:00～17:00	行政法	1	4/17（木）	13:00～17:00
	2		18:00～22:00		2		18:00～22:00
	3	4/8（火）	13:00～17:00				※休憩時間含む

生講義実施校

水道橋本校　03-3265-5001

〒101-0061
千代田区神田三崎町2-2-15
Daiwa三崎町ビル（受付1階）

JR水道橋駅東口より徒歩3分。都営三田線
水道橋駅A2出口から徒歩5分。都営新宿線・東京メ
トロ都営線神保町駅A4出口から徒歩8分。

【受付時間】
平日11:00～21:00 土・日・祝9:00～19:00
※月曜日9:00～22:00 土・日・祝9:00～20:00

【通学生限定、欠席WEBフォロー】
講義の翌々日＝通常のWEB配信開始日まで、WEB上で講義をご覧いただけます。
講義の復習にもご利用ください。
欠席WEBフォロー配信日終了後は、通常のWEB配信またはDVDにて学習してください。

受講料

受講形態	科目	回数	講義形態	一般価格	大学生協・書籍部価格	代理店書店価格	講座コード
				税込（10%）			
通学	一括	18	Web※1	56,100円	53,295円	54,978円	LA24992
			DVD	72,600円	68,970円	71,148円	LA24992
	上3法	10	Web※1	31,900円	30,305円	31,262円	LA24991
			DVD	41,250円	39,187円	40,425円	LA24991
	下4法	8	Web※1	28,600円	27,170円	28,028円	LA24992
			DVD	37,400円	35,530円	36,652円	LA24991
通信	一括	18	Web※1	56,100円	53,295円	54,978円	
			DVD	72,600円	68,970円	71,148円	
	上3法	10	Web※1	31,900円	30,305円	31,262円	LB24994
			DVD	41,250円	39,187円	40,425円	
	下4法	8	Web※1	28,600円	27,170円	28,028円	
			DVD	37,400円	35,530円	36,652円	

※音声DL＋スマホ視聴付き

■一般価格とは、LEC各本校・LEC提携校・LEC通信事業本部・LECオンライン本校にてお申込みされる場合の受付価格です。■大学生協・書籍部価格とは、LECと代理店契約を結んでいる大学内の生協、購買会、書店にてお申込みされる場合の受付価格です。■代理店書店価格とは、LECと代理店契約を結んでいる一般書店（大学内の書店は除く）にてお申込みされる場合の受付価格です。■記大学生協・書籍部価格、代理店書店価格を利用される場合は、必ず本冊子を代理店窓口にてご持参ください。

【解約・返品について】 1.契約の解除に応じて、実際のお支払い金額から手数料を差し引いて返金いたします。2.詳細はLEC申込規定（ https://www.lec-jp.com/kouzamoushikomi.html ）をご覧下さい。

【最新】矢島の最新過去問&ヤマ当て講座

講義時間数

28時間
憲法・民法・刑法・商法・民訴法・
刑訴法・行政法 (4時間／回)

通信教材発送／Web・音声DL配信開始日

上3法：2025/6/2(月)
下4法：2025/6/23(月)

Web・音声DL配信終了日

2025/9/30 (火)

使用教材

講師オリジナルレジュメ
※レジュメのPDFデータはWebup致しませんのでご注意ください。

タイムテーブル

講義 4時間	途中10分休憩あり

担当講師

矢島純一
LEC専任講師

講座の特長

1 合格答案作成の最終イメージトレーニング

論文試験に合格するには、法規範などの基本知識をインプットするだけでは足りず、その基本知識を問題文で解答が求められている形式に合わせて理論構成をする能力を身に付ける必要があります。日ごろ学習した基本知識を、直近の過去問を素材に問題文の形式に合わせて理論構成をすることを経験して合格答案のイメージを作っておくと、試験本番で再び似たような理論構成が求められたときに、いっきに有利になります。そこで、本講座の各科目前半では「合格答案のイメージ作り」ができるように直近の論文過去問である令和6年度司法試験の論文試験の問題と矢島講師作成の解答例を用いて直近の過去問の質と傾向を踏まえた上で合格答案のイメージ作りをしていきます。本試験で求められる法的三段論法や事実の評価の仕方を試験直前にイメージすることで、本試験で未知の問題が出題されても法的三段論法を貫いて合格答案を作成できるようになります。

2 ヤマ当てを通じた効率のよい復習

試験科目が多く、理解し記憶すべき事項が極めて多い司法試験では、直前期におさらいすべきことを的確に選び出す必要があります。しかし、直前期になると、あれもやらなくてはこれもやらなくてはと気が焦るばかりで、充実した学習ができない受験生も沢山いらっしゃいます。そうした不安を抱えた受験生は、過去問分析のエキスパートである矢島講師が、出題傾向を踏まえて令和5年度の論文試験で出題されそうな事項をピックアップし、理解・記憶しやすいように解説を加えていくヤマ当て講座の復習をするだけで、効率的なおさらいをすることが可能です。直前期にしっかり復習した分野から出題されると、本試験でも自信を持って書くことができます。毎年多くの論点の予想を的中させている矢島講師のヤマ当て講座で、合格に一気に近づいてください。

なお、司法試験と予備試験の試験考査委員は同一人が兼任していることが多いため、今期の司法試験の出題内容を予想するには、司法試験だけでなく予備試験の出題傾向を分析することで精度が上がります。本講座のヤマ当てのパートでは、こうした分析をして今期の出題を予想しています。

通学スケジュール

※通学講義は教室で教材を配布します (発送はございません)。

科目	回数	日程	
憲法	1	25/4/24(木)	
民法	1	5/1(木)	
刑法	1	5/8(木)	
商法	1	5/15(木)	18:00～22:00
民訴法	1	5/22(木)	
刑訴法	1	5/29(木)	
行政法	1	6/5(木)	

生講義実施校

水道橋本校 03-3265-5001

〒101-0061
千代田区神田三崎町2-2-15
Daiwa三崎町ビル(受付1階)

JR水道橋駅東口より徒歩3分。都営三田線
水道橋駅より徒歩5分。都営新宿線・東京メ
トロ半蔵門線神保町駅A4出口から徒歩8分。
■教室
平日11:00～21:00 土・日・祝9:00～19:00
■受付
平日9:00～22:00 土・日・祝9:00～20:00

【通学生限定 欠席WEBフォロー】
講義の翌々日～通常のWEB配信開始日まで、WEB上で講義をご覧いただけます。講義の復習にもご利用ください。欠席WEBフォロー配信日終了後は、通常のWEB配信またはDVDにて学習してください。

受講料

受講形態	申込形態	回数	講義形態	一般価格	大学生協・書籍部価格	代理店書店価格	講座コード
					税込(10%)		
通学	一括	7	Web※	19,800円	18,810円	19,404円	LA24573
			DVD	25,850円	24,557円	25,333円	LA24570
通信	一括	7	Web※	19,800円	18,810円	19,404円	LB24571
			DVD	25,850円	24,557円	25,333円	

※音声DL+スマホ視聴付き

■一般価格は、LEC各本校・LEC提携校・LEC通信事業本部・LECオンラインにてお申込される場合の受付価格です。■大学生協・書籍部価格は、LECと生協・書籍部価格を結んでいる大学内の生協、購買会、書店にてお申込される場合の受付価格です。■代理店書店価格は、LECと代理店契約を結んでいる一般書店(大学内書店は除く)にてお申込される場合の受付価格です。■上記大学生協・書籍部価格、代理店書店価格を利用される場合は、必ず本冊子を代理店窓口までご持参ください。

【解約・返品について】 1.解約・返品のお取扱に関する詳細は、教材に同封されている、『解約・返品規定』をご覧ください。2.詳細はLEC申込規定(http://www.lec-jp.com/kouzamoushikomi.html)をご覧ください。

矢島の法律実務基礎科目[民事・刑事]

講義時間数

24時間

通信教材発送／Web・音声DL配信開始日

2025/7/28(月)
※直前期対策のため上記日程での配信となっております。

Web・音声DL配信終了日

2026/1/31(土)

使用教材

講師オリジナルテキスト
※レジュメのpdfデータはWebUp致しません。

タイムテーブル

| 講義 4時間 | 途中休憩あり |

担当講師

矢島 純一
LEC専任講師

講座概要

試験科目が多い予備試験に合格するには、法律実務基礎科目だけに時間をかけていられないという受験生が多いことと思います。本講座は、こうした受験生の要望に答えるために、民法・民事訴訟法・刑法・刑事訴訟法を一通り学習した上で**法律実務基礎科目の論文試験に合格するのに最低限おさえておきたい基本知識や答案作成に必要な思考方法**を、短時間で修得するための講座となっています。口述試験で問われる事項にも対応しているので、論文試験・口述試験を通じて、法律実務基礎科目の対策は、この講座だけで十分に実現できます。受験指導に熱心な矢島講師が受験生を最終合格に導きますので、本講座で予備試験の合格を掴み取ってください。

講座の特長

1 最新の傾向を踏まえた実践的なテキスト

本講座で用いるテキストは、最新の法律実務基礎科目の論文試験や口述試験の出題傾向を踏まえて、矢島講師が、法律実務基礎科目の論文過去問の中から今後試験に役立ちそうな設問をピックアップした上で作成した講師答案や、合格に必要な基本知識を要領よくまとめた講師テキストとなっています。一般の市販本は、文章の意味が分かりづらかったり、理解しづらい難解な用語を用いたりするものが少なくありませんが、本講座で用いるテキストは、受験生が法律実務基礎科目でつまずくことなく学習できるように十分に配慮して、基本からしっかりと理解できる表現を用いて作成しています。

2 分かりやすい講義

受験指導に熱心で数々の受験生の質問に答えてきた矢島講師は、受験生がどこでつまずくかを十分に把握しています。そのため、この講座を受講した受験生がつまずいて勉強が先に進まなくなるという事態に陥ることがないように、**合格に必要な事項を分かりやすく講義**していきますので法律実務基礎科目を全くイメージできていない受験生も安心して受講できる講座となっています。また、解答例を意味も分からず暗記しても本番の試験で初見の問題に対応できないため、解答を導く思考過程を丁寧に講義することで、初見の問題に対応できる実力を修得できるようにしていきます。矢島講師の熱く分かりやすい講義に引き込まれて、この講座の受講を終えたときには、法律実務基礎科目に自信をもてるようになっているはずです。

3 得点源にしやすい分野を効率よく短期修得

本講座は、論文試験及び口述試験を通じて法律実務基礎科目で合格点を採るために必要な学力を効率よく修得することを目指しています。一例を挙げると、本試験で頻繁に問われる**法曹倫理（民事・刑事）**や民事でいえば**民事事実認定の仕方、要件事実、民事執行法・民事保全法**、刑事でいえば**刑事事実認定の仕方、公判前整理手続**をはじめとして他にも試験で出題されやすい重要分野を短時間で得点源にできるような講義をしていきます。

講師メッセージ

当たり前のことですが、法律実務に接したことがない受験生にとって法律実務基礎科目の試験対策を独学でするのは大変なことだと思います。そうした受験生が効率よく試験対策をできるようにするために、私が過去問を徹底的に研究した上でテキスト作成と講義を組み立てて、最近の試験傾向に適した試験対策をしていきます。また、私が責任をもって、法律実務を知らない受験生に理解しやすい講義をして、**短期間で法律実務基礎科目を得点源にできる**ようにしていきますので、この講座で合格を勝ち取ってください！

受講料（本講座単独でのお申込みは、2025年7月より受付開始いたします。）

受講形態	講義形態	回数	一般価格	大学生協・書籍部価格	代理店書店価格	講座コード
			税込(10%)			
通信	Web※	6	24,750円	23,512円	24,255円	LB24401
	DVD		31,900円	30,305円	31,262円	

※ 音声DL＋スマホ視聴付き

LEC Webサイト ▷▷ **www.lec-jp.com/**

情報盛りだくさん！

 資格を選ぶときも，
講座を選ぶときも，
最新情報でサポートします！

最新情報
各試験の試験日程や法改正情報，対策講座，模擬試験の最新情報を日々更新しています。

資料請求
講座案内など無料でお届けいたします。

受講・受験相談
メールでのご質問を随時受付けております。

よくある質問
LECのシステムから，資格試験についてまで，よくある質問をまとめました。疑問を今すぐ解決したいなら，まずチェック！

書籍・問題集（LEC書籍部）
LECが出版している書籍・問題集・レジュメをこちらで紹介しています。

充実の動画コンテンツ！

 ガイダンスや講演会動画，
講義の無料試聴まで
Webで今すぐCheck！

動画視聴OK
パンフレットやWebサイトを見てもわかりづらいところを動画で説明。いつでもすぐに問題解決！

Web無料試聴
講座の第1回目を動画で無料試聴！気になる講義内容をすぐに確認できます。

LEC 全国学校案内

*講座のお問合せ，受講相談は最寄りのLEC各校へ

LEC本校

■ 北海道・東北

札　幌本校　　　☎011(210)5002
〒060-0004 北海道札幌市中央区北4条西5-1　アスティ45ビル

仙　台本校　　　☎022(380)7001
〒980-0022 宮城県仙台市青葉区五橋1-1-10　第二河北ビル

■ 関東

渋谷駅前本校　　☎03(3464)5001
〒150-0043 東京都渋谷区道玄坂2-6-17　渋東シネタワー

池　袋本校　　　☎03(3984)5001
〒171-0022 東京都豊島区南池袋1-25-11　第15野萩ビル

水道橋本校　　　☎03(3265)5001
〒101-0061 東京都千代田区神田三崎町2-2-15　Daiwa三崎町ビル

新宿エルタワー本校　☎03(5325)6001
〒163-1518 東京都新宿区西新宿1-6-1　新宿エルタワー

早稲田本校　　　☎03(5155)5501
〒162-0045 東京都新宿区馬場下町62　三朝庵ビル

中　野本校　　　☎03(5913)6005
〒164-0001 東京都中野区中野4-11-10　アーバンネット中野ビル

立　川本校　　　☎042(524)5001
〒190-0012 東京都立川市曙町1-14-13　立川MKビル

町　田本校　　　☎042(709)0581
〒194-0013 東京都町田市原町田4-5-8　MIキューブ町田イースト

横　浜本校　　　☎045(311)5001
〒220-0004 神奈川県横浜市西区北幸2-4-3　北幸GM21ビル

千　葉本校　　　☎043(222)5009
〒260-0015 千葉県千葉市中央区富士見2-3-1　塚本大千葉ビル

大　宮本校　　　☎048(740)5501
〒330-0802 埼玉県さいたま市大宮区宮町1-24　大宮GSビル

■ 東海

名古屋駅前本校　☎052(586)5001
〒450-0002 愛知県名古屋市中村区名駅4-6-23　第三堀内ビル

静　岡本校　　　☎054(255)5001
〒420-0857 静岡県静岡市葵区御幸町3-21　ペガサート

■ 北陸

富　山本校　　　☎076(443)5810
〒930-0002 富山県富山市新富町2-4-25　カーニープレイス富山

■ 関西

梅田駅前本校　　☎06(6374)5001
〒530-0013 大阪府大阪市北区茶屋町1-27　ABC-MART梅田ビル

難波駅前本校　　☎06(6646)6911
〒556-0017 大阪府大阪市浪速区湊町1-4-1
大阪シティエアターミナルビル

京都駅前本校　　☎075(353)9531
〒600-8216 京都府京都市下京区東洞院通七条下ル2丁目
東塩小路町680-2　木村食品ビル

四条烏丸本校　　☎075(353)2531
〒600-8413　京都府京都市下京区烏丸通仏光寺下ル
大政所町680-1　第八長谷ビル

神　戸本校　　　☎078(325)0511
〒650-0021 兵庫県神戸市中央区三宮町1-1-2　三宮セントラルビル

■ 中国・四国

岡　山本校　　　☎086(227)5001
〒700-0901 岡山県岡山市北区本町10-22　本町ビル

広　島本校　　　☎082(511)7001
〒730-0011 広島県広島市中区基町11-13　合人社広島紙屋町アネクス

山　口本校　　　☎083(921)8911
〒753-0814 山口県山口市吉敷下東 3-4-7　リアライズⅢ

高　松本校　　　☎087(851)3411
〒760-0023 香川県高松市寿町2-4-20　高松センタービル

松　山本校　　　☎089(961)1333
〒790-0003 愛媛県松山市三番町7-13-13　ミツネビルディング

■ 九州・沖縄

福　岡本校　　　☎092(715)5001
〒810-0001 福岡県福岡市中央区天神4-4-11
天神ショッパーズ福岡

那　覇本校　　　☎098(867)5001
〒902-0067 沖縄県那覇市安里2-9-10　丸姫産業第2ビル

■ EYE関西

EYE 大阪本校　☎06(7222)3655
〒530-0013　大阪府大阪市北区茶屋町1-27　ABC-MART梅田ビル

EYE 京都本校　☎075(353)2531
〒600-8413　京都府京都市下京区烏丸通仏光寺下ル
大政所町680-1　第八長谷ビル

LEC提携校

＊提携校はLECとは別の経営母体が運営をしております。
＊提携校は実施講座およびサービスにおいてLECと異なる部分がございます。

■ 北海道・東北 ■

八戸中央校【提携校】　☎0178(47)5011
〒031-0035　青森県八戸市寺横町13　第1朋友ビル
新教育センター内

弘前校【提携校】　☎0172(55)8831
〒036-8093　青森県弘前市城東中央1-5-2
まなびの森　弘前城東予備校内

秋田校【提携校】　☎018(863)9341
〒010-0964　秋田県秋田市八橋鯲沼町1-60
株式会社アキタシステムマネジメント内

■ 関東 ■

水戸校【提携校】　☎029(297)6611
〒310-0912　茨城県水戸市見川2-3079-5

所沢校【提携校】　☎050(6865)6996
〒359-0037　埼玉県所沢市くすのき台3-18-4　所沢K・Sビル
合同会社LPエデュケーション内

日本橋校【提携校】　☎03(6661)1188
〒103-0025　東京都中央区日本橋茅場町2-5-6　日本橋大江戸ビル
株式会社大江戸コンサルタント内

■ 北陸 ■

新潟校【提携校】　☎025(240)7781
〒950-0901　新潟県新潟市中央区弁天3-2-20　弁天501ビル
株式会社大江戸コンサルタント内

金沢校【提携校】　☎076(237)3925
〒920-8217　石川県金沢市近岡町845-1
株式会社アイ・アイ・ピー金沢内

福井南校【提携校】　☎0776(35)8230
〒918-8114　福井県福井市羽水2-701
株式会社ヒューマン・デザイン内

■ 中国・四国 ■

松江殿町校【提携校】　☎0852(31)1661
〒690-0887　島根県松江市殿町517　アルファステイツ殿町
山路イングリッシュスクール内

岩国駅前校【提携校】　☎0827(23)7424
〒740-0018　山口県岩国市麻里布町1-3-3　岡村ビル　英光学院内

新居浜駅前校【提携校】　☎0897(32)5356
〒792-0812　愛媛県新居浜市坂井町2-3-8
パルティフジ新居浜駅前店内

■ 九州・沖縄 ■

佐世保駅前校【提携校】　☎0956(22)8623
〒857-0862　長崎県佐世保市白南風町5-15　智翔館内

日野校【提携校】　☎0956(48)2239
〒858-0925　長崎県佐世保市椎木町336-1　智翔館日野校内

長崎駅前校【提携校】　☎095(895)5917
〒850-0057　長崎県長崎市大黒町10-10　KoKoRoビル
minatoコワーキングスペース内

高原校【提携校】　☎098(989)8009
〒904-2163　沖縄県沖縄市大里2-24-1
有限会社スキップヒューマンワーク内

※上記は2024年10月1日現在のものです。

書籍の訂正情報について

このたびは，弊社発行書籍をご購入いただき，誠にありがとうございます。
万が一誤りの箇所がございましたら，以下の方法にてご確認ください。

1 訂正情報の確認方法

書籍発行後に判明した訂正情報を順次掲載しております。
下記Webサイトよりご確認ください。

www.lec-jp.com/system/correct/

2 ご連絡方法

上記Webサイトに訂正情報の掲載がない場合は，下記Webサイトの
入力フォームよりご連絡ください。

lec.jp/system/soudan/web.html

フォームのご入力にあたりましては，「Web教材・サービスのご利用について」の
最下部の「ご質問内容」に下記事項をご記載ください。

> ・対象書籍名(○○年版，第○版の記載がある書籍は併せてご記載ください)
> ・ご指摘箇所(具体的にページ数と内容の記載をお願いいたします)

ご連絡期限は，次の改訂版の発行日までとさせていただきます。
また，改訂版を発行しない書籍は，販売終了日までとさせていただきます。

※上記「2ご連絡方法」のフォームをご利用になれない場合は，①書籍名，②発行年月日，③ご指摘箇所，を記載の上，郵送
にて下記送付先にご送付ください。確認した上で，内容理解の妨げとなる誤りについては，訂正情報として掲載させてい
ただきます。なお，郵送でご連絡いただいた場合は個別に返信しておりません。

送付先：〒164-0001 東京都中野区中野4-11-10 アーバンネット中野ビル
株式会社東京リーガルマインド 出版部 訂正情報係

・誤りの箇所のご連絡以外の書籍の内容に関する質問は受け付けておりません。
　また，書籍の内容に関する解説，受験指導等は一切行っておりませんので，あらかじめ
　ご了承ください。
・お電話でのお問合せは受け付けておりません。

講座・資料のお問合せ・お申込み

LECコールセンター ☎ 0570-064-464

受付時間：平日9：30～19：30／土・日・祝10：00～18：00

※このナビダイヤルの通話料はお客様のご負担となります。
※このナビダイヤルは講座のお申込みや資料のご請求に関するお問合せ専用ですので，書籍の正誤に関
　するご質問をいただいた場合，上記「2ご連絡方法」のフォームをご案内させていただきます。